·the big book·

Книги
Грегори Дэвида
РОБЕРТСА

◆

ШАНТАРАМ

◆

ТЕНЬ ГОРЫ

◆

Грегори Дэвид РОБЕРТС

ТЕНЬ ГОРЫ

АЗБУКА

Санкт-Петербург

УДК 821(94)
ББК 84(8Авс)-44
Р 58

Gregory David Roberts
THE MOUNTAIN SHADOW

Перевод с английского
Василия Дорогокупли (части 1–5),
Александры Питчер (части 6–10),
Льва Высоцкого (части 11–15)

Оформление обложки Ильи Кучмы

ISBN 978-5-389-10812-7

Одни эпизоды я беру из моей жизни и описываю почти без изменений, другие сочиняю, пусть и на основе собственного опыта. «Шантарам» и «Тень горы» — это романы, а не автобиографии; мои персонажи и диалоги — продукт фантазии. Для меня не имеет большого значения, насколько мои книги достоверны фактически; важнее другая достоверность — психологическая. Я радуюсь, когда меня спрашивают, как поживает Карла или как я запомнил все эти разговоры — разговоры, на сочинение которых у меня ушло столько лет. Очень хорошо, что люди думают, будто все это правда от первого слова до последнего, — значит я достоверно сочинил.

Но одной достоверности мало — нужно дать читателю то, за чем он будет возвращаться еще и еще, перечитывать и каждый раз находить что-то новое, на более глубоком уровне. Поэтому я использую множество аллегорических отсылок: в «Шантараме» — к дантовскому «Аду» и к Библии, в «Тени горы» — к «Энеиде» и «Эпосу о Гильгамеше». Аллегории подобны призракам: незримые и вездесущие, они пронизывают мой текст, рассказывая свои собственные истории — о древних битвах и горящих кораблях, о поиске любви и веры. Они как эхо в пещере, как отблески того же творческого пламени. И если благодарный читатель после моих книг обратится к первоисточникам — что ж, значит я исполнил свой долг перед теми, кто пришел раньше и сделал нас теми, кто мы есть.

Грегори Дэвид Робертс
Последнее интервью. 5 октября 2015

«Шантарам» был и остается международным суперхитом, «Тень горы» также обречена на успех.

Library Journal

Долгожданное продолжение «Шантарама» не укладывается ни в какие рамки — и в этом-то самая прелесть. Главный герой Лин по прозвищу Шантарам — бывший заключенный, бежавший из австралийской тюрьмы, — колесит по Бомбею на мотоцикле, не боится ввязываться в драки, цитирует классиков и доблестно пытается залечить разбитое сердце.

Publishers Weekly

После прочтения первого романа Грегори Дэвида Робертса, «Шантарам», собственная жизнь покажется вам пресной... Робертса сравнивали с лучшими писателями, от Мелвилла до Хемингуэя.

Wall Street Journal

Мастерски написанный готовый киносценарий в форме романа, где под вымышленными именами выведены реальные лица... Он раскрывает нам Индию, которую мало кто знает.

Kirkus Review

В Австралии его прозвали Благородным Бандитом, потому что он ни разу никого не убил, сколько бы банков ни ограбил. А после всего он взял и написал этот совершенно прекрасный, поэтичный, аллегорический толстенный роман, который буквально снес мне крышу.

Это поразительный читательский опыт, — по крайней мере, я был поражен до глубины души. Я только что видел первый вариант сценария и уверяю вас: фильм будет выдающийся.

Джонни Депп

В своем романе Робертс описывает то, что сам видел и пережил, но книга выходит за рамки автобиографического жанра. Да не отпугнет вас ее объем: «Шантарам» — одно из самых захватывающих повествований о человеческом искуплении в мировой литературе.

Giant Magazine

Удивительно то, что после всего пережитого Робертс смог вообще что-нибудь написать. Он сумел выбраться из бездны и уцелеть... Его спасением была любовь к людям... Настоящая литература способна изменить жизнь человека. Сила «Шантарама» — в утверждении радости прощения. Надо уметь сопереживать и прощать. Прощение — это путеводная звезда в темноте.

Dayton Daily News

Книга насыщена колоритным юмором. Чувствуешь пряный аромат хаоса бомбейской жизни во всем его великолепии.

Minneapolis Star Tribune

Поистине эпическое произведение. Это необъятный, не умещающийся ни в какие рамки, непричесанный, неотразимый, неожиданный роман.

The Seattle Times

Если бы меня спросили, о чем эта книга, я ответил бы, что обо всем, обо всем на свете. Грегори Дэвид Робертс сделал для Индии то же, что Лоренс Даррелл для Александрии, Мелвилл для южных морей и Торо для озера Уолден. Он ввел ее в круг вечных тем мировой литературы.

Пэт Конрой

Это увлекательная, неотразимая, многогранная история, рассказанная прекрасно поставленным голосом. Подобно шаману — ловцу привидений, Грегори Дэвиду Робертсу удалось уловить самый дух произведений Анри Шарьера, Рохинтона Мистри, Тома Вулфа и Марио Варгаса Льосы, сплавить это все воедино силой своего волшебства и создать уникальный памятник литературы. Рука бога Ганеши выпустила на волю слона, чудовище бегает, выйдя из-под контроля, и тебя невольно охватывает страх за храбреца, вознамерившегося написать роман об Индии. Грегори Дэвид Робертс — гигант, которому эта задача оказалась по плечу, он блистательный гуру и гений, без всякого преувеличения.

Мозес Исегава

Человек, которого «Шантарам» не тронет до глубины души, либо не имеет сердца, либо мертв, либо то и другое одновременно. Я уже много лет не читал ничего с таким наслаждением. «Шантарам» — это «Тысяча и одна ночь» нашего века. Это бесценный подарок для всех, кто любит читать.

Джонатан Кэрролл

Это потрясающая, трогательная, страшная, великолепная книга, необъятная, как океан.

Detroit Free Press

Это всеобъемлющий, глубокий роман, населенный персонажами, которые полны жизни. Но самое сильное и отрадное впечатление оставляет описание Бомбея, искренняя любовь Робертса к Индии и населяющим ее людям... Робертс приглашает нас в бомбейские трущобы, опиумные притоны, публичные дома и ночные клубы, говоря: «Заходите, мы с вами».

Washington Post

Посвящается Богине

Часть
первая

ГЛАВА

 1

Источник всего сущего — свет — может проявляться по-разному, и проявлений этих намного больше, чем звезд во Вселенной, поверьте. Порой всего лишь одной доброй мысли довольно, чтобы твой свет воссиял. В то же время один лишь неверный поступок способен испепелить заповедный лес в твоей душе, так что для тебя померкнет сияние всех звезд под всеми небесами. И дотлевающие угли потерянной любви или утраченной веры будут внушать тебе, что все кончено и жить больше незачем. Но это не так. И никогда так не было и не будет. Что бы ты ни делал и где бы ни очутился, сияние останется с тобой. Все светлое, что кажется умершим внутри тебя, вновь оживет, если ты по-настоящему этого захочешь. Сердце просто не в силах отрешиться от надежды, потому что сердце не умеет лгать. Перевернув страницу в книге жизни и подняв глаза, ты вдруг встретишь улыбку абсолютно незнакомого человека, и поиск пойдет по новому кругу. Но это не будет повторением прежнего. Всякий раз это нечто иное, нечто особенное. Так и твой заповедный лес, заново выросший на пепелище, может оказаться более густым и мощным, чем был до пожара. И если ты удержишься в этом сиянии, в этом новом круге света внутри себя, не помня зла и никогда не сдаваясь, рано или поздно ты вновь окажешься там, где любовь и красота сотворили мир: в самом начале. В начале начал.

— Ого, да это Лин! Вот так начало дня! — прокричал Викрам из влажного сумрака. — Как ты меня нашел? Когда ты вернулся?

— Только что, — сказал я и шагнул с веранды через порог широченных французских дверей. — Мне сказали, ты должен быть здесь. Выйди на минутку.

— Нет уж, лучше ты заходи, дружище, — рассмеялся Викрам. — Кое с кем познакомишься.

Я не спешил принять это приглашение. Двери закрылись, и после залитой солнцем улицы мои глаза различали в глубине комнаты лишь сгустки теней, рассеченные двумя лезвиями яркого света, который прорывался сквозь щели в опущенных жалюзи. И в этих узких лучах клубился дым с запахами гашиша и жженой ванили, последний — от курения плохо очищенного героина.

Позднее, вспоминая тот день, тяжелый дурманящий аромат, смутные тени и разрезающие комнату лучи, я задавался вопросом: уж не сама ли судьба пыталась меня уберечь, задерживая на входе и не пуская внутрь? И еще я спрашивал себя: насколько иной была бы моя жизнь, развернись я тогда и уйди прочь?

Варианты действий, которые мы выбираем, являются ветвями на гигантском дереве возможностей. И так уж вышло, что Викрам и незнакомцы в той комнате стали ветвями, которые на протяжении трех сезонов дождей тесно переплетались с моей ветвью в этих урбанистических джунглях любви, смерти и воскрешения.

Одну деталь я запомнил особо отчетливо: когда я (сам еще не понимая почему) в нерешительности застыл на пороге и возникший из сумрака Викрам взял меня за локоть, чтобы увлечь вглубь комнаты, я внезапно содрогнулся всем телом от прикосновения его влажной руки.

Самым примечательным объектом в этом просторном помещении была монументальная, длиной метра три, кровать у левой стены. На кровати лежал, вытянувшись и сложив руки на груди, мужчина в серебристой пижаме, не подававший признаков жизни. Во всяком случае, я не заметил ни малейшего движения его грудной клетки. По краям кровати слева и справа от него сидели двое и сосредоточенно набивали чиллумы[1].

Изрядную часть стены прямо над головой мертвого — или спящего мертвым сном — занимало изображение пророка Заратустры, почитаемого парсами[2].

Когда глаза привыкли к полумраку, я разглядел у противоположной от входа стены три кресла, разделенные парой массивных старинных комодов; и в каждом из кресел кто-то сидел.

Еще там был огромный и очень дорогой персидский ковер на полу, а на стенах — множество фотографий людей в традиционных одеяниях парсов. У правой стены, напротив кровати, на мраморном столике разместился музыкальный центр. Неторопливое вращение двух потолочных вентиляторов почти не тревожило густые клубы дыма, витавшие в комнате.

---

[1] *Чиллум* — прямая трубка из глины или стекла (реже — из дерева, камня и др. материалов) с обточенным камешком внутри в качестве фильтра, традиционно используемая для курения гашиша и марихуаны. — *Здесь и далее примеч. перев.*

[2] *Парсы* — жители Индии иранского происхождения, исповедующие зороастризм.

Викрам провел меня мимо кровати и представил человеку, сидевшему в ближайшем из трех кресел. Европейской внешности; ростом явно выше меня, судя по длинному телу и еще более длинным ногам (развалившись в кресле, он принял такую позу, словно лежал в ванне, высоко задрав колени). На вид ему было лет, наверно, тридцать пять.

— Это Конкэннон, — сказал Викрам, подталкивая меня вперед. — Он из ИРА[1].

Рука, пожимавшая мою, была теплой, сухой и очень сильной.

— К чертям собачьим ИРА! — произнес он с характерным североирландским акцентом. — Я ольстерец, из Ассоциации обороны[2], хотя такие нюансы выше понимания сраных дикарей вроде этого Викрама.

Мне понравился решительный блеск в его глазах, но не понравилась его грубость. Кивнув в знак приветствия, я прервал рукопожатие.

— Не слушай его, — сказал Викрам. — Он вечно хамит и обливает всех грязью, зато оттянуться по полной может так, как никто из иностранцев, а уж я-то их повидал.

Говоря это, он подвел меня к среднему креслу. Сидевший в нем молодой человек как раз в тот момент раскуривал чиллум с гашишем от спички, которую ему поднес сосед из третьего кресла. Пламя втянулось в трубку, а затем выплеснулось на выдохе, взметнувшись над головой курильщика.

— *Бом Шанкар!*[3] — крикнул Викрам, протягивая руку к трубке. — Лин, это Навин. Он частный детектив. Клянусь честью, настоящий детектив! Навин, это Лин, о котором я тебе рассказывал. Он врачует людей в трущобах.

Молодой человек поднялся и пожал мне руку.

— Вообще-то, я не так чтобы настоящий детектив, пока что, — промолвил он и криво улыбнулся.

— Не беда, — сказал я, улыбаясь в ответ. — А я не так чтобы настоящий врач, если на то пошло.

---

[1] *ИРА (Ирландская республиканская армия)* — радикальная националистическая организация, добивающаяся отделения Северной Ирландии от Великобритании и воссоединения ее с Ирландской Республикой. В 2005 г. руководство ИРА объявило о прекращении вооруженной борьбы, но одна из отколовшихся фракций, «Подлинная ИРА», продолжила террористическую деятельность.

[2] *Ассоциация обороны Ольстера* — протестантская военизированная группировка в Северной Ирландии, созданная в противовес католической ИРА. В 2010 г. группировка объявила о своем разоружении.

[3] *Бом Шанкар!* — одна из мантр, выкрикиваемых индийскими курильщиками гашиша перед затяжкой. По сути, это приветственное обращение к Шиве, богу-покровителю чараса (гашиша). Шанкар — одно из многих имен этого бога.

Третий человек, перед тем подносивший спичку к чиллуму, затянулся в свою очередь и предложил трубку мне. Я изобразил вежливый отказ, и тогда он передал ее одному из мужчин, сидевших на кровати.

— Винсон, — представился он; рука при пожатии напомнила мне лапу большого добродушного пса. — Стюарт Винсон. Много о вас наслышан, старина.

— Да о Лине здесь наслышана любая подзаборная шавка, — заявил Конкэннон, принимая трубку у одного из людей с кровати. — Викрам трещит о тебе с утра до ночи, как сопливая фанатка о любимой поп-звезде. Лин то, Лин сё, Лин туда, Лин сюда и хрен знает куда еще. Признайся, Викрам, ты у него отсасывал? Он и впрямь так хорош или это просто байки?

— Боже правый, Конкэннон! — воскликнул Винсон.

— А что такого? — удивился Конкэннон. — Что такого? Я всего лишь задал человеку вопрос. Индия пока еще свободная страна, не так ли? По крайней мере, в тех ее частях, где говорят по-английски.

— Не обращай внимания, — сказал мне Винсон, пожимая плечами. — Уж таков он есть и ничего не может с собой поделать. У него типа херачий синдром Туретта[1].

Американец Стюарт Винсон обладал крепким телосложением, широкими и правильными чертами лица и копной светлых волос, как будто растрепанных сильным порывом ветра, что придавало ему вид бесшабашного морского бродяги, этакого яхтсмена-одиночки в кругосветном плавании. На самом же деле он был наркоторговцем, и весьма преуспевающим. Я слышал о нем, точно так же как он слышал обо мне.

— А это Джамал, — сказал Викрам, пропустивший мимо ушей слова Винсона и Конкэннона и теперь знакомивший меня с человеком на левой стороне кровати. — Сам импортирует сырье, сам его перерабатывает, сам фасует и сам же выкуривает. Все-в-одном.

— Все-в-одном, — повторил Джамал.

Он был тощий, с глазами-хамелеонами и весь в священных амулетах с головы до ног. Впечатленный таким благочестием, я бегло оглядел коллекцию и успел опознать символику пяти крупнейших религий, прежде чем зацепился взглядом за его улыбку.

— Все-в-одном, — сказал я.

— Все-в-одном, — повторил он.

---

[1] *Синдром Туретта* — впервые научно описанный французским врачом Жилем де ла Туреттом (1857–1904) вид нервного расстройства, сопровождаемого множественными тиками и периодическим выкрикиванием бранных слов и оскорблений.

— Все-в-одном, — сказал я.

— Все-в-одном, — повторил он.

Я был готов продолжить эту интересную беседу, но меня прервал Викрам.

— Билли Бхасу, — объявил он, представляя мне тщедушного человечка с кожей кремового цвета, который сидел на кровати по другую сторону от неподвижного тела.

Билли Бхасу соединил ладони в приветствии, после чего продолжил чистку одного из чиллумов.

— Билли Бхасу — «доставала», — сообщил мне Викрам. — Он может мигом достать все, что угодно. Все, что только пожелаешь, от девчонки до мороженки. Испытай его. Прямо сейчас. Попроси достать мороженое, и ты получишь его тут же. Только скажи!

— Но я не хочу...

— Билли, достань Лину мороженое!

— Один момент, — сказал Билли, откладывая в сторону чиллум.

— Нет, Билли, — сказал я с протестующим жестом. — Я не хочу мороженого.

— Но ты ведь любишь мороженое, я знаю, — сказал Викрам.

— Не настолько, чтобы посылать за ним гонца. Сиди спокойно, приятель.

— Если уж он собрался что-то достать, — прозвучал из тени голос Конкэннона, — я голосую за то и другое: за мороженое и за девчонку. За двух девчонок. И побыстрее шевели своей жопой!

— Ты его слышал, Билли? — спросил Викрам.

Он шагнул к кровати и начал стаскивать с нее Билли, но в этот миг раздался новый голос, глубокий и звучный, исходивший от распростертого на кровати тела. При звуках его Викрам замер, как под дулом пистолета.

— Викрам, — сказал этот голос, — ты ломаешь мне кайф, старик!

— О черт! О черт! О черт! Прошу прощения, Деннис, — быстро забормотал Викрам. — Я тут просто знакомлю Лина с ребятами, ну и...

— Лин, — произнес человек на постели и, открыв глаза, уставился на меня.

Глаза были на удивление светлыми, с бархатистым сиянием.

— Меня зовут Деннис. Рад познакомиться. Будьте как дома. *Mi casa es su casa*[1].

Я подошел и пожал вялое птичье крылышко, приподнятое навстречу мне Деннисом, а затем вернулся к изножью кровати.

---

[1] Мой дом — ваш дом *(исп.)*.

Деннис провожал меня взглядом. Губы его сложились в слабую доброжелательную улыбку.

— Ух ты! — сказал Викрам, становясь рядом со мной. — Деннис, дружище, рад видеть тебя вернувшимся. И как оно было на той стороне?

— Было тихо, — выдохнул Деннис, не прекращая улыбаться мне. — Очень тихо. Вплоть до недавних мгновений.

К нам присоединились Конкэннон и Навин Адэр, начинающий детектив. И все глазели на Денниса.

— Это большая честь, Лин, — сказал Викрам. — Деннис глядит *на тебя*.

Ненадолго установилось молчание, прерванное Конкэнноном.

— Вот ни хрена себе! — прорычал он сквозь ухмылку, скорее похожую на оскал. — Я торчу здесь уже гребаных полгода, делюсь опытом и знаниями, курю твою дурь и пью твой виски, и за все это время ты лишь дважды открыл глаза. Но стоило только Лину войти в дверь, и ты уставился на него так, будто он весь горит ярким пламенем. Ну а я-то кто, по-твоему: кусок говна ходячий?

— По всему, так прямо вылитый, — негромко заметил Винсон.

Конкэннон расхохотался. Деннис моргнул.

— Конкэннон, — прошептал он, — я люблю тебя, как доброго призрака, но ты ломаешь мне кайф.

— Прости, Деннис, дружище, — ухмыльнулся Конкэннон.

— Лин, — произнес Деннис, в то время как его голова и тело сохраняли полную неподвижность, — не сочти меня грубым, но сейчас я должен отдохнуть. Был рад тебя повидать.

Он повернул голову на один градус в сторону Викрама.

— Викрам, — пробормотал он все тем же густым рокочущим басом, — будь добр, кончай эту суету. Ты ломаешь мне кайф, приятель. Сделай одолжение, заткнись.

— Конечно, Деннис. Извини.

— Билли Бхасу? — тихо позвал Деннис.

— Я тут, Деннис.

— К черту мороженое.

— К черту мороженое, Деннис?

— К черту мороженое. Никто не получит мороженого. Только не сегодня.

— Как скажешь, Деннис.

— Значит, с мороженым все ясно?

— Да: к черту мороженое, Деннис.

— И я не хочу слышать слово «мороженое» как минимум в ближайшие три месяца.

— Как скажешь, Деннис.

— Вот и ладно. А теперь, Джамал, набей мне еще один чиллум. Побольше и позабористей. Гигантский, легендарный чиллум. Это будет как акт милосердия, почти наравне с чудом. Всем пока — и здесь, и там.

Деннис сложил на груди руки, закрыл глаза и вернулся к своему отдыху: застывший как мертвец, при пяти слабых вдохах в минуту.

Никто не шевелился и не подавал голоса. Джамал со всей возможной оперативностью занялся приготовлением легендарного чиллума. Все прочие смотрели на Денниса. Я дернул Викрама за рубашку.

— Давай-ка выйдем, — сказал я и потянул его прочь из комнаты. — Всем пока — и здесь, и там.

— Эй, подождите меня! — позвал Навин, выскакивая вслед за нами из французских дверей.

На улице свежий воздух взбодрил Викрама и Навина. Шаг их ускорился, подстраиваясь под мой.

В тенистом коридоре, образуемом стенами трехэтажных домов и густыми кронами платанов, дул бриз, принося рыбный запах с близлежащего причала Сассуна.

В промежутках между деревьями на улицу прорывались лучи солнца. Попадая в очередное пятно слепящего жара, я чувствовал, как меня накрывает солнечный прилив, чтобы затем вновь отхлынуть под сенью листвы.

Небо было бледно-голубым, затянутым легкой дымкой — как обкатанное волнами стекло. На крышах автобусов сидели вконец обленившиеся вороны, «зайцами» перемещаясь в сторону более прохладных частей города. Крики людей, кативших ручные тележки, звучали решительно и свирепо.

Это был один из тех ясных бомбейских дней, когда жители города, мумбаиты, испытывают непреодолимое желание петь; и я услышал, как проходивший мне навстречу человек напевает ту же самую любовную песню на хинди, что в тот момент мурлыкал и я.

— Забавно, — сказал Навин. — Вы с ним оба пели одну песню.

Я улыбнулся и хотел было исполнить еще пару-другую куплетов — как у нас принято в стеклянно-голубые бомбейские деньки, — но тут Викрам вмешался с вопросом:

— Ну и как все прошло? Забрал?

Я стараюсь не слишком часто ездить в Гоа, в том числе и потому, что при каждой такой поездке знакомые нагружают меня всякими дополнительными поручениями. Вот и на сей раз, когда я тремя неделями ранее сказал Викраму, что собираюсь в Гоа, он попросил меня об услуге.

ГРЕГОРИ ДЭВИД РОБЕРТС

Как выяснилось, он отдал тамошнему ростовщику-акуле одно из свадебных украшений своей матери — ожерелье с мелкими рубинами — в залог при получении ссуды. Деньги с процентами Викрам вернул, но ростовщик отказался возвращать ожерелье. Он потребовал, чтобы Викрам лично явился за ним в Гоа. Зная, что ростовщик с почтением относится к мафии Санджая, на которую я работал, Викрам попросил меня потолковать с этим типом.

Я это сделал и добыл ожерелье, хотя Викрам сильно переоценил почтение ростовщика к нашей мафии. Я проторчал в Гоа лишнюю неделю, пока тот водил меня за нос, отменяя одну назначенную встречу за другой и оставляя записки с оскорблениями в адрес меня и людей Санджая; но в конечном счете ожерелье он вернул.

Впрочем, к тому моменту у него уже не оставалось другого выбора. Он был акулой, но мафия, которую он оскорбил, была акульей стаей. Я привлек четырех местных парней, которые также работали на Санджая. Впятером мы отметелили за милую душу крышевавших акулу бандитов и обратили их в бегство.

Потом мы добрались до ростовщика, и тот отдал мне ожерелье. Далее один из моих местных помощников победил его в честном бою и продолжил бить уже бесчестно, пока почтение акулы к мафии Санджая не возросло до вполне удовлетворительных размеров...

— Ну и как? — не унимался Викрам. — Ты забрал его или нет?

— Держи, — сказал я, доставая ожерелье из кармана пиджака.

— Чудесно! Ты справился! Я знал, что могу на тебя положиться. С Дэнни были какие-нибудь осложнения?

— Вычеркни этот источник займов из своего списка.

— *Тхик*[1], — сказал Викрам.

Он вытянул ожерелье из синего шелкового мешочка, и рубины загорелись на солнце, окровавив своим сиянием его сложенные в пригоршню ладони.

— Послушай, я... я должен прямо сейчас отвезти это к моей маме. Хотите, парни, я вас подброшу?

— Тебе же совсем в другую сторону, — сказал я, когда Викрам взмахом остановил проезжавшее такси. — А мне и пешком недолго до «Леопольда». В тех краях припаркован мой байк.

— Если ты не против, я бы прошелся немного с тобой, — предложил Навин.

— Дело твое, — сказал я, наблюдая за тем, как Викрам прячет шелковый мешочек под рубашку, для надежности.

[1] Ладно (*хинди*).

18

Он уже начал садиться в машину, когда я придержал его и, наклонившись поближе, тихо сказал:

— Ты что с собой творишь?

— О чем ты?

— Не финти, Вик, я же просек по запаху.

— Какие финты! — запротестовал он. — Ну да, слегка догнался коричневым, и что с того? Дурь-то не моя, а Конкэннона. Он заплатил, а я только...

— Ладно-ладно, не заморачивайся.

— Я никогда не заморачиваюсь, ты меня знаешь.

— Некоторые люди могут по своей воле спрыгнуть с героина, Вик. Допустим, Конкэннон из таких. Но не ты, и тебе самому это отлично известно.

Он улыбнулся, и пару секунд я видел перед собой прежнего Викрама: того Викрама, который сам отправился бы в Гоа вызволять ожерелье, не обращаясь за помощью ко мне или кому-то другому; того Викрама, у которого вообще не возникло бы надобности в такой поездке, поскольку он ни за что не отдал бы в залог драгоценности своей матери.

Улыбка погасла в его глазах, когда он садился в такси. Я проводил его взглядом, понимая опасность ситуации, в которой он оказался: неисправимый оптимист, выбитый из колеи несчастной любовью.

Когда я продолжил путь, ко мне сбоку пристроился Навин.

— Он много говорит о девушке, об англичанке, — сказал Навин.

— Это одна из тех историй, которые обязаны иметь счастливый конец, но в жизни такое случается редко.

— Он также много говорит о тебе, — сказал Навин.

— У него длинный язык.

— И еще он говорит о Карле, Дидье и Лизе. Но больше всего он говорит о тебе.

— У него слишком длинный язык.

— Он говорил мне, что ты сбежал из тюрьмы. И что ты до сих пор в розыске.

Я остановился:

— Теперь уже твой язык удлинился не в меру. Это что, языковая эпидемия?

— Нет, позволь мне объяснить. Ты помог одному моему другу, Аслану...

— Что?

— Мой друг...

— О чем ты говоришь?

— Это случилось недели две назад, ночью, неподалеку от причала Балларда. Ты помог ему, когда он влип в историю.

И я вспомнил ту ночь и молодого парня, бегущего мне навстречу по широкой улице в деловом районе Баллард, — по обе стороны там сплошными стенами запертые офисные здания, некуда свернуть и негде укрыться. Преследователи настигают, и парень останавливается (три тени от уличных огней расходятся от него в разные стороны). Он уже готов принять бой в одиночку, и тут вдруг выясняется, что он не одинок...

— Ну и в чем дело?

— Он умер. Три дня назад. Я пытался тебя найти, но ты был в Гоа. И сейчас я пользуюсь случаем, чтобы сказать тебе это.

— Что именно сказать?

Он замялся. Я был с ним нарочито резок после упоминания побега и сейчас хотел скорее перейти к сути дела.

— Мы с ним подружились в университете, — начал он ровным голосом. — Аслан любил бродить по ночам в опасных местах. Как и я. Да и ты тоже — иначе как бы ты оказался в том месте той ночью, чтобы ему помочь? И я подумал, что ты, может быть, захочешь узнать, что с ним стало.

— Ты меня за дурака держишь?

Мы стояли на тротуаре в негустой тени платанов, в каких-то дюймах друг от друга, и нас огибали потоки пешеходов.

— С чего ты взял?

— Ты сейчас выложил козырь — знание о моем побеге из тюрьмы — только для того, чтобы сообщить мне печальную новость о смерти Аслана? Только поэтому? Ты настолько чокнутый или настолько славный парень?

— Полагаю, — сказал он, начиная злиться, — что я настолько славный. Наверно, я даже слишком славный, поскольку решил, что мое сообщение для тебя хоть что-нибудь значит. Сожалею, что тебя побеспокоил. Не хочу быть назойливым. Извини. Я пошел.

Я задержал его.

— Погоди-ка! — сказал я. — Погоди!

По сути, с ним все было правильно: открытый взгляд, уверенность в собственной правоте и светлая улыбка в придачу. Инстинкт обычно распознает своих. Вот и мой инстинкт распознал своего в этом парне, который стоял передо мной с таким рассерженным и оскорбленным видом. С ним все было правильно, честь по чести, — а такое встречаешь не часто.

— Ладно, я перегнул палку, — сказал я, поднимая руку в примирительном жесте.

— Да я без претензий, — ответил он, успокаиваясь.

— Тогда вернемся в Викраму, проболтавшемуся о моем побеге. Информация такого рода может вызвать интерес у Интерпола — и уж точно всегда вызывает интерес у меня. С этим все ясно?

То был не вопрос, и он меня понял.

— В гробу я видал Интерпол.

— Но ты же детектив, как-никак.

— В гробу я видал детективов. Это информация о друге, которую нельзя скрывать от этого друга, если случайно получил к ней доступ. Или ты не в курсе таких простых вещей? Я вырос на улицах, вот на этих самых улицах, и я это знаю четко.

— Однако мы с тобой не друзья.

— Пока что нет, — улыбнулся Навин.

Несколько секунд я молча смотрел на него.

— Ты любишь ходить пешком?

— Люблю ходить пешком, болтая языком, — сказал он, стараясь шагать в ногу со мной, насколько этому позволяло хаотичное перемещение по тротуару других пешеходов.

— В гробу я видал Интерпол, — повторил он чуть погодя.

— И болтать языком ты действительно любишь?

— Как и ходить пешком.

— Хорошо, тогда расскажи мне на ходу три короткие истории.

— Запросто. О чем первая прогулочная история?

— О Деннисе.

— Честно говоря... — Навин рассмеялся, увернувшись от женщины, которая тащила на голове здоровый бумажный тюк. — Сегодня я был там впервые, как и ты. К тому, что ты видел своими глазами, могу добавить лишь то, что я слышал.

— Так расскажи мне, что ты слышал.

— Его родители умерли. Говорят, это сильно его потрясло. Семья была богатой. Они владели каким-то патентом, который до сих пор приносит немалый доход. Порядка шестидесяти миллионов, по словам Денниса.

— Его обитель уж никак не тянет на шестьдесят миллионов долларов.

— Все его деньги переданы в доверительное управление, пока сам он погружен в транс.

— Пока он лежит как бревно, ты это имел в виду?

— Он не просто лежит как бревно. Деннис пребывает в состоянии самадхи[1]. Его сердцебиение и дыхание замедляются и почти сходят на нет. Время от времени даже наступает клиническая смерть.

— И ты хочешь, чтобы я этому поверил, детектив?

— Все так и есть, — улыбнулся он. — За последний год несколько врачей констатировали его смерть, но Деннис всегда

---

[1] *Самадхи* — состояние просветления и умиротворения, последняя из восьми ступеней, ведущих к нирване.

пробуждался вновь. Джамал, который Все-в-одном, коллекционирует свидетельства о его смерти.

— Надо полагать, эти периодические умирания Денниса нехило напрягают его священника и его бухгалтера.

— Пока Деннис лежит в трансе, всеми его финансами ведают управляющие, которые выделяют ему достаточно средств на квартиру, где мы сегодня встретились, и на поддержание себя в нужной степени просветленности.

— Ты все это узнал случайно или выведал как детектив?

— Понемногу того и другого.

— Что ж, — сказал я, останавливаясь, чтобы не попасть под машину, которая разворачивалась с заездом на тротуар, — каким бы высоким и полным ни был его улет, я могу лишь признать, что он самый бревноподобный из всех улетчиков, мною виденных.

— Тут он вне конкуренции, — ухмыльнулся Навин.

Мы немного помолчали, осмысливая данный факт.

— О чем вторая история? — спросил Навин.

— Конкэннон, — сказал я.

— Он боксирует в одном спортзале со мной. Я о нем мало что знаю, но могу сказать пару вещей.

— А именно?

— Во-первых, у него очень коварный и жесткий хук слева — как из пушки. Но в случае промаха его заносит.

— Заносит?

— Всякий раз. Он проводит джеб левой, затем бьет правой в корпус и тут же запускает свой левый хук. Но если уйти от хука, он раскрывается для встречного удара. Правда, он очень быстрый и редко промахивается. Боксирует он что надо.

— Теперь во-вторых.

— Во-вторых, это через него я получил доступ к Деннису. Деннис его любит. Когда он выходит из транса, то общается с Конкэнноном дольше, чем с кем-либо другим. Я слышал, он даже собирается законным порядком усыновить Конкэннона. Но это непросто, поскольку тот старше Денниса, и к тому же он иностранец. Я не уверен, что есть прецеденты усыновления индийцем белого человека, который старше своего приемного отца.

— А что это значит, «доступ к Деннису»?

— Тысячи людей стремятся попасть к Деннису, когда он в трансе. Они думают, что в периоды своей *временной* смерти он может контактировать с теми, кто умер *окончательно*. Но почти никому не удается туда войти.

— Кроме тех случаев, когда ты просто стучишься в дверь и входишь.

— Ты не понял. Никто *не осмелится* просто так постучать и войти, когда Деннис в трансе.

— Да брось ты!

— Во всяком случае, никто ни разу не осмелился до того, как это сделал ты.

— Денниса мы уже обсудили, — сказал я, пропуская большую тележку, которую катили сразу четыре человека. — Вернемся к Конкэннону.

— Как я говорил, он боксирует в спортзале. Дерется грязновато, как уличный боец. Из остального знаю только, что он любит вечеринки и шумные компании.

— Язык у него поганый. Если человек дожил до его лет с таким поганым языком, значит за ним есть еще что-то посерьезнее.

— Ты считаешь, мне стоит к нему приглядеться?

— Только к его оборотной стороне.

— Ладно. А третья история? — спросил он.

Я свернул с тротуара на узкую дорожку.

— Куда мы идем? — спросил он, следуя за мной.

— Хочу выпить сока.

— Сока?

— День жаркий. Что странного в таком желании?

— Ничего. Отлично. Я люблю сок.

Тридцать девять градусов в Бомбее, охлажденный арбузный сок, вентиляторы низко над головой работают на третьей скорости: блаженство.

— Итак... ты у нас детектив? Это всерьез?

— Да. Все началось со случайности, но теперь я занимаюсь этим делом уже почти год.

— И что это за случайность, превращающая обычных людей в детективов?

— Я учился на юриста, — сказал он, — и был уже на последнем курсе, когда мне попалась одна монография о частных детективах и их сотрудничестве с судебной системой. Что меня реально заинтересовало, так это описание детективной работы, причем заинтересовало настолько, что я бросил учебу и подался в частный сыск.

— Ну и как оно там?

Навин рассмеялся:

— Супружеская измена — явление более здоровое по своей сути, чем, например, игра на фондовой бирже, и намного более предсказуемое. Я провел несколько таких дел, но потом решил, что с меня хватит. В паре со мной работал еще один детектив, обучивший меня азам. Сам он уже тридцать пять лет копается в грязном белье, и до сих пор ему это в охотку. А мне нет. Для загулявших на стороне мужей это всякий раз приключение. А для меня их делишки — тоска зеленая, вечно одно и то же.

— И чем ты занялся, покинув тучные пастбища супружеских измен?

— С той поры я нашел двух пропавших собак, одного пропавшего мужа и, до кучи, пропавшую кастрюлю-кассероль. Похоже, все мои клиенты, благослови их бог, попросту слишком ленивы или слишком спесивы, чтобы лично заниматься такой ерундой.

— Но тебе ведь нравится работа детектива? Адреналин и все такое?

— Знаешь, что мне нравится в этом деле? Здесь в конечном счете ты докапываешься до правды. Как юрист, ты можешь себе позволить лишь часть правды, какую-то ее версию. А здесь все реально, даже если это всего лишь старая фамильная кассероль. Ты имеешь дело с реальностью, которую нельзя исказить или переврать.

— И ты намерен продолжать в том же духе?

— Не знаю. — Он улыбнулся, глядя мимо меня. — Думаю, это будет зависеть от того, насколько я хорош.

— Или насколько плох.

— Да, или насколько плох.

— Между прочим, мы уже перешли к третьей истории, — сказал я. — Тема: Навин Адэр, индийско-ирландский частный сыщик.

Он засмеялся, сверкнув белыми зубами, но смех очень быстро угас.

— Да тут и рассказывать особо нечего.

— Навин Адэр, — повторил я имя. — Интересно, какая половинка твоей задницы получает больше пинков, индийская или ирландская?

— Я слишком белый для азиатов и слишком азиатский для белых, — усмехнулся он. — Мой отец...

Для многих из нас за словом «отец» скрывается обширная область воспоминаний с крутыми скалистыми пиками и затерянными долинами. Я вместе с ним преодолел все складки этого ландшафта, терпеливо дожидаясь, когда он вернется к заданной теме.

— ...И мы с мамой остались нищими после того, как он нас бросил. Мы жили на улице, пока мне не исполнилось пять лет, хотя я почти не помню то время.

— А что случилось потом?

Он окинул взглядом улицу с ее калейдоскопом красок и эмоций.

— Отец умер от туберкулеза, — сказал Навин, — а в завещании все отписал маме. И вдруг оказалось, что за последние годы он сколотил недурной капиталец. Мы в одночасье сделались богатыми, и...

— ...и все изменилось.

Взглядом он дал мне понять, что и так поведал более чем достаточно.

Вентилятор, вращавшийся всего в нескольких дюймах от моего затылка, начал вызывать у меня леденящую головную боль. Я подозвал официанта и попросил снизить скорость до второй.

— Замерзаете? — насмешливо спросил он, положив руку на переключатель. — Сейчас я покажу вам настоящий холод.

И включил ураганную пятую скорость, так что вскоре у меня начали застывать щеки. Мы расплатились и покинули кафе, услышав за спиной «до свидания» официанта, и тотчас последовал его призывный вопль:

— Второй столик снова свободен!

— Мне понравилось это заведение, — сказал Навин уже на улице.

— В самом деле?

— Да. Отличный сок, наглые официанты. Самое то.

— Мы с тобой и вправду можем подружиться, детектив. И, надо думать, мы подружимся.

ГЛАВА

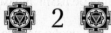 2

Память, мой возлюбленный недруг, порой включается в самый неподходящий момент. Воспоминания о тех бомбейских днях накатывают на меня столь внезапно и живо, что я выпадаю из настоящего времени и забываю о делах насущных. Промелькнет улыбка, зазвучит песня, и вот я уже унесен в прошлое: валяюсь в постели давним солнечным утром, гоню на мотоцикле по горной дороге или, связанный и избитый, умоляю судьбу дать мне хоть какой-нибудь шанс. И я люблю каждый миг этого прошлого, каждый миг встречи с другом или врагом, каждый миг ярости или прощения — каждый миг жизни. Вот только память зачастую уносит меня пусть и в правильное место, но в неправильное время, что порождает болезненные конфликты с реальностью.

По идее, после всего, что я натворил и что сотворили со мной, я должен был бы ожесточиться. Мне не раз говорили, что надо быть злее и жестче. Как заметил один старый зэк: «Ты мог бы стать в натуре крутым авторитетом, будь в тебе хоть капля чистой злости». Но таким уж я уродился, без капли злости или горечи, и таким остаюсь по сей день. Мне случалось впадать в ярость или в отчаяние, и до недавних пор я слишком часто делал дурные вещи, но никогда я не испытывал ненависти к кому бы то ни было и никогда не задавался целью причинить зло другим, даже моим мучителям. Конечно, хорошая порция злости может иной раз пригодиться в порядке защитной реакции, но я знаю, что врата цинизма непроходимы для светлых воспоминаний. А я дорожу своими воспоминаниями, хоть и несвоевременно меня посещающими, — в том числе и воспоминанием о тех самых минутах на бомбейской улице, когда жаркие пятна солнца растекались по асфальту в просветах между платанами; когда бесстрашные девчонки шныряли на скутерах в плотном потоке транспорта; когда тележечники натужно, но с неизменной улыбкой катили мимо меня свой груз; когда я познакомился с молодым индийско-ирландским детективом по имени Навин Адэр.

Какое-то время мы с ним продолжали путь молча, лавируя между машинами и встречными пешеходами, уклоняясь от велосипедистов и тележек в нескончаемом танце уличной жизни.

Перед распахнутыми воротами пожарной части что-то с хохотом обсуждала компания в темно-синих брезентовых робах. В глубине депо маячила пара огромных пожарных машин, сверкая на солнце хромированными деталями и красной полировкой кузова.

К стене у входа было пристроено небольшое, но щедро разукрашенное святилище Ханумана[1], плакат рядом с которым гласил:

ЕСЛИ ЖАРА КАЖЕТСЯ ВАМ НЕСТЕРПИМОЙ, СРОЧНО ПОКИНЬТЕ ГОРЯЩЕЕ ЗДАНИЕ.

Далее мы вступили в торговые ряды, которые растеклись вдоль улицы, выплеснувшись за пределы главного рынка Колабы. Торговцы стеклом, рамками для картин, пиломатериалами, скобяными изделиями, электротоварами и сантехникой постепенно уступали место вещевым, ювелирным и продовольственным магазинчикам.

Достигнув широкого въезда на территорию собственно рынка, мы были вынуждены остановиться и пропустить колонну тяжелых грузовиков, с ходу вдавившихся в транспортную суету большой улицы.

— Знаешь, — сказал он во время этой остановки, — ты был прав насчет длинного языка Викрама. Но дальше меня эта информация не пойдет. Впредь ни единого слова об этом ни с кем,

---

[1] *Хануман* — обезьяноподобное индуистское божество, один из главных героев эпоса «Рамаяна». Был наделен множеством чудесных свойств, в том числе способностью не сгорать в огне.

кроме как с тобой. Никогда. А если тебе вдруг понадобится моя помощь, только дай знать, и я тут как тут. Собственно, вот и все, что я пытался сказать с самого начала. Я сделаю это ради Аслана и того, что ты помог ему тогда, если не хочешь, чтобы я делал что-то ради тебя самого.

Не в первый раз за время бессрочной ссылки, в которую превратилась моя жизнь, я глядел в глаза, вспыхивающие, как маячные огни на вершинах скал при одном только слове «побег». За годы скитаний мне случалось быстро сходиться с людьми под старый бунтарский мотив, и преданность этих людей основывалась на факте моего побега в не меньшей степени, чем на каких-то моих личных качествах. Им хотелось, чтобы я остался на свободе, хотя бы ради сознания того, что *кто-то* сумел вырваться из цепких лап системы и не был захвачен ею вновь.

Я улыбнулся Навину. Не в первый и не в последний раз я полагался только на чутье, заводя нового друга.

— Рад познакомиться, — сказал я, протягивая руку. — Меня зовут Лин. И я не врач в трущобах.

— Очень приятно, — сказал Навин, отвечая на рукопожатие. — Меня зовут Навин, спасибо за предупреждение. Всегда полезно знать, кто врач, а кто не врач.

— И кто не коп, — добавил я. — Пропустим по стаканчику?

— Ничего не имею против, — любезно согласился он.

В тот же миг я почувствовал, что кто-то дышит мне в затылок, и резко развернулся.

— Эй, полегче! — вскричал Джордж Близнец. — Полегче с рубахой, приятель! Это ровно пятьдесят процентов моего гардероба, чтоб ты знал!

Я разжал руку, перед тем успев пересчитать костяшками пальцев ребра на его тощем теле.

— Извини, старина, — сказал я, разглаживая ладонью смятую рубаху. — В другой раз не подкрадывайся к людям сзади. Уж ты бы мог это знать, Близнец. Когда-нибудь такой фокус выйдет тебе боком.

— Согласен, сам виноват, — признал Джордж Близнец, нервно оглядываясь по сторонам. — Видишь ли, у меня тут возникла проблемка.

Я полез было в карман, но Близнец меня остановил:

— Проблема другого рода, старик. Хотя, честно говоря, и этого рода тоже, однако безденежье — настолько постоянная проблема, что стала уже *метакультурным состоянием*, вроде уныло-однообразного, но прилипчивого саундтрека. Ты меня понимаешь?

— Не понимаю, старик, — сказал я, вручая ему несколько купюр. — Так в чем проблема?

— Можешь немного подождать? Я сейчас приведу Скорпиона.

— Хорошо.

Близнец вновь огляделся:

— Точно дождешься?

Я кивнул, и он исчез в толпе, обогнув ближайший прилавок с мраморными статуэтками богов.

— Мне уйти или можно остаться? — спросил Навин.

— Оставайся, — сказал я. — Близнец и Скорпион все равно не умеют хранить секреты, особенно свои собственные. Будь они радиоведущими, начали бы секретничать в прямом эфире. Кстати, занятно было бы послушать.

Через минуту Близнец вернулся, ведя за руку Скорпиона.

Зодиакальные Джорджи — один из южного Лондона, другой из Канады — жили на бомбейских улицах и были неразлучны. Они в легкой форме зависели от семи разных видов наркоты и всеобъемлюще зависели друг от друга. Ночевали они в сравнительно комфортабельных условиях — под навесом у входа на склад — и зарабатывали беготней на посылках, сбытом наркотиков иностранцам и, временами, продажей информации местным гангстерам.

Они спорили и грызлись ежедневно, начиная с первых утренних зевков и до отхода ко сну, но притом были так искренне и крепко привязаны друг к другу, что за одно это все их знавшие любили зодиакальных Джорджей: Близнеца из Лондона и Скорпиона из Канады.

— Извини, Лин, — пробормотал Скорпион, когда Близнец подтащил его поближе. — Я уже было залег на дно. Это все из-за ЦРУ. Ты наверняка уже в теме.

— ЦРУ? Нет, я не в теме. Только что вернулся из Гоа. Так в чем дело?

— Нарисовался тут один субчик, — подхватил эстафету Близнец, и его более рослый товарищ быстро кивнул в подтверждение. — Седые волосы, хотя он совсем не старый. Ходит в строгом синем костюме и галстуке, весь такой деловой.

— Он из ЦРУ, — прошептал Скорпион, наклоняясь ко мне.

— Не пори чушь, Скорпион! — зашипел Близнец в свою очередь. — На кой хрен ЦРУ нужны такие, как мы?

— У них есть приборы, читающие наши мысли, — продолжил шептать Скорпион, — даже сквозь стены.

— Если они могут читать наши мысли, нам тем более нет смысла говорить шепотом, верно? — сказал Близнец.

— Может статься, они специально запрограммировали нас на шепот, когда копались в наших мозгах.

— Да если бы они реально прочли *твои* мысли, они бы дали отсюда деру с воплями ужаса, чертов кретин! Удивительно, как это *я* все еще держусь и не бегаю с воплями по улицам после общения с тобой.

Невозможно было предугадать, куда занесет Зодиаков, когда они начинали спорить; и никаких ограничений по времени у этих споров не было. Обычно я с удовольствием их слушал, но порой это бывало некстати.

— Давайте-ка поподробнее о седом субчике в синем костюме.

— Мы не знаем, кто он такой, Лин, — сказал Близнец, прерывая свой монолог. — Но он уже два дня наводит справки о Скорпионе в «Леопольде» и в других местах.

— Он из ЦРУ, — повторил Скорпион, озираясь в поисках укрытия.

Близнец посмотрел на меня с плаксивой гримасой, означавшей: «И за что мне это наказание?» Он старался себя сдерживать. Сделал глубокий вдох. Но это не помогло.

— Если они из ЦРУ и умеют читать наши мысли, — взвыл он с зубовным скрежетом, — то на кой ляд им ходить повсюду и задавать вопросы?! Они подошли бы прямиком к тебе и, хлопнув по плечу, сказали бы: «Привет, сынок! Мы только что прочли твои мысли. Нам нет нужды расспрашивать и выслеживать, потому что у нас есть специальные мозгокопательные приборы, которые читают ваши мысли, и все это потому, что мы — парни из гребаного ЦРУ». Разве не так? *Разве не так?*

— Ну...

— Наводя справки, он называл ваши настоящие имена? — спросил Навин с подчеркнуто серьезным выражением лица. — Он искал вас обоих или только Скорпиона?

Оба Джорджа уставились на Навина.

— Это Навин Адэр, — сказал я. — Он частный детектив.

Возникла пауза.

— Чтоб мне лопнуть! — наконец пробормотал Близнец. — Не очень-то *частный*, должно быть, раз ты громко объявляешь об этом посреди овощного рынка. Больше смахивает на *публичного* детектива, вам не кажется?

Навин рассмеялся.

— Вы так и не ответили на мой вопрос, — напомнил он.

И снова возникла пауза.

— А какого... какого *типа* детектив? — с подозрением спросил Скорпион.

— Детектив типа «сыщик», — пояснил я. — С ним ты можешь смело откровенничать, как на исповеди. Отвечай на вопрос, Скорпион.

— Ну, если пораскинуть мозгами, — сказал Скорпион, задумчиво разглядывая Навина, — то выходит, что спрашивал он про меня одного, не поминая Близнеца.

— Где он остановился? — спросил Навин.

— Мы пока не выяснили, — сказал Близнец. — Сначала мы не приняли его всерьез, но эти расспросы продолжаются уже два дня. Вот Скорпион и начал дрейфить, а теперь уже сдрейфил вконец, сами видите. Сегодня мы послали одного из наших уличных ребят проследить за гадом, так что скоро узнаем, где он окопался.

— Если хотите, я могу заняться этим делом, — предложил Навин.

Близнец и Скорпион взглянули на меня. Я пожал плечами.

— Да, — быстро сказал Скорпион. — Идет. Если можешь, узнай, кто он такой и что ему нужно.

— Мы хотим докопаться до сути, — с жаром сказал Близнец. — Скорпион до того меня извел, что сегодня утром я проснулся, вцепившись в глотку самому себе. А это уже край, когда человек душит себя самого во время сна.

— Ну а нам что делать? — спросил Скорпион.

— Затаитесь поглубже и не высовывайте носа без крайней необходимости, — сказал Навин. — Если ваш парень узнает, где он остановился, дайте знать Лину. Или оставьте для меня записку в Натрадж-билдинг, на Меревезер. Навину Адэру.

Какое-то время зодиакальные Джорджи молча смотрели друг на друга, потом на Навина и под конец на меня.

— Недурной план действий, — сказал я, на прощание пожимая руку Близнецу.

Денег, которые я ему дал, должно было хватить на хорошие дозы как минимум двух из числа их любимых наркотиков, а также на несколько спокойных дней в дрянном отеле, на получение чистой одежды, наверняка вновь застрявшей в прачечной из-за неуплаты, и вдобавок на бенгальские сладости, к каковым они питали слабость.

Зодиакальные Джорджи ввинтились в плотную толпу; при этом Скорпион втягивал голову в плечи и старался прикрыться своим лондонским тезкой.

— Есть какие-нибудь мысли на сей счет? — спросил я у Навина.

— Сдается мне, это законник, — ответил он не слишком уверенно. — Ну да там поглядим, что за гренок выпрыгнет из тостера. Гарантировать результат не могу. Не забывай, что в сыскном деле я еще дилетант.

— Дилетант — это тот, кто не знает, чего делать *нельзя*, — сказал я.

— Недурно. Это цитата?

— Да.

— Чья именно?

— Одной женщины.

— Могу я с ней познакомиться?

— Нет.

— Прошу тебя.

— Да с какой стати? У тебя особый интерес к труднодоступным людям?

— Это ведь слова Карлы, верно? «Дилетант — это тот, кто не знает, чего делать нельзя». Мило.

Я остановился и подступил к нему почти вплотную.

— Давай уговоримся, — сказал я. — Отныне ты никогда не будешь при мне упоминать Карлу.

— Это совсем не похоже на уговор, — сказал он, беззаботно улыбаясь.

— Рад, что ты понял... Однако мы ведь собирались выпить, помнишь?

Вскоре мы вошли в пропахший пивом и карри зал «Леопольда». Здесь как раз наступил период относительного затишья перед вечерним наплывом туристов, наркодилеров, спекулянтов, рэкетиров, актеров, студентов, гангстеров и хороших девочек, охочих до плохих мальчиков. Очень скоро эта публика заполонит пространство под широкими арками, будет шуметь, есть-пить и в рулеточном угаре ставить на кон свои души за всеми тридцатью столами «Леопольда».

Это было любимое ресторанное время Дидье, которого почти всегда можно было застать здесь в послеобеденные часы. Вот и сейчас я увидел его сидящим в одиночестве на своем обычном месте: за столиком у дальней стены, откуда хорошо просматривались все три входа в зал.

Он читал газету, развернув ее во всю ширь.

— Я хренею, Дидье! Газета в твоих руках! О таких вещах надо предупреждать людей заранее, чтобы их не хватил удар.

Я повернулся к официанту, которого завсегдатаи в шутку прозвали Свити — Сладенький. Он целенаправленно ковылял мимо нас, и розовый бейджик с его настоящим именем болтался в такт ковылянию.

— Что с тобой сегодня, Свити? Разве ты не должен был вывесить на улице перед входом предупреждающий знак или типа того?

— Жопа твое рыло, — ответствовал Сладенький и языком передвинул спичку из одного угла рта в другой.

Дидье отложил газету и встал, чтобы меня обнять.

— Я гляжу, ты легко переносишь эту жару, — заметил он и, отодвинувшись на длину рук, оглядел меня с тщательностью,

ГРЕГОРИ ДЭВИД РОБЕРТС

достойной судмедэксперта. — У тебя какой-то *каскадный* вид. Я правильно выразился? Как говорят о том, кто подменяет звездного актера и получает за него все шишки?

— Правильно сказать «каскадерский», но я согласен и на «каскадный». Позволь представить еще одного *каскадного* человека: Навин Адэр.

— А, детектив! — сказал Дидье, одновременно с рукопожатием окидывая наметанным взглядом его высокую атлетическую фигуру. — Много о вас наслышан от моей подруги, журналистки Кавиты Сингх.

— А мне она рассказывала о *вас*, — с улыбкой ответил Навин. — Должен сказать, это честь для меня — познакомиться с героем всех ее историй.

— Не ожидал встретить молодого человека с такими безупречными манерами, — быстро откликнулся Дидье и, приглашающе указав нам на стулья, подозвал Свити. — Что будете пить? Пиво? Свити, три хорошо охлажденных пива, пожалуйста!

— Жопа твое рыло! — буркнул Свити, уже заканчивавший свою смену, и поплелся на кухню.

— Он отвратительный хам, — сказал Дидье, глядя вслед официанту. — Но меня странным образом умиляет невозмутимость, с какой он влачит свое жалкое существование.

Нас было трое за столом, но все мы сидели в ряд: спиной к стене и лицом к другим столам под арками, за которыми открывался вид на улицу. Взгляд Дидье непрерывно блуждал по залу ресторана — ни дать ни взять жертва кораблекрушения, с надеждой озирающая горизонт.

— Ну и... — сказал он, слегка наклоняя голову в мою сторону, — что там с авантюрой в Гоа?

Я извлек из кармана и протянул ему тонкую пачку писем, перевязанную голубой лентой. Дидье принял ее бережно и несколько секунд держал в ладонях, как выпавшего из гнезда птенца.

— Тебе... тебе не пришлось *выбивать* из него эти письма? — спросил он, не отрывая от них взгляда.

— Нет.

Он вздохнул и быстро поднял глаза.

— А что, мне надо было его отделать?

— Нет, конечно же нет, — сказал он, шмыгая носом. — Дидье никогда не стал бы платить за подобные вещи.

— Ты и так ни гроша мне не заплатил.

— Строго говоря, нулевая плата все равно является платой. Вы согласны, Навин?

— Понятия не имею, о чем речь, — сказал Навин. — И потому готов согласиться с чем угодно.

— Все правильно, — вздохнул Дидье, глядя на письма. — Однако я думал, что он будет сопротивляться, хотя бы самую малость, в попытке оставить их у себя. В некоторых... в некоторых еще заметны следы былой привязанности.

Я припомнил обезьянью гримасу ненависти, исказившую лицо Густаво, его бывшего любовника, и визгливые проклятия по адресу гениталий Дидье, когда этот тип швырял связку писем в мусорную яму под задним окном своего бунгало.

Разорвав ему ухо ногтем большого пальца, я заставил поганца слазить в яму, достать письма и как следует их очистить, прежде чем вручить мне.

— Нет, — сказал я. — Похоже, былая привязанность угасла.

— Что ж, спасибо тебе, Лин, — в который раз вздохнул Дидье и пристроил письма у себя на колене, поскольку прибыло пиво. — Конечно, я бы съездил за ними сам, если бы не ордер на арест, который дожидается меня в Гоа.

— Тебе надо быть аккуратнее с этими ордерами, Дидье. Я не могу уследить за всем. У самого поддельных разрешений и справок — хоть стену обклеивай. И мне уже порядком надоело разруливать твои конфликты.

— Но сейчас по всей Индии всего четыре действующих ордера на мой арест, Лин.

— Всего-то четыре?

— Когда-то их было девять. Иногда мне даже начинает казаться, что я встал на путь... *исправления*. — Он скривил губы и произнес неприятное слово, как сплюнул.

— Будет вам. Не возводите на себя напраслину, — успокоил его Навин.

— Спасибо. Вы... очень приятный молодой человек. Как вы относитесь к огнестрельному оружию?

— У меня плохо получается убеждать людей. — Навин допил свое пиво и поднялся из-за стола. — Но я могу быть более убедительным с пистолетом в руке.

— Тут я в состоянии вам помочь, — сказал Дидье со смешком.

— Нисколько не сомневаюсь! — в свою очередь рассмеялся Навин. — Лин, что касается типа в деловом костюме, так напугавшего зодиакальных Джорджей, — когда что-нибудь выясню, я найду тебя здесь.

— Не слишком нарывайся. Мы ведь не знаем, кто он и на что способен.

— В том и весь драйв! — улыбнулся он с юношеским задором и отвагой. — Но я вас покидаю. Дидье, знакомство с вами — удовольствие и честь для меня. До встречи.

Мы посмотрели, как он уходит в ранние вечерние сумерки. Дидье сдвинул брови.

— Что такое? — спросил я.

— Ничего! — ответил он.

— Что такое, Дидье?

— Я же сказал: ничего!

— Я тебя слышу, однако мне знакомо это выражение лица.

— Какое еще выражение? — спросил он так возмущенно, будто я обвинил его в краже моей выпивки.

Дидье Леви давно перевалило за сорок. Первый снег седины уже припорошил его темную курчавую шевелюру, но мягкий свет голубых глаз — среди багровой вязи сосудов, сплошь покрывавшей белки, — придавал ему неожиданно юный и в то же время беспутный вид: озорной мальчишка все еще скрывался под оболочкой стареющего, потасканного мужчины.

Он пил любые алкогольные напитки в любое время дня и ночи, всегда одевался как денди (притом что все прочие денди быстро скисали в здешней жаре), курил «фирменные» косяки из сделанного на заказ портсигара, был профессионалом в большинстве видов преступной деятельности (и виртуозом в некоторых из них) и не скрывал свою сексуальную ориентацию в городе, где это до сих пор считалось предосудительным.

Я знал его более пяти лет и видел во многих серьезных переделках. Он был надежен и бесстрашен — из тех людей, которые пойдут с тобой под пули и останутся рядом до самого конца, каким бы тот ни оказался.

Дидье всегда был верен себе. И он мог послужить уникальным примером того, как образ жизни любого из нас определяется степенью нашей внутренней свободы. Я помню его убитым горем из-за потерянной любви или сжигаемым дикой похотью; я помню минуты чудесных озарений — его и моих. И я провел с ним наедине достаточно много мучительно долгих ночей, чтобы понять и полюбить этого человека.

— Вот это самое выражение, — сказал я. — Якобы тебе известно что-то, что и так должно быть известно всем. Твое лицо говорит: «Я же тебе говорил» — еще до того, как ты мне что-нибудь скажешь. Давай выкладывай, что такое я должен знать и без твоей подсказки.

Гневная гримаса на его лице сменилась улыбкой, которая перешла в хохот.

— В данном случае как раз *я* узнал нечто новое, — сказал он. — Этот парень мне очень понравился. Больше, чем я ожидал. И больше, чем следовало ожидать, потому что о Навине Адэре ходит немало темных слухов.

— Если бы темные слухи приравнивались к голосам на выборах, мы с тобой давно прошли бы в президенты.

— Это верно. Но все же его репутация меня настораживает. Мудрец поймет с полуслова, — кажется, так говорят?

— Да, хотя мне всегда казалось, что настоящим мудрецам не нужно и полуслов.

— Я слышал, что он хороший боксер, даже очень хороший боксер. Он был чемпионом университета и мог бы стать чемпионом Индии. Его кулаки — это смертельное оружие. И еще говорят, что он всегда готов пустить их в ход — пожалуй, даже чересчур готов, частенько провоцируя драки.

— Ты и сам отнюдь не младший клерк в департаменте провокаций, Дидье. А что касается драк — уж этой фигней ты меня не заинтригуешь.

— Слишком многих людей этот юнец успел поставить на колени. Плохо, когда такой молодой человек привыкает унижать других. Многовато крови за этой милой улыбкой.

— За твоей милой улыбкой крови куда больше, друг мой.

— Спасибо на добром слове. — Он принял комплимент легким кивком, тряхнув седеющими кудрями. — Собственно, я вот что хотел сказать: если вдруг случится заварушка, я предпочту сразу пустить пулю в этого красавчика, даже не пытаясь вступать с ним в рукопашную.

— К счастью, пушка всегда при тебе.

— Я... извини за пошлое словечко... сейчас говорю *серьезно*, Лин, а ты ведь знаешь, как я ненавижу всякую серьезность.

— Буду иметь это в виду. Обещаю. А сейчас мне пора идти.

— Ты оставляешь меня здесь пить в одиночестве и отправляешься к *ней*? — Он язвительно усмехнулся. — Думаешь, она тебя ждет после трех недель, проведенных в Гоа? А ты не думаешь, что за это время она могла найти себе *лужок позеленее*, — кажется, так выражаются англичане с их очаровательной пасторальной провинциальностью?

— Я тебя тоже люблю, брат, — сказал я, пожимая ему руку.

Выходя на оживленную улицу, я обернулся и увидел, как он машет мне на прощание пачкой любовных писем, которые я для него добыл.

Это меня задержало. Уже далеко не впервые возникло чувство, будто я бросаю его на произвол судьбы. Глупость, конечно же: Дидье был вольным контрабандистом и обладал, пожалуй, наибольшей степенью свободы из всех людей этой профессии в Бомбее. Один из последних гангстеров-одиночек, он ни от кого не зависел и никого не боялся, включая мафиозные группировки, полицию и уличные банды, под чьим контролем находился его нелегальный мир.

Однако есть такие люди и такие привязанности, которые тяжело переносят каждое расставание, и всякий раз уходить от них — все равно что покидать навеки родную страну.

Мой старый друг Дидье, мой новый друг Навин, мой островной город Бомбей: все мы опасны, каждый по-своему.

Несколько лет назад, когда впервые прибыл в Бомбей, я был чужаком в незнакомых уличных джунглях. Теперь же я по-хозяйски взирал на других чужаков из глубины этих джунглей. Теперь это был мой дом. Я притерся и освоился. Но при всем том слишком загрубел, утратил нечто важное внутри себя — нечто, вплотную прилегающее к сердцу.

Мы все были беглецами. Я сбежал из тюрьмы, Дидье сбежал от преследований, Навин сбежал от улицы, а этот южный город сбежал от моря, направив всю энергию своих мужчин и женщин на сотворение — камень за камнем — нового сухопутного бытия.

Я помахал Дидье, и он с улыбкой откозырял мне любовными письмами. Я улыбнулся в ответ, и теперь все было в порядке: теперь я мог его оставить.

Никакая улыбка не возымеет эффекта, никакое напутствие не утешит, никакая доброта не спасет, если наша внутренняя правда не будет прекрасной. Ибо связывает всех нас — все лучшее в нас — только правда человеческих сердец и чистота любви, неведомая иным созданиям.

ГЛАВА

 **3**

От «Леопольда» было рукой подать до моего дома. Я покинул бурлящую туристскую Козуэй, развернулся перед полицейским участком Колабы и доехал до углового здания, известного всем бомбейским таксистам как «Электрический дом».

Повернув направо, в тенистый проулок за полицейским участком, я увидел корпус предварительного заключения и вспомнил время, проведенное в его камерах.

Помимо воли глаза отыскали высокие зарешеченные окна. И тут же волной нахлынули воспоминания: зловоние открытых нужников и масса мужчин, отчаянно бьющихся за чуть более чистое место поближе ко входу...

Проехав квартал, я свернул в огороженный двор комплекса Бомонт-Вилла, кивком поприветствовал сторожа и, шагая через две ступеньки, поднялся на третий этаж.

Сколько я ни жал кнопку звонка, реакции не последовало. Тогда я открыл дверь своим ключом и через гостиную проследовал на кухню, мимоходом бросив на стол связку ключей и дорожную сумку. Ни на кухне, ни в спальне ее не оказалось, и я вернулся в гостиную.

— Привет, крошка! — крикнул я с утрированным американским акцентом. — Вот я и дома!

Смех донесся с лоджии, из-за колыхающихся штор, раздвинув которые я обнаружил Лизу на коленях, с испачканными землей руками, перед крошечным садиком — размером под стать раскрытому чемодану. Вокруг нее тусовалась небольшая стая голубей, остервенело пихавшихся в борьбе за хлебные крошки.

— Ты потратила столько сил, создавая этот садик, — сказал я, — а теперь позволяешь птицам его вытаптывать.

— Ты не понимаешь, — сказала она, переводя аквамариновый взгляд с голубей на меня. — Этот садик мне для того и нужен, чтобы привлекать сюда птиц. Я все это устроила ради них.

— Прими меня в свою голубиную стаю, — сказал я, когда она поднялась для поцелуя.

— Начинается, — засмеялась она. — Беллетрист в своем амплуа.

— И дьявольски рад тебя видеть, — сказал я, утягивая ее в сторону спальни.

— У меня грязные руки! — запротестовала она.

— Очень на это надеюсь.

— Нет, в самом деле. — Она со смехом вырвалась. — Нам надо принять душ...

— Очень на это надеюсь.

— *Тебе* надо принять душ, — уточнила она, держась от меня на безопасной дистанции. — И сменить всю одежду, сейчас же.

— Одежда? — подхватил я шутливый тон. — Не нужна нам эта липкая одежда.

— Нет, нужна. Мы сейчас отправимся в одно интересное место.

— Но я только что приехал, Лиза! Прошло две недели!

— Без малого *три* недели, — поправила она. — И сегодня у нас будет полно возможностей сказать «привет!», прежде чем мы скажем «доброй ночи». Это я могу гарантировать.

— Такие «приветы» звучат как «прощай».

— Любое приветствие — это начало прощания. Ступай мыться.

— О каком месте речь?

— Тебе оно придется по душе.

— Ага, уже заранее с нее воротит.

— Это художественная галерея.

— Так вот чего мне сейчас не хватает!

— Брюзга чертов! — засмеялась она. — Там будут классные люди, своего рода экстремалы. И они чертовски талантливы. Ты их полюбишь. Это крутая выставка, на самом деле. Но если ты не поторопишься, мы пропустим самое интересное. Как здорово, что ты успел вернуться!

Я скорчил недовольную мину.

— Да ладно тебе, Лин! — рассмеялась она. — Что бы еще осталось в этой жизни, не будь искусства?

— Секс, — ответил я. — И еда. А после еды снова секс.

— В галерее будет полно всякой еды, — сказала она, подталкивая меня к ванной комнате. — И только представь, как благодарна будет твоя *голубиная стая*, когда мы приедем домой после выставки, которую она очень-очень сильно хочет посетить вместе с тобой и к открытию которой мы наверняка опоздаем, если ты не примешь душ незамедлительно!

Я зашел в душевую кабину и стал стягивать рубашку через голову, когда она повернула кран позади меня. Вода хлынула на мою спину и на джинсы, которые я еще не успел снять.

— Эй! — завопил я. — Это мои лучшие джинсы!

— И ты проносил их несколько недель подряд, — отозвалась она уже с кухни. — Сегодня будешь в джинсах похуже, но почище.

— И еще мой подарок для тебя! — крикнул я. — Он в кармане джинсов, которые ты намочила!

Она возникла в дверном проеме:

— Ты привез мне подарок?

— Разумеется.

— Здорово! Ты очень мил. Займемся им позже.

И вновь исчезла из виду.

— Ладно, — сказал я. — Так и сделаем. После балдежа в галерее.

Уже вытираясь, я услышал, как она мурлычет песню из индийского фильма. По случайности — или же четким попаданием в резонанс под закрученным спиралью куполом любви — песня оказалась той же самой, которую я напевал несколькими часами ранее, идя по улице с Викрамом и Навином.

Потом, собираясь перед выходом из дома, мы промычали-пропели эту песню уже дуэтом.

Уличное движение в Бомбее представляет собой систему, придуманную акробатами, но воплощаемую на практике малоразмерными слонами. Двадцать минут мотоциклетной потехи — и мы добрались до «денежного пояса» Кумбала-Хилл, туго охватывавшего самый престижный из холмов южного Бомбея.

Я загнал байк на парковочную площадку напротив фешенебельной и скандально известной галереи «Бэкбит», у истоков не менее фешенебельной, но добропорядочной Кармайкл-роуд. Непосредственно перед галереей выстраивались роскошные заграничные тачки, из которых вылезала роскошная местечковая крутизна.

Лиза потащила меня внутрь, продираясь через плотную толпу. В длинном зале скопилось человек триста — вдвое больше, чем допускалось правилами пожарной безопасности, предусмотрительно вывешенными на щите у входа.

«Если жара кажется вам нестерпимой, срочно покиньте горящее здание».

Она нашла в толпе свою подругу и подсунула меня для анатомически близкого знакомства.

— Это Розанна, — представила Лиза, сама так же тесно притиснутая сбоку к подруге — невысокой девушке с большим инкрустированным распятием (пригвожденные ноги Спасителя уютно разместились между ее грудей). — А это Лин. Он только что вернулся из Гоа.

— Наконец-то мы встретились, — сказала Розанна, и грудь ее сильнее прижалась ко мне, когда она подняла руку, чтобы взбить свою и без того стоявшую дыбом прическу.

Говорила она с американским акцентом, но гласные произносила на индийский манер.

— Зачем вы ездили в Гоа?

— За любовными письмами и рубинами, — сказал я.

Розанна быстро оглянулась на Лизу.

— Что толку на меня смотреть? — вздохнула Лиза, пожимая плечами.

— Да ты в натуре чумовой чувак! — провизжала Розанна голосом паникующего попугая. — Идем со мной! Ты должен встретиться с Таджем. Он любит все такое чумовое, *йаар*![1]

Прокладывая путь через толпу, Розанна подвела нас к высокому молодому красавцу с волосами до плеч, блестящими от парфюмерного масла. Он стоял перед каменной скульптурой первобытного человека примерно трехметровой высоты.

На табличке рядом со статуей было написано имя: «ЭНКИДУ»[2]. Скульптор приветствовал Лизу поцелуем в щеку, а затем протянул мне руку.

— Тадж, — представился он, улыбаясь и глядя на меня с откровенным любопытством. — А вы, я полагаю, Лин. Лиза много о вас рассказывала.

---

[1] *Йаар* (йяр) — дружище, браток *(хинди)*; часто утрачивает это значение и употребляется в конце предложения в качестве междометия («вот», «да-а», «ну» и т. п.).

[2] *Энкиду* — герой шумерской мифологии и «Эпоса о Гильгамеше»: дикий человек, ставший другом и побратимом Гильгамеша.

Я ответил на рукопожатие, ненадолго встретившись с ним глазами, после чего перевел взгляд на массивную статую. Заметив это, он слегка повернул голову в ту же сторону:

— Что скажете?

— Мне он нравится, — сказал я. — Будь потолок в моей квартире повыше, а пол попрочнее, я бы его купил.

— Спасибо, — рассмеялся Тадж.

Он потянулся вверх и положил ладонь на грудь каменного воина:

— Я и сам не пойму, что именно у меня вышло. Это был импульсивный порыв: вдруг захотелось увидеть его стоящим передо мной. И не было за этим никаких глубоких мыслей. Никаких метафор, никакой физиологии, ничего подобного.

— Гёте говорил, что весь мир — это метафора.

— Неслабо загнуто! — Он снова рассмеялся, и в светло-карих глазах вспыхнули искорки. — Могу я использовать эту цитату? Напишу ее на табличке рядом с моим каменным другом. Это повысит шансы на его продажу.

— Пользуйтесь на здоровье. Писатели не умирают окончательно, пока люди цитируют их слова.

— Хватит уже торчать в этом углу, — вмешалась Розанна, хватая меня за руку. — Идем, взглянешь на мою работу.

И она потащила нас с Лизой к противоположной стене зала, под завязку набитого курящей, пьющей, хохочущей и галдящей публикой. Добрую половину этой стены занимала череда рельефных панелей. Выполненные из гипса, они были покрыты бронзовой краской — под классику — и расположены так, чтобы излагать события в их временной последовательности.

— Это об убийствах Сапны! — крикнула Розанна, приблизив рот к моему уху. — Ты помнишь, пару лет назад? Этот чокнутый гад призывал слуг убивать своих богатых хозяев. Помнишь? Это было во всех газетах.

Я помнил серию убийств, связанных с именем Сапны. Подоплека тех событий была мне известна гораздо лучше, чем Розанне, — и лучше, чем большинству жителей Бомбея. Медленно перемещаясь вдоль панелей, я одну за другой разглядывал сцены, излагающие историю Сапны.

Это зрелище выбило меня из душевного равновесия, даже начала кружиться голова. Передо мной были судьбы людей, которых я знал, — убийцы и их жертвы, в конечном счете ставшие фигурками на фризе.

Лиза дернула меня за рукав.

— В чем дело, Лиза?

— Пойдем в зеленую комнату! — прокричала она мне в ухо.

— О'кей, пойдем.

Вслед за Розанной, периодически издававшей предупредительные визги и приветственные вопли, мы продрались через «живую изгородь» из поцелуев и объятий до двери в дальнем конце галереи. Она выбила костяшками пальцев условный сигнал и, когда дверь открылась, втолкнула нас в полутемную комнату, освещаемую лишь гирляндами красных мотоциклетных фонарей на толстых кабелях под потолком.

В комнате находились десятка два человек, сидевших на стульях, диванчиках или прямо на полу. Здесь было намного тише, чем в зале. Подошла девица с горящей сигаретой, быстро скользнула ладонью по моей короткой стрижке и заговорила хриплым шепотом.

— Хочешь оторваться по полной? — риторическим тоном спросила она и протянула мне косяк, зажатый меж необычайно длинных пальцев.

— Ты опоздала, — быстро вмешалась Лиза, перехватывая сигарету. — Тут тебе уже ничего не обломится, Ануш.

Она сделала затяжку и вернула косяк девице.

— Это Анушка, — представила ее Лиза.

Мы пожали руки, причем длинные пальцы Анушки сомкнулись на тыльной стороне моей кисти.

— Она мастер перформанса, — сказала Лиза.

— Кто бы мог подумать! — вслух подумал я.

Анушка придвинулась ближе и легонько поцеловала меня в шею, охватив ладонью мой затылок.

— Скажешь, когда мне остановиться, — прошептала она.

Она продолжила поцелуи, а я медленно повернул голову, пока не встретился глазами с Лизой.

— Знаешь, Лиза, ты была права. Мне действительно нравятся твои друзья. И я отлично провожу время в этой галерее, чего никак не ожидал.

— Хватит, — сказала Лиза, оттаскивая от меня Анушку. — Перформанс окончен.

— Вызываю на бис! — попробовал я.

— Никаких бисирований, — отрезала Лиза и усадила меня на пол рядом с мужчиной тридцати с лишним лет в изжелта-красной курта-паджаме[1]; голова его была выбрита до зеркального блеска. — Познакомься с Ришем. Он организовал все это шоу. И сам также здесь выставляется. Риш, это Лин.

---

[1] *Курта* — свободная рубашка длиной примерно до колен; традиционная одежда во многих странах Южной Азии. *Курта-паджама* — комбинация из курты и легких широких штанов (паджама).

— Привет, — сказал Риш, пожимая мне руку. — Ну и как вам выставка?

— Искусство перформанса здесь на высоте, — сказал я, оглядываясь на Анушку, которая между тем впилась в шею очередной растерявшейся жертвы.

Лиза сильно шлепнула меня по руке:

— Это шутка. На самом деле здесь *все* отлично. И народу полным-полно. Поздравляю.

— Важно, чтобы они были в покупательском настроении, — заметила Лиза.

— Если не будут, Анушка сможет их убедить, — сказал я и получил еще один шлепок. — А если что не так, Лиза их отшлепает.

— Нам повезло, — сказал Риш, предлагая мне косяк.

— Нет, спасибо. Не употребляю, когда езжу с пассажирами. А в чем везение?

— Выставку чуть было не сорвали. Вы видели картину с изображением Рамы? Оранжевую?

Я вспомнил большое полотно с преобладанием оранжевого цвета, висевшее на стене неподалеку от каменного Энкиду. Только теперь я сообразил, что впечатляющая центральная фигура на картине изображала индуистского бога.

— Из-за этой картины выставку попытались запретить свихнувшиеся религиозные фанатики из крайне правых — они называют себя «Копьем кармы» и выступают в роли полиции нравов. Но мы связались с отцом Таджа — он известный адвокат и лично знаком с главным министром[1]. И он добился постановления суда, разрешающего выставку.

— Кто написал ту картину?

— Я, — сказал Риш. — А что?

— Мне интересно, что побудило вас изобразить бога.

— Вы полагаете, есть вещи, которые изображать не следует?

— Просто хотелось бы знать, что подтолкнуло вас к выбору сюжета.

— Я сделал это ради свободы самовыражения, — сказал Риш.

— *Viva la revolución!*[2] — промурлыкала Анушка, которая к тому времени уже пристроилась рядом с Ришем, полулежа у него на коленях.

— Свободы для кого? — уточнил я. — Для вас или для них?

---

[1] *Главный министр* — так в Индии именуется избираемый глава правительства штата.

[2] Да здравствует революция! *(исп.)*

— Вы про «Копье кармы»? — Розанна фыркнула. — Да они все сраные фашистские ублюдки! Ничтожные твари. Маргиналы. Никто не принимает их всерьез.

— Бывает так, что маргиналы захватывают центр, который слишком долго их унижал или игнорировал.

— Как это? — встрепенулась Розанна.

— Да, такое возможно, Лин, — согласился Риш. — Эти люди способны на самые дикие выходки, и они это доказали. Но они активны по большей части в провинциальных городках и деревнях. Избить священника, спалить какую-нибудь церковь — это их стиль. Но у них нет широкой поддержки среди жителей Бомбея.

— Долбаные бесноватые фанатики! — злобно выкрикнул молодой бородач в розовой рубахе. — Это самые тупые люди на свете!

— Вряд ли вы можете это утверждать, — спокойно заметил я.

— Но я только что это сказал! — взвился молодой человек. — Какого хрена ты тут гонишь? Я это сказал — значит я *могу* так утверждать.

— Извини, я не вполне ясно выразился. Я в том смысле, что такое утверждение не будет *обоснованным*. Конечно, ты можешь это утверждать. Ты можешь утверждать, что луна — это одна из праздничных декораций, оставшаяся на небе после Дивали[1], но обоснованным это утверждение назвать нельзя. Точно так же у тебя нет оснований считать тупицами всех, кто не разделяет твою точку зрения.

— Тогда кто они, по-вашему? — спросил Риш.

— Полагаю, вы лучше меня знаете этих людей и их образ мыслей.

— Но я хотел бы услышать ваше мнение.

— Что ж, я думаю, они благочестивы. И это благочестие самого ревностного толка. Думаю, они любят бога столь пылко и преданно, что когда видят его изображаемым без должного почтения, то воспринимают это как оскорбление их личной веры.

— То есть вы считаете, что мне не следовало выставлять свою картину? — с нажимом спросил Риш.

— Я этого не говорил.

— Кто он такой, этот тип?! — громко поинтересовался бородач, не обращаясь ни к кому конкретно.

— Тогда будьте добры, — продолжил Риш, — пояснить мне, что именно вы имели в виду.

— Я поддерживаю ваше право творить и демонстрировать публике свои творения, но считаю, что право неотделимо от от-

---

[1] *Дивали* — главный праздник у последователей индуизма и близких к нему религий; сопровождается фейерверками и всевозможными огненными шоу.

43

ветственности и что ответственный художник не должен во имя искусства оскорблять и травмировать чувства других людей. Во имя истины, пожалуй. Во имя справедливости и свободы, согласен. Но не ради одного только самовыражения.

— Почему бы и нет?

— Как творцы, мы создаем что-то не на пустом месте. Под нами огромный пласт культуры и традиций. И мы должны быть верны всему лучшему, что было сотворено другими до нас. Это наша обязанность.

— Да кто он такой, этот хренов умник?! — обратился молодой бородач к гирляндам мотоциклетных фонарей под потолком.

— Значит, если они почувствовали себя оскорбленными, это моя вина? — негромко и серьезно поинтересовался Риш.

Мне он начал нравиться.

— Спрашиваю еще раз, — не унимался бородач, — кто такой этот тип?

— Я тот, кто научит тебя правильной речи, — сказал я вполголоса, — если ты не перестанешь говорить обо мне в третьем лице.

— Он писатель, — зевая, сказала Анушка. — Писатели вечно спорят, потому что...

— Потому что они это умеют, — продолжила Лиза и потянула меня за руку, призывая подняться с пола. — Пойдем, Лин. Пришло время танцевать.

Из больших напольных колонок хлынула громкая музыка.

— Я люблю эту песню! — хрипло крикнула Анушка, вскакивая на ноги, а затем поднимая и Риша. — Потанцуй со мной, Риш!

Я на секунду сжал Лизу в объятиях и поцеловал ее в шею.

— Отрывайся здесь без меня, — сказал я с улыбкой. — Напляшись до упаду. А я еще раз осмотрю выставку. Встретимся на улице.

Лиза поцеловала меня и присоединилась к танцующим. Лавируя меж ними и стараясь не поддаться зажигательному ритму, я пробрался к двери.

В главном выставочном зале я остановился перед покрашенными под бронзу рельефами, представлявшими историю убийств. И чем дольше я на них смотрел, тем сложнее было отделить кошмарный авторский замысел от моих собственных кошмаров.

Я потерял все. Меня лишили опеки над дочерью. Я докатился до героиновой зависимости и вооруженных грабежей. Был пойман и приговорен к десяти годам в тюрьме строгого режима.

Можно было бы рассказать о регулярных избиениях и издевательствах, которым я подвергался в первые два с половиной года этого срока. Можно было бы привести с полдюжины других разумных причин для побега из той безумной тюрьмы, но в действительности все было проще: настал день, когда свобода для меня стала важнее моей жизни. И в тот день я решил, что больше не буду сидеть за решеткой: «С меня хватит». Я бежал из тюрьмы и с тех самых пор числился в розыске.

Жизнь вечно преследуемого изгоя забросила меня из Австралии в Новую Зеландию, а оттуда в Индию. Полгода, проведенные в сельской глуши Махараштры, научили меня языку местных крестьян. Полтора года в городских трущобах научили меня языку местных улиц.

Я вновь оказался в тюрьме, на сей раз в бомбейской, что в порядке вещей для человека, находящегося вне закона. Из тюрьмы меня вызволил мафиозный босс Кадербхай. И он нашел мне применение. Он находил применение всем. Пока я работал на него, ни один полицейский в Бомбее не рисковал со мной связываться и здешние тюрьмы не имели шансов заполучить меня под свой кров.

Подделка паспортов, контрабанда, торговля золотом на черном рынке, нелегальные валютные операции, вымогательство и рэкет, гангстерские войны, экспедиция в Афганистан, кровная месть: так или иначе мафиозная жизнь заполняла мои месяцы и годы. Но ничто из перечисленного не имело для меня существенного значения, поскольку я был лишен связи со своим прошлым, со своей семьей и друзьями детства, с данным мне от рождения именем, с родной страной и со всем тем, что я собой представлял до прибытия в Бомбей, — все это умерло, как и те люди, чьи фигурки корчились на псевдобронзовом фризе Розанны.

Я покинул галерею, пробрался сквозь редеющую публику перед входом, дошел до парковки через дорогу и присел сбоку на свой мотоцикл.

Большая группа зевак скопилась на тротуаре неподалеку от меня. В основном это были обитатели соседних кварталов, где селились преимущественно мелкие служащие. Этим прохладным вечером они пришли сюда, чтобы полюбоваться на дорогие автомобили и шикарные наряды посетителей выставки.

До меня доносились их фразы на маратхи[1] и хинди. С искренним восхищением и удовольствием они обсуждали машины, украшения и платья. Ни в одном голосе я не уловил зависти или неприязни. Нужда и страх постоянно сопровождали их в этой жизни, определяемой одним коротким словом «бедность», однако они восхищались бриллиантами и шелками богачей с радостным, независтливым простодушием.

---

[1] *Маратхи* — язык индоарийской народности маратхов, один из официальных языков индийского штата Махараштра.

Когда в дверях галереи появились известный промышленник и его супруга-кинозвезда, группа зрителей разразилась хором восторженных возгласов. Актриса была в желто-белом сари, усыпанном драгоценными камнями. Я оглянулся на зевак, улыбавшихся и выражавших одобрение так по-свойски, словно эта женщина была их соседкой по дому, — и вдруг заметил троих мужчин, державшихся отдельно от группы.

Они стояли молча, и вид у них был самый зловещий. Темные глаза столь интенсивно излучали ярость и злобу, что я, казалось, начал ощущать это излучение кожей, как ощущают легкий, едва моросящий дождь.

И вдруг, словно почувствовав, что я за ними наблюдаю, все трое разом повернулись и посмотрели мне прямо в глаза с открытой, совершенно необъяснимой ненавистью. Так мы и пялились друг на друга под радостные визги и бормотание зевак, перед строем лимузинов, озаряемых фотовспышками.

Я подумал о Лизе, все еще находившейся в галерее. Мрачная игра в гляделки продолжалась. Я медленно переместил руку поближе к двум выкидным ножам, спрятанным сзади под рубашкой, в холщовых чехлах на поясе.

— Эй! — внезапно окликнула меня Розанна, хлопая по плечу.

Я среагировал рефлекторно: с разворота одной рукой перехватил запястье, а тычком другой отбросил ее на шаг назад.

— Ты что, рехнулся?! — взвизгнула она, изумленно таращa глаза.

— Извини, — сказал я, отпустив ее руку. И поспешил обернуться к троице загадочных ненавистников. Но те уже исчезли.

— Ты в порядке? — спросила Розанна.

— Да, — сказал я. — В порядке. Извини. Там дело идет к концу?

— Осталось недолго, — сказала она. — Как отбудут все важные шишки и звезды, галерея закроется... Слушай, Лиза как-то обмолвилась, что ты не любишь Гоа. Хотелось бы узнать, в чем причина. Я сама, между прочим, оттуда.

— Об этом я уже догадался.

— Так что ты имеешь против Гоа?

— Ничего. Просто всякий раз, когда я туда езжу, знакомые просят меня покопаться в их тамошнем грязном белье.

— *Мой* Гоа тут ни при чем, — быстро сказала она.

Это было не возражение, а простая констатация факта.

— Охотно верю, — улыбнулся я. — В Гоа много чего есть, но я знаю там лишь пару пляжей да пару укромных местечек.

Она внимательно разглядывала мое лицо.

— Что ты там говорил о цели своей поездки? Рубины и... что еще?

— Рубины и любовные письма.

— Но ведь ты ездил в Гоа не только за этим?

— Остальное пустяки, — соврал я.

— А если я предположу, что ты был там по делам черного рынка, это будет далеко от истины?

Собственно, я ездил в Гоа за новыми стволами: привез десяток пистолетов и передал их мафиозному посреднику в Бомбее еще до того, как отправился на поиски Викрама с его ожерельем в кармане. Так что касательно черного рынка истина была где-то рядом.

— Послушай, Розанна...

— А тебе не приходило в голову, что проблемой здесь являешься как раз ты? Люди вроде тебя приезжают в Индию и привозят с собой всевозможные беды.

— В Индии хватало всевозможных бед еще до моего приезда, и их останется с избытком, если я уеду.

— Сейчас мы говорим о тебе, а не об Индии.

Она была права, и ножи у меня под рубашкой служили тому подтверждением.

— Ты права, — признал я.

— Что, я права?

— Да, ты права. Я создаю проблемы, это так. Впрочем, как и ты в данный момент, если уж говорить начистоту.

— Лизе не нужны проблемы из-за тебя, — сказала она сердито.

— Конечно нет, — согласился я. — Проблемы не нужны никому.

Ее карие глаза вглядывались в мое лицо дольше прежнего, как будто выискивали там нечто достаточно глубокое или обширное, могущее придать сказанному дополнительный смысл. Наконец она рассмеялась, отвела глаза и запустила унизанные перстнями пальцы в свою дикобразистую шевелюру.

— Сколько дней продлится выставка? — спросил я.

— Мы рассчитываем на всю следующую неделю, — сказала она, следя за последними гостями, покидающими галерею. — Если только не помешают бесноватые.

— На вашем месте я бы нанял охрану. Поставил бы у входа парочку крепких и быстрых ребят. Предложите подработку охранникам из пятизвездочных отелей. Среди них есть действительно хорошие бойцы, а не какие-нибудь накачанные увальни.

— У тебя есть опасения насчет выставки?

— Пока не уверен. Но я только что видел тут нескольких типов. Реально злющих. Думаю, им чертовски не по душе это шоу.

— Ненавижу сраных фанатиков! — прошипела она.

— Полагаю, эта ненависть взаимна.

Взглянув в сторону галереи, я увидел Лизу, которая обменивалась прощальными поцелуями с Ришем и Таджем.

— Вот и Лиза.

Я сел на мотоцикл и толкнул ногой рычаг стартера. Двигатель рявкнул, оживая, и перешел на низкое утробное урчание. Лиза подошла, обнялась с Розанной и заняла место на сиденье позади меня.

— *Пхир миленге*[1], — сказал я Розанне. — До встречи.

— Она не состоится, если я замечу тебя раньше, чем ты меня.

Дорога удобно скатывалась под уклон в направлении моря, но вскоре я был вынужден остановиться на красный сигнал светофора — и секунду спустя увидел в затормозившем рядом черном фургоне тех самых людей, которые играли со мной в злобные гляделки у галереи. Сейчас они были отвлечены каким-то спором между собой.

Я подождал, когда они тронутся на зеленый сигнал, и пристроился следом. Заднее стекло фургона было сплошь залеплено стикерами с политическими лозунгами и религиозной символикой. На следующем перекрестке я свернул с оживленной трассы.

Возвращаясь домой кружным путем, я размышлял о тревожащих переменах, которые уже нельзя было не заметить. Рельефы Розанны давали представление об одной из самых жутких бомбейских трагедий, притом что правда о ней была еще более жуткой; однако вся эта жуть меркла перед нынешней гремучей смесью из религиозного мракобесия и политиканства. По сравнению с этим прошлые злодеяния походили на хлипкий песчаный нанос, который вот-вот будет сметен новой мощной волной, уже накатывавшей на бомбейский берег. Каждый день по городу курсировали грузовики, в кузовах которых сидели, потрясая дубинками, идейно накрученные громилы, а мафиозные бригады стремительно разрастались с тридцати-сорока до нескольких сотен бойцов.

Мы есть то, чего мы боимся, — и многих из нас уже начинала бить дрожь в предчувствии неминуемых кровавых разборок.

ГЛАВА

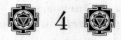

4

До дома мы добирались долго — сначала по Педдер-роуд, затем по широкой дуге набережной Марин-драйв, вдоль россыпи городских огней, отражавшихся в тихих водах залива. Продолжа-

---

[1] До встречи *(хинди)*.

ли разговор и по прибытии, когда я въехал в огороженный двор многоквартирного дома, попутно махнув рукой сторожу, и остановился в парковочной зоне на цокольном этаже.

— Иди наверх, — сказал я Лизе, — мне надо обтереть байк.

— Прямо сейчас?

— Да. Я не задержусь.

Когда ее каблучки застучали по мраморной лестнице, я повернулся к сторожу, кивнул и пальцем указал вслед Лизе. Он сорвался с места и побежал за ней, прыгая через две ступеньки.

Я услышал, как открывается дверь квартиры и как Лиза говорит «доброй ночи» сторожу. В следующую секунду я выскользнул через боковую дверь на пешеходную дорожку и, стараясь двигаться бесшумно, проследовал вдоль живой изгороди, окаймлявшей здание.

Незадолго до того, разворачиваясь перед въездом на парковку, я заметил в тени изгороди съежившуюся фигуру. Там кто-то прятался.

Я вынул нож, приближаясь к тому месту, где ранее видел силуэт. В ту же секунду из тени вышел человек и, не заметив меня, направился в сторону парковки.

Это был Джордж Скорпион.

— Лин! — позвал он шепотом. — Ты еще там, Лин?

— Какого черта ты тут ошиваешься, Скорпион? — громко спросил я, подойдя к нему сзади.

Бедняга высоко подпрыгнул, суча ногами в воздухе:

— Ох, Лин! Ты напугал меня до усрачки!

Я глядел на него, ожидая пояснений.

Мирное соглашение, заключенное между мафиозными кланами по итогам последней гангстерской войны в южном Бомбее, с недавних пор дышало на ладан. Агрессивная молодежь, не участвовавшая в той войне или в переговорах о мире, все чаще затевала стычки и нарушала правила, написанные кровью куда более крутых бандитов. В нашем районе также случались нападения, почему я и был все время настороже. Но сейчас я разозлился на себя самого за то, что едва не напал на друга.

— Я же вас, парни, предупреждал: не подкрадывайтесь к людям втихую, — сказал я. — Это чревато.

— Да-да, я виноват... — начал он нервно, оглядываясь по сторонам. — Но, видишь ли... такое дело...

Тут сказались долгое напряжение и страх: он утратил дар речи. Я прикинул, где можно спокойно побеседовать.

Я не мог зайти на парковку вместе со Скорпионом. Он был бродягой, ночевавшим на улице, и его появление могло спровоцировать жалобы со стороны жильцов, если его кто-нибудь заметит. Лично мне их жалобы были до лампочки, но я знал, что для сторожа они могут обернуться потерей работы.

Взяв Скорпиона за локоть, я повел тощего высокого канадца через улицу, в глубокую тень у полуразвалившейся каменной ограды. Там, усевшись с ним рядом на груду камней, я раскурил косяк, затянулся и передал ему.

— В чем дело, Скорпион?

— Да все в том же гаде, — сказал он, сделав глубокую затяжку. — Я про цэрэушника в синем костюме. Он меня в гроб загонит, старик! Я больше не могу ходить по улицам. Я не могу разговаривать с туристами. Он чудится мне повсюду, он сидит у меня в мозгах, он все время вынюхивает и выспрашивает. Твой друг, тот детективный чувак, что-нибудь про него разузнал?

Я отрицательно мотнул головой.

— Один из наших проследил его до Бандры, но там у парня кончились бабки, таксист его высадил, и след потерялся. И от твоего Навина ни слуху ни духу. Я подумал, может быть, он передал весточку тебе?

— Нет, пока ничего.

— Я в панике, Лин! — сказал Скорпион, трясясь всем телом. — Этого гада ничем ни проймешь! Сколько его ни пыталась раскрутить наша братва — сплошной облом! Он не покупает дурь и совсем не пьет, даже пиво. И не клюет на девочек.

— Мы его вычислим, Скорпион. Не бери в голову.

— Но это жуть как странно, — посетовал Скорпион. — Я натурально съезжаю с шариков, можешь себе представить?

Я достал из кармана пачку купюр в сто рупий и протянул ему. Не без некоторого колебания Скорпион их принял и тут же спрятал под рубашкой.

— Спасибо, Лин, — сказал он, быстро взглянув мне в глаза. — Я дожидался тебя перед домом, потому как теперь я совсем не появляюсь на улицах. Сторож сказал мне, что ты еще не возвращался. Потом я увидел вас с Лизой, но не смог подойти к тебе при ней. Я не могу просить деньги в ее присутствии. Лиза когда-то была обо мне высокого мнения.

— Все мы порой испытываем финансовые трудности. И Лиза останется высокого мнения о тебе независимо от того, нуждаешься ты в деньгах или нет.

В глазах его стояли слезы. Я не хотел это видеть.

— Слушай внимательно и передай мои слова Близнецу, — сказал я, вновь переводя его через дорогу. — Затарьтесь продуктами, прикупите дури для оттяга и снимите номер во «Фрэнтике». Поживете там пару дней, не высовываясь на улицу. А мы между тем докопаемся до этого типа и решим проблему. Уяснил?

— Уяснил, — сказал он, протягивая для рукопожатия мелко дрожащую ладонь. — Ты считаешь «Фрэнтик» достаточно надежным местом?

— Просто этот отель единственный, где вам не откажут в номере, при вашем-то стиле жизни, Скорп.

— А... ну да, конечно...

— И человек-загадка туда не проникнет. Только не в синем деловом костюме. Фейсконтроль на входе сработает. Сидите тихо, и во «Фрэнтике» вы будете в безопасности, пока мы все не выясним.

— Хорошо, мы так и сделаем.

И он пошел прочь, пригибая голову, чтобы она не торчала над разросшейся живой изгородью. Я посмотрел, как он удаляется характерной ночной походкой уличного бродяги: неторопливо, с беспечным видом пересекая круги света от фонарей — «идет достойный человек, ему скрывать нечего» — и воровато ускоряя шаг на затененных участках улицы.

Я сунул двадцать рупий сторожу, который уже стоял рядом, и быстро поднялся по мраморной лестнице в квартиру. Лиза стояла в двери ванной, пока я мылся и рассказывал ей о непонятном белесом человеке, так напугавшем Скорпиона.

— Кем может быть этот тип? — спросила Лиза некоторое время спустя, когда я выбрался из душа. — Что ему нужно от Зодиаков?

— Не имею понятия. Навин Адэр — помнишь, я тебе о нем говорил? — подозревает, что он законник. Возможно, Навин прав, у этого парня есть нюх. Так или иначе, мы все выясним.

Вытершись насухо, я плюхнулся на постель рядом с Лизой, пристроив голову у нее на плече и ощущая атласную свежесть ее кожи. С этой позиции я мог видеть все ее обнаженное тело вплоть до пальцев ног.

— Розанне ты понравился, — сказала она, обозначая смену темы плавным наклоном влево обеих ступней.

— Сомневаюсь.

— Почему? Что между вами произошло?

— В том-то и дело, что ничего.

— Нет, что-то произошло, когда вы беседовали на улице. Что ты ей сказал?

— Мы просто... говорили о Гоа.

— Понятно... — вздохнула Лиза. — Она без ума от своего Гоа.

— То-то и оно.

— Но ты все равно ей нравишься, что бы там ни наплел про Гоа.

— Почему-то мне так не показалось.

— Разумеется, ты ее бесишь, но в то же время ты ей нравишься.

— С чего ты это взяла?

— К моему приходу она до того взбесилась, что была готова тебя ударить.

— Неужели? А мне казалось, что к тому времени разговор как раз стал спокойнее.

— Ей хотелось тебе врезать, а это значит, что ты ей нравишься.

— О чем ты?

— Она уже была готова дать тебе в рожу, когда я к вам подошла.

— Да неужто? Мы с ней вроде бы неплохо столковались.

— Она тебя совсем не знает, но уже хотела тебе врезать, понимаешь?

— Еще бы, все яснее ясного.

— Скажи, она использовала язык тела во время вашей беседы?

— Язык тела?

— Ну, к примеру, она как будто жалуется на боли в спине и начинает крутить бедрами якобы для разминки. Было такое?

— Нет.

— И слава богу.

— Почему?

— Потому, что выглядит это чертовски сексуально, и еще потому, что она показывала это мне, но не тебе.

— Не сомневаюсь, что ее бедрами накручено немало разных смыслов, но мне куда понятнее язык тела Анушки.

— Ее язык тела понял бы даже медведь, — прервала Лиза, шлепнув меня по руке.

— Напомни, где она устраивает свои перформансы? — засмеялся я.

— Я тебе этого не говорила. — И новый шлепок.

Каждый удар сопровождался звонким клацаньем браслета из морских ракушек на ее запястье. Это был подарок, привезенный мною из Гоа. Она еще немного повертела кистью, забавляясь музыкой моря, а потом сдавила браслет свободной рукой и погасила звуки.

— Я не испортила тебе сегодняшний вечер? Может, мне извиниться за то, что потащила тебя на выставку сразу по приезде из Гоа?

— Да нет, все в порядке. Мне понравились твои друзья. Давно пора было с ними встретиться. И Розанна мне понравилась, дамочка с огоньком.

— Рада это слышать. Она мне не просто приятельница. Мы очень сблизились в последнее время. Ты находишь ее привлекательной?

— Что?

— Все нормально, — сказала она, поигрывая углом покрывала. — Я тоже считаю ее привлекательной.

— Что?!

— Она умная, преданная, смелая, талантливая, энергичная. И с ней интересно общаться. Она просто чудо!

Мой взгляд скользил по плавным линиям ее длинных стройных ног.

— К чему ты клонишь, в конце концов?

— Я к тому, что она тебя возбуждает, — сказала Лиза.

— Что?!

— Ничего страшного. Она и меня возбуждает.

Она взяла мою руку и провела ею между своих бедер.

— Ты сильно устал?

Я взглянул на ее ступни и пальцы ног, выгнувшиеся наподобие веера.

— Смотря для чего.

И потом все было хорошо. Это всегда бывало хорошо. Мы обменивались любовными ласками, которые хотя бы создавали иллюзию любви. Мы оба знали, что когда-нибудь этому придет конец, и потому, наверно, позволяли своим телам высказывать вещи, которые не могли высказать наши сердца.

Попозже я отправился на кухню, выпил холодной воды и принес полный стакан, поставив его на столик с ее стороны кровати.

Какое-то время я смотрел на нее — красивую, здоровую, сильную, свернувшуюся калачиком, как спящая кошка. Я мог лишь гадать, как она представляет себе нашу любовь и насколько ее представления расходятся с моими.

Я примостился рядом, подлаживаясь под ее позу. Она не проснулась, но гибкие пальцы ее ног среагировали сами собой, обхватив кончики моих пальцев. И мое спящее тело — неподвластное самообману, в отличие от моего разума, — согнув колени и прижавшись лбом к запертой двери ее спины, забарабанило в эту дверь молоточком сердца, умоляя одарить меня любовью.

ГЛАВА

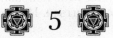

5

Езда на мотоцикле — это поэзия скорости. Балансирование на грани между изящной быстротой маневра и гибельной катастрофой сродни встрече с истиной, и каждая такая встреча разгоняет сердцебиение до пределов возможного. Бесконечно длящиеся мгновения гонки вырываются из вялого потока времени; они не ограничены пространством и конечной целью. Выжимая ручку газа и рассекая тугой воздух, ты в полете свободного духа оставляешь позади себя все привязанности и все страхи, а также радость, ненависть, любовь и злость, — возможно, для ожесточившихся людей вроде меня это лучший способ хоть ненадолго приблизиться к просветлению.

До паспортной мастерской, принадлежавшей мафии Санджая, я добрался в отличном расположении духа. Этим утром я предпочел прокатиться без особой спешки — просто проветрил мозги, результатом чего стала умиротворенная улыбка, которую я ощущал не только на своем лице, но и во всем теле.

Мастерская эта была главным центром, где мы занимались фальсификацией паспортов и других документов для мафии. Я непосредственно заведовал этой деятельностью и почти каждый день проводил на фабрике минимум пару-другую часов.

Но как только я открыл дверь, моя «мотоциклетная улыбка» сошла на нет. Передо мной стоял совершенно незнакомый молодой человек. И он протягивал мне руку для пожатия.

— Лин! — воскликнул он, двигая моей рукой вверх-вниз с интенсивностью ручного насоса, качающего воду из деревенской скважины. — Меня зовут Фарзад. Входите!

Я снял солнцезащитные очки и принял его радушное приглашение войти в мой собственный офис. Там, в углу большой комнаты, обнаружился новый письменный стол, заваленный документами и чертежами.

— Меня сюда прислали... около двух недель назад, — сказал Фарзад и кивком указал на второй стол. — Надеюсь, вы не против?

— Это будет зависеть от твоих объяснений.

— Каких объяснений?

— Ну, во-первых, что ты за хрен с горы? И во-вторых, какого черта ты тут делаешь?

— Ах, это? — Он выдавил смешок и, слегка расслабившись, уселся за новый стол. — Все очень просто. Я ваш новый помощник. Можете на меня рассчитывать.

— Я не просил нового помощника. Меня вполне устраивал прежний.

— Но я думал, прежде у вас не было никакого помощника?

— Вот «никакой» меня и устраивал.

Его руки на коленях запрыгали, как только что выловленная рыба на прибрежном песке. Я проследовал через комнату к длинному окну, из которого открывался вид на расположенный в полуподвале цех. И там также обнаружились перемены.

— Что за черт?!

По деревянной лесенке я спустился в цех, направляясь к шеренге новых просмотровых кабин и столов с подсветкой. Фарзад меня сопровождал, торопливо давая пояснения:

— Они хотят расширить ассортимент за счет образовательных фальшивок. Я думал, вы уже в курсе.

— Каких еще образовательных фальшивок?

— Университетские дипломы и прочие свидетельства, удостоверения о квалификации и все такое. Потому меня и прислали.

Он умолк, заметив, что я беру документ с одного из столов. Это был диплом инженера-технолога, якобы выданный престижным университетом в Бенгалии.

Проставленное в дипломе имя было мне знакомо: оно принадлежало сыну мафиозного «смотрящего» за рыболовецкой портовой зоной. Столь же тупой, сколь и алчный, этот сынок был самым бессовестным обиралой рыбаков из всех молодых гангстеров на причале Сассуна.

— Меня... сюда направили... — Фарзад начал запинаться, — п-п-потому что я имею диплом магистра по управлению бизнесом. Ну, то есть неподдельный диплом. И я вам пригожусь, будьте уверены.

— Управленцев нынче развелось как грязи, — проворчал я. — А что, философию уже никто не изучает?

— Мой отец ее изучает. Он утилитарист с уклоном к Штейнеру[1].

— Только не грузи меня с утра пораньше. Я сегодня еще не пил чай.

Перейдя к следующему столу, я взял с него свежую фальшивку. Это был диплом бакалавра в области стоматологии. Реагируя на выражение моего лица, Фарзад вновь подал голос:

— Не беспокойтесь, ни один из этих поддельных дипломов не будет использоваться в Индии. Все они предназначены для людей, выезжающих за границу.

— Вот как? — произнес я без улыбки. — Ну, тогда все в порядке.

— И я так думаю! — радостно подхватил он. — Мне распорядиться насчет чая?

Когда прибыл чай со специями в низких, покрытых паутиной трещинок стаканах, мы продолжили беседу, и постепенно этот парень начал мне нравиться.

---

[1] *Утилитаризм* — направление в моральной философии, оценивающее любое действие или событие исключительно с точки зрения его полезности. *Рудольф Штейнер* (1861–1925) — австрийский философ, мистик и социальный реформатор, основоположник антропософии (мистического учения о духовной природе человека и способах ее постижения).

Фарзад принадлежал к небольшой, но процветающей и влиятельной общине бомбейских парсов. Холостяк двадцати трех лет от роду, он жил со своими родителями и многочисленной роднёй в большом доме неподалеку от трущоб, в которых некогда обитал и я.

Учился он сначала в Индии, а затем два года в Штатах, где окончил аспирантуру и устроился в одну бостонскую фирму, специализировавшуюся на фьючерсных сделках. А спустя год он оказался замешан в крупной афере — глава его фирмы создал финансовую пирамиду.

Хотя Фарзад и не имел прямого отношения к махинациям своего работодателя, подпись его фигурировала в документах о переводе средств на секретные банковские счета. И когда реально замаячила угроза ареста, он поспешил вернуться в Индию, воспользовавшись очень своевременным, хотя и печальным поводом — необходимостью повидать смертельно больного дядю.

Я хорошо знал его дядю, Кеки. Он был советником Кадербхая, возглавлявшего южнобомбейскую мафию, и занимал высокий пост в мафиозной иерархии. В последние часы перед смертью старик-парс попросил нового босса мафии, Санджая Кумара, позаботиться о своем племяннике, которого он любил, как родного сына.

Санджай встретился с Фарзадом и пообещал укрыть его от возможных преследований американской Фемиды, если он останется в Бомбее и будет работать на местную мафию. Я еще разбирался с делами в Гоа, когда Санджай устроил его на работу в моей паспортной мастерской.

— Сейчас все больше людей выезжает из Индии, — сказал Фарзад, приступая ко второму стакану чая, — и режим пересечения границы очень скоро упростят. Будьте уверены.

— Ну-ну, посмотрим.

— Законы и ограничения изменятся, процедура станет более легкой и быстрой. Люди будут выезжать из Индии и возвращаться в Индию, открывать свой бизнес здесь и в других странах, свободно перемещать капиталы. И всем этим людям наверняка потребуются разные документы, с которыми им будет легче обосноваться в Америке, в Лондоне, в Стокгольме или Сиднее.

— А для нас это новый обширный рынок, не так ли?

— Это гигантский рынок. Гигантский. Мы начали выпускать такие документы всего две недели назад и уже сейчас работаем в две полные смены, чтобы справиться с потоком заказов.

— В две смены?

— Именно так, *бабá*[1].

---

[1] *Бабá* — отец *(хинди)*; также форма уважительного обращения к любому мужчине независимо от его возраста.

— А что, если, к примеру, одному из наших клиентов, *купившему* диплом инженера-строителя, вместо того чтобы *обучиться* этой профессии, доверят постройку моста, который затем рухнет и угробит пару сотен людей?

— Не сгущайте краски, *баба*, — ответил он. — В большинстве стран поддельный диплом нужен только для того, чтобы вас впустили в двери. В любом случае вам потребуется дополнительное обучение для того, чтобы соответствовать местным требованиям и подтвердить свою квалификацию. Но вы же знаете наших индийцев. Стоит только пустить их на постой, и вскоре они купят весь дом, потом соседние дома, а под конец завладеют всей улицей и начнут сдавать жилье внаем его бывшим владельцам. Уж такие мы есть. Будьте уверены, *йаар*.

Открытый и приветливый по натуре, Фарзад понемногу перестал меня опасаться. Взгляд его карих глаз был ясен и безмятежен, вполне гармонируя с его оптимистическим видением мира. Округлый полногубый рот казался постоянно улыбающимся, а кожа была очень светлой — гораздо светлее моего загорелого лица, увенчанного короткой блондинистой шевелюрой. Стильные джинсы и шелковая дизайнерская рубашка делали его похожим скорее на иностранного туриста, чем на местного уроженца, предки которого жили в Бомбее на протяжении трехсот лет.

Лицо его было гладким и чистым — ни единого шрама, царапины или хотя бы остаточной желтизны от синяка. Вполуха слушая его болтовню, я вдруг подумал, что этот парень, вероятно, ни разу в жизни не участвовал в драке и даже не сжимал кулак с намерением кого-нибудь ударить.

И я ему позавидовал. В тех случаях, когда я позволял себе вглядеться в полуразрушенный туннель собственного прошлого, возникало впечатление, что я всю жизнь только и делал, что дрался.

Я и мой младший брат были единственными католиками в хулиганско-пролетарском предместье. И соседские парни из семей твердолобых люмпенов каждый вечер терпеливо дожидались прибытия нашего школьного автобуса, после чего нам приходилось буквально пробиваться от остановки до своего дома.

И этому не было видно конца. Поход в торговый центр напоминал вылазку на вражескую территорию. Местная шпана атаковала «чужих» со всей злобностью, на какую только способны бедняки по отношению к таким же беднякам. Занятия карате и боксом в спортклубе стали для меня необходимыми элементами выживания в этой среде.

Каждый мальчишка в нашем районе, у которого хватало смелости дать сдачи, осваивал боевые искусства, и каждая неделя предоставляла ему возможности опробовать на практике то, чему он научился. По вечерам в пятницу и субботу приемное отделение местной клиники было до отказа заполнено юнцами, которым накладывали швы на рассеченные брови и губы или по третьему разу вправляли сломанные носы.

Я был одним из них. Моя медицинская карта в регистратуре превосходила толщиной собрание шекспировских трагедий. И все это было еще задолго до тюрьмы.

Слушая счастливые, мечтательные разглагольствования Фарзада о машине, на покупку которой он копил деньги, и о девчонке, которую он хотел пригласить на свидание, я ощущал поясницей давление двух ножей, которые всегда носил сзади под рубашкой. Дома я хранил в потайном ящике шкафа два пистолета с парой сотен патронов к ним. Если Фарзад не имел оружия или решимости пустить его в ход, он явно сунулся не в свое дело. Если он не умел драться и держать удар, ему здесь было не место.

— Ты работаешь на мафию Санджая, — сказал я. — Помни об этом и не заглядывай слишком далеко вперед.

— Всего два года, — сказал Фарзад, складывая руки горстью, как будто держал в них будущее со всеми его надеждами и перспективами. — Два года этой работы, и я накоплю денег на небольшое, но собственное дело. Открою консультацию для людей, желающих получить американскую грин-карту[1], или еще что-нибудь в этом роде. Я так и сделаю, будьте уверены!

— Ты, главное, постарайся быть тихим и незаметным, — посоветовал я, надеясь, что прихотливая судьба и перипетии мафиозного бизнеса действительно подарят ему пару лет, на которые он рассчитывал.

— Да, разумеется, я всегда...

Телефон, зазвонивший на моем столе, не дал ему договорить.

— Вы не собираетесь ответить? — спросил Фарзад после нескольких звонков.

— Я не люблю телефоны.

Аппарат продолжал надрываться.

— Но тогда зачем он вам?

— А он и не мой. Это телефон офиса. Если звонок тебя раздражает, ответь сам.

Он снял трубку.

— Доброе утро, говорит Фарзад, — сказал он и тотчас отодвинул трубку подальше от уха.

_____

[1] *Грин-карта* (зеленая карта) — идентификационная карта, подтверждающая вид на жительство в США и дающая право на трудоустройство в этой стране.

Из динамика донеслись хлюпающе-чавкающие звуки, словно на том конце линии кто-то шагал по глубокой грязи или здоровенный пес с жадностью пожирал что-то смачное. Фарзад с ужасом уставился на телефон.

— Это меня, — сказал я, вынимая трубку из ослабевшей руки своего нового помощника. — *Салям алейкум*, Назир.

— Линбаба?

Его голос легко мог бы пробиться сквозь стены и перекрытия.

— Да. *Салям алейкум*, Назир.

— *Ва алейкум салям...* Приезжай! — рявкнул он. — Приезжай прямо сейчас!

— А где твое «Как поживаешь, Линбаба»?

— Приезжай! — повторил Назир.

Теперь в голосе были шуршание и скрежет, как если бы кто-то тащил волоком тяжелое тело по усыпанной гравием дорожке. Мне доставляло удовольствие его слушать.

— О'кей. Сохрани свой грозный взгляд до моего приезда. Я уже в пути.

Я положил трубку и, прихватив бумажник и ключи от мотоцикла, направился к выходу.

— Потом еще побеседуем, — сказал я Фарзаду. — Похоже на то, что мы с тобой сработаемся. Проследи за конторой в мое отсутствие, *тхик*?

Последнее слово, произнесенное как «ти-ик», вызвало широкую улыбку на молодом, невинно-чистом лице.

— *Билкул тхик!* — откликнулся он. — Все будет в лучшем виде!

За дверью офиса я тут же забыл о молодом дипломированном изготовителе фальшивок и вскоре уже вовсю гнал по Мариндрайв, ни разу не снизив скорость вплоть до поворота у эстакады метро.

Неподалеку от Огненного храма парсов движение наглухо застопорилось; и внезапно я увидел впереди моего друга Абдуллу — он и еще два знакомых мне мотоциклиста проскочили перекресток и свернули в узкие улицы торговой зоны.

Уловив момент, когда в потоке транспорта возник небольшой разрыв, и убедившись, что дежурный коп занят получением очередной взятки, я рванул на красный и пустился в погоню за Абдуллой.

Как член группировки Санджая, я поклялся не жалеть своей жизни, защищая моих «братьев по оружию». Но Абдулла значил для меня гораздо больше. Этот рослый длинноволосый иранец был моим первым и ближайшим другом в местной мафии, и моя преданность ему выходила далеко за рамки стандартного обета.

Бомбейские гангстеры не сомневались в наличии особой, глубинной связи между верой и смертью. Каждый из людей Санджая полагал, что его душа находится во власти некоего персонального бога, и никогда не забывал возносить молитвы непосредственно перед убийством и сразу же после него. Абдулла, как и другие, был глубоко верующим человеком, что не мешало ему убивать без колебаний и пощады.

Что до меня, то я всегда искал чего-то большего, нежели молитвы, обеты и обряды почитания, описанные в священных книгах. Я вечно сомневался и пытался разобраться в себе самом, тогда как Абдулле подобное было неведомо: он был уверен в собственной правоте и непобедимости, как самый могучий из орлов, парящих в небе над его головой.

Мы с ним были очень разными людьми, по-разному относились к любви и по-разному реагировали на угрозу. Но дружба — это тоже своего рода вера, особенно для тех из нас, кто не очень верит во что-то еще. Простая правда заключалась в том, что при одном лишь виде Абдуллы мне становилось легко и хорошо на душе.

Я следовал за ним по пятам, лавируя в транспортном потоке и выжидая подходящий случай, чтобы с ним поравняться. Меня всегда восхищали его свободная посадка и непринужденная манера вождения. Бывают «наездники от Бога», которые как бы составляют единое целое с лошадью; примерно то же самое можно сказать и о «мотоциклистах от Бога».

Фардин и Хусейн, сопровождавшие Абдуллу, также были отличными гонщиками — они носились по этим самым улицам чуть ли не с младенчества, совершив свои первые поездки еще на бензобаках отцовских мотоциклов, — но все равно им было далеко до филигранной манеры езды иранца, способного ручейком просочиться сквозь любое дорожное столпотворение.

Когда рядом с его байком образовался просвет, я поддал газу, и Абдулла оглянулся. Улыбка узнавания вмиг стерла с его лица мрачные тени, и он, сбросив скорость, направил мотоцикл к тротуару. Фардин и Хусейн повторили его маневр.

Я затормозил рядом с Абдуллой, и мы обнялись, не слезая с байков.

— Салям алейкум, — сердечно приветствовал я друга.

— *Ва алейкум салям ва рахматуллахи ва баракатух*, — прозвучало в ответ. «И тебе мир, милость Аллаха и Его благословение».

Фардин и Хусейн поздоровались со мной за руку.

— Я слышал, ты едешь на встречу, — сказал Абдулла.

— Да, мне позвонил Назир. Я думал, ты тоже там будешь.

— Конечно буду, я туда и направляюсь, — заявил он.

— Ну тогда ты выбрал очень длинный объездной маршрут, — засмеялся я, поскольку он только что ехал в другую сторону.

— Сперва надо провернуть одно дельце. Это не займет много времени. Давай с нами, отсюда недалеко. Держу пари, тебе не случалось бывать в таком месте и общаться с такими людьми.

— Хорошо, — согласился я. — И куда же мы едем?

— Потолковать с велокиллерами, — сказал он. — По делам нашей фирмы.

Я действительно никогда не бывал в логове велокиллеров. И вообще, мне о них мало что было известно. Но, как и всякий человек с бомбейских улиц, я знал имена двух лидеров этой банды. И еще я знал, что там, куда мы едем вчетвером, у них будет как минимум шести-семикратный численный перевес.

Абдулла вновь завел мотоцикл, подождал, когда мы сделаем то же самое, и нырнул в поток транспорта — легко и непринужденно, с гордо поднятой головой.

ГЛАВА
 6

Мне доводилось мельком видеть велокиллеров, с бешеной скоростью проносившихся по запруженным улицам Воровского базара на своих отполированных и обильно хромированных велосипедах. Эти ребята традиционно носили яркие облегающие майки, узкие белые джинсы и наимоднейшие кроссовки. Волосы они зачесывали назад и смазывали маслом. Еще одним отличительным признаком их банды были татуировки на лицах для защиты от дурного глаза, тогда как собственные глаза они прятали за зеркальными очками-авиаторами, ослепительно сверкавшими под стать хромированным великам.

По общему признанию бомбейского криминального мира, они были самыми эффективными убийцами, каких только можно купить за деньги, уступая в искусстве владения холодным оружием лишь одному человеку в городе: Хатоде, мастеру ножевого боя из мафии Санджая.

Мы углубились в хитросплетение улочек, кишащих лоточниками и попрошайками, и наконец припарковали мотоциклы перед лавкой, в витрине которой были выставлены аюрведические[1] снадобья и шелковые кисетики с магическими травами, ограждающими от любовного проклятия. Я хотел купить один такой, но Абдулла мне не позволил.

— Над нами Аллах, а с нами наша честь и наш долг, — проворчал он, кладя руку мне на плечо. — И нам не нужны никакие амулеты и зелья.

Отметив про себя, что надо будет в другой раз вернуться сюда одному, я последовал за своим правоверным другом.

Абдулла вел нас узеньким коридором-проулком, в котором едва могли разминуться боком два человека. По мере удаления от улицы здесь становилось все темнее, пока стены не сомкнулись вверху почти невидимой в сумраке аркой, именуемой Башнями Белла-Виста.

За аркой крытые проходы разветвлялись, а в одном месте мы и вовсе прошли через частный дом. Его владелец, пожилой мужчина в рваной цветастой майке и больших затемненных очках с диоптриями, сидел в кресле и читал газету. Он даже не поднял глаза от страницы, чтобы посмотреть на людей, гуськом шествовавших через его, насколько я понимаю, гостиную.

Далее был еще более темный проулок, затем последний поворот в этом лабиринте — и мы очутились в просторном, залитом солнцем дворе.

Мне приходилось слышать об этом месте, оно называлось Дас-Раста — Десять путей. Ветвисто пробиваясь через хаотичные скопления домов, пути сходились на круглой площади под открытым небом. Это была территория общего пользования, однако чужаки здесь не приветствовались.

Из окружающих окон высовывались жильцы, наблюдая за происходящим на Дас-Расте. Некоторые спускали или поднимали на веревках корзины с овощами, готовой едой и другими товарами. Другие просто пересекали двор, появляясь и исчезая в туннелях, которые, как спицы колеса, разбегались отсюда во все стороны, соединяя Дас-Расту с внешним миром.

В самом центре двора из мешков с зерном и бобами была сооружена ступенчатая пирамида вдвое выше человеческого роста. И на ступенях этой пирамиды сидели велокиллеры.

Импровизированный трон на вершине занимал Ишмит, их вожак. Его длинные, ни разу не стриженные волосы соответствовали религиозным традициям сикхов, но, кроме длины волос, ничто более не указывало на его принадлежность к сикхизму.

---

[1] *Аюрведа* — традиционная система индийской медицины, основанная на древних философских представлениях о гармонии тела, ума и духа с окружающей нас Вселенной.

Волосы не были спрятаны под аккуратную чалму, как принято у сикхов, а свободно ниспадали до пояса; тонкие обнаженные руки были покрыты татуировками, на которых изображались совершенные им многочисленные убийства, а также победы, одержанные в гангстерских войнах. За поясом узких джинсов были заткнуты два длинных кривых ножа в богато украшенных ножнах.

— Салям алейкум, — лениво промолвил он, приветствуя Абдуллу, когда мы приблизились к пирамиде.

— Ва алейкум салям, — ответил Абдулла.

— А это что за пес с тобой приплелся? — спросил на хинди человек, ближе других сидевший к Ишмиту, и смачно сплюнул в сторону.

— Его зовут Лин, — спокойно сказал Абдулла. — Еще его называют Шантарамом. Он был другом Кадербхая, и он говорит на хинди.

— Мне плевать, говорит он на хинди, панджаби или малаялам[1], — продолжил человек на хинди, оглядывая меня с ног до головы. — Он может декламировать стихи или таскать с собой словарик, засунув его в жопу, мне на это плевать. Я хочу знать, что этот пес делает *здесь*?

— Ты явно ближе моего знаком с собаками, — произнес я на хинди. — Но я пришел сюда в компании не псов, а мужчин, которые не привыкли брехать попусту.

Мой оппонент вздрогнул от неожиданности и недоверчиво покачал головой. Трудно сказать, что было главной причиной его изумления: мой жесткий ответ на вызов или же способность белого чужака говорить на хинди в стиле бомбейских уличных гангстеров.

— Этот человек мой брат, — произнес Абдулла ровным голосом, глядя на Ишмита. — Все, что твой человек говорит ему, он говорит и мне.

— Тогда почему бы не сказать это прямо тебе, иранец? — спросил все тот же задира.

— И то верно, почему бы нет, во имя Аллаха? — откликнулся Абдулла.

Это был момент, когда все повисло на тоненьком волоске. По двору по-прежнему сновали люди, перетаскивая туда-сюда мешки, кувшины с водой, коробки с прохладительными напитками и прочие вещи. Досужие зрители по-прежнему маячили в оконных проемах. Дети продолжали смеяться и играть в тени.

---

[1] *Панджаби* — язык панджабцев и джатов, распространенный на востоке Пакистана и в сопредельных районах Индии. *Малаялам* — дравидийский язык, распространенный на крайнем юго-западе Индии.

Но на пятачке между велокиллерами и нами четверыми царило созерцательное безмолвие — не будь окружающего шума, можно было бы расслышать стук наших сердец. За этой неподвижностью скрывалось огромное напряжение, когда руки демонстративно *не* тянутся к оружию, но тень сомнения уже готова разродиться вспышками солнца на клинках и потоками крови.

Велокиллеры были в одном слове от войны, но они уважали Абдуллу и относились к нему с опаской. Я на миг заглянул в смеющиеся, прищуренные глаза Ишмита. Он, похоже, прикидывал число трупов, которые вскоре будут валяться у подножия его пирамиды из мешков.

Было ясно, что при таком раскладе Абулла успеет убить не менее трех людей Ишмита, а остальные трое из нас, возможно, добавят к этому счету еще столько же. И хотя во дворе находилась дюжина велокиллеров, не считая тех, кто мог подоспеть к ним из ближайших домов, вероятные потери (даже если сам Ишмит уцелеет) были бы слишком велики, чтобы его банда смогла пережить неминуемое возмездие со стороны нашей мафии.

Глаза Ишмита раскрылись чуть шире, а на губах обозначилась улыбка, окрашенная алым соком бетеля.

— Любой брат Абдуллы, — сказал он, глядя на меня в упор, — это мой брат. Подойди и сядь рядом со мной. Пропустим по *бхангу*[1].

Я взглянул на Абдуллу, и тот коротко кивнул мне, не сводя глаз с велокиллеров. Я вскарабкался на груду мешков и занял место чуть ниже трона Ишмита, на одном уровне с человеком, только что меня оскорбившим.

— Раджа! — обратился Ишмит к слуге, который полировал ряды и без того сверкавших никелем и хромом велосипедов. — Принеси стулья!

Тот исчез и мигом вернулся с тремя деревянными стульями для Абдуллы, Фардина и Хусейна. Другие слуги принесли нам бледно-зеленый бханг в высоких стаканах, а также внушительных размеров чиллум.

Я залпом осушил стакан молока с коноплей, следуя примеру Ишмита. Тот подмигнул мне, громко рыгнув.

— Буйволиное молоко, — сказал он. — Парное. Усиливает кайф. Если хочешь царить в этом мире, приятель, заимей дойных буйволиц.

— О... кей.

Он зажег чиллум, сделал две долгие затяжки и передал его мне, мощными струями выпустив дым из ноздрей.

---

[1] *Бханг* (тж. бханг-ласси) — молочный напиток с выжимкой из конопли.

Затянувшись в свою очередь, я протянул чиллум ближайшему велокиллеру, моему недавнему обидчику. Теперь его глаза улыбались, от былой враждебности не осталось и следа. Он затянулся, передал чиллум дальше и похлопал меня по колену:

— Кто твоя любимая актриса?

— Из нынешних или вообще?

— Из нынешних.

— Каришма Капур[1].

— А вообще?

— Смита Патиль[2]. А у тебя?

— Рекха[3], — вздохнул он. — Прежде, сейчас и всегда. Она затмевает всех... У тебя есть нож?

— Конечно.

— Можно взглянуть?

Я достал один из своих выкидных ножей и протянул ему. Он раскрыл его с профессиональной сноровкой и повертел между пальцами увесистое оружие с медной рукоятью так легко, словно это был стебелек цветка.

— Славная вещь, — одобрил он, сложив и возвратив нож. — Кто делал?

— Викрант, с причала Сассуна, — ответил я, пряча нож в чехол.

— А, Викрант. Хороший мастер. Хочешь взглянуть на мой?

— Конечно, — сказал я, протягивая руку, чтобы принять его оружие.

Мой длинный нож предназначался для уличных боев лицом к лицу. Кинжал велокиллера служил для нанесения глубоких и широких, смертельных ран — как правило, ударом в спину. Лезвие резко сужалось от массивной рукояти к острию и было снабжено желобками-кровостоками. Зубцы на лезвии были направлены в обратную сторону, чтобы нож легко входил в тело, но рвал плоть на выходе, тем самым предотвращая спонтанное закрытие раны. Медная изогнутая рукоять удобно ложилась в руку. В целом же это оружие больше подходило для колющих, чем для рубяще-режущих ударов.

— Знаешь, — сказал я, отдавая его хозяину, — мне бы не хотелось когда-нибудь выйти один на один против тебя.

Он широко ухмыльнулся и вставил кинжал в ножны.

---

[1] *Каришма Капур* (р. 1974) — киноактриса родом из Бомбея.

[2] *Смита Патиль* (1955–1986) — индийская кинозвезда, за свою недолгую жизнь сыгравшая около 80 ролей и признанная одной из лучших актрис своего времени.

[3] *Рекха* (сценическое имя Бханурекхи Ганешан, р. 1954) — выдающаяся индийская актриса и певица; живет в Мумбаи (Бомбее).

— Хороший план! — сказал он. — Не вижу проблемы. Мы с тобой никогда не выйдем друг против друга. Годится?

И он протянул мне руку. Долю секунды я колебался, зная, что гангстеры очень серьезно относятся к таким вещам, а я не был уверен, что смогу сдержать слово, если начнется война между нашими бандами.

— А, к черту! — сказал я и обменялся с ним крепким рукопожатием. — Мы с тобой никогда не будем драться. Несмотря ни на что.

Он вновь ухмыльнулся.

— Я... — начал он на хинди. — Ты извини... за те мои грубые слова.

— Ладно, забыли.

— Между прочим, я хорошо отношусь к собакам, — сообщил он. — Любой здесь это подтвердит. Я даже подкармливаю бродячих псов.

— Рад это слышать.

— Аджай! Скажи ему, как я люблю собак!

— Очень сильно, — сказал Аджай. — Он сильно любит собак.

— Если ты сейчас же не прекратишь говорить о собаках, — сказал Ишмит, пуская красную слюну из уголка рта, — я сверну тебе шею.

И отвернулся от него, демонстрируя неудовольствие.

— Абдулла, — сказал он, — полагаю, ты хотел со мной поговорить?

Но Абдулла не успел ответить, поскольку во дворе появилась группа из десятка рабочих, кативших две длинные пустые тележки.

— С дороги! — сразу же завопили они. — Труд угоден Богу! Мы творим богоугодное дело! Мы пришли за мешками! Забираем старые мешки! Потом привезем новые! С дороги! Труд угоден Богу!

С бесцеремонностью, за какую другие поплатились бы жизнями, простые работяги пренебрегали статусом и нарушали покой банды свирепых убийц. Без промедления они начали растаскивать пирамиду мешков, а велокиллеры, спотыкаясь и падая, освобождали насиженные места.

Не спеша, стараясь не уронить своего достоинства, Ишмит снизошел с командных высот и встал неподалеку от Абдуллы, наблюдая за разрушением пирамиды. Я слез одновременно с ним и присоединился к своим друзьям.

Фардин, не зря носивший прозвище Политик, поднялся и дипломатично предложил свой стул Ишмиту. Лидер велокиллеров сел рядом с Абдуллой и громко потребовал чай со специями.

Пока мы дожидались чая, рабочие удалили всю гору мешков, оставив на голых камнях двора лишь немного оброненных зерен и соломинок. Подали имбирный адрак-чай, настолько крепкий, что даже самый суровый и бессердечный судья прослезился бы.

А работяги вскоре вернулись с новыми мешками зерна и стали складывать их на том же месте. Стремительно вырастала новая куча, и слуги велокиллеров начали придавать ей форму ступенчатой пирамиды.

Вероятно желая скрыть неловкость оттого, что мы наблюдали его конфузное свержение с трона, Ишмит переключил внимание на меня:

— Ты... чужак, что ты думаешь о Дас-Расте?

— *Джи*, — начал я с уважительного обращения, соответствующего английскому «сэр», — я удивляюсь, как мы смогли добраться сюда, никем не задержанные.

— Мы знали, что вы идете. Мы знали, сколько вас, и знали, что вы друзья. Помнишь дядюшку Дилипа — старика, читающего газету?

— Да, мы прошли прямо через его дом.

— Именно так. У дядюшки Дилипа есть под креслом кнопка, а от нее идет провод к звонку здесь, на площади. По тому, сколько раз он нажимает кнопку, и по протяжности звонков мы можем определить, кто приближается, друг или враг, и в каком количестве. И такие «дядюшки» у нас есть в каждом проходе. Они глаза и уши Дас-Расты.

— Недурно, — признал я.

— Судя по наморщенному лбу, у тебя еще остались вопросы.

— Да. Я не понимаю, почему это место называется Дас-Раста — Десять путей, тогда как я смог насчитать только девять выходов с площади.

— Ты мне нравишься, *го́ра*! — сказал Ишмит, используя слово, обозначающее на хинди белого человека. — Немногие замечают этот факт. На самом деле сюда и отсюда ведут десять путей, но десятый ход — потайной, и он известен лишь местной братве. Ты сможешь проследовать этим путем, только став одним из нас — или же в виде трупа, если мы тебя здесь прикончим.

Тут в разговор вступил Абдулла, выбравший этот момент для того, чтобы изложить цель своего визита.

— Я привез твои деньги, — сказал он, наклоняясь к сочащейся бетелем улыбке Ишмита. — Но прежде чем я их отдам, должен сказать об одном осложнении.

— Что за... осложнение?

— Свидетель, — произнес Абдулла достаточно громко, чтобы я смог его расслышать. — Говорят, вы работаете так быстро, что даже джинн не сможет заметить удар вашего ножа. Но в последнем случае нашелся человек, это заметивший. И он описал киллера полиции.

Ишмит сжал челюсти и быстро взглянул через плечо на своих людей, а затем вновь повернулся к Абдулле. Улыбка на его лице медленно восстанавливалась, но зубы по-прежнему были сомкнуты так крепко, словно он держал в них нож.

— Само собой, мы уберем этого свидетеля, — прошипел он. — И не возьмем за него доплату.

— В этом нет нужды, — ответил Абдулла. — Сержант полиции, оформлявший протокол, — наш человек. Он надавил на свидетеля и заставил его изменить показания. Но ты же понимаешь, что в таких случаях я говорю не от своего имени, а от имени Санджая. Притом что это лишь второй заказ, который мы вам дали.

— *Джарур*[1], — сказал Ишмит. — И я обещаю, что осложнений со свидетелями больше не возникнет, пока мы работаем вместе.

Ишмит пожал руку Абдуллы, на секунду-другую задержав ее, а затем встал со стула, повернулся к нам спиной и начал карабкаться на вершину заново возведенной пирамиды. Расположившись на своем новом троне, он произнес одно слово:

— Панкадж!

Оказалось, что так зовут человека, с которым мы сперва ссорились, а потом обсуждали ножи.

Фардин вынул из своего рюкзака пачку денег и передал ее Абдулле, который, в свою очередь, вручил ее Панкаджу. Перед тем как лезть на пирамиду, тот обернулся ко мне.

— Мы с тобой никогда не будем биться друг против друга, — сказал он, вновь протягивая мне руку. — *Пукках?*[2]

Его широкая улыбка и неподдельная радость от обретения нового друга были бы восприняты с пренебрежительной усмешкой матерыми зэками в австралийской тюрьме. Но сейчас мы находились в Бомбее, и улыбка Панкаджа была столь же искренней, сколь искренним было его желание прирезать меня несколькими минутами ранее. То же самое я мог бы сказать о себе.

Пока Ишмит его не окликнул, я не знал, что человек, с которым я недавно обменялся оскорблениями, был вторым по значимости главарем велокиллеров; и его имя наводило не меньший страх, чем имя самого Ишмита.

— Ты и я, — сказал я ему на хинди, — мы никогда не будем драться. Что бы ни случилось.

---

[1] Конечно (*хинди*).

[2] Верно? (*хинди*)

Ухмыльнувшись мне от уха до уха, он с акробатической ловкостью вскарабкался на гору мешков и отдал деньги Ишмиту. Абдулла приложил руку к груди в знак прощания, и мы двинулись в обратный путь.

Следуя за Абдуллой, мы снова прошли лабиринт ходов, включая гостиную, в которой все так же сидел и читал газету дядюшка Дилип, держа бдительную ногу на тайной кнопке под креслом.

Когда мы добрались до своих мотоциклов, Абдулла повернулся, поймал мой взгляд и расплылся в очень редкой для него открытой, счастливой и даже озорной улыбке.

— Это было на самой грани! — сказал он. — Все обошлось, хвала Аллаху!

— С каких это пор ты имеешь дело с левыми киллерами?

— Мы связались с ними пару недель назад, когда ты был в Гоа. Помнишь нанятого нами адвоката, который слил наших братьев, выложив копам все, что ему рассказали по секрету?

Я кивнул, вспоминая, как все мы были разъярены, когда наши люди получили пожизненный срок из-за предательских показаний их собственного адвоката. Была подана апелляция, но она застряла в суде высшей инстанции, и наши все еще сидели за решеткой.

— Теперь этот законник примкнул к толпе своих коллег в аду, — сказал Абдулла, и в глазах его сверкнули золотистые искорки. — Наш приговор апелляции не подлежит. Но не будем говорить о подлых тварях и их жалких судьбах. Лучше насладимся ездой с ветерком и возблагодарим Аллаха за то, что Он избавил нас от необходимости убивать киллеров, которых мы сами же наняли для другого убийства. Жизнь прекрасна и удивительна, хвала Аллаху!

Однако, пока мы с Фардином и Хусейном следовали за Абдуллой к месту сбора совета мафии, я размышлял отнюдь не о Божьей благодати. Я знал, что другие мафиозные кланы периодически прибегают к услугам велокиллеров. Даже копы временами привлекали их для «чистки» в особо щекотливых случаях. Но южнобомбейская мафия при жизни Кадербхая до такого не опускалась никогда.

Где бы ни собиралась компания людей — от заседания директоров крупной фирмы до сборища развратников в борделе, — они всегда, сознательно либо неосознанно, устанавливают определенные моральные правила для данной ситуации. И одним из моральных правил, неукоснительно соблюдавшихся мафией Кадербхая, было следующее: человеку, которого решено убрать, дается возможность посмотреть в глаза своим убийцам и услышать от них, за что конкретно он обречен на смерть. Но нанимать безликих неуловимых киллеров, вместо того чтобы самим приводить в исполнение приговор, — это был радикальный отход от правил. И с этим мне было трудно примириться.

До сей поры порядок и хаос в нашем мире балансировали на чашах весов, удерживаемых в напряженно вытянутой руке традиции. И эти весы опасно качнулись в тот самый момент, когда были наняты велокиллеры. Из множества людей, работавших на Санджая, добрая половина хранила верность старому кодексу чести в большей мере, чем лично ему, теперь пытавшемуся этот кодекс переписать...

Вид морского простора при выезде на Марин-драйв наполнил ощущением покоя если не мою голову, то хотя бы мое сердце. Я отвернулся от красной тени, бегущей рядом со мной по обочине. Я перестал думать о пирамиде киллеров и о недальновидности Санджая. Я перестал думать о моей собственной роли в предстоявшем безумии. Я просто гнал по трассе с моими друзьями — навстречу концу, нам уготованному.

ГЛАВА

7

Не будь с нами Абдуллы, мы с Фардином и Хусейном помчались бы до мечети Набила наперегонки, подрезая машины и пытаясь протиснуться в любую щель. Но Абдулла никогда никого не подрезал и не жал на газ без толку. Он рассчитывал, что машины сами перед ним расступятся, и обычно так оно и происходило. Он ездил спокойно, без рывков и резких торможений, прямо сидя в седле и высоко держа голову, и длинные черные волосы всплесками растекались по его широким плечам.

Мы добрались до особняка минут за двадцать и припарковали мотоциклы на привычном месте, перед соседним парфюмерным магазином.

Как правило, главный вход в особняк был открыт и неохраняем. Кадербхай говорил, что, если какой-нибудь враг захочет покончить с жизнью путем нападения на его жилище, он предпочтет сперва выпить с ним чая и только потом убить его.

Но сейчас мы обнаружили высокие массивные двери парадного входа плотно закрытыми, а перед ними стояли четверо вооруженных людей. Я узнал одного из них, Фарука, «смотрящего» за игорным бизнесом в отдаленном филиале фирмы, в Аурангабаде. Трое других были незнакомыми мне афганцами.

Толкнув дверь, мы вошли внутрь и увидели еще парочку с автоматами на изготовку.

— Зачем тут афганцы? — спросил я, когда мы их миновали.

— Многое произошло, брат Лин, за то время, что ты был в Гоа, — сказал Абдулла, и мы вступили в открытый внутренний дворик.

— Да уж, шутки в сторону.

Я не появлялся здесь уже несколько месяцев и сейчас с горечью отметил признаки небрежения и запущенности. При жизни Кадербхая из каменной глыбы в центре двора день и ночь бил фонтан, а роскошные пальмы в кадках добавляли живительную зелень к белизне мрамора и голубизне неба. С той поры пальмы засохли, а растрескавшаяся земля в кадках была утыкана сигаретными окурками.

У двери в комнату, где заседал совет мафии, стояли еще два афганца с автоматами. Один из них постучал в дверь и затем медленно ее отворил.

Абдулла, Хусейн и я вошли внутрь, а Фардин остался снаружи вместе с афганскими охранниками. Дверь закрылась за нашими спинами, и я огляделся: в комнате нас было тринадцать человек.

Сама комната заметно изменилась. На полу сохранилось покрытие из пятиугольных плиток кремового цвета, а сине-белая мозаика, имитирующая небо с облаками, по-прежнему покрывала стены и сводчатый потолок, но инкрустированный столик и парчовые подушки на полу исчезли. Их место занял длинный — почти от стены до стены — конференц-стол из темного дерева, по периметру стола расположились четырнадцать кожаных кресел с высокими спинками. Кресло председателя, в отличие от остальных, было украшено витиеватой резьбой. И человек, сидевший в этом кресле, Санджай Кумар, улыбкой встретил вновь вошедших. Но эта улыбка предназначалась не мне.

— Абдулла! Хусейн! — воскликнул он. — Наконец-то! Мы уже обсудили много второстепенных вопросов, ну а теперь, когда вы здесь, можно приступать к самому главному.

Предположив, что Санджай не желает моего присутствия в зале совета, я попробовал вежливо удалиться.

— Санджайбхай, я подожду снаружи, пока не понадоблюсь.

— Нет, Лин, — сказал он, делая какой-то неопределенный взмах рукой. — Сядь рядом с Тариком. Садитесь все, не будем терять время.

Тарик, четырнадцатилетний племянник Кадербхая и его единственный близкий родственник мужского пола, сидел в императорском кресле своего дяди в дальнем конце комнаты. Он был развит не по годам и уже сейчас не уступал ростом большинству присутствующих. Но все равно его фигура терялась в обширном пространстве кресла, когда-то бывшего троном короля южно-бомбейского преступного мира.

Позади Тарика, положив ладонь на рукоять кинжала, стоял Назир — верный страж мальчика и мой близкий друг.

Я проследовал вдоль длинного стола и поздоровался с Тариком. На секунду он просиял, пожимая мне руку, но тут же вновь принял холодно-бесстрастный вид, с бронзовым отблеском в глазах, — таким он был все время со дня смерти своего дяди.

Когда я перевел взгляд на Назира, тот одарил меня исключительно редкой улыбкой — по сути, жуткой гримасой, способной укрощать львов. Это была одна из чудеснейших улыбок, какие я видывал в своей жизни.

Я сел на стул рядом с Тариком. Абдулла и Хусейн заняли свои места за столом, и заседание продолжилось.

По инерции еще какое-то время обсуждались второстепенные вопросы: забастовка докеров на причале Балларда, сократившая поставки наркотиков в южный Бомбей; создание ассоциации рыбаков на причале Сассуна, главном месте базирования рыболовецкого флота, и их отказ платить мафии «за покровительство»; задержание «дружественного» члена муниципального совета в ходе полицейского рейда в одном из крышуемых нашей мафией публичных домов и его просьба к совету замять это дело.

Совет мафии, в действительности инициировавший полицейский рейд как раз для того, чтобы крепче взять в оборот того же чинушу, выделил нужную сумму для подкупа полиции и постановил взыскать вдвое большую сумму со «спасенного» — в порядке благодарности за услуги.

Последний вопрос был более сложным и выходил за рамки обычного бизнеса. Влияние Компании Санджая, управляемой советом, охватывало весь южный Бомбей, от фонтана Флоры до Нейви-Нагара на оконечности мыса. На всей этой территории, с трех сторон ограниченной морем, Компания полностью контролировала черный рынок, однако нельзя сказать, чтобы мелкие дельцы так уж стонали под ее игом. Напротив, очень многие люди предпочитали обращаться за разрешением своих споров и проблем именно к мафии, а не к полиции. Мафия, как правило, действовала быстрее, зачастую была более справедливой и всегда брала меньшую мзду, чем копы.

Когда Санджай встал во главе группировки, он назвал ее Компанией — в духе последних веяний, когда гангстеры начали делить город на сферы влияния уже как бизнесмены. Основатель группировки, ныне покойный Кадербхай, был достаточно сильной и яркой личностью, чтобы его мафиозный клан не нуждался в иных обозначениях, кроме его собственного имени. Да и сейчас эхо его имени придавало Компании авторитет, какого не могло дать ей имя Санджая; и во многом за счет этого эха в подконтрольной зоне еще сохранялись относительное спокойствие и порядок.

Но с недавних пор кое-кто начал проявлять чрезмерную самостоятельность. Одним из таких «обнаглевших» был крупный домовладелец из района Кафф-Парейд, где на отвоеванной у моря территории вырос целый квартал многоэтажек с дорогими квартирами. Он начал набирать частную армию головорезов, что не могло понравиться Компании Санджая, ибо тем самым на кон ставилась репутация ее собственных бойцов.

И вот на днях эти «частники» вышвырнули просрочившего плату арендатора из окна его квартиры на третьем этаже. Неплательщик выжил, но при падении развалил принадлежавший Компании киоск, в котором продавались сигареты и гашиш. Серьезные травмы получили киоскер по прозвищу Сияющий Патель и один из клиентов, которым оказался популярный исполнитель суфийских песен.

Сияющий Патель с его полулегальной лавчонкой был для Компании вопросом сугубо коммерческим. Но травма, нанесенная великому певцу, которого знали и любили все курильщики гашиша на южном полуострове, придавала делу совсем иной характер.

— Я говорил, что к этому все идет, Санджайбхай, — горячился Фейсал; крепко сжимая кулак. — Я предупреждал тебя об этом еще несколько месяцев назад.

— Ты предупреждал, что кто-то свалится на лавку Пателя? — Санджай презрительно фыркнул. — Должно быть, я пропустил то заседание совета.

— Я предупреждал, что мы теряем авторитет, — продолжил Фейсал уже спокойнее. — Я говорил тебе, что дисциплина расшаталась. Никто нас уже не боится, и я не могу их в этом винить. Если мы так трусливы, что позволяем чужакам орудовать у нас под носом, винить в этом можно только нас самих.

— Он прав, — сказал Малыш Тони. — Взять хотя бы проблему с Компанией Скорпионов. Видя такое, всякий оборзевший засранец, вроде этого выскочки из Кафф-Парейда, думает, что на нас можно положить с прибором, и начинает сколачивать свою банду.

— Никакая они не *компания*! — яростно выкрикнул Санджай. — Этих вонючих «скорпионов» не признает ни один из бомбейских кланов. Они просто шайка отморозков из северного Бомбея, попытавшихся пробраться к нам на юг. Называй вещи своими именами: это мелкая дрянная шайка.

— Называй их как хочешь, — негромко сказал Махмуд Мелбаф, — но они создали нам реальную проблему. Напали на наших людей на улице среди бела дня. Всего в каком-то километре отсюда изрубили тесаками двух торгашей, приносивших солидный доход Компании.

— Это так, — подтвердил Фейсал.

— Вот почему здесь пришлось поставить стражу из наших афганских братьев, — продолжил Махмуд Мелбаф. — «Скорпионы» также попытались вклиниться в нашу зону в районе Регала и Нариман-Пойнт. Я вышвырнул их оттуда, но все могло бы обернуться хуже, не окажись рядом Абдуллы, — мы были вдвоем против пятерых. Одного моего имени — да и твоего тоже, Санджай, — недостаточно, чтобы их отпугнуть. А если бы Малыш Тони не порезал рожу тому деляге, они до сих пор бы продавали дурь перед колледжем, в полусотне шагов от твоего дома. Если ты не считаешь это проблемой, тогда у нас и впрямь нет проблем.

— Я все понимаю, — ответил Санджай, понизив тон и быстро взглянув на Тарика.

Лицо мальчика оставалось бесстрастным.

— Мне известно все, о чем вы говорите, — сказал Санджай. — Разумеется, мне это известно. Но какого черта им нужно? Они что, серьезно хотят войны? Неужели они надеются ее выиграть? Чего хотят эти недоноски?

Всем нам было ясно, чего хотели «скорпионы»: они хотели заполучить *все*, они хотели нашей смерти или нашего отступления, чтобы завладеть этой территорией.

В тишине, последовавшей за риторическим вопросом, я оглядел лица членов совета, пытаясь оценить их настрой и готовность вступить в очередную битву за сферы влияния.

Обычно подвижное, лицо Санджая застыло, а взгляд уперся в поверхность стола, пока он обдумывал возможные варианты действий. Я знал, что он, будучи рассудительным человеком, предпочел бы избежать бойни и заключить сделку, даже с такими подлыми тварями, как «скорпионы». Для Санджая принципиальное значение имела сделка сама по себе — не важно, как, когда и с кем заключенная.

Он был смелым и жестоким бойцом, но его первым побуждением в любой конфликтной ситуации было разобраться без кровопролития. Это он распорядился установить в зале совета длинный конференц-стол; и только теперь, видя его замешательство и неуверенность, я понял, что это решение было продиктовано не гордыней или самодовольством — стол действительно символизировал его природную склонность к переговорам, сделкам и мировым соглашениям.

Кресло справа от Санджая всегда пустовало в память о его друге детства Салмане, который погиб в ходе последней войны с конкурирующими гангстерами.

В тот раз Санджай сохранил жизнь одному из членов разгромленной группировки. А теперь Вишну — тот самый тип, которого он пощадил, — создал банду «скорпионов» и нагло вторгся во владения Компании.

Многие члены совета тогда высказывались против неуместного акта милосердия и требовали добить врага, чтобы раз и навсегда закрыть этот вопрос; и сейчас Санджай знал, что они считают возникшие проблемы доказательством своей правоты и признаком его слабости.

Я заметил, что рука Санджая медленно скользит по гладкой столешнице вправо, как будто стремясь найти поддержку в рукопожатии покойного друга.

Еще правее, за пустым креслом, сидел Махмуд Мелбаф — подтянутый и вечно настороженный иранец, умудрявшийся сохранять внешнее спокойствие, невзирая на любые вызовы и провокации. Однако его невозмутимой серьезности сопутствовала неизбывная печаль — он никогда не смеялся и крайне редко позволял себе улыбку. Тяжкая утрата поразила его сердце и угнездилась в нем, сглаживая эмоциональные пики и провалы, как ветер и песок сглаживают острые скалы в пустыне.

Рядом с Мелбафом сидел Фейсал — в прошлом боксер-профессионал, находившийся лишь в шаге от чемпионского титула. Но пройдоха-менеджер умыкнул все его призовые, а заодно и подругу Фейсала, таким образом усугубив обман личным оскорблением. Фейсал разыскал и насмерть забил менеджера, а девчонка исчезла из города, и никто ее больше не видел.

Выйдя на свободу после восьмилетней отсидки и обладая реакцией столь же стремительной и смертоносной, как и его кулаки, он сделался одним из «смотрящих» в мафии Кадербхая. Особенно ценилось его умение разбираться с долговыми проблемами. Иногда ему случалось применять на практике свои боксерские навыки, но гораздо чаще его свирепый взгляд и покрытое шрамами лицо оказывались достаточно убедительными аргументами, и должники мигом изыскивали требуемые средства. Когда последняя война унесла нескольких членов совета мафии, Фейсал вполне заслуженно получил в нем постоянное место.

По соседству с Фейсалом, наклонившись в его сторону, сидел Амир, его неразлучный напарник. С большой круглой головой, похожей на обточенный речной валун, при бесчисленных шрамах, кустистых бровях и пышных усах, Амир смахивал на мрачно-загадочного киногероя, каких обычно поставляет в Болливуд юг Индии. Прекрасный танцор, несмотря на солидное брюшко, любитель рассказывать байки громоподобным голосом и подшучивать над всеми, кроме Абдуллы, он первым выходил на танцплощадку во время больших гуляний и первым же кидался в любую драку.

Амир и Фейсал контролировали наркобизнес в южном Бомбее, их уличные торговцы приносили Компании добрую четверть всей прибыли.

Следующее за Амиром кресло занимал его протеже по имени Эндрю да Силва — молодой уличный гангстер, принятый в совет по рекомендации Амира. Он контролировал проституцию и порносалоны, обретенные Компанией в качестве трофеев после разгрома враждебной группировки. Бледнокожий молодой человек с рыжеватыми волосами, светло-карими глазами и обаятельной улыбкой, он казался открытым и простодушным, однако под этой маской таилась неизбывная злоба, замешанная на страхе и коварстве. Однажды я видел, как спала эта маска. И я видел садистский огонек, вспыхнувший в его глазах. Но остальные этого не заметили: сияющая улыбка быстро вернулась на место, скрыв его истинную натуру, и подозрений не возникло ни у кого, кроме меня.

Однако он знал, что я это знаю. И всякий раз в его взгляде я читал вопрос: «Как ты сумел меня раскусить?»

Столкновение между да Силвой и мной было неизбежным; мы оба понимали, что рано или поздно возникнет ситуация, когда один из нас выпадет из обоймы и канет в небытие. А сейчас, наблюдая за ним на заседании совета, я понял, что в решающий момент мне придется иметь дело не с одним Эндрю: тот наверняка укроется за мощными, широкими плечами Амира.

Далее за столом сидел Фарид, прозванный Решателем, чья преданность Кадербхаю могла сравниться только с преданностью седеющего ветерана Назира. Фарид отчаянно винил себя в смерти Кадербхая в Афганистане, почему-то считая, что смог бы его спасти, окажись он тогда с нами в снегах, — и не желал слушать наши уверения в обратном.

Горе и чувство вины сделали его безрассудным, но они же поспособствовали зарождению нашей крепкой дружбы. Мне всегда нравился Фарид с его яростной отвагой и готовностью очертя голову кинуться в самое пекло. Когда я посмотрел на него во время долгой паузы, вызванной размышлениями Санджая о зарвавшихся домовладельцах, левых наемниках и агрессивных «скорпионах», Фарид встретил мой взгляд — и в глазах его тлели угольки скорби. На какой-то миг я вновь очутился среди заснеженных гор и увидел перед собой окаменевшее лицо Кадербхая — человека, которого и я, и Фарид называли «отцом».

Последний по порядку член совета перед Хусейном и Абдуллой вежливо кашлянул, нарушив тишину. Человека этого звали Раджубхай, и он был главным счетоводом Компании. Толстяк, с достоинством и гордостью носивший свои объемистые телеса, Раджубхай внешне походил на старосту какой-нибудь деревни в глухой провинции, однако же был коренным бомбейцем. Его всегдашний наряд состоял из великолепного розового тюрбана, белого дхоти[1] длиной ниже колен и саржевой безрукавки. Чувствовавший себя неуютно в любом месте вне стен своего денежного хранилища, Раджубхай ерзал в кресле и поглядывал на часы всякий раз, когда Санджай не смотрел в его сторону.

— О’кей, — сказал наконец Санджай. — У этого типа из Кафф-Парейда крепкие яйца, надо отдать ему должное, но то, что он сотворил, не лезет уже ни в какие ворота. Он подает дурной пример другим, а сейчас неподходящее время для дурных примеров. Абдулла, Хусейн, Фарид, вычислите самого сильного и крутого из нанятых им бандюков, их главаря. Возьмите его живым и затащите на третий этаж новой высотки, которая строится в Нейви-Нагаре.

— Джи, — сказал Абдулла, что означало «да, сэр».

— Эти строители в прошлом месяце отстегнули бабки «скорпионам» вместо того, чтобы платить нам. Сбросьте ублюдка с третьего этажа и постарайтесь, чтобы он упал на офисный вагончик или что у них там, — это будет нашим посланием одновременно и строительной фирме, и «скорпионам». Перед тем выпытайте у него все, что знает. Если выживет после падения, не добивайте, его счастье.

— Джарур. — Абдулла понимающе кивнул.

— После этого, — продолжил Санджай, — возьмите в оборот остальных наемников. Притащите их к нанимателю и заставьте избить его в вашем присутствии. Пусть выколотят все дерьмо из своего босса. И убедитесь, чтобы лупили как следует, а не вполсилы. Потом покромсайте им рожи, и пусть проваливают из города.

— Джарур.

---

[1] Дхоти — традиционный вид мужской одежды в Индии: прямоугольная полоса ткани, которую оборачивают вокруг ног и бедер, пропуская один конец между ног. Длина дхоти может указывать на социальный статус его носителя — более длинные, ниже колен, обычно носят представители высших каст.

— Когда засранец очухается, скажите ему, что отныне он будет платить нам по двойной ставке. Плюс штраф за потраченное нами время и причиненное нам беспокойство. И пусть оплатит больничные счета Сияющего Пателя и Рафика. Это лучший певец каввали[1], какого я слышал. Стыд и позор, что дошло до такого!

— Истинно так, — согласился Махмуд Мелбаф.

— Стыд и позор, — вздохнул Амир.

— Ты все запомнил, Абдулла? — спросил Санджай.

— Каждое слово.

Санджай глубоко вздохнул, раздувая щеки, и оглядел остальных членов совета:

— Есть еще вопросы?

Ненадолго установилось молчание, затем голос подал Раджубхай.

— Время и деньги не ждут никого, — сказал он, ногами нашаривая под столом сандалии.

Все поднялись со своих мест. Перед тем как покинуть комнату, каждый кивком попрощался с Тариком, юнцом в императорском кресле Кадербхая. Когда из членов совета остался только Санджай, также направившийся к двери, я подошел к нему:

— Санджайбхай?

— А, Лин, — сказал он, быстро обернувшись. — Как было в Гоа? Стволы, которые ты привез, нам сейчас очень кстати.

— В Гоа было... хорошо.

— Но?

— Но меня беспокоят две вещи, которые я заметил после возвращения оттуда. Это велокиллеры и афганцы. Что происходит?

Его лицо потемнело, губы начали презрительно кривиться. Придвинувшись близко ко мне, он заговорил свистящим шепотом:

— Знаешь, Лин, ты не должен путать свою полезность для нас со своей значимостью. Я послал тебя в Гоа за стволами только потому, что все мои лучшие люди там уже засветились. И я не хотел лишиться кого-нибудь из лучших, если что-то пойдет не так в этой пробной поездке. С этим все ясно?

— Ты вызвал меня сюда, чтобы сказать это?

— Я тебя не звал и вообще не хотел, чтобы ты сидел на собрании. Мне это не нравится. Совсем не нравится. Но тебя захотел видеть Тарик, и это он настоял на твоем присутствии.

---

[1] *Каввали* — исполнение под музыку суфийской духовной поэзии. Хороший певец каввали должен знать наизусть порядка пятисот стихов на разных языках, помнить мелодии всех песен и обладать особым, «гипнотическим» голосом. Посему такие певцы немногочисленны и пользуются особым почетом.

Мы с ним одновременно повернулись и посмотрели на мальчика.

— Найдется у тебя время, Лин? — спросил Тарик.

Прозвучало это отнюдь не как просьба.

— Что ж, — повысил голос Санджай, хлопнув меня по плечу, — мне надо идти. Не знаю, почему ты вернулся, Лин. Лично я чертовски люблю Гоа. На твоем месте, старик, я бы там растворился и жил бы припеваючи где-нибудь рядом с пляжем. Я бы все понял и не стал бы тебя винить.

С этими словами он вышел из комнаты, а я вновь сел рядом с Тариком. Гнев мешал мне сосредоточиться, и я не сразу повернул голову, чтобы встретить его бесстрастный взгляд. Следующая минута прошла в молчании и неподвижности.

— Ты не хочешь меня спросить? — наконец произнес Тарик с легкой улыбкой.

— Спросить о чем, Тарик?

— О том, зачем я позвал тебя на заседание совета?

— Полагаю, ты сам это скажешь, когда сочтешь нужным, — также с улыбкой ответил я.

Он, казалось, уже был готов рассмеяться, но быстро вернул себе серьезный вид.

— Знаешь, Лин, это одно из качеств, которые мой дядя любил в тебе больше всего, — сказал он. — Он говорил мне, что в глубине души ты больше *иншалла*, чем любой из нас. Надеюсь, ты понимаешь, о чем я.

Я не ответил. В данном случае слово «иншалла», означавшее «такова воля Аллаха» или «если это угодно Аллаху», подразумевало, что он считал меня законченным фаталистом.

Но это было не так. Я не задавал лишних вопросов просто потому, что мне было все равно. Меня заботила судьба некоторых, конкретных людей, а на прочее мне было наплевать. Так же наплевательски я относился и к собственной судьбе после побега из тюрьмы. Будущее виделось мне адским пламенем в конце туннеля, а прошлое терялось в непроглядной тьме.

— После смерти моего дяди, — продолжил Тарик, — мы распорядились его имуществом так, как было указано в завещании.

— Да, я помню.

— И тебе известно, что я получил в наследство этот дом и еще довольно много денег.

Я перевел взгляд на Назира. На лице старого воина сохранялось все то же суровое и мрачное выражение, но косматая бровь слегка шевельнулась, выдавая его интерес к происходящему.

— Но ты, Лин, не получил от Кадербхая ничего. Ты не был упомянут в завещании.

ГРЕГОРИ ДЭВИД РОБЕРТС

Я любил Кадербхая. Несчастливые сыновья, как правило, имеют двух отцов: первый дает им жизнь, но не в состоянии дать любовь, а второго они находят сердцем, прежде не знавшим отцовской любви. Я сердцем нашел Кадербхая и полюбил его, как отца.

Но я не питал иллюзий насчет ответной любви — даже если Кадербхай испытывал ко мне какое-то подобие отцовских чувств, это не мешало ему рассматривать меня лишь как одну из пешек в его большой игре.

— Да я и не рассчитывал на упоминание.

— Ты не рассчитывал, что он о тебе вспомнит? — спросил Тарик с нажимом, наклоном головы подчеркивая свое сомнение.

Точно такое же движение я приметил у Кадербхая, когда он поддразнивал меня во время наших философских дискуссий.

— Даже притом, что ты был с ним близок? Даже притом, что он не раз называл тебя своим любимцем? Даже притом, что ты вместе с Назиром сопровождал его в походе, который стоил ему жизни?

— Твой английский стал намного лучше, — заметил я, пытаясь сменить тему разговора. — Похоже, эта новая учительница знает свое дело.

— Мне она нравится, — ответил Тарик, но тотчас, нервно сморгнув, подправил предыдущую реплику: — То есть я ее уважаю. Преподает она отлично. Скажем прямо: гораздо лучше, чем это делал ты, Лин.

Возникла пауза. Я уперся ладонями в свои колени, давая понять, что готов удалиться.

— Ну, я...

— Постой! — быстро сказал он.

Я взглянул на него сердито, раздраженный приказным тоном, но сразу смягчился, увидев мольбу в его глазах. Тогда я вновь откинулся на спинку и скрестил руки на груди.

— На этой... на этой неделе, — начал он, — мы нашли еще несколько документов моего дяди. Они затерялись среди страниц его Корана. То есть они не терялись, нет, просто их не сразу обнаружили. Дядя поместил их туда перед своим отъездом в Афганистан.

Мальчик умолк, и я взглянул на его могучего телохранителя, моего друга Назира.

— Он оставил тебе подарок, — вдруг заявил Тарик. — Это сабля. Старинная сабля, которая принадлежала еще его прадеду и дважды побывала в сражениях с британцами.

— Но... тут какая-то ошибка.

— Там все написано четко и ясно, — отрезал Тарик. — В случае его смерти сабля переходит к тебе. Причем не как посмертный дар от него, а как личный подарок от меня. Ты окажешь мне честь, приняв его.

В руках Назира появился длинный сверток; он размотал несколько слоев шелка и протянул мне саблю, держа ее горизонтально на высоко поднятых ладонях.

Широкие серебряные ножны украшало рельефное изображение летящих ястребов. В верхней части ножен было выгравировано изречение из Корана. Выточенная из лазурита рукоять имела бирюзовые вставки поверх заклепок. Дужка эфеса из чеканного серебра изящным изгибом протянулась от навершия рукояти до крестовины.

— Тут явно ошибка, — повторил я. — Это наследие вашей семьи. Сабля должна принадлежать тебе.

Мальчик улыбнулся, и в этой улыбке была смесь признательности и сожаления.

— Ты прав, она должна была перейти ко мне. Но есть четкое распоряжение Кадербхая, написанное его собственной рукой. Сабля твоя, Лин. И не вздумай отказываться. Я хорошо тебя знаю. Если попытаешься вернуть ее мне, я буду оскорблен.

— Однако есть еще один момент, — сказал я, по-прежнему не дотрагиваясь до сабли. — Ты же знаешь, что я бежал из тюрьмы в своей стране. В любой момент меня могут арестовать и выслать в Австралию. Если такое случится, ваша семейная реликвия может уйти неизвестно в чьи руки.

— У тебя никогда не будет проблем с бомбейской полицией, — твердо сказал Тарик. — Ты один из нас. Здесь тебе ничто не грозит. А если тебе нужно будет надолго уехать из города, ты сможешь оставить саблю у Назира, и он сохранит ее до твоего возвращения.

Он кивнул Назиру, и тот наклонился ко мне, протягивая оружие. Я посмотрел ему в глаза. Рот Назира сложился в улыбку-гримасу, с опущенными уголками губ.

— Возьми ее, — сказал он на урду. — И вынь из ножен.

Сабля оказалась не такой тяжелой, как я ожидал. С минуту она покоилась у меня на коленях. В комнате посреди ветшающего особняка повисла напряженная тишина. Я колебался из боязни вместе с оружием вытянуть на свет окровавленную сталь воспоминаний, с таким трудом упрятанную в ножны забвения. Но традиция требовала, чтобы я обнажил клинок в знак того, что принимаю дар.

Я поднялся со стула и, вынув саблю из ножен, опустил острие, так что оно почти коснулось мраморного пола. Мои опасения подтвердились: в этой вещи чувствовалась энергия, способная притягивать воспоминания, — подобно тому как притяжение Луны вызывает морские приливы.

Я поспешил вложить ее в ножны и повернулся к Тарику. Кивком он указал на стул рядом с собой. Я снова сел, положив саблю на колени.

— Что означает этот текст на ножнах? — спросил я. — Не умею читать по-арабски.

— *Инна лилляхи ва инна...* — начал Тарик строку из Корана.

— *...иляйхи раджиун*, — закончил я за него.

Я знал эту фразу: «Поистине, мы принадлежим Аллаху, и поистине, к Нему мы вернемся». Каждый мафиози-мусульманин произносил ее перед боем. Да и мы, немусульмане, тоже ее произносили, на всякий случай.

Тот факт, что я не мог прочитать арабскую вязь на подарке, больно уязвил Тарика — это было видно по его лицу. Я ему сочувствовал и был с ним согласен: по большому счету я не заслужил права владеть реликвией их рода и не осознавал всей ценности, какую она имела для Тарика.

— Среди бумаг в священной книге было одно письмо, — произнес он медленно, контролируя свои эмоции. — Письмо, предназначенное тебе.

Я ощутил тревожный укол в груди. Письмо. Этого мне только не хватало. Я не люблю письма. Темное прошлое сродни вампиру, который питается свежей кровью настоящего, а письма почему-то вызывают у меня ассоциацию с летучими мышами-вампирами.

— Мы начали читать, не зная, кому оно адресовано, — сказал Тарик. — И только дойдя до середины, поняли, что это его прощальное письмо тебе. Дальше мы читать не стали. Не знаю, что во второй половине письма, но в самом начале его говорится о Шри-Ланке.

Бывает так: ты вдруг замечаешь, что река жизни стремительно несет тебя на скалистые пороги. Письмо, древняя сабля, последние решения совета мафии, рекомендация Санджая «не путать свою полезность со своей значимостью», велокиллеры, стволы из Гоа, Шри-Ланка — все стечения обстоятельств и их возможные последствия как раз обозначали такие пороги, бурунами вздымавшиеся над речной поверхностью. А когда ты видишь впереди опасные скалы, у тебя есть только два варианта: остаться в лодке и нестись дальше по течению, надеясь на удачу, или выпрыгнуть за борт.

Назир передал Тарику серебристый конверт. Тарик похлопал им по своей ладони.

— Дары моего дяди всегда сопровождались условиями, — сказал он негромко, — а от принимающего дар требовалось...

— ...понимание, — закончил я за него.

— Я хотел сказать «подчинение». Этот особняк перешел ко мне по завещанию Кадербхая, но с одним условием: я не должен выходить за его пределы ни в коем случае, даже на минуту, пока мне не исполнится восемнадцать лет.

Я даже не попытался скрыть свое возмущение, хотя тактичность не помешала бы, учитывая то, кем он являлся сейчас и что ждало его в будущем.

— Да как такое возможно?!

— Это не так уж и плохо, — произнес он сквозь зубы, явно задетый моей негодующей реакцией. — Учителя приходят на дом, и я обучаюсь всему: английскому, наукам, богословию и боевым искусствам. Назир всегда со мной, как и домашние слуги.

— Но тебе сейчас всего четырнадцать, Тарик. Ты готов терпеть еще целых четыре года такой жизни? Ты хотя бы общаешься с другими ребятами?

— Мужчины в моем роду становились воинами и вождями в пятнадцать лет, — заявил Тарик, глядя мне в лицо. — В этом возрасте я уже выбрал свою судьбу. Ты можешь сказать то же самое о себе?

Юношеская целеустремленность и юношеское упрямство — величайшие силы из всех, какими нам случается обладать в этой жизни. Я не собирался критиковать его выбор, а лишь хотел уточнить: сознает ли он, чего лишается?

— Тарик, — вздохнул я, — я не имею и малейшего понятия, о чем ты говоришь.

— Я намерен не просто продолжать дело своего дяди, — произнес он медленно и с расстановкой, как будто общаясь с несмышленым ребенком. — Придет время, и я *стану* Кадербхаем — вождем всех тех, кого ты сегодня видел на совете. И твоим вождем, Лин. Если ты по-прежнему будешь с нами.

Еще раз взглянув на Назира, я заметил горделивый блеск в его глазах. Я шагнул в сторону выхода.

— Письмо! — быстро напомнил Тарик.

Внезапно разозлившись, я вновь повернулся к нему, уже готовый дать резкий ответ, но Тарик поднял руку с серебристым конвертом, как бы призывая меня к молчанию.

— В нем говорится о Шри-Ланке, — сказал он. — Я знаю, таково было желание Кадербхая. И ты дал слово, что поедешь туда, верно?

— Верно, — сказал я и принял письмо из его тонких пальцев.

— Наши агенты в Тринкомали передают, что время близится. Пора тебе исполнить обещание.

— Когда? — спросил я, стоя перед ним с саблей в одной руке и письмом в другой.

— Скоро. — Тарик взглянул на Назира. — Абдулла даст тебе знать. Будь готов к отъезду в любой момент. Это случится скоро.

Разговор был окончен. Только холодная учтивость еще удерживала мальчика на месте, но я чувствовал, что ему хочется поскорее со мной расстаться — даже больше, чем мне хотелось расстаться с ним.

Я направился к выходу во внутренний дворик. Назир последовал за мной. В дверях я обернулся: не по годам рослый юнец все еще сидел в императорском кресле, упираясь локтем в подлокотник и прикрывая ладонью лицо. При этом его большой палец вдавился в щеку, а остальные пальцы веером легли на лоб. Точно такую же позу я замечал у Кадербхая, когда тот погружался в раздумье.

Назир проводил меня до вестибюля, и здесь ему подали коленкоровый чехол с наплечным ремнем. Чехол точь-в-точь подошел к сабле, скрывая оружие от посторонних глаз; а на ремне было удобно носить ее за спиной при езде на мотоцикле.

Я перекинул ремень через голову, Назир придирчиво поправил чехол, чтобы тот расположился под эстетически правильным наклоном. Затем он обнял меня — быстро, неловко и свирепо, сдавив мои ребра могучим захватом.

Он не сказал ни слова и, уходя, ни разу не оглянулся. Короткие кривые ноги развили предельную скорость ходьбы, торопясь доставить его к мальчику, который теперь был его господином и его единственной любовью: в образе Тарика возродился к жизни Кадербхай, и Назир мог вновь служить ему верой и правдой.

Глядя ему вслед, я вспомнил времена, когда особняк был полон пышной зелени и журчания воды, а ручные голуби сопровождали Назира повсюду, куда бы он ни перемещался в пределах обширного здания. Они любили его, эти птицы.

Но теперь в особняке не было птиц, и единственными звуками, которые я слышал, стоя у выхода, были негромкие щелчки, напоминающие клацанье зубов на холоде: кто-то поблизости набивал патроны в магазин «калашникова» — маленькие погребальные камеры из латуни, одну за другой, одну за другой.

ГЛАВА

 8

На улице вечерняя заря окрасила лица прохожих, как будто весь мир покраснел при мысли о том, что несет ему предстоящая ночь. Абдулла ждал меня; его мотоцикл был припаркован рядом с моим.

Я запустил двигатель, а Абдулла дал несколько рупий местным мальчишкам, все это время сторожившим наши байки. Сорванцы с радостными воплями умчались к лоткам на углу, чтобы купить сигарет.

Абдулла и я бок о бок выехали со стоянки. Когда немного погодя мы остановились на красный свет, я заговорил с ним впервые после выхода из особняка:

— Я к «Махешу», забрать Лизу. Составишь компанию?

— До «Махеша» я с тобой доеду, — сказал он хмуро. — Но потом вам компанию не составлю. У меня еще есть одно дело.

В молчании мы проехали вдоль торговых рядов на Мохаммед-Али-роуд. Ароматы парфюмерных павильонов сменились сладкими запахами фирни, рабри и фалуды[1] из кондитерских; за гирляндами сверкающих браслетов и ожерелий последовали замысловатые узоры персидских ковров, разложенных внахлест для экономии места на прилавках.

Поскольку эта длинная улица заканчивалась столпотворением тележек перед Кроуфордским рынком, мы сократили путь, часть его проехав по встречной полосе и затем нырнув в переулок.

По параллельной улице мы двигались уже вместе с потоком транспорта, пока не застыли на перекрестке у кинотеатра «Метро», пережидая долгий красный сигнал. Весь первый этаж здания закрывала громадная афиша, выдержанная в зеленых, желтых и пурпурных тонах: коварный злодей и отважный герой крупным планом лицом к лицу — очередная история любви, борьбы и страданий на фоне целого частокола из ружей и скрещенных сабель.

Взрослые и дети в забитых до отказа легковушках самозабвенно разглядывали эту картину. Маленький мальчик в ближайшей машине махнул мне рукой, указывая на киноафишу, а потом сложил из пальцев пистолет, прицелился и нажал на спуск. Корчась, я сделал вид, будто пуля угодила мне в руку, и мальчик засмеялся. Засмеялась вся его семья. Засмеялись люди в других машинах.

Мама мальчика — женщина с добрым открытым лицом — попросила сынишку пальнуть в меня еще разок. Тот вновь прицелился, щуря глаз, и выстрелил. Я изобразил «плохого парня, который плохо кончил» и распластался на бензобаке своего байка. Когда я вновь принял сидячее положение, все люди в машинах аплодировали, махали руками и смеялись.

---

[1] *Фирни, рабри, фалуда* — восточные десерты на молочной основе с разными фруктовыми добавками, орехами и специями.

Я шутливо раскланялся и взглянул на Абдуллу — лицо его буквально посерело от стыда за меня. Нетрудно было догадаться, что он думает.

«Мы люди мафии, — мысленно говорил он мне. — Мы должны внушать почтение и страх. Либо то, либо другое, но ничего больше. Только почтение и страх».

Лишь морской воздух на набережной, ведущей к отелю «Махеш», согнал с его лица угрюмое выражение. Он ехал медленно, одна рука на газе, другая уперта в бедро. Я ехал почти вплотную, положив левую руку ему на плечо.

Когда мы пожимали руки перед расставанием, я задал один из вопросов, вертевшихся на языке с самого начала этой поездки:

— Ты знал насчет сабли?

— Все об этом знали, братишка.

Наши руки разъединились, но он продолжал смотреть мне в глаза.

— Кое-кто... — начал он, подбирая слова. — Кое-кто ревнует и завидует. Они считают несправедливым, что Кадербхай отдал тебе эту фамильную ценность.

— Ты об Эндрю?

— О нем. Но и не только о нем.

Я промолчал, сдержав проклятие, уже готовое сорваться с губ. Слова Санджая — «ты не должен путать свою полезность со своей значимостью» — молнией пронзили мое сердце, и с той самой минуты внутренний голос все громче призывал меня уехать, бежать отсюда куда угодно, пока дело не завершилось кровью. А тут ко всему прочему добавилась и Шри-Ланка.

— Увидимся завтра, *иншалла*, — сказал я, слезая с мотоцикла.

— Завтра, *иншалла*, — сказал он и, отпустив сцепление, тронулся от края тротуара.

Уже отъехав на пару метров, он крикнул, не оборачиваясь:

— *Аллах хафиз!*[1]

— *Аллах хафиз!* — ответил я, обращаясь скорее к самому себе.

Охранники-сикхи у входа в отель «Махеш» с любопытством взглянули на длинный чехол у меня за спиной, но не задали никаких вопросов, ограничившись кивками и улыбками. Они хорошо меня знали.

Паспорта постояльцев, съехавших тайком и пожертвовавших своими документами, лишь бы не платить по счету, попадали ко мне через охранников или администраторов большинства гостиниц города. Это был стабильный источник «книжек», как име-

---

[1] Да хранит тебя Аллах! *(араб.)* Мусульмане Пакистана и Северной Индии часто произносят эту фразу при расставании.

новались такие паспорта: в среднем около пятнадцати штук в месяц. И они были надежнее украденных, поскольку сбежавшие постояльцы никогда не заявляли о пропаже в полицию.

В офисе службы безопасности любого пятизвездочного отеля можно увидеть стенд с информацией о лицах, которые отбыли, не уплатив по счету и зачастую оставив свой паспорт на стойке портье. Большинство людей сверялись с этими стендами, чтобы выявить преступников. Для меня же это был шопинг.

В кафетерии, занимавшем часть вестибюля, я увидел Лизу, которая общалась со своими друзьями за столиком с видом на море. Решив перед встречей хотя бы частично смыть с лица и рук уличную пыль, я направился к туалету. Уже перед самой дверью позади меня раздался голос:

— У тебя и вправду за спиной сабля? Или ты просто настолько на меня зол сейчас?[1]

Я обернулся и увидел Ранджита: молодого и очень перспективного медиамагната, политического активиста и, наконец, просто красавца. Человека, за которого вышла замуж Карла — моя Карла. Он улыбался.

— Я всегда на тебя зол, Ранджит. Здравствуй и прощай.

Он продолжал улыбаться. На первый взгляд улыбка казалась искренней. Приглядываться внимательнее я не стал хотя бы потому, что улыбавшийся мне человек был мужем Карлы.

— Пока, Ранджит.

— Что? Нет, погоди! — заторопился он. — Мне нужно с тобой поговорить.

— Мы уже поговорили. Пока.

— Нет, в самом деле! — Он преградил мне путь, не убирая с лица все той же улыбки. — У меня только что закончилось совещание, и я шел к выходу. Очень рад, что вдруг наткнулся на тебя.

— Натыкайся на кого-нибудь другого, Ранджит.

— Пожалуйста, прошу тебя. Я... я нечасто произношу эти слова.

— Чего ты хочешь?

— Я хочу... я хотел бы кое-что с тобой обсудить.

Я посмотрел на Лизу, по-прежнему сидевшую за столиком. Она как раз подняла голову и встретила мой взгляд. Я кивнул. Она все поняла и кивнула в ответ, прежде чем вновь повернуться к друзьям.

— С чего тебе вдруг приспичило? — спросил я Ранджита.

Морщинка замешательства прорезала его лоб, на миг исказив безупречно правильные черты.

---

[1] Аллюзия на крылатую фразу кинозвезды Мэй Уэст: «Это у тебя пистолет в кармане брюк или ты просто рад меня видеть?»

— Если сейчас неподходящее время...

— У нас с тобой никогда не будет подходящего времени, Ранджит. Давай ближе к делу.

— Лин... Я уверен, мы с тобой можем подружиться, если только...

— Никаких «мы с тобой». Есть ты, и есть я. Будь у нас хоть малейший шанс подружиться, я бы давно это понял.

— Судя по всему, я тебе не нравлюсь, — сказал Ранджит. — Но ведь ты меня совсем не знаешь.

— Ты мне не нравишься уже *таким*. Если узнаю тебя лучше, все станет только хуже.

— Почему?

— Почему что?

— Почему ты ко мне так относишься?

— Послушай, если ты решил останавливать в холле гостиницы всякого, кто от тебя не в восторге, и выяснять, почему это так, тебе придется здесь же поселиться, ибо выяснениям не будет конца.

— Но погоди... я не понимаю...

— Из-за твоих амбиций Карла подвергается риску, — сказал я тихо. — Мне это не нравится. И мне не нравишься ты, потому что ты так поступаешь. Я достаточно ясно выразился?

— Как раз о Карле я и хотел с тобой поговорить, — сказал он, следя за выражением моего лица.

— А что такое с Карлой?

— Я лишь хочу позаботиться о ее безопасности.

— Что конкретно ей угрожает?

Уже не одна, а несколько морщинок рассекли его лоб. Он устало вздохнул и опустил голову:

— Даже не знаю, с чего начать...

Я огляделся по сторонам и, заметив два свободных кресла в некотором отдалении от остальных, повел его туда. Опускаясь в кресло лицом к нему, я снял с плеча обернутую коленкором саблю и пристроил ее на коленях.

Тут же к нам подскочил официант, но я улыбкой отослал его прочь. Ранджит еще какое-то время сидел с опущенной головой, разглядывая узоры ковра, но потом взял себя в руки и заговорил:

— Знаешь, с некоторых пор я основательно увяз в политике. Веду сразу несколько резонансных кампаний. И мне уже вовсю перемывают косточки почти все местные газеты — кроме тех, которыми я сам владею. Наверняка ты об этом слышал.

— Я слышал, что ты подкупаешь избирателей, и многим это действует на нервы. Но давай вернемся к Карле.

— Ты... общался с ней в последнее время?

— Почему ты об этом спрашиваешь?

— Общался или нет?

— Разговор окончен, Ранджит.

Я начал было подниматься, но он остановил меня просительным жестом:

— Позволь мне объясниться. Самая громкая из кампаний, которые я веду в прессе, направлена против «Копья кармы».

— И это копье ответным ударом может поразить Карлу, если ты не перестанешь провоцировать «копьеметателей», так?

— Собственно... это я и хотел с тобой обсудить. Видишь ли... я уверен, что ты все еще ее любишь.

— До свидания, — сказал я, снова вставая, но он схватил меня за кисть.

Я посмотрел вниз:

— На твоем месте я бы не стал этого делать.

Он быстро убрал руку:

— Прошу тебя, не уходи. Пожалуйста, присядь и позволь мне высказаться.

Я сел обратно. Вид у меня был, пожалуй, мрачнее некуда.

— Ты считаешь, что я перехожу границы дозволенного, — быстро заговорил он, — но я думаю, тебе следует знать, что Карла подвергается опасности.

— Эту опасность для нее представляешь *ты*. Тебе нужно дать задний ход — и чем скорее, тем лучше для тебя самого.

— Ты мне угрожаешь?

— Да. И я рад, что мы объяснились.

Мы смотрели друг на друга, и в промежутке между нами сгустилась энергия — жгучая, целенаправленная, неотвратимая, вроде той, что возникает между хищником и жертвой перед решающим броском.

Карла. Когда я впервые увидел ее (годы тому назад, в первый же день моего пребывания в Бомбее), мое сердце покорно опустилось к ней на руку, как ловчий сокол на запястье охотника.

Она меня использовала. Она любила меня — но лишь до тех пор, пока я был безоглядно влюблен в нее. Она завербовала меня в мафию Кадербхая. И по завершении той битвы любви, ненависти и возмездия — когда кровь уже была смыта с полов, а многочисленные раны затянулись и стали шрамами — она вышла замуж за импозантного улыбчивого миллионера, который в данную минуту смотрел мне в глаза. Карла.

Я оглянулся на Лизу, красивую и оживленную, что-то весело обсуждающую со своими друзьями-художниками. Во рту у меня появился кислый привкус, сердцебиение усиливалось. Я уже года два не общался с Карлой, но сейчас, разговаривая о ней с Ранджитом, начал чувствовать себя так, будто совершаю предательство по отношению к Лизе. Я вновь посмотрел на Ранджита. Ситуация раздражала меня все сильнее.

— Я вижу это в тебе, — сказал он. — Ты все еще ее любишь.

— Ты напрашиваешься на хорошую оплеуху, Ранджит? Если да, ты уже почти напросился.

— Нет, конечно же нет. Однако я уверен в том, что ты все еще ее любишь. — Он казался очень серьезным и откровенным. — Потому что, будь я на твоем месте, я продолжал бы любить ее, невзирая на то что она бросила меня ради другого мужчины. На этом свете есть только одна Карла. И для любого мужчины есть только один безумный способ любить ее. Мы оба это знаем.

Самое лучшее в солидном деловом костюме — это обилие всего, за что можно ухватиться, если у вас возникнет такое желание. Я одним захватом сгреб лацканы его пиджака, рубашку и галстук.

— Хватит о Карле! — сказал я. — Заткнись, или мне придется тебя заткнуть.

Он открыл рот — видимо, с намерением позвать на помощь, — но вовремя опомнился. Он был публичной фигурой, набирающей политический вес, и не мог себе позволить скандальную сцену.

— Прошу тебя, успокойся, я не хотел тебя расстраивать, — взмолился он. — Я хочу, чтобы ты помог Карле. Если со мной что-нибудь случится, пообещай...

Я разжал пальцы, и он откинулся на спинку своего кресла, оправляя костюм.

— На что ты намекаешь?

— Неделю назад на меня покушались, — сказал он мрачно.

— Ты сам покушаешься на свою жизнь всякий раз, когда разеваешь рот, Ранджит.

— В мою машину подложили бомбу.

— Вот как? Об этом давай поподробнее.

— Мой шофер отошел всего на несколько минут, чтобы купить порцию бетеля. А когда вернулся, заметил кончик антенны под днищем и затем обнаружил бомбу. Мы позвонили в полицию, и они прислали саперов. Оказалось, что это муляж, но в приложенной записке было сказано, что следующая бомба будет настоящей. Мне удалось скрыть этот случай от прессы. У меня есть кое-какое влияние в нужных кругах, как ты знаешь.

— Смени шофера.

Он слабо хмыкнул.

— Смени шофера, — повторил я.

— Моего шофера?

— Он и есть твое слабое звено. Скорее всего, он нашел бомбу потому, что сам же ее подложил. Ему за это заплатили. Тебя хотят запугать.

— Я... ты шутишь, конечно. Он служит у меня уже три года...

— То есть он заслужил приличное выходное пособие. Избавься от него по-хорошему, без скандала.

— Но он такой преданный человек...

— Карла знает об этом случае?

— Нет. Я не хочу, чтобы она волновалась.

Настала моя очередь смеяться.

— Карла уже большая девочка. И голова ее варит что надо. Тебе не стоит скрывать от нее такие вещи.

— И все же...

— Отказываясь от ее советов, ты не используешь лучший ресурс, какой у тебя есть. Она гораздо умнее тебя. Она умнее любого из нас.

— Но...

— Расскажи ей все.

— Возможно, ты прав. Но я хочу самостоятельно справиться с этой проблемой, понимаешь? У меня хорошая служба безопасности. Но я тревожусь *за нее*. Главным образом за нее.

— Я уже сказал тебе: дай задний ход. Оставь политику хотя бы на время. Говорят, что рыба гниет с головы. А ты и до головы не добрался, но уже порядком провонял.

— Я не отступлю, Лин. Эти фанатики потому и берут верх. Они запугивают всех подряд, заставляя людей молчать...

— Теперь прочтешь мне лекцию о политическом моменте?

Он улыбнулся, и это была первая его улыбка, которая мне почти понравилась, — по крайней мере, в ней промелькнуло что-то настоящее помимо показного оптимизма.

— Я... я думаю, мы находимся на пороге больших перемен в самом образе наших мыслей, действий и даже мечтаний. Если лучшие умы возьмут верх, если Индия станет по-настоящему современной, светской демократией с равными правами и свободами для всех, то следующий век будет «индийским веком», и мы поведем за собой весь остальной мир.

Он по глазам увидел мою скептическую реакцию. Допустим, он был прав насчет будущего Индии — в те годы примерно так же думали почти все жители Бомбея, — однако то, что он сейчас произнес, наверняка было цитатой из речи, уже не раз произнесенной им перед публикой.

— Песенка не нова, — сказал я. — То же самое сейчас можно услышать от ораторов едва ли не всех партий.

Он хотел было возразить, но я остановил его, подняв руку:

— Я не занимаюсь политикой, но я знаю, что такое дремлющая ненависть: стоит только ее разбудить, и она вопьется тебе в глотку.

— Рад, что ты это понимаешь. — Он вздохнул, оседая в кресле.

— Но я не тот человек, кому необходимо это помнить.

Он снова выпрямил спину:

— Я их не боюсь, уверяю тебя.

— Тебе подкинули бомбу, Ранджит. Ясное дело, ты боишься. И я боюсь, сидя здесь в твоем обществе. Я предпочел бы находиться от тебя подальше.

— Если я буду знать, что рядом с ней находишься ты со своими... со своими друзьями, я смогу встретить опасность со спокойным сердцем.

Я взглянул на него исподлобья, пытаясь понять, видит ли он всю иронию, заключенную в его просьбе. На всякий случай я решил кое-что ему напомнить:

— Пару недель назад твоя вечерняя газета обрушилась с гневной статьей на бомбейскую мафию. Один из моих *друзей*, о которых ты только что говорил, был назван по имени. Статья призвала к его аресту или изгнанию из города. И это о человеке, которому официально не предъявлялось никаких обвинений. Что стало с презумпцией невиновности? Что стало с журналистикой?

— Помню эту историю.

— В той же газете прошла целая серия публикаций, требовавших смертной казни еще для одного из моих друзей.

— Да, но...

— И вот сейчас ты просишь...

— Прошу тех же самых людей о защите для Карлы, все верно. Я понимаю, это можно назвать лицемерием и беспринципностью. Однако мне больше не к кому обратиться. У этих фанатиков есть свои люди повсюду. Полиция, армия, учителя, профсоюзы, госслужащие — все ими охвачено. Единственная структура, в которую не проникла зараза...

— Это мафия.

— Именно так.

Это было по-своему даже забавно. Я поднялся, взяв чехол с саблей в левую руку. Он поднялся одновременно со мной.

— Расскажи Карле все, — посоветовал я. — Все, что ты скрывал от нее об этом деле. И пусть она сама решит, оставаться ей или на время исчезнуть.

— Я... да, конечно. Так мы с тобой договорились? Насчет Карлы?

— Нет никаких договоров. И никаких «мы с тобой». Есть ты, и есть я, помнишь?

Он улыбнулся и хотел еще что-то сказать, но вместо этого вдруг порывисто меня обнял.

— Я знал, что на тебя можно положиться. Ты все сделаешь правильно, — сказал он. — Что бы ни случилось.

При объятии я едва не уткнулся носом в его шею и сразу почувствовал запах духов — женских духов, — совсем недавно впитавшийся в его рубашку. Это были дешевые духи. Не духи Карлы.

Он был с какой-то шлюхой в номере отеля всего за несколько минут до того, как попросил меня позаботиться о его жене. О женщине, которую я все еще любил.

Только теперь мне открылась истина, повиснув на незримой, туго натянутой струне наших встречных взглядов в ту минуту, когда я прервал объятия и оттолкнул от себя Ранджита. Да, я продолжал любить Карлу. Понадобился запах чужой женщины на его коже, чтобы я наконец признал правду, два года кругами ходившую поблизости, как рыскает волк вокруг лесного костра.

Я в упор смотрел на Ранджита, думая об убийстве и одновременно испытывая жгучий стыд перед Лизой: взрывоопасная смесь, скажем прямо. Он неловко переминался с ноги на ногу, пытаясь по взгляду угадать мои намерения.

— Что ж... о’кей, — сказал он и сделал шаг назад. — Пожалуй, я пойду...

Я проследил за тем, как он выходит из дверей отеля и забирается на заднее сиденье «мерседеса». Перед тем как захлопнуть дверцу, он тревожно огляделся — то был взгляд человека, слишком часто и слишком легко наживающего врагов.

Я посмотрел на Лизу, которая в этот самый момент здоровалась за руку с молодым человеком, подошедшим к их столику. Я знал, что Лизе он неприятен. Однажды она охарактеризовала его следующим образом: «Очень скользкий тип — еще более скользкий, чем кальмар, когда нащупаешь его в кармане прорезиненного плаща дождливой ночью». Будучи сыном крупного торговца алмазами, он покупал себе все большее влияние в киноиндустрии, мимоходом растаптывая карьеры и судьбы многих людей.

Он поцеловал руку Лизе. Она не позволила поцелую затянуться, но улыбка ее была прямо-таки лучезарной.

Как-то раз она сказала мне, что у каждой женщины есть четыре улыбки.

— Только четыре? — спросил я тогда.

— Первая улыбка, — сказала она, игнорируя мою иронию, — возникает неосознанно, когда, например, ты улыбаешься ребенку на улице или кому-то, кто улыбается тебе с экрана телевизора.

— Я не улыбаюсь телевизору.

— Все люди улыбаются телевизору. Потому мы им и пользуемся.

— Я никогда не улыбался телевизору!

— Вторая, — продолжила она, — это вежливая улыбка. С ней мы приветствуем друзей, когда они приходят к нам в гости или встречаются с нами где-нибудь в ресторане.

— Еда и выпивка за их счет? — уточнил я.

— Ты хочешь меня выслушать или нет?

— Если я скажу «нет», ты разве замолчишь?

— Третью улыбку мы используем против тех, кто нам не нравится.

— Это как понимать: отпугиваем людей улыбкой?

— Так и есть. И это здорово. У некоторых девушек самая лучшая из улыбок именно та, которой они держат других на расстоянии.

— Ладно, верю тебе на слово. Переходим к четвертой.

— Да! Четвертая — это улыбка, которую мы дарим только любимому человеку. Она показывает этому человеку, что ты считаешь его единственным и неповторимым. Никому другому эта улыбка не достается. Пусть тебе легко и хорошо с кем-то, пусть он тебе очень нравится, пусть ты испытываешь к нему самые теплые чувства, но твою четвертую улыбку получит лишь тот, кого ты по-настоящему любишь.

— А если любви приходит конец?

— Тогда исчезает и четвертая улыбка, — сказала она мне в тот день. — Четвертая улыбка уходит вместе с любовью. С той минуты для бывшего бойфренда у девушки остается лишь вторая улыбка, если только он не подлец. Отставные подлецы, какими бы симпатягами они ни были, могут рассчитывать разве что на третью улыбку.

Поглядев на то, как Лиза одаривает молодого продюсера-подлюгу безукоризненной «третьей улыбкой», я отправился в мужской туалет, дабы, помимо уличной пыли, смыть еще и грязь иного рода, осквернившую меня при контакте с Ранджитом.

Помещение туалета, отделанное черной и кремовой плиткой, было просторнее, светлее, элегантнее и комфортабельнее восьмидесяти процентов жилищ в этом городе. Я закатал рукава рубашки, сполоснул водой свои короткие волосы, вымыл лицо и руки до локтей.

Служитель подал мне свежее полотенце, улыбнулся и приветственно закивал.

Одна из величайших загадок Индии — и одна из ее величайших отрад — это искреннее дружелюбие людей из самых низов. Этот служитель не рассчитывал на чаевые; да их и не принято давать в туалете. Он был просто добрым человеком, дежурившим в месте отправления насущных надобностей, и он улыбнулся мне от всей души, как незнакомому, но дорогому другу. Именно эта доброта, исходящая из самых глубин сердца простых индийцев, является истинным флагом этой нации; и она побуждает вас вновь и вновь возвращаться в Индию — или удерживает вас здесь навсегда.

Я полез в карман за деньгами, и вместе с ними рука выудила оттуда серебристый конверт с письмом Кадербхая. Дав чаевые служителю, я положил конверт на широкую стойку рядом с туалетной раковиной, а затем уперся ладонями в ее край и посмотрел в глаза своему зеркальному двойнику.

Я не хотел читать это письмо; я не хотел убирать валун от входа в пещеру, куда я упрятал бóльшую часть своего прошлого. Но Тарик говорил, что в письме упоминается Шри-Ланка. Хотя бы поэтому я должен был его прочесть. Я заперся в одной из кабинок, поставил саблю в угол у двери, сел на крышку унитаза и начал читать письмо Кадербхая.

Сейчас я держу в руке синий стеклянный шарик вроде тех, что используются англичанами в детских играх, и думаю о Шри-Ланке, а также о людях, которые поедут туда от моего имени. Ты обещал сделать это для меня. Уже долгое время я смотрю на этот стеклянный шарик после того, как случайно его заметил и подобрал с земли. Посредством таких вот хрупких мелочей и едва уловимых намеков нам открывается смысл нашей жизни. Каждый из нас формирует свою коллекцию вещей, которые мы находим, изучаем, оцениваем и храним внутри себя, сознательно или неосознанно; эта коллекция и есть то, чем мы становимся в конечном счете.

Я добавил тебя к моей коллекции, Шантарам. Ты — один из узоров в рисунке моей жизни. Ты мой возлюбленный сын, один из моих возлюбленных сыновей.

Мои руки начали мелко дрожать — то ли от гнева, то ли от горя, я и сам не знал. До сих пор я не позволял себе оплакивать Кадербхая. Я не посещал его могилу на кладбище Марин-Лайнз. Я знал, что в той могиле нет его тела, потому что сам помогал его хоронить.

Лицо мое лихорадочно горело, а к затылку будто приложили лед. «Мой возлюбленный сын...»

Наверно, ты меня возненавидишь, узнав обо мне всю правду. Прости меня, если сможешь. Эта ночь кажется мне бесконечной. Думаю, если раскрыть абсолютно всю правду о любом человеке, всегда найдется что-нибудь, за что его можно возненавидеть. И со всей честностью, необходимой для такого послания, которое я пишу в ночь перед нашим с тобой отъездом на войну, я должен сказать, что ненависть некоторых людей ко мне вполне обоснованна. Но сейчас я посылаю к чертям всех моих ненавистников.

Я был рожден для того, чтобы оставить это наследство. И я должен был сделать это любой ценой. Использовал ли я людей? Конечно да. Манипулировал ли я людьми? Всякий раз, когда считал это нужным. Убивал ли я людей? Я убивал всех, кто становился препятствием на моем пути. И я пока еще не пал в этой борьбе; я терплю и становлюсь сильнее, когда все вокруг меня рушится, потому что я следую своему предназначению. В моем сердце я не сделал ничего дурного, и мои молитвы искренни. Надеюсь, ты сможешь меня понять.

Я всегда любил тебя, с первой же нашей встречи. Помнишь ту ночь, когда мы вместе слушали Слепых певцов? Это такая же правда, как и все плохое, что ты обо мне когда-нибудь узнаешь. Я совершал дурные поступки, и я открыто это признаю. Но и все хорошее — тоже правда, включая и то, что мы не можем увидеть в реальности, но чувствуем сердцем и храним в памяти. Я избрал тебя, потому что я тебя полюбил; и я люблю тебя потому, что ты мною избран. В этом и есть вся правда, сын мой.

Если Аллах призовет меня к себе и ты прочтешь эти строки уже после моего ухода, это не повод для печали. Мой дух пребудет с тобой и с твоими братьями. Ты не должен бояться. Я всегда буду рядом с тобой. Если ты попадешь в беду, лишишься всего и останешься один против множества врагов, ты ощутишь мою отцовскую руку на своем плече и поймешь, что мое сердце бьется рядом с твоим в этом сражении. То же касается всех моих сыновей.

Пожалуйста, сделай так, чтобы моя душа могла соединиться с твоей в молитве, пусть даже ты далек от религии. Постарайся каждый день находить момент хотя бы для самой краткой молитвы, и в такие моменты я смогу тебя навещать.

И запомни мой последний совет. Люби правду, которую ты найдешь в сердцах других. Всегда слушайся голоса любви в своем сердце.

Я сложил письмо и засунул его в бумажник. Над кармашком выступал край письма со словами «синий стеклянный шарик»; и сердце мое заколотилось, как при беге в крутой подъем.

Я увидел его смуглую руку в лучах вечернего солнца. Я увидел сопровождавшую его речь игру длинных тонких пальцев, похожую на плавные движения диковинных морских существ. Я увидел его улыбку. Я увидел свет его мыслей, струящийся из янтарных глаз и преломляющийся в прозрачной синеве стеклянного шарика. И я наконец-то смог его оплакать.

На какой-то миг я увидел нас обоих, названого отца и покинутого сына, где-то за пределами этого грешного мира: в месте прощения и искупления.

Попытка избавиться от любви есть грех против самой жизни, тогда как скорбь по усопшим — это один из способов выразить любовь. Когда я это почувствовал, я наконец-то дал волю своей скорби. Я вспоминал магнетическую силу его взгляда; вспоминал гордость, которую я испытывал, заслужив его похвалу; вспоминал любовь, звучавшую в его смехе. И я оплакивал свою утрату.

Я услышал глухой бой барабана, как будто наполненного кровью. Внезапно меня бросило в жар, дыхание стало тяжелым и хриплым. Я судорожно схватился за саблю. Надо было уходить отсюда. Срочно подниматься и уходить.

Но я опоздал: вся горечь, которая накапливалась во мне годами, сдерживаемая только плотиной гнева, прорвалась наружу потоком слез. Помимо всего прочего, это было весьма шумно.

— Сэр? — через минуту-другую после начала моих рыданий позвал с той стороны дверцы служитель. — Вам подать новый рулон туалетной бумаги?

И тут я рассмеялся. Бомбей спас меня, как много раз до того спасала меня Она.

— Все в порядке, — откликнулся я. — Спасибо за заботу.

Я покинул кабинку, пристроил саблю на вешалке для полотенец и умылся холодной водой. Взглянул на себя в зеркало: жалкое зрелище, но мне случалось выглядеть и похуже. Дав добрейшему служителю добавочные чаевые, я вышел в холл и направился к Лизе.

Она была уже в одиночестве, стоя перед застекленным фасадом и глядя сквозь него на море, покрытое серебряной штриховкой волн. А со стекла глядело ее отражение, пользуясь возможностью полюбоваться на свой оригинал. В стекле она и заметила мое приближение.

День у меня выдался не из легких: велокиллеры, совет мафии, Ранджит с Карлой и вдобавок назревающая поездка в Шри-Ланку. Тот еще денек, что и говорить.

Она обернулась и тотчас все поняла по моему лицу: там были и скорбь, и не изжитая до сих пор любовь.

Я уже начал что-то объяснять, но она приложила палец к моим губам, а затем поцеловала меня. И вновь все вернулось на круги своя, до поры до времени. Нашу связь никак нельзя было назвать гармоничной: Лиза не была влюблена в меня, а я не мог любить ее. Но по ночам нам было хорошо друг с другом, как зачастую и при свете солнца; и никто из нас не чувствовал себя используемым или нежеланным.

Мы молча смотрели на океанские волны, катившиеся от берега. На поверхности оконного стекла отражались сновавшие туда-сюда официанты с подносами, и возникало впечатление, будто они бегут по волнам. Темное небо вдали сливалось с морем, растворяя линию горизонта.

Когда приходит твой час и тебе некого умолять или винить, ты понимаешь, что к финалу своей жизни все мы приходим, имея лишь малую толику сверх того, с чем мы появились на свет. И эта малая толика, добавленная к нашей изначальной сущности, и есть наша личная история, принадлежащая только нам самим, а не рассказанная кем-то еще.

Кадербхай добавил меня к своей коллекции, как говорилось в его письме. Но теперь коллекционер был мертв, а я так и остался одним из экспонатов в криминальном паноптикуме, который он сотворил и оставил в наследство этому миру. Санджай походя использовал меня как пробный шар для проверки нового канала поставок оружия, и вот тогда-то я наконец понял: пора покинуть коллекцию и вновь обрести свободу, причем как можно скорее.

Лиза взяла меня за руку. Так мы с ней и стояли перед стеклянной стеной: два призрачных отражения, наложенные на бескрайний морской простор.

Часть
вторая

ГЛАВА

 9

Истории физических и душевных ран, полученных в семи войнах и репрессивных кампаниях, заполняли страницы биографических справок на моем столе в паспортной мастерской.

Иранский профессор, специалист по текстам доисламской эпохи, бежал от преследований Стражей Исламской революции и теперь нуждался в полном наборе подделок, включая свидетельство о рождении, международные водительские права, банковские документы и паспорт с визовыми печатями, подтверждающими его перемещения по миру в течение последних двух лет.

Качество наших изделий должно было обеспечить клиенту беспрепятственное прохождение паспортного контроля перед посадкой в самолет. В дальнейшем, по прибытии в нужный заграничный аэропорт, он планировал избавиться от фальшивых документов и попросить политическое убежище под своим настоящим именем.

Следы перенесенных пыток были очень заметны, но приходилось идти на риск с поддельным паспортом, поскольку никакие власти не выдали бы ему подлинный — кроме властей той страны, где по нему плакала тюрьма.

Следующим по порядку был нигериец, один из лидеров движения огони[1], выступающих против хищнической эксплуатации их земель правительством в сговоре с нефтяными корпорациями. Его пытались ликвидировать, однако он выжил после покушения и в трюме грузового судна добрался до Бомбея — без документов, зато с приличной суммой, собранной его соратниками.

---

[1] *Огони* — народ, проживающий на юго-востоке Нигерии и многие десятилетия ведущий борьбу против центральных властей и транснациональных корпораций, деятельность которых привела к экологической катастрофе на этой территории.

Так что он смог откупиться от портовой полиции, которая и направила его к нам. Для безопасности ему нужно было сменить имя и гражданство, оформив соответствующий паспорт.

Далее: тибетский националист, сбежавший из китайского трудового лагеря и через покрытые снегом горы пешком добравшийся до Индии. В Бомбее община тибетских эмигрантов снабдила его деньгами и связала с нужными людьми в Компании Санджая для получения новых документов.

На очереди были также афганец, иракец, курдский активист, сомалиец и два гражданина Шри-Ланки — все они спасались от кровавого безумия, которое было развязано не ими и в котором они не желали принимать участие.

Впрочем, войны очень даже хороши для всякого нехорошего бизнеса, а наша клиентура состояла отнюдь не только из хороших людей. Компания Санджая бралась за любое дело, сулившее прибыль. Среди прочих мы обслуживали дельцов-махинаторов, скрывавших теневые доходы; подонков всех мастей, желавших «обнулить» свою дурную репутацию ради создания не менее дурной уже с чистого листа; военных преступников вплоть до самых высоких рангов; псевдомертвецов, по разным причинам инсценировавших свою смерть, и т. п. — в нашей фирме любой имеющий средства мог купить себе новую личность.

Один документ лежал на столе особняком от прочих. Это был канадский паспорт с моей фотографией и проставленной ланкийской визой. К паспорту прилагалось журналистское удостоверение агентства Рейтер.

Помогая разным людям спастись от войн и кровавых режимов, я в то же время готовил документы для собственной поездки в самую гущу конфликта, уже унесшего десятки тысяч жизней.

— Вы действительно читаете все эти записи? — спросил мой новый помощник, беря со стола биографическую справку нигерийца.

— Да.

— Все до единой?

— Да.

— В самом деле? Я к тому... ведь это очень тягостное чтиво.

— Так и есть, Фарзад, — согласился я, не глядя на него.

— Такие вещи угнетают даже больше, чем чтение газет.

— То же самое можно прочесть и в газетах, если смотреть не только биржевые сводки и спортивные новости, — сказал я, все еще не отрывая глаз от текста.

— Конечно, я все понимаю. Повсюду полно жуткого депрессивного дерьма, *йаар*.

— Да уж...

— Я хотел сказать, что ежедневным чтением таких сводок человек может вогнать себя в глубокую депрессию, и ему порой просто необходимо сделать паузу и переключиться на что-нибудь позитивное. Будьте уверены.

— О'кей, — сказал я, откладывая недочитанную справку. — И в чем проблема?

— Проблема?

— Если в конце твоего потока сознания есть какой-нибудь океан, впадай в него поскорее. Хватит переливать из пустого в порожнее.

— Океан? — переспросил он озадаченно.

— Я о сути вопроса, Фарзад. Переходи к сути.

— А, — улыбнулся он, — суть вопроса. Ну да. У меня и вправду есть что-то вроде вопроса, даже можно сказать — просьбы. Будьте уверены.

Несколько секунд он смотрел на меня, а затем отвел глаза и начал пальцем рисовать круги на полированной столешнице.

— Собственно... — продолжил он наконец, все еще избегая моего взгляда, — я все пытаюсь найти способ пригласить вас... пригласить к себе домой... познакомить с моими родителями.

— Это и есть твой океан сути?

— Ага.

— Но почему ты не спросил меня прямо, без околичностей?

— Видите ли... — сказал он, меж тем как круги на столешнице становились все меньше и меньше, закручиваясь спиралью, — говорят, что к вам непросто подступиться.

— Непросто? Почему?

— Ну, типа вы угрюмый ворчун, *йаар*.

— Что?! — рявкнул я. — Это я-то угрюмый ворчун?

— Ох, так и есть.

Мы уставились друг на друга. В цехе за перегородкой с подвывом включился большой печатный станок и забормотал на своем языке, в котором металлические щелчки перемежались шуршанием валиков, то отходящих, то прижимающихся к барабану.

— Кто-нибудь когда-нибудь уже говорил, что хреново ты умеешь приглашать в гости?

— Вообще-то, — рассмеялся он, — это первый случай за многие годы, когда я приглашаю кого-либо в дом родителей. Наша семья живет довольно-таки... уединенно, если вы меня понимаете.

— Я отлично понимаю, что значит уединение, — сказал я со вздохом. — Это именно то, чем я здесь наслаждался, пока не прислали тебя на мою голову.

— Но... вы к нам придете? Мои предки очень хотят с вами познакомиться. Мой дядя Кеки много о вас рассказывал. Он говорил, что...

— ...что я угрюмый ворчун. Знаю.

— Да, и это тоже. Еще он говорил, что вы сильны по части философии. Говорил, что Кадербхай предпочитал вас всем другим собеседникам, когда ему хотелось поговорить и поспорить на философские темы. А у моего отца это любимый конек. Как и у мамы — у нее даже в большей степени. И вся наша семья часто устраивает философские дискуссии. Иногда набирается до трех десятков спорщиков.

— Вас там что, целых три десятка?

— У нас... вроде как... большая семья. Это сложно описать. Вы должны увидеть ее своими глазами. То есть увидеть *нас*. Скучно не будет, это я вам гарантирую. Ни в коей мере. Будьте уверены.

— А если я соглашусь навестить твое неописуемое семейство, ты оставишь меня в покое и позволишь сейчас заняться делами?

— Это означает согласие?

— Да, в один из ближайших дней.

— Правда? Вы к нам придете?

— Будь уверен. А теперь выметайся отсюда. Дай мне закончить с этими документами.

— Классно! — завопил он, исполнив пару танцевальных движений бедрами влево-вправо. — Я передам папе, и он назначит один из дней на этой неделе. Обед или ужин! Классно!

Еще раз просияв улыбкой, кивнул и исчез за дверью.

Я вновь придвинул к себе папку с биографией нигерийца и занялся сотворением новой документированной личности. В моем блокноте постепенно вырисовывалась куда более спокойная и благополучная, но полностью вымышленная жизнь.

В процессе работы я выдвинул ящик стола с фотографиями заказчиков — счастливцев, которые не были застрелены, утоплены или брошены в тюрьму при попытке добраться до лучшей жизни. Мой взгляд задержался на этих лицах, после всех войн и пыток приведенных в относительно благообразный и вымученно-спокойный вид ради снимка в фотостудии при нашей паспортной мастерской. Когда-то давным-давно люди свободно бродили по миру, пользуясь изображениями богов или земных властителей для гарантии безопасного перемещения. А нынешний мир, как сыпью, усеян пропускными пунктами, и мы таскаем повсюду изображения самих себя, притом что безопасность никому не гарантирована.

По большому счету Компанию Санджая интересовало только одно: черный нал. Не секрет, что любой черный рынок в мире является продуктом тирании, войн или драконовских законов. В месяц мы выпускали от тридцати до сорока паспортов, лучшие из которых продавались по двадцать пять тысяч долларов за штуку. «Воспринимай войну как бизнес, — однажды сказал мне Санджай, и глаза его алчно сверкнули, будто пара свежеотчеканенных монет, — а бизнес воспринимай как войну».

Закончив составление фальшивых биографий для клиентов, я собрал бумаги и снимки, чтобы отнести их в цех, а свой новый паспорт, приготовленный для поездки в Шри-Ланку, забросил в средний ящик стола. Я знал, что рано или поздно придется передать его для доработки моим лучшим фальсификаторам, Кришне и Виллу, которые, по иронии судьбы, как раз являлись беженцами из Шри-Ланки. Но пока что я не был готов к такому путешествию.

Я нашел Кришну и Виллу спящими на кушетках в самом тихом углу цеха, подальше от печатных станков. Самозабвенно колдуя над новыми паспортами, они часто забывали о времени и проводили за работой сутки напролет, так что я распорядился установить для них эти кушетки.

Я постоял над ними, прислушиваясь к храпу, который то сливался в рокочущий унисон, то вновь распадался на свистящие вздохи и хрипы. Их руки были вытянуты вдоль туловища открытыми ладонями вверх, получая благословение сна.

Два других работника цеха были ранее отправлены мной с поручениями, и все оборудование в мастерской было выключено. Я еще какое-то время постоял в этом мирно храпящем углу, невольно завидуя Кришне и Виллу.

Они прибыли в Бомбей как беженцы и поначалу ютились со своими семьями под навесом на улице. Но сейчас их работа на Компанию хорошо оплачивалась, и это позволило им с родней перебраться в благоустроенную квартиру неподалеку от мастерской. Они располагали безупречными документами, которые сами же изготовили, но по-прежнему жили в страхе перед депортацией на родину.

Там остались их близкие и любимые люди, которых им, вероятно, не суждено было увидеть или услышать вновь. Тем не менее эти двое после всех перенесенных ими лишений и ужасов спали безмятежным сном, как младенцы.

Я никогда не спал так спокойно. Кошмары терзали меня слишком часто и слишком жестоко. Каждое мое пробуждение сопровождалось судорожными рывками, как будто я пытался избавиться от пут. Лиза давно усвоила, что самый безопасный для нее способ спать в одной постели со мной — это обнять меня покрепче и оказаться внутри того круга сновидений, который стремилось разорвать мое спящее сознание.

Я оставил стопку документов на столе Кришны и тихо поднялся по деревянной лестнице. Покидая мастерскую, я запер дверь снаружи, зная, что у них есть свои ключи.

Накануне мы с Лизой договорились посетить клинику в трущобах, а потом пообедать вместе. Она подружилась с аптекарем в нашем районе и раздобыла у него несколько коробок с дефицитными медикаментами. Коробки уже находились в кофрах моего байка, и теперь оставалось заехать за Лизой, попросившей меня свозить ее в трущобы.

Я двигался вместе с неторопливым полуденным потоком машин, никого не обгоняя, — иногда езда без спешки в ясную погоду есть само по себе удовольствие.

В зеркале заднего вида возник полисмен на таком же мотоцикле, что и мой. Вскоре он со мной поравнялся. Судя по фуражке и револьверу в кожаной кобуре на боку, это был старший офицер, а не простой патрульный. Он поднял левую руку и двумя вытянутыми пальцами указал мне в сторону обочины.

Я съехал с дороги и остановился позади полицейского мотоцикла. Коп поставил свой байк на боковую подножку, перекинул ногу через сиденье и повернулся ко мне. Держа правую руку на кобуре, он чиркнул левой ладонью по своему горлу: приказ глушить мотор. Я так и сделал, но с мотоцикла не слез.

Я был спокоен. Полицейские останавливали меня время от времени, и обычно это сводилось к недолгим объяснениям или взятке. На такой случай я всегда держал в кармане рубашки скрученную в трубочку купюру в пятьдесят рупий. Это было в порядке вещей. И я мог понять копов: получая слишком мало денег за свою рискованную работу, они взимали с населения то, что им недоплачивало государство.

Но сейчас что-то насторожило меня в его взгляде: там было нечто большее, чем просто желание урвать мзду. Он расстегнул кобуру и сжал пальцы на рукоятке револьвера.

Я слез с мотоцикла, и моя рука медленно потянулась к ножам, спрятанным сзади под рубашкой навыпуск. В те годы бомбейские копы не только брали взятки — при случае они могли и пристрелить какого-нибудь гангстера, другим для острастки.

Спокойный, глубокий голос прозвучал у меня за спиной:

— На твоем месте я не стал бы рыпаться.

Я обернулся и увидел троих мужчин, стоявших почти вплотную ко мне. Четвертый сидел за рулем машины, припаркованной тут же.

— Возможно, — сказал я, не снимая руки с ножа под рубашкой, — ты и не стал бы, будь *ты* на моем месте.

Говоривший мужчина посмотрел мимо меня и кивнул копу. Тот отсалютовал в ответ, взобрался на свой байк и укатил прочь.

— Ловкий трюк, — сказал я. — Надо будет запомнить его на тот случай, если когда-нибудь вляпаюсь в дерьмо.

— Ты уже сейчас в дерьме по самые уши, *гора*, — сказал тощий человек с усами ниточкой и продемонстрировал лезвие ножа, который он прятал в рукаве.

Я заглянул ему в глаза и прочел там очень короткую историю, в которой были только страх и ненависть. Повторно читать ее мне не хотелось. Их главарь нетерпеливо поднял руку, прерывая диалог. Это был крепко сбитый мужчина лет под сорок, и говорил он тихим ровным голосом.

— Если ты откажешься садиться в машину, — сказал он, — я прострелю тебе колено.

— А что ты мне прострелишь, если я соглашусь сесть в машину?

— Возможны варианты, — ответил он, невозмутимо меня разглядывая.

Одет он был как на картинке из журнала мод: сшитая по заказу шелковая рубашка, просторные брюки из серого сержа, ремень «данхилл» и мягкие кожаные туфли от Гуччи. Золотой перстень на среднем пальце был копией «Ролекса» на его запястье.

Его спутники внимательно следили за проезжавшим транспортом и пешеходами, двигавшимися вдоль придорожной сточной канавы. Молчание затягивалось, и в конце концов я решил его прервать:

— А от чего зависят эти варианты?

— От того, будешь ты делать, что тебе скажут, или нет.

— Я не люблю, когда мной командуют.

— Никто этого не любит, — спокойно сказал он. — Но сила — вполне убедительный аргумент.

— Да ты у нас философ, — сказал я. — Тебе бы книжки сочинять.

Сердце мое бешено билось. Я испугался не на шутку. Буквально желудок свело от страха. Это были враги, и я оказался в их власти. При таком раскладе меня уже сейчас можно было причислить к мертвецам.

— Давай в машину, — сказал он, позволив себе легкий смешок.

— Давай решим все здесь.

— Лезь в машину!

— Ну уж нет. Так я еще успею забрать с собой и тебя, а в вашей тачке отправлюсь на тот свет один. По мне, так уж лучше вдвоем, элементарная арифметика.

— Да хрен с ним! — выхаркнул Усы Ниточкой. — Пришьем ублюдка прямо здесь, и дело с концом.

Крепыш-главарь задумался. И думал довольно долго. Я не снимал руку с ножа за поясом.

— Ты ведь умеешь мыслить логически, — сказал он. — Говорят, ты даже вел философские споры с Кадербхаем.

— Никто не смел спорить с Кадербхаем.

— Пусть так, но ты все же понимаешь, что твоя позиция нерациональна. Я ничего не потеряю, прикончив тебя здесь. А вот ты можешь кое-что приобрести, оставаясь в живых еще какое-то время: хотя бы узнаешь, чего я от тебя хочу.

— Ты упустил одну деталь: собственную смерть в обмен на мою. А мне эта деталь кажется существенной.

— Мне тоже, — улыбнулся он. — Но ты же видел, сколько лишней возни нам потребовалось только для того, чтобы завязать этот разговор. Если бы я просто хотел тебя убить, я снес и раздавил бы твой байк еще на трассе.

— Вот только мой байк оставьте в покое!

— Он будет в сохранности, *йаар*. — Главарь усмехнулся и кивнул тощему с усами ниточкой. — На нем поедет Данда. А ты садись в машину.

Он был прав. По здравом рассуждении, ничего другого мне не оставалось. Я убрал руку из-за спины. Главарь кивнул. Данда тотчас оседлал мой байк, завел двигатель и начал яростно газовать на холостых: ему не терпелось ехать.

— Будешь мучить движок, я тебе... — Закончить угрозу я не успел, так как он включил первую скорость и мотоцикл с надрывно-протестующим ревом втиснулся в транспортный поток.

— Боюсь, у Данды плоховато с чувством юмора, — сказал главарь, наблюдая за тем, как тот, виляя, резко дергаясь и тормозя, продирается между ползущими машинами.

— Черт, если он повредит мой байк, ему будет совсем не до шуток.

Главарь рассмеялся и посмотрел мне прямо в глаза:

— Как ты мог беседовать о философии с человеком вроде Кадербхая?

— А почему бы и нет?

— Я о том, что Кадербхай был безумцем.

— Безумный или нет, но скучным он не бывал никогда.

— Все, что угодно, может в конечном счете наскучить, разве нет? — сказал он, залезая в машину. —

— В том числе и чувство юмора? — предположил я, садясь с ним рядом.

Они взяли меня в оборот, и это было сродни тюрьме: здесь, как и там, я не мог ничего изменить. Главарь снова рассмеялся и кивнул водителю, чьи глаза маячили в закругленном прямоугольнике зеркала.

— Прокати нас с ветерком, — сказал он тому на хинди, при этом следя за каждым моим движением. — Это всегда приятно в жаркий день.

ГЛАВА

10

Водила гнал агрессивно, подрезая и распугивая других участников движения, в этот час весьма плотного. Таким манером он всего за несколько минут доехал до промышленной зоны и затормозил перед пакгаузом, стоявшим на приличном удалении от других зданий. Данда был уже там. Мой мотоцикл стоял на гравийной дорожке перед входом.

Водитель припарковал машину. Подъемные ворота склада открылись примерно до середины. Нагибаясь под ними, мы вошли внутрь; загремела цепь, и створка ворот опустилась до пола.

У меня тут же возникли две большие причины для беспокойства. Первая заключалась в том, что они не завязали мне глаза, позволяя запомнить местоположение пакгауза и разглядеть лица восьмерых находившихся внутри мужчин, — похоже, их это не волновало. Второй причиной оказался набор инструментов, разложенных на скамьях вдоль одной из стен: электродрели, бензопилы, паяльные лампы, кувалды, молотки и т. п.

Изо всех сил стараясь не смотреть в ту сторону, я вместо этого сфокусировал внимание на приземистом кресле с длинной спинкой, установленном на свободном пятачке у задней стены пакгауза. Собственно говоря, это был обыкновенный пляжный шезлонг с сиденьем из искусственного ротанга в ядовито-зеленую и желтую полоску. На полу под креслом расплылось большое темное пятно.

Данда, человек с тонкими усиками и короткой историей в глазах, тщательно меня обыскал и вручил изъятые ножи своему главарю, который после беглого осмотра положил их на длинную скамью рядом с инструментами.

— Сядь, — приказал он, повернувшись ко мне.

Я не двинулся с места, и тогда он, скрестив на груди руки, кивнул высоченному бугаю, ранее ехавшему с нами в машине. Тот двинулся на меня.

«Бей первым, и бей жестко» — так учил меня старый зэк в австралийской тюрьме.

И когда бугай нанес удар открытой ладонью, метя над моим правым ухом, я увернулся и ответил резким, коротким апперкотом ему в челюсть. Хорошо вложился и попал удачно.

Бугай покачнулся и отступил на шаг. Двое из присутствующих выхватили пушки. То были старинные револьверы армейского образца, ровесники давно забытых войн.

Главарь вздохнул и кивком отдал новый приказ. Ко мне бросились сразу четверо. Они впихнули меня в желто-зеленый шезлонг и привязали руки к задним ножкам веревками из кокосового волокна. Затем связали ноги, пропустив веревку под сиденьем.

Их вожак разомкнул скрещенные руки и приблизился ко мне.

— Ты знаешь, кто я такой? — спросил он.

— Литературный критик? — предположил я, стараясь не выдать голосом свой страх.

Он нахмурился, оглядывая меня с ног до головы.

— Ладно, — сказал я. — Догадаться нетрудно, кто ты такой. Сразу видно одного из «скорпионов».

Главарь кивнул.

— Меня зовут Вишну, — сказал он.

Тот самый Вишну, которого пощадил Санджай и который затем вернулся в наш район с бандой головорезов, прозванных «скорпионами».

— Интересно, почему многие гангстеры присваивают себе имена богов?

— А как насчет имени Труп, которое я сейчас присвою тебе, ублюдок? — свирепо прошипел Данда.

— Хотя, если пораскинуть мозгами, — сказал я задумчиво, — Данда — это не бог. Поправьте меня, если я ошибаюсь, но Данда — это всего лишь полубог или недобог. Верно? Что-то типа мелкого божка на побегушках?

— Закрой пасть!

— Спокойно, Данда, — сказал Вишну. — Он просто пытается уйти от темы разговора. Не поддавайся на его уловки.

— Совсем мелкий божок-болванчик, — продолжил я. — Ты хоть раз пытался прикинуть, как часто тебя оболванивают, Данда?

— Заткнись!

— А знаешь что? — сказал Вишну, подавляя зевок. — Отвесь-ка гаду по полной, Данда. Вколоти его улыбочку в самые гланды, если хочешь.

Данда кинулся на меня, размахивая кулаками. Но даже в связанном виде я довольно успешно увертывался, резко наклоняя голову в разные стороны, так что лишь треть его ударов достигали цели. Внезапно он остановился. Когда я перестал дергать головой и взглянул вверх, оказалось, что Данду оттащил в сторону бугай, перед тем получивший от меня в челюсть.

Заняв место Данды, бугай примерился и врезал мне по лицу. На его среднем пальце был медный перстень, который глубоко впечатался в мою щеку. Этот парень знал свое дело. Он умел делать очень больно, при этом не ломая костей. Чуть погодя он сменил тактику и стал наносить удары по голове слева и справа открытыми ладонями.

Если долго бить человека кулаками, ты или разобьешь собственные костяшки, или забьешь этого человека насмерть, или то и другое вместе. Но есть иной вариант: расквасить ему физиономию кулаками до такой степени, что каждый крепкий шлепок по ней будет отдаваться сильнейшей болью; и после того ты сможешь хоть весь день напролет жестоко истязать его банальными оплеухами.

Пытки. Долгое, тяжелое, отупляющее действие. С каждой минутой оно как бы уплотняется, стягиваясь к эпицентру боли, и эта мощная центростремительная тяга не позволяет даже лучику надежды вырваться из беспросветного мрака.

Но одну вещь из прошлого опыта я усвоил четко: когда тебя избивают, надо держать рот на замке. Ничего не говори ни в коем случае. Держи рот на замке до самого конца. Постарайся также обойтись без воплей и стонов, насколько хватит терпения.

— О'кей, — сказал Вишну через две минуты, показавшиеся мне длиной в целый месяц.

Бугай отошел в сторону, принял от Данды полотенце и вытер свою потную рожу. Затем услужливый Данда начал массировать его плечевые мышцы.

— Расскажи мне о Пакистане, — потребовал Вишну, поднося к моим губам сигарету.

Я втянул дым вместе с каплями крови и выдохнул. Мне было невдомек, к чему он клонит.

— Расскажи о Пакистане.

Я уставился на него непонимающим взглядом.

— Мы знаем, что ты ездил в Гоа, — медленно произнес Вишну. — Мы знаем, что ты привез оттуда несколько стволов. А теперь я спрашиваю еще раз. Расскажи мне о Пакистане.

Стволы, Гоа, Санджай: все это вновь возвращалось ко мне с поворотом колеса кармы. Но я знал, что в глубине моего страха всегда таится некий голос, который рано или поздно произнесет: «Пора с этим кончать».

— Многие люди считают, что столицей Пакистана является Карачи, — произнес я, с трудом двигая распухшими губами. — Но это заблуждение.

Вишну коротко хохотнул:

— Расскажи мне о Пакистане.

— Там вкусная еда и приятная музыка, — сообщил я.

Вишну посмотрел на кончик своей сигареты, а затем перевел взгляд на бугая.

И все пошло по новому кругу. Казалось, я мучительно шагаю по вязкой глубокой грязи и каждый шаг — каждый хлесткий удар по лицу — приближает меня к стене густого тумана впереди.

Когда бугай сделал паузу, положив усталые руки на бедра, Данда перехватил инициативу и принялся полосовать меня тонкой бамбуковой палкой. Потекла кровь, смешиваясь с соленым потом, но как раз это вернуло меня в сознание.

— Что, уже не шутишь, ублюдок? — проорал Данда, наклоняясь так низко ко мне, что я учуял запах горчичного масла и трусливо-потную вонь его подмышек.

И я громко захохотал, что порой случается с людьми во время пыток.

Вишну взмахнул рукой.

Внезапная тишина, наступившая после этого жеста, была настолько пронзительной, что мне показалось, будто весь мир на какое-то мгновение застыл в неподвижности.

Вишну что-то говорил, судя по движению губ. Но я его не слышал. Постепенно я понял, что тишина звенит только в моих ушах, не распространяясь на окружающих. Вишну взирал на меня с каким-то озадаченным выражением, словно наткнулся на бродячую собаку и теперь не мог решить, то ли погладить ее, то ли дать ей пинка ботинком от Гуччи.

Один из гангстеров вытер мое окровавленное лицо грязной, провонявшей бензином ветошью. Я сплюнул кровью и желчью. Слух начал возвращаться.

— Как самочувствие? — рассеянно поинтересовался Вишну.

Я помнил правило выживания: молчать, не произносить ни слова. Но так уж я устроен — если в голове назойливо вертятся какие-то слова, я просто не могу не высказаться, письменно или вслух.

— Исламабад, — сказал я. — Это столица Пакистана. А не Карачи.

Он шагнул ко мне, доставая из кармана компактный полуавтоматический пистолет. В его глазах я видел отражение собственного черепа, уже расколотого пулей.

В этот миг открылась входная дверь пакгауза и вместе с солнечным светом внутрь проник мальчишка-разносчик с парой плетеных корзинок — в одной были шесть стаканов чая, а в другой шесть стаканов воды.

— О, чай! — сказал Вишну с неожиданной широкой улыбкой, стершей с его лица морщинки гнева.

Он спрятал пистолет и вернулся на прежнее место рядом со скамьей. Разносчик начал обходить присутствующих. Взгляд уличного сорванца скользнул по мне, но на его лице не отразилось никаких эмоций. Возможно, он видел такое не впервой: человека в крови, привязанного к желто-зеленому шезлонгу.

Гангстер, ранее вытиравший мое лицо, освободил меня от пут, взял у мальчишки стакан с чаем и протянул его мне. Я с трудом удержал стакан двумя руками, онемевшими от веревок.

Остальные бандиты, после церемонии вежливых отказов в пользу друг друга, поделили чай, отлив по половине в другие стаканы, из которых пришлось выплеснуть воду. Сцена вышла по-своему даже трогательной. В иное время мы с ними вполне могли бы стать друзьями и всей компанией гонять чаи на набережной у мыса Нариман-Пойнт, любуясь заходящим солнцем.

Между тем разносчик обследовал помещение и собрал пустые стаканы, оставленные здесь во время его предыдущего визита. Одного он недосчитался.

— Стакан! — возмущенно завопил малец натруженным булькающим голосом и продемонстрировал корзинку с пустым гнездом. — Стакан!

Бандиты дружно кинулись на поиски недостающего стакана, переворачивая пустые коробки и расковыривая кучи всякого хлама. Стакан откопал Данда.

— Нашел! Нашел! — торжествующе завопил он, протягивая свою добычу мальчишке.

Тот сцапал стакан с таким видом, будто подозревал попытку хищения, и тотчас покинул склад. Данда быстро взглянул на главаря, и взгляд его был исполнен радостного шакальего подхалимажа: «Ты видел, босс? Это я, я! Не кто-нибудь, а я нашел стакан!»

Убедившись, что руки уже не трясутся, я поставил свой стакан на пол, так ни разу из него и не отхлебнув. Дело было не

в гордости или гневе, а в раскваженных и распухших губах: не
хотелось пить чай пополам с кровью.

— Подняться сможешь? — спросил Вишну, покончив со своей порцией и отставив стакан в сторону.

Я вылез из кресла, но ноги сразу подкосились, и я начал зава-
ливаться набок. Бугай, перед тем лупивший меня по лицу, подскочил и сильными руками поддержал меня за плечи — отнюдь
не грубо, даже как-то бережно. С его помощью я утвердился на
ногах.

— Вали отсюда, — сказал Вишну и перевел взгляд на Данду. — Отдай ему ключи от байка.

Данда выудил ключи из своего кармана, но подошел с ними
не ко мне, а к боссу.

— Еще немного, — попросил он. — Я уверен, он что-то знает.
Дайте мне еще немного времени.

— Ни к чему, — сказал Вишну со снисходительной улыбкой. — Я уже выяснил все, что хотел.

Он взял ключи у Данды и швырнул их мне. Ключи угодили
в грудь, и я с трудом поймал их, прижав к рубашке обеими, все
еще непослушными руками. И встретился глазами с Вишну.

— Ты ведь ничего не знаешь о Пакистане, верно? — сказал
он. — Ты вообще без понятия, о чем мы тут говорили, да?

Я промолчал.

— Так оно и есть, приятель. А теперь убирайся!

Еще секунду-другую я смотрел ему в глаза, а потом протянул
раскрытую ладонь и сказал:

— Мои ножи.

Вишну рассмеялся и вновь скрестил руки на груди:

— Будем считать их штрафом, идет? Ножи достанутся Хануману как штраф за тот удар, который ты ему нанес. И вот тебе
мой совет: сматывайся поскорее и держи место нашей встречи
в секрете. Не говори о нем Санджаю или кому-нибудь еще.

— С какой стати?

— Я позволил тебе запомнить это место, чтобы ты потом мог
с нами связаться. Если оставишь здесь послание, оно дойдет до
меня, и очень быстро дойдет.

— Зачем мне это делать?

— Если я в тебе не ошибся — а я очень редко ошибаюсь в людях, — однажды ты можешь подумать, что у нас с тобой гораздо
больше общего, чем это кажется сейчас. И тогда ты захочешь с
нами поговорить. И если ты не дурак, ты никому не расскажешь
об этом адресе. Оставишь его про запас, на черный день. Ну
а сейчас, как говорят в таких случаях американцы, *fuck off*!

Я направился к боковой двери вместе с Дандой, который распахнул ее, пропуская меня. Когда я перешагнул порог, он громко прочистил горло, набрал полный рот слюны и харкнул мне на штанину, после чего дверь захлопнулась.

На земле неподалеку от своего байка я нашел обрывок бумаги и стер им слюну с джинсов. Вставил ключ в замок зажигания и уже собрался завести мотоцикл, но тут заметил в зеркале свою разбитую физиономию. Нос не был сломан, но оба глаза почти заплыли, а щеки превратились в кровавое месиво.

Я запустил двигатель и оставил его работать на холостых оборотах, не снимая мотоцикл с подножки. Потом повернул фиксатор сбоку под сиденьем. Откинулась панелька, под которой у меня был спрятан итальянский стилет. Он оказался на месте.

Я постучал в дверь пакгауза рукояткой ножа. Услышал сердитый голос по ту сторону, ругающий незваного гостя, кто бы им ни был. Голос принадлежал Данде, и это меня порадовало.

Дверь открылась, и в проеме возник Данда, изрыгая проклятия. Я схватил его за грудки, прижал спиной к дверному косяку и уткнул стилет ему под ребра. Он попытался вырваться, но я нажал сильнее, острие пронзило кожу, и капелька крови появилась на его розовой майке.

— О'кей! О'кей! О'кей! — завопил он. — *Аррей, пагал хайн тум?*[1]

Несколько его дружков двинулись в мою сторону. Я еще немного усилил нажим.

— Нет! Нет! — крикнул им Данда. — Не подходите, парни! Этот псих меня зарежет!

Они остановились. Не сводя глаз с лица Данды, я обратился к его боссу.

— Мои ножи, — пробормотал я, не в силах шевелить губами, окостеневшими, как ладонь каменщика. — Верните мои ножи.

Вишну не спешил реагировать. Данда обливался потом от страха. При этом чувствовалось, что неудовольствие босса страшит его даже больше, чем моя ярость.

Наконец Вишну приблизился, протягивая мои ножи. Я взял их одной рукой и засунул в чехлы на поясе, продолжая держать стилет у брюха Данды. Вишну взял его сбоку за рубашку и потянул внутрь помещения, но я не позволил ему это сделать, вновь надавив на нож. Лезвие углубилось в тело Данды на полсантиметра. Еще один сантиметр, и оно повредит внутренние органы.

---

[1] Ты что, свихнулся? *(хинди)*

— Постой! Постой! — панически взвизгнул Данда. — Из меня кровь хлещет! Он меня убьет!

— Что еще тебе нужно? — спросил Вишну.

— Расскажи мне о Пакистане, — сказал я.

Он засмеялся. Хорошо так засмеялся, от души. В другое время и в другой обстановке этот смех мог бы расположить меня к Вишну, не будь предшествующего знакомства с одним из предметов его пляжной мебели.

— Ты мне нравишься, и в то же время мне хочется тебя прикончить, — сказал он, поблескивая темными глазами. — У тебя редкий дар вызывать у людей самые противоречивые чувства.

— Расскажи мне о Пакистане, — повторил я.

— А ты и вправду совсем ничего не знаешь, так? — вздохнул Вишну, и его улыбка исчезла. — Мы видели, как ты ходил на собрание вашего совета, знаем о твоей поездке в Гоа и о других твоих делах. Потому мы и решили, что ты должен быть в курсе. Но они держат тебя в неведении, приятель. И тебе это однажды выйдет боком. Не говоря уже о том, что это... весьма унизительно, ты согласен?

— Твой человек загнется через секунду, если ты не ответишь на мой вопрос. Я хочу знать, из-за чего вся эта возня. Расскажи мне о Пакистане.

— Если я расскажу тебе все, что мне известно, ты передашь это Санджаю, — сказал он, подавляя зевок.

Над его правым глазом был тонкий, но довольно глубокий шрам. И сейчас Вишну задумчиво потирал его кончиком пальца.

— Это даст Санджаю преимущество, чего я допустить не могу. Кончай терзать Данду, садись на свой байк и уматывай. Если ты его убьешь, мне придется убить тебя. Он мой кузен, как-никак. А убивать тебя сейчас я не хочу. Я вообще не хочу никого убивать — по крайней мере, сегодня. Видишь ли, сегодня день рождения моей жены, намечается веселье, гости и все такое.

Он поднял голову и посмотрел на тяжелые тучи, которые постепенно затягивали небосвод.

— Поторопись, — сказал он. — Мы думали, ты что-то знаешь, но выяснилось, что это не так. Когда ты узнаешь больше и захочешь поговорить, ты сможешь со мной связаться. И без обид — чего не бывает в жизни. Теперь, как говорят в таких случаях американцы, ты у меня в долгу.

— За тобой должок поболее, — сказал я, отпуская Данду и пятясь в сторону своего байка.

Он снова рассмеялся:

— Тогда будем считать, что мы квиты, и начнем расчеты с нуля. Когда возникнет желание встретиться, оставь записку в этом месте, и она обязательно дойдет до меня.

ГЛАВА
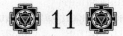
11

Люди, подвергшиеся избиению, реагируют на это по-разному. В те годы моя обычная реакция заключалась в следующем: разузнать как можно больше о тех, кто меня избил, и потом ждать, когда Судьба даст мне шанс поквитаться.

При побеге из австралийской тюрьмы мы с другом проделали дыру в потолке служебного кабинета, вылезли на крышу и среди бела дня спустились со стены на ту сторону. Между прочим, кабинет, в котором мы пробили дыру, принадлежал не кому-нибудь, а старшему тюремному надзирателю — человеку, руководившему беззаконными и ничем не оправданными избиениями моего друга, меня самого и десятков других заключенных.

Я следил за ним многие месяцы. Я изучал его привычки и пристрастия. И я обнаружил, что он каждый день в одно и то же время примерно на семь минут покидает офис, оставляя дверь незапертой. Мы воспользовались его рабочим столом как подставкой, когда ломали потолок, выбираясь на волю. После нашего побега его с позором уволили, и Судьба взяла заслуженный отпуск.

Мне очень не нравится, когда меня бьют по лицу. И я хотел узнать побольше о людях, это делавших. Я хотел знать о них все.

Достигнув второго разрыва в разделительной полосе, я развернул мотоцикл и поехал обратно. Остановился в тени деревьев напротив пакгауза, по соседству с несколькими придорожными лавчонками, и заглушил двигатель. Прохожие и лавочники таращились на мое разбитое лицо, но поспешно отводили глаза, когда я поворачивался в их сторону. Через какое-то время ко мне приблизился ветошник — торговец всяким тряпьем для чистки машин и мотоциклов. Я приобрел самый длинный из имевшихся у него кусков материи, но, прежде чем рассчитаться, попросил выполнить для меня несколько поручений.

Через пять минут он вернулся с упаковкой кодеина, лейкопластырем, бутылкой водки и двумя чистыми полотенцами.

Я заплатил ему за все, включая доставку, присел на краю дренажной канавы, промыл лицо смоченной в водке материей и промокнул сочащиеся раны чистым полотенцем.

Парикмахер, обслуживавший клиентов под развесистым деревом, одолжил мне зеркало. Я подвесил его к ветке и обработал два самых серьезных рассечения на лице, после чего обмотал голову черной тряпкой, соорудив подобие афганского тюрбана.

Клиенты и приятели брадобрея, сидевшие на корточках в тени вокруг его кресла и наблюдавшие за моими действиями, кивками и покачиванием голов выражали разные степени сочувствия или неодобрения.

Я взял пустой стакан, плеснул в него добрую порцию водки и выпил залпом. Затем, держа стакан и бутылку в одной руке, надорвал зубами упаковку кодеина, вытряхнул четыре таблетки в стакан и до середины наполнил его водкой. Уровень одобрения среди зрителей заметно повысился. А когда я осушил стакан и передал им бутылку с оставшейся водкой, одобрение переросло в тихий восторг.

Я вернулся к своему мотоциклу, практически незаметному с проезжей части, и сквозь пожухлую, обожженную солнцем листву стал наблюдать за пакгаузом, на полу которого еще не высохла моя кровь.

Они появились все сразу, тесной группой, громко смеясь, хлопая по спине и поддразнивая доходягу с тонкими усиками — Данду. Потом уселись в два «амбассадора», вырулили на трассу и покатили в сторону Тардео.

Дав им фору в полминуты, я последовал за машинами, сохраняя приличную дистанцию, так чтобы меня нельзя было заметить в зеркале заднего вида.

Они проследовали через Тардео, затем миновали развязку перед оперным театром и выехали на длинный зеленый бульвар, идущий параллельно одной из главных железнодорожных линий города.

Машины остановились перед оградой особняка неподалеку от станции Чёрчгейт. Почти сразу же распахнулись высокие металлические ворота, они въехали внутрь, и ворота закрылись.

Я медленно прокатил вдоль тротуара, оглядывая фасад трехэтажного здания с высокими окнами. Деревянные ставни на всех окнах были закрыты. Запыленные кроваво-красные герани перекинулись через перила балкона второго этажа и свисали до ржавой решетки ограждения на первом этаже.

Закончив осмотр, я дал газу и влился в поток машин, двигавшийся к Чёрчгейтскому вокзалу мимо охряных, иссушенных солнцем лужаек Азад-майдана.

Теперь моя ярость и страх выплеснулись на дорогу: я ответил на вызов города сумасшедшей ездой, протискиваясь, казалось бы, в непролазные щели между машинами, провоцируя на состязание и оставляя позади каждый второй байк.

Затормозил я только перед зданием колледжа, рядом с которым находился дом Санджая. Улицу заполняли веселые, хорошо одетые, явно следящие за новинками моды студенты — именно им суждено было стать надеждой этого города, да и всего нашего мира, хотя в те дни мало кто об этом задумывался.

— Ну ты даешь! — раздался голос за моей спиной. — Самый дикий белый гонщик во всем Бомбее! Я пытаюсь тебя догнать вот уже пять...

Это был Фарид, молодой гангстер, жестоко винивший себя в том, что не был с Кадербхаем до самого его конца в снежных афганских горах. Он осекся, когда я, поворачиваясь, стянул с головы импровизированный черный тюрбан.

— Черт возьми, старик! Что с тобой приключилось?

— Ты не знаешь, Санджай сейчас дома?

— Дома. Я это знаю точно. Давай зайдем к нему.

Пока я рассказывал обо всем случившемся Санджаю, сидя за стеклянным с позолотой столиком в гостиной, с лица его не сходило спокойное, едва ли не скучающее выражение. Он попросил меня повторить имена, которыми называли друг друга эти люди, и еще раз описать лица, которые я запомнил.

— Я этого ожидал, — сказал он.

— Ожидал? — изумился я.

— Тогда почему ты не предупредил Лина? — сердито спросил Фарид. — Или меня, чтобы я его подстраховал?

Ничего не ответив, Санджай встал и прошелся по комнате. На его красивом лице были заметны признаки преждевременного старения. Под глазами темнели впадины с резко очерченными краями. От уголков налитых кровью глаз веером разбегались морщины, теряясь в седине, которая уже покрыла виски и отдельными прядями пробивалась в глянцево-черной шевелюре.

Он чересчур много пил и предавался другим излишествам. Этот еще молодой человек, в одночасье вставший во главе криминальной империи, теперь быстро сжигал свою молодость.

— Как по-твоему, что им в действительности было нужно? — спросил он меня после долгой паузы.

— Откуда мне знать, если ты держишь меня в неведении? И что там за дела с Пакистаном? О чем еще ты не сказал мне перед поездкой в Гоа?

— Я сказал то, что тебе следовало знать! — отрезал Санджай.

— Но кое-что мне явно не помешало бы знать заранее, — возразил я. — Это ведь я, а не ты очутился в том пыточном кресле, Санджай.

— Вот именно, черт побери! — поддержал меня Фарид.

Санджай перевел взгляд на свои руки, лежавшие на стеклянной столешнице. Самым большим — и вполне обоснованным — из мучивших его кошмаров была кровавая бойня между двумя группировками, целиком уничтожающая одну из них и катастрофически ослабляющая другую. Любой вариант, кроме всеобщей бойни, он считал приемлемым. И это было единственное, в чем я полностью с ним соглашался, два последних года работая под его руководством.

— В этой игре на кон поставлены вещи, о которых вы не имеете представления и которые вы просто не поймете, — заявил он. — Я возглавляю эту Компанию. Я говорю вам обоим то, что вам нужно знать, и ничего больше. А на твое личное мнение мне плевать, Лин. Как и на твое, Фарид.

— Так тебе на меня плевать, Санджай?! — взвился Фарид. — И это все, что я заслужил?! А как насчет ответного плевка в рожу прямо здесь и сейчас?

Он угрожающе шагнул к Санджаю, но я задержал его, обхватив руками сзади.

— Не заводись, братишка Фарид, — сказал я. — Как раз этого и добиваются «скорпионы», как я понял из их разговоров, когда меня мутузили. Они хотят поссорить нас друг с другом.

— Плевать на *меня*?! — не унимался Фарид. — Ну-ка, повтори это, босс! Скажи это еще раз!

Санджай несколько мгновений молча смотрел на горячего молодого бойца, а потом его бесстрастный взгляд переместился на меня.

— Я хочу знать правду, Лин. Что ты им рассказал?

Тут настал мой черед выходить из себя. Ярость нахлынула волной, рот широко открылся, и из подсохших было ран потекла сукровица.

— Ты на что намекаешь, босс?

Он раздраженно нахмурился:

— Да ладно тебе, Лин. Это же реальный мир. Люди раскалываются и говорят. Что ты им рассказал?

Я до того разозлился, что был готов немедля выбить из него дух. Сейчас я злился на него даже сильнее, чем на людей, совсем недавно чуть было не выбивших дух из меня.

— Разумеется, он им ничего не сказал! — опередил мой ответ Фарид. — Его не в первый раз пытали, да все без толку. Так же когда-то пытали и меня. Да и тебя в свое время, Санджай. Может, хватит оскорблять людей подозрениями? Что с тобой вообще происходит, босс?

Судя по бешеному пламени во взгляде Санджая, тот находился уже на грани срыва. Фарид выдержал этот взгляд пару секунд, а потом отвел глаза. Санджай повернулся ко мне:

— Можешь идти, Лин. Рассказал ты им что-нибудь или нет, впредь об этом ни слова никому.

— Ни слова о чем, Санджай? О том, как они меня избивали? Сначала они грозятся меня прикончить, а потом вдруг отпускают. Разве не понятно, почему? Они хотели, чтобы я пришел к тебе вот в таком виде и произнес слово «Пакистан». Это послание, отправленное тебе. Я и есть послание. Этот Вишну, похоже, мастак на такие вещи.

— Как и я, — ухмыльнулся Санджай. — Я тоже пишу послания кровью. И сам определяю, кому и в каком виде их отправлять.

— Только *за меня* такой ответ посылать не нужно.

— Ты указываешь мне, что я должен делать? Да кем ты себя, на хрен, возомнил, чтобы мне указывать?

Внутри меня все кипело, я жаждал мести, но я не хотел, чтобы еще какой-нибудь посланец, подобно мне, сидел связанным в кресле и получал удары, забрызгивая кровью потолок.

— Не надо за меня мстить, босс. Придет время, и я сам с ними расплачусь.

— Ты будешь делать то, что тебе говорят, и не тебе выбирать для этого время.

— Я расплачусь с ними сам, Санджай, — повторил я твердо. — Сам выберу время и способ. И давай закроем эту тему до поры.

— Вон отсюда! — процедил сквозь зубы Санджай. — Оба. И не приходи ко мне, Лин, пока я сам тебя не позову. Пошли вон!

На улице Фарид меня задержал. Он был разъярен еще больше, чем я.

— Лин, — сказал он тихо, сверкая глазами, — мне до лампочки, что там говорит Санджай. Он слабак. Он никто. У меня не осталось ни капли уважения к нему. Мы позовем Абдуллу и пойдем на дело втроем. Пустим в расход этого Вишну и заодно этих поганых свиней, Данду и Ханумана.

Я улыбнулся, согреваемый его гневом, как дружеским теплом:

— Давай-ка не будем спешить. Всему свое время и место, братишка. Так или иначе, я еще встречусь с этими тварями, и, если мне потребуется твоя помощь, я дам знать, не сомневайся.

— В любое время дня и ночи, старина, — сказал он, пожимая мне руку.

Фарид уехал на своем мотоцикле, а я оглянулся на дом Санджая: еще один роскошный особняк в городе трущоб. Окна фасада прятались за ставнями из красной латуни, железные направляющие которых покрылись ржавчиной; увядающая живая изгородь вплотную примыкала к ограждению из стальных прутьев.

Этот особняк очень походил на тот, до ворот которого я проследил «скорпионов». Они были даже слишком похожи, эти два дома.

Можно уважать права и мнения человека, даже не будучи с ним знакомым. Но самого человека ты сможешь уважать лишь после того, как найдешь в нем что-то достойное этого слова.

Фарид невысоко ставил Санджая, да и другие члены совета относились к нему без особого почтения. Так же относился к Санджаю и я, притом что работал на него и находился под защитой Компании, носившей его имя. Для меня, как и для многих из нас, это было просто делом совести, но для Санджая потеря уважения означала потерю всего. Каждая криминальная группировка строится на иерархии авторитетов. А лидер группировки должен быть сродни верховному божеству...

Тучи висели низко — но почему не начинался дождь? Я чувствовал себя очень грязным. Окровавленным и грязным. И я находился в состоянии падения. Падало все вокруг меня, кроме дождевых капель. Сердце мое было не на месте, и я искал способ его вернуть.

Всего несколько недель назад, перед моим отъездом в Гоа, мир, казалось, вращался под совсем другими звездами. А теперь я увидел слабого лидера в окружении охранников-афганцев; я повидал четырнадцатилетнего юнца Тарика, стремящегося повелевать убийцами и ворами; этим утром меня подвергли пыткам под аккомпанемент слова «Пакистан»; я запутался в отношениях с Лизой, Карлой, Ранджитом — все изменилось за считаные недели, все теперь выглядело иначе.

Я заплутал. Я был весь в грязи и крови. Надо было искать выход из ситуации. Надо было прекратить падение. Я отвернулся от особняка Санджая и поехал прочь — пришла пора спускать еще один плот надежды в маленький океан минут, являвшийся моей жизнью.

ГЛАВА 12

Вернувшись домой, я обнаружил на кухонном столе записку от Лизы. Она меня не дождалась и уехала по разным делам с нашим общим другом Викрамом. Надеялась по возвращении застать меня дома.

Расслабившись впервые с того момента, когда меня взяли в оборот люди Вишну, я запер дверь и прислонился спиной к стене. Так я простоял недолго. Колени подогнулись, я сполз по стенке и остался сидеть на полу.

Было всего два часа пополудни, но с начала дня я уже успел изготовить три фальшивых паспорта, пережить похищение, пытки и последующий тяжелый разговор с мафиозным боссом.

Я знавал друзей, которые, оправившись после побоев, продолжали жить как ни в чем не бывало. У меня так никогда не получалось. На людях я мог сдерживаться и сохранять внешнее спокойствие, но стоило только остаться в одиночестве, за надежно запертой дверью, как эмоции лавиной прорывались наружу. В этот раз мне потребовалось немало времени на то, чтобы восстановить самоконтроль и унять мелкую дрожь в руках.

Я принял душ, потер лицо и шею мочалкой, смоченной сильным дезинфицирующим средством. Раны были чистыми, что немаловажно в тропическом климате, но они снова начали кровоточить. Залил их лосьоном после бритья. Возникшая при этом жгучая — до белых крупинок в глазах — боль побудила меня сделать заметку на будущее: когда наступит час расплаты с тонкоусым гаденышем Дандой, хорошо будет иметь под рукой такой же лосьон.

Кровоподтеки и рубцы были во всех местах, до которых добралась бамбуковая тросточка Данды. Точно такие же отметины я находил на своем теле во время заключения и видел на телах других зэков в тюремной душевой.

Я отвернулся от зеркала, заставляя себя думать о чем-нибудь другом, — еще один метод успокоения нервов, освоенный мною в тюрьме. А через двадцать минут я снова был на мотоцикле, одетый во все чистое: джинсы, туфли, красная майка и жилет с карманами.

Я направлялся в трущобы через новый район на берегу Колабской бухты. Эту территорию люди годами отвоевывали у моря — метр за метром, камень за камнем. Теперь она была застроена высокими зданиями из стекла и бетона, накрывавшими драгоценной тенью широкие, обсаженные деревьями улицы.

Это был дорогой и престижный район, с пятизвездочным отелем «Президент» на стыке улиц, подобным фигуре на носу корабля, глубоко врезавшегося в береговую полосу. Шеренги магазинчиков, протянувшихся вдоль трех главных бульваров, щеголяли свежей покраской. Во многих витринах и окнах виднелись цветы. Слуги, сновавшие между жилыми апартаментами и магазинами, были одеты в свои лучшие сари и отбеленные рубашки.

Но когда главная дорога свернула влево, а затем вправо, огибая комплекс Всемирного торгового центра, картина изменилась. Деревья на обочинах попадались все реже и наконец исчезли совсем. Тени отступали, пока последняя тень от высотки не осталась позади.

А впереди солнечный жар, пробиваясь сквозь тучи, накрывал пыльно-серое море трущоб, где низкие крыши катились к рваному горизонту подобно волнам, порожденным тревогами и страданием.

Я припарковался, достал из кофров медикаменты и бросил монетку одному из крутившихся поблизости сорванцов, чтобы он присмотрел за мотоциклом. Настоящей необходимости в этом не было. Здесь никто ничего не крал.

Как только я углубился в трущобы по широкой песчаной тропе, в ноздри ударила вонь от открытых уборных, побудив меня дышать ртом — и по возможности неглубоко. За этим случился первый позыв к рвоте.

Последствия побоев также давали о себе знать. Солнце. Раны. Жара была слишком сильной. Покачнувшись, я сошел с тропы. Еще один рвотный позыв — и я, сложившись пополам и уперев руки в колени, изверг на заросли сорняков все, что еще оставалось в желудке.

Именно этот момент выбрали дети трущоб, чтобы с приветственными криками высыпать ко мне из боковых проходов. Столпившись вокруг, пока я продолжал конвульсивно корчиться над сорняками, они начали дергать меня за рубашку и выкрикивать мое имя:

— Линбаба! Линбаба! Линбаба!

Оправившись, я позволил детям вести меня вглубь трущоб. Мы двигались по неровным дорожкам, петлявшим меж лачуг из листов пластмассы, плетеных ковриков и бамбуковых шестов. За восемь месяцев сухого сезона лачуги покрылись таким толстым слоем песка и пыли, что походили на дюны в пустыне.

В дверных проемах виднелись ряды блестящих кастрюль и сковородок, развешенные гирляндами изображения богов и гладкие, утоптанные земляные полы, свидетельствуя об аккуратности и упорядоченной жизни их обитателей.

Дети привели меня прямиком к дому Джонни Сигара, неподалеку от морского берега. Джонни, ныне являвшийся главным человеком в трущобах, родился и вырос на городских улицах. Его отцом был военный моряк, получивший временное назначение в Бомбей. Он бросил мать Джонни, когда узнал, что она забеременела, а вскоре покинул город на корабле, направлявшемся в Аден. С тех пор о нем не было никаких известий.

Отвергнутая своей семьей, мать Джонни перебралась в уличное поселение, построенное из пластиковых щитов вдоль тротуара близ Кроуфордского рынка. Джонни появился на свет среди шума, гама и суеты одного из крупнейших крытых рынков в Азии. С раннего утра до поздней ночи он слышал пронзительные вопли уличных торговцев и владельцев ларьков. Всю жизнь он провел на улицах или в тесноте трущоб и по-настоящему чувствовал себя в своей тарелке, только находясь среди шумной людской круговерти. В немногих случаях, когда я заставал его одиноко бродящим по берегу или сидящим за столиком чайной в период послеобеденного затишья, он выглядел каким-то потерянным, словно не знал, что делать, оказавшись наедине с собой. Зато в толпе он сразу становился центром всеобщего притяжения.

— Боже мой! — воскликнул он при виде моего лица. — Что с тобой приключилось, дружище?

— Это слишком долгая история. Как поживаешь, Джонни?

— Но, черт возьми, тебя же натурально измочалили!

Я нахмурился, и Джонни прекратил расспросы. Он хорошо меня изучил: мы полтора года прожили рядом в трущобах и с той поры оставались добрыми друзьями.

— О'кей, о'кей, *баба*. Присаживайся. Выпьем чаю. Сунил, неси чай! *Фатафат!*[1]

Я сел на ящик из-под крупы, наблюдая за тем, как Джонни инструктирует группу молодых людей, которые занимались последними приготовлениями перед назревавшим ливнем.

Когда прежний глава трущобного сообщества решил вернуться в свою родную деревню, он назначил Джонни Сигара своим преемником. Некоторые сомневались в том, что Джонни подходит на эту роль, но любовь и доверие к уходящему главе перевесили их возражения.

Это была работа на общественных началах, не дававшая человеку никакой власти, кроме той, которой он располагал в силу своего авторитета. За два года на этом посту Джонни показал себя справедливым судьей при разрешении всевозможных конфликтов и достаточно сильным лидером, чтобы пробуждать в людях древний инстинкт: стремление к лучшему.

Со своей стороны Джонни получал удовольствие от лидерства, а в тех случаях, когда спор казался неразрешимым, прибегал к радикальной мере: объявлял в трущобах праздничный день и закатывал вечеринку.

Эта система отлично работала и пользовалась популярностью. Немало людей перебралось в эти трущобы только потому, что здесь чуть не каждую неделю устраивались славные гуляния, дабы решить миром очередной конфликт. Жители других бедняцких кварталов также обращались к Джонни с просьбами высту-

---

[1] Мигом! *(хинди)*

пить судьей в их спорах. И понемногу из рожденного на улице мальчишки вырос всеми уважаемый мудрец, этакий трущобный Соломон.

— Арун! Идите с Дипаком на берег! — кричал он. — Там вчера обрушилась часть дамбы. Восстановите ее, и побыстрее! А ты, Раджу, возьми ребят и двигай к дому Бапу. Его соседки-старухи остались без крыши — проклятые коты разодрали клеенку. У Бапу есть лишние щиты, помогите ему закрепить их на крыше. Всем остальным — расчищать сточные канавы. *Джалди!*[1]

Нам подали чай, и Джонни сел рядом со мной.

— Коты... — простонал он. — Можешь мне объяснить, зачем в этом мире существует кошачье племя?

— Отвечу одним словом: мыши. Коты управляются с ними за милую душу.

— Да, с этим не поспоришь... Кстати, ты разминулся с Лизой и Викрамом, они недавно были здесь. Лиза уже видела тебя с таким лицом?

— Нет.

— Черт побери, дружище, как бы ее удар не хватил, *йаар*. Ты выглядишь так, словно по тебе проехался грузовик.

— Спасибо на добром слове, Джонни.

— На здоровье, — ответил он. — Да и Викрам тоже выглядит неважнецки. Должно быть, у него проблемы со сном.

Я знал, отчего Викрам неважно выглядит. Но обсуждать это мне не хотелось.

— Когда начнется, как по-твоему? — спросил я, глядя на темные, насыщенные влагой тучи.

Всем своим телом, до кончиков волос, я чувствовал близость дождя, который, однако, никак не желал начинаться, — первый дождь, прекраснейшее дитя муссона.

— Я думал, он пойдет сегодня, — ответил он, прихлебывая чай. — Я был в этом уверен.

Я тоже попробовал чай. Он был очень сладким, с добавлением имбиря, который помогал переносить духоту, сверх меры давившую на всех нас в эти последние дни лета. Имбирь смягчил боль от рассечений в полости рта, и я облегченно вздохнул.

— Хороший чай, Джонни, — сказал я.

— Да, хороший чай, — согласился он.

— Это индийский пенициллин.

— Но... в этом чае нет пенициллина, *баба*, — возразил Джонни.

— Нет, я имел в виду...

---

[1] Быстро! *(хинди)*

— Мы никогда не кладем пенициллин в чай, — заявил он с оскорбленным видом.

— Я не о том, — сказал я и попытался объяснить, хотя по прежнему опыту знал, что такая попытка безнадежна. — Это намек на старую шутку про куриный бульон — его называют «еврейским пенициллином».

Джонни с подозрением принюхался к своему чаю:

— Ты и впрямь... ты учуял в нем запах курятины?

— Да нет же, это шутка такая. В детстве я жил в еврейском квартале нашего городка, его называли Маленьким Израилем. И эту шутку там повторяли часто. Якобы евреи считают куриный бульон лучшим средством от всех болезней и травм. Скрутило живот? Покушай куриного бульончика. Болит голова? Покушай куриного бульончика. Получил пулю в грудь? Покушай куриного бульончика. А в Индии чай играет ту же роль, что для евреев куриный бульон. Что бы с тобой ни случилось, тебе предлагают крепкий чай как лечебное средство. Понимаешь?

Озадаченное выражение на его лице сменилось полуулыбкой.

— Тут неподалеку есть один еврейский человек, — сказал он. — Живет в колонии парсов в Кафф-Парейде, хотя он сам не парс. Кажется, его зовут Исаак. Позвать его сюда?

— Да-да! — воскликнул я с преувеличенным энтузиазмом. — Найди и приведи еврейского человека немедленно!

Джонни поднялся со стула.

— Ты подождешь его здесь? — спросил он, готовясь уходить.

— Нет! — выдохнул я с отчаянием. — Я ведь просто шутил, Джонни. Это была *шутка*! Конечно же, я не хочу, чтобы ты тащил сюда еврейского человека.

— Мне это не составит труда, — заверил он, озадаченно переминаясь с ноги на ногу и пытаясь понять, нужен ли мне на самом деле этот еврейский человек Исаак.

— Так когда, ты считаешь, начнется? — сменил я тему, снова глядя вверх.

Джонни расслабился и также посмотрел на тучи, наползавшие со стороны моря.

— Я думал, дождь пойдет сегодня, — ответил он. — Я был в этом уверен.

— Ну, если не сегодня, то завтра уж наверняка, — сказал я. — Перейдем к нашим делам, Джонни?

— *Джарур*. — И он направился к низкому входу в свое жилище.

Я вошел туда следом, прикрыв за собой фанерную дверь. Хижина представляла собой каркас из бамбуковых шестов, к которым крепились тонкие соломенные циновки, а земляной пол покрывали разноцветные плитки, образуя мозаичную картину: павлин с распущенным хвостом на фоне цветов и деревьев.

Шкафы были под завязку набиты продуктами. Металлический платяной шкаф, недоступный для крыс, считался в трущобах очень ценным предметом мебели. На верху кухонного шкафчика, также металлического, стояла аудиосистема, работавшая от батареек. Главной гордостью жилища, безусловно, являлась трехмерная картина с изображением распятого Христа. Новые матрасы в цветочек были скатаны и убраны в угол.

Эти признаки относительной роскоши указывали на статус Джонни и на его финансовое благополучие. В качестве свадебного подарка я дал ему деньги на покупку небольшой квартиры в соседнем районе Нейви-Нагар, чтобы он стал законным владельцем жилья и смог избавиться от неопределенности и всяческих треволнений, связанных с нелегальным статусом.

Джонни поступил иначе. При содействии своей предприимчивой супруги Зиты, дочери владельца чайной, он использовал новую квартиру в качестве обеспечения по кредиту, а потом сдал ее в аренду на выгодных условиях. Кредит был потрачен на покупку трех лачуг, которые он также сдавал в аренду по рыночной цене, а сам жил припеваючи в том же самом трущобном проулке, где мы с ним когда-то познакомились.

Джонни начал перекладывать разные предметы, освобождая мне место для сидения, но я его остановил:

— Спасибо, брат. Спасибо, но у меня нет времени. Надо найти Лизу. Я сегодня весь день оказываюсь на шаг позади нее.

— Лин, брат мой, ты *всегда* на шаг позади этой девушки.

— Наверно, ты прав. Вот, держи.

Я вручил ему сумку с медикаментами, ранее переданную мне Лизой, а также — от себя лично — свернутые в тугой рулон и перехваченные резинкой купюры. Этих денег должно было с лихвой хватить на двухмесячное содержание пары молодых фельдшеров, работавших в бесплатной трущобной клинике. Излишек предназначался для покупки новых бинтов и лекарств.

— Есть еще просьбы? — спросил я.

— Ну, вообще-то... — неуверенно начал он.

— Выкладывай.

— Анджали, дочка Дилипа, сдала экзамены.

— Что ж, она способная девочка. И каков результат?

— Самый лучший. Причем лучший не только в ее классе, но и во всем штате Махараштра.

— Это же здорово!

Я знавал Анджали еще двенадцатилетней девчонкой, когда она временами помогала мне в клинике. Уже в том возрасте она выказывала феноменальную память и коммуникабельность: держала в голове имена всех наших пациентов — а это сотни людей — и с каждым из них подружилась. Впоследствии, периодически посещая трущобы, я видел, как она растет и как быстро всему учится.

— Но одного только ума недостаточно для успеха здесь, в Индии, — вздохнул Джонни. — Секретарь в университете требует бакшиш, двадцать тысяч рупий.

Он произнес это просто, без раздражения. Таковы были обстоятельства жизни, точно так же как снижающиеся уловы местных рыбаков или постоянно растущее число машин и мотоциклов на когда-то спокойных улицах.

— Сколько у вас есть?

— Пятнадцать тысяч, — сказал он. — Мы собирали деньги всем миром, от разных каст и религий. Лично я дал пять тысяч.

Это был существенный вклад. Я знал, что Джонни не получит эти деньги обратно раньше чем через три года.

Я вытащил из кармана рулон долларов. В ту пору бешеного спроса на валюту я всегда имел при себе наличные как минимум пяти стран: немецкие марки, швейцарские франки, фунты стерлингов, доллары и риалы. На сей раз в рулоне было триста пятьдесят баксов. По курсу черного рынка их как раз хватало, чтобы покрыть недостачу в «университетской взятке» для Анджали.

— Лин, а ты не думаешь... — начал Джонни, рассеянно похлопывая купюрами по своей ладони.

— Нет.

— Я знаю твои правила, Линбаба, но это нехорошо: давать деньги, не сообщая об этом людям. Они должны знать, кто им помогает. Я, конечно, понимаю, что анонимный дар, без похвалы и благодарности, вдесятеро ценнее в глазах Бога. Однако Бог — да простит Он меня за мое ничтожное мнение — не всегда спешит отблагодарить человека за доброе дело.

Джонни Сигар был примерно одного роста и веса со мной, и в его манере держаться присутствовал некий вызов, что характерно для человека, частенько и основательно ставящего на место глупцов. С вытянутым, всегда серьезным лицом и седой щетиной на подбородке, он выглядел несколько старше своих тридцати пяти лет. Песочного цвета глаза глядели на мир вдумчиво и настороженно.

Он был заядлым читателем, особенно налегая на труды по нравственному совершенствованию. Каждую неделю он поглощал как минимум одну такую книгу, которую затем безуспешно навязывал друзьям и соседям.

Я им искренне восхищался. Джонни был одним из тех людей — из тех друзей, — сам факт знакомства с которыми возвышает тебя в собственных глазах. Странно и нелепо, но что-то мешало мне прямо сказать ему об этом. Я не раз хотел это сделать. Бывало, уже начинал, но так и не смог произнести нужные слова.

Мое сердце изгоя в то время было полно сомнений, неуверенности и скептицизма. Я всей душой привязался к Кадербхаю, но тот использовал меня как пешку в своей игре. Я отдал свое сердце Карле, единственной женщине, которую по-настоящему любил, но та воспользовалась этой любовью, чтобы втянуть меня в орбиту влияния того же Кадербхая, которого она, как и я, называла отцом. Я провел два года на улицах этого города и видел, как он превращается в цирк под открытым небом, где богачи порой унижаются перед нищими, а преступление подлаживается под наказание. Душой я был старше, чем следовало, и слишком отдалился от людей, меня любивших. Лишь очень немногих я подпустил к себе близко, но и с ними никогда не мог быть столь же открытым, какими они бывали со мной. Я не привязывался к ним так сильно, как они ко мне, потому что знал: рано или поздно мне придется их покинуть.

— Не будем об этом, Джонни, — сказал я негромко.

Он снова вздохнул, спрятал деньги в карман и вместе со мной вышел наружу.

— А почему еврейские люди кладут пенициллин в свой куриный бульон? — спросил он, разглядывая тучи.

— Это была шутка, Джонни.

— Я к тому, что эти еврейские люди чертовски умны, *йаар*. Если они кладут пенициллин в куриный бульон, у них для этого должна быть очень важная...

— Джонни, — прервал я его, — я тебя люблю.

— И я тебя люблю, дружище, — сказал он, ухмыляясь. И обнял меня так крепко, что заныли свежие раны на плечах и руках.

Покидая трущобы, я все еще чувствовал силу его объятий и запах кокосового масла от его волос. Тяжелые тучи накрыли преждевременной вечерней тенью усталые лица рыбаков и прачек, возвращавшихся домой после трудового дня. Но белки их глаз излучали мягкий золотисто-розовый свет, когда они мне улыбались. А улыбались при встрече все без исключения, каждый из них, и капли пота на их лбах сверкали, подобно драгоценным коронам.

ГЛАВА

13

Едва окунувшись в галдящую и хохочущую атмосферу «Лео-польда», я начал высматривать Лизу и Викрама. Их я не увидел, зато встретился взглядом с моим другом Дидье. Он сидел за сто-ликом в компании Кавиты Сингх и Навина Адэра.

— Наверняка это ревнивый муж! — завопил Дидье при виде моего разбитого лица. — Лин, я тобой горжусь!

— Жаль тебя разочаровывать, — сказал я, пожимая руки ему и Навину, — но я всего лишь поскользнулся в душе.

— Похоже, душ крепко дал тебе сдачи, — заметил Навин.

— А ты у нас теперь детектив по сантехническим проблемам?

— Что бы то ни было, мне приятно видеть печать греха на твоем лице, Лин, — заявил Дидье, взмахом подзывая официан-та. — Это необходимо отпраздновать.

— Настоящим объявляю заседание Клуба анонимных греш-ников открытым! — провозгласила Кавита.

— Привет, меня зовут Навин, — подхватил тему молодой де-тектив, — и я грешен.

— Привет, Навин! — дружно отозвались мы.

— С чего бы начать... — Навин рассмеялся.

— Сойдет любой из грехов, — поощрил его Дидье.

Навин задумался над предстоящей исповедью.

— А тебе идет этот новый облик, — сказала мне Кавита.

— Могу поспорить, ты говоришь то же самое при виде любо-го фингала.

— Только если сама поставила.

Кавита — красавица, умница и талантливая журналистка — имела склонность к особам своего пола и была одной из очень немногих женщин в городе, не боявшихся открыто заявлять о своей ориентации.

— Кавита, Навин никак не может сознаться в своих гре-хах! — громко посетовал Дидье. — Может, хоть ты расскажешь нам что-нибудь о своих?

Она рассмеялась и начала бойко перечислять таковые.

— Этот твой скользкий душ, — тихо сказал Навин, наклонив-шись ко мне, — сработал очень профессионально.

Я быстро взглянул на него. Он понравился мне при первом знакомстве, однако он был человеком со стороны, и я не знал, можно ли ему доверять. Откуда ему известно, что меня бил про-фессионал?

Он прочел эту мысль на моем лице и улыбнулся.

— Следы ударов, слева и справа, ложатся очень плотно, — пояснил он все так же вполголоса. — Однако глаза не заплыли полностью. Били со знанием дела и с таким расчетом, чтобы ты после побоев мог видеть. Этак сумеет не каждый. На запястьях следы от веревок. Нетрудно догадаться, что тебя связали и кто-то грамотно над тобой потрудился.

— Что ж, в этом есть доля правды.

— Правда в том, что я обижен.

— Обижен? Ты-то почему?

— Потому что ты не взял меня на разборки.

— К сожалению, карты сдавал не я.

Он улыбнулся:

— Но ведь будет новая партия, так?

— Пока не знаю. А тебе что, больше нечем заняться?

— В другой раз, как соберешься на игру, включи меня в свою команду.

— У меня все в порядке, — сказал я. — Но спасибо за предложение.

— Эй вы там! — позвал Дидье, когда хмурый официант шмякнул поднос с напитками на наш столик. — Хватит шептаться, сладкая парочка! Если вы не можете похвастаться тайной связью или обманутым мужем, выставляйте на обсуждение любой другой из своих грехов.

— И я за это выпью, — поддержала Кавита.

— Ты знаешь, почему грех находится под запретом? — спросил ее Дидье, поблескивая голубыми глазами.

— Потому что он доставляет удовольствие? — предположила Кавита.

— Потому что он выставляет в глупом виде ханжей и святош, — сказал Дидье, поднимая стакан.

— Я скажу тост! — объявила Кавита, чокаясь с Дидье. — За садомазо-радости с путами и битьем!

— Годится! — воскликнул Дидье.

— Поддерживаю, — сказал Навин.

— Я пас, — сказал я.

День выдался не самым подходящим для тостов за битье — у меня, во всяком случае.

— Ладно, Лин, — фыркнула Кавита. — Тогда, может, предложишь свой вариант?

— За свободу во всех ее видах, — сказал я.

— Снова поддерживаю, — сказал Навин.

— Дидье всегда готов выпить за свободу, — сказал Дидье, салютуя стаканом.

— Хорошо, — сказала Кавита и чокнулась с нами. — За свободу во всех ее видах.

Мы еще не успели допить, когда рядом возникли Конкэннон и Стюарт Винсон.

— Привет, старина, — сказал Винсон, протягивая мне руку с добродушной улыбкой. — Что за фигня с тобой приключилась?

— Кто-то надрал его сраную задницу, — хохотнув, изрек Конкэннон с протяжным североирландским прононсом. — И его харе тоже нехило досталось. На что ты, в натуре, нарвался, чувак?

— У него возникли проблемы с душем, — сообщила Кавита.

— Проблемы с душем, вот как? — ухмыльнулся Конкэннон, нависая над ней. — А у тебя с чем проблемы, дорогуша?

— Сначала ты скажи о своих, — ответила Кавита.

Он ухмыльнулся с победительным видом:

— Я? У меня проблемы со всем, что мне пока что не принадлежит. Ну а поскольку я вынул кота из мешка, то и ты выкладывай. Повторяю: в чем твои проблемы?

— У меня проблемы с излишней привлекательностью. Но я лечусь.

— Я слышал, терапия отвращения очень помогает, — сказал Навин, в упор глядя на Конкэннона.

Тот обвел взглядом всех нас, громко рассмеялся, а потом завладел двумя стульями от соседнего столика, не спросив позволения у тамошней компании, и толчком усадил на один из них Винсона. Второй стул он развернул задом наперед и оседлал его, положив массивные руки на спинку.

— Что будем пить? — спросил он.

Только сейчас я заметил, что Дидье не заказал выпивку, хотя это было в его правилах, когда кто-нибудь подсаживался к нему в «Леопольде». Вместо этого он пристально смотрел на Конкэннона. В последний раз, когда я видел у Дидье такой взгляд, в его руке вместо стакана был пистолет — и через полминуты он спустил курок.

Я поднял руку, подзывая официанта. Когда напитки были заказаны, я попытался отвлечь Дидье, переключив внимание на Винсона:

— Зато ты прямо-таки сияешь, Винсон.

— Я чертовски счастлив, — заявил американец. — Мы только что сорвали куш. Как с куста. Мне типа крупно подфартило. То есть *нам* подфартило — мне и Конкэннону. Так что вся выпивка за наш счет!

Принесли выпивку, Винсон расплатился, и мы подняли стаканы.

— За удачные сделки! — сказал Винсон.

— И за тюфяков, которых так приятно надувать, — подхватил Конкэннон.

Зазвенели стаканы, но Конкэннон и тут не преминул опошлить тост.

— По десять тысяч баксов на рыло! — объявил он, вмиг осушив свой стакан и стукнув им по столу. — Охренительное чувство! Это как кончить в рот богатенькой сучке!

— Эй, Конкэннон! — сказал я. — Попридержал бы язык.

— Это уже лишнее, — добавил Винсон.

— Что? — спросил Конкэннон, удивленно разводя руками. — Что не так?

Он повернулся к Кавите, одновременно наклоняя свой стул в ее сторону.

— Ну же, дорогуша, — сказал он, расплываясь в улыбке, как будто приглашал ее на танец. — Только не ври, что не имеешь опыта по этой части. С твоим-то личиком и такой фигурой!

— Может, поговоришь об этом *со мной*? — произнес Навин сквозь стиснутые зубы.

— Или ты у нас долбаная лесбиянка? — продолжил Конкэннон и загоготал, раскачиваясь так сильно, что стул под ним едва не опрокинулся.

Навин начал вставать, но Кавита прервала это движение, положив ладонь ему на грудь.

— Ради бога, Конкэннон! — быстро заговорил Винсон, удивленный и сконфуженный. — Да что на тебя нашло? Ты привел мне жирного клиента, мы по-легкому срубили бабла, и теперь самое время типа веселиться и праздновать. Кончай уже цепляться к людям и оскорблять всех подряд!

— Ничего страшного, — сказала Кавита, невозмутимо глядя на Конкэннона. — Я верю в свободу слова. Если ты до меня дотронешься, я отрежу тебе руку. Но пока ты просто сидишь тут и несешь идиотскую чушь, продолжай в том же духе, меня оно не волнует.

— Ага, так ты и впрямь лизальщица мокрощелок, — ухмыльнулся Конкэннон.

— Собственно говоря... — начала Кавита.

— Собственно говоря, — перехватил инициативу Дидье, — это не твое собачье дело.

Ухмылка Конкэннона окаменела. Глаза мерцали, как отблески солнца на раздутом капюшоне кобры. Он повернулся к Дидье с недвусмысленно угрожающим видом. Стало ясно, что его грубость по отношению к Кавите имела целью спровоцировать Дидье.

И это сработало. В глазах Дидье пылало пламя цвета индиго.

— Ты бы лучше попудрил носик и переоделся в платье, милашка! — прорычал Конкэннон. — Всех вас, поганых гомиков, надо заставить носить платья, чтобы нормальные люди сразу вас видели. Если тебя имеют, как женщину, ты обязан носить женскую одежду.

— О чести тут говорить не приходится, — произнес Дидье, не повышая голоса, — но хотя бы смелости тебе, надеюсь, хватит, чтобы обсудить эту тему с глазу на глаз. Снаружи.

— Долбаный извращенец! — прошипел Конкэннон, почти не разжимая губ.

Мы вскочили одновременно. Навин протянул руку, намереваясь взять Конкэннона за грудки. Мы с Винсоном вклинились между ними, и с разных концов бара к нам поспешили официанты.

В те годы официанты «Леопольда» проходили особый тест перед приемом на работу: каждый из них, надев боксерские перчатки, должен был в закутке позади бара выстоять как минимум две минуты против очень большого и очень крутого метрдотеля-сикха — и только выстояв, он получал это место.

И вот теперь с десяток этих официантов, по указке большого и крутого сикха, ринулись к нашему столу.

Конкэннон быстро огляделся, оценивая ситуацию. Его рот расплылся шире, демонстрируя оскал неровных желтоватых зубов. Официанты смотрели на него выжидающе.

Несколько секунд Конкэннон слушал свой внутренний голос, призывавший его вступить в бой и погибнуть. Для иных людей такой голос — сладчайший из всех ими слышимых. Но затем инстинкт самосохранения взял верх над природной злобностью, и он попятился, норовя выбраться из кольца официантов.

— Знаете что? — сказал он, отступая. — В гробу я вас видал! Всех вас видал в гробу!

— Да что такое на него нашло? — пробормотал Винсон после того, как Конкэннон покинул бар, попутно толкая и ругая всех встречных.

— Это же очевидно, Стюарт, — сказал Дидье, в то время как мы медленно занимали свои места. Он был единственным из нас, кто не поднялся со стула, — и единственным, сохранившим внешнее спокойствие.

— Но только не для меня, старина, — сказал Винсон.

— Я сталкивался с этим явлением много раз и во многих странах, Стюарт. Этот человек испытывает почти непреодолимое влечение ко мне.

Винсон захлебнулся пивом, разбрызгав его по всему столу. Кавита зашлась в хохоте.

— Ты намекаешь на то, что он голубок? — усмехнулся Навин.

— А что, обязательно быть геем, чтобы дружить с Дидье? — Он взглянул на Адэра, как наждаком прошелся.

— О'кей, о'кей, — извинился Навин.

— Не думаю, что он гей, — сказал Винсон. — Он ходит к проституткам. Скорее он просто типа шизик.

— С этим не поспоришь, — сказала Кавита, помахивая стаканом перед его озадаченной физиономией.

Свити, державшийся от свары подальше, теперь подошел и мазнул грязной тряпкой по нашему столу в знак того, что готов принять очередной заказ. Затем он поковырял в горбатом носу средним пальцем, вытер его о свою куртку и шумно вздохнул.

— *Аур куч?*[1] — спросил он с угрожающей интонацией.

Дидье уже было собрался сделать заказ, но я его остановил.

— Без меня, — сказал я, вставая и проверяя наличие в карманах ключей.

— Нет, погоди! — запротестовал Дидье. — Еще по одной, идет?

— Я и последнюю не допил. Мне еще надо доехать до дома.

— И я с тобой, ковбой, — сказала, также поднимаясь, Кавита. — Обещала Лизе заглянуть к вам в гости. Подбросишь меня?

— С удовольствием.

— Но... разве гей может ходить к проституткам — в смысле, регулярно? — спросил Винсон, наклоняясь к Дидье.

Дидье щелкнул зажигалкой и секунду смотрел на тлеющий кончик сигареты, а затем ответил Винсону:

— Неужели ты не слышал, Стюарт? Гей может делать абсолютно все, что только пожелает.

— Как это? — растерялся Винсон.

— Чем меньше знаешь, тем лучше спишь, — сказал я, обмениваясь улыбками с Дидье. — И я лучше поеду домой вместе со своим незнанием.

Мы с Кавитой покинули бар, пробрались через толчею посетителей у входа и дошли до моего мотоцикла, оставленного на ближайшей парковке. Я уже вставил ключ в замок зажигания, когда очень сильная рука ухватила меня за предплечье. Это был Конкэннон.

— Вот ведь сраный гомик, а? — сказал он с широченной улыбкой.

— Что?

— Я об этом французском гомике.

---

[1] Что еще? (*хинди*)

— У тебя с головой совсем плохо, ты в курсе, Конкэннон?

— Не буду с этим спорить. Я вообще не хочу спорить. Мне удачно привалило бабла. Десять кусков. Приглашаю тебя гульнуть.

— Я еду домой, — сказал я, высвобождая свою руку.

— Да ладно тебе, это будет весело! Давай гульнем на пару, ты и я. Ввяжемся в славную драку. Найдем каких-нибудь реально жестких уродов и отметелим их в хлам. Давай веселиться, чувак!

— Предложение заманчивое, но...

— У меня есть эта новая ирландская музыка, — быстро сказал он. — Офигенный музон! Знаешь, что хорошо делать под ирландскую музыку? Бить морды. Для мордобоя она самое то.

— Я пас.

— Да ладно тебе! Хотя бы просто послушай музыку и выпей со мной за компанию.

— Нет.

— Этот французишка — долбаный пидор!

— Конкэннон...

— Ты и я, — сказал он, смягчая тон и вымучивая новую улыбку, больше похожую на гримасу боли. — Мы с тобой очень похожи, ты и я. Я тебя понимаю. Я тебя знаю.

— Ты меня совсем не знаешь.

Он издал глухое рычание, замотал головой и сплюнул на землю:

— Меня бесит этот пидор. Сам подумай: если все в мире уподобятся ему, человечество просто сойдет в могилу.

— Если все в мире уподобятся тебе, Конкэннон, туда человечеству и дорога.

Пожалуй, я произнес это слишком резко и вызывающе. Однако я любил Дидье, и у меня выдался долгий и тяжелый день, после которого терпеть общество Конкэннона было сверх моих сил.

В глазах его вспыхнула кровожадная ярость. Я без проблем выдержал этот взгляд — после сегодняшних пыток одним грозным видом меня было не пронять, пусть таращится сколько угодно.

Я завел байк, убрал подножку и подождал, пока Кавита не пристроится сзади. Мы поехали прочь, не оглядываясь.

— Этот тип, — прокричала она, касаясь губами моего уха, — свихнулся вконец, *йаар*.

— До этого я общался с ним только один раз, — крикнул я в ответ, — и тогда он показался мне хамом, но не психом.

— Должно быть, его котелок дал течь, — предположила Кавита.

— То же самое можно сказать о многих из нас, — ответил я.

— Говори за себя, — рассмеялась Кавита. — Мой котелок прочен и полон, как рог изобилия.

Я не смеялся. В памяти засел тот последний взгляд Конкэннона. И много позже — уже после того, как я, с поцелуями извинившись перед Лизой и постаравшись развеять ее тревоги, сидел на шатком табурете в ванной, пока она промывала и перевязывала мои раны, — передо мной неотступно маячили глаза Конкэннона, подобно зловещим огонькам в глубине пещеры.

— А Лину очень к лицу следы побоев, — заявила по нашем выходе из ванной Кавита, уютно разместившаяся на диване. — Пожалуй, ему надо хотя бы раз в месяц платить кому-нибудь за обновление фингалов. Впрочем, у меня есть пара знакомых девиц, которые сделают это бесплатно.

— Тут не до шуточек, Кавита, — сказала Лиза. — Ты посмотри на него. Это типа автомобиля, с разгона въехавшего в стену.

— Увольте, — сказала Кавита. — Такое сравнение мне не по душе, даже воображать не хочу.

Лиза нахмурилась, покачала головой и повернулась ко мне, положив руку на мой затылок:

— Может, все-таки расскажешь, что с тобой приключилось?

— Приключилось? Со мной?

— Ты точно ненормальный, — заявила она, имитируя подзатыльник. — Ты хоть что-нибудь сегодня ел?

— Да как-то... не успел, совсем замотался.

— Кавита, не займешься ужином? Я сейчас слишком взвинчена, чтобы готовить.

Кавита приготовила мой любимый пряный суп *дал*, а также *алу-гоби* — мешанину из картофеля и цветной капусты со специями. Оба блюда удались на славу, и, только приступив к еде, я осознал, как сильно проголодался. Мы быстро подчистили тарелки, после чего уселись смотреть фильм.

Это была картина Кончаловского «Поезд-беглец»[1] по сценарию Куросавы, с Джоном Войтом, без страха несущимся в белую мглу, которая поджидает всякого изгоя на горизонте его отчаянных устремлений.

Кавита определила этот жанр как «тестостероновый терроризм» и настояла на повторном просмотре, но уже с выключенным звуком; при этом мы сами должны были подавать реплики за героев. Так мы и сделали, вволю нахохотавшись над собственной версией озвучки.

---

[1] *«Поезд-беглец»* (1985) — криминальная драма, в которой двое заключенных совершают побег из тюрьмы строгого режима, что перекликается с биографией героя романа (а также его автора).

Я добросовестно играл свою роль, неся пародийную околесицу за персонажей, которых поручила мне Кавита; но по мере того, как поезд-беглец снежным призраком освещал затемненную комнату, память обрушивала на меня другие сцены и лица из другого полутемного помещения, где я побывал ранее этим долгим днем.

Когда Лиза вставила в плеер новую кассету, я поднялся, взял со столика ключи и засунул пару ножей в чехлы под рубашкой.

— Ты куда это собрался? — спросила Лиза, пристраиваясь на диване рядом с Кавитой.

— Надо кое-что сделать, — сказал я и наклонился, чтобы чмокнуть ее в щеку.

— Какие могут быть дела в это время? — рассердилась она. — Мы сейчас будем смотреть другой фильм! Теперь уже по моему выбору. Это несправедливо, что ты заставил меня смотреть свой «тестостероновый терроризм», а сам уклоняешься от просмотра моего «эстрогенового экстаза».

— Пусть идет, — сказала Кавита, теснее к ней прижимаясь. — Устроим девичник на двоих.

В дверях гостиной я задержался:

— Если я сегодня не вернусь, не спеши выносить мои вещи, потому что я всегда возвращаюсь.

— Очень трогательно, — сказала Лиза. — Ты в детстве не собирал проштампованные марки?

— Лучше не отвечай на этот вопрос, Лин, — засмеялась Кавита.

— У нас дома было много марок, — сказал я, — только в основном акцизных, на папашиных бутылках... Кстати, еще такой вопрос: вы не считаете меня угрюмым ворчуном?

— Что?! — спросили они хором.

— Недавно один юнец назвал меня угрюмым ворчуном. Я был порядком озадачен. Неужели я вправду ворчун, да еще и угрюмый?

Лиза с Кавитой хохотали буквально до упаду: обе так катались по дивану, что свалились с него на пол. А когда они чуть поутихли и увидели выражение моего лица, новый взрыв смеха превзошел по громкости предыдущий, а их ноги конвульсивно замолотили воздух.

— Да хватит уже, что в этом такого смешного?

Они завопили, умоляя меня не продолжать.

— Спасибо за внимание, — раскланялся я, — вы прекрасная публика.

Хохот все еще доносился из окон сверху, когда я заводил мотоцикл и выезжал со двора, чтобы направиться по Марин-драйв в сторону Тардео.

Час был уже поздний, и улицы почти опустели. Запах железа и соли — крови моря — срывался с гребней волн, постепенно угасавших после входа в широкий створ бухты. И полночный бриз заносил этот запах в каждое открытое окно на бульваре.

Массивные черные тучи клубились так низко, что я, казалось, мог дотянуться до них рукой, не слезая с мотоцикла. Зарницы безмолвно расплескивались по горизонту, разрывая покровы ночи и с каждой серебристой вспышкой выхватывая из темноты причудливо изменчивые облачные контуры.

После восьми сухих месяцев душа города стосковалась по дождю. И сердца горожан, равно спящих и бодрствующих, бились учащенно в предчувствии скорого ливня. В каждом пульсе, молодом и старом, уже слышался барабанный ритм дождевых капель, которые вот-вот застучат по мостовым и крышам; каждый вздох становился частью освежающего ветра, который пригнал сюда эти тучи.

Я остановился на въезде в пустынный проулок. На ближайших дорожках не было ни одного пешехода; в последний раз я заметил людей метрах в трехстах отсюда, да и те спали рядом с тележками на обочине.

Я выкурил сигарету и подождал, оглядывая тихую улицу. Убедившись, что вся округа погружена в сон, я поднес носовой платок к баку мотоцикла и, на секунду отсоединив топливный шланг, пропитал платок бензином. Затем направился к пакгаузу, в котором меня недавно избивали, взломал висячий замок на двери и проскользнул внутрь.

До желто-зеленого шезлонга я добрался, освещая путь зажигалкой. Заметил в стороне пустой ящик, переставил его поближе к шезлонгу и сел, дожидаясь, когда глаза привыкнут к темноте. Постепенно я начал различать отдельные предметы вокруг, в числе которых обнаружилась свернутая в плотную бухту веревка из кокосового волокна — та самая, кусками которой меня привязывали к креслу.

Поднявшись, я начал отматывать веревку, запихивая ее под шезлонг, пока вместо плотной бухты не образовалась большая рыхлая куча. В середину этой кучи сунул свой облитый бензином платок.

Вокруг было полно всяких картонных коробок, старых телефонных книг, промасленной ветоши и прочих горючих материалов. Я соорудил из них «мостик» между шезлонгом и скамьями, на которых были разложены инструменты, и полил все это разными воспламеняющимися жидкостями из бутылок и банок, какие только смог отыскать среди хлама.

Покончив с приготовлениями, я поджег носовой платок. Пламя вспыхнуло мгновенно и вскоре начало пожирать веревку.

Потом занялось синтетическое волокно кресла, и помещение наполнил густой вонючий дым. Я подождал, когда огонь доберется по «мостику» до скамей, и выбрался на улицу, прихватив тяжелый газовый баллон для сварки.

Баллон я бросил в сточную канаву, подальше от начинавшегося пожара, после чего неспешно вернулся к своему мотоциклу.

Отблески играли в окошках пакгауза, как будто внутри происходила какая-то буйная, но безмолвная вечеринка. Потом раздался небольшой взрыв, — должно быть, рванула канистра с клеем или краской. Что бы то ни было, после взрыва пламя разом поднялось до стропил, и первые его языки вместе с оранжевыми хлопьями пепла вырвались наружу, в сырой ночной воздух.

Из близлежащих домов и придорожных лавчонок стали выбегать люди. Они спешили на помощь, однако помочь ничем не могли из-за элементарной нехватки воды. Одно утешало: фактически уже обреченный пакгауз стоял на отшибе и огню было сложно перекинуться на другие здания.

Толпа росла, и вскоре сюда примчались на велосипедах торговцы чаем и бетелем, дабы сбывать свой товар среди зрителей. Не слишком сильно от них отстали пожарные и полицейские.

Огнеборцы раскатали длинные шланги и начали поливать стены горящего здания, но струи воды были слишком слабыми, чтобы сбить пламя. Копы прошлись бамбуковыми палками по спинам особо ретивых зевак, после чего расположились на комфортном удалении от огня и подозвали к себе разносчиков чая.

Ситуация начала меня тревожить. Я всего лишь собирался спалить место, где меня пытали, и вплоть до этого самого момента идея казалась мне очень удачной. Вишну хотел, чтобы я оставил ему послание, — и вот оно, получи: пожар был моим посланием, наглядным и недвусмысленным. Но в мои планы отнюдь не входило распространение огня на всю округу.

Пожарные в медных касках, похожих на шлемы афинских гоплитов, были бессильны. Казалось, еще чуть-чуть — и языки пламени доберутся до ближайшего здания.

Вдруг мощнейший удар грома раскатился над окрестностями. Задребезжали стекла во всех окнах. Вздрогнуло каждое сердце. А за этим ударом, раскалывая небеса, последовали новые и новые, нагоняя на людей такой страх, что многие из собравшихся — родные, соседи и даже незнакомцы — инстинктивно прижались друг к другу.

Гигантская молния ярко осветила тучи прямо над нашими головами. Собаки, поджав хвосты, в панике заметались под ногами людей. Порыв холодного ветра, как стальной клинок, пронзил душную ночь — и тонкую ткань моей рубашки. Этот ветер стих так же внезапно, как появился, а вслед за ним по улице прокатилась шелестящая волна теплого воздуха, перенасыщенного влагой, как водяная взвесь над морским прибоем.

И хлынул ливень. Вмиг все вокруг стало текуче-расплывчатым, как будто наблюдаемое сквозь темный кашемировый занавес. Сезон дождей начался.

Люди в толпе содрогнулись при падении первых капель, а затем дружно издали радостный вопль. Пожар был благополучно забыт, и они с диким хохотом и гиканьем пустились в пляс, расплескивая жидкую грязь под ногами.

Огонь над крышей пакгауза с шипением угасал, побеждаемый ливнем. Пожарные присоединись к танцующим. Кто-то поблизости врубил музыку на полную громкость. Копы также покачивали бедрами, стоя перед своими джипами. Насквозь промокшие танцоры не останавливались; их разноцветные одеяния атласно блестели, отражаясь в лужах.

Я тоже танцевал в потоках влажного света. Гроза катилась дальше, море падало с небес на землю. Порывы ветра кидались на нас, как своры резвящихся щенят. Озера молний затапливали улицу. От нагретых за день камней поднимался пар. Вера в лучшее озаряла наши лица и смеялась в наших объятиях. Вокруг плясали тени, пьянея от дождя, и я плясал вместе с ними — счастливый глупец, чьи грехи, накопившиеся под жарким солнцем, только что смыл первый ливень.

Часть третья

14

— Ты уже проснулся?

— Нет.

— Но ты ведь не спишь.

— Нет, я сплю.

— Если спишь, почему ты мне отвечаешь?

— Это просто кошмарный сон.

— Вот как?

— Да.

— И о чем твой кошмар?

— Ох, лучше не спрашивай. Он о назойливом голосе, прерывающем мой первый безмятежный сон за многие недели.

— Так вот какие у тебя кошмары? — усмехнулась Лиза за моей спиной. — Тебе бы покрутиться годик в арт-бизнесе, малыш.

— Сон становится все кошмарнее. Этот голос не затихает.

Она умолкла. Но не закрыла глаза, судя по ее дыханию, — такие детали начинаешь чувствовать даже спиной, когда достаточно долго проживешь с женщиной, которая тебе дорога. Потолочный вентилятор медленно вращался, разгоняя по комнате влажный муссонный воздух. Свет снаружи проникал в щели деревянных ставен, покрывая полосками картины на стене у кровати.

До восхода солнца было еще полчаса, но занимавшаяся заря уже сгладила тени в комнате и покрыла призрачно-серым налетом все предметы, в том числе мою руку, лежавшую на подушке. Карла однажды назвала это «эффектом пейота». И как обычно, попала в точку. Одним из свойств наркотика, получаемого из этих кактусов, является способность окрашивать вселенную в сумеречные тона — своего рода предрассветная стадия сознания. Карла всегда умела находить неожиданные и остроумные сравнения...

Мои веки сомкнулись. Я почти ушел в сон, сжимая в руке воображаемую «пуговицу» пейота; я почти ушел.

— И часто ты думаешь о Карле? — спросила Лиза.

«Черт! — подумал я, возвращаясь к яви. — Как женщинам это удается?»

— В последнее время часто. Только что я в третий раз за три дня услышал ее имя.

— А кто еще ее упоминал?

— Навин — этот начинающий детектив, и еще Ранджит.

— Что говорил Ранджит?

— Послушай, Лиза, нам незачем сейчас обсуждать Карлу и Ранджита.

— Ты к нему ревнуешь?

— Что?

— А знаешь, я ведь совсем недавно общалась с Ранджитом. Мы просидели за разговором допоздна.

— Я не был здесь в последние недели, если ты заметила. Так что для меня это новость. Как часто ты общаешься с Ранджитом?

— Он очень помог с рекламой наших выставок. С тех пор как он подключился к работе, клиенты идут сплошным потоком. Но в личном плане между нами ничего нет. Абсолютно.

— О... кей. И что дальше?

— Я первой спросила: как часто ты на самом деле думаешь о Карле?

— Нам обязательно обсуждать это *сейчас*? — спросил я, поворачиваясь лицом к ней.

Лиза привстала, опираясь на локоть, и склонила голову к плечу.

— Я видела ее вчера, — сказала она, с невинным видом глядя на меня небесно-голубыми глазами.

Я молчал, ожидая продолжения.

— Мы встретились в бутике на Брейди-лейн. Я часто там бываю, но никому из знакомых не рассказывала про этот магазинчик. А тут вдруг на выходе сталкиваюсь с Карлой нос к носу.

— Что она сказала?

— В смысле?

— В смысле: что она сказала тебе при встрече?

— Это довольно-таки... странно, — сказала она, наморщив лоб.

— Что тебе кажется странным?

— Ты не спросил, как она выглядит или как она себя чувствует. Тебя в первую очередь интересует, что она *сказала*. Это странно.

— Почему?

— Ну как же — ведь ты не видел ее почти два года. И я даже не знаю, в чем бо́льшая странность: в твоей реакции или в том, что мне такая реакция вполне понятна, поскольку речь идет о Карле.

— А... значит, ты меня понимаешь?

146

— Разумеется.

— Тогда что же тут странного?

— Странно, как много эта деталь сообщает о тебе и о ней.

— Да о чем вообще этот наш разговор?

— О Карле. Ты хочешь знать, что она мне сказала, или нет?

— Уже нет, — сказал я. — Не хочу.

— Конечно, ты хочешь. Во-первых, позволь мне сообщить, что выглядит она отлично. Лучше не бывает. И настроение у нее соответственное. Мы завернули в кафе «Мадрас», выпили по чашечке кофе, и я хохотала до слез над ее шутками. В последнее время ее занимает религиозная тематика. Она сказала — погоди, дай вспомнить дословно, — ах да, она сказала: «Религия похожа на затянувшийся конкурс шляпников по созданию самой дурацкой шляпы». Она вечно выдает забавные сентенции. Должно быть, это чертовски тяжело.

— Тяжело быть забавной?

— Нет, тяжело всегда быть самой умной в своем окружении.

— Ты тоже умница, — сказал я, переворачиваясь на спину и закидывая руки за голову. — Среди всех моих знакомых ты — одна из умнейших.

— Я?!

— Без сомнения.

Она придвинулась ближе и поцеловала меня в грудь.

— Я предложила Карле работу в моей арт-студии, — сообщила она, выгибая ступни.

— Это не самая лучшая идея из тех, какие я слышал на этой неделе.

— Ты же только что назвал меня умницей.

— Я говорил об *уме*, но я не имел в виду *благоразумие*.

Она ткнула меня кулачком в бок.

— В самом деле, — сказал я сквозь смех. — Я не хочу... я не уверен, что хочу снова увидеть Карлу в моем обжитом пространстве. Ее прежнее место в этом пространстве теперь занято. И я хочу, чтобы так оно было и впредь.

— Ее призрак бродит и по моему дворцу тоже, — задумчиво молвила Лиза.

— Вот оно, значит, как: у меня воображаемое *пространство*, а у тебя воображаемый *дворец*?

— Разумеется. Каждый человек строит внутри себя дворец или замок. Не считая людей с заниженной самооценкой, вроде тебя.

— У меня не заниженная самооценка. Просто я реалист.

Она рассмеялась. И смех не прекращался довольно долго — достаточно долго, чтобы заставить меня задуматься: а что такого было в моих словах?

— Постарайся быть серьезным, — сказал она, наконец успокоившись. — Я встретила Карлу впервые за последние десять месяцев, и я... глядя на нее... я вдруг поняла, как сильно я ее люблю. Разве это не занятно: вдруг вспомнить, что ты кого-то очень сильно любишь?

— Я только хотел сказать...

— Знаю, — промурлыкала она и потянулась ко мне с поцелуем. — Знаю.

— Что ты знаешь?

— Я знаю, что это не навсегда, — прошептала она, касаясь своими губами моих и почти вплотную приблизив глаза, голубизной не уступающие утреннему небу.

— Каждый твой ответ, Лиза, все больше сбивает меня с толку.

— Я даже не пытаюсь верить в это «навсегда», — продолжила она, отбрасывая мысли о вечности вместе прядью белокурых волос. — И никогда не верила.

— Интересно, понравится ли мне смысл твоих рассуждений, если ты соизволишь его раскрыть?

— Я фанатично предана понятию «сейчас» и не желаю думать о понятии «всегда», вот о чем речь. Меня можно назвать «фундаменталисткой настоящего момента».

Она начала меня целовать, но при этом продолжала говорить, так что ее слова вместо ушей натурально вливались мне в рот.

— Может, все-таки расскажешь о драке, в которую ты ввязался?

— Вряд ли это можно назвать дракой. Собственно, драки как таковой не было вообще.

— А что, собственно, было? Я хочу знать.

— Было и прошло, — промычал я, не прерывая поцелуя.

Лиза оттолкнула меня и села в постели, скрестив ноги.

— Хватит уже недомолвок и уверток! — заявила она решительно.

— Хорошо, — вздохнул я и тоже сел, привалившись спиной к подушкам. — Давай это обсудим.

— Мафия, — сказала она без выражения. — Паспортная мастерская. Компания Санджая.

— Сколько можно, Лиза? Мы ведь это уже проходили.

— То было давно.

— А по мне, так будто вчера. Лиза...

— Тебе не обязательно этим заниматься. Не обязательно быть *таким*.

— Еще какое-то время придется.

— В этом нет нужды.

— Ну да. И я устроюсь на работу в банк — самое подходящее место для беглых преступников, находящихся в розыске.

— Мы с тобой живем не на широкую ногу. И нам вполне хватит того, что зарабатываю я. Спрос на картины и скульптуры быстро растет.

— Я занимался всем этим еще до нашего знакомства.

— Я знаю, знаю...

— И ты приняла меня таким, какой я есть. Ты...

— У меня дурное предчувствие, — сказала она тусклым голосом.

Я улыбнулся и погладил ее по щеке.

— Никак не могу от него избавиться, — сказала она. — Очень дурное предчувствие.

Я взял ее за руки. Наши ступни соприкасались, и пальцы ее ног уже привычно обхватили и с удивительной силой сдавили мои пальцы. Взошло солнце, прорываясь яркими лучами в щели ставен.

— Мы ведь это уже обсуждали, — сказал я. — Правительство моей страны назначило награду за мою голову. И если меня не убьют при захвате, я окажусь в той же тюрьме, из которой сбежал. Меня прикуют цепью к той же самой стене, и уж тогда тюремщики потешатся. Я туда не вернусь, Лиза. Здесь я пока что в безопасности, а это кое-что значит. Для меня, по крайней мере, если не для тебя.

— Да я и не считаю, что ты должен отказаться от свободы. Я хочу, чтобы ты не отказывался *от себя*.

— Так что, по-твоему, я должен делать?

— Ты можешь писать.

— Я и так пишу. Каждый день.

— Я знаю, но мы могли бы на этом *сосредоточиться*, понимаешь?

— Мы? — Я не удержался от смеха.

Я не хотел ее уязвить — просто она чуть ли не впервые за два года совместной жизни упомянула мои литературные занятия.

— Забудь, — сказала она.

И вновь погрузилась в молчание, опустив глаза. Цепкие пальцы ее ног разжались. Я убрал локон с ее лица и погладил пышные, как морская пена, волосы. Она подняла голову и посмотрела мне в глаза.

— Я еще должен кое-что для них сделать, — сказал я.

— Нет, не должен, — запротестовала она, но уже не так энергично. — Ты им ничего не должен.

— В том-то и дело, что должен. Всякий, кто имеет с ними дело, что-то им должен. На этом все и держится. И поэтому я не хочу, чтобы ты встречалась с кем-либо из них.

— Ты же свободен, Лин. Ты перелез через стену тюрьмы, но все еще не понял, что ты свободен.

Ее глаза были как озера, в которых отражается небо. Зазвонил телефон.

— Я достаточно свободен для того, чтобы не брать трубку, — сказал я. — А ты?

— Ты никогда не берешь трубку, — парировала она. — Так что не считается.

Она выбралась из постели и, не отрывая взгляда от меня, стала слушать голос на другом конце линии. Я увидел, как плечи ее тоскливо опустились, и в следующую секунду она протянула трубку мне.

Это был один из ближайших подручных Санджая, и он передал мне послание.

— Я этим займусь, — сказал я. — Да. Что? Сказал же, я этим займусь. Через двадцать минут.

Я повесил трубку, вернулся к постели и присел рядом с Лизой.

— Одного из моих людей арестовали. Он сейчас в колабской каталажке. Надо его выкупить.

— Он не из *твоих* людей, — сказала Лиза, отталкивая меня. — И ты не *их* человек.

— Извини, Лиза.

— Не важно, что ты делал и кем ты был. И даже кем ты являешься сейчас. Важно только то, кем ты стремишься стать.

Я улыбнулся:

— Не все так просто. От своего прошлого никуда не денешься.

— Неправда. Нас формирует не прошлое, а то, какими мы хотим видеть себя в будущем. Неужели ты все еще этого не понял?

— Увы, я не свободен, Лиза.

Она поцеловала меня, но в ее глазах ясное летнее небо уже затягивала пасмурная дымка.

— Я подготовлю для тебя душ, — сказала она, вскакивая с кровати и устремляясь к ванной комнате.

— Послушай, это ж невеликая проблема — вытянуть парня из участка, — сказал я, направляясь за ней.

— Знаю, — буркнула она.

— Наша дневная встреча не отменяется? Все, как договаривались?

— Конечно.

Я шагнул под холодный душ.

— И ты не хочешь сказать, по какому поводу встреча? — крикнул я. — Это по-прежнему большой секрет?

— Не секрет, а сюрприз, — сказала она, появляясь в дверях ванной.

— Тогда другое дело, — рассмеялся я. — Где и когда мне ждать этого сюрприза?

— Будь в половине шестого рядом с «Махешем», на Нариман-Пойнт. А поскольку ты вечно опаздываешь, ориентируйся на полпятого, чтобы успеть вовремя.

— Ладно.

— Так ты приедешь? Точно?

— Не волнуйся. У меня все под контролем.

— Нет, — сказала она, и улыбка стекла с ее лица, как дождевые капли с листьев. — Это не так. Ничего у тебя не под контролем.

Разумеется, она была права. Сам я это не осознавал в те минуты, когда под высокой аркой ворот вступил на территорию полицейского участка, но ее печально угасающая улыбка все еще стояла у меня перед глазами.

Я поднялся по дощатым ступенькам на веранду, с трех сторон — по бокам и сзади — окаймлявшую административный корпус. Знакомый коп перед офисом сержанта пропустил меня без вопросов, кивая и улыбаясь. Он был рад меня видеть: я всегда давал щедрые взятки.

Войдя внутрь, я шутливо откозырял сержанту Дилипу-Молнии, старшему дневной смены. Его испитое лицо раздулось от едва сдерживаемой злости — как позднее выяснилось, он дежурил (и злобствовал) уже вторую смену подряд. Так что я выбрал не самый удачный момент для визита.

Дилип-Молния был садистом. Я это знал по собственному опыту. Несколько лет назад, когда я сидел в здешней тюрьме, он часто избивал меня, удовлетворяя свой садистский голод за счет моей беспомощности. У него и сейчас явно разыгрался аппетит при виде синяков на моем лице, он даже облизнул губы в предвкушении.

Но с той поры многое изменилось если не в его, то в моем мире. Я теперь работал на Компанию Санджая, которая вливала массу налички в полицейский участок Колабы. Это были слишком большие деньги, чтобы ими рисковать, потакая своим изуверским наклонностям.

Изобразив некое подобие улыбки, он слегка вздернул голову, что означало вопрос: «Чего тебе?»

— Босс на месте? — спросил я.

Улыбка превратилась в оскал. Дилип знал, что, если я буду иметь дело непосредственно с инспектором, к его собственной потной ладони прилипнут лишь жалкие крохи от моего подношения.

— Инспектор очень занятой человек. Может, я сумею чем-то помочь?

— Что ж...

Я оглянулся на других копов в офисе, которые очень неубедительно делали вид, будто не прислушиваются к нашему разговору. Надо все же отдать им должное: такого рода притворство нехарактерно для Индии и у здешних людей мало возможностей попрактиковаться.

— Сантош! Принеси чай! — скомандовал Дилип на маратхи. — Завари свежий, *йаар*! А вы двое — марш проверять дальний барак!

Дальним бараком именовалось одноэтажное строение на задах полицейского участка. В нем содержали самых опасных заключенных, а также тех, кто оказывал отчаянное сопротивление при пытках. Молодые копы переглянулись, и один из них решился напомнить:

— Но, сэр, сейчас в том бараке никого нет, сэр.

— А разве я спросил вас, есть кто-то в бараке или нет? Я приказал пойти и хорошенько его проверить! Марш отсюда!

— Да, сэр! — гаркнули констебли и, схватив свои кепи, выскочили из офиса.

— Вам бы, ребята, придумать какой-нибудь условный знак, — предложил я, когда дверь за ними закрылась. — Это ж муторное дело: чуть не каждый час драть глотку, отсылая их куда подальше.

— Тоже мне остряк, — буркнул Дилип. — Давай ближе к делу или катись туда, откуда пришел. А то у меня башка раскалывается, и я не прочь расколоть чужую башку — вдруг полегчает?

Все честные копы похожи друг на друга; каждый продажный коп продажен на свой лад. Да, каждый из них берет взятки, но одни делают это как бы нехотя и смущенно, а другие хапают с откровенной жадностью; одни при этом злятся, другие сияют улыбкой; одни непринужденно шутят, другие обливаются потом так, будто только что взбежали на крутую гору; одни яростно торгуются, другие выглядят твоими добрыми друзьями.

Дилип получал взятку, как получают оскорбление, и старался отомстить тебе за то, что ты всучил ему деньги. К счастью, как большинство мерзавцев, он был очень падок на лесть.

— Я рад, что вы лично займетесь моим делом, — сказал я. — С инспектором Патилом на это ушел бы целый день. Нет у него вашего умения на лету схватить суть и решить вопрос четко и быстро — я бы даже сказал: молниеносно. Не зря же вас прозвали Молнией.

На самом деле это прозвище он получил из-за своих сверкающих ботинок, которые он пускал в ход внезапно и неспровоцированно, в припадке темной ярости, и, нанося удары какому-нибудь несчастному зэку, никогда не бил дважды в одно и то же место.

— Тут ты прав, — сказал он, с самодовольным видом откидываясь на спинку кресла. — Так в чем твоя просьба?

— У вас под арестом находится некий Фарзад Дарувалла. Я хочу заплатить за него штраф.

— Штрафы налагаются решением суда, а не полицией, — заявил Дилип с лукавой ухмылочкой на слюнявых губах.

— Разумеется, вы абсолютно правы. — Я улыбнулся в свою очередь. — Но человек с вашим опытом и проницательностью понимает, что быстрое решение этого вопроса, здесь и сейчас, сэкономит ценное время суда, как и казенные средства.

— Почему ты хочешь вызволить этого типа?

— О, на то у меня есть пять тысяч причин, — ответил я, доставая из кармана заранее приготовленную пачку рупий и начиная их демонстративно пересчитывать.

— Опытный и проницательный человек способен увидеть гораздо больше причин для этого, — проворчал Дилип.

Но момент для торга был упущен: я уже засветил деньги и он положил на них глаз.

— Молния-джи, — сказал я почтительно, прикрывая ладонью сложенные вдвое купюры и подвигая их через стол. — Мы уже почти два года вместе танцуем этот танец, и оба отлично знаем, что пять тысяч — как раз та сумма, какую мне достаточно вручить инспектору для полного... *объяснения*... моей заинтересованности. Буду очень признателен, если вы избавите меня от лишних хлопот, приняв объяснение лично.

Заскрипели половицы на веранде: Сантош со свежезаваренным чаем был на подходе. Дилип молниеносно выбросил вперед руку, накрыв мою ладонь, которая тут же скользнула по столу обратно, и рука Дилипа выверенным движением переправила купюры в его карман.

— Мне нужен студентик, — сказал Дилип, обращаясь к Сантошу, когда тот поставил чай на стол между нами. — Сопляк, которого мы взяли в клубе прошлой ночью. Мигом тащи его сюда.

— Слушаюсь, сэр!

Сантош пулей выскочил из комнаты, и почти сразу же в дверях возникли вернувшиеся с задания молодые копы. Дилип остановил их поднятием руки:

— А вам что здесь нужно?

— Мы... мы проверили дальний барак, сэр. Там все в порядке. И поскольку вы заказали чай, мы подумали, что...

— Проверьте еще раз! — рявкнул Дилип-Молния и повернулся ко мне.

Молодые копы посмотрели на меня с недоумением, пожали плечами и вновь покинули офис.

— Могу еще чем-то быть полезен? — саркастически поинтересовался Дилип.

— Да, есть еще кое-что. Вам известно что-нибудь о человеке с белоснежными волосами, который вот уже пару недель бродит по улицам Колабы в темно-синем деловом костюме и пристает к людям с расспросами?

Я имел в виду загадочного незнакомца, нагнавшего страху на зодиакальных Джорджей. За конкретную наводку не жаль было и раскошелиться.

— Синий костюм, белые волосы? — Он призадумался. — Допустим, я знаю такого человека, что тогда?

— Тогда у меня найдется тысяча причин, почему я тоже хотел бы о нем узнать.

Он ухмыльнулся. Я достал деньги и, все так же прикрывая ладонью, подвинул их на середину стола.

— Полагаю, тебе стоит пообщаться с мистером Уилсоном, который остановился в отеле «Махеш», — сказал он, протягивая руку навстречу моей.

Я помедлил с отдачей.

— Кто он такой? Что ему нужно?

— Он кого-то разыскивает. Это все, что мне известно.

Я убрал руку, и он завладел деньгами.

— Вы помогли ему в этих поисках?

— Он не дал мне удовлетворительного *объяснения*, так что я вышвырнул его вон.

— А если он... — начал я, но тут Сантош ввел в комнату Фарзада.

Молодой парс был не окровавлен, но изрядно помят. Глаза его вылезли из орбит, а грудь расширялась и сокращалась частыми судорожными рывками. Я много раз наблюдал похожее состояние у людей, ожидающих, что их вот-вот будут бить. При виде меня лицо его просияло.

— Боже, как я рад! — вскричал он, устремляясь ко мне. — А то я уже...

Я поднялся и жестом остановил этот радостный порыв, пока он не ляпнул что-нибудь такое, о чем лучше было не знать Дилипу-Молнии.

— Успокойся, — быстро сказал я. — Вырази свое почтение сержанту, и давай выбираться отсюда.

— Сержант-джи, — произнес Фарзад, почтительно соединяя ладони, — я очень-очень-очень вам благодарен за вашу доброту и великодушие.

Дилип откинулся на спинку кресла.

— Проваливай ко всем чертям! — сказал он. — И в другой раз не нарывайся!

Я потянул Фарзада за рукав и вывел его из здания, а затем через широкие ворота на улицу. На тротуаре, в нескольких шагах от входа в участок, я прикурил две сигареты и дал одну из них своему юному помощнику.

— А теперь объясни, что случилось.

— Я вчера слегка... хотя нет — честно говоря, я очень сильно напился в ночном клубе «Драм-бит». Крутейшая была тусовка! Вы бы меня видели! Я плясал и кривлялся, как безумный гамадрил! Будьте уверены.

— Меня больше интересует другое: из-за чего мне пришлось в шесть утра покинуть мягкую постель и переться в полицию, а потом еще выслушивать всякий бред про безумных гамадрилов?

— Ах да, конечно. Виноват. В общем, копы пришли закруглять веселье к часу ночи, как водится. Кто-то стал протестовать, поднялся шум. Вероятно, я поддался общему настроению и начал отпускать колкие шпильки в адрес полиции.

— Колкие шпильки?

— Вот именно. Среди друзей и знакомых я славлюсь колкостью своих шпилек.

— Взрослому человеку не пристало гордиться такими вещами, Фарзад.

— Нет, в самом деле — я славлюсь...

— О каких конкретно колкостях речь?

— Там был один очень жирный коп. Я назвал его «Три свиньи, слившиеся в экстазе». А другому копу я сказал, что он тупее мозоли на жопе мартышки. И еще я сказал...

— Все ясно. Этих примеров достаточно.

— А затем я очутился на полу. Даже не знаю — то ли сам споткнулся, то ли меня толкнули. И вот, когда я там барахтался, кто-то вдруг мощно засветил ногой мне по кумполу. Бац! — и я в отключке.

— Похоже, Дилип-Молния работал и ночью тоже. Пашет две смены подряд, сверхурочник.

— Да, он там был. Тот самый гребаный сержант. Очнулся я в полицейском фургоне, и этот Дилип упирается ногой мне в грудь. Потом они бросили меня в камеру и не позволили сделать звонок, а все из-за моих...

— Колких шпилек.

— Да. Вы можете в это поверить? Я думал, меня там продержат весь день и как минимум пару раз отдубасят почем зря. А вы откуда узнали, что я задержан?

— Компания платит всем тюремным уборщикам. Через них мы отправляем передачи нашим людям, когда не удается вызволить их сразу. Этой ночью один из уборщиков запримеил тебя и дал знать людям Санджая. А те позвонили мне.

— Я вам чертовски признателен. Впервые в жизни угодил за решетку. Еще одну ночь в тюрьме я бы не выдержал. Будьте уверены.

— Санджаю это совсем не понравится. Он и без того тратит кучу денег на взятки копам. В благодарность ты должен купить ему новую шляпу.

— Я... но, видите ли... А какой у него размер головы? — Фарзад выглядел озабоченным и растерянным. — Я встречался с ним только один раз, и, насколько помню, голова у него скорее большая, чем маленькая.

— Он вообще не носит шляпы.

— Но вы же сказали...

— Я пошутил. Но только насчет шляпы.

— Мне... очень жаль, что так вышло. Я крупно облажался. Больше такого не случится, будьте уверены. Вы не могли бы при случае извиниться за меня перед Санджаем?

Я все еще хохотал, когда неподалеку от нас затормозило такси, из которого выбрался Навин Адэр. Расплатившись через окно с таксистом, он открыл заднюю дверцу и подал руку красивой молодой женщине. Повернувшись, он только теперь заметил меня:

— Лин? Ну и ну! А ты как здесь?

— На то есть ровно шесть тысяч причин, — сказал я, разглядывая девушку. Лицо казалось мне знакомым, но я никак не мог вспомнить, где его видел.

— Ах да, — сказал Навин. — Знакомьтесь: это Дива. Дива Девнани.

Дива Девнани, дочь одного из богатейших людей в Бомбее! Фотографии этой невысокой девушки со спортивной фигурой, облаченной в дорогие дизайнерские наряды, можно было увидеть во всех журналах, освещающих самые шикарные светские мероприятия в городе.

Так вот что сбило меня с толку: ее совсем не гламурный прикид. Джинсы, синяя майка с коротким рукавом и простенькое ожерелье из лазурита никак не вязались с тем миром, в котором ей суждено было царить по праву рождения. Передо мной стояла самая обыкновенная девушка, а не великосветская кокетка с журнальных обложек.

— Очень приятно, — сказал я.

— У вас не найдется гашиша? — выдала она вместо приветствия.

Я быстро взглянул на Навина.

— Это долгая история, — со вздохом сказал тот.

— И вовсе не долгая, — возразила она. — Мой отец — Мукеш Девнани. Полагаю, вы слышали о Мукеше Девнани?

— Как я понимаю, это тот самый человек, чья дочь выклянчивает у прохожих наркотики перед воротами полицейского участка, да?

— Жуть как смешно, — сказала она. — Попридержите свой юмор, а то я могу прямо здесь уписаться со смеху.

— Вы хотели поведать мне короткую версию своей истории, — напомнил я.

— А теперь уже не хочу, — сказала она сердито.

— Ее отец нанял адвоката, моего хорошего знакомого... — начал Навин.

— А адвокат нанял вот *его*, — вмешалась Дива, — чтобы он был моим телохранителем в ближайшие две недели.

— Могу вас поздравить: вы попали в очень хорошие руки.

— Спасибо, — сказал мне Навин.

— Да пошел ты! — сказала девица.

— Что ж, приятно было познакомиться, — сказал я. — До скорого, Навин.

— И все потому, что меня угораздило связаться с этим болливудским кандидатом в звезды, — продолжила Дива, игнорируя мои прощальные слова. — То есть он не настоящая кинозвезда, а всего лишь дрянной *кандидатишка*, зато гонору выше крыши. А когда я отказалась с ним встречаться, этот подонок начал мне угрожать. Представляете?

— Высший свет — это дремучие джунгли, — заметил я с улыбкой.

— Уж кому, как не мне, это знать, — сказала она. — Так есть у вас гашиш или нет?

— У меня есть! — подал голос Фарзад. — Будьте уверены!

Мы втроем уставились на молодого парса.

Фарзад сунул руку за пояс штанов в районе ширинки, несколько секунд там шарил и наконец выудил десятиграммовый кубик гашиша в полиэтиленовой упаковке.

— Вот, — сказал он, галантно протягивая кубик даме. — Это вам. Примите его как... как подарок, типа того.

Губы Дивы скривились, словно она разжевала незрелый лимон.

— Ты что, достал эту вещь... из трусов? — Она конвульсивно сглотнула, сдерживая рвотный рефлекс.

— Да, но... я надел чистое нижнее белье только вчера вечером. Будьте уверены!

— Что это за чучело? — спросила Дива у Навина.

— Он со мной, — сказал я.

— Извините! — забормотал Фарзад, пряча гашиш в карман. — Я вовсе не хотел вас...

— Стоп! Ты что делаешь?

157

— Но я так понял, что вы...

— Разверни пленку, — скомандовала она. — Не дотрагиваясь до гашиша. Держи его перед собой на развернутой пленке. Не прикасайся к нему пальцами. И не прикасайся ко мне. Даже думать об этом не смей! Поверь, я смогу прочесть твои мысли. Проникнуть в мозг тебе подобных для меня раз плюнуть. Для любой женщины это раз плюнуть. Так что даже не пытайся думать обо мне. Ну, долго я буду ждать? Давай гашиш, кретин!

Фарзад трясущимися пальцами начал раскрывать упаковку. По ходу дела он искоса взглянул на миниатюрную светскую львицу.

— Ты подумал! — свирепо сказала она.

— Нет! — запаниковал Фарзад. — Ничего я не думал!

— Ты просто омерзителен.

Наконец Фарзад протянул к ней ладонь с развернутой пленкой, на которой лежал кубик гашиша. Дива взяла его двумя пальцами, отщипнула чуть-чуть, а остальное убрала в сумочку с серебряным зевом в виде рыбьего рта. Затем вытянула из пачки сигарету, выкрошила с ее кончика немного табака, заменила его гашишем, сунула сигарету в рот и повернулась к Навину, чтобы тот дал ей прикурить. Навин колебался:

— Стоит ли делать это сейчас?

— Я не смогу разговаривать с копами, если перед тем не покурю, — заявила она. — Я даже с младшей горничной у себя дома не могу общаться, пока старшая горничная не взбодрит меня косячком.

Навин зажег сигарету. Дива затянулась, несколько секунд держала дым в легких, а затем выпустила его длинной густой струей. Навин повернулся ко мне.

— Ее отец подал жалобу на актера еще до того, как меня привлекли к этому делу, — пояснил он. — Актер задумал играть по-крупному. Я нанес ему визит. Мы потолковали. Он признал свою неправоту и обещал исчезнуть с ее горизонта. Теперь нам нужно забрать заявление из полиции, но сделать это она должна лично. Я специально привез ее сюда в такую рань, пока об этом не пронюхали репортеры, и...

— Кончай трепаться, пойдем уже! — сказала Дива и, бросив на асфальт окурок, растоптала его каблуком.

Навин начал прощаться, но я задержал его руку в своей.

— Пару слов насчет типа, который выслеживает зодиакальных Джорджей, — сказал я. — Его зовут Уилсон, он поселился в...

— ...в отеле «Махеш», — закончил Навин за меня. — Я знаю. За всей этой возней забыл тебе сказать. Я проследил за ним прошлым вечером. А тебе откуда известно?

— Он приходил в участок за информацией.

— И он ее получил?

— Сержант Дилип — знаешь его?

— Да, Дилип-Молния. Мы с ним пересекались.

— Дилип сказал, что мистер Уилсон не дал ему на лапу и был вышвырнут вон.

— Ты ему веришь?

— Далеко не всегда.

— Мне проведать этого Уилсона?

— Нет, без меня к нему не суйся. Наведи справки, разузнай о нем побольше и потом свяжись со мной, о'кей?

— *Тхик*, — улыбнулся Навин. — Я этим займусь и...

— Какого черта! — гневно прервала его Дива. — Я за всю свою чертову жизнь никогда еще не стояла так долго на одном и том же чертовом месте! Охренеть можно! Так мы идем или нет?

Кивнув нам на прощание, Навин вернулся к обязанностям телохранителя, в сопровождении которого бедная маленькая богатая девочка[1] направилась к воротам полицейского участка.

— Я Фарзад! — крикнул ей вслед Фарзад. — Меня зовут Фарзад!

Проводив ее взглядом, юный парс обернулся ко мне с широченной улыбкой:

— Чтоб мне провалиться на этом самом месте, *йаар*! Какая красавица! И такая милая, непосредственная! Я слыхал, что супермегабогачки заносчивы и чванливы, а она такая простая, такая настоящая, такая...

— Да заткнись ты, наконец!

Он возмущенно встрепенулся, но тут же скис, увидев выражение моего лица.

— Виноват, — пробормотал он сконфуженно. — Но... вы заметили цвет ее глаз? Боже ты мой! Прямо кусочки сияющего... не знаю чего, которое обмакнули в... не знаю что... полное... полное такой прелести... такой медовой сладости...

— Умоляю, Фарзад! Я еще не завтракал.

— Прошу прощения, Лин. Да, вот оно! Завтрак! Почему бы вам не позавтракать у нас дома? Поедем туда прямо сейчас, а? Вы же обещали навестить нас на этой неделе!

— Ответ отрицательный, Фарзад.

— Ну пожалуйста! Мне надо повидать родителей, принять ванну и сменить одежду перед тем, как ехать на работу. Составь-

---

[1] *«Бедная маленькая богатая девочка»* (1917) — американский немой фильм с Мэри Пикфорд в роли девочки из богатой семьи, которую игнорируют родители, занятые своими делами и развлечениями.

те мне компанию. Сейчас как раз время завтрака, и многие из наших должны быть дома. Они будут счастливы с вами познакомиться. Особенно после того, как вы спасли мою жизнь и все такое.

— Я не спасал твою...

— Прошу вас, *баба*! Поверьте, они ждут не дождутся встречи с вами, это для них очень важно. А вы увидите у нас много интересного, обещаю.

— Послушай, я...

— Пожалуйста! Пожалуйста, Лин!

В этот момент у края тротуара затормозили четверо мотоциклистов. Я узнал молодых бойцов из Компании Санджая. Возглавлял их Рави, один из помощников Абдуллы.

— Привет, Лин, — сказал он, поблескивая зеркальными очками. — Мы узнали, что несколько «скорпионов» завтракают в одном из наших кафе в Форте. Сейчас угостим их по полной! Присоединишься?

Я взглянул на Фарзада:

— Не могу, я уже обещал позавтракать в гостях.

— Неужели? — удивился Фарзад.

— Ладно, Лин, — сказал Рави, отпуская сцепление. — Я привезу тебе сувенир.

— Не стоит, — сказал я, но он был уже далеко.

Форт находился всего в получасе ходьбы от места, где мы находились, как и от дома Санджая. Если «скорпионы» действительно нарывались на драку в этом районе, то война, которой так хотел избежать Санджай, была уже у него на пороге.

— Как думаете, могут они взять меня с собой на одну из таких разборок? — спросил Фарзад, наблюдая за удаляющимися мотоциклистами. — Вот будет круто: выбить дух из кого-нибудь вместе с этими парнями!

Я посмотрел на юного фальсификатора, которому едва не вышибли мозги прошлой ночью, а он уже намеревался «выбивать дух» сам не зная из кого. Это его стремление основывалось не на жестокости или бездушии, а только на юношеской браваде и красивых фантазиях о «братстве, скрепленном кровью». Уже было ясно, что гангстер из него никакой: парнишка чуть не сломался, проведя всего пару-другую часов в камере. Фарзад был просто хорошим мальчиком, попавшим в плохую компанию.

— Если когда-нибудь увяжешься за ними и я об этом узнаю, лично выбью из тебя если не дух, то дурь наверняка, — сказал я.

Он ненадолго задумался.

— Но сегодня вы с нами позавтракаете, да?

— Будь уверен, — сказал я и повел его к своему мотоциклу.

ГЛАВА

15

Бомбей — это город слов. В нем говорят все, повсюду и постоянно. Водители на ходу спрашивают друг у друга дорогу; случайные прохожие легко вступают в дискуссии; копы точат лясы с киллерами; левые увлеченно препираются с правыми. Если вы хотите, чтобы ваше письмо или посылка дошла по назначению, желательно дополнить стандартный адрес пояснением типа: «дом напротив Хира-Панны» или «по соседству с Коппер-Чимни». При этом любое слово, произнесенное в Бомбее, — даже мимолетные «пожалуйста» или «прошу вас» — может обернуться самыми неожиданными последствиями.

Во время недолгой поездки до Колабской бухты сидевший за моей спиной Фарзад неустанно молол языком. Отмечая свои любимые места, мимо которых мы проезжали, он трижды начинал рассказывать истории, с ними связанные, но ни одну из них не довел до конца.

Так мы добрались до дома семейства Дарувалла: внушительного строения в три полных этажа, не считая мансарды под остроконечной крышей с тремя фронтонами. Справа и слева к нему вплотную примыкали однотипные здания, и вместе эта троица образовывала мини-квартал, со всех сторон окруженный улицами. Мы направились к фасаду среднего дома, который был выполнен в стиле, особо любимом жителями южного Бомбея: архитектурные изыски, унаследованные от колониальных времен, были воплощены в граните и песчанике индийскими мастерами с учетом национальной специфики.

Окна были украшены витражами, декоративными каменными арками и ажурными коваными решетками с узором в виде виноградных лоз. Цветущая живая изгородь отделяла дом от залитой утренним солнцем улицы и создавала ощущение уютной обособленности.

Массивная деревянная дверь между двумя раджастханскими колоннами была покрыта сложной геометрической резьбой. Фарзад не стал звонить и воспользовался своим ключом. Дверь отворилась без малейшего скрипа, и мы вступили в высокий холл с мраморными стенами, по которым вились лианы с цветами, вырастая из ваз в полукруглых нишах. Воздух был насыщен запахом сандалового дерева. По ту сторону холла, напротив входной двери, висели длинные, от потолка до пола, портьеры из красного бархата.

— Вы готовы? — спросил Фарзад, театральным жестом протягивая руку к портьерам.

— Оружие при мне, — сказал я с улыбкой, — если ты *эту* готовность имеешь в виду.

Он раздвинул портьеры, за которыми открылся неосвещенный коридорчик с широкими дверями в конце. Подойдя к ним, Фарзад толкнул в стороны скользящие створки и пропустил меня вперед.

Открывшееся моему взору помещение уходило так далеко вверх, что я с трудом различал детали освещенного солнцем потолка, а в ширину явно превосходило средний из трех домов, принадлежавший семье Фарзада. В центре этого огромного зала стояли два длинных стола, рассчитанные — судя по числу приборов — десятка на три персон в общей сложности. Но в данный момент сидевших за столами мужчин, женщин и детей было гораздо меньше.

У дальних стен слева и справа, не отгороженные от основного помещения, расположились две кухни, каждая с полным набором утвари и оборудования. Двери в стенах первого этажа указывали на наличие других комнат за пределами главного зала. Перекрытия между верхними этажами были сломаны; их заменяло хаотичное подобие строительных лесов на бамбуковых подпорках с пролетами высотой в рост человека. Дощатые мостки разных уровней соединялись приставными лестницами, и на этих мостках тут и там копошились люди.

Как раз в эту минуту открылся новый просвет в муссонных тучах, и после пасмурной паузы солнце хлынуло в высокие решетчатые окна фасада, растекаясь по залу золотисто-топазовым сиянием. Ощущение было как в кафедральном соборе, но без внушаемого там благоговейного страха.

— Фарзад! — пронзительно вскрикнула одна из женщин, и все головы повернулись в нашу сторону.

— Привет, мама! — сказал Фарзад, держа руку на моем плече.

— Что?! «Привет, мама» и всего-то? — завопила та. — Я вот сейчас возьму этот «привет» и отлуплю тебя им, как дубиной! Где ты пропадал всю ночь?

Вслед за ней к нам устремились и остальные люди из-за столов.

— Я привел в гости Лина, ма, — поспешно сказал Фарзад в попытке отвлечь внимание от себя.

— Ох, Фарзад, сын мой! — Она всхлипнула и сжала сына в удушающе-крепком объятии. Затем резко его оттолкнула и с размаху влепила пощечину.

— Ой! Мама! — заныл Фарзад, хватаясь за щеку.

Его маме было за пятьдесят. Невысокая женщина хрупкого сложения, она носила короткую стрижку, хорошо сочетавшуюся с мягкими чертами лица. Простое платье в полоску дополнялось цветастым передником и бусами из тщательно подобранных по размеру и форме жемчужин.

— Что ты вытворяешь, гадкий мальчишка? — гневно спросила она. — Или ты подрядился работать на местную клинику, поставляя им пациентов с этими самыми... как их?

— Сердечными приступами, — подсказал седовласый мужчина, вероятно ее супруг.

— Вот-вот, доводишь всех нас до этих самых.

— Ма, но в этом нет моей...

— А вы, значит, и есть тот самый Лин! — сказала она, прерывая сына и обращаясь ко мне. — Дядя Кеки, да воссияет его дух в наших глазах, много о вас рассказывал. А обо мне он не упоминал? О своей племяннице Анахите, матери Фарзада, жене Аршана? Дядя говорил, что с вами мало кто может потягаться в философских спорах. Для начала хотелось бы знать, как вы трактуете дилемму свободы воли и детерминизма?

— Дала бы человеку дух перевести, мать, — упрекнул ее отец Фарзада, пожимая мне руку. — Меня зовут Аршан. Очень рад познакомиться с вами, Лин.

Затем он повернулся к Фарзаду и устремил на него суровый, но в то же время любящий взгляд:

— Что касается вас, молодой человек...

— Я могу оправдаться, па! Я...

— Оправдываться будешь после хорошей порки! — снова взвилась Анахита. — Да и чем ты сможешь оправдать наши страхи, когда мы все глаз не сомкнули в прошлую ночь? Чем ты оправдаешь терзания твоего отца, который до рассвета бродил по улицам, воображая, что ты попал под грузовик и лежишь раздавленный где-нибудь в грязной канаве?

— Ма...

— А ты знаешь, сколько канав в нашей округе? Это самое насыщенное канавами место во всем городе! И твой бедный отец облазил их все до единой в поисках твоего раздавленного трупа. И после всего этого у тебя хватает наглости объявиться здесь перед всеми нами без единой царапины на твоей бесстыжей шкуре?

— И то верно, хоть бы захромал, что ли? — сказал, приветствуя Фарзада, молодой человек, с виду его ровесник. — Или еще как-нибудь покалечился из уважения к близким.

— Мой друг Али, — представил его Фарзад, и эти двое обменялись понимающими улыбками.

Я заметил, что ростом и телосложением они были точными копиями друг друга.

— Салям алейкум, — сказал я.

— Ва алейкум салям, Лин, — ответил Али, пожимая мне руку. — Добро пожаловать на фабрику грез!

— Лин только что вытащил меня из тюрьмы, — сообщил Фарзад во всеуслышание.

— Из тюрьмы?! — вскричала его мать. — Уж лучше бы ты валялся в одной из тех грязных канав вместе с твоим несчастным отцом!

— Но сейчас-то он уже дома, — сказал Аршан, легонько подталкивая нас к одному из двух длинных столов.

— Умираю с голода, па! — заявил Фарзад.

— А ну-ка постой! — задержала его, схватив за рукав, женщина в экстравагантном *шальвар-камизе*, состоявшем из бледно-зеленых зауженных брюк и просторного желто-оранжевого платья до колен. — Только не с руками, на которых полно всяких тюремных микробов! Еще неизвестно, каких микробов мы нахватались от одного лишь разговора с тобой! Быстро мыть руки!

— Слышишь, что тебе говорят? — подхватила Анахита. — Мыть руки! И вы тоже, Лин. Он мог и вас заразить тюремными микробами.

— Да, мэм.

— И я должна вас заранее предупредить об одной вещи, — добавила она. — Я определенно склоняюсь к детерминизму и готова закатать рукава для решительной битвы, если вы окажетесь сторонником свободы воли.

— Да, мэм.

— Имейте в виду, я никогда не смягчаю удары в философских поединках.

— Да, мэм.

Мы с Фарзадом вымыли руки над кухонной раковиной и заняли места за столом ближе к левой стороне огромного зала. Женщина в шальвар-камизе поставила перед нами два блюда с мясом в ароматной подливке.

— Отведайте мою баранину, молодые люди, — сказала она и, улучив момент, ущипнула Фарзада за щеку. — Ах ты шкодник, дрянной мальчишка!

— Я даже не знаю, за что меня арестовали! — запротестовал Фарзад.

— А тебе и незачем это знать, — парировала женщина, сопроводив свои слова еще одним болезненным щипком. — Ты всегда был и будешь дрянным мальчишкой, что бы ты ни делал. Даже если ты делаешь добрые дела, ты все равно шкодник, разве нет?

— И еще он славится колкими шпильками, — добавил я.

— Ох уж мне эти шпильки! — подхватила Анахита.

— Ну спасибо, Лин, — пробормотал Фарзад.

— На здоровье.

— Шпильки, шпильки шкоднику! — И женщина в шальвар-камизе угостила его очередным щипком.

— Это тетушка Захира, мама Али, — сообщил мне Фарзад, потирая больное место.

— Если вы предпочитаете вегетарианскую кухню, попробуй-те *дал-роти*, — жизнерадостно предложила женщина в голубом сари. — Только что приготовлено.

Перед нами тотчас возникли две чашки с шафрановым супом и стопка горячих лепешек-роти на салфетке.

— Налетайте, не стесняйтесь! — подбодрила она.

— Это тетушка Джая, — шепнул мне Фарзад. — У них с тетей Захирой что-то вроде кулинарного состязания, а моя мама дер-жит нейтралитет. Нам лучше быть дипломатичными: я начну с баранины, а вы начните с супа, о'кей?

Мы придвинули еду поближе и приступили к трапезе. Вкус был восхитительный, и я наворачивал за обе щеки. Поварихи-соперницы, удовлетворенно переглянувшись, присели к столу ря-дом с нами. Еще несколько взрослых и детей появились из дверей на первом этаже или спустились с верхних галерей, чтобы соста-вить нам компанию; одни так же уселись за длинный стол, дру-гие стояли поблизости.

Фарзад жадно впился зубами в кусок баранины, и тут Анахи-та, подойдя сзади, отвесила ему подзатыльник столь стреми-тельно и внезапно, что ей мог бы позавидовать сам Дилип-Мол-ния. Все дети вокруг нас разразились хохотом.

— Ай! Ма! Теперь-то за что?

— Тебе следовало бы грызть камни! — сказала она. — Камни из тех самых канав, в которых тебя искал твой бедный отец! Камни вместо нежного вкусного мяса!

— Суп тоже вкусный, правда? — обратилась ко мне тетя Джая.

— О да! — ответил я с энтузиазмом.

— Твой бедный отец всю ночь ползал по этим треклятым ка-навам!

— Дорогая моя, хватит уже про канавы, — попросил отец Фарзада. — Пусть мальчик расскажет нам, что произошло.

— Вчера вечером я был в клубе «Драм-бит»... — начал Фар-зад.

— О! И какая там была музыка? — встрепенулась миловид-ная девушка лет семнадцати, сидевшая чуть поодаль на нашей стороне стола. Задавая вопрос, она наклонилась к столешнице, чтобы сбоку видеть Фарзада.

— Это моя кузина Карина, дочь тетушки Джаи, — сказал Фарзад, не глядя в ее сторону. — Карина, это Лин.

— Привет, — сказала она со смущенной улыбкой.

— Привет, — откликнулся я.

Покончив с овощным супом, я деликатно отставил в сторону пустую чашку. Тетушка Захира тотчас придвинула на ее место баранину — да так решительно и энергично, что та свалилась бы мне на колени, не подхвати я блюдо уже на самом краю стола.

— Спасибо.

— Баранина очень полезна, — заверила меня тетушка Захира. — Она смягчит ваш гнев и все такое.

— Смягчит мой гнев? Да, мэм. Большое спасибо.

— Итак, ты пошел в ночной клуб, — медленно произнес Аршан, — хотя я много раз предостерегал тебя от этого, сын мой.

— А что ему твои предостережения? — спросила Анахита и дала Фарзаду новый подзатыльник.

— Ай! Мама! Хватит уже, *йаар*!

— Твои предостережения ему как десерт! Проглотил, ням-ням-ням, и нет их! А ведь я тебе говорила, что оперантное науче-ние[1] — это единственный эффективный метод, применимый к нашему мальчику, но ты же у нас ярый поклонник Штейнера! Так вот что я скажу теперь: этой ночью твой сын позорно «об-штейнерился»!

— Не думаю, что здесь можно винить штейнеровскую шко-лу[2], — заметила Джая.

— Верно, — согласилась с ней Захира. — Их методология основана на здравом смысле. Мой Сулейман не далее как вчера...

— Вернемся к ночному клубу, — сказал Аршан. — Итак...

— Итак, — продолжил Фарзад, косясь на мамину руку. — Там была большая тусовка, и мы...

— Новые танцы там были? — спросила Карина. — И музыка из последнего фильма Митхуна?[3]

— Я достану тебе запись этой музыки сегодня к вечеру, — пообещал Али, рассеянно беря лепешку Фарзада и откусывая солидный кусок. — Могу достать любую музыку, даже из фильмов, которые еще не вышли в прокат.

---

[1] *Оперантное научение* — метод обучения посредством системы поощрений и наказаний, призванных сформировать у обучаемого определенный тип поведения.

[2] *Штейнеровская школа* (вальдорфская школа) — альтернативная педагогическая система, основанная на антропософском учении Рудольфа Штейнера.

[3] *Митхун* — сценическое имя Гоуранги Чакраборти (р. 1950), популярного индийского актера.

— Вау! — хором вскричали все присутствующие девчонки.

— Итак, ты гулял в этом ночном клубе... — упрямо вернулся к теме Аршан.

— Ты гулял этом *штейнеровском* ночном клубе, — уточнила Анахита, вновь занося ладонь над головой сына, — и беззаботно резвился в то самое время, когда твой бедный отец ползал по всем канавам в округе!

— Нет, — сказал Аршан, чье терпение, судя по звенящему голосу, было уже на исходе. — Я уверен, что канавы были не тогда, а несколько позднее, дорогая. Итак, что произошло в клубе? Каким образом ты очутился в тюрьме?

— Я... я и сам толком не знаю, — признался Фарзад. — Я слишком много выпил, врать не буду. А когда копы пришли закрывать клуб, началась потасовка, и я, не помню как, оказался на полу. Должно быть, я упал сам. И тут один коп врезал мне ногой по затылку — как раз в то место, куда ты бьешь меня все утро, ма, — и я потерял сознание. Очнулся уже в полицейской машине. Потом они заперли меня в камере, не допросив и не позволив сделать звонок. Но кто-то из тюремной обслуги позвонил в Компанию, а оттуда позвонили Лину. Он приехал и вытащил меня из тюряги. Он спас мою шкуру, будьте уверены.

— И это все? — спросила Анахита, презрительно кривя уголки губ. — И это все твое великое приключение?

— А я и не говорю, что это *великое* приключение! — возразил Фарзад, но его мама уже удалилась в сторону кухни.

— Спасибо вам, Лин, за то, что вернули нашего сына домой, — сказал Аршан, благодарно дотронувшись до моей руки, а затем обратился к Фарзаду: — Давай-ка все проясним. Полицейский ударил тебя ногой по голове, когда ты лежал на полу. Ударил так сильно, что ты потерял сознание?

— Именно так, па. Я ничего плохого не делал. И вообще, я был слишком пьян, чтобы сделать хоть что-нибудь. Просто валялся там, где упал.

— Тебе известно имя этого полицейского?

— Да, его называют Дилип-Молния. Он сержант в Колабском участке. А что?

— Мой отец будет в ярости, когда об этом узнает! — сказал Али. — Он отберет полицейский значок у этого Дилипа-Молнии! Он поднимет против него весь юридический факультет!

— А мой отец поднимет все медицинское сообщество! — подхватила Карина, гневно сверкая глазами. — Мы добьемся его изгнания из полиции!

— Так и поступим! — согласилась тетушка Джая. — Начнем действовать прямо сейчас!

— Могу я высказать свое мнение?

Все головы повернулись в мою сторону.

— Я неплохо знаю этого Дилипа-Молнию. Это на редкость злобный и мстительный тип. Он злится даже на тех, кто дает ему деньги.

Я сделал паузу, убедившись, что завладел их вниманием.

— Продолжайте, — попросил Аршан.

— У вас не получится изгнать его из полиции. Да, вы сможете на какое-то время подпортить ему жизнь, добиться его перевода в другое место, но значок вы у него не отберете. Он слишком много знает о слишком многих важных людях. Спору нет, он мерзавец и заслуживает наказания, но, если вы ему навредите, рано или поздно он вернется и тогда уже сделает все, чтобы разрушить ваше благополучие. Возможно, навсегда.

— Вы хотите сказать, что он так и останется безнаказанным? — спросил Али.

— Я вот что хочу сказать: если вы пойдете против этого копа, будьте готовы к серьезной войне. Не следует его недооценивать.

— С этим я согласен, — сказал Аршан.

— Что?! — хором вскричали Али и тетушка Джая.

— Фарзад еще легко отделался. Лин прав. Все могло кончиться гораздо хуже. Что нам сейчас нужно меньше всего, так это коп-социопат у нас на пороге.

— И оперантное научение снова псу под хвост, — сказала Анахита, вернувшаяся с кухни. — Как поступают в таких случаях штейнеровцы: бегут и прячутся?

— Больше чтоб ноги твоей не было в этом клубе, Фарзад! — отрезал Аршан, не реагируя на комментарии жены. — Ты слышишь меня? Я тебе запрещаю там появляться!

— Да, папа, — сказал Фарзад, опустив голову.

— Вот и ладно. — Аршан поднялся и протянул руки к нашим опустевшим блюдам. — Добавки не нужно?

Аршан и Анахита отнесли посуду к кухонной мойке и вскоре вернулись с десертом.

— Сладкий крем, — объявила Анахита, ставя перед нами две новые чашки. — Он добавит сахара в вашу кровь.

— И малиновый напиток, — сказал Аршан, присовокупляя к чашкам пару бутылок с прозрачной темно-красной жидкостью. — В нашей жизни редко какая проблема не предстанет в розовом цвете после стакана прохладного малинового напитка. Угощайтесь.

— Интересно, кто вам спроектировал интерьер? — поинтересовался я, обводя взглядом раскуроченное помещение. — Часом, не Харлан Эллисон?[1]

Фарзад выразительно взглянул на своего родителя:

---

[1] *Харлан Эллисон* (р. 1934) — американский писатель-фантаст «новой волны», широко известный как фантасмагоричностью и шокирующим стилем повествования, так и своими эпатажными выходками на публике.

— Лин спас мне жизнь, па. Наши семьи не возражают. Сейчас как раз подходящий момент. Что скажешь?

— Похоже на то, — пробормотал Аршан, глядя на сумбур из шатких мостков и лесенок в духе Эшера[1], опасно нависающих над нашими головами.

— Это значит согласие? — уточнил Фарзад.

Аршан перекинул ногу через скамью, на которой мы сидели в ряд, и всем телом повернулся ко мне.

— Что, по-вашему, мы делаем с этим домом? — спросил он.

— Навскидку я бы предположил, что вы здесь что-то ищете.

— Так оно и есть. — Аршан широко улыбнулся, продемонстрировав два ряда ровных, мелких, безупречно белых зубов. — Теперь я понимаю, почему вы так нравились дядюшке Кеки. Да, именно этим мы и занимаемся. Все это — все, что вы видите, — следствие охоты за сокровищами, поисков одного чрезвычайно ценного сундучка.

— Вроде... старинного пиратского клада?

— Вроде того. Но только не пиратского, а купеческого — меньшего по объему, но гораздо более ценного.

— Надо надеяться, он того стоит, учитывая масштаб разгрома.

— Фарзад, принеси список, — сказал его отец.

Когда Фарзад нас покинул, Аршан приступил к объяснениям:

— Мой прадед был очень успешным предпринимателем и скопил огромное состояние. Даже после того, как он, по традиции парсов, отдал бо́льшую часть своих денег на благотворительность, ни один из купцов или фабрикантов Бомбея не смог превзойти его богатством...

Вернулся Фарзад и, сев рядом со мной на длинную скамью, передал отцу сложенный лист пергамента. Аршан накрыл его ладонью и продолжил свой рассказ:

— Когда колониальная эпоха в Индии подошла к концу, британцы стали в спешке покидать Бомбей. Многие из них — и в первую очередь самые богатые — боялись, что индийцы начнут мстить им за все годы угнетения. В последние недели и дни перед провозглашением независимости их отъезд уже напоминал паническое бегство.

— И ваш прадед оказался в нужное время в нужном месте.

— Ни для кого в Бомбее не было секретом, что у него имелась куча денег помимо тех, что лежали на банковских счетах, — сказал Фарзад.

---

[1] *Эшер*, Мауриц Корнелис (1898–1972) — голландский художник-график. В данном случае имеется в виду его литография «Относительность» (1953), на которой изображен парадоксальный интерьер здания с тремя разнонаправленными силами тяжести и несколькими лестницами, соединяющими разные плоскости реальности.

— Причем эти деньги не фигурировали ни в каких учетных документах, — добавил Аршан.

— И он использовал неучтенные средства для скупки ценностей у драпающих англичан, — догадался я.

— Именно так. Богатые англичане начали, не торгуясь, сбывать с рук свои драгоценности за наличные деньги из страха, что новые индийские власти объявят их награбленными или украденными, — нередко так оно и было на самом деле. Таким образом, на исходе колониальной эпохи мой прадед по дешевке приобрел огромное количество драгоценных камней и спрятал их...

— ...где-то в стенах этого дома, — закончил я за него.

Аршан со вздохом оглядел распотрошенные внутренности особняка.

— Но разве он не оставил своим наследникам ключа к разгадке?

— Увы, — снова вздохнул Аршан и развернул пергамент. — Этот документ, найденный нами в старинной книге, подробно перечисляет все драгоценные камни и даже описывает внешний вид сундучка, в котором они хранятся, но не дает ни малейшего намека на его местонахождение. В ту пору мой прадед владел всеми тремя смежными зданиями, так что сундучок может быть спрятан в любом из них.

— И вы начали поиски.

— Мы обыскали все комнаты и всю мебель в своем доме. Мы проверили все шкафы и столы на предмет возможных потайных ящиков. Затем мы исследовали полы и стены, в которых также могли быть скрытые дверцы и тому подобное. Ничего не обнаружив, мы поняли, что остается только ломать кладку.

— Начали с внутренних стен, — подключилась к разговору Анахита, а Карина меж тем подала мне чай в тонкой фарфоровой чашке. — Но когда добрались до этой, как ее там...

— Смежной стены, — подсказал Аршан.

— Да, когда мы добрались до этой как-ее-там, стали падать вещи со стены у наших соседей, семьи Хан.

— В том числе мои любимые настенные часы с оптическим эффектом, — горестно вздохнула Захира. — На них был изображен водопад, вода в котором все время меняла оттенки, и казалось, что она действительно падает. И эта прелесть упала со стены, разбившись на миллион осколков. До сих пор не могу найти ничего подобного.

— И вот, когда в доме Ханов начали падать вещи, они пришли к нам с вопросами.

— Конкретно мой отец пошел разбираться, — уточнил Али.

— Пришел, а тут и так уже все разобрано, — попытался сострить Фарзад.

— Наши семьи всегда жили дружно, — сказал Али. — Дядя Аршан и тетя Анахита не стали скрывать от моего отца всю правду, рассказали о кладе, а потом предложили поучаствовать в охоте за сокровищами.

— Мы подумали, что старик мог спрятать сундучок внутри смежной стены, — сказал Аршан. — При его жизни во всех трех домах неоднократно что-то изменяли и обновляли. Но без согласия Ханов ломать общую стену мы, разумеется, не могли.

— В тот вечер мой Сулейман вернулся домой и собрал всю семью на совет, — продолжила тетя Захира. — Он рассказал нам о сокровищах и о предложенном участии в их поисках, для чего требовалось сломать стену между нашими домами. Ну и гвалт поднялся тогда!

— Да уж, орали все разом, как сумасшедшие, — подтвердил Али.

— Не все поддержали эту идею, — сказала Захира, — но после долгих споров мы все-таки согласились и уже на следующий день начали ломать стену со своей стороны.

— Однако клада не оказалось и там, — вставила хорошенькая Карина. — И в других местах тоже. Тогда они обратились к моему папе.

— Аршан и Анахита пригласили нас в гости, — сказала Джая, улыбаясь при этом воспоминании. — Когда мы явились, тут сидели в полном составе обе семьи, Дарувалла и Хан, а внутри дома был жуткий кавардак. И они предложили нам присоединиться к поискам: вдруг сокровища спрятаны в общей стене между нами? Мой муж Рахул согласился тут же, без раздумий. Он вообще авантюрист по натуре.

— Он даже катается на лыжах, — сообщила Карина. — Прямо по снегу.

Присутствующие изумленно покачали головами.

— И у вас нет никаких сомнений в том, что клад спрятан где-то здесь? — спросил я.

— Будьте уверены, — сказал Фарзад. — Когда мы не нашли его во второй смежной стене, остались еще перекрытия между этажами. Скоро доберемся и до стропил. Клад где-то здесь, и мы его найдем.

— У нас тут что-то вроде сумасшедшего дома, в который заключили нормальных людей, — подвела итог Карина. — С тремя большими семьями, живущими в мире и согласии.

Люди вокруг меня, члены трех семей и последователи трех разных религий, расправили плечи и улыбнулись при этих словах.

— Среди нас нет главных и подчиненных, — пояснил Аршан. — Мы все равны. И мы договорились разделить сокровища на три равные части, по одной на каждую семью.

— Если вы их найдете, — сказал я.

ГРЕГОРИ ДЭВИД РОБЕРТС

— *Когда* мы их найдем, — поправили меня сразу несколько голосов.

— И как долго длится эта ваша эпопея?

— Без малого пять лет, — ответил Фарзад. — Мы начали сразу после того, как обнаружили пергамент. Ханы присоединились к нам через год, а семья Малхотра — еще через полгода. За время поисков я успел закончить колледж и поработать в Америке.

— Но это не является нашим основным занятием, — сказала Карина Малхотра. — Мой папа врач по профессии. Отец Али, дядя Сулейман, преподает в Бомбейском университете. Дядя Аршан — архитектор, и под его руководством мы ломаем все так аккуратно, что наши дома до сих пор не рухнули. Мы все учимся или работаем в разных местах — кроме тех, кто сидит с маленькими детьми.

— Поисками обычно занимаемся по ночам и в выходные, — сказал Али. — Или когда выдается свободный день вроде нынешнего — сегодня никто не поехал по своим делам, потому что мы все волновались из-за пропавшего Фарзада. Спасибо за внеплановый выходной, братишка.

— Всегда к вашим услугам, — заулыбался Фарзад.

— У нас две кухни, — с гордостью объявила Анахита. — Одна вегетарианская, другая обычная, так что с едой на любой вкус никаких проблем.

— Это верно, — поддержала ее Джая. — Как правило, в каждой замкнутой общине или семье люди питаются довольно однообразно, а тут пожалуйста: две кухни с очень разными наборами блюд. Каждый выбирает, что ему по вкусу, и все тип-тип, как любит говорить наша молодежь.

— Тип-топ, — поправила ее Анахита, и обе женщины обменялись улыбками.

— Мы все в одной лодке, и у нас общая цель, — заявил Али. — Для ссор и споров просто нет причин.

— За исключением философских диспутов, — напомнила Анахита.

— Это все чрезвычайно интересно... — начал я и тут же был перебит Фарзадом:

— Я ведь предупреждал, что будет интересно, не так ли?

— Да... конечно. Но я не понимаю, зачем вы рассказали все это *мне*?

— У нас возникла проблема, — сказал Аршан серьезно, глядя мне в глаза. — И мы надеемся разрешить ее с вашей помощью.

— Так-так, уже теплее. Выкладывайте.

— Несколько недель назад к нам заявился инспектор из муниципального совета, — сообщил Али. — Он побывал внутри и увидел, что тут творится.

172

— Конечно, он не знает, чем мы на самом деле занимаемся, — продолжил Фарзад. — Мы сказали, что делаем капитальный ремонт с перепланировкой.

— А что было причиной его визита? — спросил я.

— Мы думаем, это из-за нашего соседа через улицу, — сказал Аршан. — Он мог видеть, как к дому подвозили партию стальных балок. Мы укрепляем ими арки, когда разбираем очередной участок стены.

— Несколько лет назад он хотел выкупить наш дом, — сказала Анахита. — Этот прохиндей как только не ухищрялся, чтобы заставить нас его продать. А когда мы твердо отказались, он был прямо вне себя — визжал, как ошпаренный кот.

— Не говори так, — упрекнула ее Захира. — Обидеть кошку — это к несчастью.

— Даже в фигуральном выражении? — уточнила Анахита.

— Я просто хочу сказать, что надо быть очень осторожным, когда дело касается кошек. Даже в фигуральных выражениях.

Окружающие согласно закивали, и так продолжалось, пока я не прервал затянувшееся молчание:

— Ладно, оставим в покое кошек. Но что вам нужно от меня?

— Разрешение на перепланировку, — сказал Аршан, выходя из задумчивости. — Муниципальный чиновник после долгих уговоров согласился за взятку утвердить нашу... деятельность. Но только в том случае, если мы предъявим официальное разрешение на перепланировку или же его заверенную копию.

— Чтобы прикрыть чиновную задницу, — пояснил Али.

— Он сам не может подделать сертификаты, и украсть их он тоже не может, — сказал Фарзад. — Но он обещает закрыть это дело, если мы изготовим добротную подделку.

— Если *вы*, Лин, изготовите подделку для нас, — поправил сына Аршан.

— Да, если вы изготовите хороший убедительный сертификат, он его подпишет и оставит нас в покое. И нет проблемы. Будьте уверены.

— Такие вот дела, — вздохнул Аршан, положив локти на стол. — Если вы не поможете, дальнейшие поиски придется свернуть. А если поможете, мы будем продолжать, пока не найдем клад.

— Да ты и сам можешь это устроить, — сказал я Фарзаду. — Ты уже освоился на работе и легко обойдешься без моей помощи.

— Спасибо за комплимент, — сказал он с ухмылкой, — но тут возникает парочка сложностей. Во-первых, у меня нет связей в муниципальном совете. Во-вторых, парни в мастерской не возьмутся за такую работу только по моей просьбе. Да еще и, не дай бог, донесут Санджаю. Другое дело *вы*.

ГРЕГОРИ ДЭВИД РОБЕРТС

— И почему так получается, что я всегда — другое дело?

— Вы сможете провернуть все чисто и незаметно, потому что вы босс в мастерской, — объяснил Фарзад. — С вашей помощью мы все устроим так, что никто посторонний не узнает об этой фальшивке.

— Возможно, мой вопрос покажется вам странным, — сказал я, оглядывая их напряженные лица, — но, с другой стороны, было бы странно его *не* задать. Вы не подумали о том, что я ведь могу отказаться, а потом передать наш разговор Санджаю?

— Закономерный вопрос, — признал Аршан. — Надеюсь, вы не обидитесь, если я скажу, что он уже не раз обсуждался в этой самой комнате. Дело в том, что нам необходима ваша помощь, и мы считаем, что вам можно доверять. Дядя Кеки был о вас очень высокого мнения. Много раз он говорил, что вы были с Кадербхаем до самого конца и что вы — человек чести.

Упоминание о чести меня покоробило, тем более что к ней взывали люди, предлагавшие утаить важную информацию от моего босса. Однако эти люди мне нравились. Уже сейчас, после короткого знакомства, они нравились мне больше, чем Санджай. И потом, Санджай был достаточно богат и без того. Он запросто мог обойтись без этого клада, если его и впрямь когда-нибудь найдут.

— Я сделаю вам сертификат до конца этой недели, — сказал я. — Санджаю скажу, что это левая работенка по просьбе моего друга, — в сущности, так оно и есть на самом деле. Но все это должно остаться строго между нами. Я не хочу, чтобы информация дошла до Санджая из других источников и потом бумерангом вернулась ко мне. С этим все ясно?

Присутствующие разразились аплодисментами и радостными криками. Затем они принялись хлопать меня по спине, обнимать, хватать за руки.

— Спасибо вам огромное! — с чувством сказал Аршан. — Нас выбила из колеи эта история с муниципальным советом. За все годы это первое серьезное препятствие, возникшее на нашем пути. А ведь мы... мы получаем такое удовольствие от охоты за драгоценным сундучком! Если совет запретит дальнейшие работы в доме, мы просто... просто потеряемся, как потерялись наши сокровища.

— И мы не просим, чтобы вы делали это даром, — добавил Фарзад. — Скажи ему, па!

— В качестве вознаграждения мы готовы выделить вам один процент от стоимости сокровищ, — сказал Аршан.

— Если вы их найдете, — улыбнулся я.

— *Когда* мы их найдем, — поправили меня сразу несколько голосов.

— *Когда* вы их найдете, — исправился я.

— А теперь, как насчет новой порции дал-роти? — спросила Джая.

— Или нежной курятины? — предложила Захира.

— Или сэндвича с яйцом и карри, — подхватила Анахита, — с бокалом малинового напитка.

— Нет-нет, спасибо, — сказал я, поднимаясь из-за стола. — В меня уже больше ничего не влезет. Может быть, в другой раз.

— *Непременно* в другой раз, — сказала Анахита.

— Да, непременно.

— Я вас провожу, — вызвался Фарзад, и мы с ним направились по коридорчику к длинным портьерам, скрывавшим от посторонних глаз внутреннюю часть здания.

Все остальные члены трех семей последовали за нами. В холле снова были объятия и рукопожатия, после чего я в сопровождении Фарзада выбрался на улицу.

За это время успел пройти муссонный дождь, но тучи уже удалялись, и жаркое солнце начало быстро выпаривать зеркальные лужи. Удивительное дело: в первую минуту обычный уличный пейзаж показался мне чуждым и незнакомым, как будто реальность осталась позади, в причудливом макрокосме огромного зала с мостками и лесенками, а эта сверкающая, исходящая паром улица была лишь иллюзией.

— Я надеюсь, знакомство с нашим объединенным семейством не слишком вас напрягло, — пробормотал Фарзад.

— Ничуть, — сказал я.

— И вам не показалось, что мы все немного того... помешанные? Из-за этих поисков?

— Все мы что-нибудь ищем. И, насколько я понял, вы счастливы.

— Это так, — быстро согласился он.

— Счастье — это тоже своего рода помешательство, разве нет?

Вместо ответа юный парс вдруг неловко меня обнял.

— Тут еще такое дело, Лин, — сказал он чуть погодя, разжав объятия, — у меня к вам будет одна маленькая просьба.

— Как? Еще одна просьба?

— Да. Если вам как-нибудь случится узнать телефонный номер той девушки... той красавицы с глазами полными прелести... ну, то есть Дивы, которую мы встретили перед полицейским участком, я...

— Нет.

— Нет?

— Нет.

— Категорически нет?

— Категорически.

175

— Но...

— Нет, — сказал я в который раз, смягчая тон и улыбаясь при виде его озадаченной физиономии.

Он покачал головой, развернулся и вошел в двери своей многолюдной обители. А я еще какое-то время постоял на тротуаре, подставив лицо солнечным лучам и вдыхая свежий запах недавнего дождя.

Конечно, деньги — это тоже наркотик, но я не волновался за обширное семейство Фарзада. Они пока еще не заглотили крючок стяжательства. Пока еще. Да, они угробили собственные жилища, но вместо них создали общее обитаемое пространство и прекрасно в нем уживались. Они перевернули свои жизни с ног на голову, но ведь это было каждодневное приключение: увлекательное путешествие, совершаемое не выходя из дома. Они сотворили мечту и жили этой мечтой. Им было хорошо и весело вместе, и я мог им только позавидовать.

Так я и стоял лицом к солнцу, с виду совершенно спокойный, но горько рыдающий в самой глубине души. Порою то, чего ты некогда лишился, вдруг является тебе как отражение в зеркале чужой любви; и этого безвозвратно утраченного оказывается нестерпимо много.

Семья, дом — эти простые слова подобны атоллам, поднимаемым из бездны тектоническими движениями сердца. Утрата, одиночество — эти простые слова подобны потопу, накрывающему некогда плодоносные долины.

А на островке настоящего от меня ускользала Лиза и набирало силу заклятие, вырвавшись на волю при упоминании одного имени: Карла.

Как же глупо пытаться любить, когда единственный по-настоящему любимый человек, посланный тебе судьбой, затерялся где-то в городских дебрях совсем недалеко от тебя. Отчаянная глупость — любить кого-либо вообще. Любовь не признает удачных или неудачных попыток: она приходит к нам внезапно и неотвратимо. Прозвучавшее имя Карлы было как вспышка пламени, которое жгло мое сердце, постоянно напоминая о ней.

Мы оба, Карла и я, были жертвами крушения. В то время как Лиза и прочие светлые люди, которых мы любили — или пытались любить, — под всеми парусами плыли к заветному берегу своей мечты, мы с Карлой ползком выбирались на пустынную отмель с кораблей, нами же самими потопленных. Я был сломлен. Сломлен и одинок. Возможно, и Карла тоже — на свой лад.

Я взглянул на особняк под высокой крышей: раздельные входы снаружи, объединенные жизни внутри. Найдут они свой клад или нет, это было не так уж и важно, главное — они уже нашли истинное чудо, обрели радость единения, получили ответ на свои молитвы.

Солнце вновь скрылось в наплыве туч, возвращая меня в серый мир изгоя — мой привычный дом.

ГЛАВА

16

Покинув район, где находился дом Фарзада, я выехал на широкий бульвар, который тянулся в северном направлении вдоль береговой линии. Дождевые тучи над головой набухали и уплотнялись; густая тень опускалась на улицы.

Поравнявшись с уютной, закрытой от ветров бухточкой, я сбросил скорость. Здешний берег пестрел яркими — синими, красными, зелеными — рыбацкими баркасами, вытащенными из воды для очистки днищ. Хижины рыбаков лепились друг к другу; на хлипкие крыши из пластиковых щитов и рифленого железа были уложены кирпичи и куски бетона, чтобы их не снесло ветром. Мужчины чинили растянутые на шестах сети, детишки играли на песке, гоняясь друг за другом среди сетей и лодок. С рассвета до заката эта бухта являлась небольшой, но важной частью местного рыбацкого сообщества. После полуночи она превращалась в небольшую, но важную часть местного сообщества контрабандистов, которые использовали быстроходные катера для перевозки сигарет, алкоголя, валюты и наркотиков.

Всякий раз, проезжая мимо этого места, я замедлял ход, чтобы отметить знакомые лица и признаки деловой активности. Лично меня это никак не касалось: «смотрящим» за бухтой был Фарид Решатель, который отвечал за все здешние прибыли и все риски, связанные с их получением. Я же лишь выказывал профессиональное любопытство. Каждый из нас, теневиков, знал все криминальные точки в южном Бомбее и не упускал возможности лишний раз в такие места заглянуть, просто чтобы оценить обстановку. Как однажды сказал Дидье: «Мы, преступники и отщепенцы, когда-то ютились в пещерах и тайных убежищах, и мы до сих пор испытываем тягу к подобным местам».

Я отвел взгляд от берега как раз вовремя, чтобы заметить троих мотоциклистов, двигавшихся мне навстречу по ту сторону разделительной полосы. «Скорпионы». Средним в троице был Данда, а в одном из его спутников я опознал здоровяка Ханумана, основательно обработавшего меня в пакгаузе.

Я съехал на обочину, остановился, не глуша двигателя, и стал наблюдать за ними в зеркало заднего вида. Они затормозили перед светофором в сотне метров позади меня и начали о чем-то спорить, бурно жестикулируя, а потом развернулись на перекрестке и покатили в мою сторону. Я вздохнул, на секунду отведя взгляд от зеркала.

Расклад выходил паршивым, но здесь была моя территория, и я не хотел своим бегством навести «скорпионов» на какое-нибудь из предприятий Компании. И потом, чувство собственного достоинства не позволяло мне предстать в роли труса, удирающего от погони, перед своими друзьями-гангстерами в трех-четырех кварталах отсюда. Я включил скорость, отпустил сцепление и круто развернулся. Затем дал газу и понесся навстречу «скорпионам», против движения по этой полосе.

Терять мне было нечего. Трое против одного — в любом случае шансы мои были мизерными. И я пошел на лобовое столкновение, решив, что авария все же лучше, чем безнадежное сопротивление в рукопашной схватке. Мой байк, как всегда, был со мной солидарен и не пытался отклониться от курса.

Но моим противникам, похоже, было что терять, или же их мотоциклы не так сроднились со своими владельцами: в последний момент они шарахнулись в стороны. Два «скорпиона» завиляли, стараясь удержать равновесие, а третий упал и, вылетев на обочину, заскользил по грязи вдоль бетонного ограждения.

Я тормознул с заносом, проехавшись подошвой по мокрому асфальту, после чего заглушил мотор и поставил байк на подножку.

Упавший «скорпион» кое-как встал на ноги. Им оказался Данда — а я, как назло, не запасся жгучим лосьоном. Двумя ударами — сперва левой, затем правой — я послал гаденыша в нокдаун. Тут подоспели и двое других, соскочив со своих мотоциклов. Как-то даже обидно стало за их байки, этак беспардонно брошенные на асфальт.

Ныряя, увертываясь, получая и нанося удары, я отбивался от двух «скорпионов» на обочине трассы. Машины замедляли ход, люди глазели на происходящее, но никто не останавливался.

Очухавшийся после нокдауна Данда снова ринулся в бой. Проскочив между своими соратниками, он достал меня в прыжке и вцепился в края жилета. Я потерял равновесие и рухнул навзничь; Данда со звериным рыком упал сверху и вознамерился — ни много ни мало — перегрызть мне горло. Я уже чувствовал его горячее дыхание и слюнявый язык на своей шее, его лоб упирался мне в челюсть, а пальцы не отпускали жилет, как я ни старался их оторвать. Другие «скорпионы» бегали вокруг нас и наносили удары ногами, стараясь не задеть Данду. Это у них выходило неважно: пара пинков досталась и ему, хотя Данда даже не среагировал, ну а я серьезных повреждений не получил. Два моих ножа, прижатые спиной к асфальту, давили на поясницу. У меня было четкое правило: доставать ножи только в тех случаях, когда мой противник вооружен или когда мои дела уже совсем плохи.

Наконец я сумел перекатиться и подмять под себя Данду, после чего разжал его пальцы и встал на ноги. Уж лучше бы я не вставал — Хануман оказался как раз у меня за спиной. Мощная рука обхватила мою шею и начала ее сдавливать, лишая меня воздуха.

Данда напал на меня повторно и снова пустил в ход зубы. Я понял: он был «кусакой». Я знавал одного такого в тюрьме: придя в бешенство, он вонзал зубы в противника, и оторвать «кусаку» можно было только вместе с изрядной порцией плоти. Кончилось тем, что очередная покусанная жертва выбила ему все зубы, к огромному облегчению остальных зэков. И сейчас мне ужасно хотелось проделать то же самое с Дандой.

Он сунул голову под локоть Ханумана и укусил меня за руку, которой я пытался ослабить удушающий захват. В таком положении я не мог нанести ему достаточно сильный удар другой рукой. Тогда я схватил пальцами его ухо и рванул изо всех сил, почувствовав, как ушной хрящ поддается и отделяется от головы.

Зубы Данды разжались, я отпустил ухо, и он с визгом отпрыгнул назад, зажимая ладонью кровавую рану. Свободной рукой я попробовал дотянуться до ножей за спиной. Или до мошонки Ханумана — тоже весьма эффективный прием.

И тут активизировался третий «скорпион», который начал остервенело бить меня по лицу, но при этом совсем забыл об осторожности, и я, изловчившись, угодил ему ботинком в пах. Сложившись пополам, он опустился на землю.

Я задыхался, в глазах темнело, но рука все же достала выкидной нож. Я раскрыл его и нанес удар вслепую, рассчитывая попасть в ногу Ханумана. Однако лезвие прошло вскользь. Второй удар также не удался, но с третьей попытки нож воткнулся ему в бедро. Бугай вздрогнул всем телом и на миг ослабил хватку. Это позволило мне глотнуть воздуха. Я нанес еще один удар, глубже погрузив нож в мякоть. Но Хануман резко наклонился в сторону, и я уронил нож, выдергивая его из раны.

Давление его руки не ослабевало. Как меня учили, я с самого начала уперся подбородком в сгиб его локтя, чтобы уменьшить удушающий эффект. Но это не помогало, и я начал терять сознание.

В какой-то момент я смутно расслышал голос поблизости, произносящий мое имя. Попытался повернуть голову на звук, насколько позволял захват Ханумана. Голос раздался снова.

— А теперь пригни башку, чувак, — сказал он.

И я как сквозь туман увидел огромный кулак, который летел на меня с небес, заслоняя собой весь мир. Но вместо того, чтобы расквасить мое лицо, кулак врезался во что-то другое — что-то настолько близкое, что сотрясение от удара передалось и мне. А кулак ударил еще раз и еще. Рука на моей шее разжалась, колени Ханумана подкосились, и он упал лицом вперед, с глухим чугунным звуком ударившись лбом об асфальт.

Откашливаясь, жадно хватая ртом воздух и рефлекторно принимая боевую стойку, я повернулся в ту сторону, откуда прилетел кулак. Над телом поверженного Ханумана стоял Конкэннон, картинно скрестив на груди руки.

Он приветствовал меня ухмылкой и сразу вслед за тем предупреждающе кивнул. Крутнувшись на месте, я узрел Данду в ужасающем виде: окровавленные зубы, налитые кровью глаза и струя крови, хлещущая из почти оторванного уха. А у меня, как назло, нет лосьона.

Данда весь вложился в удар, рассчитывая сбить меня с ног, однако не попал. В ответ я врезал по тому месту, где на лоскуте кожи болталась его ушная раковина. Он истошно взвизгнул — и в тот же миг на нас обрушился ливень.

Прижимая к голове ошметки уха, Данда пустился наутек; дождь раскрашивал его рубаху красным. Обернувшись, я успел заметить, как Конкэннон мощным пинком придает ускорение второму отступающему «скорпиону». С воплем тот присоединился к Данде, и оба помчались в сторону ближайшей стоянки такси.

Потоки воды вывели Ханумана из состояния грогги. Со стоном он поднялся на четвереньки, а потом, шатаясь, во весь рост — и тут понял, что остался один против нас двоих. Несколько секунд он простоял в раздумьях.

Я быстро взглянул на Конкэннона. Ольстерец ухмылялся во весь рот.

— Господи, — сказал он негромко, — пожалуйста, сделай так, чтобы этому уроду не хватило мозгов дать деру.

Но Хануман одумался и, спотыкаясь на ровном месте, припустил вдогонку за дружками.

Мой нож валялся на асфальте; ливень смывал кровь с лезвия. «Скорпионы» добежали до стоянки и втиснулись в такси, которое быстро укатило прочь. Я подобрал нож, обтер его, сложил и спрятал в чехол за спиной.

— Нефигово помахались! — сказал Конкэннон, хлопнув меня по плечу. — Теперь в самый раз догнаться косячком.

Мне было совсем не до того, но отказаться я не мог — после того, что он для меня сделал.

— О'кей.

Неподалеку от нас, под огромным развесистым деревом, находилась чайная. Я дотолкал мотоцикл до сухого места под кроной и обтер его тряпкой, предложенной хозяином заведения. Покончив с этим, я направился обратно к трассе.

— Эй, куда тебя понесло?

— Я вернусь через минуту.

— Мы только собрались культурно выпить по чашке чая, чертов австралийский варвар!

— Вернусь через минуту.

Брошенные «скорпионами» байки все так же лежали под дождем на дороге, истекая бензином и маслом. Я подобрал их и поставил на подножки у бетонного ограждения, после чего вернулся к Конкэннону. Одновременно прибыл и чай.

— Повезло тебе, что я оказался поблизости, — сказал он, отхлебывая из стакана.

— Я контролировал ситуацию.

— Ни хрена ты не контролировал! — засмеялся он.

Я посмотрел на него. Конечно, он был прав, и это следовало признать.

— Ни хрена, это факт! — рассмеялся я тоже. — Ты действительно чокнутый ирландский ублюдок. И как ты здесь очутился?

— Тут рядом мое любимое местечко, где я всегда затаривался гашишем, — сказал он, тыкая большим пальцем через плечо в направлении Кафф-Парейда. — Но на днях кто-то сбросил чувака с соседнего дома прямо на крышу этой лавчонки. И на башку Пателя, ее владельца.

— Подумать только!

— Одно утешает: вместе с Пателем придавило и местечкового барда, и я на этом чуток сэкономлю — приходилось всякий раз совать ему в зубы бумажку, чтоб он хоть ненадолго заткнулся... Я забыл, о чем мы говорили?

— Ты объяснял, что сейчас делаешь в этих местах.

— А ты небось подумал, что я за тобой слежу? Да? Ты слишком много о себе воображаешь, чувак. Я здесь просто покупаю гашиш.

— Угу.

Какое-то время прошло в молчании — неуютном молчании двух мужчин, думающих о совершенно разных вещах.

— Почему ты мне помог?

Он посмотрел на меня так, словно был искренне возмущен вопросом.

— А почему один белый человек не может помочь другому белому человеку в сраном дикарском бардаке вроде этого?

— Опять тебя заносит.

— Ладно-ладно, — сказал он, примирительно кладя руку мне на колено. — Я знаю, что у тебя мягкое сердце. Я знаю, что ты сердобольный тип. И это с понтом делает тебе честь. Ты умудряешься сострадать даже разбитым мотоциклам — да сжалится Господь над твоей черепушкой. Но тебе не по вкусу моя привычка говорить обо всем прямо и откровенно. Ты не любишь, когда туземца называют дикарем, а гомика — пидором.

— Думаю, на этом мы закончим, Конкэннон.

— Дай мне высказаться. Я понимаю, что это ранит твою чувствительную душу. Я все понимаю, поверь. И как раз *это* мне в тебе не нравится. Скажу напрямик: я не уважаю добрячков. Да и как можно уважать мягкотелость? Ты прекрасно знаешь, о чем речь. Ты ведь, как и я, бывал по ту сторону обычных вещей и понятий. Но и после того ты остался сердобольным добряком, хотя у тебя больше общего со мной, чем ты думаешь.

— Конкэннон...

— Погоди, я еще не закончил. Сострадание — это чертовски хитрая штука. Люди сразу чувствуют, когда оно искреннее, а когда нет. Имитировать сострадание невозможно. Уж я-то знаю. Пробовал. И все без толку. Я натурально разболелся от этих попыток. Чтобы поправиться, мне пришлось снова стать настоящим собой — то есть равнодушным сукиным сыном. Зато настоящим. Суть в том, что меня привлекает все настоящее — пусть даже дрянное, но настоящее. Пусть даже мне самому это противно. Понимаешь, о чем я?

— Ты слишком плохо меня знаешь, чтобы судить, — сказал я, встречаясь с ним взглядом.

— Как раз тут ты ошибаешься. Я уже достаточно долго торчу в Бомбее. В первый раз я мельком услышал твое имя через несколько дней после приезда, когда поцапался с кем-то в одном притоне. Затем я услышал его снова, дважды с небольшим перерывом. Поначалу я думал, что речь идет о двух разных иностранцах, пока не выяснил, что Лин и Шантарам — это один и тот же отпетый чудик.

— Стало быть, ты все-таки за мной следил.

— Не совсем так. Просто я был заинтригован. И начал наводить о тебе справки. Я стал знакомиться с людьми, которые тебя знали и имели с тобой дело. Я даже познакомился с твоей подружкой.

— Что?!

— Она не рассказывала о нашей встрече?

Он ухмыльнулся. Эта его ухмылка начинала меня раздражать все сильнее.

— Интересно, почему она тебе не рассказала? Может, положила на меня глаз?

— Ты к чему клонишь?

— Ладно, не бери в голову, — сказал он. — Мы с ней познакомились на выставке.

Мои брови удивленно поползли вверх, и это его разозлило.

— Что такого? По-твоему, хамоватый ольстерский плебей не может интересоваться искусством? Ты это хочешь сказать?

— Давай ближе к теме.

— Да нет никакой темы, чувак. Я встретил Лизу — так ведь ее зовут? — на выставке. Мы поболтали немного, и все дела.

— Что тебе от нее нужно?

— Послушай, в момент знакомства я даже не знал, что она твоя девчонка. Только потом, когда один из ее приятелей назвал твое имя, я врубился в ситуацию. Клянусь.

— Держись от нее подальше, Конкэннон.

— С какой стати? Похоже, я ей приглянулся. А она приглянулась мне — это уж точно. Мы неплохо поладили. Не сегодня завтра тебе придется ее отпустить, да ты и сам наверняка это понимаешь, не так ли?

— Хватит, — сказал я, поднимаясь.

— Еще минуту! — попросил он, дотронувшись до моей руки. — Прошу. Я не хочу с тобой драться, чувак. Я и не думал... в смысле... У меня нет цели тебя разозлить. Просто я по-другому не умею. Сам понимаю, что это погано, но по-другому не могу, хоть ты тресни. Пусть тебя это бесит, но зато ты можешь быть уверен, что я не притворяюсь. Это настоящий я — такой, какой есть. И я вовсе не хочу задевать твои чувства, даже если так оно нечаянно выходит. Я всего лишь хочу поговорить по душам.

Я пытался прочитать его взгляд. Зрачки были размером с булавочную головку: крошечные темные точки среди льдисто-голубой пустоты. Я отвернулся.

На шоссе рядом с мотоциклами «скорпионов» остановился грузовик-эвакуатор. Спрыгнувшие с него рабочие поочередно загрузили байки в кузов и, поставив их на дыбы для компактности, прислонили к другим таким же, ранее изъятым с улиц за нарушение правил парковки.

Конкэннон проследил за направлением моего взгляда.

— Не появись я вовремя, — заметил он, — сейчас в кузов закидывали бы твое мертвое тело.

И он был прав. Мне он не нравился, и я все больше уверялся в том, что он безумен. Однако его вмешательство действительно было своевременным и спасло мне жизнь.

Я снова сел за столик. Конкэннон заказал еще два стакана чая. Его толстые пальцы сноровисто свернули небольшой косяк.

— Покуришь со мной?

Я взял самокрутку и прикурил от спички, которую он поднес, ковшиком сложив ладони. После пары затяжек я передал косяк ему.

— А сейчас, поскольку ты вечно обижаешься, порываешься уйти или дать мне в морду, я прекращаю пустой треп и перехожу к делу, — сказал он, выпуская струю голубоватого дыма.

— К какому еще делу?

— Я собираю новую банду и хочу, чтобы ты ко мне присоединился.

Тут уже я не удержался от смеха.

— Что в этом смешного?

— Но... с какой целью?

— С какой целью я собираю свою банду? — переспросил он, возвращая мне косяк. — Да с самой обычной, с какой же еще? Раздобудем стволы, устроим пару заварушек, запугаем кого-нибудь до смерти, вытрясем из него кучу бабла и будем гулять на всю катушку, покуда не загнемся.

— Загнуться в загуле? Это и есть твоя золотая мечта?

В этот самый момент к нам приблизился мой знакомый по имени Джибрил, державший лошадей в расположенных неподалеку конюшнях. Я встал, чтобы его поприветствовать.

Этот мягкий стеснительный человек испытывал трудности при общении с себе подобными, но был чрезвычайно разговорчивым и дружелюбным, общаясь с лошадьми. Несколько недель назад его дочь слегла с лихорадкой, и состояние ее быстро ухудшалось. Джибрил связался со мной через знакомых в трущобах и согласился на мое предложение провести вирусно-токсикологическое обследование в частной клинике.

Я оплатил все анализы, в итоге показавшие, что у девочки лептоспироз — очень опасное заболевание, передаваемое, в частности, через мочу крыс. Благодаря тому, что болезнь выявили на ранней стадии, лечение проходило успешно.

И сейчас, сжимая мои ладони обеими руками, Джибрил радостно сообщил, что его дочь идет на поправку, и пригласил меня к себе домой на чай. Поблагодарив за приглашение, я в свою очередь предложил ему присоединиться к нам. Он с извинениями отказался, поскольку спешил на встречу с торговцем, который поставлял корм для его лошадей.

— Теперь ты понимаешь, что я имел в виду? — сказал Конкэннон, когда я вновь занял место за столом. — Эти местные тебя любят. А меня нет. Да мне и не нужна их любовь. Мне не нужно их угощение — терпеть не могу эту паршивую жрачку! Я не хочу смотреть их дурацкие фильмы, не хочу разговаривать на их гребаном языке. А вот ты совсем другое дело. Ты с ними общаешься, ты их понимаешь, и они уважают тебя за это. Подумай о моем предложении. Вместе мы сможем проворачивать нехилые дела. Мы сможем подмять под себя эту часть города!

— А зачем нам это делать? — спросил я со смехом.

— Потому что мы это *можем*, — сказал он, доверительно наклоняясь ко мне.

«Потому что мы это можем» — вот оно, кредо любой власти с тех давних времен, когда сама идея власти над себе подобными зародилась в головах наших далеких предков.

— Но это не причина, это всего лишь предлог.

— Оглянись вокруг! Девяносто девять процентов людей делают то, что им велено. Но ты и я... мы с тобой принадлежим к оставшемуся одному проценту. Мы берем то, что хотим, тогда как все прочие берут лишь то, что им *позволяют взять*.

— Люди восстают против этого.

— Бывает и такое, — согласился он. — Время от времени. Но потом один процент снова лишает их всех вольностей, а до кучи еще гордости и достоинства, и они возвращаются в свое исконное рабское состояние.

— Знаешь, — сказал я со вздохом, глядя в его бледно-голубые глаза, — я не то чтобы не согласен с твоими словами, но мне противно их слышать.

— И в этом вся прелесть! — вскричал он, хлопнув себя ладонями по бедрам. Затем, выдержав паузу и убедившись по моему виду, что я заинтригован такой реакцией, продолжил: — Вот, смотри... Моя мать умерла, когда я был совсем еще мальцом. Отец крутился как мог, но не сводил концы с концами. Нас было пятеро детей, все младше десяти лет. А отец еще и болел. В конце концов он отдал нас в разные сиротские приюты. Мы были протестантами. Девчонки попали в протестантские приюты, но мне и братишке места в таких не нашлось, и мы очутились среди католиков.

Он умолк, глядя себе под ноги. Дождь вновь усилился, дробно, как барабанщики на свадьбе, молотя по навесу чайной. Конкэннон начал водить носком ботинка по сырой земле, оставляя на ней какие-то замысловатые узоры.

— Там был один священник.

Он поднял глаза. Я видел линии и точки на голубой радужке вокруг крошечных зрачков. Белки его глаз вдруг налились кровью.

— Я не буду говорить об этом, — заявил он, и вновь над столиком повисло тяжелое молчание.

Его глаза наполнились слезами. Он сжал челюсти и сглотнул в попытке преодолеть этот позыв. Но слезы потекли по щекам, и он отвернулся.

— Гад ты поганый! — рявкнул Конкэннон, вытирая глаза тылом руки.

— Я?!

— Да, черт возьми, ты! Вот что делает с людьми это твое милое благоразумие! Оно превращает их в слюнявых слабаков. Впервые за много лет я пустил слезу, и еще дольше я не говорил об этом ублюдочном святоше! Но именно поэтому... да, именно поэтому мы с тобой отлично сработаемся, понимаешь?

— Да нет, не очень.

— Я покинул приют в шестнадцать лет. К восемнадцати на моем счету было уже шесть трупов. В том числе я прикончил и того священника. Видел бы ты, как он унижался, цепляясь за свою жизнь, никчемный огрызок!

Он снова умолк, и рот его сжался в одну горестную складку. Я понадеялся, что этим все и закончится. Но нет.

— Знаешь, я его простил, прежде чем убить.

— Конкэннон, я...

— Ты дашь мне договорить?

Выглядел он просто жутко.

— Хорошо.

— Больше я никого не прощал после того случая, — продолжил он со свирепой ухмылкой, вызванной этим воспоминанием. — Вступил добровольцем в Ассоциацию обороны Ольстера. Я разбивал головы и простреливал колени католикам, отправлял посылки с кусками тел пойманных нами собак из ИРА их вдовам и делал много чего еще. Мы сотрудничали с копами и армией — разумеется, неофициально, но нам давали хренов зеленый свет. Мы были типа «эскадронов смерти», убивали и калечили по заказу, и никто не задавал нам никаких вопросов.

— Конкэннон...

— Потом все пошло наперекосяк. Я вроде как сорвался с поводка. Они сказали, что я, мол, переусердствовал с насилием. Переусердствовал! Но это же, черт возьми, война! Как можно *переусердствовать* с насилием на войне? И они от меня отделались. Отправили сначала в Шотландию, потом в Лондон — ненавижу этот дерьмовый город! Я уехал оттуда, бывал в разных местах и вот оказался здесь.

— Послушай, Конкэннон...

— Знаю, — прервал он меня. — Знаю, что ты думаешь и что ты хочешь сказать. И ты прав на мой счет, не могу этого отрицать. Мне нравится причинять боль людям, когда они того заслуживают. Я чокнутый сукин сын. На мое счастье, здесь полно чокнутых девиц, так что скучать не приходится. Но ты совсем другой. У тебя есть свои принципы. Схватываешь мою мысль? Мы с тобой та еще парочка: ты мастер «говорить мягко», а я люблю махать «большой дубинкой»[1]. Ты смотришь им в глаза, проворачиваешь дела, пожимаешь руки. А я отрубаю им руки, если они не захотят подчиняться.

— Отрубать людям руки после пожатия — мощная идея, что и говорить.

— Я хорошо все продумал, — сказал он нервно. — Вот почему я пытался увести тебя от этого французского гомика.

— Ты просто не знаешь, когда нужно остановиться, верно?

— Нет, погоди, я еще не закончил. Это... возьмем для примера религию... Если очистить религию от всего наносного, вернуть ее к основам, на которых она держалась сотни и сотни лет, останется только комбинация из красивых слов и страха перед вечными адскими муками. То же самое, что ты и я. Вместе мы составим похожую комбинацию. Попы и муллы жирели на ней столетиями.

Я протяжно вздохнул и уперся ладонями в колени, готовясь встать. Он попытался меня задержать, схватив за запястье. Как клещами сдавил — хватка у него была железная.

— Не советую этого делать, — сказал я.

Он отпустил мою руку.

— Извини, я... я только хочу, чтобы ты подумал над этим, — сказал он со слабым подобием прежней ухмылки. — Вернемся к этому разговору через несколько дней. На всякий случай имей в виду: мы будем в деле не только вдвоем — понятно, если ты согласишься. Я прощупываю почву, встречаюсь с разными людьми, и многие из них заинтересовались, можешь не сомневаться. Обдумай все на досуге, большего я не прошу. Это не слишком высокая цена за спасение твоей *мягко-говорящей* задницы, верно? Я бы хотел видеть тебя в своей команде. Мне нужен кто-то, с кем можно поговорить. Кто-то, кому я мог бы доверять. Так что подумай над моим предложением...

И я уехал, оставив его под синим пластиковым навесом. Я не думал о его предложении, но о нем самом я вспоминал не раз, объезжая бары и рестораны, в которых мы обычно встречались с клиентами.

Я общался с нужными людьми. Я слушал гангстерскую «музыку улиц»: сплетни, ложь, клевету и взаимные обвинения. Это всегда занимательно. Но как только выдавалась свободная минута, мои мысли возвращались к Конкэннону и к тем слезам, которые он безуспешно пытался сдержать.

Какие мечты, какие надежды, какое отчаяние побуждают нас совершать те или иные поступки лишь затем, чтобы сразу поки-

---

[1] Намек на известную фразу Теодора Рузвельта (1858–1919), в свою очередь процитировавшего африканскую пословицу: «Говори мягко, но держи в руках большую дубинку».

нуть нас, как только дело будет сделано? Неужели все эти побудительные мотивы — только жалкие пустышки, рожденные в ночной тьме и бесследно исчезающие в ярком свете вызванных ими последствий? Все сотворенное нами в этой жизни сохраняется внутри нас еще долгое время после того, как наши амбиции и страхи покроются пеплом и инеем на каких-нибудь забытых берегах. Теми, какие мы есть, нас в первую очередь делают наши поступки, а не наши мысли или слова.

Конкэннон мечтал ворваться в здешний криминальный мир, тогда как я стремился из него вырваться. Слишком долго я жил и действовал под страхом ареста и депортации — и этот страх превратился в подобие отражения на водной глади, глядясь в которое я отпускал грехи самому себе. Но теперь вода покрылась рябью, и отражение, к которому я до сих пор обращался, начало смазываться и исчезать.

ГЛАВА 17

Я ждал Лизу перед отелем «Махеш», с удовольствием наблюдая за жизнью Города семи островов. В течение дня несколько раз прошли короткие, но сильные дожди, но сейчас вечерний воздух под серым небом вновь был сухим и горячим, как до муссона.

Волны разбивались о парапет и, перехлестывая через него, доставали до середины широкой набережной. Детвора шумно приветствовала самые большие волны, бегая под их брызгами, от которых шарахались гуляющие парочки. Рядом замедляли ход рикши, зазывая желающих прокатиться в хлипкого вида тележках на высоких колесах. Торговцы арахисом сновали тут и там, раздувая веерами тлеющие угли в переносных жаровнях, ароматный дым от которых стелился над набережной и вводил в искушение прохожих.

В целом город, омытый ливнями, благоухал сильнее обычного. Казалось, низкое облачное небо прижимает к земле запахи от сотен закусочных и лотков со снедью, приправами, бетелем, благовониями и гирляндами жасмина, в изобилии предлагаемыми на каждом перекрестке.

Из созерцательного состояния меня вывел голос Лизы, незаметно возникшей рядом.

— Пенни штрафа за рассеянность, — сказала она.

— Пенни сейчас уже не чеканят, — ответил я и поцеловал ее.

— Ты забыл, что мы в Бомбее? — спросила она, однако же не сопротивляясь. — Здесь можно попасть под арест за поцелуи на публике.

— Может, они посадят нас в одну камеру, — предположил я.

— Это вряд ли, — засмеялась она.

— Тогда я сначала сбегу сам, а затем вытащу и тебя.

— И что дальше?

— Я привезу тебя в это самое место в такой же вечер и снова публично поцелую, как сейчас.

— Погоди-ка, — сказала она, разглядывая мое лицо. — Да ты опять нарвался на побои!

— С чего ты взяла?

— А то я не вижу? Не пытайся меня обмануть, красавчик фингалистый.

— Что?

— Боже, Лин! Снова драка? Да что с тобой творится?

— Все в порядке, Лиза. Я жив-здоров. И я сейчас здесь с тобой.

Я поцеловал ее.

— Надо спешить, — сказала она, отстраняясь, — а то начнется без нас.

— Как это без нас?

— Не «как», а «что», горе-писака. Скоро узнаешь.

Она повела меня от набережной к променаду, окаймлявшему расположенное неподалеку высотное здание авиакомпании «Эйр Индия». Офисы уже закрылись, но в вестибюле на первом этаже горели тусклые ночные лампы, позволяя разглядеть конторки и дверные проемы в глубине помещения.

Обойдя здание, мы остановились перед запертой стеклянной дверью служебного входа. Лиза знаком велела мне подождать и нервно оглянулась на небольшой отрезок улицы, видимый с этой позиции. Там было безлюдно.

— Ну и что мы тут...

— Мы тут ждем, — оборвала она меня.

— Кого ждем?

— Да вот его.

Внутри здания замелькал луч света, и к стеклянной двери приблизился охранник с фонарем. Он открыл замок одним из ключей на увесистой связке, распахнул дверь, жестом призвав нас поторопиться, после чего вновь запер вход.

— Сюда, — сказал он. — Идите за мной.

Мы прошли несколько коридоров и помещений с рядами пустых столов и добрались до грузового лифта в дальнем конце здания.

— Этот лифт не отключают на ночь, — сообщил он с довольной улыбкой. — После остановки на самом верху еще два эта-

189

жа по лестнице — и вы на крыше. А теперь мой бонус, будьте добры.

Лиза передала ему пачку банкнот. Охранник откозырял нам и, нажав кнопку на панели, пригласил войти в открывшийся лифт.

— Значит, мы будем грабить «Эйр Индию», — сказал я в процессе подъема. — А всего десять минут назад ты тревожилась из-за поцелуя на публике.

— Вовсе я не тревожилась. И мы здесь не для ограбления. Это будет закрытая вечеринка, только для избранных.

Двери лифта отворились, и мы увидели зал архива, забитый картотечными шкафами и полками, на которых пылились ряды бесчисленных папок.

— О, так это вечеринка в кафкианском стиле! Интересно, что у них в меню.

— Быстрее! — сказала Лиза, устремляясь к лестнице. — Не то опоздаем.

Шагая через две ступеньки, она повела меня наверх и там остановилась перед железной дверью.

— Надеюсь, он оставил ее незапертой, как обещал, — сказала она шепотом и нажала ручку.

Еще пара шагов, и мы очутились на крыше здания — обширной площадке с низкими металлическими будочками по периметру.

А над нашими головами, поддерживаемая мощными стальными опорами, высилась десятиметровая светящаяся эмблема компании «Эйр Индия»: стилизованный кентавр с натянутым луком, пролетающий в прыжке через разомкнутое кольцо.

Гигантская фигура была закреплена на стальном поворотном стенде, который, в свою очередь, фиксировался многочисленными тросами и крепежными балками. Как и все бомбейцы, я сотни раз наблюдал вращение этого знака над зданием «Эйр Индии», но оказаться на крыше с ним рядом, высоко над океанским простором, — это было совсем другое дело.

— Вот это да!

— Мы успели вовремя, — сказала Лиза.

— А разве тут прекрасно не в любое время? Какой вид!

— Подожди, — сказала она, глядя вверх на эмблему с лучником. — Подожди.

Поблизости что-то зажужжало и заскрежетало — судя по звуку, запустился генератор. Начала раскручиваться турбина, глухое урчание которой постепенно сменилось утробным воем. Послышались ритмичные щелчки конденсатора — или нескольких конденсаторов, — а затем фигура над нами, пару раз мигнув, мощно вспыхнула, заливая все вокруг кроваво-красным светом. Еще через несколько секунд алый стреляющий кентавр начал вращаться вокруг своей оси.

Лиза возбужденно приплясывала, широко раскинув руки.

— Ну и как тебе это? — крикнула она. — Вот теперь в самом деле прекрасно!

Задрав головы, мы наблюдали за тем, как громадная эмблема разворачивается лицевой стороной к морю. К тому времени тучи вновь набухли и слились в одну темную массу. Отдаленные ветвистые молнии разрезали мрак, подобно ребрам небесных великанов, беспокойно ворочавшихся на облачном ложе.

— Тебе нравится? — спросила она, прижимаясь ко мне.

— Даже очень. Как ты до этого додумалась?

— Я побывала здесь пару недель назад вместе с Ришем — ты недавно встречался с ним в галерее. У него была идея сделать полноразмерную копию этого лучника для новой Бомбейской выставки. Для начала он захотел взглянуть на него вблизи и позвал меня за компанию. Когда мы поднялись сюда и все разглядели, он отказался от этого проекта. Но мне это так понравилось, что я обворожила охранника, и он за взятку пообещал пустить сюда нас двоих, тебя и меня.

— Так ты его обворожила или подкупила?

— И то и другое. Я ведь подкупающе обворожительная девушка.

С минуту мы молча смотрели на штормовое море далеко внизу. Зрелище пугало и завораживало, но внезапно — как уже не раз случалось этим днем — мне вспомнился Конкэннон.

— Послушай, ты не общалась в последнее время с высоким ирландским парнем по фамилии Конкэннон?

Она задумалась, приподнимая верхнюю губу, — мне всегда особенно нравилась эта ее гримаска.

— Должно быть, Фергюс? Его зовут Фергюс?

— Мне он известен только как Конкэннон, — сказал я. — Но ты его ни с кем не спутаешь. Рослый, длинноногий, кажется грузным, но на самом деле очень подвижный и неслабо боксирует. Светлые рыжеватые волосы, жесткий взгляд. Он говорил, что встречался с тобой на выставке.

— Да, это Фергюс, так он представился. Я общалась с ним только один раз. А что?

— Ничего особенного. Просто мне интересно, что он мог делать на выставке. Не похож он на ценителя искусства.

— На той выставке кто только не тусовался, — припомнила она. — Это было самое успешное из наших шоу. Одно из тех, на которых бывают и люди далекие от искусства.

— Наверно, тема была жизненная?

— Да, о людских судьбах, разрушенных из-за конфликтов между сыновьями и отцами. Выставка так и называлась: «Сыновья своих отцов». Ее бурно обсуждали в прессе. Ранджит постарался на славу. И это привлекло толпу посетителей. Да я ведь тебе рассказывала, разве не помнишь?

— Нет. Я тогда был в Гоа, а позднее ты ничего об этом не говорила.

— Неужели? Я была уверена, что рассказывала. Странно, да?

— Не так чтобы очень.

«Сыновья своих отцов». Возможно, именно эти слова, случайно замеченные на афише, и привлекли Конкэннона на мероприятие. Или же он следил за мной, а потом за Лизой и воспользовался выставкой для знакомства с ней?

По его взгляду во время нашего разговора было видно, как мучительны для него воспоминания о детстве и юности. У меня самого подобных воспоминаний хватало, а по ночам являлись кошмары из прошлого, возвращались призрачные лица тех, кого я, казалось бы, уже благополучно забыл.

Я посмотрел на точеный профиль Лизы: глубоко посаженные глаза, небольшой тонкий нос, изящный удлиненный подбородок, почти никогда не сходящая с губ полуулыбка. Ветер развевал ее светлые волосы, превращая их в подобие нимба.

На ней было свободное черное платье до колен, с высоким жестким воротником, но с открытыми плечами. Она скинула сандалии и теперь стояла босиком. Единственным ее украшением было бирюзовое ожерелье, составленное из разных по форме и размеру бусин. Лиза увидела выражение моего лица и чуть наморщила лоб.

— Ты знаешь, какой сегодня день? — спросила она и рассмеялась, когда мои глаза озадаченно расширились. — Сегодня у нас годовщина.

— Но мы ведь с тобой...

— Я говорю о том дне, когда я впервые поняла, что могу тебя полюбить, — пояснила она, наслаждаясь моим замешательством. — Ровно два года назад, через неделю после свадьбы Карлы, ты остановил свой байк рядом со мной на Козуэй, когда я пережидала дождь.

— Я надеялся, что ты уже забыла о том случае. Я тогда был под сильным кайфом.

— Что верно, то верно, — согласилась она. — Ты заметил меня в толпе под навесом у магазина и подкатил с предложением подбросить до дома. А дождь стоял стеной...

— Назревал большой потоп, и я подумал, что тебе будет непросто добраться домой.

— Да, лило как из ведра. И вдруг появляешься ты, на мотоцикле под ливнем, весь мокрый насквозь, и предлагаешь подвезти меня, стоящую в сухом и безопасном месте. Я хохотала от души.

— Ладно-ладно...

— А потом ты слез с байка и начал танцевать под дождем на глазах у всех.

— Чертовски глупо.

— Да нет же! Как раз это мне очень понравилось.

— Глупо, — повторил я, качая головой.

— Думаю, ты должен дать обет перед силами вселенной: находясь в Бомбее, танцевать под дождем хотя бы один раз за время муссона.

— Насчет сил вселенной не знаю, но перед *тобой* я готов дать обет. Отныне обещаю в каждый из муссонов на моем веку хотя бы раз потанцевать под дождем.

Гроза приближалась. Молнии яростно метались над морем. Еще через мгновение первый громовой раскат потряс небо.

— Сейчас польет вовсю.

— Иди сюда, — сказала Лиза, беря меня за руку.

Она подвела меня к подножию медленно вращающегося лучника, нырнула в тень и тут же появилась обратно с плетеной корзиной в руке.

— Я заплатила охраннику, чтобы он спрятал это здесь для нас, — объяснила она, открывая корзину, в которой обнаружились большое одеяло, бутылка шампанского и несколько бокалов. Она протянула мне бутылку. — Открывай, Лин.

Пока я возился с фольгой и проволочной уздечкой, она расстелила одеяло, придавив его найденными на крыше кусками арматуры, чтобы не унесло порывом ветра.

— А ты и вправду все продумала, — сказал я и выстрелил пробкой.

— Ты и половины еще не знаешь. Это уникальное место. Когда мы были здесь с Ришем, я хорошенько осмотрелась и поняла, что это одно из очень немногих мест в Бомбее — а то и вовсе единственное место, — где никто не сможет увидеть тебя из окна.

С этими словами она стянула платье через голову и отбросила его в сторону. Под платьем на ней ничего не было. Она протянула два бокала, чтобы я их наполнил. Так я и сделал, и мы чокнулись.

— За что выпьем? — спросил я.

— Почему бы тебе тоже не скинуть свою чертову одежду?

— Лиза, — сказал я серьезно, — нам надо поговорить.

— Да, — сказала она. — Но сначала выпьем. Я скажу тост.

— Давай.

— За влюбленных глупцов.

— За влюбленных глупцов.

Она осушила бокал и швырнула его через плечо. Бокал звонко разбился о бетонную опору.

— Всегда хотела это сделать, — заявила она радостно.

— Послушай, нам необходимо поговорить...

— Нет, — сказала она и принялась срывать с меня одежду. Когда мы оба оказались голыми, она взяла новый бокал.

— Еще один тост, и после этого поговорим, — сказала она.

— Хорошо. Выпьем за дождь, — предложил я. — За дождь, очищающий нас изнутри и снаружи.

— За очищающий дождь! — согласилась она.

Мы выпили.

— Лиза...

— Нет, выпьем еще.

— Но ты же сказала...

— Я еще не готова.

— В каком смысле?

— В смысле: меня еще не развезло.

Схватив бутылку, она вновь наполнила бокалы.

— На сей раз без тостов, — сказала она, сделав большой глоток. — Пьем до дна.

Мы выпили. Еще один бокал звякнул, улетев куда-то в тень. Она опрокинула меня на одеяло, но тут же выскользнула из моих рук и стала в позу на фоне неба.

— Ты не против, если я буду разговаривать танцуя? — спросила она, раскачиваясь и встряхивая волосами на ветру.

— Постараюсь быть не против, — пообещал я и откинулся на спину, подложив руки под голову.

— Есть еще одна дата, которую стоит отметить, — сказала она с мечтательным видом.

— А ты знаешь, что в аду предусмотрены специальные пытки для людей, никогда не забывающих дни рождения и юбилеи?

— Но эта дата не из прошлого. Это начало *новых нас* через два года после прежней даты.

— Новых нас?

— Да, — сказала она, кружась в танце. — Вместо тех, какими мы были.

— Какими мы *были*?

— Именно так.

— И когда же мы перестали ими быть?

— Сегодня.

— Неужели?

— Да.

— Когда ехали в лифте или когда поднимались по лестнице?

Она смеялась и танцевала под только ей одной слышную музыку, в такт которой двигались ее голова, руки, ноги и бедра.

— Это танец дождя, — сказала она, совершая руками плавательные движения. — Сейчас нам нужен дождь.

Я посмотрел на громадный, медленно крутящийся диск с лучником в центре, стальными тросами закрепленный на крыше одного из высочайших зданий города. Дождь. Гроза. А значит, и молнии. Пламенеющий лучник казался идеальной мишенью для молний.

— А нужен ли нам дождь прямо сейчас?

— Конечно, — сказала она, падая на одеяло рядом со мной. — И он скоро пойдет.

Она схватила бутылку, набрала полный рот шампанского и перелила его в меня вместе со смачным поцелуем.

— Я хочу, чтобы у нас были открытые отношения, — сказала она, когда наши губы разомкнулись.

— Да мы и так открыты дальше некуда, — улыбнулся я.

— Я хочу встречаться не только с тобой, но и с другими людьми.

— А, так вот о какой открытости речь.

— И тебе тоже не помешает встречаться с другими. Разумеется, не регулярно. Не во вред нашим отношениям. Меня вряд ли обрадует твоя прочная связь на стороне, но развлечься время от времени — почему бы нет? Уже и кандидатка есть на примете: подруга, которая на тебя запала. Она такая милашка, что я не отказалась бы и от секса втроем.

— Что?

— Достаточно будет одного слова, — заверила она, глядя мне в глаза.

Буря была уже на подходе. Ветер все явственнее доносил до нас запахи моря. Я поднял взгляд к небу. Гордость по большей части питается гневом, а в смирении куда больше правоты. Я не имел права указывать, что ей делать, а что нет. Я даже не имел права ее спрашивать. Наша любовь была не того сорта.

— Я не имею права... — начал я.

— Я хочу быть с тобой, если ты готов меня любить, — произнесла она, положив голову мне на грудь. — Но я также хочу, чтобы мы оба встречались и с другими.

— Ты выбрала очень странную манеру сообщить мне об этом.

— Не более странную, чем само сообщение.

— И все же...

— Я не знала, как ты среагируешь. Да и сейчас еще не знаю. И я подумала, что если тебе идея не понравится, это будет последний раз, когда мы займемся любовью. А если ты одобришь, это будет первый раз между *новыми нами*, свободными делать то, что нам хочется. В любом варианте событие должно быть знаковое.

Мы переглянулись, уже готовые засмеяться.

— Тебе ведь нравится моя идея, да?

— Еще бы!

— Я говорю в целом об этой вечеринке на крыше.

— И я о том же.

Я пригладил ее растрепанные ветром волосы.

— Ты изумительная девушка, Лиза. Я не перестаю тобой восхищаться.

— А знаешь, — промурлыкала она, — я провела небольшое исследование.

— Насчет чего?

— Насчет того, как часто молнии ударяют в это самое место. Хочешь знать результат?

Но меня это уже не волновало. Я знал, что творилось с нами сейчас, но не хотел знать, к чему это все приведет.

И тут буря наконец добралась до «Эйр Индии». Небеса пролились дождем, и его серебряные струи наполнили наши рты. Она рывком притянула меня к себе, погрузила меня в себя, сомкнула ноги на моей пояснице и задала ритм, то ослабляя, то усиливая захват.

Ветер и дождь молотили меня по спине. Я прижался лбом к ее лбу, прикрывая от дождя ее лицо и видя ее глаза всего лишь на расстоянии ресниц. Теплая влага муссона стекала с моей головы и всплесками вздымалась с поверхности крыши. Мы соединили рты, передавая друг другу дыхание, делясь воздухом в окружении воды. Затем она перевернула меня на спину и села сверху, упираясь ладонями мне в грудь.

Новый раскат грома грянул совсем близко, и ливень еще усилился. Вода ручьями стекала с ее волос и грудей, заливая мой рот. Начала затапливать крышу, охватывая нас водоворотом посреди тайного маленького моря, высоко над улицами островного города.

Ее пальцы сжались, спина напряглась, выгибаясь дугой на кошачий манер. Затем ладони соскользнули с моей груди, она села вертикально, по-прежнему сохраняя меня внутри своего тела, подняла лицо к небу и раскинула руки.

В ушах моих раздался барабанный бой — как тяжелые шаги в гулком зале памяти, — то стучало мое сердце. Мы разъединились. В тот миг все казалось простым и ясным: и наше прошлое, и вероятное будущее.

Вспышка молнии отразилась в струящейся воде на крыше вокруг нас. И все они закружились над моей головой — и Лиза, и буря, и колесо Судьбы, и весь мир в кроваво-красном зареве, включая океан небес, этот падающий океан небес.

Часть четвертая

ГЛАВА

 18

Для управления гангстерским предприятием необходимы обострённое чувство опасности, склонность к жестоким эксцессам и способность держать своих клевретов на подножном корму в тисках между страхом и завистью. При всём том управление гангстерским предприятием — это каждодневный труд. Проснувшись рано утром после бурной ночи на крыше, я чувствовал себя так, словно стрела гигантского лучника вышибла из меня все внутренности, оставив вместо них лишь пламенеющую пустоту. Но уже в девять утра я сидел за своим рабочим столом в паспортной мастерской.

Через три часа напряжённой работы с Кришной и Виллу новые паспорта были доведены до надлежащей кондиции. Я также позвонил своему человеку в муниципальном совете Бомбея и попросил прислать образцы разрешительных документов, чтобы ориентироваться на них при изготовлении подделки для одержимых кладоискательством родных и соседей Фарзада. Затем отправился на Козуэй перекусить и провернуть кое-какие дела.

Большинство пяти-, четырёх- и трёхзвёздочных отелей в южном Бомбее находились в радиусе трёх километров от монументальных Ворот в Индию. Здесь, на узкой оконечности полуострова, обретались девяносто процентов посещающих город туристов; здесь же были сосредоточены девяносто пять процентов бомбейской торговли фальшивыми паспортами и восемьдесят пять процентов оборота наркотиков.

Компания Санджая крышевала бóльшую часть бизнеса в этом районе, взимая «плату за покровительство» — так называемую нафту (что переводится как «неделя»). От нафты были освобождены только семь ресторанов и баров, владельцы которых взамен предоставляли свои помещения разного рода личностям, работавшим на Компанию: спекулянтам, сводникам, туристическим гидам, карманникам, наркодилерам, торговцам чёрного рынка. В этих заведениях теневики без проблем приобретали всевозможные товары, документы и информацию.

Мое подразделение Компании также регулярно проверяло эти семь точек, в первую очередь интересуясь легальными паспортами как исходным материалом для фальсификаций. Чаще всего эту работу выполнял я сам, каждый день меняя порядок и время посещения баров и ресторанов, чтобы враги и потенциальные конкуренты не смогли предугадать мой маршрут и подстеречь меня в каком-то из этих мест.

В тот день я начал с ресторана «Трафальгар», расположенного на углу рядом с полицейским участком Колабы, — напрямую оттуда до рабочего стола Дилипа-Молнии всего-то хороший бросок ножа. Преодолев три крутые ступеньки перед входом в ресторан, я задержался, чтобы поздороваться с «запоминальщиком» по имени Хришикеш.

«Запоминальщиками» в те годы называли особую категорию лиц, подвизавшихся в бомбейском криминальном сообществе. Они не обладали отвагой и безрассудством для совершения противоправных действий с риском схлопотать тюремный срок, но зато использовали свой интеллект и великолепную память, чтобы зарабатывать на жизнь, помогая всяким отважным болванам эти действия совершать. Обычно они занимали позиции в злачных местах (каковых предостаточно на Козуэй) и были готовы в любой момент выдать самую свежую информацию о ценах черного и легального рынков на золото, алмазы, рубины, изумруды и сапфиры, о текущих обменных курсах шести основных валют, а также о последних колебаниях в стоимости любого вида наркотиков, от каннабиса до кокаина.

— Как делишки, Кеш? — спросил я.

— Недурно, *баба*, — ответил он, поднимая глаза к небу. — *Упервале*.

Термин этот был своеобразной ссылкой на Всевышнего. Чаще он употреблялся в единственном числе — «Упервала» — и мог быть переведен как «Некто наверху». А употребляемый во множественном числе, с «е» на конце, термин обозначал стихии и высшие силы природы в целом.

— Да уж, *Упервале*, — согласился я. — Освежи-ка мои данные.

— Нет проблем, — сказал он и, поскучнев лицом, отбарабанил длинный список последних цен и обменных курсов.

В данный момент меня интересовали только доллары и золото, но я не стал прерывать Кеша и дал ему пройтись по всему репертуару. Я ценил его ненавязчивую гениальность, позволявшую хранить в памяти сотни цифр и фактов, корректируя их не менее трех раз на дню без малейшей ошибки в десятичных знаках.

Большинство гангстеров пренебрежительно третировали людей типа Кеша, считая их жалкими прилипалами. Я не разделял их точку зрения. Эти безобидные элементы криминальной субкультуры умудрялись выживать в опасном окружении только за счет ума и сообразительности, а я всегда уважал независимых изгоев-одиночек: мужчин и женщин, которые, отказываясь вливаться в ряды законопослушных граждан, с неменьшим упорством отвергали и кровавые эскапады безбашенных головорезов.

Дослушав до конца его речитатив, я заплатил вдвое против обычной цены для «запоминальщиков», и он засиял, как солнечная дорожка на морской глади ясным утром.

Войдя в ресторан, я занял место спиной к стене, откуда можно было наблюдать за улицей. Возникший рядом официант молча навис надо мной своим пузом; я заказал сэндвич с овощами.

Мне не было нужды подавать кому-либо знак — надо было лишь подождать. Я знал, что уличная система информирования уже начала работать. Кто-нибудь из мелких жуликов, которые целыми днями слоняются по улицам и ловят туристов на ту или иную наживку, наверняка заметил, как я паркую свой мотоцикл, беседую на крыльце с Кешем и затем вхожу в ресторан. И по ближайшим проулкам и притонам уже распространялась новость: «Линбаба сейчас в „Трафальгаре"».

Я не успел доесть сэндвич, как объявился первый клиент. Это был Билли Бхасу. Остановившись у моего столика, он быстро огляделся по сторонам и заговорил тихим голосом:

— Добрый день, мистер Лин. Меня зовут Билли Бхасу. Я служу у Денниса, у Спящего Бабы. Вы меня помните?

— Присядь. Ты заставляешь босса нервничать.

Он взглянул на владельца заведения, который маячил у барной стойки и перебирал пальцами мелочь на подносе так небрежно, словно то была галька на морском берегу. Билли Бхасу сел за мой столик. Тут же подоспел официант и шлепнул по столешнице перед его носом замызганным меню. Правила всех освобожденных от мафиозной нафты заведений были просты: во-первых, никаких драк и скандалов, могущих напугать цивильную публику, и, во-вторых, каждый приходящий сюда по своим делам должен сделать заказ, даже если он не желает есть и пить.

Я заказал для Билли чай и сэндвич в пакете навынос. Как только официант удалился, Билли перешел к делу.

— У меня есть золотая цепочка, — сказал он, засовывая руку в карман. — Чистое золото. И на ней золотой медальон с портретами.

Он выложил на стол свою добычу. Я провел большим пальцем по звеньям цепочки, а затем открыл медальон. Внутри были две фотографии: молодой человек и девушка счастливо улыбались друг другу через петельку, соединяющую две части их медальонного мирка. И этот мирок теперь лежал у меня на ладони.

— Я не беру краденые вещи, Билли.

— Почему «краденые», *баба*? — возмутился он. — Это была честная сделка: финтифлюшка за дозу. Дурь добротная — почти пятьдесят процентов. Все в лучшем виде!

Я еще раз взглянул на снимки молодой пары. Скорее всего, туристы из Северной Европы: ясноглазые, румяные — и наверняка из благополучных семей, судя по идеальному состоянию зубов и безмятежным улыбкам. На вид обоим было лет по двадцать.

— Сколько ты хочешь?

— Ох, *баба*, — ухмыльнулся он, начиная обычный индийский ритуал торговли. — Это *ты* должен назвать цену, не я.

— Даю пять американских долларов.

— Но это мало, слишком мало за такую хорошую вещь!

— Ты ведь сам предложил мне назвать цену.

— Да, *баба*, но я говорил о справедливой цене!

— Ладно, плачу шестьдесят процентов от цены по ее точному весу. Ты согласен, что это восемнадцатикаратная проба?

— Но мне думается, тут двадцать два карата. Разве нет, *баба*?

— Восемнадцать карат. Шестьдесят процентов. Или попробуй продать это марвари на базаре Завери.

— Только не это, *баба*! — вскричал он. — Если я свяжусь с этими марвари, они заберут мой товар даром и я еще останусь им должен! Они слишком хитрые торгаши. Я предпочитаю иметь дело с вами. Не сочтите за обиду.

— Я не в обиде. Пятьдесят процентов.

— Согласен на шестьдесят.

Я подозвал официанта, вручил ему медальон с цепочкой и отправил его к Энтони, владельцу ресторана, с просьбой их взвесить. Официант без спешки выполнил поручение; Энтони поманипулировал с ювелирными весами у себя под стойкой и написал вес в граммах на клочке бумаги, который переслал мне вместе с вещицей через того же официанта. Последний, прежде чем отдать мне товар, взвесил его на ладони, как бы проверяя точность весов Энтони.

Я взглянул на цифры и затем показал бумажку Билли. Тот кивнул. Я сделал расчет по последнему курсу, сообщенному Кешем, округлил до десятков рупий, написал сумму на том же клочке и показал Билли. Тот снова кивнул.

— И вот еще что, *баба*, — сказал он, пряча деньги в карман. — Я недавно виделся с Навином Адэром, этим сыщиком. Он передал вам послание на тот случай, если я вас где-нибудь увижу сегодня.

— И ты меня видишь сегодня прямо здесь. Случай подходящий, тебе не кажется?

— Да, — молвил он с великой серьезностью. — И таким образом, я могу передать вам послание.

Далее наступила пауза.

— Хочешь еще один сэндвич, Билли?

— По правде говоря, да, Линбаба. Меня на улице ждет Джамал. Я заказал еще один сэндвич навынос.

— Теперь ты готов передать мне послание?

— О да. Навин сказал — я сейчас повторяю его точные слова... Он сказал: «Если увидишь Линбабу, передай ему, что я не узнал ничего нового о человеке в костюме».

— И это все? Это и есть послание?

— Да, *баба*. Оно очень важное, да?

— Важнее не бывает. Позволь мне спросить у тебя одну вещь, Билли.

— Какую, *баба*?

— Если бы я не купил эту вещицу, ты так и не передал бы мне послание?

— Конечно передал бы, — ухмыльнулся он. — Только это обошлось бы вам дороже пары сэндвичей.

Официант принес пакет с двумя сэндвичами. Билли взял его и приготовился встать:

— Так... теперь я могу идти?

— Конечно.

Когда он покинул ресторан, я еще раз взглянул на снимки улыбающейся юной парочки, потом закрыл медальон и сунул его в карман рубашки.

Следующие четыре часа я провел, посетив остальные шесть точек в моем районе и проведя примерно по сорок минут в каждой. Все было как обычно. По ходу дела я приобрел один паспорт, три ювелирных украшения, семьсот пятьдесят долларов наличкой, разные суммы поменьше в других валютах, а также прекрасные наручные часы.

Последний предмет в последней сделке этого дня, состоявшейся в последнем из семи баров, втянул меня в конфликт с участием двух уличных деляг.

С человеком, предложившим мне часы (его звали Дипак), мы быстро сошлись в цене, которая была гораздо ниже их настоящей стоимости, но намного выше той, на которую он мог рассчитывать у профессиональных скупщиков в Форте.

Тотчас по завершении сделки в бар вошел второй тип, Иштиак, и громогласно потребовал у Дипака свою долю. Расчет его был прост: под шумок воспользоваться замешательством Дипака и урвать часть полученных им денег.

В других обстоятельствах я бы просто расторг сделку, выгнал обоих спорщиков на улицу и забыл о них. Устоявшиеся добрые отношения с хозяином бара были важнее любой сиюминутной выгоды.

Но, поднеся часы к уху, я услышал бодрое тиканье механического сердца, готового продолжать в том же духе, пока не иссякнет завод — или пока о часах не позаботится очередной из нескольких сменившихся за этот день владельцев. Это были как раз такие часы, какие мне давно хотелось иметь.

И тогда, вопреки своим правилам, я попытался успокоить Иштиака. Однако мои увещевания его только раззадорили, и он завопил вдвое громче прежнего. Посетители за другими столиками стали поворачиваться на шум — в небольшом зале нас было видно практически отовсюду.

Я поспешил всучить скандалисту несколько купюр, чтобы он заткнул глотку. Сцапав деньги, он выкрикнул последнее ругательство в адрес Дипака и покинул бар. Дипак виновато развел руками и также исчез, выскользнув на улицу.

Я надел часы на руку и застегнул металлический браслет. Он подошел идеально: не туго и не слишком свободно. Полюбовавшись часами, я поднял глаза и обнаружил, что на меня таращится весь персонал заведения — от хозяина до последнего официанта. Смысл их взглядов понять было нетрудно: я только что потерял лицо. Люди моего уровня не опускаются до ублажения шантрапы вроде Иштиака.

Я снова взглянул на свои новые часы. Да, я дал слабину из-за банальной жадности. «Жадность — это наш криптонит»[1], — однажды сказала Карла, когда мы с ней подсчитывали навар после удачной сделки.

Надо было срочно растворить досаду на себя в хорошей физической нагрузке, и я погнал мотоцикл к мафиозному спортзалу близ причала Балларда.

Заведовал этим залом Хусейн — ветеран гангстерских войн, в одной из которых он лишился руки, отрубленной ударом мачете. Его длинное, покрытое шрамами лицо переходило в библейскую бороду, покоившуюся на выпуклой грудной клетке. Бесстрашный, добрый, веселый и очень опасный, он и сейчас был в отличной физической форме, не уступая никому из молодых бойцов, здесь тренировавшихся. Каждый раз, глядя в его смеющиеся — и в то же время пугающие — глаза, я пытался себя представить, какими были они с Кадербхаем в молодости, когда со-

---

[1] *Криптонит* — в комиксах о Супермене вымышленное вещество, которое лишает героя сил и может привести к его гибели.

здавали банду, впоследствии ставшую мафиозной Компанией. У них была поговорка: «Пусть мой враг увидит глаза тигра перед своей смертью».

Без сомнения, Хусейн и Кадербхай продемонстрировали свой тигриный взгляд очень многим в те годы, когда эти молодые головорезы рыскали по городу, сея ужас и смерть. Ныне следы той угрозы мерцали в красновато-коричневых, цвета обожженной глины, глазах старого воина.

— Вах, вах, Линбаба, — сказал он, когда я появился в зале. — Салям алейкум.

— Ва алейкум салям, Хусейн-с-одной.

Поскольку существовал еще один Хусейн, также давний соратник Кадербхая, ныне заседавший в совете мафии, их иногда различали по числу рук — так появились прозвища Хусейн-с-одной и Хусейн-с-двумя.

— *Кья хал хайн?*[1]

— Кручусь, как однорукий боец в кабацкой драке, — ответил я на хинди.

Это был мой всегдашний ответ на его приветствие, и он всякий раз встречал его громким хохотом.

— А как ваши дела, Хусейнбхай?

— Наношу удары по-прежнему, Линбаба. Только нанося удары, можно сохранить силу. Когда мельница не машет крыльями, от нее не дождешься муки.

— Очень верно сказано.

— Пройдешь полный цикл?

— Нет, Хусейнбхай, сегодня только заряжу стволы.

Выражение «зарядить стволы» на бандитском сленге означало серию упражнений для накачки бицепсов и трицепсов.

— Отлично! Всегда держи стволы заряженными, *йаар*. Ты ведь знаешь два главных правила: убедись, что твой удар достиг цели...

— ...и добивай противника, пока он не опомнился, — закончил я.

— *Джарур!*

Взяв у Хусейна полотенце, я проследовал в главный зал. Когда-то это заведение начиналось как маленькая грязная комната, в которой большие грязные гангстеры обучались азам рукопашного боя, но оно оказалось настолько популярным среди мафиозной молодежи, что Компания основательно его расширила, включив в этот спорткомплекс и здание соседнего склада.

Ближайшая ко входу часть зала была отведена для силовых упражнений. Здесь имелись скамьи для жима лежа, латеральные

---

[1] Как поживаешь? (*хинди*)

и гребные тренажеры, приспособления для накачки пресса, брусья, турники, гантели и штанги с комплектами дисков. За тренажерной зоной, отгороженной от остальной части зала линией зеркал, находился покрытый кровавыми пятнами ринг, а позади него — борцовский ковер. У дальней стены расположились в ряд тяжелые боксерские мешки для силовой работы и пневматические груши для развития скоростной выносливости. Вдоль одной из боковых стен был сооружен узкий коридор с винипластовым покрытием внутри — там отрабатывались приемы ножевого боя.

В помещении было жарко. Натужное кряхтенье, стоны и вскрики боли пронизывали влажный воздух, насыщенный адреналиновым потом и резким запахом тестостерона.

Бóльшую часть своей жизни я провел в сугубо мужском обществе, в том числе порядка десяти лет в разных тюрьмах, семь лет — в уличных бандах и двадцать лет — в спортзалах, школах карате, боксерских клубах, регбийных командах и компаниях байкеров. Да и в раннем детстве я учился в школе для мальчиков. И мне всегда было комфортно в мужской среде. Это очень простой и понятный мир. Здесь тебе нужен лишь один универсальный ключ, подходящий к любому сердцу: спокойная уверенность.

Я кивком поздоровался с парнями в тренажерной секции, снял рубашку и положил ее на широкую деревянную скамью, присовокупив к ней свои ножи, деньги, ключи и новые наручные часы. Затем надел толстый кожаный пояс штангиста, накрыл полотенцем свободную скамью и начал выполнять попеременные серии жимов на трицепс и подъемов на бицепс. Через тридцать минут мои мышцы набухли и отвердели, и я, прихватив свои вещи, направился к коридорчику для работы с ножами.

В ту пору — прежде чем все местные уголовники, включая похитителей дамских сумочек, обзавелись пушками — технике ножевого боя уделялось большое внимание в криминальной среде. Мастера, тренировавшие молодых бойцов, являлись для последних культовыми героями; и относились к таким мастерам с не меньшим почтением, чем к членам совета мафии.

Хатода, у которого я брал уроки на протяжении двух лет, учил также Ишмита, лидера велокиллеров, который потом делился полученными навыками со своей братвой. Когда я приблизился к коридору, оттуда как раз вышел сам знаменитый мастер в сопровождении ученика по прозвищу Ловкач. Оба приветствовали меня улыбками и рукопожатиями, после чего молодой гангстер с усталым, но довольным видом направился в душевую.

— Из парня выйдет толк, — сказал Хатода на хинди, глядя ему вслед. — Отменно чувствует нож — *да не унизит он свой дар постыдными делами.*

Вторая половина фразы была своего рода заклинанием, которое Хатода повторял всем своим ученикам. И я машинально повторил его, как делали мы все, уже от своего имени во множественном числе:

— Да не унизится наш дар постыдными делами.

Хатода был сикхом и родился в священном городе Амритсаре. Еще в юности он связался с местными бандитами, бросил школу и почти все время проводил на улице. Когда совершенное им особо жестокое ограбление вызвало гнев местных старейшин, семья Хатоды отреклась от своего непутевого чада. Остальные члены банды, подчинившись требованию общины, изгнали его из своих рядов.

В одиночку, без гроша в кармане, он добрался до Бомбея и здесь был завербован Кадербхаем. Последний отдал юного сикха в ученики Ганешбхаю, великому мастеру ножевого боя, вместе с Кадербхаем создававшему группировку еще в начале 1960-х.

Хатода не расставался со своим учителем до конца его дней и со временем сам сделался непревзойденным бойцом. Так вышло, что он стал последним классным тренером по ножевому бою в южном Бомбее, хотя мы этого еще не знали в те годы, до наступления «эпохи стволов».

Он был рослым (что для боя на ножах является скорее помехой, чем преимуществом), с густой копной волос, смазанных маслом и собранных в узел на макушке. Взгляд его миндалевидных глаз — тех самых пенджабских глаз с мерцающим в них огоньком, которые стали одним из символов Индии для приезжих со всего света, — был исполнен отваги и достоинства. Имя, под которым он был известен всему южному Бомбею, в переводе с хинди означало «Молоток».

— Собрался потренироваться, Лин? Я уже думал уходить, но могу провести еще один сеанс. Надеюсь, ты сейчас в приличной форме?

— Я не смею нарушать ваши планы, мастер-джи, — запротестовал я.

— Пустяки, — сказал он. — Сейчас попью воды, и начнем.

— Что, если я составлю ему пару вместо вас? — раздался голос за моей спиной. — *Гора* может поразмяться со мной.

Это был Эндрю да Силва, молодой гоанец и член совета мафии. Слово «гора», то есть «белый человек», использовалось повсеместно в Бомбее, но в данном контексте оно звучало уничижительно. Разумеется, Эндрю это понимал и сейчас глядел на меня со злобным прищуром, приоткрыв рот и выпятив нижнюю челюсть.

Стоит отметить одну интересную деталь. Эндрю, будучи индийцем с примесью португальской крови, имел очень светлую кожу, рыжеватые волосы и глаза медового цвета. Я же был белым без всяких примесей, но так много времени проводил на мотоцикле под солнцем, и к тому же без шлема, что мои руки и лицо теперь были куда смуглее, чем у него.

— Конечно, — продолжил Эндрю, не дожидаясь моей реакции, — если *гора* не боится, что я его посрамлю.

Момент был удобный, но подвернулся он при неудобных обстоятельствах.

— Какой уровень предпочитаешь? — спросил я.

— Четвертый, — сказал Эндрю.

— Пусть будет четвертый, — согласился я.

Тренировочные бои проводились с ручками от молотков вместо ножей (кстати, отсюда и пошло прозвище Хатоды). Эти деревянные ручки по длине и весу примерно соответствовали ножам и позволяли наносить удары, не причиняя сопернику серьезных повреждений.

Первый уровень означал использование стандартной рукоятки с тупым концом. С последующими уровнями конец все больше заострялся, и в четвертом он был уже достаточно острым, чтобы пролить кровь.

Поединки обычно состояли из пяти одноминутных раундов с тридцатисекундными перерывами. Эндрю тоже снял рубашку, и так — в джинсах и с голыми торсами — мы вошли в коридор. Хатода вручил нам заостренные рукоятки и остался снаружи в качестве рефери.

Ширина коридора позволяла смещаться влево или вправо всего на какие-то сантиметры. Это было сделано для того, чтобы научить бойцов драться в тесных помещениях и проулках. Заканчивался коридор тупиком — выход из него, как и вход, был только один.

Эндрю держал рукоятку прямым хватом, как держат шпагу. Я предпочел обратный хват, острием вниз, и принял боксерскую стойку. Хатода удостоверился, что мы готовы, взглянул на секундомер, висевший у него на шее, и сказал:

— Начали!

Эндрю бросился вперед, рассчитывая на внезапность первого удара. Я легко уклонился, подставил ногу и толчком придал ему ускорение, так что он, споткнувшись, едва не вылетел из коридора.

Молодой гангстер, наблюдавший за поединком из-за спины мастера, засмеялся, но Хатода велел ему замолчать.

Эндрю развернулся и пошел на меня уже более осторожно. Я двинулся ему навстречу, и мы обменялись серией быстрых выпадов, блокировок и контрвыпадов. В какой-то момент мы вошли в тесный клинч, стукнувшись головами. Я использовал инерцию его движения, чтобы вывести Эндрю из равновесия, и отшвырнул его в закрытый конец коридора, где он с трудом устоял на ногах.

Он атаковал снова, делая ложные выпады и перемежая их режущими ударами. Я уходил от таких ударов, выгибая спину и втягивая живот, а после каждого промаха бил его по голове открытой ладонью левой руки.

Еще несколько молодых бойцов, оставив свои тренажеры, собрались у входа в коридор, наблюдая за схваткой. Они сопровождали смехом каждый шлепок по голове Эндрю, что приводило того в бешенство. Как-никак, он был членом совета мафии, и этот статус, если не сам его носитель, требовал уважения к себе.

— Эй вы там, заткнули пасти! — рявкнул на них Эндрю, и смех прекратился.

Эндрю глядел на меня, стиснув зубы. Его распирала ярость, плечи и мышцы рук напряглись до предела, и по всему телу прошла дрожь от усилия, с которым он пытался сохранить контроль над собой.

Его бесило то, что он никак не может меня одолеть. До сих пор он считал себя отменным бойцом на ножах, однако я заставил его в этом усомниться.

Со своей стороны я мог бы уступить ему победу. Мне это было не зазорно, тогда как он являлся, в некотором смысле, моим боссом. Однако я уступать не собирался. В нашей душе есть уголок для особого вида презрения, которое мы питаем к людям, беспричинно нас ненавидящим и оскорбляющим, хотя мы не сделали им ничего плохого. И сейчас Эндрю был загнан в этот уголок моего презрения, точно так же как я запер его в тупиковом конце тренировочного коридора. А презрение почти всегда берет верх над осмотрительностью.

Он бросился вперед. Я уклонился поворотом корпуса и ткнул заостренной рукояткой ему между лопатками.

— Три очка! — объявил Хатода.

Эндрю с разворота нанес режущий удар, но вновь промахнулся, потерял равновесие, и моя подножка отправила его на пол. Я прыгнул на него сверху и ткнул острием дважды: в грудь и в район почек.

— Еще шесть очков! — сказал Хатода. — Раунд окончен. Перерыв.

Я поднялся и шагнул назад, однако Эндрю, проигнорировав слова тренера, вскочил и ринулся в атаку.

— Стой! — закричал Хатода. — Перерыв!

Но Эндрю продолжал наносить удары с явным намерением пролить мою кровь. Вопреки правилам тренировочных боев, он метил в лицо и горло. Отбиваясь, я начал пятиться в тупик, но всякий раз, когда он открывался в атаке, встречал его ударом деревянного острия или кулака. Через несколько секунд кровь уже струилась по нашим рукам, а также из царапин и колотых ран на плечах и груди. Мы натыкались на стенки коридора и вновь бросались друг на друга, тяжело дыша и обмениваясь ударами. Наши ноги начали скользить на каменном полу, и наконец мы оба упали.

К счастью для меня, при падении я оказался за спиной Эндрю, что позволило мне сдавить его шею удушающим захватом. Он извивался, пытаясь вырваться, но я сжал ногами его бедра, ограничив подвижность настолько, что ему теперь удавалось лишь дергаться из стороны в сторону, чуть-чуть смещаясь на скользком полу. Захват был крепок, и он уже не мог меня сбросить или как-нибудь вывернуться.

— Сдаешься?

— Хрен тебе! — прохрипел он.

Внутри меня подал голос древний инстинкт: «Это волк в капкане. Если ты его сейчас отпустишь, рано или поздно он снова придет за тобой».

— Лин! — прокричал рядом уже другой голос. — Лин, братишка, отпусти его!

Это был Абдулла. Мои руки и ноги разжались, и я позволил Эндрю повернуться на бок. Он хрипел и кашлял, хватая ртом воздух. Хатода и кое-кто из молодых гангстеров протиснулись мимо меня и начали приводить его в чувство.

Абдулла схватил меня за руку и поднял с пола. Отдуваясь, я последовал за ним к вешалкам, где перед схваткой оставил свои вещи.

— Салям алейкум, — сказал я ему. — Ты откуда взялся?

— Ва алейкум салям. Похоже, прямо с небес — и как раз вовремя.

— Прямо с небес?

— По крайней мере здесь точно был бы ад, если бы ты его прикончил, Лин. Тогда совет послал бы кого-нибудь вроде меня, чтобы с тобой разделаться.

Я взял свою рубашку, ножи, часы и деньги. Потом обтер влажным полотенцем лицо, грудь и спину. Пристроил ножи за спиной, накинул рубашку и кивнул Абдулле.

— Давай прокатимся, брат, — сказал я. — Надо проветрить мозги.

Я уже был у выхода на улицу, когда из зала появился Эндрю да Силва, остановившись в двух шагах от меня.

— Мы на этом не закончили, — сказал он.

Я подошел к нему почти вплотную и сказал вполголоса, так чтобы никто посторонний не мог услышать:

— Энди, за спортзалом есть укромный закуток. Давай отправимся туда вдвоем и покончим с этим. Только кивни, и мы все решим прямо сейчас. Без свидетелей. Только ты и я. Ну же, кивни своей башкой, трепло вонючее!

Я чуть отстранился и посмотрел ему в лицо. Он не шевельнулся и не издал ни звука. Я снова приблизил к нему лицо:

— Так я и думал. Мы оба знаем, что у тебя кишка тонка. Так что проваливай и не мозоль мне глаза!

Собрав остальные вещи, я покинул зал вместе с Абдуллой, отлично понимая, что сделал глупость, под конец еще раз унизив Эндрю, пусть даже и не публично. Волк ускользнул из капкана и теперь готовился взять реванш — возможно, в самый неудобный для меня момент.

ГЛАВА

 19

В молчании мы доехали до «Леопольда». Абдулла принципиально не посещал заведения, торгующие спиртным, но на сей раз изменил своим принципам и, припарковав байк, вместе со мной вошел внутрь.

Дидье, по своему обыкновению, сидел за столиком у небольшой двери в северной стене зала, лицом к фасадным окнам, за которыми бурлила Козуэй.

— Лин, слава богу! — вскричал он, когда мы приблизились. — Я сижу тут в полном одиночестве! А пить в одиночестве — это все равно что в одиночку заниматься любовью, как считаешь?

— Тут не бери меня в расчет, Дидье, — сказал я.

— Тебе бы проповедовать с амвона отказ от удовольствий, друг мой, — рассмеялся он.

Дидье обнял меня, пожал руку Абдулле и подозвал официанта:

— Пиво! Два бокала! И гранатовый сок для нашего иранского друга! Без льда! Живо!

— Слушаюсь, сэр. Я помчусь со всех ног, не щадя себя и рискуя получить инфаркт, лишь бы вам услужить, — саркастически пробурчал Свити и удалился, демонстративно волоча ноги.

Свити входил в пятерку лучших официантов, каких я знавал на своем веку, — а я знавал многих. Свити не только и не столько прислуживал посетителям. Он контролировал перемещение товаров с черного рынка, которые попадали в «Леопольд» через одну дверь и утекали отсюда через другую без ведома хозяев заведения. Он брал комиссию за перепродажу со всех магазинчиков по соседству, не брезговал сводничеством и организовал небольшой, но прибыльный тотализатор. И всеми этими делами он ворочал с неизменной угрюмостью и неизбывным пессимизмом.

Мы втроем уселись в ряд спиной к стене и стали смотреть на зал и на улицу за его пределами.

— Как поживаешь, Абдулла? — спросил Дидье. — Давненько я не видел твоего прекрасного и устрашающего лица.

— Хвала Аллаху, — ответил Абдулла. — А как твои дела?

— Не жалуюсь, — вздохнул Дидье. — Я никогда не жалуюсь. Это одно из моих *полновесных* качеств, как говорят англичане. Имейте в виду, если бы я вдруг начал жаловаться, я превзошел бы в этом деле всех лучших жалобщиков мира.

— Минутку... — Абдулла озадаченно наморщил лоб. — Означают ли эти слова, что у тебя все в порядке?

— Да, мой друг. У меня все в порядке.

Прибыли напитки. Свити бесцеремонно брякнул бокалы с пивом передо мной и Дидье, а затем с демонстративным тщанием стер капельки с наружных стенок стакана с гранатовым соком для Абдуллы, бережно опустил стакан на столешницу и положил рядом целую стопку бумажных салфеток. Пятясь от Абдуллы, он с каждым шагом назад отвешивал легкий поклон, как будто покидал могилу святого после молитвенной церемонии.

Дидье негодующе скривил рот, а затем взглянул на меня в поисках сочувствия, и тут уж я, не удержавшись, фыркнул — да так, что пена с моего пива разлетелась по всему столу.

— Честное слово, Лин, эти люди находятся за пределами моего понимания! Я торчу здесь каждый день и каждый вечер уже много лет подряд. Я пролил реки мочи в их сортирах, я подвергал себя невообразимым — с точки зрения француза — гастрономическим истязаниям, и все это ради того, чтобы дать им хоть какое-то представление об утонченном и — не сочтите меня нескромным — блистательном декадансе! Но они продолжают относиться ко мне как к самому обычному туристу. Абдулла появляется здесь всего раз в год, и они готовы целовать ему ноги от счастья. Это уже не лезет ни в какие ворота!

— За те годы, что ты здесь провел, — сказал Абдулла, глотнув свежего сока, — они тебя хорошо изучили. Они знают предел твоего терпения. Но им неизвестно, когда и как может быть перейден мой предел. Только в том и разница.

— Но если ты перестанешь здесь появляться, Дидье, — подхватил я, — они будут скучать по тебе сильнее, чем по кому-либо еще в этом заведении.

Дидье, успокоенный, заулыбался и протянул руку к пиву.

— Разумеется, ты прав, Лин. Мне неоднократно доводилось слышать от самых разных людей, что я — совершенно незабываемая личность. Предлагаю тост! За тех, кто заплачет по нас, когда мы уйдем!

— И пусть им будет радостно, пока мы здесь! — сказал я, и мы чокнулись.

Только я приложился к бокалу, как на стул напротив меня плюхнулся мелкий жулик по имени Салех, при этом так толкнув стол, что из стакана Абдуллы выплеснулась часть сока.

— Что за кретины эти долбаные туристы! — заявил Салех без предисловий.

— Встань, — сказал ему Абдулла.

— Что?

— Встань, или я сломаю тебе руки.

Салех посмотрел на Дидье и на меня. Дидье взмахом пальцев дал понять, что ему лучше повиноваться. Салех перевел взгляд на Абдуллу и медленно встал.

— Ты кто такой? — спросил Абдулла.

— Салех, босс, — ответил тот, начиная нервничать. — Меня зовут Салех.

— Ты мусульманин?

— Да, босс.

— Разве так мусульмане здороваются с людьми?

— Что?

— Еще раз скажешь «что?», и я сломаю тебе руки.

— Виноват, босс. Салям алейкум. Меня зовут Салех.

— Ва алейкум салям, — ответил Абдулла. — Чем ты здесь занимаешься?

— Я... я... но...

Видя, что он вот-вот ляпнет злополучное «что?», я его опередил:

— У тебя какое-то дело, Салех?

— Да, конечно, у меня есть фотик, — сказал он и выложил на стол дорогой фотоаппарат.

— Не понимаю, — озадачился Абдулла. — Мы тут беседуем, освежаемся напитками. Зачем ты нам это сообщаешь?

— Он хочет его продать, Абдулла, — пояснил я. — Откуда он у тебя, Салех?

— От этих кретинов-туристов, что сидят позади меня. Два тощих блондинчика. Я подумал: может, вы захотите его купить. Мне срочно нужны деньги, понимаете?

— Не понимаю, — сказал Абдулла.

— Он обманом выманил у туристов фотоаппарат и хочет сбыть его здесь же, — сказал я.

— Развел их, как детей сопливых, — похвастался Салех. — Долбаные кретины!

— Если ты еще раз выругаешься в моем присутствии, — сказал Абдулла, — я выброшу тебя отсюда под колеса машин.

Салех уже понял, куда вляпался, и теперь очень хотел улизнуть. Он потянулся к фотоаппарату, но Абдулла предостерегающе поднял палец.

— Не трогай, — сказал он, и Салех убрал руку. — По какому праву ты нарушаешь покой других людей, приставая к ним со всякой ерундой?

— П-право? — переспросил Салех.

— Это ничего, — сказал я. — Люди часто обращаются ко мне по таким поводам, Абдулла.

— Это неправильно, — проворчал он. — Как ты можешь общаться с теми, у кого нет ни достоинства, ни чести?

— Ч-чести? — пролепетал Салех.

— Салех, видишь ли, в чем дело, — сказал я. — Ты смотришь на туристов как на жертв, которых можно надуть и обобрать. А мы считаем, что к ним следует относиться с пониманием и заботой.

— Что?

Абдулла молниеносным движением схватил его за кисть.

— Простите, босс! Нечаянно вырвалось!

Абдулла разжал руку.

— Какое самое дальнее место, куда ты выбирался из Колабы за всю свою жизнь, Салех? — спросил я.

— Однажды я ездил посмотреть на Тадж-Махал в Агре, — сказал он. — Это далеко отсюда.

— Кто был с тобой в поездке?

— Моя жена.

— Только твоя жена?

— Нет, Линбаба, еще сестра моей жены, и мои родители, и мой двоюродный брат с женой, и все наши дети.

— Так вот, Салех, каждый из сидящих там людей достоин уважения больше, чем ты. Он один, без толпы родственников, отправляется на другой конец света с рюкзаком за спиной, забирается в самую дикую глушь или ночует среди людей, чужих ему по языку и религии.

— Но... это всего лишь туристы, обычные бродяги.

— Будда тоже был всего лишь бродягой, носившим все свое имущество с собой. Иисус был бродягой, Он провел годы в странствиях. Мы все бродяги, Салех. Мы приходим в этот мир с пустыми руками, потом несем по жизни какие-то вещи, но уходим все так же ни с чем. И когда ты отнимаешь радость у такого бродяги, ты отнимаешь ее у меня.

— Но я... я просто деловой человек, — промямлил он.

— Сколько ты им заплатил, Салех?

— Этого я не могу вам сказать, — пошел в отказ он, скорчив хитрую рожу. — Но могу сказать, что дал им не больше двадцати процентов. Готов отдать за двадцать пять, если возьмете.

Абдулла вновь цапнул его за руку. Я знал его хватку. Сначала это очень больно, потом станет намного хуже.

— Ты отказываешься сказать нам правду? — спросил его Абдулла и повернулся ко мне. — И с такими подлыми людишками ты имеешь дело, брат мой Лин? Я вырву и подарю тебе его лживый язык.

— Мой язык?! — пискнул Салех.

— Помнится, мне рассказывали, — молвил Дидье, — что одна воистину мерзкая женщина по имени мадам Жу использовала человеческий язык в качестве пуховки для пудры.

Абдулла позволил Салеху выдернуть руку, и тот кинулся прочь, забыв на столе фотоаппарат. Возникла пауза, во время которой мы, поочередно хмыкая, обдумывали этот инцидент.

— Пожалуйста, Абдулла, — сказал я, — не отрезай ему язык.

— А что ты предлагаешь ему отрезать?

— Ничего. Наплюй на него и забудь.

— Я считаю так, — сказал Дидье, — если ты не можешь сказать о ком-то ничего хорошего, совсем ничего, тогда ограбь его, а потом пристрели, и все дела.

— Мудрые слова, — рассудил Абдулла.

— Неужто? — усомнился я.

— Это же очевидно, Лин, — сказал Дидье.

Абдулла кивнул в знак согласия.

— Только потому, что у тебя не нашлось для него хороших слов?

— Разумеется. Я вот о чем: если ты не можешь вспомнить ни единой приятной вещи, хотя бы пустячной, связанной с каким-либо человеком, этот человек наверняка полнейшая скотина. А все мы, имея немалый жизненный опыт, прекрасно знаем, что полнейшая скотина при первой возможности непременно причинит тебе вред, или горе, или то и другое вместе. Это просто разумная предосторожность — надо грабить и убивать плохих людей, пока они не ограбили и не убили тебя. Превентивная самозащита, я так считаю.

— Если бы эти официанты знали тебя так же хорошо, как знаем мы, Дидье, — сказал Абдулла, — они бы относились к тебе с гораздо большим уважением.

— Так и есть, — охотно согласился Дидье. — Это давно известная истина: чем лучше кто-то знает Дидье, тем больше он любит и уважает Дидье.

Я отодвинул бокал и поднялся.

— Эй, ты ведь не уходишь? — забеспокоился Дидье.

— Я пришел сюда только затем, чтобы сделать тебе подарок. Мне нужно ехать домой и переодеться. Сегодня мы ужинаем с Ранджитом и Карлой.

Я расстегнул стальной браслет и снял с руки часы, на секунду ощутив сожаление от утраты вещи, которая мне самому так нравилась. Я протянул часы Дидье. Тот внимательно их осмотрел, прочел надписи на задней крышке, поднес к уху и послушал тиканье механизма.

— Ого, да это же прекрасные часы! — заключил он. — Высший класс! И что, они в самом деле мои?

— Конечно. Примерь их.

Дидье защелкнул на кисти браслет и повертел рукой так и этак, любуясь подарком.

— Они как будто созданы для тебя, — сказал я, собираясь уходить. — Ты тоже идешь, Абдулла?

— Знаешь, брат мой, там за угловым столиком сидит красивая женщина, — сказал он серьезно. — И она смотрит на меня вот уже пятнадцать минут.

— Да, я тоже это заметил.

— Пожалуй, я задержусь тут с Дидье еще на какое-то время.

— Официант! — мгновенно среагировал Дидье. — Еще один гранатовый сок! Без льда!

Прихватив со стола фотоаппарат, я уже было двинулся к выходу, но Дидье вскочил и резво меня догнал.

— Значит, ты сегодня встречаешься с Карлой? — спросил он.

— Есть такие планы.

— Это твоя идея?

— Нет.

— Идея Карлы?

— Нет.

— Но тогда кто затеял эту дьявольскую игру?

— Все устроила Лиза. Я узнал об этом только час назад. Получил от нее записку, когда сидел в баре «Эдвардс». А в чем проблема?

— И ты не можешь отказаться под каким-нибудь предлогом?

— Вряд ли. Не знаю, что там задумала Лиза, но в записке она настаивает на моем присутствии.

— Лин, ты уже почти два года не виделся с Карлой.

— Я знаю.

— Но... в сердечных делах, в делах любви...

— Я знаю.

— ...эти два года всего лишь — как два удара сердца.

— Я...

— Прошу, дай мне закончить мысль! Лин, ты сейчас... в более темной зоне, чем был два года назад. Твоя душа потемнела за то время, что ты живешь в Бомбее. Я никогда тебе этого не говорил, но теперь скажу: мне стыдно, что какая-то часть меня была даже рада этому первое время. Мне было приятно сознавать, что ты скатился до моего уровня, что мы с тобой, так сказать, одного поля ягода.

Он говорил торопливым полушепотом, из-за чего речь его больше напоминала бормотание заученной молитвы или заклинания, чем душевный монолог старого друга.

— О чем ты, Дидье?

— Карла дорога мне, быть может, не меньше, чем тебе, хотя и на иной лад. Но ты стал *таким* из-за расставания с ней. Тебя загнала в эту тень потеря любимой, эта потеря сделала твою душу темнее, чем ей было предписано Господом.

— Ты поминаешь Господа, Дидье?

— Я тревожусь за тебя, Лин. И тревожит меня то, что может открыться в твоей душе при новой встрече с ней. Иногда мосты в прошлое лучше оставить сожженными. Иные реки лучше не переплывать.

— Все будет хорошо.

— Может, составить тебе компанию? Мало кто может потягаться в играх разума с Карлой, кроме меня. Я ей еще и фору дам. Это общеизвестный факт.

— Спасибо, я как-нибудь справлюсь.

— Что ж, раз ты твердо решил с ней встретиться, есть другое предложение: хочешь, я устрою Ранджиту несчастный случай, который помешает ему явиться на встречу?

— Никаких несчастных случаев!

— Ну тогда, может, просто непредвиденная задержка?

— Пусть все идет своим чередом, Дидье.

— Именно этого я и опасаюсь, — вздохнул он, — если ты снова увидишь Карлу.

— Все будет хорошо.

— Ну-ну... — пробормотал он и опустил взгляд на свои наручные часы. — Спасибо за подарок. Я буду беречь эти часы как зеницу ока.

— Присмотри за Абдуллой, а то он, похоже, слишком увлекся той девицей в углу.

— Присмотрю. Мы, бойцы по натуре, влюбляемся быстро — и до самозабвения. Такова история всей моей жизни. Я хорошо помню то время, когда...

— Как и я, брат, — сказал я со смехом, прощаясь. — Как и я.

Подойдя к двум тощим туристам, которые заказали еды на четверых и теперь наворачивали за обе щеки, я положил перед ними фотоаппарат.

— Такой стоит тысячу баксов в здешних магазинах, — сказал я. — Любой уличный перекупщик в Бомбее получит за него шесть сотен, и если он вдруг окажется честным, то пять из них отдаст вам.

— *Этот* дал нам сотню, но обещал принести еще, — сказал один из туристов.

— Он ошивается неподалеку, — сказал я, — и наверняка придет получить свою сотню обратно. Здесь есть один официант, зовут Свити. Он тоже проворачивает делишки по этой части. Доброго слова вы от него не дождетесь, но доверять ему можно. Продайте фотик ему, потом верните сотню Салеху, и останетесь в приличном плюсе. Удачи!

— Спасибо, — хором сказали бедолаги.

Выглядели они как родные братья. Не знаю, что им довелось пережить в Индии, но проголодались они после пережитого просто зверски.

— Не присоединитесь к нам?

— Я как раз отправляюсь на ужин, — сказал я. — Но все равно спасибо за приглашение.

Выйдя на улицу, я повернулся и через окно «Леопольда» разглядел в глубине зала Абдуллу и Дидье, махавших мне на прощание. Потом Дидье поднес к лицу воображаемый фотоаппарат и, судя по саркастической гримасе, «сделал снимок героя, только что оказавшего помощь двум незнакомцам».

Я подошел к своему мотоциклу и взглянул на проезжую часть, где назревал затор из-за автобуса, перегородившего сразу полторы полосы.

Дидье и Абдулла, такие разные люди, во многих отношениях являлись братьями. Я задумался о поступках, вместе и по отдельности совершенных нами — тремя безрассудными изгоями — с тех пор, как мы встретились в этом городе. Были вещи, о которых мы сожалели, и были такие, о которых мы старались не вспоминать. Но случались и радостные, светлые дни. Если один из нас попадал в беду, двое других были тут как тут с ножами и пушками. Если один страдал от несчастной любви, другие прижигали его страдание саркастической шуткой, как прижигают рану. Если один терял надежду, другие заполняли образовавшуюся пустоту своей верностью. И я ощутил эту верность как дружескую руку на плече, когда еще раз оглянулся на них — с надеждой на лучшее для всех нас.

Страх подобен волку, посаженному на цепь: он опасен только тогда, когда ты спустишь его с цепи. Горе можно одолеть забвением. Гнев, сколь бы ни был он яростен, можно победить улыбкой. И только надежда неистребима, потому что она принадлежит не нам, а небольшой (от силы несколько сотен) группе наших древнейших предков, чья отважная преданность и любовь друг к другу подарили нам почти все хорошее, что есть в нас поныне. Именно надежда, это заложенное в нас древнее семя, питает наши сердца и возвращает им силу. С тех давних пор сознание каждого из нас балансирует между двумя вещами, которые предлагает на выбор надежда: между тенями прошлого и светлой, чистой, еще не заполненной страницей грядущего дня.

ГЛАВА

 20

Прошлое — это написанный Судьбой роман, в котором сплетаются извечные темы: любовь и даруемое ею счастье, ненависть и ее пленники, человеческая душа и ее цена. Мы формируем ткань повествования своими каждодневными решениями, не подозревая, как они отразятся на главной сюжетной линии. Но в настоящем времени, в моменты принятия решений и возникновения связей, Судьба лишь наблюдает за развитием сюжета, оставляя нас наедине со своими ошибками или озарениями, потому что только наша собственная воля ведет нас к тем или другим.

В тот день и час, стоя рядом со своим мотоциклом, я привычно всматривался в лица окружающих людей. И на одном из этих лиц мой взгляд задержался. Это была молодая голубоглазая блондинка, которая стояла на тротуаре перед «Леопольдом», нервно переминаясь с ноги на ногу, — без сомнения, кого-то ждала. Она была испугана, но притом настроена решительно: смесь отваги и страха в равных пропорциях.

Я достал из кармана медальон, приобретенный у Билли Бхасу, раскрыл его и посмотрел на фотографию. Это была та самая девушка.

На каждой нехорошей улице можно увидеть сотни хороших девчонок в ожидании своих парней, которые в большинстве случаев этого не заслуживают. Эта девчонка явно ждала, когда ее приятель вернется с дозой. Она не могла быть наркоманкой — хоть и худая, но слишком здоровая с виду и слишком осознанно воспринимающая этот мир. А вот ее парень уже наверняка подсел по-крупному, раз ей пришлось продать свой медальон Билли Бхасу, чтобы дружок смог прикупить дури.

Я достаточно долго крутился на этих улицах, чтобы с первого взгляда определять степень зависимости человека, даже если он в данный момент и не под кайфом. Я и сам прошел через все это, и я видел такое же понимание в глазах людей, меня любивших.

Судя по тому, что девчонка стояла перед «Леопольдом», а не сидела внутри, эта парочка уже прошла через первую туристскую стадию — с охлажденными напитками, горячими блюдами и многочасовым времяпрепровождением в ресторанах. Факт ожидания на улице, а не в отеле мог означать, что им уже нечем платить за номер.

И вот она стояла и ждала, когда ее милый друг вернется с дурью, приобретенной ценой ее медальона, — а там еще, может, останутся деньги на оплату ночлега.

Я вдоволь навидался девчонок, подобных этой, когда они, после сравнительно недолгого пребывания здесь, покидали островной город, как пепел, сдуваемый ветром с ладони. Они были красивы, как все юные девчонки, но эта часть их жизни была загублена далеко не столь красивыми поступками их парней.

Я вполне мог уехать, не сказав ей ни слова. Я поступал так изо дня в день, проезжая мимо чужих горестей, одиночеств и несбывшихся мечтаний. Не прыгать же, в самом деле, через каждый обруч, который Судьба поднимает перед тобой, как укротитель перед дрессированным зверем. Но сейчас был нетипичный случай: на улице стояла ожившая фотография из купленного мною медальона. И я подошел к ней.

— Кажется, это ваше, — сказал я, протягивая на ладони медальон с цепочкой.

Девчонка застыла, вытаращив глаза от ужаса.

— Нет проблем. Забирайте.

Она робко протянула руку и взяла медальон:

— Что... что вам...

— Ничего мне не нужно, — оборвал ее я. — Эта вещица оказалась у меня по случайному стечению обстоятельств, скажем так. Вот и все.

Девчонка растерянно улыбнулась.

— Будьте здоровы, — сказал я, разворачиваясь.

— Должно быть, я ее потеряла, — выпалила она, пытаясь укрыться за примитивной ложью.

Я задержался вполоборота.

— Когда мой друг вернется, мы выплатим вам вознаграждение, — сказала она и выдавила из себя улыбку.

— Вы не теряли медальон, — сказал я. — Вы его продали.

— Что?

— И тот факт, что вы продали его, даже не вынув фотографии, говорит о спешке вашего бойфренда. А спешил он потому, что находился под сильным давлением. Единственное давление, безотказно действующее на людей вроде нас в этом городе, — это наркотики.

Девчонка отшатнулась, как от удара.

— Людей вроде нас?.. — переспросила она с певучим скандинавским акцентом, который как-то плохо вязался с тоской и страхом в ее глазах.

Я пошел прочь.

Через несколько шагов я оглянулся. Она стояла в той же позе, съежившись, словно в ожидании удара.

Я вернулся.

— Ладно, — сказал я, смягчая тон и быстро оглядываясь влево и вправо вдоль улицы. — Забудь.

И быстро сунул ей в руку рулон банкнот — весь мой навар за этот хлопотный день. Но не успел я сделать и пары шагов прочь, как она окликнула меня, оторопело сжимая в руке деньги.

— Постойте... Что все это значит?

Вздохнув, я еще раз окинул взглядом окрестности.

— Забудь, — сказал я. — Деньги твои. Я ничего тебе не говорил.

— Нет! — Она испуганно прижала руки к груди. — Объясните мне, что происходит!

Я понял, что объяснение неизбежно.

— Ты должна расстаться со своим парнем, пока еще не поздно, — сказал я. — Эта история сотни раз повторялась на моих глазах. И не важно, как сильно ты его любишь и насколько мил этот твой друг...

— Вы ничего не знаете!

И я снова вздохнул. Я слишком хорошо знал, что за этим последует продажа последнего ее фото, которое стоило реальных денег: снимка в паспорте (вместе с паспортом, разумеется). Она еще не продала паспорт — я знал это хотя бы потому, что он до сих пор не попал в мои руки, — однако сомнений не было: она продаст его, как только приятель-наркоман об этом попросит. Она продаст все, что сможет, а когда уже не останется вещей на продажу, она станет продавать себя.

Ее приятелю будет тошно и стыдно, но он будет брать деньги от продажи ее тела и покупать на них очередную дозу. Я это знал наверняка, и точно так же это знали все уличные торговцы, жулики и сутенеры в округе. Жертва дозревала, и они ждали возможности взять ее в оборот.

— Ты права, — сказал я. — Ничего я не знаю.

Я вернулся к своему мотоциклу, завел его и уехал. Иногда ты впутываешься в историю, а иногда нет; иногда пытаешься что-то изменить, а иногда проезжаешь мимо. Фотография в медальоне стала связующим звеном между мной и этой девчонкой, но вокруг было слишком много других несчастных девчонок, которые дожидались своих проблемных приятелей. Да я и сам был проблемным, если на то пошло.

Я пожелал удачи девчонке с медальоном и перестал о ней думать еще до того, как вернулся домой.

Пока я брился, принимал душ и одевался, Лиза молчала, занятая своими мыслями. И я был этому рад. Разговаривать мне не хотелось. Идея ужина с Ранджитом и Карлой принадлежала не мне. Я ни разу не встречал Карлу после того, как сошелся с Лизой, хотя все мы жили в пределах одного узкого полуострова на юге Бомбея. Иногда мне попадались на глаза ее снимки вместе с Ранджитом на страницах принадлежавших ему газет, но наши пути за это время ни разу не пересеклись. «Призрак Карлы бродит и по моему дворцу», — говорила Лиза. Я понимал, что она имеет в виду; вот только Карла не была призраком. И она представляла реальную, а не призрачную опасность.

— Как я выгляжу? — спросила Лиза уже перед самым выходом, когда мы стояли в прихожей.

На ней было очень короткое безрукавное платье из синего шелка и сандалии римского типа с ремешками, охватывающими ногу почти до колен, а из украшений — ракушечное ожерелье и браслет ему под стать. Она больше обычного потрудилась над макияжем, но потрудилась не зря: голубые глаза в окружении темных теней выглядели очень эффектно. Густые светлые волосы были, как обычно, распущены и лежали на плечах крупными локонами, а челку она самостоятельно подстригла ножницами — нарочито небрежно, вкривь и вкось, и получилось просто здорово.

— Ты выглядишь потрясающе! — сказал я. — Особенно прическа. Надеюсь, ты вернула на место мой метательный нож после того, как посекла им волосы?

— Сейчас узнаешь, где самое место твоему дурацкому ножу! — Она со смехом ткнула меня кулаком в грудь.

— Твоя идея насчет связей с другими — это было всерьез? — спросил я.

— Да, — быстро ответила она. — И ты должен отнестись к этому серьезно.

— Не ради ли того затеян весь банкет?

— Отчасти — да. Обсудим это позже.

— Думаю, нам надо обсудить это сейчас. Это и кое-что другое.

— Прежде всего тебе надо поговорить с Карлой.

— Что?

— Раз уж она будет там сегодня, это твой шанс поговорить с ней и узнать, что она думает. А потом уже мы обсудим, что думаешь ты.

— Не понимаю...

— Как всегда. Погнали, ковбой, а то опоздаем.

Мы добрались до отеля «Махеш» сухими, во время затишья; ливень хлынул вновь лишь после того, как мы въехали на крытую стоянку. Я оставил мотоцикл в укромной нише далеко от главного въезда. Парковка там была строго запрещена, но пятьдесят рупий помогли обойти запрет.

Перед дверью в фойе отеля Лиза меня задержала, взяв за руку.

— Ты готов? — спросила она.

— К чему?

— К встрече с Карлой. — Она отважно улыбнулась. — К чему же еще?

Мы застали Ранджита за столом, накрытым на десять персон. Двое из присутствующих, Клифф де Суза и Чандра Мета, были нам знакомы. Совладельцы одной из болливудских кинокомпаний, они несколькими годами ранее попросили меня помочь с обменом незадекларированных и не обложенных налогом рупий на доллары по курсу черного рынка — эти деньги потом шли на взятки тем же налоговикам, которые принципиально брали мзду только долларами.

Что касается Лизы, то она сотрудничала с Клиффом и Чандрой на протяжении нескольких месяцев, когда руководила небольшим кастинговым агентством, набиравшим иностранцев для массовок в индийских фильмах. Отношения с ними она поддерживала и позднее, уже переключившись на организацию выставок.

Фильмы, которые они продюсировали в последнее время, стабильно имели успех, и это привлекло под их знамена многих бомбейских звезд первой величины. Дабы подчеркнуть свое преуспеяние, Чандра и Клифф любили появляться на публике в окружении юных актрис. Вот и сейчас на ужине с ними были четыре хорошенькие девушки.

Мы поздоровались с Ранджитом и продюсерами, познакомились с их спутницами — которых звали Моника, Малика, Симпл и Шена — и заняли свои места за столом. Ранджит усадил нас рядом с собой — Лизу справа, меня слева. Места для Карлы, похоже, предусмотрено не было.

— Разве Карла не придет? — спросила Лиза.

— Увы, нет, — сказал Ранджит, кривя губы в сожалеющей улыбке. — Она... неважно себя чувствует. Приносит свои извинения и передает вам большой привет.

— Надеюсь, ничего серьезного? Мне ей позвонить?

— Нет, ничего серьезного, Лиза, — сказал Ранджит. — Она переутомилась, только и всего.

— Пожалуйста, передай Карле, что я ее люблю.

— Передам, Лиза. Обязательно передам.

Лиза быстро взглянула на меня и тут же повернулась к девушке, сидевшей по другую сторону от нее:

— Значит, вы все киноактрисы, Малика?

Девицы захихикали, утвердительно кивая.

— Да, все четверо, — не совсем уверенно сказала Малика.

— Подняться к вершинам успеха непросто, — произнес Клифф де Суза слегка заплетающимся языком (он уже изрядно выпил). — И мы не можем предугадать, кто из вас выйдет на следующий уровень, *йаар*, а кто сойдет с дистанции.

В хихиканье девиц послышались нервные нотки. Чандра Мета попытался их успокоить.

— Каждая из вас получит свой шанс, — заверил он. — Каждая засветится на большом экране. Это я гарантирую. Как в банке. Но Клифф правильно заметил: пока что мы не знаем, кто из вас способен творить перед камерой то самое волшебство, которое и определяет движение звезд на болливудском небе.

— За это стоит выпить! — вскричал Клифф, поднимая бокал. — За движение звезд!

— Вы уже давно снимаетесь? — спросила Лиза у Симпл, когда все бокалы вернулись на стол.

— О да! — откликнулась Симпл.

— Мы начали уже *месяцы* назад, — сообщила Моника.

— Уже ветераны, — хмыкнул Клифф. — У меня новый тост! За бизнес, который нас обогащает!

— За шоу-бизнес! — подхватил Чандра.

— За творческий расчет! — поправил его Клифф.

— Не могу за это не выпить, — рассмеялся Чандра, чокаясь с компаньоном.

Подали корзинки с пакорами[1] и узкие кашмирские лепешки-парата.

— Я взял на себя смелость сделать заказ на всех, — объявил Ранджит. — Будут невегетарианские блюда для Клиффа, Лина и Лизы, а также большой выбор вегетарианских для всех остальных. Угощайтесь!

— Чандра, — продолжил Ранджит, когда все приступили к трапезе, — ты, случайно, не видел недавнюю статью в моей газете о танцоре-гее, убитом рядом с вашей студией?

---

[1] *Пакоры* — обжаренные овощи в кляре, традиционная индийская закуска.

— Он не читает ничего, кроме контрактов, — сказал Клифф, наливая себе красного вина. — А вот я ее видел. Собственно, ее заметила моя секретарша. Я застал ее рыдающей, как дитя, и спросил, в чем дело. Тогда она прочла мне эту статью. А почему ты спросил об этом сейчас?

— Я подумал, что на этом можно построить сюжет фильма, — сказал Ранджит, передавая Лизе корзинку с пакорами. — Если возьметесь, моя газета поддержит рекламой. И я вложу свои деньги в производство.

— Прекрасная идея! — поддержала Лиза.

— Так вот для чего ты пригласил нас на ужин, — сказал Чандра.

— А если и так, что с того? — поинтересовался Ранджит, мило улыбаясь.

— Забудь об этом! — буркнул Чандра с набитым ртом. — Ты считаешь нас безумцами?

— Погодите, — не сдавался Ранджит. — Один мой колумнист, отлично владеющий пером и уже написавший несколько сценариев для ваших конкурентов...

— У нас нет конкурентов! — прервал его Клифф. — Мы на вершине пищевой цепочки кинематографа, сидим и швыряем кокосы на головы всех остальных, далеко внизу!

— И все же, — гнул свое Ранджит, — этот молодой автор загорелся идеей и уже начал работать над сценарием.

— Танцор вел себя глупо, — сказал Клифф.

— У этого танцора было имя, — негромко сказала Лиза.

С виду она оставалась спокойной, но я чувствовал, что она начинает злиться.

— Да, конечно, он...

— Его звали Авинаш. Он был чудесным танцором до того дня, когда орава пьяных подонков избила его до полусмерти, а потом облила керосином и подожгла.

— Как я уже говорил... — начал Клифф, но компаньон поспешил его перебить.

— Послушай, Ранджит, — сказал Чандра с раздражением. — Ты можешь сколько угодно строить из себя героя на страницах своих газет и писать, что тебе угодно об этом бедняге...

— Его звали Авинаш, — сказала Лиза.

— Да, да, Авинаш. Ты можешь писать о нем, рискуя нарваться на неприятности, и это, возможно, сойдет тебе с рук. Но будь реалистом. Если мы сделаем фильм по этой истории, они накинутся на нас всей сворой. Они закроют кинотеатры.

— Они, к чертям, *сожгут* кинотеатры, — добавил Клифф. — И мы одним махом потеряем кучу денег ни за что ни про что.

— Мне кажется, некоторые вещи настолько важны, что стоит идти на риск ради того, чтобы поведать их людям, — мягко заметил Ранджит.

— Риск касается не только нас, — рассудительно сказал Чандра. — Подумай об этом. Если мы выпустим на экраны такой фильм, почти наверняка начнутся беспорядки, нападения на кинотеатры или даже поджоги, как сказал Клифф. Могут погибнуть люди. Стоит ли все это того, чтобы поведать людям одну-единственную историю?

— Кое-кто *уже* умер, — сквозь зубы процедила Лиза. — Тот самый танцор. Необычайно талантливый танцор. Вы видели его выступления в Национальном центре?

Клифф поперхнулся вином, разбрызгав его по столу.

— В Национальном центре исполнительских искусств? — саркастически уточнил он. — Единственное искусство, интересующее Чандру, исполняется смазливыми девицами в интимном полумраке, верно, брат?

Чандра Мета неловко поерзал на стуле:

— Ты бы поменьше налегал на выпивку, Клифф. Сегодня ты слишком рано начал уходить в отрыв.

— Говори за себя, — огрызнулся его компаньон, вновь наполняя свой бокал. — Или ты беспокоишься, что я начистоту выложу все, что думаю об этой кампании Ранджита, которую он раздувает из своих политических амбиций, а вовсе не ради мертвого танцора Авинаша? Беспокоиться должны не мы, а Ранджит. Мы всего лишь покупаем для рекламы страницы в его газетах.

— Может, оставим разговоры о делах? — сказал Ранджит со слабой улыбкой. — Мы же не в офисе.

— Ты сам начал этот разговор, — ответил Клифф, взмахивая бокалом так, что брызги вина попали на унизанную браслетами руку Шены.

— А у тебя есть *личное* мнение о том, что случилось с Авинашем? — спросила Лиза у Клиффа. — Учитывая, что случилось это в паре сотен шагов от твоей студии и что Авинаш снимался в трех твоих фильмах?

— Лин, рассуди нас, — вмешался Чандра. — Что ты об этом думаешь? Разве я не прав? Если мы сделаем такой фильм, это обернется кровопролитием прямо в кинозалах. Будет ошибкой возбуждать эмоции и... оскорблять чувства многих людей. Скажи, разве я не прав?

— Эта тема меня никак не касается. Вы двое владеете кинобизнесом, Ранджит владеет прессой, но я не имею отношения ни к тому, ни к другому.

— Но мнение-то у тебя есть, — сказал Ранджит, взглянув на Лизу. — Не упрямься, скажи честно, что ты думаешь по этому поводу, Лин.

— Я уже дал тебе честный ответ, Ранджит.

— Пожалуйста, Лин, — попросила Лиза.

— Что ж, ладно. Кто-то однажды сказал, что уровень развития любого общества обратно пропорционален его готовности прибегнуть к насилию под влиянием громких речей на публике или действий отдельных людей в узком кругу.

— Я ничего... то есть... абсолютно ничего... не понял из твоих слов, — икая, промолвил Клифф.

— Это значит, — сказал Ранджит, — что продвинутое общество не теряет свою устойчивость, что бы люди ни говорили публично или ни вытворяли у себя в домах. Только *неразвитое* общество можно раскачать таким образом.

— Но что это значит применительно к моему вопросу? — спросил Чандра.

— Это значит, что я с тобой согласен, Чандра. Вам не стоит раздувать эту историю.

— Что?! — выдохнула Лиза.

— Слышали? — Клифф взмахнул бокалом. — Я прав.

— Почему нет, Лин? — спросил Ранджит. Его вежливая улыбка растаяла.

— Потому что это не их борьба.

— Что я говорил! — хмыкнул Клифф.

— Но ведь это важно, ты согласен? — спросил меня Ранджит, при этом, однако, глядя на Лизу.

— Разумеется, это важно. Человек был зверски убит, причем убит не за что-то им сделанное, а просто за то, каким он был. Однако это не их борьба, Ранджит. Им это по большому счету безразлично, а здесь нужны искренне верящие.

— На прошлой неделе это был Авинаш, — сказала Лиза, сверкнув на меня глазами. — Через неделю это могут быть мусульмане, или иудеи, или христиане, или женщины, которых будут бить и сжигать только потому, что они такие есть. А потом они, может, возьмутся за кинопродюсеров. Вот почему это касается всех.

— Ты можешь делать такие вещи, только веря в то, что делаешь, — возразил я. — Клифф и Чандра не верят. Им нет никакого дела до Авинаша, без обид. Это не их борьба.

— Так и есть! — сказал Клифф, задетый за живое. — Я всего лишь хочу заработать побольше денег, ну и несколько кинопремий в придачу, и гулять себе припеваючи по красной дорожке. Что в этом плохого?

Подали первое блюдо, официанты засуетились вокруг стола, как пчелы над цветочной клумбой, и разговор прервался.

В эту минуту объявился гостиничный посыльный, который отвесил общий поклон присутствующим и затем прошептал мне на ухо:

— В холле вас ожидает господин Навин, сэр. Он говорит, что у него к вам очень срочный разговор.

Извинившись перед компанией, я вышел в холл. Найти там Навина и Диву не составило труда — их спор был слышен в радиусе десяти метров.

— Ни за что! — кричала Дива.

— Ты в самом деле такая...

— Забудь! Я этого не сделаю!

— Привет, дружище, — со вздохом сказал мне Навин. — Извини, что прервал твой ужин.

— Пустяки, — ответил я, пожимая ему руку и кивком приветствуя юную светскую особу. — Что у вас тут?

— Мы идем с гулянки на восемнадцатом этаже...

— Ушли, когда только начался самый балдеж! — возмутилась Дива.

— Туда вот-вот нагрянет полиция, — пояснил Навин. — Потому мы и смылись. И представь, кто зашел к нам в лифт по пути вниз? Не кто иной, как наш человек-загадка.

— Мистер Уилсон?

— Он самый.

— Ты с ним разговаривал?

— Не смог удержаться. Знаю, мы собирались наведаться к нему вместе, но, когда подвернулась такая возможность, грех было ею не воспользоваться.

— Что ты ему сказал?

— Что мне известно о его розысках Джорджа Скорпиона и что мы с Джорджем друзья. А потом спросил в лоб, что ему нужно от моего друга?

— И?

— Он оказался законником, — вставила Дива.

— Можно я сам расскажу? — обернулся к ней Навин, едва сдерживая раздражение. — Он назвался юристом и сказал, что у него важное сообщение для Скорпиона. Правда, он назвал его мистером Джорджем Брэдли. Это действительно фамилия Скорпиона?

— Да. Уилсон сказал, в чем суть сообщения?

— Ни намека. Он крепко держит рот на замке. Хотел бы я иметь его своим поверенным. Он сказал только одно: это не причинит Скорпиону никакого вреда.

— Между прочим, это я вытянула из него признание! — вставила Дива.

— Да, она угрожала разорвать свою блузку и закричать охране, что Уилсон набросился на нее в лифте. По мне, так это уже перебор.

— Для того и нужны переборы, тупица! Чтобы получить результат. Какая еще может быть от них польза?

— Он сказал что-нибудь еще? — спросил я.

— Нет, больше ничего. Профессиональная этика ему, видите ли, не позволяет.

— Если бы ты не помешал мне хорошенько взвизгнуть, ты сейчас имел бы всю информацию, — сказала Дива. — Но нет, как можно?! Женский визг тактически неприемлем для великого сыщика!

— А если бы ты довизжалась до полицейской камеры? Тогда бы я провалил свое задание.

— Как получилось, что вы двое все еще вместе? — спросил я. — Разве недозвездный поганец еще не отшит?

— Отшит, — вздохнул Навин. — Но ее отец сейчас занят какой-то крупной сделкой...

— Мукеш Девнани не снисходит до *крупных* сделок, болван! — фыркнула Дива. — Мой отец занимается только гигантскими, *умопомрачительными* сделками.

— Ее отец занят одной умопомрачительно гигантской сделкой, — продолжил Навин, — в ходе которой начались какие-то трения с людьми, к этой сделке не допущенными. Прозвучали угрозы. Грязные намеки. Тогда ее отец решил подстраховаться и попросил меня сопровождать эту вертихвостку еще две недели, пока он не заключит сделку.

— Я не вертихвостка! — заявила Дива и показала ему язык. — И я жду не дождусь, когда закончатся эти проклятые две недели!

— Ты в самом деле сейчас показала мне язык? — удивился Навин.

— Это ответ, которого ты заслуживаешь.

— Конечно, если бы тебе было четыре годика.

— Так чем все закончилось с Уилсоном? — не выдержал я.

— Я знал, что ты ужинаешь здесь, — сказал Навин. — Один из гостей на той гулянке заметил тебя у входа и сказал, что ты встречаешься с Ранджитом Чудри. Тут я и подумал: раз уж все так сложилось, мы могли бы решить этот вопрос прямо сейчас. И договорился с Уилсоном встретиться на набережной перед входом. Он ждет нас там. Что скажешь?

— Думаю, надо поговорить с ним сейчас. Если он тот, за кого себя выдает, сведем его с зодиакальными Джорджами. Дива, ты не могла бы подождать нас в ресторане вместе с моей подругой Лизой?

— Ну вот, теперь и ты начал! — рассердилась она.

— Как раз из-за этого мы спорили, когда ты подошел, — объяснил Навин. — Я сказал, что, если мы с тобой повезем этого Уилсона к зодиакальным Джорджам, она должна будет остаться в отеле, в безопасности. Но она ни в какую.

— Ты что, издеваешься? — огрызнулась Дива. — Да мне за последний триллиард лет не подворачивалось ничего более интересного, чем поездка с человеком-загадкой на встречу с зодиакальными Джорджами, хрен их знает кто такие, а ты хочешь, чтобы я просидела это время в отеле, как папина паинька? Не выйдет! Я плохая девочка. Я еду с вами!

Взглянув на Навина, я по его мимолетной улыбке и безнадежному пожатию плеч понял, что он за эти дни уже привык уступать в постоянных спорах с этой девчонкой.

— О'кей, подождите здесь. Я предупрежу Лизу.

Я вернулся к застолью и, положив руки на спинку стула Лизы, шепотом объяснил ей ситуацию, а потом извинился перед всеми присутствующими:

— Леди и джентльмены, к сожалению, я вынужден вас покинуть. Меня вызвали по неотложному делу, касающемуся моего друга. Прошу меня извинить.

— Мы же договорились, что поужинаем с Ранджитом! — произнесла Лиза громко и сердито.

— Лиза...

— И если ты еще не заметил, ужин сейчас в самом разгаре.

— Да, но...

— Это просто грубо, — сказала она.

— Это срочно, Лиза. Дело касается Скорпиона.

— Так вот из-за чего ты уезжаешь? А не потому, что здесь нет Карлы?

Мне было больно слышать этот упрек. Скорпион и Близнец были нашими друзьями, и она знала, что для них это очень важно. Она смотрела на меня в упор, и в ее глазах я не видел ничего, кроме гнева. Тяжелое молчание нарушил Ранджит:

— Очень жаль, что ты нас покидаешь, Лин. Но будь уверен, Лиза останется в надежных руках. Возможно, ты еще успеешь вернуться после своего... неотложного дела... ко времени десерта. Полагаю, мы засидимся тут надолго.

Он глядел на меня с привычной, открытой и вроде бы дружелюбной улыбкой. Лиза не шевельнулась.

— Обещаю, — сказал Ранджит, накрывая ладонью ее руку на столе. — Мы сделаем все, чтобы Лизе не было скучно. Не беспокойся.

— Катись! — сказала мне Лиза. — Если для тебя это так важно, катись отсюда.

Несколько секунд я смотрел на их соединенные руки и испытывал нездоровое, но вполне объяснимое желание врезать Ранджиту. Не важно, как и по какому месту, но со всей силы.

Я попрощался и покинул компанию. Сейчас я знаю, что, если бы тогда поддался инстинктивному желанию, выволок Ранджита из отеля, избил его и зашвырнул обратно в гадюшник, из которого он выполз, всем нам (включая, возможно, и его самого) стало бы от этого только лучше и безопаснее. Но я так не поступил. Я переборол себя. Я был само благоразумие. Я поднялся над своим обычным уровнем. И Судьба в ту ночь начала писать для всех нас новую главу — звездной россыпью на страницах тьмы.

ГЛАВА 21

Перед отелем порывы ветра слизывали с поверхности залива и проносили над широкой набережной сверкающие облачка водяной пыли. Муссон готовился к очередному натиску на город, растянув по всему горизонту фаланги грозовых туч.

Законник Уилсон стоял, небрежно прислонившись к каменному парапету. Он был в темно-синем костюме; длинные бледные пальцы сжимали зонтик и мягкую фетровую шляпу; галстук туго охватывал воротник накрахмаленной белой рубашки. Не секрет, что юристы в состоянии глубокой депрессии иногда вешаются на своих узких галстуках. И сейчас, глядя на Уилсона, я невольно посочувствовал людям его профессии, обреченным идти по жизни с этой петлей на шее.

При ближайшем рассмотрении я убедился, что волосы у него действительно были серебристо-белого цвета, притом что по лицу — худому, без единой морщинки — ему нельзя было дать больше тридцати пяти лет. Его бледно-голубые радужки почти сливались с окружающим белком, из-за чего при слабом освещении глаза казались целиком голубыми. И в глубине глаз светилось то ли бесстрашие, то ли просто добродушное спокойствие. В любом случае на первый взгляд мне этот человек понравился.

— Это Лин, мистер Уилсон, — представил меня Навин. — Его также именуют Шантарамом.

— Рад знакомству, — сказал Уилсон и протянул мне визитную карточку.

Согласно надписи на визитке, Э. К. Уилсон работал на юридическую фирму с офисами в Оттаве и Нью-Йорке.

— Как я понял со слов мистера Адэра, вы можете устроить мою встречу с мистером Джорджем Брэдли, — сказал Уилсон.

— Как я понял, сначала вы должны сообщить мне, какого черта вам от него нужно, — ответил я.

— Так он тебе и скажет! — рассмеялась Дива.

— Заткнись, пожалуйста, — шикнул на нее Навин.

— Если вы действительно являетесь друзьями мистера Брэдли...

— То есть вы считаете меня лжецом, мистер Уилсон? — напрягся Навин.

— Меня зовут Эван, — спокойно произнес Уилсон. — Эван Уилсон. И я, конечно же, не подвергаю сомнению ваши слова. Я хотел сказать только следующее: как друзья мистера Брэдли, вы должны понимать, что вопрос, по которому я к нему обращаюсь, является его личным делом.

— И оно останется личным, — сказал я, — настолько личным, что вы никогда не встретитесь с ним лично, если не проясните свои намерения. Джордж Скорпион — человек нервный и впечатлительный. Нам он нравится таким, какой он есть, и мы стараемся его не волновать без особой необходимости. Вы меня понимаете?

Уилсон был невозмутим и явно не склонен к компромиссам. Мимо нас по широкому тротуару прошли несколько человек, отважившихся на прогулку вопреки штормовому ветру и надвигавшемуся ливню. Неподалеку остановились два такси в надежде заполучить нас в клиенты. В остальном улица была пустынной.

— Повторяю, — после паузы сказал Уилсон негромко, но решительно, — это личное...

— Ну все, заклинило! — фыркнула Дива. — А почему бы вам двоим его не вздрючить? Я уверена, он расколется, когда огребет по полной!

Уилсон, Навин и я уставились на миниатюрную светскую львицу.

— В чем дело? — спросила она. — Выдайте ему звездюлей, и все дела!

— Должен вас предупредить, — быстро произнес Уилсон, — что я в порядке предосторожности нанял сотрудника охраны отеля. Вот он, рядом с припаркованной машиной, наблюдает за нами.

Мы с Навином оглянулись. В тени, метрах в пяти от нас, маячил здоровяк в темном костюме. Я знал этого парня из охраны отеля. Его звали Манав.

Мистер Эван Уилсон допустил промах, по незнанию местных обычаев. В те годы, если вам был нужен телохранитель, вы нанимали либо гангстера, либо копа вне службы. Простые охранники, такие как Манав, зарабатывали слишком мало, чтобы рисковать здоровьем, если начнется серьезная заварушка. Они не имели влиятельных покровителей, не могли рассчитывать на страховку при получении травмы и не могли кого-либо засудить по причине все того же безденежья. А если *они* кого-нибудь калечили, им вполне светил тюремный срок.

Кроме того, Манав был заядлым качком и, как многие качки, очень боялся получить перелом, который мог выбить его из тренировочного цикла и свести на нет полугодовые усилия по формированию мышечного рельефа. Мне случалось видеть культуристов после такого регресса, когда они подолгу с унынием смотрятся в зеркало на стене тренажерного зала.

— Все в порядке, Манав, — сказал я громко. — Возвращайся в отель. Мы тебя позовем, когда будет нужно.

— Хорошо, сэр, Линбаба! — откликнулся он с явным облегчением. — Спокойной ночи, мистер Уилсон, сэр!

Охранник развернулся и косолапой трусцой припустил в сторону отеля. Уилсон молча проводил его взглядом. Надо отдать ему должное, законник сохранил спокойствие и даже улыбнулся.

— Создается такое впечатление, джентльмены, — сказал он мягко, — что вы неожиданным образом только что вошли в круг ближайших доверенных лиц мистера Брэдли.

— Ты наконец-то врубаешься в суть, беложопый! — выпалила Дива.

— Да заткнись же ты, ради бога! — взмолился Навин. — И где ты подцепила словечко «беложопый»? Ты что, тусовалась в Гарлеме и теперь причисляешь себя к черным?

— Я причисляю себя к великой нации «иди-на-хер», — огрызнулась она. — Хочешь, спою наш национальный гимн?

— Вы начали говорить о доверительных отношениях, мистер Уилсон, — напомнил я.

— Можно просто Эван. Вам, как ближайшим доверенным лицам, я могу сообщить, что мистер Брэдли имеет право на получение наследства. Он является единственным живым родственником Джосайи Брэдли, недавно скончавшегося владельца концерна «Эней» со штаб-квартирой в Оттаве, и на этом основании может рассчитывать на значительную сумму, если я смогу его найти и сделать соответствующее заявление в присутствии надлежаще уполномоченных нотариусов.

— И насколько значительна эта сумма? — спросил Навин.

— Если позволите, я оставлю ответ на усмотрение мистера Брэдли. Полагаю, он вправе сам решить, сообщать вам точную сумму полученного наследства или воздержаться от этого.

Уилсону не стоило беспокоиться по поводу оглашения суммы. Когда мы привезли его в отель «Фрэнтик», вызвали зодиакальных Джорджей на улицу и отошли в сторонку, оставив их наедине с юристом, сумма была громогласно озвучена Близнецом уже через пятнадцать секунд после начала разговора.

— Тридцать пять миллионов! — завопил он. — Да ты же офигенный Крез! Тридцать пять миллионов! Долларов! Боже правый!

— И пусть об этом слышит вся чертова улица, да? — накинулся на него Скорпион, тревожно озираясь.

— Чего ты боишься, Скорп? Ведь у нас пока нет на руках этих денег! Никто не прирежет нас в постели из-за денег, которых у нас нет при себе.

— Но нас могут похитить, — возразил Скорпион, взмахом руки подзывая меня, Навина и Диву. — Разве я не прав, Лин? Наверняка найдутся люди, которые захотят нас похитить, чтобы потребовать выкуп. Они отрежут ухо или палец и отправят его почтой.

— Бомбейской почтой? — фыркнул Близнец. — Дохлый номер.

— Возможно, они уже сейчас планируют похищение, — тоскливо промолвил Скорпион.

— Чтоб тебя, Скорпион! — крикнул Близнец, приплясывая от восторга. — Пять минут назад ты истерил по поводу каких-то мозгокопателей из ЦРУ, а теперь ноешь из-за выдуманного тобой похищения. А ты не мог бы хоть ненадолго расслабиться и почувствовать вкус удачи?

— Мне думается, однако, что опасения мистера Брэдли не беспочвенны, — заметил Уилсон.

— «Мистер Брэдли»? — фыркнул Близнец. — Мистер Небред-ли! Услышать, как тебя называют мистером Брэдли, — это стоит миллиона! Скорпион, отсыпь Уилсону миллион баксов!

— Одна вещь не подлежит сомнению, мистер Брэдли, — продолжил Уилсон. — Вам не следует оставаться в этом отеле. Только не теперь, когда существенное изменение в ваших финансовых обстоятельствах переместило вас, скажем так, в более значимую категорию лиц с высоким уровнем доходов.

— Он подразумевает «более уязвимую категорию лиц с высоким уровнем риска», — промямлил Скорпион. — Он *уже* говорит о похищении, Близнец. Ты это понимаешь?

— Успокойся, Скорпион, — сказал я.

— Вообще-то, он прав, — встряла Дива.

— Слышишь? — всхлипнул Скорпион.

— Мой отец большой дока по части борьбы с похищениями, — заявила Дива. — Меня с пяти лет обучали, как вести себя в таких случаях. Этому обучают всех богачей. А поскольку ты теперь богач, тебе надо освоить методы предохранения от похитителей. Пусть полиция тщательно проверит всех твоих друзей и знакомых. Ты должен обзавестись безопасным, охраняемым жильем и бронированным лимузином. Без этого нельзя. Телохранители и деньги идут в комплекте, как сумочка и туфли.

— О нет... — простонал Скорпион.

— И он прав насчет ушей и пальцев, — добавила Дива. — Только похитители отправляют их курьерами, а не обычной бомбейской почтой.

— О нет...

— Я знаю случай, когда они отрезали поочередно все пальцы, кроме одного, прежде чем родственники заплатили выкуп.

— Ох...

— Дива, прошу тебя, — сказал со вздохом Навин.

— В другом случае они отрезали похищенному оба уха. Настоящая трагедия. Теперь он не знает, что делать со своей коллекцией дизайнерских солнцезащитных очков.

— Ох...

— Дива!

— И самые стильные шляпы на нем смотрятся уже не так эффектно, — задумчиво молвила Дива. — Но, по крайней мере, он остался в живых. И он по-прежнему богат.

— Дива, прекрати его пугать! — рассердился Навин.

— Пугать? — переспросила она. — Много ты понимаешь! Между прочим, среди присутствующих только два миллионера: мистер Брэдли и мисс я. Усекаешь? Я единственная из вас, кто может со знанием дела рассуждать о похищениях и истязаниях богачей.

— О нет... — простонал Скорпион.

— Где будем праздновать? — спросил Близнец, все еще приплясывая.

— Я взял на себя смелость зарезервировать для вас номер люкс в отеле «Махеш», на одном этаже с моим номером, — сказал Уилсон. — Я полагал, что рано или поздно найду вас, и тогда апартаменты будут сразу к вашим услугам. Кроме того, наша фирма позаботилась о незамедлительном открытии кредитной линии для вас, мистер Брэдли, чтобы вы располагали денежными средствами в период юридического оформления всех деталей, пока не вступите в наследство.

— Это... это здорово, — пролепетал Скорпион. — Кредитная линия?

— На какую сумму? — поинтересовался Близнец.

— Я положил на ваш счет сто тысяч долларов. Вы имеете к ним доступ с этой минуты.

— Мне определенно нравится этот парень! — воскликнул Близнец. — Дай ему еще один миллион, Скорп.

— Мы надеемся, что вы и в дальнейшем будете пользоваться услугами нашей фирмы, мистер Брэдли, — сказал Уилсон. — Как это на протяжении многих лет делал ваш двоюродный дед Джосайя Брэдли. Мы готовы предоставить вам лучшие профессиональные советы по распоряжению наследством. Полностью к вашим услугам.

— Чего мы ждем? — крикнул Близнец. — Поехали!

— А как же наше барахло? — спросил Скорпион, оглядываясь на отель «Фрэнтик».

— Не беспокойся об этом, — сказала Дива, беря его под руку и ведя к поджидающим нас такси. — Ты пришлешь за своим барахлом слугу. Отныне все за тебя будут делать слуги, а тебе останется только ловить кайф.

— Виски! — причмокнул Близнец, присоединяясь к ним и нависая над плечом Дивы.

— И основательный душ, — морща нос, добавила Дива.

— Шампанское!

— И снова в душ.

— И кокаин! Слушай, у меня идея! Разведем кокаин в шампанском!

— Ты начинаешь мне нравиться, — сказала Дива.

— А ты мне понравилась сразу же, — сказал Близнец. — Будем гулять!

— Надеюсь, вы составите нам компанию, мистер Уилсон? — спросила Дива, беря его под локоть другой рукой.

— Не хочу показаться неучтивым, мисс...

— Девнани. Дива Девнани. Зовите меня Дивой, как делают все.

— Не хочу показаться неучтивым, мисс Девнани, — сказал Уилсон, улыбаясь и не делая попыток высвободить свою руку. — Но разве не вы полчаса назад призывали своих спутников *выдать мне звездюлей*?

— Глупенький, — пожурила его Дива, — я ведь тогда не знала, что вы управляете капиталом в тридцать пять миллионов. И зовите меня Дивой, ладно?

— Очень хорошо, мисс Дива. Я с удовольствием выпью бокал на вашем праздновании.

Мы за несколько минут добрались до «Махеша», где Уилсон взял ключ от своего номера и попросил менеджера через час прийти в номер Скорпиона, чтобы оформить новых постояльцев.

Когда мы отошли от стойки, я взял его за локоть.

— Вы будете подавать жалобу? — спросил я тихо.

— Жалобу?

— Насчет Манава.

— Манава?

— Вашего охранника, нанятого в отеле.

— Ах, это. — Уилсон улыбнулся. — Он не проявил большого рвения, исполняя свои обязанности. Но... думаю, это случилось потому, что он был уверен в моей безопасности с вами и молодым мистером Навином, хотя и подверг меня риску в том, что касается мисс Дивы.

— Это значит «нет»?

— Разумеется, это «нет», сэр. Я не собираюсь подавать жалобу на этого охранника.

— Спасибо, — сказал я и пожал ему руку.

Мне понравился Эван Уилсон. Он был спокоен, осмотрителен и целенаправлен. Он выказал храбрость, когда мы уже были готовы прибегнуть к силе. Он обладал чувством юмора, был профессионален, но не до педантизма, не терялся в сложной ситуации и, кажется, неплохо разбирался в людях.

— Не стоит благодарности, — сказал он. — Мы присоединимся к остальным?

— Нет, мне уже нужно быть в другом месте. — И я взглянул на смеющихся Навина, Диву и зодиакальных Джорджей, которые ждали нас перед лифтом. — Всего доброго, мистер Уилсон, — сказал я канадскому законнику с серебристой шевелюрой и направился в ресторан на первом этаже.

Стол Ранджита был чист и уже готов к приему следующих клиентов. Я знаком подозвал метрдотеля:

— Давно они ушли?

— Довольно давно, мистер Лин. Мисс Лиза просила передать вам записку.

Он извлек из кармана жилета и протянул мне бумажку с посланием, написанным красными чернилами — ее любимыми:

«Поехала на вечеринку с Ранджитом. Это допоздна. Ложись, меня не жди».

Я дал чаевые метрдотелю и направился к дверям, но через несколько шагов кое-что вспомнил и вернулся.

— Они ели десерт? — спросил я.

— Нет, сэр. Они отбыли сразу после первого блюда.

Я вышел из отеля в теплую ночь. На парадном крыльце дежурил Манав вместе еще с одним охранником. Он посмотрел на меня озабоченно и выжидающе.

Манав был славным парнем: большим, сильным и добрым. Он не без оснований опасался, что Уилсон пожалуется администрации, — как-никак, он покинул клиента отеля, которого должен был охранять. Это могло стоить ему места и положить конец надеждам на какую бы то ни было карьеру в гостиничном бизнесе. Я кивком отозвал его в сторону.

— Как дела, Манав? — спросил я, вместе с рукопожатием передавая ему рулон банкнот.

Однако он отказался брать деньги, накрыв здоровенными ладонями мою руку.

— Нет, Линбаба, — зашептал он. — Я не могу это принять.

— Очень даже можешь, — сказал я с улыбкой, вынуждая его схватить деньги, иначе они упали бы на землю. — Это примерно та сумма, которую дал бы тебе мистер Уилсон, если бы ты провел с ним всю сегодняшнюю смену.

— М-мистер Уилсон...

— Все в порядке, я только что с ним говорил.

— Да, Линбаба. Я видел, как вы с ним входили в отель. Я стоял здесь, но не посмел к нему обратиться.

— Он не подаст на тебя жалобу.

— Не подаст? Вы уверены, Линбаба?

— Абсолютно. Он сам мне это сказал. Так что все в порядке.

Благодарный блеск темно-карих глаз Манава держался в моей памяти все то время, пока я выгонял со стоянки свой байк, а затем ехал по Марин-драйв и поднимался на Малабар-хилл.

Я остановился на самой вершине холма, откуда открывался вид на сверкающую уличными огнями широкую, во весь изгиб бухты, улыбку Марин-драйв. Сделал самокрутку с гашишем и закурил.

Вскоре рядом присел бродяга, каждый вечер забиравшийся на холм по длинной извилистой тропе, чтобы здесь переночевать. Я протянул ему косяк. Он с радостной ухмылкой затянулся, при этом не касаясь самокрутки губами, а втягивая дым через сложенную трубочкой ладонь, как через чиллум.

— Забористый! — одобрил он, выпуская дым из ноздрей. Затем умудренно покачал головой, затянулся еще раз и вернул мне косяк.

Я отдал ему остаток от куска гашиша, частично использованного на самокрутку. Остаток был немаленький. Внезапно бродяга стал очень серьезен, попеременно глядя мне в лицо и на гашиш у себя на ладони.

— Иди домой, — сказал он на хинди после долгой паузы. — Иди домой.

Так я и сделал: поехал домой под проливным дождем, поставил мотоцикл на обычном месте, засунул мокрую купюру в карман рубашки дрыхнущего сторожа и поднялся в свою квартиру.

Лизы дома не оказалось. Я стянул сырую одежду и ботинки, принял душ, поел хлеба и фруктов, выпил чашку кофе и лег на кровать лицом вверх.

Потолочный вентилятор крутился неторопливо, но с достаточной скоростью, чтобы расшевелить дуновением влажный воздух. Ливень с новой силой забарабанил по металлическому козырьку над окном спальни, стекая оттуда мимо приоткрытого окна тягучими и блестящими, как ртуть, струйками.

Я курил в темноте гашиш и ждал. Лиза объявилась в четвертом часу — я услышал, как ее каблучки отстучали ритм нетрезвой поступи на мраморном полу холла. Затем она ввалилась в комнату, с ходу швырнула сумочку на стул, но промахнулась, и та заскользила по полу. Дрыгая ногой, она сбросила расстегнутую сандалию, но с застежкой второй пришлось повозиться. Платье и нижнее белье она стягивала долго, извиваясь всем телом и мелкими шагами описывая круги по комнате, но в конце концов справилась и рухнула на постель, последним взмахом ноги отбросив в сторону трусики.

В темноте я не видел ее зрачки. Одного взгляда на них хватило бы, чтобы узнать, какую конкретно дурь она принимала. Я потянулся к лампе на тумбочке, но Лиза меня остановила:

— Не нужно света! Я хочу быть Клеопатрой!

Когда Лиза затихла, я освежил ее влажным полотенцем, а потом обтер сухим. Она перекатилась на свою сторону постели и заснула уже мертвым сном.

Я лежал рядом с ней в темноте. Дождь стих, мимо окна с писком проносились летучие мыши, перед рассветом возвращаясь в свои темные закутки. Проснувшийся сторож начал обход вокруг здания, постукивая по земле бамбуковой палкой, чтобы отогнать мародерствующих крыс. Постукивание удалилось, и в комнате наступила полная тишина, если не считать дыхания Лизы, похожего на легкий плеск волн.

Я порадовался за внезапно разбогатевших зодиакальных Джорджей, порадовался за Навина и Диву, которые все еще были вместе, хотя и без конца ругались. И я был рад, что Лиза дома и в безопасности.

Но при всем том на душе у меня было тошно. Я не знал, что нужно Лизе, но понимал, что ей нужен не я. Было время, когда я хотел быть ей нужным, чтобы она полюбила меня по-настоящему и позволила взамен полюбить ее. Иногда такое казалось мне возможным. Но желание чего-то большего было лишь свидетельством того, как мало мы имели. Мы с ней были просто близкими друзьями, которые не очень-то старались превратить эту близость в любовь.

Глаза начали слипаться, и в полусне мне привиделось лицо Ранджита — искаженное, зловещее, как маска дьявола. Я вздрогнул, пробудился и какое-то время слушал отдаленный шум прибоя и дыхание Лизы под боком, пока глаза не сомкнулись вновь.

Мы с ней спали — вместе и в то же время порознь, — пока дожди отмывали город до блеска, до гладкости стертого коленями каменного пола в тюремной исповедальне.

ГЛАВА

22

«Вопиющие Джорджи», как их порой называли на улицах, неожиданно сделались вопиюще богатыми. По всему южному Бомбею шли разговоры о том, как самые бестолковые и безответные из всех проживающих здесь иностранцев вдруг стали чуть ли не пупами земли; как жалкие нищеброды в одночасье обернулись ценными и уважаемыми членами общества. «Как сильны стали падшие!»[1] — шутил по сему поводу Дидье.

На протяжении трех недель через гостиничный номер зодиакальных Джорджей днем и ночью потоком шли всевозможные специалисты, прилагавшие неимоверные усилия к тому, чтобы придать вчерашним оборванцам респектабельность, соответствующую их новообретенному статусу: портные, парикмахеры, мозольные операторы, ювелиры, часовщики, инструкторы йоги, маникюрши, стилисты, учителя медитации, астрологи и составители гороскопов, бухгалтеры, юристы, прислуга и целая орда консультантов по самым разным вопросам.

Привлечением всей этой пестрой братии — а равно низведением их грабительских расценок до вполне скромного уровня — добровольно занялась Дива Девнани, выказывая на сем поприще немалую энергию и замечательную сноровку. На эти недели она также сняла номер в «Махеше» и почти все время проводила в компании оперяющихся миллионеров. Она заявила, что считает

---

[1] *«Как сильны стали падшие!»* — переиначенное библейское выражение «Как пали сильные!» (2 Цар. 1: 25).

своим долгом обеспечить полноценное «перерождение» Скорпиона и Близнеца.

— Так случилось, что я была рядом с Джорджами в тот самый момент, когда они узнали о своем богатстве, — сказала она. — Не кто-нибудь, а именно я: самая богатая девушка в Бомбее, к тому же наделенная безупречным вкусом. Это карма. Это судьба. Кто я такая, чтобы задирать нос и противиться самой судьбе? Это мой долг: помочь им восстать из пепла.

Что касается самих восстающих из пепла Джорджей, то они — при всей их дружбе и взаимной преданности — диаметрально расходились во взглядах на стратегию дальнейших действий после своего перемещения из грязи в князи.

Джордж Близнец считал, что от дурных денег надо как можно скорее отделаться. Оба Джорджа за все время жизни на улицах и в трущобах Бомбея никогда не лгали, никогда не обманывали клиентов и никогда ни на кого не поднимали руку. Как следствие, они приобрели огромное множество друзей и просто доброжелателей, периодически им помогавших, — в том числе владельцев закусочных и лавчонок, терпеливо продлевавших им кредит; уличных попрошаек и спекулянтов, не дававших им умереть с голоду в самые трудные дни, и даже отдельных копов, которые закрывали глаза на их мелкие правонарушения.

Близнец предлагал раздать бо́льшую часть денег всем этим людям, а на оставшиеся закатить долгую череду незабываемых гулянок, перед тем положив некоторую (не слишком крупную) сумму на банковский счет с ежемесячной выплатой процентов. По окончании блистательного загула он планировал вернуться к счастливой жизни на улицах, но уже с несколько большими удобствами и уверенностью в завтрашнем дне.

Джордж Скорпион этой идеей не соблазнился. Его страшили ответственность и моральное бремя, навалившиеся на него вместе с деньгами, и он докучал своими жалобами всем, кто не умел изящно избавляться от нытья хронических пессимистов. Тащить это бремя бедняге было невмоготу, но и сбросить его с плеч он не мог.

По словам Скорпиона, первые недели процветания стали для него настоящим кошмаром. Деньги приносят беду, говорил он. Деньги губят покой в наших душах, говорил он. Однако вот так взять и отринуть презренное злато у него не хватало духу.

Он беспрестанно стонал, бормотал и плакался. Гладковыбритый, подстриженный, промассажированный, наманикюренный и смазанный душистыми кремами, долговязый канадец бродил по роскошному номеру, тяжело переживая свалившуюся на него удачу.

— Это плохо кончится, Лин, — сказал он, когда я заглянул его проведать.

— Рано или поздно все кончается плохо для любого из нас. Только искусство вечно.

— Пожалуй, — согласился он, хотя мои слова его не утешили. — Ты видел Близнеца, когда сюда входил? Он все еще сидит за картами?

— Я его не видел. Меня впустил какой-то сикх. Он назвался твоим «мажордомом».

— А, это Сингх. Он вроде как всем тут заправляет. На пару с Дивой. У этого типа чудовищный шнобель. Наверно, такой отрастает, если все время глядеть на людей сверху вниз, вдоль переносицы.

— А вдобавок к длинному носу у него есть короткий список допускаемых лиц.

— Это да... понимаешь, нам пришлось ограничить число посетителей. Ты бы видел, что тут творилось сразу после того, как новость о моем наследстве разнеслась по улицам.

— Могу себе представить.

— Они валили сюда толпами, день и ночь. Отелю пришлось удвоить охрану на этом этаже, чтобы их как-то сдерживать. Но многие все равно прорывались. Один засранец барабанил в дверь туалета и требовал денег, когда я сидел на толчке.

— Да уж...

— В последние дни я вообще не высовываю нос из отеля. Стоит только выйти на улицу, откуда ни возьмись появляются люди и тянут руки за деньгами.

По такому случаю я вспомнил, что сами зодиакальные Джорджи в течение многих лет имели обыкновение появляться откуда ни возьмись, и руки их при этом также частенько бывали протянуты ладошкой вверх.

— Да уж...

— Но ты можешь быть спокоен, Лин, — поспешил добавить Скорпион. — Твое имя всегда будет в коротком списке.

— Да уж...

— Нет, я серьезно, старик. Ты всегда был к нам очень добр. И я этого не забуду. Кстати, раз уж об этом зашла речь, ты... тебе не нужно...

— Нет, у меня с деньгами порядок, — сказал я. — Но спасибо за готовность помочь.

— Вот и ладно. Давай все же найдем Близнеца. Мне надо сообщить ему о новых правилах безопасности.

Лондонца мы обнаружили в одной из комнат люкса, изначально предназначавшейся для деловых встреч и совещаний. Джордж

Близнец накрыл длинный стол скатертью и превратил комнату в игорный притон. И сейчас он резался в покер с несколькими служащими отеля, сменившимися с дежурства. Судя по количеству початых либо уже пустых бутылок и расставленным там и сям блюдам с объедками, игра шла уже не первый час.

— А вот и ты, Скорп! Привет, Лин! — завопил Близнец, когда мы вошли. — Присоединяйтесь! Мы только-только разогрелись.

— Нет, для меня уже слишком горячо.

Джордж Близнец был опытным шулером, но никогда не обыгрывал людей по-крупному, а порой даже сбрасывал выигрышную комбинацию. Для него главный кайф был не столько в самом выигрыше, сколько в том, чтобы не попасться на мухлеже.

— Да ладно, Лин, тебе ж не впервой пытать счастье.

— Мое счастье уж точно не в пытках. Я просто понаблюдаю со стороны за парой раздач.

— Как знаешь, — сказал Близнец и, подмигнув мне, бросил фишку на середину стола, поднимая ставки. — Скорпион, почему ты не предложил выпивку нашему гостю?

— Ох, извини, Лин. — Скорпион резко повернулся к игрокам за столом. — Какого черта, парни?! Вы типа работники этого отеля или кто? Ну-ка живо налейте нашему гостю!.. Что будешь пить, Лин?

— Я ничего не хочу, Скорпион.

— Нет, пожалуйста, выпей что-нибудь!

— О'кей, пусть будет содовая со свежим лаймом. Без льда.

Один из игроков — судя по ливрее, коридорный — бросил карты на стол рубашкой вверх и отправился выполнять заказ. Еще через пару минут мы услышали пронзительный вопль со стороны входной двери люкса, а затем на пороге комнаты появился Дидье. Он вел за собой «мажордома», сдавив его выдающийся нос двумя пальцами.

— Этот имбецил утверждает, что моего имени нет в каком-то идиотском списке! — отдуваясь, сердито объявил Дидье.

— Какое безобразие! — сказал я. — Почти такое же, как вождение людей за нос без особых причин.

— Без особых причин?! Судите сами: когда я попытался ему втолковать, что такое попросту невозможно, потому что мое имя есть в *каждом* списке, начиная с Интерпола и заканчивая бомбейским крикетным клубом, хоть я и питаю отвращение к крикету, это чучело попыталось захлопнуть дверь перед моим носом!

— Так вот почему, старина, ты проявил такой жестокий интерес к *его* носу?

— Не утрируй, Лин! — сказал Дидье, еще сильнее сжимая нос несчастного слуги, который ответил жалобным визгом.

— Он всего лишь исполнял свои обязанности, Дидье.

— Его прямой обязанностью является радушно меня встретить, Лин, а не закрывать передо мною дверь.

— Я увольняюсь! — прогундосил мажордом.

— С другой стороны, — сказал я, — ты ведь не знаешь, в каких местах побывал этот нос до того, как ты его сцапал.

— И то верно, — согласился Дидье и с брезгливой гримасой разжал пальцы. — Где тут можно помыть руки?

— Вон там, — сказал Скорпион, кивком указывая направление. — Вторая дверь направо.

Дидье мрачно взглянул на мажордома и покинул комнату. Пострадавший уставился на меня. Не понимаю, почему всякие пострадавшие вечно смотрят на меня, когда я не имею никакого касательства к их проблемам?

— Возможно, тебе стоит внести имя Дидье в свой список, Скорпион, — сказал я, изымая несколько купюр из выигрышной кучи перед Джорджем Близнецом.

— Но, Лин, он ведь сцапал за нос моего мажордома, — посетовал Скорпион.

— Радуйся, что он не сцапал его за что-нибудь другое.

— В самую точку! — рассмеялся Близнец. — Сингх! Сейчас же внеси мистера Дидье Леви в наш список!

— Я увольняюсь, — тоскливо повторил Сингх, держась за свой нос.

— Имеешь право, — сказал я и протянул ему взятые со стола деньги. — Но если ты это сделаешь, тебя с позором вышибут из вашей гильдии мажордомов, или как она там называется. А если ты примешь наши искренние извинения от имени нашего друга вкупе с этой денежной компенсацией за причиненные страдания, мы все дружно забудем об этом неприятном событии.

Страдалец принял деньги, другой рукой по-прежнему держась за нос, утвердительно покачал головой и вернулся на свой пост у входной двери.

— А вы уверены, что он в самом деле «мажор»? — ехидно поинтересовался Близнец. — С «домом» и так уже ясно, что у него там не все.

— Слушай, Лин! — внезапно оживился Скорпион. — Как насчет... в смысле... может, поживешь с нами какое-то время? Тут места сколько угодно и скоро будет еще больше: мы думаем снять весь этот этаж целиком. Ты бы здорово нам помог втянуться в эту хрень — ну, то есть научить нас быть богачами.

— Нехилая идея! — одобрил Близнец. — Оставайся с нами, Лин. И пусть Лиза перебирается сюда тоже. Она уж точно оживит это гнилое болото.

— Заманчиво, что и говорить...

— Это означает отказ? — спросил Скорпион.

— У вас есть Дива, — сказал я. — Насколько могу судить, она тут все оживляет лучше некуда.

— Она пугает меня до усрачки, — пожаловался Скорпион.

— Да тебя вообще все на свете пугает до усрачки, — сказал Близнец. — И это одна из причин, почему мы тебя любим... Кстати, что ты делаешь в этой комнате, Скорп? До сих пор ты здесь ни разу не появлялся. Тебя же тошнит от покера.

— Меня *не* тошнит от покера!

— Тогда в чем дело, чудик?

— Я пытаюсь быть серьезным.

— Нет ничего серьезнее следующей раздачи, Скорп. Я хочу вернуть утраченное. Лин только что спустил мой выигрыш, ублажая твоего домашнего мажора, которому чуть не оторвал нос Дидье.

— И поделом, — сказал Дидье, присоединяясь к нашей компании.

— Оно, конечно, так, — согласился Близнец. — Я и сам временами хотел это сделать, но боялся, что Сингх меня побьет... А сейчас, джентльмены, я решительно настроен вернуть свой утраченный выигрыш. Так что прошу к столу.

— Я хотел поговорить о серьезных вещах, — напомнил Скорпион.

— Я сейчас буду играть против Дидье — что может быть серьезнее? Он же акула. Он сожрет меня со всеми потрохами за считаные секунды.

— Вообще-то, я собирался поговорить с тобой о новых правилах безопасности.

— О чем?

— О новых правилах безопасности.

— Это же пятизвездочный отель! — сказал Близнец. — Мы тут в безопасности, как у Христа за пазухой, Скорп!

— Напротив, мы тут совершенно беззащитны! — возразил Скорпион. — Похититель может запросто проникнуть в номер под тележкой с едой или прикинется посыльным. Все любят получать посылки и сразу открывают дверь. Мы слишком уязвимы для нападения, Близнец.

— Нападения? Да ты никак планируешь войнушку, свирепый Скорпион?

— Я о том, что мы уязвимы, Близнец. И это не шутки.

— Ладно, раз это не шутки, выкладывай, что там у тебя.

— Но... я не могу обсуждать правила безопасности при посторонних.

— Почему?

— Потому что... это небезопасно.

— То есть ты не хочешь заодно обезопасить и наших друзей?

— Здесь присутствуют сотрудники отеля.

— Я тоже это заметил, — сказал Близнец, тасуя карты. — И если наше пребывание в отеле сопряжено с какими-то рисками, разве не справедливо будет распространить новые правила безопасности и на них — особенно на тех, кто подвергается риску, в данный момент играя со мной в карты?

— Что? — озадачился Скорпион, встряхивая головой.

Дидье снял колоду, и готовый к раздаче Близнец сделал паузу.

— У меня идея, Скорпион, — сказал он, улыбаясь другу, которого любил больше всех людей на этом свете. — Давай пригласим сюда всех наших друзей с их семьями и родственниками. Всех вообще. Снимем целиком три этажа отеля и поселим в номерах только своих людей. И пусть живут здесь как угодно долго, а мы будем тратить на них деньги без счета: угощать, развлекать и так далее. И будет хорошо всем — им, нам и отелю. И все будут счастливы, и безопасность будет обеспечена. Ты ведь имел в виду нечто подобное, да?

Удостоверившись, что его друг потерял дар речи, Близнец повернулся ко мне, сияя, как червовый флеш-рояль[1].

— Последний шанс, Лин, — сказал он, готовясь сдавать карты. — Ты в игре?

— Нет, я уже вас покидаю, — сказал я, в знак прощания кладя руку на плечо Дидье.

В дверях я оглянулся на ловко и хищно сдающего карты Близнеца. Из всех известных мне людей только Дидье Леви мог дать фору в карточном шулерстве Джорджу Близнецу. Но у меня не было желания дождаться и узнать, кто кому на сей раз утрет нос.

Выйдя из номера и двигаясь к лифту, я в самом конце коридора столкнулся с Навином и Дивой.

— Привет, Лин! — обрадовался мне детектив. — Ты что, уже уходишь?

— Да, — сказал я. — Привет, дорогая.

— Можешь звать меня просто «драгоценнейшая», дорогой, — демократично предложила Дива, с улыбкой дотрагиваясь до моей руки тонкими пальчиками. — Отчего такая спешка?

— Дела, — сказал я, улыбаясь в ответ.

Несколько секунд мы простояли молча, обмениваясь улыбками.

---

[1] *Флеш-рояль* (королевская масть) — сильнейшая комбинация в покере: пять старших карт от туза до десятки одной масти.

— И что за дела? — спросила наконец Дива.

— Пустяковые, — сказал я. — Приятно видеть, что вы уже лучше ладите между собой.

— Он не совсем безнадежен, если узнать его поближе.

— Спасибо, — раскланялся Навин.

— Я в том смысле, что надежда умирает последней, — пояснила Дива. — Надо только не ждать слишком многого. Из свиного уха не сделать шелковый галстук.

— Шелковую сумочку, — поправил Навин.

— Что?

— В пословице шелковая сумочка, а не галстук.

— И что с того? Мечтаешь о шелковой сумочке, щеголь?

— Нет, конечно же. Но такова пословица: «Из свиного уха не сделать шелковой сумочки».

— Ты с каких это пор стал спецом по гребучим пословицам?

— Я только...

— И теперь я должна получать у тебя лицензию на каждую подмену слов во фразе?

— Всего вам наилучшего, — сказал я, нажимая кнопку лифта.

Дверь открылась, я вошел в кабину и поехал вниз, а эти двое продолжали громко выяснять отношения; и отголоски их спора, казалось, рикошетят от стен лифтовой шахты, преследуя меня по мере спуска.

Выйдя в холл на первом этаже, я обнаружил, что они спускались в соседнем лифте, всю дорогу продолжая препираться через две стенки от меня.

— Привет еще раз, — сказал я.

— Извини, Лин, — сказал Навин, отрываясь от неугомонной спутницы. — Не успел сообщить тебе одну вещь.

— Какую?

— Это касается твоего друга Викрама. — Навин понизил голос. — Он перебрался к Деннису, спит на полу в его квартире и вовсю налегает на дурь. Сам я его не видел, но слышал от Винсона, что парень совсем плох. Я там не появляюсь в последнее время, да и Винсон почти перестал. И я подумал: вдруг ты еще не в курсе?

— Ты прав. Я этого не знал. Спасибо.

Я оглянулся на Диву, которая ждала перед лифтом окончания нашей беседы. До того момента я как-то не замечал, насколько она привлекательна: широко расставленные миндалевидные глаза, длинные ресницы, тонкий нос с красивым изгибом крыльев, которые складками соединялись с уголками губ, когда ее рот расплывался в улыбке.

Навин также смотрел на нее, и в его взгляде было обожание.

И в этот самый миг, переводя взгляд с Навина на Диву, я испытал странное чувство: как будто сквозь меня прошла легкая смутная тень. Я вздрогнул и посмотрел Навину в глаза, надеясь, что он ощутил то же самое.

Сердце забилось быстрее, и внезапное ощущение близкой опасности стало настолько отчетливым, что у меня перехватило горло. Но в глазах Навина я ничего не заметил. Он смотрел на меня со своей обычной улыбкой.

— Послушайте моего совета, — сказал я, делая шаг в сторону выхода, — держитесь вместе.

— Ну да... — ухмыльнулась Дива, уже готовая выдать очередную шутку.

— Спорьте и ругайтесь, но будьте вместе, — поспешил прервать ее я, делая еще один шаг прочь. — И приглядывайте друг за другом, о'кей?

— О'кей! — засмеялся Навин. — Вот только...

Я быстро их покинул, дошел до парковки, оседлал мотоцикл и выехал на магистраль. Но через несколько сотен метров вдруг затормозил у края тротуара и бросил долгий взгляд назад, на стеклянную башню отеля «Махеш». Посмотрел, потом дал газу и погнал дальше.

Когда я прибыл к дому, где жил Деннис, складная дверь-гармошка на фасаде первого этажа оказалась раздвинутой, и от улицы квартиру отделял только занавес. Я слез с мотоцикла, приблизился и постучал по открытой створке. Изнутри донеслись быстрые шаги в шлепанцах, затем занавес разошелся в стороны, и в проеме возник Джамал Все-в-одном. Он знаком пригласил меня войти и приложил палец к губам, прося соблюдать тишину.

Очутившись внутри, я сощурился, привыкая к полумраку. Густой запах гашиша смешивался с дымом от ароматических палочек, целый пучок которых горел в пустой вазе.

Деннис лежал в своей обычной позе, скрестив на груди руки и вытянувшись посреди широкой кровати. Он был в голубой шелковой пижаме, с босыми ногами.

Я услышал справа от себя глухое покашливание, повернулся и увидел Викрама, распростертого на ковре. Рядом с ним сидел Билли Бхасу, набивая очередной чиллум.

Из темного угла раздался голос. Это был Конкэннон.

— Гляди-ка, кого к нам впустил старый пердун! — сказал он. — Надеюсь, ты пришел вступать в мою маленькую банду, чувак. Я сейчас под кайфом и не хочу расстраиваться.

Не реагируя на его речь, я подошел к Викраму. Билли Бхасу отполз в сторону, уступая мне место, и продолжил свою возню с чиллумом. Я начал трясти Викрама, приводя его в чувство:

248

— Викрам! Вик! Очнись, приятель!

Его веки медленно приподнялись, но затем сомкнулись вновь.

— Спрашиваю в последний раз, Шантарам, — сказал Конкэннон. — Ты со мной или против меня?

Я продолжал трясти Викрама:

— Очнись, Вик! Мы уходим.

— Оставь его в покое, — проворчал Конкэннон. — Разве не видишь, чувак счастлив?

— Это ни черта не счастье, если он ничего не чувствует.

Я тряхнул его сильнее:

— Викрам! Просыпайся!

Он открыл глаза, посмотрел на меня и расплылся в слюнявой улыбке:

— Лин! Как поживаешь, дружище?

— Лучше скажи, как *ты*?

— Никаких проблем, — промолвил он сонно, снова закрывая глаза. — Все отлично, старик. Все... отлично...

Викрам захрапел. Лицо его было покрыто грязью, а тело заметно усохло против прежнего, так что одежда, когда-то сидевшая на нем в обтяжку, теперь висела как на вешалке.

— Вик, старина, проснись!

— Да какого хрена ты к нему прицепился? — спросил Конкэннон уже агрессивно.

— Это не твоя забота, Конкэннон, — сказал я, не поворачивая головы в его сторону.

— Так, может, озаботишь и меня?

Детский прием, все это знают, и тем не менее прием часто срабатывает.

— Почему бы нет? — ответил я и впервые повернулся к нему.

Даже в полумраке был заметен холодный огонь в его голубых глазах-ледышках.

— Давай сделаем так, — предложил я. — Сейчас я отвезу друга к его родителям, а потом вернусь сюда, и мы потолкуем в переулке. Идет?

Он встал и приблизился ко мне почти вплотную:

— Есть две вещи, которые я уважаю. Это право человека уничтожать своих врагов и право человека уничтожать самого себя любым способом, какой ему нравится. Мы все катимся под гору. Каждый из нас. У нас одна дорога — вниз, и Викрам скатился по ней чуть дальше, чем ты или я, только и всего. Это его естественное право, и ты не должен ему мешать.

Это была гневная речь, и с каждым словом гнев в его голосе нарастал.

— Кроме прав, есть и обязанности, — ответил я, глядя в его разъяренное лицо. — Человек обязан помогать своим друзьям.

— У меня нет друзей, — сказал он уже спокойнее. — И ни у кого их нет. Дружбы не существует. Это сказка, вроде долбаного Санта-Клауса. Малышня в него верит, а потом он оказывается жирным мудаком, третьесортным актеришкой. Сплошное надувательство. В этом мире нет никаких друзей. Есть только союзники и враги, и любой из них в любой момент может тебя кинуть или, напротив, перекинуться на твою сторону. Такова правда жизни.

— Мне нужно вытащить отсюда Викрама.

— Да насрать на вас обоих!

Считаные мгновения — пять ударов сердца — он стоял неподвижно, глядя на меня в упор, а затем его правая нога сдвинулась по полу назад, переходя в боевую позицию. Не желая быть застигнутым врасплох, я сделал то же самое. Руки его медленно поднялись и замерли на уровне лица, левый кулак выдвинулся вперед. Я также поднял кулаки; сердце бешено колотилось.

Как глупо. Двое мужчин готовы драться ни за что. Впрочем, драться *за* что-либо попросту невозможно; в любом случае дерешься *против*. Когда ты ввязываешься в драку, та часть тебя, которая выступает в поддержку чего-то, неизбежно подавляется той частью, которая ожесточенно стремится к противостоянию. И в ту минуту я ожесточился против Конкэннона.

— Все-в-одном! — неожиданно произнес Джамал.

— Заткни пасть! — рявкнул на него Конкэннон.

— Парни! — донесся с кровати голос Денниса, при этом его глаза оставались закрытыми. — Мой кайф! Вы ломаете мне кайф!

— Спи спокойно, чувак, — сказал Конкэннон, внимательно следя за мной. — Это займет от силы минуту-другую.

— Я вас *прошу*, парни, — произнес Деннис своим звучным, глубоким голосом. — Конкэннон! Подойди сюда, мой буйный сын. Подойди и выкури со мной легендарный чиллум. Помоги мне вернуть кайф, дружище. А ты, Лин, забирай Викрама. Он торчит здесь уже неделю. В отличие от всех остальных в этой счастливой маленькой гробнице, он имеет семью, к которой можно вернуться. Увези его отсюда, Лин.

Руки Конкэннона медленно опустились.

— Как скажешь, Деннис, старый греховодник. — Он ухмыльнулся. — Нынче обойдусь без мордобоя, мне по фиг.

Он подошел к кровати Денниса и присел рядом с ним.

— Конкэннон, — сказал Деннис, по-прежнему не открывая глаз, — ты самый живой из всех знакомых мне людей. Я чувствую твою энергию, даже когда бываю мертвым. И поэтому я тебя люблю. Однако ты ломаешь мне кайф.

— Кайфуй спокойно, Деннис, чувачище, — сказал Конкэннон, кладя руку ему на плечо. — Больше тебя не потревожат.

Я поднял Викрама с пола и поставил на ноги. Мы уже добрались до двери, когда Конкэннон вновь подал голос.

— Тебе это еще отольется, Шантарам, — сказал он со злобным оскалом.

Я на такси отвез Викрама к нему домой. За всю поездку он заговорил лишь однажды.

— Она была чудесной девушкой, — сказал он, обращаясь скорее к самому себе, чем ко мне. — Это факт. Если бы она любила меня так же сильно, как я люблю ее, она была бы абсолютным совершенством, ты меня понимаешь?

С помощью его сестры я уложил Викрама в постель, выпил три чашки кофе за беседой с его обеспокоенными родителями и так же на такси вернулся к своему оставленному байку.

Ранее мы с Лизой договорились вместе пообедать в кафе «Каяни», неподалеку от кинотеатра «Метро»; и я поехал туда без спешки, со скоростью пешехода дрейфуя в потоке транспорта по длинной зеленой авеню, вдоль которой тянулись торговые ряды с одеждой всевозможных расцветок и фасонов. Я размышлял о Конкэнноне, а также о Викраме и его родителях, и мысли мои были мрачны.

Престарелый отец Викрама давно уже вышел на пенсию, и его младший сын Викрам был поздним ребенком. Старик не понимал нынешнюю молодежь, а саморазрушительное поведение Викрама совершенно сбивало его с толку.

До недавних пор его красавец-сын был своего рода щеголем — носил псевдоковбойский наряд из черного шелка и пояс из серебряных долларов в подражание героям своих любимых вестернов Серджо Леоне. А теперь он ходил в грязной и мятой одежде. Его прическа всегда поддерживалась в идеальном порядке усилиями его личного парикмахера, а теперь волосы висели патлами или торчали как попало, не приглаженные после сна невесть где. Он забыл о мытье и брился от силы раз в неделю. Он не питался дома и не разговаривал с домашними. А когда он случайно встречался взглядом с отцом, последний не видел в глазах сына признаков жизни, как будто его душа покинула тело, которое лишь чудом еще держалось на ногах.

На волне всепоглощающей страсти к «английской розе» Викрам — богатый юноша, прежде нигде никогда не работавший, — открыл собственное дело при болливудской киноиндустрии: находил иностранцев, готовых поработать статистами в индийских фильмах. Затея была рискованной: Викрам совсем не имел опыта и пользовался заемными средствами. Но его обаяние и вера в себя обеспечили успех предприятия. Лиза, вступившая в дело с ним на паях, именно тогда раскрыла свои таланты.

Но когда «английская роза» бросила Викрама без всякого предупреждения или объяснения, былые уверенность и отвага (те самые, с которыми он танцевал на крыше идущего поезда, делая ей предложение) вытекли из него, как вытекает кровь из вскрытых вен.

— Он таскает из дома вещи, — шепотом посетовал его отец, когда Викрама уложили спать. — Всякие мелочи. Жемчужную брошь своей матери, золотую авторучку, подаренную мне компанией в день выхода на пенсию... Когда мы задаем вопросы, он бесится и винит во всем слуг. Но мы-то знаем, что это его рук дело. Думаю, он продает украденные вещи, чтобы купить наркотики.

Я кивнул, подтверждая его догадку.

— Какой позор! — вздохнул старик, и его глаза наполнились слезами. — Какой позор для всей семьи!

В голосе его были горечь и страх, но уже не было любви, которая стала чужой в их доме. Когда-то и я был таким чужаком среди своих. Было время, когда я жестко подсел на героин, и эта зависимость сделала меня вором и грабителем — только ради денег на дозу. Двадцать пять лет назад я с этим покончил, и с годами мое отвращение к тяжелым наркотикам только росло. И теперь всякий раз, когда я вижу кого-то или слышу о ком-то впавшем в зависимость — вступившем в войну с самим собой, — я не могу равнодушно пройти мимо. Да, я стал чужаком в любящем родительском доме. Я понимал, как это тяжело: помогать человеку против его собственной воли. Я видел, как страдают родные люди, день за днем, потому что один из них сдался наркотикам. И я знаю, что любовь может не вынести такой нагрузки, если только она не закалится в борьбе.

И в тот день того пошедшего вразнос года, еще не ведая, какие карты сдаст мне Судьба, я молился за всех нас — за Викрама, за его родных и за всех пленников забвения, — чтобы эта игра не пошла для нас в минус.

ГЛАВА 23

Я притормозил на перекрестке перед «Каяни», где была назначена встреча с Лизой. Посмотрел на светофор, сделал пару глубоких вдохов и газанул с разворотом, пугая пешеходов, — однако вполне в бомбейском стиле. Машины на встречке дико виляли, совершая непредсказуемые маневры. Хочешь здесь ездить, умей вертеться, иначе тебе каюк.

Канат, протянутый над крутыми мраморными ступенями перед входом, оказался очень кстати после моего головокружительного виража. Держась за канат, я поднялся в это кафе парсов — пожалуй, самое популярное из подобных заведений в Бомбее. Помимо чая и кофе, «Каяни» предлагало посетителям фирменные перченые омлеты, пироги с мясом и овощами, подрумяненные сэндвичи и лучший выбор пирожных и булочек на всем южном полуострове.

Лиза ждала меня за своим любимым столиком — у задней стены первого этажа, откуда можно было наблюдать за кухонной суетой через раздаточное окно в каких-то семи шагах.

Несколько официантов приветствовали меня кивками и улыбками на пути к ее столику. «Каяни» было одним из регулярно посещаемых нами мест: в течение двух лет нашей совместной жизни мы обедали или полдничали здесь как минимум дважды в месяц.

После поцелуя я сел близко к ней на углу стола, так что наши ноги соприкасались.

— *Бан маска?* — спросил я ее, не глядя в меню.

Так называлась ее излюбленная закуска в «Каяни»: свежая булочка, разрезанная на три части с прослойками из сливочного масла, так что ее удобно было разделять и макать в горячий сладкий чай.

Лиза кивнула.

— Две *бан маска*, две чашки чая, — сказал я официанту по имени Атиф.

Он забрал так и не раскрытые нами меню и двинулся в сторону кухни, еще на подходе выкрикивая заказ.

— Извини за опоздание, Лиза. Я узнал о Викраме и сразу поехал к Деннису, а оттуда отвез Вика домой.

— Деннис? Это который Спящий Баба?

— Он самый.

— Я бы хотела с ним познакомиться. Много о нем слышала. Он становится чем-то вроде культовой фигуры. Риш хочет устроить инсталляцию, взяв его транс за основу.

— Могу тебя к нему отвезти, но реально *познакомиться* с ним ты сможешь только при большом везении. Обычно люди просто *находятся* рядом с ним, стараясь не ломать ему кайф.

— Не ломать кайф?

— Именно так.

— Мне *уже* нравится этот тип! — сказала она со смехом.

Я знал ее чувство юмора и тягу к неординарным людям, совершающим неординарные поступки.

— Не удивляюсь. Деннис — это стопроцентно «Лизин тип».

— Нужен творческий подход к любому делу, иначе за него не стоит и браться, — сказала она.

Подали чай и булочки с маслом. Мы обмакивали ломтики в чай, дожидаясь, когда масло начнет таять, и с аппетитом их поедали.

— И как там Викрам?

— Нехорошо.

— *Настолько* нехорошо?

— Да, настолько.

Она нахмурилась. Мы оба знали, что такое наркозависимость с ее питоньей хваткой.

— Как думаешь, нам следует вмешаться?

— Не знаю. Возможно. Я посоветовал родителям Викрама поместить его в частную клинику. Они вроде согласны.

— А они могут себе это позволить?

— А они могут себе позволить сидеть сложа руки?

— Тоже верно, — согласилась она.

— Проблема в том, что, если даже Викрам отправится в клинику, он пока не готов к помощи. Совершенно не готов.

Она подумала пару секунд.

— У нас с тобой ведь тоже не все хорошо, так?

— А это ты с чего взяла?

— Ты и я, — повторила она тихо. — У нас ведь не все хорошо?

— А что такое «хорошо» в твоем понимании?

Я сопроводил вопрос улыбкой, на которую она не среагировала.

— Что-то лучшее, чем есть сейчас, — сказала она.

— Ладно, — сказал я, — тогда давай улучшаться.

— У тебя с башкой нелады, ты это знаешь?

Мне не хотелось развивать эту тему, но деваться, похоже, было некуда.

— Когда меня в первый раз арестовали, — сказал я, — они провели психиатрическую экспертизу. Я был признан психически здоровым и готовым предстать перед судом. Не могу сказать того же о состоянии большинства своих знакомых, включая эксперта, который меня обследовал. Так уж заведено: прежде чем тебя отправят за решетку, ты должен быть признан вменяемым. Стало быть, все заключенные во всех тюрьмах мира находятся в здравом уме, и это подтверждено соответствующими документами. В то же время за пределами тюрем все больше людей нуждаются в услугах психиатров, психотерапевтов и психоаналитиков. Если так пойдет дальше, очень скоро зэки останутся единственными людьми, психическая состоятельность которых удостоверена официально и не подлежит сомнению.

Она взглянула на меня испытующе — как будто прожектором пыталась просветить насквозь.

— Непростой выходит разговор, — сказала она, — особенно когда у тебя в руке булочка.

— В последнее время, Лиза, все наши с тобой разговоры выходят непростыми, даже когда я всего лишь хочу тебя развлечь.

— Ты считаешь, в этом виновата я? — сердито вскинулась она.

— Нет, я только хотел...

— Не все же время обсуждать, что хочется *тебе*!

— О'кей, о'кей.

Пришел Атиф забрать посуду и принять следующий заказ. Когда у нас завязывались долгие дискуссии, мы обычно съедали по две, а то и по три булочки. Но в этот раз я заказал только чай.

— Без *бан маска*? — уточнил он.

— Без *бан маска*. Только чай.

— Может, возьмете хоть одну булочку на двоих? — предложил он, шевеля кустистыми бровями.

— Никаких булочек. Только чай.

— *Тхик*, — пробормотал он с глубоко озабоченным видом, набрал в легкие воздуха и крикнул в сторону кухни: — Два чая! Только два чая! Без *бан маска*! Повторяю, без *бан маска*!

— Без *бан маска*? — раздался удивленный голос с кухни.

Я взглянул на Лизу, потом на Атифа, потом на повара Вишала, чья физиономия появилась в окне раздачи. И я поднял руку, выставив один палец.

— Одна булочка! — прокричал я.

— Да! — торжествующе подхватил Атиф. — Одна *бан маска*, два чая!

Вишал с энтузиазмом закивал в окне и обнажил в улыбке жемчужно-белые зубы.

— Одна бан маска, два чая! — радостно завопил он и брякнул сковороду на газовую конфорку.

— Ну вот, один вопрос уже решили, — прокомментировал я в попытке встряхнуть Лизу.

Обычно мы с ней веселились, сталкиваясь с такими забавными мелочами, пронизывающими повседневную жизнь Бомбея.

— А по-моему, это просто глупо, — сказала Лиза.

— Ну почему же? Атиф...

— Я вчера была здесь с Карлой, и для нас устроили такой же спектакль.

— Постой-постой, ты вчера встречалась с Карлой и ничего мне не сообщила?

— А разве я должна перед тобой отчитываться? Разве ты сам рассказываешь мне, с кем встречаешься и с кем дерешься?

— У меня на то есть причины, и тебе они известны.

— В любом случае вчера здесь повторилась в точности та же сценка с этим же официантом.

— С Атифом?

— Да, Карла тоже знает его имя.

— Он мой любимый официант в этом кафе. Неудивительно, что он ей нравится. Я бы сделал его метрдотелем, будь моя воля.

— Не о нем сейчас речь.

— Значит, будем говорить о Карле?

— Говорить о ней или думать о ней?

— Ты много о ней думаешь? Лично я — нет. Я думаю о тебе и о нас. О том, что с нами происходит.

Она искоса взглянула на меня, нервно складывая и разворачивая салфетку.

Атиф принес два чая и булочку. Я не среагировал на их появление, но официант бдительно застыл рядом с моим локтем; тогда я взял один ломтик булочки, откусил и начал жевать. Атиф с удовлетворением качнул головой и наконец удалился.

— Полагаю, все дело в моей безалаберной жизни, — сказала Лиза, проводя ногтем по линиям сгиба на салфетке.

Я неоднократно выслушивал историю ее жизни, но всякий раз с новыми вариациями, так что был не прочь выслушать ее снова.

— У меня не было никаких проблем в семье. Ничего подобного. Мои предки отличные люди, можешь поверить. Вся беда только во мне самой. Я ходячее недоразумение, и ты это знаешь.

— Это не так, Лиза.

— Это именно так.

— Но даже если бы ты им была, нет таких ходячих недоразумений, которые не заслуживали бы любви.

Она сделала паузу, отхлебнула чая и приступила к своей истории с другого конца:

— Я когда-нибудь рассказывала тебе о параде?

— В «Каяни» ты об этом точно не рассказывала, — улыбнулся я. — Так что давай.

— Каждый год в День основателей города мы устраивали большой парад на главной улице. Народ съезжался со всей округи за полсотни миль — кто-то участвовал, кто-то просто смотрел шоу. Моя школа выставляла на парад свой оркестр и такую здоровую баржу на колесах...

— Передвижную платформу.

— Да, у нас была большая платформа, которую соорудили на деньги родительского комитета. Каждый год делали композицию на новую тему. И вот однажды меня выбрали сидеть на самом верху композиции, на этаком троне, — то есть быть центром внимания. Темой в том году были «Плоды свободы», а баржа...

— Платформа.

— Ну да, платформа была заполнена фруктами с окрестных ферм, а я изображала «Цветок свободы». Представляешь?

— Ты наверняка смотрелась шикарно.

Она улыбнулась:

— Я сидела на вершине целой горы из фруктов, картошки, свеклы, и эта гора медленно двигалась через толпу. Мне полагалось помахивать, этак царственно, всю дорогу, пока мы двигались по главной улице.

Она элегантно взмахнула рукой, чуть согнув ладонь, как будто несла в ней чудесное воспоминание.

Атиф снова убрал пустую посуду и посмотрел на меня, изображая вопрос приподнятой бровью. В тот момент моя рука лежала на столе ладонью вниз, и я дважды легонько прихлопнул — это был сигнал подойти попозже. Он огляделся по сторонам и начал обход соседних столиков.

— Это было нечто! Ну, то есть вроде как великая честь, если ты меня понимаешь. Все так говорили. Они талдычили об этом с утра до ночи. Знаешь, как это достает, когда тебе с утра до ночи вбивают в голову, что ты должна гордиться оказанной тебе великой честью?

— Мне вбивали в голову нечто обратное, но в целом я улавливаю твою мысль.

— Проблема в том, что я на самом деле не *чувствовала* этой чести. Конечно, было приятно, что выбрали меня из множества девчонок, включая тех, кто был намного красивее. И я ведь ничегошеньки не сделала для этого! Другие из кожи вон лезли, чтобы получить эту роль. Тебе и в голову не придет, на какие уловки, хитрости и подлости могут пойти обычные девчонки, пока не увидишь, как они бьются за возможность оседлать парадную композицию в День основателей.

— Какие уловки, например? — заинтересовался я.

— Лично я не делала ничего, — не ответив, продолжила она. — И была удивлена не меньше остальных, когда комитет выбрал меня. Но... я ничего не *чувствовала*, хоть ты тресни! Я махала рукой, царственная, как Мария-Антуанетта, и слегка опьянела от запаха свежих яблок, нагревшихся на солнце. Но, глядя на все эти улыбки и слыша аплодисменты, я совершенно ничего не чувствовала.

В этот момент солнце прорвалось сквозь завесу муссонных туч и заглянуло в «Каяни». Один луч скользнул по нашему столу и добрался до ее лица, разделив его пополам: небесно-голубые глаза в тени и алые губы в ярком свете.

— Вообще ничего не чувствовала, — повторили эти ярко освещенные губы. — И в тот раз, и в другие разы. И вообще, я никогда не чувствовала себя частью того городка, или той школы, или даже своей семьи. Никогда. Никогда в жизни у меня не было этого чувства.

— Лиза...

— А ты совсем другой, — произнесла она тоскливо. — И Карла другая. Вы принадлежите к тому миру, в котором живете. Я наконец-то это поняла благодаря официанту с его сценкой. Наконец-то я поняла.

Она подняла взгляд от многократно свернутой салфетки и посмотрела мне в глаза без всякого выражения.

— Где бы я ни жила, я не принадлежу к этим местам и этим людям, — сказала она. — Не ощущаю тесной связи. Даже с тобой, Лин. Да, ты мне действительно нравишься. Уже довольно долго мы вместе, и мне приятно быть с тобой. Но не более того. Ты ведь знаешь, что у меня никогда не было к тебе настоящего чувства?

Всякий раз, когда я пытался полюбить Лизу, мне в грудь упирался этот нож: эти сказанные ею слова, потому что она произносила их за нас обоих.

— Люди и не должны принадлежать друг другу, — мягко сказал я. — Это невозможно. Это первое правило свободы.

Она попробовала улыбнуться. Не получилось.

— Почему люди расстаются? — спросила она, возвращаясь к мучившей ее теме.

— А почему люди сходятся?

— Ты что, психиатром решил прикинуться, вопросом на вопрос отвечаешь?

— Ладно-ладно. Если в самом деле хочешь знать мое мнение, думаю, что люди расстаются прежде всего в тех случаях, когда они по-настоящему и не были вместе.

— А что, если ты боишься быть вместе с кем-нибудь? — спросила она, блуждая взглядом по столешнице. — Или вообще с кем бы то ни было?

— О чем ты?

— С недавних пор я чувствую себя так, словно комитет снова избрал меня королевой парада, хотя я даже не стремилась ею стать. Понимаешь?

— Нет, Лиза.

— Не понимаешь?

— Какими бы ни были наши отношения, я знаю точно, что ты избавилась от проклятия и снова встала на ноги. А этим можно гордиться, Лиза. Ты занимаешься любимым делом, работаешь с людьми, которые тебе интересны. И я всегда готов тебя поддержать в любой ситуации. И это хорошо, Лиза. С тобой все хорошо.

Она вновь подняла взгляд. Хотела что-то сказать. Рот приоткрылся, губы беззвучно подрагивали в такт мелькающим мыслям.

— Мне пора идти, — быстро произнесла она и поднялась. — Готовим новое шоу. Новый художник. Он... очень интересный. Надо все смонтировать за пару дней.

— Ладно. Я тебя сейчас...

— Нет, не подвози, я возьму такси.

— Я доставлю тебя на место быстрее любого такси в этом городе.

— Знаю. И еще твоя доставка гораздо дешевле, ковбой. Однако я возьму такси.

Я расплатился и вышел вслед за ней, спустившись по ступенькам на улицу — всю в пятнах и полосах солнца. Рядом была стоянка такси, и мы подошли к первой машине. Лиза уже открыла дверцу, но я ее задержал. Она на мгновение встретилась со мной глазами и тут же отвела взгляд.

— Не жди меня сегодня, — сказала она. — Новая инсталляция будет очень сложной. Так что будем работать круглые сутки в ближайшие пару дней.

— Пару дней?

— Да. Я, вероятно, останусь ночевать в галерее сегодня и завтра, чтобы... чтобы подготовить шоу к нужному сроку, понимаешь?

— Что все это значит, Лиза?

— Ничего это не значит, — сказала она и села в такси, которое сразу же тронулось с места. Она повернула голову и смотрела на меня из окна, пока не исчезла из виду.

Восторг любви, рождающийся мгновенно, как вспышка, редко бывает долговечным. И когда этот восторг угасает, никакая сила уже не может вернуть его во взгляд влюбленных. Сейчас мы с Лизой смотрели друг на друга как будто из глубины — той самой глубины, куда погружается покинувший нас восторг.

Свет померк, и тень опустилась на дивные сады былого. С полчаса я простоял на тротуаре в глубоком раздумье.

Я упустил что-то важное, какой-то более значительный конфликт, чем ее недовольство моей работой на Компанию Санджая или ее предложение завязывать интрижки с другими. Происходило что-то еще, но я не мог этого разглядеть или отчетливо почувствовать — как раз по той причине, что происходило это со мной самим.

<h1 style="text-align:center">ГЛАВА
24</h1>

Улица самозабвенно жульничала, когда я припарковал мотоцикл перед «Леопольдом», где фланировали проходимцы всех мастей, высматривая среди туристов потенциальную жертву. Я медленно провел взглядом слева направо вдоль улицы, проверяя, нет ли какой угрозы или, напротив, благоприятной возможности. Мои мысли уже начали выходить из тени — Лизиной тени, накрывшей сады былого, — когда я услышал голос:

— Лин! Какая удача, старик! Я как раз тебя ищу.

Это был Стюарт Винсон, и в донельзя возбужденном состоянии. В данный момент он оказался кстати. После непонятного разговора с Лизой мне было в самый раз отвлечься на что-нибудь вроде донельзя возбужденного человека, которого я никогда и не стремился понять.

— В чем дело, Винсон?

— Там одна девушка... Нужна твоя помощь. У тебя ведь есть типа ниточки в колабской полиции, верно?

— Какие ниточки?

— Ну, за которые можно подергать, чтобы решить вопрос. Так ведь?

— Я всего лишь знаю, кому и как можно сунуть в лапу.

— Вот об этом и речь! Ты не мог бы пойти со мной, старик? Прямо сейчас.

— Но...

— Прошу тебя, Лин! У этой девчонки большие проблемы.

Мой хмурый вид все ему сказал.

— Что? Ты отказываешься? Но она не сделала ничего плохого. Все дело в том, что ее бойфренд загнулся. Похоже, передозировка прошлой ночью, и...

— Минутку. Не так быстро. Кто эта девчонка?

— Я... я не знаю ее имени.

— Очень мило.

— Она при мне его не называла. И я не видел ее паспорт. Даже не знаю, из какой она страны. Но я знаю, что должен ее спасти, — и, может, я единственный ее шанс, понимаешь? У нее такие глаза... трудно объяснить... Это как будто вселенная говорит мне: «Спаси ее!» Просто магия какая-то. Как зов судьбы или типа того. Я пытался выяснить у копов, но у них на все одно слово: «Заткнись».

— Заткнись, Винсон, или уже переходи к сути.

— Минутку, дай мне объяснить. Я только что был в полицейском участке, уплатил штраф за своего шофера, который затеял драку с другим шофером на Кемпс-корнер, там вышла такая история...

— Винсон, мы говорим о девчонке.

— Да, старик. Вот, значит, рассчитался я с копами и уже хотел свалить оттуда, как вдруг заметил эту девушку. Ты бы видел ее, Лин! Эти глаза... ее глаза... они типа как огонь и лед одновременно. Ты не поверишь в такое, пока сам не увидишь. Как вообще такое случается, старик, что какие-то глаза вдруг выворачивают тебя наизнанку?

— Это химия. Давай дальше.

— Так вот, ее приятель откинулся от передоза то ли прошлой ночью, то ли рано утром. Насколько я понял, она проснулась и нашла его уже остывшим. Они ночевали во «Фрэнтике».

— Продолжай.

— «Фрэнтик» — то еще местечко, люди там тертые, умеют держать язык за зубами. Я сам вел там кое-какие дела. Но труп — это вам не пакетик дури. Есть черта, за которую они не перейдут.

— Я знаю «Фрэнтик» и тамошнюю братию. Наверняка они задержали девчонку, вызвали копов и сбыли ее с рук.

— Так они и сделали, гниды.

— Они просто сделали все, чтобы не угодить за решетку. И тебе советую поостеречься, Винсон. Глупо корчить из себя доброго самаритянина в полицейском участке, тем более если торгуешь наркотой. Да они там всякого упакуют в два счета, если нарываться.

— Я это понимаю, отлично понимаю. Но с этой девушкой случилась какая-то мистика. И я полез на рожон, попытался выяснить у копов что и как. Насколько понял, ее привезли из морга, где она опознала труп. Представляю, каково ей было, старик! Она дала показания, расписалась, но ее не отпускают, хотя ясно же, что она невиновна.

— Тут нужна взятка.

— Так я и понял. Но копы не стали со мной разговаривать. Потому мне и нужен ты.

— Кто сегодня на дежурстве?

— Сержант Дилип. Он там всем заправляет. Девчонка сидит в его кабинете.

— Считай, повезло.

— Он согласится ее отпустить? Деньги я дам.

— Будь спокоен: этот тип легко продаст свой табельный ствол и полицейский значок, если предложат подходящую сумму.

— Вот и хорошо!

— А потом нагрянет к покупателю, запинает его до полусмерти и отберет свое имущество.

— М-да, хорошего маловато.

— Он любит видеть в людях страх. Поэтому всячески симулируй испуг, чтобы доставить ему удовольствие, и только потом предлагай деньги.

— Ты так и делаешь?

— В мой испуг Дилип-Молния не поверит. Мы с ним уже прошли эту стадию.

— Если ты пойдешь туда со мной, он примет деньги и отпустит девушку?

— Думаю, да. Однако...

— Однако что?

Я глубоко вздохнул и посмотрел в его встревоженные глаза. Мне нравился Стюарт Винсон. Его красивое лицо, сильно загоревшее за шесть лет пребывания под азиатским солнцем, неизменно выражало отважную решимость и вполне подошло бы какому-нибудь полярному исследователю, возглавляющему рискованную экспедицию, — хотя на деле он был всего лишь удачливым наркодилером, жившим на широкую ногу в городе, где нищета и голод были в порядке вещей. Я это знал и потому был озадачен его нынешним поведением.

— Зачем тебе впутываться в эту историю? Ты же совсем не знаешь эту девчонку. Ты даже имени ее не знаешь.

— Только не говори ничего плохого об этой девушке, — попросил он тихо, но с нажимом, меня удивившим. — Если отзовешься о ней дурно, я уже не смогу считать тебя другом. Не хочешь мне помочь, ну и ладно. Того, что я о ней знаю, мне вполне достаточно.

— Ну ты даешь! — выдохнул я.

— Извини, — пробормотал он, на секунду повесив голову. И снова вскинул ее с мольбой во взгляде. — Знаю, тебе это покажется безумием, но я два часа проторчал в полиции, пытаясь ей помочь. Она не сказала мне ничего. Ни единого типа слова. Но один раз она взглянула на меня и как будто чуть-чуть улыбнулась. Или даже не улыбнулась, но я почувствовал ее улыбку своим сердцем, Лин. Не могу этого объяснить. Тогда я... улыбнулся ей в ответ. И она тоже почувствовала это сердцем, могу поклясться! Я в этом уверен так, как ни в чем не был уверен за всю свою жизнь. До сих пор я не представлял, как такое возможно: запасть на кого-то без всякой причины, не перемолвившись и словом. Но сейчас я прошу тебя о помощи.

Я как раз мог такое представить — как и каждый из нас, кто по-настоящему влюблялся. Мы пересекли улицу, вступили на территорию полицейского участка Колабы и прямиком направились в кабинет Дилипа-Молнии.

Сержант окинул меня взглядом с ног до головы, потом посмотрел на девушку, сидевшую на другом конце его рабочего стола, а потом снова на меня.

— Твоя подружка? — спросил Дилип, кивая на девушку.

Я к ней пригляделся, и внутри меня словно что-то сомкнулось — подобно тому как смыкаются за тобой верхушки растений, когда ты идешь через заросли папоротника. Это была та самая девушка, которой я вернул проданный медальон, при этом попытавшись ее предостеречь.

И я мысленно воззвал к Судьбе: «Прошу, оставь свои игры! Хватит уже гонять меня по кругу!»

Ее спутанные волосы свисали грязными прядями и липли к потной шее. Застиранная и выцветшая голубая майка с коротким рукавом была достаточно узкой, чтобы продемонстрировать ее хрупкое телосложение. Джинсы, напротив, были ей велики и собраны в складки на тонкой талии, поддерживаемые пояском.

Медальон был при ней. Судя по взгляду, она также меня узнала.

— Да, — сказал я. — Это моя подруга. Прошу вас, сержант-джи, включите вентилятор.

Дилип-Молния посмотрел на неподвижные лопасти потолочного вентилятора над девушкой, а затем на мгновение поднял взгляд к вентилятору, быстро вращавшемуся над его собственной головой и облегчавшему духоту потоком сырого муссонного воздуха.

Затем его желтые глаза с ненавистью уставились на меня.

— *Пунках!*[1] — рявкнул он своему подчиненному.

Тот поспешно включил вентилятор над головой девушки, и освежающий воздух заструился вниз по ее тонкой шее.

— Значит, это твоя подруга, Шантарам? — лукаво спросил Дилип.

— Да, Молния-джи.

---

[1] Вентилятор! *(хинди)*

— Что ж, хорошо. И как ее зовут?

— А какое имя она вам назвала?

Дилип захохотал. Я повернулся к девушке:

— Как тебя зовут?

— Ранвей, — пробормотала она, встречаясь со мной глазами и одновременно дотрагиваясь до медальона на шее. — Ранвей Ларсен.

— Ее зовут Ранвей, — сообщил я сержанту. — Ранвей Ларсен.

Дилип расхохотался вновь.

— Однако это имя не совпадает с тем, что написано в протоколе, — сказал он, закончив смеяться.

— Это норвежское имя, — сказала девушка. — Пишется «Р-а-н-н-в-е-й-г», но слышится «Ранвей».

— Пишется так, а слышится этак, — подхватил я. — Обычное дело у норвежцев.

— И чего же ты хочешь, Шантарам? — спросил Дилип.

— Я хотел бы проводить мисс Ларсен домой. У нее выдался очень тяжелый день.

— А мне мисс Ларсен сказала, что у нее нет дома, — парировал Дилип. — Этим утром ее выставили из отеля «Фрэнтик».

— Она может пока остановиться у меня, — быстро предложил Винсон.

Все головы повернулись в его сторону.

— У меня... много места... в смысле, свободного места, — продолжил Винсон с запинкой, оглядывая по очереди всех присутствующих. — Просторный дом. И служанка, которая хорошо о ней позаботится. Если только... мисс Ларсен... согласится.

Дилип-Молния повернулся ко мне.

— Кто этот блеющий идиот? — спросил он на хинди.

— Это мистер Винсон, — сказал я.

— Меня зовут Стюарт Винсон, — сказал он. — Я был здесь всего минут десять назад.

— Захлопни пасть! — рявкнул на него Дилип.

— Мы бы хотели доставить мисс Ларсен домой, Молния-джи, — сказал я. — Если, конечно, она свободна.

— «Свобода», — произнес Дилип с расстановкой. — Такое короткое слово, но к нему прилагается так много всяких *условий*...

— Я охотно выполню условия, — сказал я, — конечно, если их количество не будет запредельным. Главное, чтобы они были правильно приложены.

— Мне приходят в голову как минимум десять очень серьезных условий, — сказал Дилип-Молния, и хитрая ухмылочка разнообразила вечно злобную гримасу на его физиономии.

Я отсчитал десять тысячерупиевых банкнот и подвинул их через стол. Он перехватил и накрыл мою руку обеими ладонями.

— Какой интерес может представлять эта девчонка для Компании Санджая?

— Это не касается Компании. Это личное. Она друг.

Все еще прижимая мою руку к столу, он повернулся и внимательно оглядел девушку.

— Ну-ну, понимаю, — слюняво расплылся он.

— Один момент... — сердито начал Винсон, но я поспешил его перебить, выдергивая пустую руку из-под ладоней сержанта:

— Мистер Винсон хочет поблагодарить вас, Молния-джи, за проявленные доброту и участие.

— Всегда рад помочь, — хрюкнул Дилип. — Эта девушка должна будет явиться сюда через два дня, чтобы подписать бумаги.

— Какие еще бумаги? — спросил Винсон.

Дилип посмотрел на него долгим взглядом, хорошо мне знакомым: он прикидывал, в какую часть тела Винсона нанести первый удар ногой, когда того привяжут цепями к решетке.

— Она непременно будет здесь через два дня, сержант-джи, — заверил я. — А можно уточнить, какие именно бумаги она должна подписать?

— Об отправке тела на родину, — сказал Дилип, беря со стола папку. — Тело будет отправлено в Норвегию через три дня. Но она должна подписать все сопроводительные документы днем ранее. А теперь валите отсюда, пока я не выдвинул дополнительные условия!

Я подал руку девушке. Она оперлась на нее, поднимаясь, и сделала несколько нетвердых шагов. Когда она запнулась, проходя мимо Винсона, тот поспешил ее поддержать, обняв за плечи.

Винсон вывел ее на улицу, поместил на заднее сиденье своей машины и сам пристроился рядом. Шофер запустил двигатель, но я задержал отъезд и наклонился к открытому окну.

— Скажи честно, слышится-Ранвей-пишется-Раннвейг, как все произошло? — спросил я у девушки.

— Что?

— Я о твоем приятеле. Как это случилось?

— Не стоит обо мне беспокоиться, — рассеянно промолвила она. — Я в порядке. В порядке.

— Сейчас меня больше беспокоит _он_, — кивнул я на Винсона. — И если мне придется снова идти в участок и беседовать с этим копом, я хотел бы узнать из первых уст, что и как у вас произошло.

— Я... не... — начала она, теребя холщовую сумку на коленях. Как я понял, там были все ее вещи.

— Выкладывай все как было.

— Он... никак не мог остановиться. Все шло кувырком и становилось только хуже. И вчера, ближе к вечеру, я сказала, что оставляю его и возвращаюсь в Осло. Но он упросил меня задержаться еще на одну ночь. Только на одну ночь. И потом... потом... он сделал *это* специально. Я видела его лицо. Он уже тогда настроился это сделать. Теперь я просто не могу вернуться домой. И общаться с кем-то *оттуда* не могу.

Ее глаза, только что вспыхнувшие яростным синим огнем, снова погасли, и она обессиленно смолкла, глядя в одну точку. Этот взгляд был мне знаком: так смотрят на мертвых. Сейчас она видела перед собой лицо своего умершего друга.

— У тебя есть друзья в Бомбее? — спросил я.

Она слабо покачала головой.

— Хочешь обратиться в консульство?

Голова качнулась резче и сильнее.

— Почему нет?

— Я же сказала. Не хочу общаться ни с кем-то *оттуда*.

— Она измучена и подавлена, — тихо сказал Винсом. — Я отвезу ее домой. Там она будет в безопасности, пока мы не решим, что делать дальше.

— Пусть будет так. Ну а я возвращаюсь к Дилипу-Молнии.

— Разве это еще не все? — удивился Винсон. — Я думал, вопрос решен.

— Он не вернул ее паспорт. Значит, рассчитывает еще что-то поиметь с этого дела, но хочет все обсудить без посторонних. Ты был бы только помехой. Ничего, я с этим разберусь.

— Спасибо, старик, — сказал Винсон. — Обещаю доставить ее в срок для оформления документов. Ах да, и позволь вернуть тебе деньги!

— Не здесь, Винсон. Деньгам в самый раз гулять по рукам в полицейском участке, но не перед его воротами. Сочтемся позже. Если я добуду паспорт, оставлю его у Дидье, в «Леопольде».

Винсон повернулся к девушке и заговорил участливо:

— Все будет хорошо. О тебе позаботится моя служанка. Хотя нрав у нее не сахар, она только лает, но не кусается. Горячая ванна, какая-нибудь чистая одежда, еда и сон — вот что тебе сейчас нужно. Все наладится, обещаю.

Он дал команду шоферу, и машина покатила по улице. Девчонка быстро оглянулась, отыскала меня взглядом на тротуаре и что-то изобразила губами. Я не понял, что она хотела сказать.

Проследив за машиной, пока та не скрылась вдали, я пошел обратно разбираться с Дилипом.

О самом деле тот не сообщил почти ничего нового. По словам девчонки, записанным в протоколе, она проснулась и обнаружила рядом своего мертвого парня. В его руку был всажен шприц. Она позвала на помощь администратора отеля, а тот вызвал полицию и скорую помощь.

Дилип-Молния был удовлетворен простотой дела, не нуждавшегося в дорасследовании. Налицо была явная передозировка, тогда как многочисленные следы от уколов на руках и ногах юнца говорили сами за себя, а прислуга отеля подтвердила, что в номер не заходил никто, кроме молодой пары.

Паспорт обошелся мне в пять тысяч рупий, и еще десять тысяч пришлось выложить за то, чтобы имя девушки исчезло из всех материалов по делу. Как следствие, в исправленном варианте протокола труп был обнаружен администратором без всякого упоминания о Ранвей.

Сумма по тем временам была изрядная, и я рассчитывал вскоре получить ее с Винсона. Я сунул в карман норвежский паспорт и уже покидал офис, когда сержант бросил мне вслед еще одну фразу:

— Передай своим в Компании Санджая, что этот случай повышает ставки.

— А что такое?

— Да Силва! — сказал он, практически выплевывая в меня это имя. — Эндрю да Силва! Это его героин угробил мальчишку. Третий такой случай только на этой неделе. Компания Санджая продает на улицах какую-то очень сильную, но некачественную дурь. У меня с этим возникают проблемы.

— А ты уверен, что проблема в этом, сержант?

По завершении сделки я задал вопрос уже без церемоний, тем более что вежливый ответ и не предполагался.

— Лично я плевать хотел на тебя и на всяких там дохлых наркош. Пара местных трупов — это пустяк. Но когда на моей территории загибается иностранец, это пятнает мой послужной список. А мне хочется видеть его чистым, без единого пятнышка. Я сказал да Силве, что в этом месяце он должен будет платить мне вдвое из-за двух смертей. Теперь уже третья, так что цена утроилась.

— Скажи это Санджаю сам. Ты с ним видишься чаще, чем я, Молния.

Я покинул участок, проскочил между машинами до узкого бетонного бортика с металлическим ограждением поверху, разделявшего две проезжие части оживленной улицы. Добравшись до небольшого просвета в ограждении, я задержался между двумя потоками транспорта. Передо мной и позади меня сновали набитые людьми красные автобусы, трехколесные мотороллеры (иные аж с пятью пассажирами), тележки, мотоциклы и велосипеды, черно-желтые такси, частные легковушки, грузовики с рыбного рынка и машины с военно-морской базы на оконечности полуострова.

Сквозь мешанину мыслей настойчиво пробивались слова: «Наша вина... наркота от Компании... девчонка с медальоном... слышится Ранвей, пишется Раннвейг... мертвый приятель... девчонка с медальоном... наша вина...»

Гудки машин, звонки велосипедов, музыка из радиоприемников, крики торговцев и попрошаек поднимались со всех сторон, отражаясь эхом от стен старых зданий и крытых переходов между ними. «Наша вина... наркота от Компании... девчонка... медальон... мертвый приятель... наша вина...»

Запахи улицы обрушивались на меня все разом, доводя до головокружения: свежая рыба и креветки с причала Сассуна, выхлопы бензиновых и дизельных двигателей, а также отдающий сырым бельем запах муссона, который проникал в каждую щелочку каждого здания города.

«Наша вина. Наша наркота».

Я стоял на разделительной полосе. Транспортный поток перед моим лицом двигался на север, а поток позади меня устремлялся на юг вдоль оси вытянутого полуострова.

Кадербхай не позволял никому в своей мафии торговать героином или крышевать проституцию в южном Бомбее. Но после его смерти новая Компания сменила приоритеты и сейчас извлекала более половины своих доходов из этих двух источников, причем с каждым месяцем число наркодилеров и борделей увеличивалось с подачи или благословения Санджая.

Это был новый мир, далеко не прекрасный, но более богатый по сравнению с тем, который я застал, когда Кадербхай вызволил меня из тюрьмы и взял под свое крыло. И бесполезно было успокаивать себя рассуждениями о том, что сам я не торгую дурью или девочками, а всего лишь занимаюсь подделкой паспортов. Я увяз в этой грязи по самую шею, как и другие.

Будучи бойцом Компании, я сражался в гангстерских войнах и в любой момент мог быть переброшен со своего тихого места в мастерской на помощь Эндрю, Амиру или Фейсалу — без права на отказ и без объяснения причин, по которым придется проливать свою или чужую кровь.

«Наша вина».

Внезапно я ощутил легкий тычок в середину спины и не успел среагировать, как один за другим последовали еще два таких тычка. Обернувшись, я заметил трех велокиллеров, ныряющих в поток транспорта на своих сверкающих хромом велосипедах. А еще миг спустя мне пришлось резко повернуться в другую сторону, чтобы ответить на приветствие Панкаджа — второго по значимости лидера велокиллеров, — который затормозил у меня перед носом и навалился боком на ограждение. Мимо катили машины, чуть забирая в сторону, а он смотрел на меня с озорным блеском в глазах.

— Теперь ты понял, как это легко, брат! — ухмыльнулся он и энергично встряхнул головой. — Не считая меня, ты был бы убит уже три раза, если бы мои парни пустили в ход ножи, а не пальцы.

В порядке иллюстрации он ткнул двумя жесткими пальцами мне в грудь напротив сердца.

— Как хорошо, что мы с тобой никогда не деремся, брат, — сказал я.

— Тогда убери руку с ножа у тебя за спиной, — сказал он, — а я уберу руку со своего.

Мы со смехом обменялись рукопожатием.

— Твоя Компания неслабо загружает нас работой, — сказал он, машинальным движением проворачивая назад педаль. — Если такой фарт покатит и дальше, я смогу выйти на пенсию раньше срока.

— А если у тебя еще будут заказы к югу от фонтана Флоры, неплохо бы заранее получить весточку.

— Ты ее получишь, брат мой. Будь здоров!

Панкадж оттолкнулся от ограждения и покатил прочь, ужом виляя между транспортными средствами.

Еще до того, как я потерял его из виду и поднял глаза к пасмурному небу, решение было принято. Все, конец. Я понял, что с Компанией Санджая мне больше не по пути. Я был сыт по горло и выходил из этой игры.

Вера. Она присутствует повсюду в каждый момент нашей жизни, даже во время сна. Вера в мать, сестру, брата или друга; вера в то, что за углом на перекрестке невидимый тебе водитель остановится на красный свет; вера в пилотов авиалайнера и в наземный персонал, подготовивший лайнер к полету; вера в учителей, которым мы ежедневно на несколько часов препоручаем своих детей; вера в полицейских, пожарных и автомехаников, а также вера в то, что любимый человек будет ждать тебя, когда ты вернешься домой.

ГРЕГОРИ ДЭВИД РОБЕРТС

Но вера, в отличие от надежды, может умереть. И когда вера умирает, обычно с ней вместе умирают и неразлучные спутники: постоянство и преданность.

Я был сыт по горло. Я утратил последние остатки веры в Санджая как своего лидера, и я больше не мог уважать себя, оставаясь у него в подчинении.

В том, что уход окажется делом непростым, сомневаться не приходилось. Санджай не любил недосказанности и незавершенности, и лучше было выложить все начистоту. Так или иначе, я свой выбор сделал. Я знал, что Санджай вернется к себе домой лишь далеко за полночь, и решил заехать к нему еще до наступления утра, чтобы сообщить о своем уходе.

Глядя на вывеску «Леопольда», я вспомнил слова Карлы, сказанные однажды в этом заведении, когда мы остались там уже после закрытия, слишком много пили и слишком много говорили. «Жизнь предприимчивого одиночки в Бомбее, как у Дидье, — сказала она со смехом, — подобна бесконечно затянувшейся попытке переплыть ледяную реку истины».

Глядя в треснувшее зеркало прошлого, я осознал, как много всего минуло с той поры, когда я был сам по себе. И вот сейчас я готовился покинуть ряды небольшой, но сплоченной армии, прикрывавшей меня как своего брата по оружию. Я терял квази-иммунитет, который защищал меня от закона с помощью квази-нравственных адвокатов Компании при попустительстве квази-независимых судей.

Но вместе с тем я покидал и близких друзей, плечом к плечу с которыми не раз встречал опасность, — людей, знавших и любивших Кадербхая со всеми его недостатками, как это делал я.

Это был очень трудный выбор. Я хотел ускользнуть от вины и стыда, однако вина и стыд — цепкие преследователи, и стволов у них куда как поболее, чем у меня.

Страх обманывает тебя, скрывая самопрезрение за самооправданием, и порой ты начинаешь осознавать силу этого страха только после того, как избавишься от своих пугающих привязанностей.

Я чувствовал, как многие вещи, которые я слишком долго пытался оправдывать и логически обосновывать, теперь опадают, как листья, и смываются очистительным ливнем. Мое одиночество погружалось в ледяную реку истины. Одиночество также предполагает верность — хотя бы своим принципам. Но при взгляде издали на берег, к которому стремишься, часто кажется, что твоя вера в самого себя есть вообще единственная вера на свете.

Я сделал глубокий вдох, собрался с решимостью и мысленно сделал зарубку: «Не забудь почистить и зарядить пистолет».

ГЛАВА

25

Кавита Сингх — журналистка, известная своим умением «гладко писать на шероховатые темы», — сидела, откинувшись назад вместе со стулом, который упирался в стену позади нее. Молодая женщина рядом с ней была мне незнакома. Навин и Дива расположились по левую руку от Дидье. Здесь же присутствовал Викрам, а с ним Джамал Все-в-одном и Билли Бхасу — парочка из «усыпальницы» Денниса.

Тот факт, что Викрам снова был на ногах после каких-то двух часов забытья, показывал, насколько далеко все зашло. Когда ты только начинаешь принимать героин, кайф после дозы может длиться до полусуток. Когда же привычка переходит в зависимость, тебе требуется новая доза уже через три-четыре часа.

В тот момент, когда я приблизился к их столу, вся компания заливалась смехом.

— А вот и Лин! — воскликнул частный детектив. — Мы тут говорим о наших любимых видах преступлений. Потом выберем победителя конкурса. А какой вид преступлений предпочитаешь ты?

— Мятеж, — сказал я.

— А, анархист! — рассмеялся Навин. — Довод в поисках обоснования!

— Скорее, обоснованный довод в поисках воплощения, — парировал я.

— Браво! — вскричал Дидье и махнул официанту, заказывая выпивку на всех.

Он сдвинулся, приглашая меня сесть рядом. Я воспользовался случаем и передал ему норвежский паспорт Ранвей.

— Винсон заберет его у тебя завтра или послезавтра, — сказал я тихо.

Покончив с этим вопросом, я переключил внимание на Викрама. Он избегал моего взгляда, вертя между ладонями стоявшую перед ним пивную кружку. Я жестом предложил ему наклониться поближе.

— Что ты вытворяешь, Викрам? — спросил я шепотом.

— А в чем дело?

— Ты был в отключке всего пару часов назад, Вик.

— А теперь проснулся, — сказал он. — Всякое случается.

— И этих приятелей, спецов по дури, ты тоже случайно встретил?

Он отстранился и произнес, глядя в стол перед собой:

— Ты обращаешься не к тому человеку, Лин, если думаешь, будто мне есть дело до себя и других. Да в гробу я видал весь этот мир! И я такой не один. Скажи, Дидье, тебя хоть что-нибудь реально заботит в этом мире?

— Меня нелегко озаботить, — сказал Дидье. — Но изредка такое случается.

— А как насчет тебя, Кавита? — спросил Викрам.

— Ну, меня как раз очень многое заботит. Взять, к примеру...

— Знаешь, Лин, — прервал ее Викрам, поворачиваясь ко мне, — когда-то ты был своим парнем, и чертовски классным, *йаар*. Не становись просто еще одним чужеземцем в Индии.

— Мы все чужеземцы в Бомбее, — сказала Кавита. — Я, например...

Викрам прервал ее снова.

— Может, покончим с этим прямо сейчас? — сказал он, через стол дотрагиваясь до руки Дидье.

Дидье это покоробило. Он принципиально никогда не занимался делами во время дружеских посиделок в «Леопольде». Однако он достал из кармана заранее приготовленный рулон купюр и передал его Викраму. Мой некогда гордый и щепетильный друг жадно схватил деньги и сразу поднялся, едва не опрокинув свой стул, который был вовремя подхвачен Джамалом. Затем он также встал из-за стола. Билли Бхасу последовал их примеру.

— Что ж... я... пожалуй... пойду, — промямлил Викрам, пятясь и не глядя в мою сторону.

Билли попрощался с компанией взмахом руки и двинулся следом. Джамал кивнул нам, побрякивая амулетами, которые свисали с его тощей шеи.

— Все-в-одном, — сказал я.

— Все-в-одном, — откликнулся он, и троица направилась к выходу из ресторана.

— Что творится, друг мой? — тихо обратился ко мне Дидье.

— Я тоже временами подкидываю Викраму деньги, — сказал я, — но всякий раз думаю: а вдруг я сейчас оплатил его смертельную дозу?

— Или его спасение, — так же негромко ответил Дидье. — Викрам болен, Лин. Но слово «болен» также подразумевает «еще жив». А значит, еще есть надежда на спасение. Без чьей-нибудь помощи он может не дотянуть до следующего утра. Но пока он жив, шанс остается. Пусть все идет своим чередом. А ты расслабься хоть ненадолго, посиди с нами.

Я оглядел компанию, пожал плечами и присоединился к их игре.

— А какие преступления предпочитаешь ты, Кавита? — спросил я.

— Похоть.

— Похоть — это грех, а не преступление, — возразил я.

— Я говорил ей то же самое, — сказал Навин.

— В том виде, как ей предаюсь *я*, она вполне потянет на преступление, — заявила Кавита.

Тут Дива, не выдержав, прыснула, и вслед за ней расхохотались остальные.

— Твоя очередь, Дидье.

— Лжесвидетельство. Нет ничего лучше, — сказал он убежденно.

— Раз так, можно ли верить твоим словам? — спросил я.

— Может, поклянешься? — подхватил Навин.

— Потому что, — продолжил Дидье, — только ложь не дает этому миру скатиться в беспросветную тоску и ничтожество.

— Но ведь честность — это просто озвученная истина, разве нет? — подзадорил его Навин.

— Нет! Отнюдь нет! Честность — это всего лишь претензия на выражение истины. Нет ничего более разрушительного для истины и оскорбительного для интеллекта, чем человек, объявляющий себя абсолютно и всецело честным всегда и во всем.

— Абсолютно и всецело с тобой согласна, — сказала Дива, салютуя бокалом. — Когда у меня возникает желание быть честной, я срочно обращаюсь к врачу.

Дидье воодушевился, получив поддержку:

— Эти честные паразиты подкрадываются к тебе и шепчут на ухо: «Я считаю, ты должен это знать...» И, отравив тебя тошнотворной каплей правды, они продолжают разрушать твою уверенность в собственных силах, твое доверие к окружающим, твое благополучие, в конце концов. А все начинается с правдивой мелочи, подсунутой тебе под тем предлогом, что они якобы хотят быть с тобой честными. Какой-нибудь омерзительный кусочек правды, которую тебе лучше было бы никогда не знать. И ты уже готов возненавидеть этих правдолюбцев за то, что они тебе это сказали. А что их тянуло за язык? Все та же треклятая честность. Нет уж, увольте! Я всегда предпочту изящную, изобретательную ложь тупой и уродливой честности!

— Честное слово, Дидье? — поддела его Кавита.

— Кому, как не тебе, Кавита, следует оценить всю мудрость моих слов. Журналисты, юристы и политики — это люди, в силу своей профессии выдающие правду только дозированными порциями и никогда — всю целиком. Если бы они это сделали, если бы они честно выложили все известные им секреты, цивилизации пришел бы конец в течение месяца. День за днем, бокал за бокалом, программа за программой — именно ложь поддерживает нас на плаву, и уж никак не правда.

— Я люблю тебя, Дидье! — завопила Дива. — Ты мой герой!

— Я бы мог тебе поверить, Дидье, — сказал Навин с невозмутимым видом. — Однако заявленная тобой приверженность ко лжи выбивает почву из-под всех твоих доводов, тебе не кажется?

— Но сердце не способно лгать, — возразил Дидье.

— Выходит, честность все же хорошая вещь, — заключила Кавита, целясь указательным пальцем в сердце Дидье.

— Увы, даже Дидье не застрахован от честных порывов, — сокрушенно вздохнул Дидье. — Я лжец эпических масштабов, и это может вам подтвердить любой полицейский в южном Бомбее. Но в конечном счете я всего лишь человек, и мне свойственны слабости. Так что порой и у меня случаются отвратительные пароксизмы честности. Вот, например, сейчас я с вами честен — к стыду своему, должен сознаться. И в этом редком для себя состоянии я призываю вас: лгите как можно больше и как можно чаще, развивайте в себе искусство лжи, пока не научитесь лгать так же честно и искренне, как это делаю я!

— На самом деле ты любишь правду, — заметила Кавита, — а вся твоя ненависть направлена только против честности.

— Не стану спорить, — согласился Дидье. — Поверь, стоит лишь честно сказать всю правду о ком бы то ни было, и непременно найдутся желающие отомстить тебе за это.

Общий разговор рассыпался на диалоги: Дидье соглашался с Кавитой, Навин спорил с Дивой, а я обратился к сидевшей рядом молодой женщине:

— Мы раньше не встречались. Меня зовут Лин.

— Знаю, — сказала она смущенно. — А я Сунита, подруга Кавиты. Точнее, я с ней вместе работаю, осваиваю журналистику.

— Ну и как, нравится?

— Очень. Я в том смысле, что это прекрасная возможность для совершенствования. Но в будущем я хотела бы стать писателем, как вы.

— Как я? — со смехом переспросил я, немало удивленный.

— Я читала ваши рассказы.

— Мои рассказы?

— Да, пять рассказов. Мне они очень понравились, но я стеснялась вам об этом сказать.

— Но как они к вам попали?

— Ну... — Она замялась. — Мне их дал Ранджит... то есть мистер Ранджит... для корректуры: исправить опечатки и все такое.

Я не хотел выплескивать на нее раздражение, но был слишком зол, чтобы скрыть свои чувства. Ранджит добрался до моих рассказов? Но каким образом? Неужели ему передала их Лиза — за моей спиной и против моей воли? Это меня обескуражило.

— Рассказы у меня с собой, — сообщила Сунита. — Я сегодня собиралась пообедать в одиночестве и продолжить правку, но мисс Кавита попросила составить ей компанию.

— Дайте их мне, пожалуйста.

Она пошарила в просторной матерчатой сумке и выудила оттуда папку. Красную папку. Я распределял свои рассказы по папкам разного цвета, в зависимости от тематики. Красный цвет соответствовал подборке рассказов о праведниках, обитающих в дебрях мегаполиса.

— Я не давал согласия на публикацию этих рассказов, — сказал я, проверяя, все ли тексты на месте.

— Но...

— Вы тут ни при чем, — успокоил я, — и к вам не может быть никаких претензий. Сейчас я напишу записку, вы передадите ее Ранджиту, и все будет в порядке.

— Но...

— У вас есть ручка?

— Я...

— Не нужно, — сказал я, доставая ручку из кармана жилета.

На последней странице последнего рассказа было всего две фразы:

> Высокомерие — это внешнее проявление гордыни, заполняющей все вокруг своим «я».
>
> Благодарность — это внешнее проявление смирения, внутри которого всегда найдется место для любви.

Этот листок вполне годился для записки. Я отделил его от остальных, переписал финальные фразы от руки на обороте предыдущей страницы и закрыл папку.

— Лин! — возмутился Дидье. — Ты совсем не пьешь! А ну-ка, спрячь свою ручку!

— Что ты собрался писать? — поинтересовалась Кавита.

— Если завещание, — сказал Навин, — то это никогда не рано.

— Раз уж ты хочешь все знать, — сказал я Кавите, — это записка для твоего босса.

— Любовное послание? — уточнила Кавита, отделяясь от стены и выпрямляя спину.

— Типа того.

Я написал записку, сложил листок и передал его Суните.

— Ну уж нет, Лин! — запротестовал Дидье. — Так не годится! Ты должен прочесть записку вслух.

— Что?

— Пока существуют правила, — пояснил он, — мы обязаны нарушать их при любой возможности.

— Для меня это уже слишком, Дидье.

— Ты должен озвучить записку, Лин.

— Это личное послание.

— Однако же написанное в публичном месте, — сказала Кавита и ловко выхватила листок из руки своей соседки.

— Эй! — вскричал я и попытался отобрать записку.

Кавита выскочила из-за стола и встала по другую его сторону, вне моей досягаемости. И своим хрипловатым, с глубокими модуляциями, голосом озвучила мое послание.

Без обиняков, Ранджит. Мне претят твои потуги на медиамагнатство, оскорбительные для прессы в целом. Я не доверил бы твоим газетенкам даже публикацию некролога, и, если ты еще раз хотя бы прикоснешься к моим работам, я приду и вправлю тебе мозги.

Девушка, которая передаст эту записку, знает номер моего телефона. Если ты попытаешься на ней отыграться, если ты ее уволишь или еще каким-либо образом осложнишь ей жизнь, она мне позвонит, я приду и вправлю тебе мозги. Держись от меня подальше.

— Какая прелесть! — рассмеялась Кавита. — Я хочу сама передать ему записку, чтобы...

И тут ресторанный зал потряс вопль, сопровождаемый звуками бьющегося стекла и разлетающихся по мраморному полу осколков. Все головы повернулись в сторону главного входа. Там был Конкэннон, затеявший драку с несколькими официантами.

Впрочем, Конкэннон был не один. Вслед за ним в двери прорвались люди из банды «скорпионов». Я узнал громилу Ханумана и еще нескольких человек из числа бывших в пакгаузе в тот памятный для меня день.

Последним в дверях появился Данда, садист с усами ниточкой. Его левое ухо было скрыто под широкой кожаной повязкой.

У Конкэннона имелось «гасило» — свинцовый груз в кожаном мешочке с петлей на запястье, — и он не замедлил пустить его в ход. Удар пришелся по виску метрдотеля-сикха. Все видевшие это дружно ахнули, а женщины пронзительно завизжали.

Могучий сикх рухнул как подкошенный. Другие официанты кинулись к нему и попытались поднять, а Конкэннон наносил удар за ударом, сбивая людей с ног и рассеивая вокруг брызги крови.

«Скорпионы» продвигались по залу, опрокидывая столы и разгоняя перепуганных посетителей. Бутылки, стаканы и тарелки со звоном и треском падали на пол, по которому растекалось их содержимое. Стулья летали туда-сюда, отброшенные пинками дерущихся. Люди спотыкались, поскальзывались в пенных лужах и падали.

Кавита, Навин и я встали одновременно.

— Сейчас пойдет потеха, — сказал я.

— Отлично, — сказала Кавита.

Скосив глаза, я увидел, что в одной руке она держит за горлышко пустую бутылку, а в другой сжимает свою сумочку.

Ближайший к нам запасный выход был уже закупорен толпой. Позади нас был угол. Я быстро прикинул, что, если перегородить его столом, за ним смогут укрыться Дива и Сунита. Я взглянул на Навина, и тот понял меня без слов.

— Дива, быстро в угол! — скомандовал он и показал себе за спину большим пальцем, не отрывая взгляда от схватки.

В кои-то веки светская девица не стала спорить. Схватив Суниту за руку, она потащила ее в угол. Я посмотрел на Кавиту.

— Вот, значит, как? — насмешливо фыркнула она. — А, чтоб тебя!

Что бы ни было причиной столь яростной атаки, момент для нее Конкэннон и «скорпионы» выбрали удачный. Было как раз послеобеденное затишье перед вечерним наплывом публики, и добрая половина официантов отдыхала в комнатах на втором этаже.

Остальные, застигнутые врасплох, оказывали отчаянное сопротивление, но численный перевес был на стороне нападавших. Официанты отступали, и драка постепенно перемещалась через зал в нашу сторону. Для начала нужно было хотя бы замедлить это движение, чтобы потом уже обратить его вспять.

— Пора вломить гадам! — хрипло сказала Кавита.

И мы кинулись в гущу схватки, пытаясь потеснить врагов. За нами последовали и некоторые из завсегдатаев ресторана.

Навин раздавал удары налево и направо. Я схватил за шиворот «скорпиона», добивавшего еле живого официанта, и отшвырнул его назад. Кавита, улучив момент, врезала ему бутылкой по темечку. «Скорпион» упал, а когда попытался встать, подоспевшие завсегдатаи принялись окучивать его ногами.

Спавшие наверху официанты ночной смены были подняты владельцем ресторана и начали спускаться в зал по узкой служебной лестнице. Атака «скорпионов» захлебнулась, прилив сменился отливом, и теперь уже они, отбиваясь, пятились к выходу.

Навин и я, зажатые в давке между врагами и прибывшим подкреплением, двигались вместе со всеми. Когда толпа дерущихся приблизилась к двери, я вдруг очутился лицом к лицу с Конкэнноном.

Если он и сознавал, что проигрывает бой, то по его глазам этого заметно не было. Они холодно сверкали, как рыбья чешуя на мелководье. Он улыбался. Он был счастлив.

Конкэннон медленно поднял гасило над плечом и обратился ко мне.

— Дьявол пришел по твою душу, дружок! — сказал он и нанес удар сверху вниз.

Я нырком ушел вправо, и гасило опустилось на мое левое плечо. Я почувствовал, как содрогнулись кости под слоем напряженных мышц. Резко распрямляясь, я запустил хук правой поверх его руки и попал точно в голову. Удар вышел полновесный, со смачным контактом. Но для Конкэннона этого оказалось недостаточно. Он встряхнул головой и ухмыльнулся. Затем снова поднял гасило, но я успел прыгнуть вперед и вытолкнул его из дверей на улицу, сам вылетев туда вместе с ним.

Киношные драки могут длиться подолгу, когда сначала один герой капитально обрабатывает второго, потом второй, каким-то чудом очухавшись, начинает мутузить первого и т. д. В реальной уличной драке все происходит намного быстрее. Удары прилетают с разных сторон, ты тоже бьешь куда попало, а если тебя сбили на землю, обычно там и остаешься. Впрочем, иногда это самое безопасное место.

Я принял стойку и выжидал момент для встречного удара, глядя на Конкэннона меж выставленных вперед кулаков. А он пытался загасить меня своим увесистым оружием. Я нырял, уклонялся, отскакивал, но не всегда удачно, и мне крепко попадало. Отскочив в очередной раз, я наткнулся на Навина. Быстро переглянувшись, мы с ним встали спина к спине.

Мы были только вдвоем против «скорпионов» на открытом пространстве между «Леопольдом» и уличными лотками. Официанты сгрудились в широком дверном проеме. Они держали оборону заведения. Все, что происходило на улице, их уже не касалось. Их задачей было не допустить, чтобы драка переместилась внутрь здания.

«Скорпионы» пошли в атаку. Навину пришлось отбиваться сразу от четверых. Я не мог ему помочь. На мою долю достался Конкэннон.

Когда высокий ирландец открывался, я бил слева и справа, но на каждое мое попадание он отвечал ударом гасила. Доставалось и по лицу; кровь обильно струилась из рассечений. И как бы сильно и точно я ни бил, Конкэннон держал все удары.

Я начал выдыхаться, в голове мелькали обрывки мыслей, как порывы вьюги в афганских горах. «Похоже, мое дело труба...»

Драка прекратилась столь же внезапно, как началась. «Скорпионы» отступили от нас и сгрудились вокруг Конкэннона.

Мы с Навином быстро повернулись в ту сторону, куда смотрели враги. И увидели Дидье с автоматическим пистолетом в руке. Трудно передать, как я обрадовался этому зрелищу. Губы Дидье сложились в улыбку, которая точь-в-точь походила на недавнюю улыбку Конкэннона. Рядом с ним стоял Абдулла.

Когда мы с Навином ушли с линии прицела, Абдулла положил ладонь на руку Дидье и начал медленно ее опускать, пока ствол пистолета не оказался направленным в землю.

Несколько секунд все молчали. «Скорпионы» таращились на нас, раздираемые дилеммой: драться или драпать? Зеваки выглядывали из-за лотков и быстро-быстро дышали, возбужденные зрелищем. И даже бесконечный поток машин, казалось, настороженно замедлился.

Конкэннон заговорил. Это было ошибкой.

— Грязная патлатая иранская шлюха, — произнес он, скаля желтые зубы и надвигаясь на Абдуллу. — Ты и я, мы оба знаем, что ты за тварь. Чего молчишь?

У Абдуллы тоже был пистолет. И он выстрелил Конкэннону в бедро. Зрители завопили, шарахаясь в стороны.

Ирландец не сдавался. Пошатываясь, он сделал еще один шаг и попытался ударить Абдуллу свинчаткой. Абдулла выстрелил снова, в ту же ногу. Конкэннон упал.

Абдулла сделал еще два выстрела так стремительно, что я не успел заметить, куда он целил. И только когда Хануман и Данда скорчились, оседая на землю, я понял, что здоровяк и его тощий приятель схлопотали каждый по пуле в ногу.

Те из «скорпионов», кто еще мог бегать, пустились наутек. Конкэннон, с его инстинктом выживания, упрямо полз на локтях в сторону дороги, между сувенирными лотками.

Абдулла настиг его в два шага и придавил к земле, наступив ногой на спину. Через секунду Дидье был с ним рядом.

— Ты... паршивый... трус... — прохрипел Конкэннон. — Ну, давай! Сделай это, жалкая вонючка!

Кровь хлестала из двух ран в его бедре. Абдулла направил ствол ему в затылок и приготовился нажать на спуск. Немногие зеваки, еще не разбежавшиеся кто куда, дружно ахнули.

— Не надо, брат! — крикнул я. — Стой!

Теперь уже настал черед Дидье класть ладонь на руку Абдуллы, мягким нажатием отводя пистолет от головы Конкэннона.

— Слишком много свидетелей, друг мой, — сказал он. — *Dommage*[1]. А сейчас уходи. И побыстрее.

Абдулла колебался. Я знал, что он борется с желанием добить врага. Мне доводилось слышать тот же самый внутренний голос в схожих ситуациях по ту сторону тюремной стены. Сейчас его стремление убить Конкэннона было сильнее его стремления жить. И я встал рядом с ним, как это делали люди в тюрьме, спасая не только мою жизнь, но и мою душу.

— Раз копы до сих пор не объявились, значит «скорпионы» их подмазали, чтобы те не мешали громить «Леопольд», — сказал я. — Но времени у нас в обрез. Надо сматываться.

Абдулла снял ногу со спины Конкэннона, и тот пополз дальше по тротуару к проезжей части. Рядом затормозили две машины. «Скорпионы» быстро загрузили в них Конкэннона и двух других раненых, и машины умчались, попутно протаранив такси с туристами.

Навин Адэр обнял за плечи Диву. Начинающая журналистка Сунита стояла тут же.

— Ты в порядке? — спросил я Диву.

— Черт бы вас всех побрал! — ответила она. — Все мужчины идиоты!

— А как вы? — обратился я к Суните.

Она прижимала к груди красную папку с моими рассказами и тряслась мелкой дрожью.

— Все нормально, — сказала она. — У меня есть одна просьба, но мне трудно с ней обратиться, пока вы истекаете кровью. Вы хоть знаете, что у вас все лицо в крови?

— О... кей. Тогда, может, не будем затягивать с вашим вопросом?

Она подала мне папку, но оставила у себя мое послание к Ранджиту.

— Пожалуйста, позвольте *мне* передать эту записку, — сказала она.

— А...

— Прошу вас! Вы не представляете, как этот тип измучил меня своими домогательствами и какое громадное удовольствие

---

[1] Досадно *(фр.)*.

я получу, вручая ему *это*. У меня аж голова кружится от пред-
вкушения. Хотя это может быть из-за низкого сахара в крови —
я так и не успела пообедать. Но в любом случае для меня это будет настоящим праздником. Мне стыдно досаждать вам просьбами, когда у вас разбито лицо, но все же прошу: позвольте мне
быть вашей посыльной.

К нам подошли Дидье и Кавита.

— Дидье, ты мог бы дать Суните свой телефонный номер
и проводить ее до офиса Ранджита?

— Разумеется. Однако тебе пора делать ноги, Лин.

Где-то неподалеку раздался выстрел.

— Послушай, — торопливо сказал я Дидье, — Лиза сейчас
в галерее на Кармайкл-роуд. Ты к ней не заедешь?

— Без проблем.

— Убедись, что она в порядке. И пару дней побудь рядом
с ней — или держи ее рядом с собой.

— *Bien sur*[1], — ответил он. — А ты что будешь делать?

— Залягу на дно. Пока не знаю где и надолго ли. Возьми эти
рассказы и сохрани их для меня.

Я отдал ему папку и побежал к мотоциклу. Абдулла ждал, сидя на своем байке рядом с моим.

— Кто сейчас стрелял?

— Наш человек, — ответил Абдулла, запуская мотор.

— А где копы?

— Они были на подходе, но Рави пальнул в воздух, — сказал
Абдулла. — Тогда они ломанулись обратно в участок за броне-
жилетами и автоматами. Скоро вернутся. Нам пора ехать.

И мы помчались, лавируя между вползающими в час пик автомобилями, при всякой возможности срезая путь по тротуарам
или подъездным дорожкам автозаправок. За считаные минуты
мы добрались до вершины длинного холма на Педдер-роуд и остановились перед светофором неподалеку от мечети Хаджи Али.

— Надо сообщить Санджаю, — сказал я.

— Согласен.

Мы свернули на парковку перед ближайшим павильоном.
Оставив мотоциклы под присмотром служителей, мы нашли телефон и позвонили боссу. Голос его звучал сонно, как будто мы
подняли его с постели в этот послеобеденный час. Но, услышав
новость, он мигом стряхнул с себя сон:

— Какого хрена?! Где вы сейчас находитесь?

— Рядом с Хаджи Али, — сказал Абдулла, державший трубку
между нами так, чтобы я тоже мог слышать.

---

[1] Конечно *(фр.)*.

— Вам нельзя возвращаться. Думаю, копы будут здесь уже с минуты на минуту, и я не хочу, чтобы они задавали вопросы, на которые у вас нет ответов. Вам надо исчезнуть на пару дней. Забейтесь в норку и, черт вас раздери, сидите тихо, кретины! Скажи мне правду, есть жертвы среди цивильных?

При словах «скажи мне правду» Абдулла скривился от отвращения, заскрежетал зубами и передал трубку мне.

— Никто из цивильных не пострадал, Санджайбхай, — сказал я.

Под словом «цивильные» подразумевались лица, никак не связанные с криминальным миром, — то есть все люди, за исключением гангстеров, жуликов, судей, юристов, тюремных охранников и полиции.

— Прострелены ноги у двух «скорпионов» и у левого наемника по имени Конкэннон. Свидетелей было навалом, но в большинстве это уличная братва и официанты из «Леопольда». На них можно повлиять.

— Ты устроил эту дерьмовую заварушку, Лин, а теперь еще указываешь мне, как ее разрулить? Было бы кому вякать!

— Если память мне не изменяет, — сказал я спокойно, — однажды ты сам подстрелил человека перед «Леопольдом».

Абдулла поднял два пальца перед моим лицом.

— Даже двух человек, — поправился я. — И это не я начал заварушку, Санджайбхай. Ее начали «скорпионы», причем не сегодня, а намного раньше. За последний месяц они нападали на нас девять раз. Сегодня они вломились в «Леопольд», потому что мы все любим это место и оно находится в самом центре нашей территории. Этот иностранец, Конкэннон, себе на уме — он хочет стравить Компанию Санджая и «скорпионов», чтобы мы истребили друг друга, а он между тем создает собственную банду. Это все, что я знаю. Я не могу тебе указывать, как это разрулить, и даже не пытаюсь. Я только сообщаю то, что мне известно. Эти сведения пойдут тебе в помощь, а не во вред.

— Мудаки! Сраные ублюдки! — заорал Санджай, но быстро совладал с собой и продолжил уже спокойнее: — Теперь куча бабла уйдет на то, чтобы замять это дело. Как считаешь, кто из колабских копов мог это подстроить?

— Сегодня на дежурстве Дилип-Молния. Но я не думаю, что это его затея. Пинать связанных зэков — это он с радостью, но на что-то подобное вряд ли решится.

— Там есть еще инспектор по имени Матре, он давно под меня копает, — промолвил Санджай, как бы говоря с самим собой. — Сукин сын! Чую, здесь попахивает его дерьмом. *Тхик*. Я все улажу со своей стороны, а вы двое не показывайтесь на людях пару дней. Свяжетесь со мной завтра. Теперь дай трубку Абдулле.

Я протянул трубку Абдулле. Несколько мгновений он молча смотрел на меня. Я пожал плечами. Он поднес трубку к уху, дважды сказал «да» и затем повесил ее на аппарат.

— И каков будет план?

— Он спросил про цивильных. А о твоих травмах он спросил? — вместо ответа поинтересовался Абдулла.

— Он никогда не был особо заботливым. Плевать он хотел на мои травмы.

— Значит, не спросил, — пробормотал Абдулла, нахмурившись.

После недолгого молчания он продолжил:

— У тебя на лице живого места нет. Надо заглянуть к одному из наших врачей.

— Не стоит, я видел себя в зеркале. Все не так уж страшно.

Я перевязал платком лоб и бровь, рассеченную гасилом Конкэннона.

— Сейчас наша главная проблема в том, — сказал я, — что Санджай не хочет вступать из-за нас в войну. Так что мы сами по себе.

— Я заставлю его начать войну.

— Нет, Абдулла. Санджай еще раньше отказал мне в поддержке, а теперь и ты в таком же положении. Он ни за что не будет воевать, пока война сама не придет к нему в дом.

— Повторяю, я его *заставлю*.

— Да зачем нам большая война, Абдулла? Я ничуть не расстроен из-за того, что Санджай не хочет воевать. Напротив, я этому рад. Хорошо, если в этом деле не будут замешаны другие люди. Мы с тобой сами заплатим по счету.

— Непременно заплатим, *иншалла*.

— Но поскольку мы только вдвоем, надо будет продумать стратегию и действовать наверняка. Сегодня ты сгоряча подстрелил троих, одного из них дважды. И что теперь?

Он задумчиво смотрел мимо меня, на перекресток двух оживленных магистралей, по которым двигались, отливая металлическим блеском, потоки автомобилей. Потом он вновь повернулся ко мне и открыл было рот, но слов, похоже, не находилось: сейчас он был в одиночестве и не мог рассчитывать на помощь друзей, готовых примчаться по первому зову. Сейчас он был солдатом за линией фронта, которому только что передали, что пути отхода отрезаны.

— Для начала, я думаю, нам стоит убраться подальше отсюда на какое-то время, — сказал я, прервав мучительную паузу. —

Может быть, в Гоа. Если выедем немедленно, к утру будем на месте. Только никому об этом не говори. Всякий раз, услышав, что я еду в Гоа, люди вешают на меня горы грязного белья, которое у них там накопилось.

Последней фразой я хотел вызвать у него улыбку и хотя бы отчасти снять напряжение. Не получилось.

Абдулла посмотрел в сторону южного Бомбея. Он боролся с желанием вернуться туда, чтобы истребить всех «скорпионов», какие только выползут на свет из своего логова. Я подождал несколько секунд.

— Итак, что теперь?

Он вздрогнул, вернулся к реальности и сделал два глубоких вдоха, собираясь с мыслями.

— Я сегодня приехал в «Леопольд», чтобы позвать тебя в одно особенное место. Быть может, мое появление в тот момент оказалось кстати, но это выяснится позднее, а пока подождем и посмотрим, чем это обернется для каждого из нас.

— Ты упомянул какое-то особенное место.

Он снова посмотрел вдаль:

— Я не мог ожидать, что за нами потянется темная тень, когда мы поедем к горе. Но ничего не поделаешь. Ты готов ехать прямо сейчас?

— Еще раз спрашиваю: куда ты меня зовешь?

— На встречу с учителем учителей, с мастером, который научил мудрости Кадербхая. Его зовут Идрис.

— Идрис, — повторил я, как бы пробуя на вкус имя легендарного мудреца.

— Он там, — сказал Абдулла, кивая в сторону гряды холмов на северном горизонте. — Живет в горной пещере. Надо запастись водой, которую понесем с собой. Это будет долгий подъем — на гору мудрости.

Часть
пятая

ГЛАВА
 26

Подкрепившись и закупив кое-какие припасы, мы выехали на север по испаряющей муссонную влагу автостраде, заполненной дребезжащими грузовиками, в кузовах которых пирамиды барахла опасно кренились при каждом маневре. Я радовался поездке, тем более в компании Абдуллы. Скорость была сейчас очень кстати. Концентрация внимания и быстрота реакции, необходимые при гонке по сумматошной трассе, заставляли забыть о боли. Я знал, что позднее боль вернется. Ее можно было временно притупить или подавить, но не изгнать окончательно. «Ну и пусть возвращается, — думал я. — Боль — это всего лишь подтверждение того, что я жив».

Через два часа мы свернули с трассы к Национальному парку Санджая Ганди[1], оплатили въезд на его территорию и уже без спешки покатили дальше через дремучий, как настоящие джунгли, лес.

Извилистая дорога, ведущая к самому высокому пику в заповеднике, удивила меня хорошим состоянием покрытия. Недавние бури поломали ветви многих деревьев, но лесные жители, чьи хижины и плетеные изгороди виднелись тут и там сквозь придорожную листву, быстро растаскивали их на дрова.

Мы проезжали мимо женщин, закутанных в цветастые сари и гуськом шедших по обочине со связками хвороста на головах. С ними были маленькие дети, и каждый ребенок тащил сук или пучок прутьев соразмерно своим силам.

После дождей парк буйно пошел в рост. Сорная трава вдоль дороги была уже высотой по плечо, лианы сетью оплетали стволы и ветви деревьев, а в сырой тени благоденствовали мхи, ли-

---

[1] *Национальный парк имени Санджая Ганди* — обширный заповедник в северном пригороде Мумбаи, названный в честь младшего сына Индиры Ганди, Санджая Ганди (1946–1980), погибшего в авиакатастрофе.

шайники и грибы. Россыпь темно-синих, розовых и по-ванго-говски желтых цветов пробивалась через ковер из перепрелых опавших листьев. Мокрые ярко-красные листья устилали дорогу, подобно цветочным лепесткам перед храмом в праздничный день. Воздух был насыщен запахом перегноя и влажной коры, исходившим отовсюду: от земли, древесных стволов, лиан и сочной поросли в подлеске.

Посреди дороги устраивали шумные сборища обезьяны, которые разбегались при звуке мотоциклетных моторов и, забираясь на ближайшие валуны, бурно возмущались нашим вторжением. Когда одна особо крупная обезьянья стая с агрессивными воплями отступила к деревьям, я начал испытывать некоторое беспокойство. Абдулла это заметил и не удержался от столь редкой для него улыбки.

Абдулла был самым бесстрашным и самым надежным из всех известных мне людей. Строгий к другим, он был еще более строг к самому себе. А его спокойная, неколебимая уверенность была предметом восхищения или зависти для всех нас.

Его широкий лоб нависал над вечно изогнутыми вопросительным знаком бровями. Всю нижнюю половину лица, за исключением рта, покрывала густейшая черная борода. Глубоко посаженные глаза цвета меда на терракотовом блюде всегда были грустными — слишком грустными и добрыми, чтобы гармонично сочетаться с широким прямым носом, высокими скулами и твердо сжатым ртом, в целом придававшими его лицу довольно свирепое выражение. Он отрастил длинные волосы, которые ниспадали на широкие массивные плечи, подобно гриве Самсона, питающей силой его руки и ноги.

Все в нем — лицо, стать и нрав — делали Абдуллу прирожденным лидером, и люди с готовностью шли за ним в бой. Но нечто в его характере — скромная сдержанность или осторожная мудрость — отвращало его от власти, на которую он вполне мог бы претендовать в Компании. Многие братья уговаривали, даже умоляли его взять власть в свои руки, но он упрямо отказывался. И это, как водится, побуждало их к еще более активным уговорам.

Я ехал рядом с ним через джунгли, испытывая любовь к этому человеку, а также страх за него — и страх за себя, если я когда-нибудь его потеряю. О чем я совсем не думал в те минуты, так это о своих ранах и о возможных последствиях недавней схватки — как для моего тела, так и для моего рассудка.

Когда мы добрались до покрытой гравием парковочной площадки у подножия горы и заглушили моторы, в голове у меня прозвучал голос Конкэннона: «Дьявол пришел по твою душу, дружок!»

— Ты в порядке, Лин?

— Да.

Оглядываясь вокруг, я заметил телефон на прилавке магазинчика:

— Может, нам еще раз позвонить Санджаю?

— Да. Я так и сделаю.

Он говорил по телефону минут двадцать, отвечая на многочисленные вопросы мафиозного босса.

Здесь, под прикрытием горы, ветра не ощущалось. Единственным строением близ парковки был небольшой магазин, торговавший прохладительными напитками, чипсами и сладостями. Продавец, юноша со скучливо-сонным выражением лица, периодически помахивал бамбуковой тросточкой с привязанным платком, отгоняя полчища мух, которые поднимались в воздух, но через пару секунд снова облепляли покрытый сладкими пятнами прилавок.

Кроме нас, здесь не было приезжих, и никто не спустился с горы, что меня вполне устраивало. Боль пульсировала по всему телу, и этой двадцатиминутной передышки мне едва хватило на то, чтобы немного прийти в себя.

Но вот Абдулла повесил трубку и знаком пригласил меня следовать за собой. У меня не хватило духу сказать ему, что я сейчас слишком слаб для восхождения, — иногда за отсутствием физических сил ты держишься только на волевом усилии и на боязни потерять уважение любимых тобой людей.

На первый уступ горы мы поднялись по крутым, но добротным каменным ступеням. Здесь находилась просторная пещера, арочный вход в которую охраняли коренастые колонны на массивном гранитном постаменте. В глубине пещеры располагалось святилище.

Продолжая подъем по тропе, мы достигли еще одной, самой большой и впечатляющей из всех здешних пещер. В скальных нишах слева и справа от входа стояли две гигантские статуи Будды — каждая в пять человеческих ростов. Статуи на удивление хорошо сохранились, хотя и не были защищены никаким ограждением.

В следующие двадцать минут подъема мы миновали десятки других пещер и наконец вышли на просторную террасу, где тропа расширилась и разветвилась на несколько хорошо утоптанных дорожек. Но это была еще не вершина.

По аллее меж высоких стройных деревьев и цветущих лантан мы добрались до вымощенного беломраморными плитами храмового дворика под куполом, поддерживаемым колоннами. Это капитальное сооружение завершалось небольшой и скромной усыпальницей святого. Высеченный из камня длиннобородый старец задумчиво — и, пожалуй, не без грусти — смотрел на окружающие джунгли. Абдулла остановился, озираясь, посреди крытого мраморного дворика. Он положил руки на пояс, в глазах теплилась улыбка.

— Особенное место? — спросил я.

— Да, братишка. Здесь Кадербхай прошел бóльшую часть своего обучения у мудреца, у Идриса. Мне также выпала честь присутствовать на некоторых занятиях.

Какое-то время мы постояли в молчании, размышляя о покойном Хане, о Кадербхае, и у каждого из нас был свой набор воспоминаний, с ним связанных.

— Долго нам еще идти?

— Здесь уже недалеко, — сказал он, разворачиваясь, — но это самая сложная часть подъема.

Цепляясь за ветки, траву и лианы, мы начали взбираться по узкой и крутой тропинке, которая вела к вершине. В сухой сезон это было бы не так уж сложно: уступы и торчавшие из земли камни создавали вполне надежную опору для ног. Совсем другое дело — карабкаться в сумерках по скользкой, размытой дождями тропе.

Примерно на полпути нам встретился юноша, спускавшийся с горы. Уклон в этом месте был особенно крут, и мы никак не могли с ним разминуться, так что пришлось сползать обратно на несколько метров и там закрепляться, держась за какие-то чахлые кустики.

Юноша нес большую пластиковую канистру для воды. Съезжая вниз мимо нас, он был вынужден хвататься за наши рубашки, и мы в свою очередь его придерживали.

— Веселенькое дело! — промолвил он на хинди с дружелюбной улыбкой. — Вам принести чего-нибудь снизу?

— Шоколада! — крикнул Абдулла вслед юноше, который продолжал скользить по тропе и уже скрылся за окаймлявшей ее растительностью. — Я забыл купить шоколад! Потом расплачусь!

— *Тхик!* — донесся ответный крик снизу.

Когда мы достигли вершины, оказалось, что бóльшую ее часть занимает весьма обширное плато, ровное, как стол, за исключением огромной иззубренной скалы — собственно пика — с зияющими входами нескольких больших пещер. С этой точки открывался прекрасный вид на само плато, на множество переходящих одна в другую долин у подножия горы и на островной город в застилающем горизонт смоге.

Все еще тяжело отдуваясь, я начал осматривать это место. Под ногами похрустывала мелкая белая галька — такая не попадалась мне ни в долине внизу, ни во время подъема. Стало быть, ее приносили издалека и поднимали наверх мешок за мешком. Изнурительная была работа, но эффект получился потрясающий: девственная чистота и безмятежное спокойствие.

Кухонная зона у скалы была открыта с трех сторон, а ее зеленый полотняный навес выцвел как раз настолько, чтобы идеально гармонировать с блеклой листвой окружающих деревьев.

Следующая зона была полностью огорожена брезентом и, судя по всему, играла роль ванной комнаты с несколькими нишами для мытья. Далее под навесом расположились два письменных стола и несколько стоявших рядком шезлонгов.

В отверстиях четырех обжитых пещер виднелись кое-какие детали интерьера: деревянный шкаф с выдвижными ящиками в одной, штабель металлических коробок у входа в другую, большой закопченный очаг с тлеющими углями в глубине третьей...

Я еще не закончил осмотр, когда из самой маленькой пещеры вышел молодой человек со словами:

— Вы господин Шантарам?

Я повернулся к Абдулле, недоуменно подняв брови.

— Я привез тебя сюда по просьбе учителя, — сказал Абдулла. — Это он тебя пригласил, а я всего лишь посредник.

— Он меня пригласил?

Абдулла кивнул, и я снова повернулся к молодому человеку.

— Это вам, — сказал он, вручая мне визитную карточку.

Я взял ее и прочел единственную надпись: «Никаких наставников».

Озадаченный, я передал карточку Абдулле. Он взглянул на нее, рассмеялся и вернул мне.

— Очень оригинально, — сказал я. — Это как если бы адвокат написал на визитке: «Никаких гонораров».

— Наверняка Идрис все объяснит при встрече.

— Сегодня вы с ним вряд ли увидитесь, — сказал молодой человек, приглашающим жестом указывая на пещеру с очагом. — Учитель-джи сейчас в храме ниже по склону беседует с несколькими философами. А вы пока устраивайтесь. Я только что заварил чай.

Я с благодарностью принял приглашение, зашел внутрь, уселся на самодельный деревянный табурет неподалеку от входа и начал прихлебывать вскоре поданный чай.

Погрузившись в раздумья — что я делал, пожалуй, даже слишком часто в последнее время, — я мысленно вернулся к схватке с Конкэнноном. Долгая поездка и подъем на гору помогли остудить эмоции и прояснить голову. И вот, попивая сладкий чай в обители мудреца Идриса, я вновь увидел перед собой глаза Конкэннона и с удивлением обнаружил, что не испытываю гнева из-за его бессмысленного и жестокого нападения. Вместо этого я испытал разочарование — причем разочарование того сорта, какое испытываешь по отношению к друзьям, а не к недругам.

Примкнув к «скорпионам», он автоматически нажил себе новых врагов. Теперь у наших бойцов не было другого выбора, кроме как нанести ответный удар. Если они этого не сделают, «скорпионы» сочтут бездействие проявлением слабости и нападут снова. Битва началась, и пути назад уже не было. Я подумал, что надо вывезти Карлу из города: она была связана с Компанией Санджая и также подвергалась риску.

Ну вот, пожалуйста. Я не подумал о Лизе, или о Дидье, или о себе самом. Я подумал о Карле. А ведь Лизе явно угрожала опасность, поскольку Конкэннон ее знал и с ней встречался. И я должен был бы прежде всего беспокоиться о Лизе, так ведь нет — я подумал о Карле. О Карле.

Запутавшись в тенетах любви, я глядел на янтарные угли остывающего очага и вдруг почувствовал запах духов. В первую секунду я решил, что кто-то подкинул благовония в другой костер неподалеку, однако аромат этих духов был мне знаком. И очень хорошо знаком.

Затем я услышал голос Карлы:

— Расскажи что-нибудь смешное, Шантарам.

У меня напряглась кожа на лице, по спине пробежал холодок, а кровь мощно устремилась вверх по телу, гулко замолотила в груди и под конец прилила к глазам, отозвавшись резью и жжением.

«Возьми себя в руки, — мысленно сказал я. — Посмотри на нее. Сними это заклятие».

Я обернулся и посмотрел на нее. Но это не помогло.

Она стояла перед входом в пещеру, улыбаясь и повернув лицо навстречу ветру, который развевал темные волосы и серебристый шарфик, открывая высокий лоб, чуть прищуренные зеленые глаза, тонкий нос и манящий изгиб губ — обманчиво манящий, в чем не позволял усомниться упрямо заостренный подбородок. Да, это была Карла.

— Так что, есть у тебя свежая шутка или нет? — произнесла она, лениво растягивая слова.

— Сколько парсов нужно, чтобы заменить перегоревшую лампочку? — выдал я первое, что пришло в голову.

— Мы не виделись два года, — сказала она, все еще не поворачиваясь лицом ко мне, — и после этого лучшее, на что ты сподобился, это шутка про лампочку?

— Точнее, двадцать три месяца и шестнадцать дней. Ты же хотела услышать шутку, так в чем дело?

— О'кей, так сколько парсов нужно для замены лампочки?

— Парсы никогда не заменяют лампочки, потому что для них ничто новое не может быть лучше старого.

Она запрокинула голову и рассмеялась. Смех был хороший, открытый, от всей души, сильный и свободный, как полет ястреба в сумерках, — и этот смех разбил все цепи, которыми было сковано мое сердце.

— Иди ко мне, — позвала она.

И я обнял ее, прижимая к дуплистому древу моей жизни, в потаенных недрах которого гнездилась, никогда их не покидая, мечта о ее любви.

ГЛАВА

27

У каждого человека глаза слегка разнятся: один глаз всегда теплее, с грустинкой, а другой более яркий и холодный. У Карлы грусть теплилась в левом глазу, и, возможно, я не смог противиться ее чарам именно потому, что видел только этот мягкий свет, подобный зелени сочной молодой листвы. Все, что я мог, — это слушать, улыбаться и периодически подавать реплики, стараясь ей не наскучить.

Но я был доволен. Мне было хорошо. То было утро хрупкого примирения, утро теплой грусти после того, как гора вернула мне Карлу...

Ночь мы провели в разных пещерах. Помимо Карлы, в маленькой общине на горе жили еще три женщины, молодые индийские ученицы Идриса. Женщинам отвели самую маленькую из обжитых пещер, но зато она была чище других и лучше обставлена. Там имелись кровати с веревочной сеткой и матрасы, тогда как мы пользовались одеялами, расстеленными на земляном полу. Еще там были металлические подвесные шкафчики, закрепленные высоко на каменных глыбах, так что в них не могли забраться крысы и ползающие по земле насекомые. Мы же довольствовались несколькими ржавыми крюками, на которые вешали свою одежду, чтобы она не валялась на пыльном полу.

Спалось мне плохо. Мое первое общение с Карлой после почти двух лет было недолгим — только мы обнялись и перебросились несколькими фразами, как появился Абдулла и, поприветствовав Карлу галантным поклоном, увлек меня ко входу в «мужскую пещеру», обитатели которой собрались на ужин.

Удаляясь, я то и дело на нее оглядывался, а она уже начала надо мной смеяться — через две минуты после встречи. Два года разлуки, две минуты общения.

За ужином мы познакомились с шестью молодыми учениками Идриса, которые поведали нам свои истории: что и как привело их на вершину этой горы. Мы с Абдуллой слушали их без комментариев.

Когда мы закончили скромную трапезу из бобового супа и риса, было уже темно. Мы умылись, почистили зубы и легли спать. Заснуть я смог лишь ненадолго и пробудился еще до рассвета в приступе кошмарного удушья.

Раз уж не удалось толком поспать, я решил совершить утренние процедуры, опередив самых ранних пташек из числа обитателей лагеря. Посетил примитивный сортир, потом взял кусок мыла, кувшин и помылся, стоя на устланном соломой полу «ванной комнаты». На все ушло от силы полведра воды.

Вытершись насухо и прогнав остатки тяжелого сна, я проследовал через темный лагерь к мерцающим углям костра, поставил на них кофейник и набросал вокруг сухих прутиков. Едва огонь занялся, как из темноты возникла Карла и остановилась рядом со мной.

— Что ты здесь делаешь? — полусонно промурлыкала она.

— Если я срочно не выпью кофе, то начну грызть древесную кору.

— Я не о том спросила, и ты меня понял.

— То есть что я делаю здесь, на горе? Могу спросить тебя о том же.

— Я спросила первой.

Я усмехнулся:

— Для тебя это слишком мелочно, Карла.

— Может, я уже не та, что была раньше.

— Мы *все* те же, кем были, даже если мы изменились.

— Ты так и не сказал, что ты здесь делаешь.

— Сказанное редко совпадает со сделанным.

— Я сейчас не в настроении играть словами, — сказала она, присаживаясь рядом со мной.

— Мы творим искусство, которое творит нас, — тем не менее продолжил я.

— Я не буду состязаться. Оставь при себе свои сентенции.

— Фанатизм — это когда ты против меня, даже если ты не против меня.

— Знаешь что, я ведь могу подать на тебя в суд за травлю афоризмами.

— Благородство — это искусство смирения, — сказал я с каменным лицом.

Наши голоса звучали тихо, но глаза говорили все громче.

— Так и быть, — прошептала она. — Моя очередь?

— Давно пора. Я ушел в отрыв на три фразы.

— Каждое прощание — это репетиция последнего прощания, — сказала она.

— Недурно для начала. Приветствие может иной раз солгать, но прощание всегда правдиво.

— Вымысел — это реальность, которая пришлась не ко двору. Правда о чем-то всегда есть ложь о чем-нибудь другом. Повышай ставки, Шантарам.

— А куда спешить? Этого добра еще навалом там, откуда я его беру.

— У тебя есть что сказать или нет?

— Я понял, ты хочешь сбить меня с мысли и вывести из игры. О'кей, крутая девчонка, продолжим. Вдохновение — это благодать, даруемая тишью да гладью. Истина — это стражник в темнице души. Рабство не может быть упразднено системой, потому что система и есть рабство.

— Истина — это лопата в твоих руках, — парировала она. — А твоя миссия — это яма.

Я рассмеялся.

— Каждая частица — это нечто целое, — продолжила Карла.

— Целое не может быть разделено без произвола над частицами, — подхватил я.

— Произвол — это привилегия неограниченности.

— Судьба дает нам привилегию как разновидность проклятия.

— Судьба, — ухмыльнулась она. — Одна из моих любимых тем. Судьба играет в покер, но выигрывает только за счет блефа. Судьба — это фокусник, а время — это фокус. Судьба — это паук, а время — паутина. Продолжать?

— Чертовски забавно, — сказал я. Уже очень давно я не чувствовал себя таким счастливым. — Как насчет такого: всякий готов назваться отцом Удачи, пока дочка не отвернется.

Она смеялась. Я не знал, где витала мыслями Карла, но я наконец-то был рядом с ней, и мы занимались словесной игрой, как в прежние времена, и я чувствовал себя на седьмом небе.

— Правда — это бесстыжий хам, перед которым все мы распинаемся в любви.

— Это старое! — запротестовал я.

— Старое, но доброе и заслуживает повтора. А что у тебя?

— Страх — это друг, всегда готовый предупредить, — сказал я.

— Одиночество — это друг, всегда готовый составить компанию, — тут же нашлась она. — Давай-ка сменим тему.

— Нет на свете страны, дрянной и ничтожной настолько, чтоб ее гимн звучал без бравурного пафоса.

— Ударился в политику? — улыбнулась она. — Хорошо. Вот, пожалуйста: тирания — это страх с человеческим лицом.

Я хмыкнул:

— Музыка — это сублимация смерти.

— Горе — это призрак сочувствия, — быстро откликнулась она.

— Черт!

— Сдаешься?

— Ни за что. Путь к любви — это любовь к пути.

— Ты уже заговорил коанами[1], — сказала она. — Цепляешься за соломинку, Шантарам? Нет проблем. Я всегда готова дать любви хороший пинок под зад. Скажем, такой: любовь — это гора, которая убивает тебя при каждом восхождении.

— Мужество...

— Это слишком общее определение. Мужество присуще любому человеку, мужчине или женщине, который не сдается перед трудностями, а таких людей подавляющее большинство. Оставим мужество в покое.

— Тогда счастье...

— Счастье — это гиперактивное дитя довольства.

— А правосудие...

— Правосудие, так же как любовь или власть, измеряется числом прощений.

— Война...

— Все войны ведутся против культуры, а все культуры выношены в телах женщин.

— Жизнь...

— Если ты живешь не ради чего-то, ты умираешь ни за что! — выпалила она, тыкая указательным пальцем мне в грудь.

---

[1] *Коан* — характерное для дзен-буддизма высказывание или краткое повествование, зачастую содержащее парадокс и рассчитанное на интуитивное восприятие.

— Проклятье!

— А это как понять?

— Проклятье... ты стала... лучше...

— То есть я выиграла?

— Ты стала... намного лучше.

— И я выиграла, да? Потому что я могу продолжать в том же духе весь день.

Утверждение прозвучало серьезно, и при этом глаза ее вспыхнули хищным тигриным огнем.

— Я тебя люблю, — сказал я.

Она отвернулась и вновь заговорила после паузы, глядя в огонь:

— Ты так и не ответил на мой вопрос: что ты здесь делаешь?

Мы разговаривали шепотом, чтобы не разбудить остальных. Небо было темным, но на облачном горизонте уже появилась полоска цвета опавших листьев, предвещая рассвет.

— Погоди-ка, — сказал я, только теперь понимая, к чему она клонит. — Так ты думаешь, что я приехал сюда из-за тебя? Думаешь, я подстроил нашу встречу?

— А ты не подстраивал?

— А ты бы этого хотела?

Она повернулась в полупрофиль, глядя на меня левым глазом — теплым с грустинкой, — словно изучала карту. Красножелтые отблески костра играли тенями, одухотворяя ее черты надеждой и верой, — огонь проделывает это с каждым человеческим лицом, ибо все мы дети огня.

Я отвел взгляд.

— Я понятия не имел, что ты здесь, — сказал я. — Меня сюда Абдулла притащил.

Она тихо засмеялась. Что было в этом смехе: разочарование или облегчение? Я не смог понять.

— А как насчет тебя? — спросил я, подбрасывая в огонь еще несколько веточек. — Ты не могла настолько увлечься религией. Скажи мне, что это не так.

— Я привезла Идрису гашиш, — сказала она. — Он любит кашмирский.

Теперь уже смеялся я.

— И как долго продолжаются эти поставки?

— Около года.

Карла задумчиво смотрела на дальний лес, над которым занималась заря.

— Какой он, этот Идрис?

Она вновь повернулась ко мне:

— Он... настоящий. Скоро ты сам в этом убедишься.

— А как с ним познакомилась ты?

— В первый раз я сюда прибыла не для знакомства с ним. Я приезжала повидаться с Халедом и от него узнала, что здесь живет Идрис.

— Халед? Какой Халед?

— Твой Халед, — сказала она тихо. — Наш Халед.

— Так он жив?!

— Как ты и я.

— Невероятно! И он сейчас здесь?!

— Я многое отдала бы за то, чтобы Халед сейчас был здесь. Нет, он живет в ашраме[1] тут неподалеку, в долине.

Суровый и бескомпромиссный палестинец был членом совета мафии при Кадербхае. Он вместе с нами участвовал в афганской экспедиции, во время которой был вынужден убить своего близкого друга, подвергавшего опасности всех нас, после чего ушел один и без оружия в снежную мглу.

Я был с ним очень дружен, однако ничего не знал о возвращении Халеда в Бомбей, как не знал и о наличии ашрама практически в черте города.

— В этих краях есть ашрам?

— Да, — вздохнула она и как будто поскучнела.

— И какого типа ашрам?

— Очень даже прибыльного типа, — сказала она. — Кухня там великолепная, надо отдать им должное. Медитация, йога, массаж, ароматерапия, духовные песнопения по нескольку раз в день. Словом, живут припеваючи, не ведая уныния.

— И это здесь рядом, у подножия горы?

— В самом начале долины у западного склона. — Она сморщилась, пытаясь подавить зевок. — Абдулла часто его навещает. Разве он тебе не говорил?

Во мне шевельнулось неприятное чувство. Безусловно, я был рад узнать, что Халед жив и здоров, но доверие друга, которым я так дорожил, вдруг оказалось под вопросом — и сердце мое сжалось.

— Это не похоже на правду.

— Правда бывает двух видов, — усмехнулась Карла. — Та, которая похожа на себя, и та, которая есть на самом деле.

— Не начинай снова!

— Извини, — сказала она. — Запрещенный прием. Не смогла удержаться.

---

[1] *Ашрам* — в современной Индии духовная или религиозная община, обычно располагающаяся вдали от населенных пунктов, среди природы, что способствует духовным практикам и медитации.

Внезапно я разозлился. Возможно, это было вызвано обидой — ощущением, что меня предали. А может, это был давно назревавший крик души, который наконец-то пробил защитную пелену, создаваемую ее «добрым» глазом.

— Ты любишь Ранджита? — выпалил я.

Она повернула голову и посмотрела на меня в упор обоими глазами, теплым и холодным.

— Было время, когда я им *восхищалась*, — сказала она. — Или думала, что восхищаюсь. В любом случае это не твоего ума дело.

— Ну а мною ты не восхищаешься, так?

— Почему ты об этом спрашиваешь?

— А ты боишься сказать мне, что думаешь?

— Конечно нет, — спокойно произнесла она. — Просто ты и сам давно должен знать, что я о тебе думаю.

— Не понимаю эти намеки. Ты можешь прямо ответить на мой вопрос?

— Сначала ты ответь на мой. Почему ты спросил о Ранджите? Из ревности к нему или разочарования в себе?

— У разочарования есть такое свойство: оно тебя никогда не подводит. Но сейчас не тот случай. Я хочу знать, что ты думаешь, потому что это для меня важно.

— Хорошо, раз уж ты спросил. Нет, я тобой не восхищаюсь. Уж точно не сейчас.

Мы немного помолчали.

— Ты понимаешь, о чем я, — сказала она наконец.

— Честно говоря, нет.

Я нахмурился, а она коротко хохотнула — как смеются вдруг промелькнувшей в голове шутке.

— Да ты взгляни на себя в зеркало, — сказала она. — Что с тобой приключилось? В очередной раз больно уронил свою гордость?

— По счастью, не с очень большой высоты.

Она вновь хохотнула, но тут же посерьезнела:

— Ты хотя бы можешь дать этому объяснение? Почему ты так часто дерешься? Почему насилие всегда идет за тобой по пятам?

Увы, у меня не было объяснения. Чем я мог объяснить свое похищение бандой «скорпионов» с последующими пытками в пакгаузе? Я и сам не понимал, почему все это случается именно со мной; я не понимал даже Конкэннона. *Особенно* Конкэннона. В те дни я еще не осознавал, что стою в углу истерзанного и залитого кровью ринга, который вот-вот распространится на бо́льшую часть моего мира.

— С какой стати я должен давать объяснение?

— Но ты можешь его дать? — повторила она вопрос.

— А ты можешь объяснить то, что сотворила с нами тогда, два года назад?

Она раздраженно повела плечами.

— Не увиливай, Карла.

— Думаю, будет лучше не отвечать напрямик, а пройтись вокруг да около и рассказать тебе историю.

— Ну так расскажи.

— А ты точно готов ее выслушать?

— Да.

— Что ж, тогда начинаю...

— Нет, погоди!

— Что еще?

— У меня уже клинит крышу, надо срочно заправиться кофе.

— Это такой прикол?

— Отнюдь: без утреннего кофе я впадаю в ступор. Вот почему ты меня одолела в игре.

— Ага, так ты признаешь мою победу?

— Да-да, признаю. А теперь я могу выпить кофе?

Натянув рукав на пальцы, я снял с огня раскаленный кофейник, наполнил большую кружку с обколотыми краями и предложил ее Карле, но та лишь брезгливо поморщилась.

— Эта гримаса, видимо, означает отказ, — предположил я.

— Долго мне ждать магической реставрации крыши? Пей скорее свою бурду, *йаар*.

Я сделал первый глоток. Кофе был слишком крепким, слишком сладким и слишком горьким одновременно — самое то, что нужно.

— О'кей, уже лучше, — прохрипел я, взбодренный обжигающим напитком. — Гораздо лучше.

— Тогда...

— Нет, секундочку!

Я выудил из кармана самокрутку.

— Вот так, — сказал я, раскуривая косяк. — Еще пару затяжек.

— А ты уверен, что обойдешься без маникюра и массажа? — язвительно поинтересовалась она.

— Я уже в норме. Теперь можешь клеймить меня своими сентенциями.

— О'кей, раз так. Следы побоев на твоей физиономии и шрамы по всему телу — это все граффити, талантливо наскребаемые на твой хребет.

— Неплохо.

— Я еще не закончила. Твое сердце — это арендатор, давно просрочивший плату за аренду твоей жизни.

— Что-нибудь еще?

— Арендодатель придет получать должок, — сказала она, чуть смягчая тон. — И это случится скоро.

Я достаточно хорошо ее знал, чтобы понять: данные изречения не были экспромтом. Я видел ее дневники с записями всяких остроумных фраз, приходивших ей в голову. И сейчас она лишь цитировала саму себя. Но в любом случае, будь то цитата или экспромт, она была права.

— Послушай, Карла...

— Ты играешь с Судьбой в русскую рулетку, — сказала она. — Сам же знаешь.

— А ты всегда ставишь на Судьбу? Об этом речь?

— Судьба загоняет патрон в барабан. Она ведает всем оружием в этом мире.

— И что дальше?

— Ты только губишь то, что хотел бы спасти, — сказала она тихо.

Это было справедливо в достаточной мере, чтобы меня задеть, даже несмотря на ее сочувственный тон.

— Знаешь, если ты и дальше будешь заигрывать со мной таким манером... — начал я и замолк.

— А ты стал забавнее, — сказала она с легким смешком.

— Я остался таким, каким был.

Несколько секунд мы молча смотрели друг на друга.

— Слушай, Карла, я не знаю, как и что у вас происходит с Ранджитом, и мне трудно поверить, что прошло целых два года с тех пор, как я в последний раз видел тебя и слышал твой голос. Но я твердо знаю одно: когда я с тобой, это дьявольски правильно и так должно быть. Я люблю тебя, и я всегда буду тебя ждать.

Эмоции мелькали на ее лице, как листья, уносимые бурей. Их было слишком много, и они были слишком разными, чтобы я смог их уловить и прочесть. Я так давно ее не видел. Я отвык от общения с ней. Сейчас она казалась одновременно счастливой и разгневанной, довольной и огорченной. И она не произнесла ни слова. Карла, утратившая дар речи, — такого еще не бывало на моей памяти. Видя, как она мучится, я сменил тему:

— Ты точно не хочешь попробовать кофе?

Ее бровь изогнулась, как гремучая змея перед броском, и я был бы наверняка ужален, если бы в этот самый момент до нас не донеслись голоса из пещер, напомнив о других обитателях лагеря, которые пробудились с рассветом.

Мы позавтракали в компании оживленных учеников и уже пили по второй кружке чая, когда над краем плато — в том месте, где на него всползала крутая тропа, — появился молодой человек.

Подойдя к нам, он с благодарностью присоединился к чаепитию и после первого глотка объявил, что учитель прибудет сюда ближе к вечеру.

— Удачно, — пробормотала Карла, направляясь к открытой кухне, чтобы сполоснуть посуду и поместить ее на полочку для сушки.

— В чем удача? — поинтересовался я, вслед за ней подходя к мойке.

— Я успею спуститься с горы, проведать Халеда и вернуться сюда еще до прихода Идриса.

— Я с тобой, — сразу вызвался я.

— Минутку. Придержи коней. А *ты* зачем пойдешь?

Это был не праздный вопрос. Карла ничего не говорила попусту.

— Как это «зачем»? Да затем, что Халед мой друг. И я не видел его с тех пор, как он исчез в афганских горах почти три года назад.

— Хороший друг сейчас оставил бы его в покое, — сказала она.

— Это почему?

Она посмотрела на меня знакомым горящим взглядом, как голодный тигр на добычу. Я любил этот ее взгляд.

— Потому что сейчас он счастлив, — сказала она.

— И что с того?

Карла перевела взгляд на подошедшего к нам Абдуллу.

— Обрести покой и счастье очень трудно, — сказала она.

— Не понимаю, к чему ты клонишь.

— Как правило, счастье подает сигнал всем вокруг: «Просьба не беспокоить», — сказала она, — только это никого не останавливает.

— Но это же естественно: интересоваться делами людей, которые нам небезразличны, — возразил я. — Разве ты не этим занималась только что, разнося в пух и прах мой образ жизни?

— А разве ты не совал нос в наши с Ранджитом дела?

— Это каким же образом?

— Когда спросил, люблю ли я его.

Абдулла вежливо кашлянул.

— Пожалуй, я вас ненадолго оставлю, — сказал он.

— От тебя никаких секретов, Абдулла, — задержала его Карла.

— Зато у тебя секретов хватает, братишка, — сказал я с упреком. — Почему ты скрыл от меня возвращение Халеда?

— Можешь спускать всех собак на Абдуллу, но сперва ответь на мой вопрос, — потребовала Карла.

— Тогда напомни, о чем идет речь, а то я совсем запутался.

— Ты должен ответить на вопрос.

— Какой вопрос?

— Почему.

— Почему что?

— Почему ты меня любишь?

— Черт возьми, Карла! Ты самая непонятная из всех женщин, говорящих на понятных мне языках!

— Ладно, дай мне десять минут форы, — сказала она, усмехнувшись. — Нет, пятнадцать.

— Что еще ты затеяла?

Она вновь засмеялась, на сей раз громче.

— Я хочу предупредить Халеда о твоем визите, чтобы дать ему шанс исчезнуть, если он не захочет общаться. Уж ты-то знаешь, как это важно: иметь шанс для побега.

Она направилась к тропе на краю плато и вскоре исчезла из виду. Я остался на месте, давая ей четверть часа форы. Абдулла стоял рядом и смотрел на меня, готовый выслушать упреки. Однако я молчал — не хотелось выслушивать оправдания.

— Возможно... она права насчет Халеда, — произнес он наконец.

— И ты туда же?

— Если Халед взглянет на свой нынешний мир твоими глазами, он может потерять уверенность в себе. А мне он сейчас нужен сильным.

— Вот почему ты не сказал мне, что Халед вернулся в Бомбей?

— Да, это одна из причин. Чтобы защитить его маленькое счастье. Он ведь никогда не был особо счастливым человеком. Ты наверняка это помнишь.

Еще бы не помнить. Халед был самым угрюмым и замкнутым из всех известных мне людей. Все члены его семьи пали жертвами войн и массовой резни палестинских беженцев в Ливане. Горе и ненависть ожесточили его до такой степени, что слово «кшама» — «милосердие» на хинди — стало восприниматься им как самое страшное оскорбление.

— Я все еще не понимаю, Абдулла.

— Ты можешь повлиять на нашего брата Халеда, — сказал он серьезно.

— Как повлиять?

— Для него много значит твое мнение. Так было всегда. Но ты наверняка изменишь свое мнение о нем, увидев, как он живет сейчас.

— Может, все-таки перейдем этот мост прежде, чем его взрывать?

— Но есть и другая причина, — сказал Абдулла, беря меня за локоть. — И она самая главная: его надо уберечь от опасности.

— Какой опасности? Он был членом совета мафии, и он является им по сей день. Это на всю жизнь. Никто не посмеет его и пальцем тронуть.

— Да, но Халед с его авторитетом остался единственным человеком, который может оспорить лидерство Санджая в совете. Это вызовет у некоторых сильное раздражение, а то и страх.

— Только в том случае, если он бросит вызов Санджаю.

— По правде говоря, как раз об этом я его и просил.

Вот это да! Оказывается, Абдулла, бывший для меня символом верности и преданности, тайно готовил переворот в совете мафии! А это означало гибель людей. Гибель наших друзей в том числе.

— Зачем ты это делаешь?

— Сейчас нам очень нужен Халед. Ты даже не представляешь, как он нам нужен! Он отказался, но я буду просить его снова и снова, пока не получу согласие. А тебя очень прошу никому о нем не говорить, как это до сих пор делал я.

Для обычно немногословного иранца это была длинная речь.

— Абдулла, все эти вещи уже не имеют ко мне отношения. Я искал возможность сказать тебе это с того времени, как мы сюда прибыли.

— Неужели я прошу слишком многого?

— Нет, брат мой, — сказал я, слегка отстраняясь. — Это не слишком много, просто теперь это меня уже не касается. Я недавно принял решение и только выбирал подходящий момент, чтобы с тобой объясниться. Такие важные вещи нельзя обсуждать мимоходом, а тут сначала Конкэннон со «скорпионами», потом наша поездка, подъем на гору, встреча с Карлой после долгого перерыва... Но сейчас, думаю, самое время выложить все как есть.

— Какое решение? Тебе уже кто-то рассказал о моем плане?

Я тяжело вздохнул и, шагнув назад, привалился спиной к большому валуну.

— Нет, Абдулла, никто не говорил мне о твоем плане. Я только что впервые услышал о нем от тебя. Тут речь совсем о другом: я решил покинуть Компанию. Последней каплей стал рассказ Дилипа-Молнии о трех юнцах, умерших от наркоты, которую продают люди да Силвы.

— Но ты не имеешь к этому никакого отношения, и я тоже. Это не по нашей части. И мы оба с самого начала выступали против идеи Санджая торговать героином и крышевать бордели в южном Бомбее. Но решение принимали не мы.

— Дело не только в этом, друг мой, — сказал я, наблюдая за штормовыми вихрями вдали над городом. — Я мог бы привести с десяток убедительных причин, по которым я должен... вынужден уйти, но это не суть важно — просто потому, что у меня нет ни одной убедительной причины для того, чтобы остаться. Я подвожу черту, ставлю точку, и на этом все. Я вне игры.

Иранец сощурился, как бы оглядывая незримое поле битвы в тщетных поисках того Лина, брата по оружию, которого он знавал раньше, тогда как его рассудок вел отчаянный спор с его сердцем.

— Могу я попытаться тебя отговорить?

— Такие попытки не нуждаются в разрешении, — сказал я. — Меж добрыми друзьями они только приветствуются. Но я хотел бы сэкономить тебе время и нервы. Отговаривать меня бесполезно. Я понимаю твои чувства, поскольку сам чувствую то же самое. Но я уже сделал окончательный выбор. Можно сказать, я *уже* ушел, Абдулла. И ушел давно.

— Санджаю эта новость не понравится.

— Надо полагать. — Я рассмеялся. — Но у меня здесь нет никаких родственников. У меня нет семьи, так что эту карту против меня Санджаю не разыграть. И потом, он знает, что я хорош в подделке документов и еще когда-нибудь пригожусь, даже не будучи у него в подчинении. Он очень осторожен и всегда просчитывает варианты. Думаю, он не станет рвать и метать из-за моего ухода.

— Зря ты так думаешь, — молвил Абдулла.

— Может, и зря.

— А если я его прикончу, тебе это будет на руку.

— Не уверен, стоит ли мне это говорить, Абдулла, но я все же скажу: пожалуйста, не убивай Санджая, тем более из-за меня. Я понятно выразился? Это на целый месяц испортит мне пищеварение, старина.

— Принято. Обещаю не брать в расчет твою выгоду, когда буду его убивать.

— А может, вообще не убивать Санджая? — предложил я. — Ни по какой причине. И почему мы вообще обсуждаем его убийство? Как ты собираешься это устроить, Абдулла? Хотя нет, не надо подробностей. Я вне игры. Я ничего не желаю знать.

Абдулла задумался, сжав челюсти и шевеля губами, словно беззвучно проговаривал мысли.

— Чем займешься теперь? — спросил он после паузы.

— Уйду в свободный полет, — сказал я, наблюдая за сменой чувств на его загорелом и обветренном лице. — Для начала, возможно, скооперируюсь с Дидье. Он уже много раз предлагал мне работать на пару.

— Это очень опасно, — заметил он.

— Опаснее, чем моя жизнь сейчас? — усмехнулся я и поспешил добавить, не дожидаясь его ответа: — Ты все равно меня не переубедишь, брат.

— Ты еще с кем-нибудь обсуждал свой уход?

— Нет.

— Имей в виду, Лин, — сказал он, мрачнея лицом. — Я начинаю войну, и я должен ее выиграть. Ты потерял веру в Санджая, как и я, и ты покидаешь Компанию. Пусть будет так. Я лишь надеюсь, что все сказанное останется между нами.

— Лучше бы ты не упоминал о своих замыслах, Абдулла. Скрытность отравляет душу, и сейчас я уже отравлен. Но ты мой брат, и, если придется делать выбор, я без раздумий встану на твою сторону. Только, пожалуйста, не посвящай меня в детали. Тебе не доводилось слышать фразу: «Чужие секреты страшнее любого проклятия»?

— Спасибо, Лин, — сказал он с чуть заметной улыбкой. — Я сделаю все возможное, чтобы эта война не пришла к твоему порогу.

— Будет лучше, если она не придет на мой субконтинент. Зачем тебе война, Абдулла? Ты ведь можешь просто уйти. И я всегда буду рядом с тобой, что бы они против нас ни предприняли. Тогда как война погубит не только наших врагов, но и наших друзей. Неужели оно того стоит?

Он также прислонился к валуну, касаясь меня плечом, и с минуту мы созерцали раскинувшийся под горой лес. Потом он лег затылком на камень и уставился в грозовое небо. Я также откинул голову и поднял взгляд к массивам туч, наползавшим со стороны моря.

— Я не могу уйти, Лин, — вздохнул он. — Мы были бы отличными партнерами, это верно, однако я не могу уйти.

— Все дело в мальчишке, в Тарике, верно?

— Да. Он племянник Кадербхая, и я несу за него ответственность.

— Ответственность? Ты об этом никогда не говорил.

Лицо его смягчилось в печальной улыбке, как это бывает, когда мы вспоминаем о каком-то несчастье, в конечном счете обернувшемся удачей.

— Кадербхай спас мне жизнь, — сказал он. — Я был молодым иранским солдатом, сбежавшим от войны с Ираком. И здесь, в Бомбее, я попал в беду. Кадербхай вмешался. Я не мог понять, с какой стати такой влиятельный босс вдруг протянул руку помощи изгою, погибавшему из-за своей гордости и злобного упрямства.

Его голова была в каких-то сантиметрах от моей, но голос, казалось, исходил из другого места, откуда-то из камня за нашими спинами.

— Когда он вызвал меня для разговора и сообщил, что вопрос решен и мне больше ничто не угрожает, я спросил, чем смогу ему отплатить. Кадербхай долго молча улыбался. Ты отлично знаешь эту его улыбку, брат Лин.

— Да. И временами до сих пор ее ощущаю.

— А потом он велел мне рассечь ножом руку и на крови поклясться, что буду приглядывать за его племянником Тариком и защищать его — если потребуется, ценой своей жизни — до тех пор, пока он или я будем живы.

— Он умел заключать нерасторжимые сделки.

— Это так, — сказал Абдулла тихо, и мы понимающе переглянулись. — Вот почему я не могу спокойно наблюдать за тем, что творит Санджай. Ты еще многого не знаешь. Есть вещи, которые я не могу тебе рассказать. Но скажу так: Санджай разжигает пожар, который поглотит всех нас, а потом перекинется и на сам город. Жуткий пожар. Тарик в большой опасности, и я пойду на все, чтобы его спасти.

Мы продолжали смотреть друг на друга без улыбок, но и без напряжения. Потом он выпрямился, отделившись от камня, и хлопнул меня по плечу.

— Тебе понадобится больше стволов, — сказал он.

— У меня есть два пистолета.

— Знаю. Но тебе нужно больше. Я этим займусь.

— Мне этих достаточно, — сказал я, начиная понимать, куда он клонит.

— Положись на меня.

— Мне не нужны новые пушки.

— Новые пушки нужны всем. Даже армиям нужны новые пушки, хотя у них этого добра навалом. Положись на меня.

— Вот что я тебе скажу, Абдулла. Если ты можешь достать такое оружие, которое усыпляет человека на пару дней, но не убивает его, дай мне это оружие — и побольше патронов к нему.

Абдулла взял меня за плечи, притянул ближе к себе и прошептал:

— Все будет очень плохо, Лин, прежде чем станет лучше. Я серьезно. Имей в виду, я высоко ценю твое молчание и дружескую верность, зная, что ты рискуешь жизнью, если об этом проведает Санджай. Будь готов к войне, как бы ты ни презирал все войны.

— О'кей, Абдулла, о'кей.

— А теперь пора проведать Халеда, — сказал он и направился к тропе.

— Теперь ты уже не боишься потревожить его «маленькое счастье»? — спросил я, идя следом.

— Ты перестал быть членом семьи, братишка Лин, — сказал он тихо, остановившись перед крутым спуском, — и твое мнение утратило силу.

Я заглянул ему в глаза и увидел там подтверждение сказанному: легкий налет безразличия, угасание дружеской любви и доверия, как это бывает, когда человек переводит взгляд со своих близких на кого-то постороннего, находящегося за пределами его круга.

Долгое время Компания была моим домом, пусть и не очень уютным, но теперь двери этого дома были для меня закрыты. Я любил Абдуллу, но любовь означает привязанность одного человека, тогда как он был связан братскими узами со множеством людей, стоявших горой друг за друга. Я предвидел такую реакцию, и потому мне было трудно ему открыться. Вот почему я всячески оттягивал этот тяжелый разговор, в оправдание перед самим собой ссылаясь на магию теплого взгляда Карлы или на агрессивное безумие Конкэннона.

Я терял Абдуллу. Мой уход был как удар топором по древесному стволу, питавшему соками разветвленную структуру Компании, — по стволу, неотъемлемой частью которого был наш дружный тандем. И сейчас друг спускался со мной по тропе, избегая смотреть в мою сторону; и раскаты грома сотрясали штормовое небесное море над нашими головами.

ГЛАВА

28

У подножия горы мы проследовали через долину с широкими тропами и статуями Будды из песчаника, после чего Абдулла свернул на какую-то едва заметную тропинку, и несколько минут мы пробирались через густой лес, пока не вышли к подъездной аллее, обсаженной ровными рядами деревьев. Аллея плавно поднималась на холм и заканчивалась перед массивным трехэтажным зданием из бетона и дерева.

Мы еще не достигли ступеней, ведущих на веранду, как навстречу нам из дома вышел Халед — в просторном халате из желтого шелка, с гирляндами белых и красных цветов на шее.

— Шантарам! — вскричал он. — Добро пожаловать в Шангри-Ла![1]

Он изменился. Он очень сильно изменился со времени нашего расставания в горах три года назад. Волосы поредели настолько, что его вполне можно было назвать лысым. В прошлом стройный и поджарый, он теперь так располнел, что в области бедер и талии стал шире, чем в плечах. Некогда красивое, резко очерченное лицо, взиравшее на мир гневно и обвиняюще, теперь оплыло от висков до нижней челюсти, почти исчезнувшей в складках жира; а растекшаяся по лицу улыбка сузила золотисто-карие глаза до едва заметных щелочек.

И все же это был Халед, мой старый друг Халед. Я устремился вверх по ступеням веранды, а он раскинул руки и обнял меня свысока, когда нас еще разделяли две ступеньки. Какой-то молодой человек в желтой курте нас сфотографировал, а потом выпустил из рук фотоаппарат, оставив его болтаться на ремне, и достал из кармана блокнот с ручкой.

— Не обращай внимания на Таруна, — сказал Халед, кивая в его сторону. — Он фиксирует все мои встречи и вообще все мои дела и высказывания. Много раз говорил ему этого не делать, но упрямый парнишка гнет свою линию. В конечном счете мы всегда действуем по велению сердца, не так ли?

— Ну...

— Как видишь, я растолстел, — сказал он.

В голосе не было сожаления или иронии, простая констатация факта.

— Ну...

— Зато на тебе лишнего жира ни грамма. А как ты умудрился заработать эти синяки? Боксировал с Абдуллой? Боюсь, на ринге тебе с ним не сладить. Да это и неудивительно, так ведь? Вы оба в отличной форме и без проблем заберетесь на мою гору, чтобы повидаться с Идрисом.

— На *твою* гору?

— По крайней мере эта ее часть принадлежит мне. А Идрис, чудила, считает всю гору своей. Ну же, поднимайся, дай мне обнять тебя как следует, а потом я тебе все здесь покажу.

Я преодолел пару последних ступенек и вновь погрузился в рыхлую плоть его объятий. Тарун сделал еще один снимок, сверкнув фотовспышкой. Наконец Халед отпустил меня, поздоровался за руку с Абдуллой и повел нас в дом.

---

[1] *Шангри-Ла* — вымышленная тибетская страна в романе Джеймса Хилтона «Потерянный горизонт» (1933) и одноименной экранизации (1937) Фрэнка Капры с Рональдом Колманом в главной роли; считается литературной аллегорией Шамбалы.

— А где Карла? — спросил я, идя на шаг позади него.

— Она просила передать, что встретится с вами позднее, уже на тропе, — беззаботно молвил Халед. — Наверно, отправилась на пробежку, чтобы освежить голову. Не могу сказать точно, кто из нас двоих так выбил ее из колеи, но в споре я бы поставил на тебя, старый друг.

В тот момент мы находились в просторном холле с двумя лестницами слева и справа и арочными дверными проемами, ведущими в другие помещения первого этажа.

— Дом построили британцы, чтобы здесь пережидать сезон муссонов, — пояснил Халед, когда мы прошли из холла в гостиную с книжными полками вдоль стен, двумя письменными столами и несколькими удобными кожаными креслами. — Потом он достался одному местному предпринимателю, но был выкуплен городскими властями, когда здесь основали национальный парк. Мой богатый друг — один из моих учеников — арендовал этот дом, заплатив за несколько лет вперед, и передал его в мое распоряжение.

— У тебя есть ученики?

— Разумеется.

— Та-ак, дай угадаю. Должно быть, ты их учишь, как ловчее избегать старых друзей, когда восстаешь из мертвых?

— Очень смешно, Лин, — сказал он тем же ровным, лишенным эмоций голосом, каким говорил о своем ожирении. — Надеюсь, ты понимаешь, что я должен соблюдать осторожность.

— К чертям осторожность! Ты не умер, Халед, и я хочу знать, почему ты меня об этом не известил.

— Все не так просто, как тебе кажется, Лин. Кстати, что касается учеников: я учу людей вещам, никак не связанным с мирскими заботами. Я учу их любви. В том числе любви к самим себе. Полагаю, ты не удивишься, когда я скажу, что у некоторых людей с этим большие трудности.

Мы проследовали через гостиную, открыли складные французские двери и очутились на застекленной веранде, протянувшейся вдоль всей задней стороны дома. Тут и там были расставлены плетеные кресла и столики со стеклянными столешницами. Над головой тихо гудели вентиляторы, и потоки воздуха шевелили листья декоративных кадочных пальм. За стеной из стеклянных панелей виднелся сад в английском стиле, с кустами роз и аккуратно подстриженными живыми изгородями.

К нам приблизились две хорошенькие девушки-европейки в туниках и, сложив ладони, поклонились Халеду.

— Присаживайтесь, — сказал нам Халед, указывая на два ближайших плетеных кресла. — Какие напитки желаете, прохладительные или что покрепче?

— Прохладительные, — сказал Абдулла.

— Я тоже.

Халед кивнул девушкам. Они попятились на несколько шагов, прежде чем развернуться и исчезнуть за дверью. Халед проводил их взглядом.

— В наши дни не составляет труда найти хороших помощников, — заявил он с удовлетворением и опустился в кресло.

Тарун сделал запись в своем блокноте.

— Расскажи мне, что произошло, — попросил я.

— Произошло? Что? — удивился Халед.

— Когда мы с тобой виделись в последний раз, там на снегу лежал мертвый безумец, а ты уходил в снежные горы, один и без оружия. И вот теперь я вижу тебя здесь. Что произошло?

— Вот ты о чем, — улыбнулся он. — Возвращаемся в прошлое?

— Да. Давай вернемся в прошлое.

— Знаешь, Лин, ты стал более напористым со времени нашей последней встречи.

— Возможно, так и есть, Халед. А может, дело в том, что я люблю правду и всегда стараюсь до нее докопаться.

— Правда... — задумчиво повторил он.

Я взглянул на Таруна, который продолжал строчить в блокноте. Во время паузы он приостановился, поймал взгляд Халеда и со вздохом спрятал письменные принадлежности.

— Итак, — продолжил Халед, — я пошел через афганские горы. Я шел и шел. Удивительно, как долго человек способен идти, когда ему все равно, будет он жить или умрет. Выражаясь точнее, когда он *не любит самого себя.*

— И куда ты пришел?

— В Пакистан.

«Расскажи мне о Пакистане», — прозвучал голос в моей голове.

— А после Пакистана?

— Из Пакистана я пошел в Индию. А когда добрался до Варанаси[1], оказалось, что молва уже меня опередила. Многие люди упоминали в разговорах Безмолвного Идущего Бабу. Слыша эти речи мимоходом, я не сразу сообразил, что говорят обо мне. За все это время я ни с кем не перемолвился ни словом — потому что просто не мог. Физически не мог. Я был жутко истощен. Едва не умер с голоду. За несколько месяцев голодания у меня вы-

---

[1] *Варанаси* (тж. Бенарес) — древний город на северо-востоке Индии, центр брахманской учености; считается священным городом для индусов, буддистов и джайнистов.

ГРЕГОРИ ДЭВИД РОБЕРТС

пали почти все волосы и зубы. Рот покрылся язвами и распух. Так что я при всем желании не смог бы произнести хоть что-нибудь членораздельное, даже ради спасения своей жизни.

Я коротко и тихо рассмеялся — отрывистые звуки были как пылинки в солнечном луче памяти.

— И вышло так, что люди приняли мое молчание за признак мудрости, представляешь? Иной раз и вправду: чем меньше, тем лучше. И там, в Варанаси, я встретил англичанина по имени Лорд Боб, который объявил меня своим учителем, своим гуру. Как вскоре выяснилось, он был очень богат. Многие мои ученики были богачами, что довольно забавно, если подумать.

Он помолчал, глядя на английский сад; при этом уголки его губ приподнялись в удивленной улыбке.

— Ты говорил о Лорде Бобе, — напомнил я.

— Ах да. Лорд Боб. Он был добрым и участливым, но ему чего-то не хватало в этом мире. Отчаянно не хватало. Он годами тщетно искал нечто, способное придать смысл его жизни, и в конце концов пришел за ответом ко мне.

— А что он искал? — спросил я.

— Понятия не имею, — ответил Халед. — Лорд Боб ни разу даже не намекнул, что именно он ищет. Богат он был до безобразия. Чего ему могло недоставать? Разумеется, я не смог помочь ему в поисках неизвестно чего, но Лорда Боба это не разочаровало, судя по тому, что он перед смертью завещал мне все свое состояние.

Вернулись девушки с двумя подносами и поставили их на ближайшие к нам столы. Там были напитки в высоких бокалах и блюда с кусочками сушеной папайи, ананаса и манго, а также три вида орехов, очищенных от скорлупы. Девушки отвесили глубокий поклон Халеду, почтительно сложив руки, затем попятились, развернулись и ускользнули прочь, бесшумно ступая босиком по доскам веранды.

Я посмотрел им вслед и перевел взгляд на хозяина дома, мечтательно созерцавшего сад. Абдулла в свою очередь пристально наблюдал за Халедом.

— Там, в Варанаси, я прожил почти два года, — сказал Халед. — И порой я скучаю по тем временам.

Повернувшись, он взял с подноса бокал и протянул его мне, другой передал Абдулле, а из третьего отпил сам.

— То были славные годы, — вздохнул он. — Я многому научился благодаря готовности Лорда Боба отречься от себя и полностью мне подчиниться.

И он довольно хмыкнул. Я посмотрел на Абдуллу. Халед сказал «отречься»? Он сказал «подчиниться»? Это был самый странный момент и без того уже очень странной беседы. В наступившем молчании мы сделали по глотку из бокалов.

— Понятно, что он был такой не один, — продолжил Халед. — Было много других, включая даже почтенных садху[1], и все они радостно падали ниц и прикасались к моим ногам. А я не произносил ни слова. Так я познал особого рода власть, которую ты получаешь, когда кто-то — хотя бы один человек — благоговейно преклоняет перед тобой колени. Это, в сущности, та же самая власть, которую мужчина передает женщине, когда на коленях просит ее руки.

Он засмеялся. Я уткнулся взглядом в свой бокал, наблюдая за извилистым бегом капель на запотевшем рубиновом стекле с серебряной филигранью. С каждой минутой я чувствовал себя все более неуютно. Халед, самодовольно разглагольствовавший о том, как люди падали перед ним на колени, был совсем не тем человеком, которого я когда-то знал и любил.

Халед повернулся к Абдулле:

— Похоже, наш брат Лин удивляется тому, что, заметно улучшив свой английский за годы жизни с Лордом Бобом, я одновременно утратил свою американскую сентиментальность. Что скажешь?

— Каждый человек должен отвечать за свои поступки, — сказал Абдулла. — Это правило равно применимо и к тебе, и к тем, кто перед тобой преклоняется, и к Лину, и ко мне.

— Отлично сказано, старый друг! — воскликнул Халед.

Он поставил бокал на столик и, крякнув от натуги, поднял свои телеса из кресла.

— Идемте, я хочу вам кое-что показать.

Мы последовали за ним внутрь дома. Перед одной из боковых лестниц в холле он остановился, положив руку на деревянные перила, и спросил с озабоченным видом:

— Надеюсь, вам понравился сок?

— Очень.

— Все дело в капельке кленового сиропа, которая меняет вкус, — заявил он.

Повисла неловкая пауза. Я не сразу понял, что он ожидает нашей реакции.

— Очень вкусный сок, Халед, — сказал я.

— Превосходный сок, — поддакнул Абдулла.

— Рад, что вам понравилось, — сказал Халед. — Вы не представляете, сколько времени я потратил, обучая кухонный персо-

---

[1] *Садху* — индуисты-аскеты, отрекшиеся от мира и материальных благ и посвятившие себя медитации. В Индии их почитают как святых.

нал правильному приготовлению соков. Одного из них даже пришлось избить поварешкой. А с десертами и вовсе вышла форменная драма, если б вы только знали!

— Могу себе представить, — сказал я.

Халед шагнул на ступеньку, но затем быстро обернулся к Таруну, все это время следовавшему за нами по пятам.

— Останься здесь, Тарун, — сказал он. — Сделай перерыв, скушай булочку.

Тарун удалился с огорченным видом. Халед проследил за ним, подозрительно щуря глаза.

Прежний Халед поднялся бы по лестнице, прыгая через две ступени, и достиг бы верхней площадки быстрее любого человека в Бомбее. Нынешний Халед сделал две передышки, преодолевая первый лестничный пролет.

— Здесь, на втором этаже, — пропыхтел он на последней ступеньке, — находятся все наши комнаты для медитации и йоги.

— А, так ты у нас теперь еще и йог? — спросил я, не удержавшись от ехидной интонации в духе Джорджа Близнеца.

— Нет, что ты! — ответил Халед совершенно серьезно. — Я слишком растолстел для таких упражнений. Да и в прежние времена я больше был по части бокса и карате, если ты помнишь, Лин.

Я помнил. Я помнил время, когда Халед мог одолеть один на один любого бойца в городе, за исключением Абдуллы, и после этого еще сохранить силы для нового поединка.

— Да уж...

— Однако йога очень популярна среди моих учеников. Они занимаются с утра до вечера. Они занимались бы и всю ночь напролет, если бы я им позволил. Иной раз даже приходится поливать их водой из пожарного шланга, чтобы прервать занятия.

Мы заглянули в ближайший класс. Там человек десять сидели на циновках, а из колонок на стенах доносились мелодичные звуки флейты.

Отдышавшись, Халед продолжил подъем на третий этаж, где мы увидели длинный коридор из конца в конец здания и множество закрытых дверей.

— Спальни, — пояснил Халед, — и комнаты для уединения.

Он осторожно приоткрыл дверь в одну из комнат, продемонстрировав нескольких девушек, которые спали на койках с противомоскитными сетками. Все девушки были голыми.

— Мои самые преданные поклонницы, — произнес Халед все тем же до странности невыразительным тоном.

— Какого черта, Халед?! — не выдержал я, но он быстро поднес указательный палец к своим губам, призывая к молчанию:

— Тише, прошу тебя, Лин! Если ты их разбудишь, они не дадут нам ни минуты покоя.

— Будь здоров, Халед, — сказал я, направляясь к лестнице.

— Что ты делаешь? — спросил Халед, удивленно подняв брови.

— Иду в сторону выхода. И намерен идти, пока не покину твой дом. Это означает расставание.

— Постой, Лин. Объясни, в чем дело? — повысил он голос после того, как притворил дверь спальни.

— Ты еще спрашиваешь, в чем дело? — Я задержался на лестничной площадке. — У тебя тут что, гарем? Ты совсем сбрендил, Халед? Ты кем себя возомнил?

— Здесь все вольны уходить, когда им вздумается, Лин, — сказал он бесстрастно, однако по лицу его пробежала тень. — Включая тебя.

— Вот и славно, — вздохнул я, разворачиваясь. — Что я сейчас и делаю.

— Нет-нет, извини! — произнес он и, быстро приблизившись, положил руку мне на плечо. — Я хочу показать еще кое-что! Вы оба должны это увидеть! Имейте в виду, это большой секрет. И я хочу поделиться им с вами.

— С меня довольно секретов за сегодняшний день, Халед. Дай мне знать, когда слезешь со своей горы.

— Но Абдулла тоже не видел моего секрета. Ты не можешь лишить его такой возможности! Это будет жестоко. Абдулла, ты ведь хочешь узнать секрет?

— Очень хочу, Халед, — заверил Абдулла, демонстрируя живейший интерес.

— Тогда убеди Лина остаться. В любом случае я сейчас иду туда и приглашаю вас составить мне компанию — если есть желание, братья.

Он отпустил мое плечо, набрал в легкие побольше воздуха перед новым подъемом и зашагал по лестнице на чердак.

Я придержал Абдуллу и шепотом спросил:

— Какого черта мы здесь торчим, Абдулла?

— Что тебе не нравится?

— Ты видел комнату с голыми девицами? Да что за хрень с ним творится? Хочешь завести подружку — ради бога. Мир полон девчонок, меняй их как перчатки. Но заводить натуральный гарем — это перебор по любым понятиям. Идем, брат. Нам нечего здесь делать.

— А как же насчет секрета, Лин? — прошептал Абдулла.

— На кой он тебе сдался?

— А вдруг это что-то важное?

315

— Лично мне уже хватило секретов, Абдулла.

— И тебе нисколько не интересно?

— У меня начинается удушье на нервной почве. Срочно нужен глоток свежего воздуха, чтобы оклематься. Пойдем отсюда.

— Прошу, задержись еще ненадолго, Лин! Давай хотя бы взглянем на этот секрет.

Я вздохнул.

— Так вы идете, друзья? — позвал Халед с середины лестничного пролета, где он устроил очередную передышку. — Эти лестницы меня убивают. Но я уже заказал лифт, на следующей неделе его установят.

Абдулла повернулся ко мне и скорчил просительную гримасу.

— Да, мы идем! — откликнулся я и зашагал вверх по ступенькам.

Халед миновал поворот лестницы, дотопал до чердачной двери, вытащил ключ из кармана халата, открыл замок и жестом пригласил нас войти.

Внутри было темно. Проникающий в дверной проем свет с лестничной клетки позволял разглядеть лишь смутные контуры помещения и стропила крыши вверху. Халед закрыл дверь и щелкнул выключателем — загорелась висящая на проводе лампочка.

И мы узрели массу драгоценностей, золотых и серебряных предметов, размещенных на нескольких столах россыпью, в сундучках и шкатулках. Там были подсвечники и зеркала, золоченые рамы для картин, ожерелья, цепочки, жемчужные бусы, браслеты, расчески, часы, броши, перстни, серьги, кольца для носа и для пальцев ног, а также несколько черно-золотых свадебных ожерелий.

И еще деньги. Кучи денег.

— Сколько бы я ни пытался передать это словами, — отдуваясь, сказал Халед, — гораздо лучше увидеть воочию, *на*? Вот что дает нам власть, исходящая от преклонения. Вы это видите? Вы *видите*?

Вопрос повис в воздухе, и наступившую тишину нарушало только сиплое дыхание Халеда. Потом в дальнем углу под крышей заворковали голуби, и эти звуки эхом отдались по всему чердачному помещению.

Наконец Халед вновь подал голос.

— Нигде не учтено, не облагается налогами, — объявил он, переводя взгляд с Абдуллы на меня и обратно. — Ну, что скажете?

— Тебе нужно усилить охрану, — сказал Абдулла.

— Ха! — выдохнул Халед и хлопнул рослого иранца по спине. — Не возьмешься за эту работу, старый друг?

— У меня уже есть работа, — спокойно сказал Абдулла.

— Да, конечно, у тебя есть работа, но...

— Все это тебе досталось от учеников? — спросил я.

— Собственно, это *я* называю их учениками, тогда как они именуют себя моими *поклонниками*, — изрек Халед, глядя на сокровища. — А ведь это еще не все.

— Еще не все?

— Да, представь себе. Много подарков осталось в Варанаси. Мне пришлось покинуть город в большой спешке, и я их там оставил.

— Каким образом оставил?

— Отдал полиции в качестве взятки. И тогда Лорд Боб поселил меня здесь, в этом доме, незадолго до своей смерти.

— А почему тебе пришлось бежать из Варанаси?

— А почему тебя это так интересует, друг мой Лин?

В глазах его поблескивали искорки отраженного бриллиантами света.

— Ты сам об этом заговорил, старик.

Несколько секунд он смотрел на меня, раздумывая, ступать или нет на скользкий лед откровений. И видимо, решил мне довериться.

— Там была одна девчонка, — начал он. — Моя поклонница, искренняя поклонница, принадлежавшая к видной семье браминов. Настоящая красавица, преданная мне душой и телом. Я и не подозревал, что она несовершеннолетняя.

— Да ладно тебе, Халед.

— Говорю же, я и подумать не мог. Ты давно живешь в Индии, Лин, и сам знаешь, какими скороспелыми бывают индийские девицы. Клянусь, на вид ей было восемнадцать. Груди размером с плод манго. И секс был как со зрелой женщиной. Но потом выяснилось, что ей только четырнадцать.

— Халед, чтоб тебя! Это уже ни в какие ворота!

— Но, Лин, попробуй меня понять...

— Понять секс с детьми? Почувствовать себя на твоем месте? Ты *это* мне предлагаешь, Халед?

— Но это больше не повторится.

— Повторится?

— Это *не может* повториться. Я принял меры.

— Всякий раз, как ты открываешь рот, все становится только хуже, Халед.

— Послушай меня! Я теперь у всех девушек проверяю свидетельства о рождении, прежде всего у самых юных. Так я себя обезопасил.

— *Себя* обезопасил?

— Полагаю, нам лучше закрыть эту тему, *йаар*. Все мы в прошлом делали вещи, о которых теперь сожалеем, не так ли? У арабов есть пословица: «Слушайся совета тех, кто заставляет тебя плакать, а не тех, кто вызывает твой смех». Сегодня мне не удалось тебя развеселить, Лин, но это не значит, что мои слова не стоят внимания.

— Халед...

— Я хочу сказать тебе и Абдулле, моим последним оставшимся братьям, что отныне моя власть, мои деньги и мое наследство — все это принадлежит и вам.

— О чем ты говоришь, Халед?

— Я говорю о расширения бизнеса, — пояснил он.

— Какого еще бизнеса?

— Да вот этого самого. Я об ашраме. Сейчас уже созрели все условия для экспансии. Совместно управляя предприятием, мы покроем сетью таких ашрамов всю Индию, а потом доберемся и до Америки. Весь мир будет у наших ног. Причем буквально.

— Халед...

— Вот почему я так долго откладывал эту беседу с вами. Сперва нужно было создать стартовый капитал. Я привел вас сюда, чтобы показать богатство, которое принадлежит вам в той же степени, что и мне.

— А вот в этом ты прав, — сказал я.

— Рад, что ты меня понял.

— Я хотел сказать, что все это в равной степени *не* принадлежит ни нам, ни тебе, Халед.

— То есть как это?

— Эти дары приносились чему-то большему, чем все мы, и тебе это отлично известно.

— Нет, ты не понимаешь, — уперся он. — Я хочу, чтобы вы оба стали моими компаньонами. Мы заработаем миллионы! На духовности можно делать большие деньги, но это рискованный бизнес. Мне нужна ваша помощь, и вместе мы очень далеко пойдем!

— Уж лучше я пойду куда подальше, Халед.

— Но мы можем сорвать куш! — прохрипел Халед, обнажая зубы. — Мы можем сорвать огромный куш!

— Халед, я должен на время уехать из города, — сообщил Абдулла каким-то не своим, напряженным голосом.

— Что? — озадачился Халед.

— И пока я буду отсутствовать, прошу тебя подумать о возвращении в Бомбей вместе со мной.

— Опять эти старые песни, Абдулла? — вздохнул Халед.

— Тебе давно пора занять свое законное место во главе совета, созданного Кадербхаем. Настают смутные времена, а дальше будет еще хуже. Ты нам нужен как лидер. Только ты сможешь отстранить Санджая и возглавить Компанию. Если ты вмешаешься сейчас, Санджай останется в живых. Если нет, кому-то из нас придется его убить, а потом власть все равно перейдет к тебе по старшинству.

В своем нынешнем воплощении Халед являл собой противоположность тому, каким должен быть лидер криминальной группировки. Но Абдулла — иранец, отдавший свое сердце музыке бомбейских улиц, — не видел реального человека, стоявшего сейчас перед нами. Абдулла видел символ и престиж, какой давала ему долгая дружба с Кадербхаем, а также грозную репутацию Халеда, обретенную во множестве кровавых баталий, когда он возглавлял и приводил к победе бойцов Компании.

Я больше не считал себя связанным с Компанией Санджая, и теперь их дела меня не касались, но я понимал, что новый Халед, приохотившийся к рабскому повиновению окружающих, может составить адскую смесь с прежним Халедом, всегда готовым без лишних раздумий прибегнуть к насилию.

Преступность, замешанная на каких-либо принципах, обретает роковые черты и потому странным образом завораживает окружающих. Преступность, замешанная на религиозном поклонении, искупает грехи правоверных жертвоприношениями грешников. Нет, я совсем не хотел, чтобы Халед принял предложение Абдуллы.

— Еще раз говорю тебе, что я не могу на это согласиться, — с улыбкой молвил Халед. — В свою очередь, со всей дружбой и уважением, я прошу тебя обдумать мой план. Как раз сейчас есть прекрасная возможность захватить львиную долю рынка, пока индустрия духовного совершенствования еще не заработала на полных оборотах. Да мы на одной йоге наварим миллионы!

— Ты должен думать о Компании, Халед, — упрямо твердил Абдулла. — Ты должен исполнить то, что тебе предначертано.

— Этому не бывать, — ответил Халед, все еще сохраняя на лице улыбку. — Но я высоко ценю твое внимание и твою настойчивость. Что касается моего предложения: не спешите с ответом, подумайте обо всех этих сокровищах... А сейчас приглашаю вас отобедать. Признаться, я уже порядком проголодался.

— Нет уж, с меня хватит, — сказал я.

— Что такое?

— Халед, я был сыт по горло уже после того, как увидел твой гарем. И сейчас я ухожу.

— Так и уйдешь, даже не перекусив? — спросил Халед, когда мы начали спуск с чердака.

— Сколько раз повторять, Халед? Я ухожу сию минуту.

— Учти, это плохая примета: не попробовать еду, приготовленную для тебя! — предупредил он.

— Как-нибудь переживу.

— Да, но это кашмирские сласти! Среди моих поклонников есть один великолепный кондитер. Ты не представляешь, как трудно раздобыть кашмирские сласти в Бомбее!

Я прошел через холл, слыша за спиной его сопение и топот. Здесь к нам присоединился Тарун и засеменил сбоку от хозяина.

Мы вышли на фасадную веранду, где Халед вновь заключил меня в рыхло-потные объятия, пожал руку Абдулле и, когда мы уже вышли на гравийную дорожку, помахал нам вслед.

— Приходите в любое время! — крикнул он. — Здесь вам всегда рады! Каждую среду вечером у нас киносеанс! Зрителям подают охлажденный фирни! А по четвергам у нас танцы! Я учусь танцевать — можете в это поверить?

Стоявший с ним рядом Тарун торопливо делал записи в блокноте.

За первым же поворотом тропы мы наткнулись на ожидавшую нас Карлу. Она курила сигарету, сидя на стволе упавшего дерева.

— Ну и как тебе наш просветленный мудрец, Шантарам? Не стошнило?

— Могла бы предупредить хоть намеком, — сказал я, и впрямь чувствуя себя отвратительно. — Что с ним такое стряслось?

— Он стал счастливым, более или менее, — сказала она тихо. — В данном случае скорее более, чем менее.

— А сами вы счастливы видеть его таким?

Абдулла и Карла уставились на меня, не говоря ни слова.

— Ладно, проехали.

Они продолжали молча на меня смотреть.

— О'кей, о'кей, — сдался я. — Должно быть, я просто... я просто хочу вернуть своего прежнего друга. Вы по нему разве не скучаете?

— Халед здесь, он с нами, Лин, — сказал Абдулла.

— Но...

— Побереги дыхание для горы, — оборвала меня Карла, выходя на тропу. — Почему вы, гангстеры, все такие болтливые?

Когда мы достигли подъема перед первыми пещерами, Карла ускорила шаг. И она по-прежнему опережала нас на последнем, самом крутом участке пути. Карабкаясь следом, я не мог удержаться от взглядов на округлости ее тела, в процессе подъема четко обрисовавшиеся под одеждой. «Все мужчины — кобели, легко забывающие о приличиях», — однажды заметил Дидье.

— Ты там что, пялишься на мой зад? — оглянувшись, спросила она.

— Каюсь, грешен.

— Прости его, Карла, — подал голос Абдулла в попытке замять неловкую ситуацию. — Его просто удивляет твоя способность лазить по кручам, как мартышка.

Карла расхохоталась, схватившись за лиану, чтобы не покатиться вниз. И этот громкий искренний смех далеко разнесся под куполом нависающей над тропой листвы. Свободной рукой она сделала жест, умоляя Абдуллу не произносить больше ни слова, пока она не просмеется.

— Спасибо, Абдулла, — сказала она, наконец успокаиваясь.

— Не за что, — отозвался он.

Вот так, шутя и смеясь, мы втроем поднимались на гору, не ведая, что эта гора изменит жизнь каждого из нас, изменит навсегда.

ГЛАВА

29

На вершине, наскоро освежившись после похода, мы присоединились к обедающей компании. Последней к столу вышла Карла, переодевшись в небесно-голубой шальвар-камиз. Едва мы покончили с трапезой, как по лагерю разнеслась весть о прибытии Идриса. Я посмотрел в сторону тропы на склоне, однако головы всех остальных повернулись к пещерам.

— Что, есть какой-то другой путь к вершине? — спросил я у Карлы.

— К любой вершине ведут разные пути, — тихо сказала она. — Это само собой.

— А... ну разумеется.

Через несколько секунд на тропе, проходящей мимо «женской пещеры», показался пожилой мужчина — судя по всему, Идрис — в сопровождении молодого спутника. Оба были в белых куртах и голубых ситцевых шароварах. Молодой мужчина, с виду европеец, нес на плече охотничье ружье.

— Кто это со стволом? — спросил я.

— Это Сильвано, — сказала Карла.

— А зачем ружье?

— Чтобы отпугивать тигров.

— Здесь водятся тигры?

— Конечно. На соседней горе.

Я хотел спросить, как далеко до соседней горы, но тут заговорил Идрис.

— Дорогие друзья, — сказал он, прочистив горло. — Это был нелегкий подъем, даже по самой легкой тропе. Извините за опоздание. Все утро провел, разрешая спор между философами.

Его густой мягкий голос, казалось, исходил из глубины тела и плыл в воздухе над плато, обволакивая слушателей. Этот голос утешал и подбадривал — он отлично помог бы спящему выйти из кошмарного сна.

— А о чем они спорили, учитель-джи? — спросил один из учеников.

— Некоторые из них, — сказал Идрис, доставая платок из кармана и вытирая вспотевший лоб, — выступили с утверждением, что счастье есть величайшее зло. Другие не смогли аргументированно опровергнуть их доводы и по такому случаю впали в отчаяние, что вполне естественно. Тогда они обратились за помощью ко мне.

— Вы им помогли, Идрис? — спросил другой ученик.

— Разумеется. Но это заняло уйму времени. Разве станет кто-нибудь, кроме философов, с таким упорством отстаивать тезис, что счастье есть зло? А под конец дискуссии, когда даже самые упрямые сроднились с мыслью, что счастье — это хорошая вещь, их долго подавляемое стремление к счастью вырвалось наружу и они потеряли контроль над собой. Кому-нибудь из вас доводилось видеть впавших в эйфорию философов?

Ученики молчали, растерянно переглядываясь.

— Не видели? — усмехнулся Идрис. — Считайте, вам повезло. Отсюда полезный урок: чем слабее ваша связь с реальностью, тем страшнее для вас окружающий мир. С другой стороны, чем ближе вы к рациональному восприятию мира, тем чаще следует сомневаться и задавать вопросы. Но хватит предисловий. Начнем. Садитесь ближе, устраивайтесь.

Ученики вынесли из пещер табуретки и стулья, расставив их полукругом перед Идрисом, который расположился в складном кресле. Человек с ружьем, Сильвано, занял позицию правее и чуть позади учителя. Он сидел на деревянном табурете, настороженно выпрямив спину и оглядывая присутствующих. И раз за разом его взгляд задерживался на мне.

Абдулла прошептал, наклоняясь ко мне и сопровождая слова легким движением головы:

— Итальянец с пушкой взял тебя на прицел.

— Вижу, спасибо.

— Не за что, — серьезно сказал он.

— Я смотрю, в нашей маленькой компании появился новый человек, — сказал Идрис, глядя в мою сторону.

Я обернулся, проверяя, не имеет ли он в виду кого-то другого позади меня.

— Очень приятно видеть тебя здесь, Лин. Кадербхай часто вспоминал о тебе, и я рад, что ты нашел время нас навестить.

Все присутствующие повернулись ко мне, кивая и улыбаясь. А я смотрел на учителя и боролся с искушением ответить, что Кадербхай, который часто вел со мной философские беседы, почему-то никогда не упоминал об Идрисе.

— Скажи нам, Лин, — продолжил он, широко улыбаясь, — как ты находишь идею просветления?

— А я и не знал, что она потеряна, — брякнул я.

Ответ получился не то чтобы грубым, но и не очень-то почтительным при обращении к прославленному и всеми уважаемому мудрецу. Сильвано ощерился, сжав ружейный ствол.

— Прошу вас, учитель, — произнес он низким голосом, заметно дрожащим от ярости, — позвольте *мне* просветить этого неуча.

— Отложи пушку, Ромео, — сказал я, — и мы проверим, кому из нас что светит.

Сильвано был хорошо сложен, хотя и не впечатлял мышечной массой. Двигался он легко и грациозно. Широкоплечий, с квадратным подбородком, светло-карими глазами и выразительным ртом, он больше походил на итальянского манекенщика или киноактера, чем на ближайшего помощника святого мудреца. По крайней мере так мне показалось на первый взгляд.

Он явно невзлюбил меня, не знаю почему. Может, воспринял синяки и ссадины на моем лице как вызов и решил, что должен что-то кому-то доказать. Впрочем, меня мало заботили его мотивы — в те минуты я был так зол на Халеда и на Судьбу, что готов был драться с кем угодно, чтобы дать выход этой злости.

Сильвано встал с табурета. Я тоже поднялся. Идрис сделал легкое движение правой рукой. Сильвано сел на место, и я медленно последовал его примеру.

— Лин, прошу тебя извинить Сильвано, — мягко сказал Идрис. — Верность — это его способ проявления любви. Полагаю, то же самое можно сказать и о тебе, не так ли?

Верность. Мы с Лизой так и не смогли полюбить друг друга. Зато я любил Карлу — женщину, которая вышла замуж за другого. Я изменил своим братьям по оружию, когда решил покинуть Компанию, и даже более того — обсуждал целесообразность убийства Санджая. Верность бывает необходима лишь в тех случаях, когда тебе не хватает любви. Если же твоя любовь достаточно сильна, вопрос о верности просто не возникает.

Все продолжали смотреть на меня.

— Извини, Сильвано, — сказал я. — Это нервы, тяжелая выдалась неделя.

— Хорошо. Очень хорошо, — сказал Идрис. — А теперь я хочу — нет, я настаиваю, чтобы вы двое подружились. Прошу вас, станьте здесь передо мной и пожмите руки. Недобрые порывы никак не помогают нам на пути к просветлению, вы согласны?

Сильвано, крепко стиснув челюсти, с видимой неохотой поднялся и встал перед Идрисом. В левой руке он держал ружье. Правая рука была свободна.

Глупое чувство противоречия — нежелание подчиняться чужой воле — удержало меня на месте. По рядам учеников прошел ропот, они переглядывались и сдавленным шепотом обсуждали мое поведение. Идрис смотрел на меня и как будто сдерживал улыбку. При этом глаза его сверкали ярче бриллиантов на чердаке Халеда.

Сильвано застыл на месте, терзаемый гневом и унижением. Его губы сжались так плотно, что вокруг рта образовались глубокие складки.

Мне же в ту минуту было на все наплевать. Это итальянец начал перепалку, вызвавшись меня «просветить», ну а я в свою очередь охотно засветил бы ему по смазливой физиономии. И после того без промедления со спокойной душой покинул бы эту гору, и мудреца, и Абдуллу, и Карлу.

Карла ткнула меня локтем в бок. Я поднялся, подошел и пожал руку Сильвано. При этом он попытался превратить пожатие в силовое состязание.

— Достаточно, — сказал Идрис, и мы разняли побелевшие от напряжения руки. — Это было... вполне просветляюще. А теперь присаживайтесь, и мы начнем.

Я вернулся на свое место. Абдулла неодобрительно покачал головой. Карла прошипела только одно слово:

— Идиот!

Я попытался скорчить пренебрежительную гримасу, но не смог, потому что она была права.

— Итак, — сказал Идрис, — первым делом специально для нашего гостя повторим правила. Правило номер один?

— Правило номер один: никаких наставников! — дружным хором откликнулись ученики.

— Правило номер два?

— Правило номер два: каждый сам себе наставник!

— Правило номер три?

— Правило номер три: никогда не поступайся свободой разума!

— Правило номер четыре?

— Правило номер четыре: освободи сознание от предрассудков!

— Прекрасно, — с улыбкой сказал Идрис. — Этого достаточно. Лично я вообще не люблю правила. Они похожи на карту местности, подменяющую реальный ландшафт. Но я знаю, что некоторые люди нуждаются в правилах, просто жить без них не могут. Так что вот вам эти четыре. Если вы их усвоили, можно добавить и правило номер пять: «Никаких правил».

Ученики рассмеялись вместе с учителем и сразу задвигались, усаживаясь поудобнее.

На вид Идрису было чуть за семьдесят. При ходьбе он опирался на посох, но двигался легко и свободно, а в его худощавом теле чувствовалась немалая энергия. Курчавые седые волосы были подстрижены очень коротко, не отвлекая внимания зрителя от живых карих глаз, величественного крючковатого носа и припухлых, темных, очень подвижных губ.

— Насколько я помню, Карла, — начал Идрис, — в прошлый раз мы говорили о повиновении. Верно?

— Да, учитель-джи.

— Напоминаю тебе, Карла, как и остальным. Сейчас мы все — единый разум в поисках истины и единое сердце, исполненное дружбы. Так что зовите меня просто по имени, как я обращаюсь к вам. А теперь, Карла, скажи нам, что ты думаешь о предмете обсуждения?

Она смотрела на учителя, и взгляд ее полыхал, как лесной пожар.

— Вы в самом деле хотите это знать, Идрис?

— Конечно.

— Мое мнение?

— Да.

— О'кей. «Обожайте меня. Поклоняйтесь мне. Повинуйтесь мне... Я, мне, меня...» — вот и все, что когда-либо говорил нам Всевышний.

Ученики ахнули, но Идрис рассмеялся с явным удовольствием:

— Ха! Теперь вы понимаете, мои юные искатели мудрости, почему я так высоко ценю мнение Карлы?

Ответом ему был невнятный гул голосов.

Карла встала, отошла в сторону от группы и закурила сигарету, глядя на холмы и долины внизу. Я знал, почему она удалилась. Ей всегда становилось не по себе, когда кто-нибудь признавал ее правоту; она предпочла бы слыть остроумной и занятной, но только не «правильной».

— Обожание есть подчинение, — сказал Идрис. — Все религии, как и все царства земные, требуют от людей подчинения и повиновения. Из десятков тысяч верований, существовавших с начала времен, выжили только те, которые могли принудить людей к повиновению. А если узда повиновения ослабевает, основанная на нем религия уходит в небытие, как это случилось с когда-то великим культом Зевса, Аполлона и Венеры, долго господствовавшим над всем ведомым ему миром.

— Простите, Идрис, не означает ли это, что мы должны быть гордыми и никому не подчиняться? — спросил один из учеников.

— Нет. Конечно же нет, — ответил Идрис. — Хорошо, что ты задал этот вопрос, Арджун. То, о чем я веду речь, не имеет ничего общего с гордостью. Много полезного можно обрести, время от времени склоняя голову и опускаясь на колени. Каждому из нас полезно иной раз смирить свою гордыню, пасть ниц и признать, что ты ничего не знаешь, что ты вовсе не пуп земли и что тебе есть чего стыдиться из тобой содеянного, как есть и за что благодарить других. Вы согласны?

— Да, Идрис, — ответили несколько учеников.

— Теперь возьмем гордость — правильную гордость, необходимую нам для выживания в этом суровом мире. Правильная гордость никогда не скажет: «Я лучше, чем кто-то другой». Такие речи — удел порочной гордости. А правильная гордость говорит: «При всех моих недостатках я имею законное право на существование, и у меня есть воля как инструмент, с помощью которого я могу себя совершенствовать». Скажу больше, человек в принципе не способен изменить и улучшить себя самого, если у него нет правильной гордости. Вы согласны?

— Да, Идрис.

— Хорошо. Я хочу донести до вас следующее: преклоняйте колени в смирении, преклоняйте колени, ощущая связь со всеми живыми существами этого мира, преклоняйте колени, осознавая, что все мы едины в своем стремлении к истине. Преклоняйте колени, но не повинуйтесь слепо никогда и никому. Кто-нибудь желает что-то сказать по этому поводу?

Возникла пауза; ученики молча переглядывались.

— Лин, наш новый гость, — позвал Идрис, — что скажешь ты?

В эту самую минуту я вспоминал о тюремщиках, безнаказанно избивавших меня и других заключенных.

— Повиновение должно иметь разумный предел, иначе оно даст одним людям возможность творить все, что им вздумается, с другими людьми, — сказал я.

— Мне понравился твой ответ, — сказал Идрис.

Похвала мудреца подобна сладчайшему из вин. И я ощутил, как она согревает меня изнутри.

— Повиновение убивает совесть, — сказал Идрис. — Вот почему в нем нуждается всякая власть и организация.

— Но *чему-то* мы должны подчиняться? — подал голос молодой парс.

— Подчиняйся законам страны, в которой ты живешь, Зубин, — ответил Идрис. — Кроме тех случаев, когда эти законы вынуждают тебя идти против совести. Следуй золотому правилу: «Поступай с другими так, как ты хочешь, чтобы поступали с тобой». Подчиняйся своей интуиции в творчестве, любви и познании. Подчиняйся универсальному закону сознания, согласно которому все, что ты думаешь, говоришь или делаешь, неизбежно имеет эффект, отличный от нулевого, пусть даже это сказывается лишь на тебе самом; посему в своих мыслях, словах и поступках старайся свести к минимуму негатив и акцентируй позитивную сторону. Повинуйся естественному стремлению прощать ближнего и делиться с ним тем, что имеешь. Повинуйся своей вере. Повинуйся зову сердца. Сердце никогда не лжет.

Он умолк и оглядел учеников, многие из которых конспектировали его слова. Потом он улыбнулся, покачал головой — и заплакал.

Я удивленно посмотрел на Абдуллу, спрашивая взглядом: «Он что, и вправду плачет?» Абдулла кивнул, а затем движением головы указал на учеников. Многие из них также плакали. Чуть погодя Идрис вновь заговорил, проглотив слезы:

— Вселенной потребовалось очень много времени — четырнадцать миллиардов лет, чтобы здесь, на этой планете, зародилось сознание, способное уяснить данный факт и вычислить этот срок. Вдумайтесь: четырнадцать тысяч миллионов лет эволюции понадобились для того, чтобы мыслящие порождения Вселенной смогли вычислить ее возраст. И мы не можем допустить, чтобы эти четырнадцать миллиардов лет в конечном счете оказались потраченными впустую. У нас нет морального права расточать, уродовать или губить наше сознание. Мы не имеем права отрекаться от нашей воли, самой ценной и прекрасной вещи во вселенной. Мы обязаны учиться, познавать, искать ответы на вопросы, быть честными и добросовестными людьми. И наш первейший долг состоит в соединении нашего сознания с другим, таким же свободным сознанием во имя общей цели: любви.

Впоследствии я еще не раз — и всегда с большим удовольствием — слышал эту речь от самого Идриса и, с теми или иными вариациями, от некоторых его учеников. Мне понравился Идрис-мыслитель, но неожиданный финал этой речи заставил меня полюбить Идриса-человека.

— А теперь давайте шутить, — предложил он. — Я начну. Весь день хотел этим с вами поделиться. Итак, слушайте: почему дзен-буддист держит у себя в холодильнике пустую бутылку из-под молока? Кто-нибудь знает? Нет? Сдаетесь? Она предназначена для тех гостей, которые пьют черный чай.

Он сам и все ученики дружно, заливисто расхохотались. Смеялся даже Абдулла — громко, свободно и счастливо, чего я за ним не замечал ни разу с самого начала нашего знакомства. Этот смех я начертал на стене памяти в своем сердце. И уже по-другому, просто и прозаично, я был благодарен Идрису за то, что он подарил минуты счастливого смеха моему всегда суровому другу.

— Теперь моя очередь! — закричал Арджун, поднимаясь с места, чтобы рассказать анекдот.

За ним потянулись другие со своими шутками. Я встал и, пробравшись меж учеников, отправился на поиски Карлы.

Она стояла на краю обрыва и записывала фразы из лекции Идриса. Только писала она не в блокноте, а на собственной левой руке. Длинные предложения закручивались петлями, доходили до кончиков ногтей, переползали с ладони на тыльную сторону и возвращались обратно на ладонь, обвивались вокруг пальцев, покуда кисть со всех сторон не покрылась паутиной слов — подобно росписи хной на руках бомбейской невесты.

Это была самая сексуальная вещь, какую я когда-либо видел в своей жизни, — учитывая, что сам я очень люблю писать. Мне стоило огромных усилий оторвать взгляд от ее руки и посмотреть на дальнюю кромку леса, над которой клубились темные тучи.

— Так вот почему ты утром хотела услышать от меня новую шутку.

— Это один из его приемов, — сказала она, отрываясь от своего занятия. — Он говорит, что вернейший признак фанатизма — это отсутствие чувства юмора. И потому заставляет нас от души хохотать хотя бы один раз в день.

— И ты на это покупаешься?

— Он ничего не пытается продать, Лин. И как раз этим он мне нравится.

— Хорошо, и что ты думаешь о нем в целом?

— А мои мысли имеют какое-то значение?

— Все, что касается тебя, имеет значение, Карла.

Мы повернулись друг к другу. Я не мог угадать ее мысли. Мне просто очень хотелось ее поцеловать.

— Ты недавно упомянул Ранджита, — сказала она, пытливо заглядывая мне в глаза.

Я перестал думать о поцелуях.

— Он очень разговорчив, твой супруг.

— И о чем вы с ним разговаривали?

— А о чем он вообще мог бы со мной говорить?

— Хватит уже этих игр!

Она говорила тихим голосом, но все равно это прозвучало как отчаянный крик дикого зверя, угодившего в западню. Впрочем, она быстро совладала с собой.

— Так что конкретно он тебе сказал?

— Дай-ка догадаюсь, — молвил я задумчиво. — Вы с Ранджитом просто играетесь людьми себе на потеху, верно?

Она улыбнулась:

— Мы с Ранджитом понимаем друг друга, но не всегда и не во всем.

— А знаешь что, — сказал я также с улыбкой. — Пусть Ранджит катится ко всем чертям.

— Я была бы не против, если б это не предрекало мне встречу с ним в преисподней.

Она смотрела на тучи в той стороне, где находился город, и на мерцающую пелену дождя, которая уже накрыла дальний лес и неумолимо продвигалась к нашей горе.

Я был в растерянности — хотя я почти всегда пребывал в этом состоянии, общаясь с Карлой. Я не мог догадаться, на что она намекает: на какие-то обстоятельства их с Ранджитом семейной жизни или же на отношения между нами. Если это касалось Ранджита, я не хотел этого знать.

— Сильная будет буря, — сказал я.

Она быстро повернулась ко мне:

— Это было из-за меня, да?

— Что было из-за тебя?

Она тряхнула головой и вновь поймала мой взгляд. Ее зеленые глаза были единственными яркими пятнами на фоне пасмурного мира вокруг нас.

— Я о твоем разговоре с Ранджитом, — сказала она, похоже решившись оставить недомолвки. — Я знаю, он тревожится за меня. Но суть в том, что это он нуждается в помощи, а не я. Это ему грозит опасность.

Мы смотрели друг на друга. Она явно пыталась прочесть мои мысли, тогда как я смог увидеть в ее глазах лишь искреннюю заботу о муже. И этот удар был побольнее дубинки Конкэннона.

— Чего ты добиваешься, Карла?

Она нахмурилась, опустила глаза, но тут же вскинула их снова.

— Я хочу, чтобы ты ему помог, — сказала она таким тоном, словно признавала свою вину. — Я хочу, чтобы он прожил еще хотя бы несколько месяцев, а это ему отнюдь не гарантировано.

— Еще несколько *месяцев*?

— Несколько *лет* тоже приемлемо, но несколько *месяцев* просто необходимы.

— Необходимы для чего?

Судя по выражению ее лица, назревал очень эмоциональный ответ, но она справилась с собой и вымучила улыбку.

— Для моего душевного спокойствия, — сказала она, ничего этим не сказав.

— Он уже большой мальчик, Карла, и с большим банковским счетом.

— Я говорю серьезно.

Я заглянул ей в лицо и негромко рассмеялся:

— Ты неподражаема, Карла. Воистину неподражаема.

— Что это значит?

— Сегодня утром ты спросила, не из-за тебя ли я тут появился, но вопрос был задан, только чтобы сбить меня с толку. Потому что на самом деле это *ты* появилась тут из-за меня. И только для того, чтобы убедить меня помочь Ранджиту.

— Ты считаешь, я тебя обманываю?

— Когда ты сказала, что Ранджит нужен тебе *живым* в ближайшие месяцы, это все равно что говорить о его *смерти* через те же несколько месяцев. Недурно, Карла.

— Думаешь, я тобой манипулирую?

— Что ж, это было бы не в первый раз.

— Но сейчас не...

— Впрочем, это не имеет значения, — сказал я без улыбки. — И никогда не имело. Я люблю тебя.

Она хотела заговорить, но я приложил пальцы к ее губам:

— Обещаю навести справки насчет Ранджита по своим каналам.

Ее ответ угас в мощном раскате грома, от которого содрогнулись ближайшие к нам деревья.

— Мне пора ехать, — сказал я. — Надо вернуться в город, пока не размыло все тропы. Я должен убедиться, что с Лизой все в порядке.

Я уже сделал шаг в сторону, но она поймала меня за запястье. Своей татуированной — то есть покрытой письменами — рукой.

— Возьми меня с собой, — попросила она.

Я колебался. Чутье подсказывало, что этого делать не стоит.

— Никакого подвоха, — сказала она. — Я прошу отвезти меня в город, только и всего.

— О'кей.

Вернувшись в лагерь, мы быстро собрали вещи и дружески попрощались с его обитателями. Ученики Идриса любили Карлу. Карлу любили все — даже те, кто не пытался ее понять.

Идрис и Сильвано проводили нас до начала спуска. На плече Сильвано по-прежнему висело ружье.

— Без обид, Сильвано, — сказал я, протягивая ему руку.
Вместо ответа он сплюнул на землю.

«Мило, — сказал я себе. — Ну да ладно, будем выше этого».

— Ты в курсе, Сильвано, что твое имя переводится как «лес»?

— И что с того? — спросил он, вызывающе выпятив челюсть.

— Я это знаю потому, что у меня есть друг-итальянец по имени Сильвано, и он сменил свое имя на Форест. Так и так выходит «лес». Форест Маркони. Помнится, я тогда подумал, что это имя красиво звучит на обоих языках.

— Что? — насторожился Сильвано.

— Ничего. Я просто говорю, что у меня есть очень хороший друг по имени Сильвано. Сожалею, что наше знакомство началось так неудачно. Надеюсь, ты примешь мои извинения.

— А, это да, конечно, — быстро согласился он и пожал мне руку.

На сей раз обошлось без состязания в силе, и молодой итальянец впервые мне улыбнулся.

— Ты говоришь по-итальянски? — спросил он.

— Знаю несколько ругательств, но не более того.

Идрис засмеялся.

— Ты обязательно должен сюда вернуться, Лин! — сказал он. — Должен послушать мою небольшую лекцию о животном начале в человеческой натуре. Тебя это позабавит. А может, и по-настоящему развеселит.

Гигантская молния броском кобры прорезала черные тучи, на мгновение залив серебристо-голубым светом лицо и фигуру Идриса.

— Я навещу вас при первой же возможности, — ответил я, когда вспышка погасла. — И прихвачу свое животное начало для наглядности.

— Всегда буду рад тебя видеть.

Абдулла, Карла и я быстро спустились по склону, поддерживая друг друга на самых скользких участках. На парковке под горой Абдулла отправился звонить по телефону. Ожидая его, я поглядывал на грозовое небо:

— Вряд ли успеем до начала ливня. Он может застать нас на трассе.

— Если не раньше, — ухмыльнулась Карла. — А ловко ты окрутил Сильвано: из заклятых сразу в закадычные.

— Да он вроде неплохой парень. И я сам виноват в той стычке. Нервы сдали, слишком много всего накопилось.

— Черт тебя побери, Лин! Зачем ты это делаешь?

— Что?

— Туманно намекаешь на что-нибудь, а после не расшифровываешь намек.

— Кто бы сетовал на соринки в чужом глазу, — парировал я, хотя и понимал, что она права.

Я хотел бы многое ей сказать. Что все вокруг меня шло кувырком. Что мы с Лизой отдалялись друг от друга. Что на Ранджита охотились бомбисты. Что я покидал Компанию Санджая. Что назревали кровавые разборки между бандами, а также внутри самих банд и что избежать опасности в городе можно было только одним способом: поскорее уехать из этого города.

— Тебе надо на время уехать из города, Карла. Да и мне тоже.

— Об этом сейчас не может быть и речи, Шантарам, — со смехом сказала она и отошла к прилавку поболтать с продавцом.

Вернулся Абдулла и вполголоса сообщил мне новости:

— Санджай заплатил всем кому следует. Дело спустили на тормозах. Однако я, как и планировалось, должен сегодня же уехать на север, к нашим братьям в Дели. Пробуду там примерно неделю.

— Неделю?

— Да. Как минимум неделю.

— Я поеду с тобой. В Дели у тебя полно врагов.

— У меня полно врагов повсюду, — сказал он спокойно, опуская глаза. — Но и друзей тоже хватает. Ты не сможешь поехать со мной. Ты должен отправиться в Шри-Ланку и выполнить там свою миссию. Тем временем история со стрельбой в «Леопольде» будет замята окончательно.

— Погоди-ка, брат. Ты забыл, что я больше не работаю на Компанию.

— Я сказал Санджаю, что ты хочешь уйти.

— Зачем?! Я сам должен был это ему сказать! — возмутился я.

— Знаю, знаю. Но я прямо сейчас отбываю в Дели и не смогу тебя подстраховать при разговоре с Санджаем, а без меня это было бы слишком рискованно. Вот почему я заранее сообщил ему о твоих планах: чтобы по его реакции понять, грозит ли тебе опасность.

— Ну и как, грозит?

— И да и нет. В первый момент он очень удивился и пошел вразнос, но потом остыл и сказал, что, если ты выполнишь эту миссию для Компании, он позволит тебе уйти. Как тебе такой расклад, Лин?

— Это все, что он сказал?

— Он также сказал, что, будь у тебя родня в Бомбее, он бы вырезал ее всю без остатка.

— Что еще?

— И еще он с большим удовольствием бросил бы тебя на растерзание собакам.

— Это все?

— Все, не считая брани в твой адрес, которую я не могу повторить. Он ужасный сквернослов и наверняка умрет с грязной руганью на устах, *иншалла*.

— Когда я должен отправиться?

— Завтра утром, — сказал он. — Сначала поездом до Мадраса, а оттуда грузовым судном в Тринкомали. В семь утра на вокзале тебя будут ждать люди Компании с билетами и инструкциями.

Шри-Ланка, грузовое судно, инструкции... Я глубоко вдохнул и медленно выпустил воздух из легких.

— Значит, Шри-Ланка?

— Не забывай, ты давно обещал это сделать.

— Да, я дал слово, о чем теперь жалею.

— Зато после поездки ты будешь свободен. Это твой шанс уйти чисто, без напрягов. Думаю, тебе стоит согласиться. В ближайшие дни я не смогу разобраться с Санджаем, и тебе лучше провести это время вдали от него.

— О'кей. О'кей, *иншалла*. Поехали.

— Постой, — сказал он, наклоняясь ближе ко мне. — В эту неделю, брат, ты должен очень внимательно следить за каждым своим словом и каждым шагом.

— Ты меня знаешь, — улыбнулся я.

— Да, я тебя знаю, — сказал он мрачно. — И я знаю демона, который сидит внутри тебя.

— С чего бы это?

— Демоны сидят в каждом из нас. Некоторые их них не хотят причинять нам вред и просто используют наши тела для обитания. Но есть и такие, которые хотят большего. Они хотят поглотить душу человека, в которого вселились.

— Я не силен в демонологии, Абдулла, но могу сказать, что наши взгляды на этот предмет не вполне совпадают.

Несколько секунд он смотрел на меня молча, и в его янтарных глазах отражалась листва качаемых ветром деревьев.

— Ладно, не бери в голову... — начал я, но он меня прервал:

— Помнится, однажды ты сказал, что не бывает хороших и плохих людей. Наши поступки могут быть хорошими или плохими, но не люди, которые их совершают.

— Это слова Кадербхая, не мои, — заметил я.

— А Кадербхай услышал их от Идриса. Чуть ли не каждое мудрое изречение Кадербхая было взято им у Идриса. Но в данном случае я не согласен с Идрисом, Кадербхаем и тобой. В этом мире *есть* плохие люди, брат Шантарам. И существует только один способ их одолеть.

Он завел мотоцикл и неторопливо покатил по дороге с расчетом на то, что я вскоре его догоню. Дождавшись, когда Карла пристроится сзади, я уловил ее запах — смесь корицы и сандала — и на мгновение ощутил атласное прикосновение волос к моей шее.

Мотор ревел, прогреваясь на холостых оборотах. Она перекинула одну руку через мое плечо, а другую пропустила под левым локтем. Ее татуированная цитатами рука легла мне на грудь. Я слышал музыку в душе. Я чувствовал себя как дома. Ибо твой истинный дом — это сердце, которое тебе суждено полюбить.

Мы следовали плавным изгибам, подъемам и спускам лесной дороги, и тень горы, которая свела нас вместе, постепенно исчезала за колыхающимися деревьями. В одном месте мне пришлось резко затормозить, чтобы объехать большую ветку, рухнувшую на дорогу. При этом Карла плотно прижалась ко мне, так что я перестал понимать, где кончается ее тело и где начинаюсь я, — и не хотел этого знать.

Перед крутым подъемом на следующий холм я поддал газу. Она обхватила меня еще крепче, и в самый дивный миг этого объятия ее ладони, скользнув по ребрам, сомкнулись на моем сердце и оставались там, пока мы не перевалили через гребень.

К моменту выезда на магистраль я был так оглушен любовью, что лишь каким-то чудом вписался в стремительный поток транспорта. Ветер кружил над трассой, периодически проводя волосами Карлы по моей шее. А она прижималась ко мне, положив руку на мою грудь, и мы мчались сквозь вспышки молний, озарявших рекламные щиты вдоль тернистой дороги к дому.

ГЛАВА

30

— Это было долгое прощание, — сказала Карла, глядя вслед Абдулле, который только что вырулил со стоянки перед отелем «Махеш».

— Поездка тоже была долгой, — сказал я.

— Да, но растроганный Абдулла — такое увидишь не часто.

— Что ты хочешь от меня услышать, Карла?

— Ну, для начала хотя бы то, что не хочешь мне говорить.

«На деньги Халеда мы купим много стволов», — прошептал мне Абдулла при прощальном объятии. И прозвучало это не так чтобы очень растроганно.

— Сложно объяснить, — сказал я.

— Это не ответ.

Она все еще сидела на мотоцикле позади меня, держа в одной руке свою сумку, которую вез Абдулла и передал ей при расставании. Другая ее рука небрежно покоилась на моем бедре. В кои-то веки я был счастлив подвернуться кому-то под руку.

— А знаешь, — сказал я, блаженствуя, — мне это нравится.

— И это не ответ.

— Но мне это действительно очень нравится.

— Что именно?

— Сидеть вот так, на байке, разговаривая с тобой.

— Это нельзя назвать разговором.

— В принципе, можно.

— Уклонение от ответов не считается разговором — хоть в принципе, хоть без принципов.

— Назовем это *уклончивым* разговором.

— Прогресс налицо.

Возникла небольшая пауза. Асфальт на стоянке был чисто вымыт ливнем, поблизости никого не было. Гроза прошла, и свежий муссонный ветер гулял по берегу за нашими спинами.

— Мне чертовски приятно общаться с тобой таким образом. Вот, собственно, что я хотел сказать.

— Раз уж ты это сказал, могу я уточнить: мотоцикл тоже считается участником этого уклончивого, но чертовски приятного разговора?

Я выключил до сего момента урчавший двигатель.

— Что конкретно тебе в этом так сильно нравится? — спросила она. — То, что мы сидим близко друг к другу, или то, что я сейчас не могу видеть твою расквашенную физиономию?

— То, что я сейчас не вижу *твоего* лица. И еще, да... то, что мы сидим близко друг к другу.

— Надо полагать... Эй, минуточку! Так это *мое* лицо является проблемой?

— Твои глаза, если быть точным, — сказал я, наблюдая за людьми, машинами и конными повозками, беспрерывно сновавшими перед входом в отель.

— А что не так с моими глазами?

Я ощущал ее голос всем телом — в тех местах, где мы с ней соприкасались.

— Когда я не вижу твоих глаз, это как если бы мы играли в шахматы и ты вдруг осталась без ферзя.

— Вот как?

— Именно.

— То есть я беспомощна и беззащитна?

335

— Не беззащитна. Но это умаляет твое превосходство.

— Мое превосходство?

— Да. Ты всегда им обладаешь при материальном равенстве.

— И это тебя заводит?

— Типа того.

— Потому что сам стремишься к превосходству над женщинами?

— Вовсе нет. Просто *видеть* тебя перед собой — это все равно что играть в шахматы, имея одного ферзя, когда у тебя их четыре, или восемь, или шестнадцать...

— У меня на доске шестнадцать ферзей?

— Да. Зеленых, как твои глаза. Шестнадцать зеленых ферзей. Но сейчас, разговаривая с тобой на байке, я не вижу ни одного из них. И мне это чертовски приятно. Это раскрепощает.

Мы помолчали несколько секунд.

— Так вот в чем фишка твоего разговора на байке?

— Это не фишка, а просто факт. Совсем недавно открытый факт. Сейчас твои ферзи упрятаны в коробку, и мне это в кайф.

— Да ты сам без короля в голове, горе-гроссмейстер!

— Может, и так.

— Мои глаза ничего не значат, — заявила она чуть погодя и не очень уверенно.

— Для меня твои глаза, как и твое сердце, означают абсолютно все.

Она замолчала, размышляя о чем-то.

— А для меня абсолютно все — это моя воля.

И после паузы повторила это так, словно выталкивала слова из своего тела:

— Моя воля — это все.

— Я согласен с Идрисом и тобой насчет воли, но меня больше интересует, на что эта воля направлена.

Она сменила позу, положив локти мне на плечи.

— Скажи, когда ты был в тюрьме, то есть в неволе, — медленно произнесла она, — тебе случалось хоть раз утратить свою внутреннюю волю?

— Случаи, когда тебя приковывают к стене и забивают ногами до потери пульса, тоже считаются?

— Возможно. Если ты при этом терял волю. Скажи, им удавалось хоть ненадолго лишить тебя воли?

Я задумался над этим. Вновь я плохо ее понимал и при этом не был уверен, что мне понравится то, что я в конце концов смогу понять. А на ее большой вопрос нашелся маленький ответ:

— Да, можно сказать и так. Ненадолго.

— Меня однажды тоже лишили воли, — сказала она. — И я скорее пойду на убийство, чем позволю такому случиться вновь.

Я убила человека, сделавшего это со мной, чтобы он не сделал то же самое с *другой* мной где-нибудь в другом месте. Больше никто никогда не лишит меня воли.

Это заявление напомнило мне крик окруженного карателями повстанца: «Живым вы меня не возьмете!»

— Я люблю тебя, Карла.

Она молчала; не было слышно даже ее дыхания.

— Ты подсел на это, как на наркоту? — спросила она через какое-то время.

— Вовсе нет. У меня лишь одно пагубное пристрастие: правдивость.

Она слегка отстранилась, опираясь на локти, и вновь замолчала.

— Согласись, что разговор на байке вышел занимательным, — сказал я наконец.

— Соглашусь, когда услышу от тебя что-то дельное. А пока что твои мысли как перекати-поле, Шантарам.

— Хорошо. Тогда к делу. На вершине горы ты начала разговор о Ранджите, а я его не поддержал. Но сейчас, на байке, я готов продолжить. Объясни мне такую вещь: если у Ранджита мало шансов стать долгожителем в Бомбее, почему он не скроется вместе с тобой в каком-нибудь тихом местечке, предварительно продав свой бизнес?

— Он рассказал тебе о бомбе, да?

— Так он и *тебе* о ней сообщил?

— Он упомянул про твой совет уволить шофера. Кстати, ты оказался прав. Его подкупили.

— Постой, как же так? Ранджит меня буквально умолял не говорить тебе об этом случае, а затем пришел домой и сам тебе все выложил?

— Он же политик. А политика это не столько обман, сколько умение догадаться, когда обманывают тебя.

— Однако ты не ответила на мой вопрос. Почему он не скроется, прихватив свои деньги? Их у него предостаточно.

Она рассмеялась, застав меня врасплох, поскольку я не видел в своих словах ничего смешного и не видел ее лица, чтобы предугадать такую реакцию.

— От игры нигде не скроешься, если ты в нее ввязался, Лин, — сказала она.

— Мне нравится наш разговор: намек на намеке и все без расшифровок.

— Где бы игра тебя ни захватила, — сказала она, наклоняясь ближе и касаясь дыханием моей шеи, — и что бы она собой ни представляла, тебе уже не сорваться с этого крючка. Разве я не права?

— Мы сейчас говорим о Ранджите или о Карле?

— Мы с ним оба игроки.

— А я, как ты знаешь, не любитель азартных игр.

— Некоторые игры стоят того, чтобы в них ввязаться.

— Например, такие, где на кону стоит власть над всем Бомбеем?

Я почувствовал, как она напряглась, вновь от меня отдаляясь.

— Как ты это узнал?

— Догадаться нетрудно. У Ранджита амбиций выше крыши, это сразу видно. И у него серьезные враги.

Она молчала у меня за спиной, и я не мог хотя бы гадать по лицу о ходе ее мыслей. Разговоры на байке имеют свои минусы.

— Ранджит — это псевдохороший парень, затесавшийся в компанию откровенно плохих парней, — сказала она.

— Псевдохороший? Обычно такие дадут фору явным плохишам.

— Ну, плохиши и так недурно справляются, — ответила она со смешком.

— А ты зачем ввязываешься в эти игры? Тебе-то какой резон?

— Я играю, потому что в этом я сильна. Я игрок по натуре.

— Оставь это дело, пока не поздно. Пусть Ранджит играет в политику, если ему так приспичило, но тебе лучше держаться от этого в стороне.

— Ты волнуешься за нас с Ранджитом или за нас с тобой?

— Я волнуюсь за тебя. Если бы мы разговаривали не на байке, я бы, наверное, не решился это сказать. Только не тебе в глаза. Мне очень не нравится то, что сейчас происходит. Ранджит не имеет права подвергать тебя риску. Никакие амбиции того не стоят.

— Надо будет купить мотоцикл, — сказала она, вновь прижимаясь ко мне и, судя по голосу, улыбаясь. — А ты меня научишь его водить.

— Это не шутки, Карла. Ранджит самонадеянно дразнит нечто жуткое, до поры сидящее в клетке, но рано или поздно оно оттуда вырвется.

— Почему мы вообще об этом говорим?

— Предлагаю вот что. Пусть Ранджит занимается политикой, и я попрошу своих друзей за ним приглядывать. Но тебе совсем не обязательно быть женой Ранджита здесь. Ты вполне можешь быть его женой где-нибудь далеко отсюда. Например, в Лондоне.

— В Лондоне?

— Многие индийские жены уезжают в Лондон от своих мужей.

— Но я бомбейская девчонка, *йаар*. Что мне делать в Лондоне?

— Ты еще и американка, а также швейцарка и вообще гражданка мира. Ты могла бы купить и обставить жилье в Лондоне на имя Ранджита и на деньги Ранджита. Надеюсь, он там будет появляться не часто. Ты отлично устроишься в Лондоне — в Бомбее ведь устроилась. Главное, чтобы у тебя была возможность в любой момент исчезнуть из виду, уйти без оглядки.

— Ты не сказал, чем я буду заниматься в Лондоне.

— Будешь сидеть тихо и не высовываться. Можешь пустить в оборот деньги, которые останутся после покупки жилья, и сколотить собственный капиталец, чтобы потом не нуждаться в чужих деньгах.

— Вот даже как?

— Да. Главная причина, по которой так много людей хочет разбогатеть, — это желание быть свободным. А свобода подразумевает, что тебе не нужны чужие деньги.

— И как ты себе это представляешь?

— Ты можешь урезать расходы, накопить денег и внести первый взнос при покупке нового дома, чтобы потом сдавать его в аренду. Ты же умница. В короткий срок ты сможешь превратить один дом в пять.

— А мой образ жизни?

— Это уже твое дело. Но чем бы ты ни занималась в Лондоне или в другом месте, это будет безопаснее того, чем ты занимаешься здесь с Ранджитом. Кто-то хочет его заткнуть или вообще замочить за слишком длинный язык и неуемные амбиции, которые очень многих нервируют. Да что там далеко ходить: у меня самого кулаки начинают чесаться, стоит поговорить с ним несколько минут.

— Как раз длинный язык и дал ему шанс вступить в игру. Это была его начальная ставка. И если ему подфартит, он потом сможет красоваться на плакатах любой партии по своему желанию. Победа на выборах будет ему обеспечена. И вообще, с какой стати ему затыкаться, если он говорит правильные вещи?

— Да хотя бы ради твоей безопасности.

— Позволь мне сказать тебе одну вещь о безопасности, — промурлыкала она, кладя голову мне на плечо, как на подушку. — Безопасность — это пещера, теплая, уютная, однако в ней темно, а где есть свет, там есть и риск.

— Карла, — сказал я, стараясь не шевелиться, — ты не представляешь, как это здорово, слышать рядом твой голос, при этом тебя не видя.

— Ты просто скотина, — промолвила она, оставаясь неподвижной.

— Нет, в самом деле, для меня это истинное наслаждение. И я внимательно тебя слушал. Я не пропустил ни единого слова. Если хочешь знать мое мнение, быть вместе с любимой женщиной — это само по себе величайшее счастье. А когда человек стремится прибрать к рукам огромный город, с ним что-то неладно.

— Неладно на твой лад, на его или на чей? — засмеялась она.

— Тебе нельзя сейчас возвращаться домой, — сказал я категорически. — Неизвестно, что там тебя ждет. И тебе нельзя оставаться в городе. Ты сама отлично знаешь, что тебя здесь ждет.

Говоря это, я радовался тому, что она не видит моего лица, — как и тому, что она не отстраняется.

— Не исключено, что тебя *уже* внесли в черный список, Карла. Сам я в нескольких таких списках. Таким, как мы, нет места в жизни людей, охваченных жаждой власти. Если их дело не выгорит, им придется плохо, но нам будет намного хуже, поскольку они начнут искать, на ком отыграться за свои неудачи. И тут как раз мы под рукой.

— Со мной ничего не случится, — пробормотала она. — У меня все под контролем.

— Мне даже думать не хочется о том, что ты можешь пострадать, Карла. Но Ранджит вынуждает меня об этом думать. Постоянно. Уже одно это настраивает меня против него. Так или иначе, он ухитрился обидеть чуть ли не всех вокруг, и теперь все имеют на него зуб. Прояви сострадание: пришли мне открытку из Лондона, чтобы я мог наконец успокоиться.

— Сострадание, — тихо повторила она, — моя самая любимая из второстепенных добродетелей. Похоже, ты неплохо подготовился к разговору на байке.

— Ты согласна, что это круто?

— Могло быть хуже, — пробормотала она. — Насколько я понимаю, теперь моя очередь?

— Очередь?

— Да.

— Ты об откровениях на байке?

— Именно.

— Валяй, — сказал я, стараясь не думать о поговорке: «Будь осторожен с желаниями, ибо они могут сбыться».

Она уселась поудобнее и приблизила губы к моему уху:

— Ты готов?

— А что?

— Не хочешь подзаправиться кофе или выкурить косячок?

— Нет, сейчас мне хорошо. Даже очень хорошо.

— Ладно, — сказала она. — Теперь нужна пауза для драматического эффекта.

— Но...

— Тихо! У нас драматическая пауза.

И мы выдержали драматическую паузу.

— Это... была... охренительная... незабываемая поездка... — с расстановкой произнесла она. — Как прорыв сквозь пространство и время! Когда ты перескочил со второй сразу на четвертую скорость и на полном газу кинулся в щель между автобусом и автоцистерной, у меня душа вылетела вон из тела! А когда мы проскользнули в уже почти закрывшийся просвет и погнали дальше, в моей голове зазвенел голос: «О да... о да... о боже... о боже...» И так этот голос твердил всю дорогу до прибытия на место...

Она сделала паузу, и вместе с тем замерло мое сердце.

— Ну и как я справляюсь, Шантарам, без помощи ферзей?

Отлично. Она справлялась отлично. Я повернулся на сиденье так, чтобы краем глаза увидеть ее лицо.

— Я думал, ты не веришь в Бога, Карла.

— Да кто мы такие, чтобы верить в Бога? — сказала она, и губы ее были в миллиметрах от моего лица. — Достаточно того, что Бог верит в нас.

В этот момент мы могли бы поцеловаться. Мы должны были это сделать.

— Думаю, мне надо объясниться с Лизой, — сказал я. — А ты не хочешь объясниться с Ранджитом?

Она медленно отклонилась назад, пока на ее лицо не упала тень. Я вновь повернулся лицом вперед. Она ничего не сказала, и тогда заговорил я:

— В любом случае я должен поговорить с Лизой.

— Ты можешь сделать это прямо сейчас, — тихо сказала она.

— То есть как это?

— Лиза сейчас должна быть здесь, в отеле. Близнец и Скорпион закатили грандиозную вечеринку в пентхаусе. Они сняли полностью весь этаж и сегодня официально празднуют новоселье. Созвали чуть не весь город. Отчего, по-твоему, такая чехарда машин перед крыльцом? Потому я и попросила привезти меня сюда.

— Но... почему ты не сказала об этом раньше?

— А почему ты не знал этого сам?

Вопрос был хороший. И я не смог на него ответить.

— Ты туда пойдешь? — спросил я, по-прежнему глядя вперед.

— Сказать по правде, я рассчитывала, что ты будешь моим кавалером на этот вечер.

— А что, Ранджита не пригласили?

— Он будет занят допоздна: очередное заседание муниципального совета. Дидье еще несколько дней назад пообещал проводить меня после банкета и потом пропустить по стаканчику у меня дома. Но *войти* туда я бы хотела с тобой. Ты не против?

Мне нужно было повидать Лизу и убедиться, что с ней все в порядке. Мне нужно было пообщаться с Дидье и узнать о последствиях стрельбы в «Леопольде». Сразу два веских аргумента «за». Однако меня пугала перспектива слишком долгого пребывания в обществе Карлы. Мы не виделись два года, и тут эта встреча на вершине и затем поездка до Города семи островов, во время которой ее тесная близость была подобна крыльям, вдруг выросшим у меня за спиной. И, как всегда с Карлой, все было очень запутано. Чего стоило одно только заявление, что ее супруг нужен ей живым в ближайшие несколько месяцев, — то был холодный, циничный расчет, однако меня это не волновало. Когда ей делали больно, она отвечала тем же, но я знал, что в душе ее нет места злу и что она никогда не навредит Ранджиту или кому-либо еще без очень серьезных оснований. Она была слишком сильна для известного ей мира, и я любил ее в том числе и за это, но я боялся, что при долгом общении с Карлой у меня просто не хватит духу снова ее покинуть.

— Сочту за честь быть твоим кавалером, Карла, — сказал я, не поворачивая головы.

— Сочту за честь быть твоей дамой, Шантарам, — эхом отозвалась она. — А теперь пора оттянуться по полной! Хочу взглянуть, какой из тебя танцор: такой же лихой, как гонщик, или еще покруче, быть может?

ГЛАВА

31

Я припарковал мотоцикл под навесом у входа в отель и, обернувшись, наткнулся на ее взгляд — шестнадцать ферзей и никаких пешек. Я застыл как вкопанный.

— Ты в порядке? — спросила она.

— Да, а что?

— У тебя такой вид, словно тебе отдавили ногу.

— Да нет, все нормально.

— Точно?

— Точно, — сказал я, с трудом отводя взгляд от этого шаха и мата.

— О'кей, тогда идем веселиться. Уж там-то будет кому отдавить нам ноги.

Мы пересекли вестибюль и удачно, с ходу, попали в освободившийся лифт.

— Всякий раз в кабине лифта мне жутко хочется выпить, — сказала она в процессе подъема.

Двери открылись, и нашим взорам предстало веселье в полном разгаре. Комнаты пентхауса были забиты галдящими и хохочущими гостями, которые перемещались по коридору от одной компании к другой.

Мы отыскали Джорджа Близнеца, который танцевал на пару с Дидье под музыку, достаточно громкую, чтобы перекрыть голоса окружающих. Дидье накинул на голову скатерть, зажав ее край в зубах, как придерживают головной платок индийские женщины.

— Лин! Карла! Спасите меня! — завопил он. — Я вынужден смотреть на танцующего англичанина. Это невыносимое зрелище.

— Лягушатник-попрыгун! — отозвался Близнец со счастливым смехом. Судя по всему, он пребывал на вершине блаженства.

— Сюда, Лин! Карла! Потанцуйте со мной! — позвал Дидье.

— Я ищу Лизу! — прокричал я сквозь шум. — Ты ее видел?

— Не так... давно, — ответил он, переводя вопросительный взгляд с меня на Карлу. — Да... не так... давно...

Карла поцеловала его в щеку. Я чмокнул его в другую.

— О-го-го! Я тоже так хочу! — крикнул Близнец, подставляя щеку Карле, которая не преминула исполнить его просьбу.

— Я так рад видеть вас обоих! — воскликнул Дидье.

— Взаимно! Есть минутка, Дидье?

— Конечно.

Я оставил Карлу в обществе Близнеца и вслед за Дидье вышел в коридор. Приходилось ступать осторожно, перешагивая через расположившихся прямо на полу людей, которые пили, курили, шутили и смеялись до изнеможения.

Дидье открыл ключом дверь одной из комнат и пропустил меня вперед.

— Здесь можно укрыться от этой безбашенной публики, — сказал он, запирая дверь изнутри.

Уютная, хорошо обставленная комната не была затронута нашествием гостей. На письменном столе стоял поднос с бутылкой коньяка и парой бокалов. Дидье предлагающим жестом указал на коньяк.

— Нет, спасибо, — сказал я. — А вот косяк я бы выкурил, если у тебя найдется.

— Лин! — возмутился он. — Ты помнишь хоть один случай, когда у Дидье не нашлось бы этого добра?

Он плеснул себе коньяка, извлек элегантную самокрутку из отполированного до блеска латунного портсигара, раскурил ее и передал мне. Я сделал затяжку, а он поднял бокал со словами:

— За битвы, в которых мы выжили!

И отпил глоток.

— Как там Лиза?

— Она в порядке. Можно даже сказать, счастлива.

— Где она сейчас?

— Она была со мной еще пару-тройку часов назад, — сказал он и снова приложился к бокалу. — Потом сказала, что возвращается домой.

— Как дела в «Леопольде» после того случая?

— Увы, я в ближайшее время персона нон грата в «Леопольде», даже при моих связях.

Я припомнил подробности той схватки и, в частности, Конкэннона, наносящего удар в висок метрдотелю-сикху.

— Дирендре, кажется, крепко досталось. Он славный человек. Знаешь, что с ним?

— Выздоравливает. Без него «Леопольд» уже не тот, что прежде, однако жизнь продолжается.

— Есть еще серьезно пострадавшие?

— Несколько человек, — вздохнул он.

— А что копы?

— Дилип-Молния задержал всех, кто был при деньгах, меня в том числе, и нам пришлось откупаться.

— Что говорят на улице?

— Насколько я знаю, об этом деле сейчас никто не говорит. Уже на следующий день все будто в рот воды набрали, включая газетчиков. Думаю, Карла использовала свое влияние на Ранджита, заставив его *похерить историю*, — кажется, так говорят? Те, кто не боится Компании Санджая, опасаются «скорпионов». Так что все тихо, но Санджаю это молчание, как пить дать, стало в кругленькую сумму. Уж очень многим пришлось помочиться на этот костер, чтобы его загасить.

— Сожалею, что тебя втянули в это дело, Дидье. Тем более в «Леопольде», нашем святом для нас месте.

— Дидье невозможно во что-либо «втянуть», — фыркнул он, — даже в бессознательном состоянии. Он либо идет по своей воле, либо его транспортируют.

— И все же...

— Один мой американский друг в похожем случае выразился так: «Дело дрянь, но это не наших рук дело». Да, дело дрянь, но начал все это Конкэннон. Вопрос в том, как нам быть дальше?

— Есть идеи на этот счет?

— Первое, что мне приходит в голову: надо убить Конкэннона.

— Я люблю тебя, Дидье.

— И я тебя тоже, Лин. Стало быть, прикончим гада?

— Нет, мои слова не были согласием. Завтра я уезжаю из города и буду отсутствовать где-то с неделю, от силы дней десять. Когда я вернусь, мы вместе составим план. Должен быть способ обойтись без убийства, Дидье.

— Как показывает мой опыт, в таких ситуациях убийство — это единственный беспроигрышный ход, — задумчиво молвил он. — Все прочее будет блефом.

— Конкэннон всего лишь человек. Значит, и его чем-то можно пронять.

— Пулей в грудь, например, — предложил Дидье. — Хотя ты прав: нужно брать выше. В голову, быть может?

— Я с ним говорил, и я его слушал. В тюрьме я встречал с дюжину таких конкэннонов — один к одному, только лица разные. Не скажу, что он мне нравится, но могу сказать, что, если бы его жизнь сложилась иначе, Конкэннон стал бы незаурядным человеком. Он и сейчас незаурядный, только не в том смысле. Надо придумать, как уладить это без нового кровопролития.

— Люди такого сорта не меняются, Лин, — сказал он с печальным вздохом. — И подтверждением тому ты сам. Скажи, ты изменился, когда попал в тюрьму? Ты изменился, когда примкнул к Компании? В самой своей сущности, в глубине души, разве ты изменился? Разве ты не тот же человек, которым был всегда?

— Дидье...

— Ты тот же самый. Ты не меняешься. Ты не можешь измениться, как не могут измениться и все конкэнноны в этом мире. Они рождены, чтобы губить и разрушать, Лин, пока их не остановит время или чья-то кара. И сейчас, когда один из них несет нам гибель и разрушение, самым благоразумным поступком с нашей стороны будет убить его, приняв это бремя на свою карму и надеясь на лучшие инкарнации в будущем как награду за доброе дело: избавление мира от зла, которое мог сотворить этот человек, останься он в живых. Хотя лично я не могу придумать для себя инкарнации лучше той, какую ты сейчас видишь перед собой. Мне остается лишь просить о переселении души Дидье в тело Дидье, и так снова и снова до бесконечности.

— Только ничего не предпринимай до моего возвращения. Мы сначала все обговорим и потом уже сделаем то, что сочтем правильным, о'кей? А в мое отсутствие, пожалуйста, приглядывай за Лизой. При встрече я попрошу ее уехать на время в Гоа, но мы же с тобой знаем Лизу.

— Без шансов, — сказал он, пожав плечами.

— Сам знаю...

— Она хитрая лиса, друг мой. Она отлично знает, чего хочет, и умеет это заполучить.

— Пригляди за ней, пока я не вернусь. Если понадобится еще одна пара глаз, попроси Навина уделить этому время, которое у него останется после Дивы. Я поговорю с ним, если встречу.

— Разумеется, я не нуждаюсь ни в чьей помощи, но к Навину отношусь с симпатией, — рассудил Дидье.

— Мне он тоже нравится. Вы с ним составите отличную команду. Кстати, говоря о командах, после этой поездки я буду не прочь поработать на пару с тобой, Дидье, если твое старое предложение остается в силе.

— Лин... ты о том... чтобы нам работать вместе?

— Мы обсудим это, когда я вернусь.

— Ты что, уходишь из Компании Санджая?

— Именно так.

— В самом деле? И Санджай позволил тебе уйти?

— Да, но сначала я должен выполнить эту работу. Сказать по правде, я думаю, он будет только рад от меня избавиться.

— Ты не боишься ему возражать. Есть две разновидности лидеров: те, которые всегда готовы услышать правду, и те, которые ее ненавидят. Сдается мне, что Санджай из породы ненавистников.

— Так и есть, — улыбнулся я.

— Я счастлив узнать, что ты его покидаешь. А ты счастлив?

— Да. Береги Лизу.

— Буду беречь, и с большим удовольствием.

— А теперь вернемся к остальным?

— Да! Ты сообщил мне чудесную новость, Лин, и мы должны это отпраздновать! Вот только...

— Что такое?

— Вы с Карлой.

— Мы с Карлой? Мы не вместе. Есть я, и есть она.

— Лин, ты сейчас говоришь с Дидье. Никакой, даже самый мимолетный намек на нежные чувства не ускользнет от глаза Дидье. Я видел вас двоих, и я все понял.

— Забудь о Карле.

— Я смогу это сделать, если сможешь ты, — заверил он. — Что бы ты ни делал, я на твоей стороне.

— Спасибо, брат, — сказал я и крепко его обнял, уткнувшись лицом в курчавую шевелюру.

А еще через минуту мы воссоединились с Карлой и Близнецом. Карла взглянула на нас проницательно и улыбнулась с легким оттенком всезнающего превосходства, который только добавил пикантности ее обаянию.

Две девушки-иностранки, держа по бокалу в каждой руке, танцующей походкой приблизились к Дидье и Близнецу, которые, также пританцовывая, взяли предложенную выпивку.

— Ты здесь с кем-то? — спросила одна из девчонок у Близнеца.

— Я здесь с самим собой, — ответил он, — но не уверен, что это принимается в расчет. Я Близнец. А вы кто?

— Надо же! — вскричала одна из девчонок. — И я Близнец!

— Отлично, тогда зацени вот это: в чем разница между Близнецом и Близнецами?

— И в чем же?

— У Близнеца нет пары!

И они все захохотали, корчась, натыкаясь дуг на друга и проливая вино.

Мы с Карлой долго пробирались через тусовочную толчею, перекликаясь с друзьями и знакомыми, пока вдруг не обнаружили совершенно свободную барную стойку.

— Какой чудесный бар! — сказала Карла в ответ на приветствие бармена. — Полно напитков, все задаром и ни одного клиента.

— К вашим услугам, — сказал бармен.

— Я готова пристрелить как минимум трех человек за бокал шампанского, — заявила Карла, сопровождая эти слова изящным взмахом руки.

— Как скажете, мэм, — ответил бармен. — А вам, сэр?

— Содовую без льда, — сказал я. — Как тут идут дела?

— Как обычно, сэр, — изрек бармен, сама невозмутимость. — В итоге у всех останется лишь два вопроса: «Что я вчера вытворял?» и «Что я вчера пропустил?»

— Если только последней фразой не будет: «Черт возьми, похоже, мне хана», — предположил я.

— Жизнь коротка, — философски заметил этот рослый молодой человек, аккуратно откупоривая бутылку шампанского. — Но она состоит из длинных ночей.

— Вот почему на самом верху так одиноко, — подхватила Карла.

— На самом верху всегда одиноко, — сказал бармен, наполняя бокал, — из-за непроходимой давки внизу.

— Как вас зовут? — спросила Карла.

— Рэнделл, мэм.

347

— Рэнделл, — повторила она и подняла бокал. — Это Лин, а я Карла, и я полностью с вами согласна. Вы откуда родом?

— Мои родители из Гоа, — сказал он, вручая мне стакан с содовой. — Но сам я здешний.

— Мы тоже здешние, пока длится наше пребывание здесь, — сказал я. — Где ты наловчился выдавать сентенции, Рэнделл?

— Это не особо интересная история, — сказал он.

— Может, предоставишь *нам* судить об этом? — спросила Карла.

— Ну, хорошо. Поначалу я просто общался с клиентами, — сказал он, споласкивая стакан. — Задавал обычные вопросы: «Вы здесь по делам? У вас есть дети? Почему вы решили, что жена вас не понимает?» и так далее. А потом начал сводить свою часть диалогов к обобщениям и кратким комментариям. Бармену редко удается вставить в разговор больше одной-двух реплик подряд. Так уж водится, и с этим ничего не поделаешь... Я вам еще не наскучил?

— Нет, — хором откликнулись мы.

— Теперь я уже не ввязываюсь в беседы. Хотя сегодня сделал исключение, во-первых, потому, что моя смена подошла к концу, и, во-вторых, потому, что вы мне понравились. Я сразу приметил вас обоих, как только вы появились на горизонте. У меня чутье на людей, и я никогда не ошибаюсь.

— Полезный дар, всегда пригодится в жизни, — заметила Карла. — Так что там дальше насчет сентенций?

— Я стараюсь подравнивать и формировать беседу своими репликами — примерно как формируют бонсай путем обрезки. В результате остаются только значимые фразы. Так оно лучше: немножко правды и ничего лишнего, потому что правда — это своего рода пароль. Когда люди ее слышат, они открывают вам дверь.

— Рэнделл, — сказала Карла, и ее глаза сверкнули под стать цветному стеклу в витраже, — если ты перестанешь общаться с клиентами и зароешь такой талант в землю, ноги моей больше не будет в этом баре... Кстати, мне нужно повторить.

Бармен наполнил два бокала шампанским, а мне предложил еще один стакан содовой.

— Мой сменщик так и не появился, и я уже полчаса формально не на работе, — сказал он. — Так что имею право выпить в хорошей компании. Предлагаю тост: за то, чтобы слова нас никогда не подвели.

— Не согласна. Слова как таковые не могут подвести. Подводят только люди, их говорящие, — возразила Карла. — А знаешь, Рэнделл, это наш первый за два года совместный тост с Шантарамом, и я думаю, встреча с тобой также была предопределена. Давайте выпьем за нас троих.

Я протянул к ним стакан, но Карла уклонилась от чоканья.

— Нет! Это плохая примета: чокаться водой, — сказала она.

— Да брось ты!

— Я серьезно.

— Ты же сама в это не веришь.

— Даже если ты не веришь в приметы, это еще не повод ими пренебрегать, Лин. Мало тебе нынешних напастей?

— Ладно-ладно, твоя взяла.

— Как всегда.

В этот момент к бару враскачку подвалил новый клиент, ненароком задев Карлу, и наши бокалы звякнули друг о друга.

— Похоже, мы все-таки чокнулись, — сказал я.

Она секунду смотрела на меня, нахмурившись, но затем улыбнулась вновь.

— Это можно исправить, — сказала она. — Скажи новый тост, но сам после него не пей. Тогда дурная примета не сбудется.

— Тост за зеленые глаза: да не омрачится их сияние ничем и никогда!

— Вот за это я выпью охотно, — сказал Рэнделл и отхлебнул из бокала.

— За зеленых ферзей! — сказала Карла, сверкнув улыбкой.

Она подняла бокал, сделала маленький глоток и посмотрела на меня. Это был решающий момент, и мы это понимали. Все оборачивалось лучше некуда.

— Привет, Лин! — внезапно возник рядом Винсон и хлопнул меня по спине крепкой ладонью; Ранвей была с ним. — Рад тебя видеть, старина!

Я все еще смотрел на Карлу. Она продолжала смотреть на меня.

— Винсон, — произнес я, и собственный голос показался мне каким-то чужим и надломленным. — Кажется, вы незнакомы. Это Карла. Карла, это Стюарт Винсон. А это Ранвей, хотя пишется Раннвейг.

— Та самая Карла! — воскликнул Винсон. — Наслышан и чертовски рад наконец-то познакомиться.

— От этого мало толку, — сказала Карла довольно резко.

— То есть... что? — растерянно улыбнулся Винсон.

— Все, что ты обо мне слышал, уже устарело.

— Устарело? Почему?

— Потому что я обновилась.

Винсон рассмеялся:

— Ну надо же! Когда это произошло?

— Это происходит в данный момент, — сказала Карла, глядя ему в лицо. — Можешь последить за процессом, если получится.

Мое сердце споткнулось, как пьяный танцор. Боже, как я ее любил! Она была единственной и неповторимой.

Меж тем Карла повернулась к спутнице Винсона и спросила, как та себя чувствует. Я пригляделся к Ранвей. Бледная и осунувшаяся, она выглядела далеко не лучшим образом.

— Она в полном порядке! — заявил Винсон, приобняв девушку за плечи. — Я сказал ей сегодня: «Ты много чего перенесла, но все это позади. Теперь пора выйти на свежий воздух, повидать людей, развеяться, посмеяться». Говорят, смех — это типа лучшее лекарство.

С этими словами он притянул Ранвей к себе. Ее руки безвольно болтались вдоль тела.

— Как поживаешь, детка? — обратился я к ней.

Она вскинула глаза, и в них блеснули голубые льдинки.

— Я не детка! — отрезала она.

— О... кей.

— Не принимай близко к сердцу, — сказала ей Карла. — Он же писатель. Он воображает себя этаким мудрым старцем, древнее собственного дедушки.

— Ловко ты его поддела! — рассмеялся Винсон.

— Что касается тебя, — сказала Карла. — Убери-ка лапы от девушки, сейчас же!

Оторопевший Винсон разжал объятия и позволил Карле оттянуть Ранвей в сторону.

— Рэнделл, — сказала Карла, — я знаю, что твоя смена уже закончилась, но у нас тут экстренный случай. Мне нужны твои самые чистые бокалы и самые грязные шутки, лишь бы они могли рассмешить.

— Ваше слово для меня закон, мэм, — сказал Рэнделл, и бокалы, как живые угри, замелькали в его руках под струей воды.

— Ни фига себе! — пожаловался мне Винсон. — Она типа забрала мою девчонку.

— А она сейчас уже *твоя*?

— Слушай, старик, — сказал он, расплываясь в улыбке. — Разве я не сказал тебе еще там, в участке, как много она для меня значит? Я, как увидел ее, вмиг потерял голову. Она просто чудо, верно? У меня сердце заходится всякий раз, как я на нее взгляну.

— Она сейчас как выжившая после авиакатастрофы, — сказал я.

— Авиа? Какой... катастрофы?

— Ты понял, что я имею в виду. На днях она проснулась и нашла рядом в постели своего мертвого парня. От такого потрясения быстро не оклемаешься. Сбавь обороты, приятель.

— Да-да, конечно. Я в том смысле... эй, погоди-ка! Уж не подумал ли ты, что я затянул девчонку в постель, пользуясь ее типа бедственным положением? Я... я совсем не такой человек.

— Знаю.

— Я даже не пытался к ней подкатить.

— Знаю.

— И ни за что бы так не поступил.

— Знаю.

— Я совсем не такой человек, — повторил он угрюмо.

Внезапно я почувствовал усталость — этакую сердитую усталость, когда тебя раздражает все вокруг, за исключением чего-то плоского, белого и с подушкой на одном конце.

— Если бы я считал тебя *таким*, я бы тебе не позволил к ней подступиться, да и к любой другой девчонке тоже.

Он ощетинился и расправил плечи, почувствовав себя оскорбленным:

— Готов обсудить это с глазу на глаз в любое время, когда ты будешь в подходящей форме, старина.

— У меня сейчас нет времени на эту фигню, Винсон. Я повстречался с Ранвей еще до тебя, и это я спас ее от тюрьмы — ты не забыл? Все это дает мне право сказать: сдерживай свои порывы и не дави на девчонку. Если тебе не нравятся мои слова и ты предпочитаешь доводы в виде зуботычин, жду через пять минут на стоянке перед отелем.

Мы уставились друг на друга: его задетая гордость против моего раздражения. Таковы мужчины. Мне нравился Винсон, и я нравился ему, но сейчас мы были готовы сцепиться.

— Это когда ты с ней встречался? — спросил он после долгой паузы.

— За день до того случая в полиции.

— Почему ты мне не сказал?

— А почему *она* тебе не сказала? Может, потому, что это тебя не касается? Послушай, мы с ней лишь ненадолго пересеклись на улице перед «Леопольдом». Она там ждала своего приятеля с порцией дури. Спроси ее об этом.

— О'кей, о'кей. Я прежде всего забочусь о ней, разве ты не видишь?

— Конечно вижу. И я рад, что она с тобой. Именно это я и пытался сказать тебе раньше — возможно, не в самых удачных выражениях. Ты славный парень. Я знаю, с тобой она будет в безопасности. Только не торопи события. У нее был друг-любовник. Теперь он мертв. Кто ей сейчас нужен, так это просто друг. Без второй половины этого сочетания. Любовник подождет, пока друг не сделает свое дело. Понимаешь, да?

Он вздохнул и расслабился:

— Да уж! Ты меня раздраконил по делу, Лин. Боже! А я-то подумал...

— Сейчас лучшее, что ты можешь сделать для этой девушки, — это сказать, что ее парень не совершал самоубийства. Она чувствует себя виноватой, хотя ее вины в этом нет. Проблема в наркоте, которая оказалась слишком убойной. Трое юнцов загнулись от нее в те же дни. Можешь навести справки. Скажи это ей и убедись, что она тебя поняла. И это поможет ей прийти в себя.

— Благодарю, — сказал он. — И... сожалею, что вышло недопонимание...

— Я сам виноват. Слишком многим забита голова. Ты не встречал Лизу в эти дни?

— В последний раз я видел ее с каким-то типа художником. Высокий брюнет с прилизанными волосами.

— Понял, спасибо. Это один из ее партнеров по галерее. Если не отыщу ее здесь, уеду домой. Передай это ей, если встретишь, с художником или без. Ну, будь здоров!

— Постой! — сказал Винсон, протягивая руку для пожатия. — Спасибо тебе. Спасибо. Я о том, что... Я позабочусь о Ранвей. То есть...

— Вот и славно, — сказал я, с улыбкой пожимая ему руку, мысленно желая счастья им обоим и сознавая в глубине души, что спокойно смогу обойтись без новых встреч с этой парочкой, лишь бы у них все было хорошо. — Так держать!

После этого я еще раз прошелся по комнатам: всюду кружили вихри пьяного веселья, но Лизы в этой круговерти не наблюдалось. В конце концов я начал пробираться к выходу.

Карла танцевала с Ранвей. Я с минуту постоял, глядя на нее: движения бедер как волны моря, глаза как пение флейты, руки как две коварных змеи. Карла.

ГЛАВА

 32

Когда распахнулась дверь лифта, оттуда навстречу мне вышли Джордж Скорпион, Навин Адэр и Дива Девнани.

— Лин! — воскликнул Навин. — Ты куда это собрался, старик? Праздник только начинается!

— А я уже вконец выдохся, — сказал я, перешагнув порог лифта и держа палец на кнопке, чтобы не дать двери закрыться. — Ты не уделишь мне минуту?

— Пожалуйста, не уходи! — взмолился Скорпион. — Я так хочу услышать твой рассказ о драке в «Леопольде»! Все об этом молчат, а мне страсть как хочется знать.

— В другой раз, Скорп.

— О'кей, мы проводим тебя вниз, — сказал Навин и вернулся в кабину, втянув туда же своих спутников.

Дверь закрылась, и мы начали спуск в компании наших двойников, отражавшихся в зеркальных внутренних стенках.

— Там должна быть одна прелестная девушка из Америки, блондинка с карими глазами, — сказала Дива. — Ты с ней виделся?

— Прелестная девушка ждет меня дома, — сказал я.

— Но эта девушка...

— Хватит уже, Дивья! — раздраженно прервал ее я.

— Что-что, а галантность из тебя так и прет, кавалер хренов! — огрызнулась она. — Любую даму сразишь наповал.

— Пардон, это вышло грубо...

— Беру американку с карими глазами на себя, — внезапно заявил Скорпион.

Мы все повернулись к нему.

— Ну, то есть... если Лин не хочет... раз уж ты надумал уходить...

— А ты неслабо прифрантился, Скорпион, — заметил я.

Его обычно растрепанные волосы теперь были собраны в хвостик на затылке, а наряд состоял из желтой рубашки, новых джинсов, ремня с серебряной пряжкой и ковбойских сапожек. На безымянном пальце красовался перстень с ониксом и золотым изображением древнегреческого шлема.

— Как считаешь, не перебор? — спросил он с беспокойством, разглядывая себя в лифтовом зеркале. — Это была идея Дивы. Она...

— Все отлично, — сказал я. — Ты выглядишь на миллион баксов. Молодчина, Дивья.

— На *тридцать пять* миллионов, если быть точным, — поправила она. — И зови меня Дивой, сколько можно напоминать? Если еще раз назовешь меня Дивьей, клянусь, я врежу тебе по яйцам. Учти, я достаточно низкая и достаточно злобная, чтобы это сделать.

— Это совсем не пустая угроза, — предупредил Навин.

— О'кей, отныне ты для меня только Дива.

Я посмотрел сверху вниз на это миловидное, гордо вздернутое личико. Она была ниже среднего роста и так привыкла ходить на высоченных каблуках, что для ее осанки стал характерен легкий наклон вперед с упором на подушечки пальцев. Как следствие, походка ее напоминала движения леопарда, выслеживающего добычу. Мне это очень нравилось, как нравилась и Дива в целом, но сейчас я хотел лишь одного — вернуться домой.

Дверь открылась на первом этаже, я шагнул в холл и обернулся к остальным.

— Есть шанс, что мы тебя все же уговорим? — спросил Навин.

— Только не сегодня.

Я притянул его поближе и перешел на шепот:

— Насчет той стычки в «Леопольде»: я благодарен тебе за поддержку, Навин.

— Как соберешься отдавать должок, рассчитывай на меня, — ответил он так же тихо.

— Идет. И вот еще что: если Дидье попросит тебя о какой-либо помощи, выполни его просьбу, будь другом. Он взялся оберегать Лизу в мое отсутствие.

— Ты уезжаешь?

— Ненадолго. Я с тобой свяжусь сразу по возвращении.

— *Тхик.*

— Не забывай о галантности, Скорп, — сказал я в полный голос, когда Навин отступил вглубь кабины и встал рядом с Дивой. — Ты теперь кавалер хоть куда.

— Это намек на кареглазую блондинку?

— Я о дамах вообще.

Двери закрылись, и лифт унес их обратно на вечеринку в пентхаусе.

Я вернулся к своему байку, дал чаевые охранникам и выехал со стоянки под проливной дождь. Прежде чем направиться домой, я дважды прокатился вдоль берега из конца в конец Мариндрайв, успокаиваясь под секущими прохладными струями.

Тогда я еще не знал, что этот очистительный ливень, падавший каплями размером с цветочный бутон, окажется последним в этом сезоне муссонным натиском на Бомбей. Тяжелые тучи, залившие осадками улицы островного города и вызвавшие к жизни буйную поросль на каждом клочке незаасфальтированной земли, уплывали на юг в сторону Мадраса, чтобы потом зацепить Шри-Ланку и кануть в просторы океана, где они и зародились.

Прыгая через ступеньки и стряхивая воду на пятнисто-белый мрамор пола, я взбежал на свой этаж. Лизы в квартире не оказалось.

Я снял промокшие ботинки и одежду, очистил и промыл дезинфицирующим средством раны на лице, а затем встал под холодный душ, тугие струи которого обрушились на меня, как Божья кара на грешника.

К моменту появления Лизы я уже покончил с мытьем, вытер-ся, надел все сухое и занимался приготовлением кофе.

— Лин! Где тебя черти носили! Ты в порядке? О боже, дай мне осмотреть твое лицо.

— Все нормально. А ты сама как? Здесь было спокойно?

— Ты, наверно, гордишься собой?

— Что?

Она толкнула меня в грудь обеими руками, а потом запусти-ла в меня металлической вазой, схватив ее со столика. Я увер-нулся, и ваза врезалась в стеллаж, с которого на пол посыпались всякие безделушки.

— Снова явился домой весь избитый!

— Я...

— Снова разборки на улицах! Да когда же ты, наконец, по-взрослеешь?

— Я не...

— Стреляешь по людям в «Леопольде»! Ты что, совсем уже офонарел?

— Я не стрелял...

— Лазишь по горам вместе с Карлой!

— А-а, так вот из-за чего весь этот сыр-бор.

— Конечно из-за этого! — крикнула она и запустила в стел-лаж массивной пепельницей, после чего вдруг разрыдалась, а по-том столь же внезапно прекратила рыдать и села на диван, сло-жив руки на коленях. — Все, я уже успокоилась, — сообщила она.

— О'кей...

— Я спокойна.

— О'кей.

— Дело вовсе не в тебе.

— Согласен.

— Я серьезно.

— Лиза, я и понятия не имел, что она окажется там. Но раз уж ты упомянула Карлу, есть кое-что...

— Ох, Лин! — вскричала она, глядя на упавшие со стелла-жа предметы. — Взгляни, что с твоей саблей! Я этого не хотела, прости.

В числе вещей, поврежденных ее бомбардировкой, оказалась и сабля Кадербхая — та самая, что досталась мне по завещанию, хотя должна была принадлежать Тарику, его племяннику и на-следнику. Сабля была сломана: рукоять отлетела от клинка и рас-палась на две части, которые валялись на полу рядом с ножнами.

Я поднял обломки, удивляясь странной хрупкости оружия, прошедшего через битвы с британцами во время англо-афган-ских войн.

355

— Ты сможешь ее починить? — озабоченно спросила Лиза.

— Займусь этим после возвращения, — сказал я, убирая обломки в шкаф. — Завтра я уезжаю в Шри-Ланку, Лиза.

— Лин... нет!

И я снова отправился в ванную под успокоительно-прохладный душ. Лиза приняла душ сразу после меня, пока я обтирался. Я меж тем осмотрел себя в зеркале и залепил пластырем жутковатую ссадину на щеке, оставленную свинчаткой Конкэннона.

Лиза меж тем говорила без умолку: предупреждала об опасностях, связанных с поездкой в Шри-Ланку, пересказывала последние известия о тамошних ужасах (почерпнутые из газеты Ранджита), объясняла, что мне нет нужды это делать и что я ничего не должен Компании Санджая — ничего, ничего, ничего...

Когда она умолкла, я перехватил инициативу и, в свою очередь, попросил ее на время покинуть Бомбей, а потом рассказал, ничего не утаив, о стычке в «Леопольде». Напоследок предупредил, что эта проблема сама собой не уладится, пока я не приду к какому-то соглашению с Конкэнноном.

— Да уж, нагнал ты жути, — сказала она. — Теперь снова моя очередь?

Я полулежал на постели, привалившись спиной к подушкам. Она стояла у дверного косяка, скрестив руки на груди.

— О’кей, Лиза, твоя очередь.

— Раз уж я не могу отговорить тебя от поездки, самое время обсудить другие вещи.

— Вообще-то...

— Все женщины любопытны, — продолжила она. — Кому, как не писателю, это знать.

— И о чем любопытствуют женщины?

— Обо всем, — сказала она, ложась рядом и кладя руку на мое бедро. — Например, обо всем, что ты мне никогда не рассказываешь. О чем ты не рассказываешь ни одной женщине.

Я нахмурился.

— Вот смотри, — продолжила она. — Говорят, что женщины эмоциональны, а мужчины рациональны. Чушь это все. Если бы вы смогли взглянуть на собственные поступки с *нашей* точки зрения, вы бы ни за что не назвали их рациональными.

— Допустим.

— А вот женщины на самом деле вполне рациональны. Им нужна определенность. Им нужен прямой ответ на прямой вопрос. Типа ты за или ты против? Женщины хотят знать наверняка. Недомолвки говорят о недостатке смелости, а женщины любят смелых и откровенных мужчин. Тех, кого можно читать, как открытую книгу, извини за литературную метафору.

— Извинение принято. А теперь скажи прямо и откровенно: о чем идет речь?

— О Карле, разумеется.

— Так ведь я и пытаюсь рассказать...

— О тебе и Карле, — подхватила она. — О Карле и тебе. О том, что было на той горе и под горой. Я все понимаю. И не собираюсь истерить по этому поводу.

В этот миг я понял совершенно отчетливо, что между нами все кончено: две очень разные личности, два образа жизни, два мировоззрения все больше отдалялись друг от друга в круговороте бытия, ощущая только фантомные прикосновения там, где прежде был живой контакт.

— Я не могу от этого избавиться, Лиза, — сказал я. — Дело не в Карле, а во мне самом, и я...

— Мы с Карлой пришли к пониманию на твой счет, — быстро сказала она.

— К пониманию?

— Да, когда мы с ней встречались в «Каяни». До тебя так и не дошло?

Вспомнилась фраза Фейнмана[1]: «Если вам кажется, что вы понимаете квантовую теорию, то вы не понимаете квантовую теорию». То же самое я мог сказать о разговоре с Лизой.

— Ты можешь пояснить?

— Сейчас речь не о ней и не о тебе. Сейчас речь обо *мне*.

— Так ведь я к этому и веду.

— Ничего подобного. Ты говорил о себе и о Карле. Отлично. Вопросов нет. Но *это* в первую очередь касается меня.

— Что... *это*?

— Этот разговор.

— Но разве не я его начал?

— Нет, его начала я, — решительно заявила Лиза.

— А где был я, когда ты его начинала?

— Суть вот в чем: ты не можешь одновременно любить двух женщин, Лин. То есть по-настоящему любить. Такое никому не под силу — ни ей, ни тебе, никому. Я это поняла, наконец-то поняла. Какой бы ни выглядела такая попытка — печальной, романтичной, нелепой, пугающей или прекрасной, — она обречена. Но сейчас речь не о Карле и не о тебе. Речь обо мне. Теперь *мой* выход на сцену, Лин.

— Хорошо. И что ты скажешь?

— Я скажу *все*.

---

[1] *Фейнман*, Ричард Филипс (1918–1988) — американский физик-теоретик, лауреат Нобелевской премии (1965).

— Ты не могла бы начать заново, по порядку?

Она смотрела глаза в глаза, не давая мне отвести взгляда:

— Я начала с того, что женщинам нужна определенность. Что тут непонятного?

— Да, это я понял.

— И когда они знают всю правду, они справятся с чем угодно.

— Справятся... с чем, например?

— Хватит уже себя изводить, Лин. Спору нет, в этом деле ты мастер. Ты мог бы взять приз на конкурсе самоистязателей, если бы такие конкурсы проводились. И мне даже нравится это твое свойство, но здесь оно совершенно не к месту. Я хотела обсудить наш разрыв, — полагаю, ты должен знать, почему я от тебя ухожу.

— Я... конечно... Что?!

— Уверена, ты сам все понимаешь.

— Может, мне *изобразить* понимание?

— Не придуривайся, Лин.

— Это не дурачество, это растерянность.

— Ладно. В двух словах: мне надоело тебя оправдывать.

— Оправдывать перед твоими друзьями или перед моими врагами?

— Мне наплевать на все, что о тебе говорят посторонние, — заявила она. — Я даже слушать их не буду. Дело в другом. Больше всего мне не нравится в твоей нынешней жизни то, что *тебе* нравится такая жизнь.

— Лиза...

— Тебе нравится держать в ящике стола пару пистолетов, шесть поддельных паспортов и шесть пачек разных валют. Только не надо утверждать, что все это необходимо на крайний случай. Ты слишком умен для таких отговорок. И я слишком умна для этого. Суть в том, что тебе это по душе. Очень даже по душе. И я больше не хочу придумывать для тебя оправдания, чтобы самоуспокоиться. *Таким* ты мне не нравишься, не можешь понравиться и не понравишься никогда. Извини.

Каждый из нас — сам себе темница. Мне следовало бы сказать ей о своем уходе из Компании Санджая. Сказать, что поездка в Шри-Ланку — это мой пропуск на волю. Я уже начал избавляться от того, что ей во мне так не нравилось. Конечно, это не изменило бы ее решение, однако она имела право это знать. Но каждый из нас — сам себе темница. И я промолчал.

— А вот Карле ты как раз таким и нравишься, — сказала она как бы между прочим. — Думаю, такой Лин нравится ей даже больше, чем ты нравишься сам себе.

— Где ты всего этого набралась, Лиза?

Она отрывисто хохотнула:

— Ты точно хочешь это знать?

— Тебе еще не надоело жонглировать этими «знать — не знать»?

Она уселась на постели, скрестив ноги. Светлые волосы были собраны в хвост, который подрагивал и раскачивался в такт словам.

— Ты помнишь Риша, одного их моих партнеров на выставке?

— Сколько партнеров у тебя сейчас?

— Шесть. Так вот, он...

— Шесть?

— Да, и он...

— Шесть?!

— Так вот, Риш подолгу медитировал...

— О, только не это!

— ...и много занимался йогой...

— Хватит, Лиза, остановись. Если ты скажешь, что за всеми твоими заморочками стоит какой-нибудь гуру, мне придется набить ему рожу.

— У меня нет гуру. Правда, он есть у Риша, но не в нем дело. *Это* я узнала не от гуру и не от Риша. Кажется, это сказала какая-то женщина. Не помню, кто она и как ее зовут. Дело было так: Джонни Сигар всучил мне книгу по самосовершенствованию и в тот же самый день точно такую же книгу мне подарил Риш. И в этой книге цитировалась та самая фраза, которую сказала та самая женщина.

— Какая фраза?

— Та, которую Риш от кого-то услышал и пересказал мне.

— Да что за фраза, в конце концов?

— «Подспудное чувство досады питается нашими неудовлетворенными потребностями и желаниями», — продекламировала она. — Собственно, эту мысль я и пыталась до тебя донести.

Я повторил фразу про себя. Худший — и зачастую превалирующий — из писательских инстинктов заключается в попытке с ходу найти изъян в эффектной фразе, написанной или произнесенной кем-то другим. Я никаких изъянов не обнаружил.

— Недурно сказано, — заключил я.

— Недурно?! Да она достойна Нобелевской премии как «самая забойная фраза года».

— О'кей, — улыбнулся я.

— Скажу так: она буквально разорвала мое сознание, Лин. Столько глубинного смысла! Я вдруг отчетливо поняла, почему в последние месяцы не нахожу себе места от досады и раздражения. Меня это чувство прямо наизнанку выворачивало, можешь себе представить? Вплоть до того, что меня начали раздражать самые банальные мелочи, которые прежде казались милыми пустяками.

— Какие мелочи?

— Да какие угодно.

— А именно?

— Я об этом уже не раз говорила, точнее, ворчала себе под нос, — призналась она.

— Разве ты ворчала?

— Да.

— Себе под нос?

— Я думала, ты это слышал, хотя бы пару раз.

— Наверно, когда ты ворчала в мой адрес?

— Да.

— Например?

— Ну, для начала...

— Нет, не говори. Я не хочу этого знать.

— Тебе это может помочь в работе над собой, — предположила она.

— Не стоит. Надо мной уже кто только не поработал. Давай дальше. Итак, ты ворчала себе под нос.

— Понимаешь, — продолжила она, машинально разглаживая покрывало перед собой, — когда я услышала эти слова про подспудное чувство досады, я сразу поняла, как нужно *думать* о том, что ты *чувствуешь*. Улавливаешь мою мысль?

— «Думать о том, что чувствуешь»... В общих чертах, да.

— И это стало как бы рамой для моего автопортрета. Я поняла, в чем заключалась моя неудовлетворенная потребность. Я поняла, каким было мое неудовлетворенное желание. А когда я поняла это, я поняла *все вообще*.

— Можешь уточнить насчет потребности, если не секрет?

— Это потребность быть свободной от тебя, — сказала она тусклым голосом, глубоко вдавливая кулаки в постель.

— От меня отказаться легче, чем от сладкого.

— Я теперь легко обхожусь и без сладкого. — Она нарисовала пальцем круг на покрывале. — Мне не нужно ничего подслащать, особенно то, что я говорю самой себе.

— Ясно. А что с твоим неудовлетворенным желанием?

— Я хочу на все сто процентов жить *в настоящем времени*. Я хочу *быть* конкретным моментом вместо того, чтобы глядеть со стороны, как этот момент пролетает мимо. Ты ведь понимаешь, о чем я, да?

— Возможно.

— Настоящее время. *Этот* момент. *Мой* момент. *Все* моменты. Вот чего я хочу. Понимаешь?

ТЕНЬ ГОРЫ

— Ты в настоящем времени. Я понял. Клянусь, Лиза, если в этом замешан какой-то гуру...

— Я сама пришла к этому. Я сама.

— Значит, это и есть твое желание?

— Это начало его исполнения, в чем я абсолютно уверена.

Она была неколебима. Она была великолепна.

— Что ж, если таково твое желание, я его приветствую, Лиза.

— Правда?

— Конечно. Ты вольна делать все, что угодно, если это тебе по душе.

— Ты правда так думаешь?

— Да, и это здорово, Лиза.

— Я знала, что ты меня поймешь, — вздохнула она, расслабляясь. — Я хочу иметь свое личное настоящее, все мгновения которого принадлежит только мне, вместо однообразного постоянства, когда ты делишь каждый свой миг с мгновениями других людей.

«Однообразное постоянство, когда ты делишь каждый свой миг с мгновениями других людей» — это было на редкость точное и образное определение тюрьмы.

— Продолжай, я внимательно слушаю.

— Я хочу узнать, каково это: быть самой собой, ни с кем другим себя не деля.

— Удачи тебе в этом, Лиза.

Она улыбнулась, а затем утомленно вздохнула:

— Можешь считать меня эгоисткой, но это не так. Я поступаю во благо не только себе, но и во благо вам с Карлой. Это прозрение помогло мне впервые отчетливо увидеть всех нас и понять, насколько вы с ней похожи и как сильно вы двое отличаетесь от меня. Понимаешь?

Я понимал. На свой манер — сумбурно, но с добротой и любовью — она утверждала, что мы с Карлой созданы друг для друга: острые грани Карлы идеально вписывались в мои глубокие шрамы. Справедливая или нет, утешительная или больно ранящая, сейчас эта мысль все равно не имела значения, потому что *настоящие* минуты принадлежали не нам с Карлой — они всецело принадлежали Лизе.

В падении или на взлете наши поступки и наш выбор принадлежат только нам, как оно и должно быть. Решительно сделав свой выбор, Лиза достигла этого состояния незамутненной безмятежности и теперь пребывала в нем наедине с собой: свободная, целеустремленная, отважная и полная надежд.

— Да, *новая ты* — это нечто, — признал я.

— Спасибо, — тихо сказала она. — И *новая я*, порвавшая со *старым тобой* и не желающая делить постель с *новым тобой*, намерена отныне ночевать в гостевой спальне.

— Нет проблем, — рассмеялся я, — если только твой *настоящий момент* не сочтет это слишком компрометирующим.

— Обойдется, — сказала она совершенно серьезно и пристроилась рядом, положив голову мне на грудь. — Но я считаю, раз уж мы живем порознь под одной крышей, надо установить кое-какие правила.

— Угу.

— Типа как при ночевке в гостях. Точнее, когда гости остаются на ночь.

— Гости на ночь? Похоже, твое «ни с кем не делимое „я"» скучать не собирается.

— Надо придумать какой-то условный знак.

— Условный знак?

— Ну да, что-то понятное только нам двоим. Вроде садового гномика: если он стоит слева от двери, один из жильцов имеет ночного гостя, а если справа, то никаких гостей нет.

— У нас нет садового гномика. И сада у нас тоже нет.

— Можно использовать фарфоровую кошку, которая тебе не нравится.

— Я этого не говорил. Как раз наоборот, она мне очень нравится. Другое дело, что я как будто не очень нравлюсь ей.

— Да, и вот еще что: я прошу тебя на полгода забыть об арендной плате.

— Секундочку, давай сперва внесем ясность в эти кошачьи условности. Ночной гость — это кошка слева или кошка справа?

— Кошка слева. И на время забудь об арендной плате.

— Я заплатил за квартиру на год вперед, Лиза.

— Да нет же, я прошу забыть о *моей* плате тебе, за аренду гостевой комнаты. Я буду платить по рыночным расценкам. И не спорь, я категорически настаиваю. Однако сейчас я вложила все свои средства в новое шоу и сижу на мели. Так что месяцев шесть я не смогу тебе платить.

— Даже не думай о плате.

— Нет, я *буду* платить, это принципиально, — сказала она, тыча меня кулаком в ребра.

— Даже не думай.

Она повторила удар.

— Так и быть, сдаюсь. Я согласен брать с тебя плату за комнату.

— И еще... мне нужен аванс, — добавила она.

— Аванс?

— Да.

— Но ты на меня не работаешь, Лиза.

— Да, но я ненавижу слово «заем». Оно мне напоминает жалобный скулеж побитой собаки. Отныне я решила, что всякий раз, когда мне потребуется заем, я буду просить аванс. Это слово как-то больше вдохновляет.

— Аванс-гардный подход, — одобрил я.

— Но я пока что не смогу оплачивать счета за еду, электричество, телефон и стирку. Каждое пенни из моего аванса заранее учтеное и пойдет на другие цели.

— Ясное дело.

— Но я обязуюсь внести свою долю по этим счетам, как только у меня появится свободный остаток средств после получения следующего аванса.

— Превосходно.

— Еще мне потребуется машина, но об этом поговорим уже после твоего возвращения.

— Так и сделаем. Ты закончила с новыми правилами?

— Есть еще одна деталь.

— Выкладывай.

— Не знаю даже, как сказать. Я...

— Говори как есть.

— Отныне я *не буду* готовить для тебя еду, — заявила она и так сильно надула губы, что они вывернулись наизнанку.

За два года совместной жизни она только три раза готовила дома еду, и во всех случаях результат был, мягко говоря, не очень.

— О'кей.

— Раз такие дела, скажу тебе начистоту: я ненавижу готовить. Терпеть не могу. Я занималась этим только в угоду тебе. И каждый раз это было для меня сущей каторгой, от начала и до самого конца. Впредь я этим заниматься не намерена. Извини, но этот вопрос больше не обсуждается, даже в качестве соседей по квартире.

— О'кей.

— Я не хочу тебя обижать, но и не хочу, чтобы ты обманулся в каких-то своих ожиданиях. Я сейчас тоже полна ожиданий, это часть моего процесса трансформации, но я стараюсь их пригасить, пока они не обернулись...

— Подспудным чувством досады? — догадался я.

— Именно так! О боже, мне сразу полегчало. А тебе?

— Я хорошо себя чувствую, — сказал я.

— Правда? Это для меня очень важно. Я не хочу, переходя в *настоящее время*, тянуть за собой груз вины и стыда. Мне важно знать, что ты не против этой перемены во мне и что ты видишь в этом и хорошую сторону.

Хорошая сторона — это лишь половина правды, а правда — лишь половина истории. Меньшая часть меня была возмущена ее непомерными запросами: она хотела забрать слишком многое из того малого, что еще оставалось общего между нами. Но моя бо́льшая часть давно это предвидела и скрепя сердце принимала неизбежность нашего расставания. И потом, была еще Карла, всегда была Карла. Поэтому я не имел права омрачать минуты Лизиного счастья. Хорошая сторона — это лишь половина правды, а правда — лишь половина истории.

— Мне хорошо, Лиза. Я только хочу, чтобы ты была счастлива.

— Я очень рада, — сказала она, с улыбкой глядя на меня из-под ресниц. — Я так боялась этого объяснения.

— Почему? Когда такое было, чтобы я тебя не выслушал или не поддержал?

— Дело не в этом. Все гораздо сложнее.

— А именно?

— Есть другие вещи и другие люди.

— Какие вещи, Лиза? Какие люди?

— Я не хочу говорить об этом сейчас.

«Женщины хотят знать, — подумал я, вспомнив ее фразу. — Но и мужчины этого хотят в неменьшей степени».

— Не упрямься, Лиза...

— Послушай, ты завтра утром уезжаешь, и я хочу, чтобы после сегодняшних откровений мы расстались, чувствуя себя счастливыми, о'кей?

— Ладно, будь по-твоему.

— Я сейчас счастлива, Лин, и не хочу сбиваться с этого настроя.

— Через неделю я вернусь, и мы продолжим этот разговор. Если будет нужна моя помощь, только попроси. Если захочешь переехать, я все устрою и заплачу за аренду на год вперед. Никаких проблем.

— Знаешь, а ты и вправду изменился, — задумчиво промолвила она.

— По сравнению с чем?

— По сравнению с самим собой двухлетней давности.

Она посмотрела на меня с выражением, которое я не сразу смог разгадать. Но потом понял: это была нежность — причем тот особый вид нежности, какую мы приберегаем для самых дорогих друзей.

— Ты помнишь наш первый поцелуй? — спросила она.

— Да, в Афганской церкви[1]. Нас выгнали вон и чуть не арестовали.

— Интересно, каким нам запомнится наш последний поцелуй, — сказала она, наклоняясь ко мне.

Мы поцеловались, но поцелуй растворился в шепоте, и мы продолжили тихо беседовать, лежа рядом в темноте, пока не утих шум дождя за окном. Когда она заснула, я встал и начал готовиться к отъезду.

Я спрятал пистолеты, патроны, ножи, часть паспортов и несколько пачек денег в потайное отделение, которое ранее сделал на задней стороне тяжелого комода. Деньги для Лизы я положил в верхний ящик буфета, где мы обычно держали наличку на текущие расходы.

Покончив с этим и собрав дорожную сумку, я подошел к окну и уселся в плетеное кресло, купленное для Лизы, — оно было достаточно высоким, чтобы можно было сидя обозревать улицу внизу.

Мимо нашего дома медленно прошел последний разносчик чая, позвякивая велосипедным звонком, чтобы привлечь внимание дремлющих сторожей. Понемногу это «дзинь-дзинь» удалялось, пока улица не погрузилась в тишину.

Все живое вращается вокруг сердца Судьбы, как планеты вокруг солнца. Ранджит, Викрам, Деннис Спящий Баба, Навин Адэр, Абдулла, Санджай, Дива Девнани, Дидье, Джонни Сигар, Конкэннон, Винсон, Ранвей, Скорпион, Близнец, Шри-Ланка, Лиза — мои мысли блуждали, как парусник по кругосветным морям, и лишь одна звезда светила мне с черного неба: Карла.

Лиза еще спала, когда я ушел на рассвете. Ощущая прилив бодрости после сердечного раскаяния перед самим собой, я шагал к ближайшей стоянке такси. В неверном утреннем свете моя тень игривой собачкой металась по асфальту. Сонный таксист нехотя согласился везти меня за двойную плату. Пустынные улицы, по которым мы проезжали, были залиты ясным, чистым светом.

Вокзал, этот языческий храм Бомбея, без устали гнал по артериям-переходам носильщиков, пассажиров и грузы — и у каждого была своя исключительно важная цель, и каждое место в вагоне имело свою судьбоносную ценность.

Когда мадрасский экспресс отошел от перрона и набрал скорость, за моим окном замелькали испещренные лужами улицы

---

[1] *Афганская церковь* — англиканская церковь в Мумбаи, построенная британцами в память о погибших в ходе Первой Англо-афганской войны (1839–1842).

пригородов, а затем, по выезде из урбанистической серости, поплыли пейзажи зеленых долин и холмов.

«Вновь-и-вновь, вновь-и-вновь, вновь-и-вновь», — отбивали ритм колеса вагона. Мне было хорошо, точнее — хорошо и плохо одновременно. Мое сердце отстукивало вопросы; мое сердце подавало команды.

Поездка на Шри-Ланку представлялась рискованным предприятием, в этом Лиза была права. Но Абдулла договорился с Санджаем, выторговал у него мою свободу в обмен на эту миссию, которую я давно обещал выполнить. Если подумать, еще одна миссия, подобная полусотне выполненных мною ранее, была невеликой платой за «чистый» уход из Компании.

Я порадовался за Лизу, за ее свободу от меня — если она хотела именно этого. Я испытывал к ней прежние теплые чувства, сдобренные беспокойством, но уже начал привыкать к тому факту, что она меня оставила раз и навсегда, — она меня оставила, тогда как я вступил на тропу войны.

Лиза нашла свою правду, как и я нашел свою. Я любил Карлу и уже не мог полюбить другую женщину.

И для меня не имело значения, какие интриги она замышляла — то ли вместе с Ранджитом, то ли против него. Не имело значения ее замужество, как и мои неудачные попытки найти любовь в другом месте. Не имело значения, перерастет ли ее отношение ко мне во что-то большее, чем просто дружба. Я любил ее, и это было навсегда.

Мне было хорошо, и мне было плохо — и лишь одна, последняя плохая миссия отделяла меня от чего-то лучшего.

«Вновь-и-вновь, — пели колеса, — вновь-и-вновь, вновь-и-вновь». Поля, фермы и городки проносились за окном поезда, и небесная пелена накрыла дальние горы последним в этом сезоне дождем.

Часть
шестая

ГЛАВА

 33

Луны не было. Облака спрятались, напуганные темнотой. Яркие искры звезд обжигали изнанку опущенных век. Ветер играючи обвевал палубу, радуясь нашему появлению на безбрежной глади океана; судно не скользило по поверхности, а мерно, как пловец, рассекало гребни волн.

Три дня я и семьдесят семь моих спутников ждали в Мадрасе именно такой ночи. Дни ожидания сжались в минуты — в минуты до полуночи, в минуты до пересадки с нашего судна в утлые лодчонки, в минуты до пути по грозному океану.

Волны лизали нос корабля, просоленные ленты тумана тянулись к корме, где я, в темно-синих штанах и куртке, казался еще одним темным тюком на темной палубе.

Судно, вздыхая на волнах, скользило между мглистой ночью и сумрачной водой, а я смотрел на звезды.

Обычно океанские торговые суда над ватерлинией выкрашены белым, светло-желтым или кремовым, чтобы при поломке двигателя или бреши в днище спасатели заметили корабль издалека — с моря или с воздуха.

«Митратта», грузовое судно водоизмещением пятьдесят тысяч тонн, зарегистрированное в Панаме, сверху донизу была выкрашена темно-синим; темно-синий брезент покрывал палубу и надстройки.

Капитан управлял судном при свете приборной панели. В темноте огоньки казались крошечными существами, ныряющими в волнах.

Люди жались друг к другу штабелями грузов — да мы и были грузом. Те, кого перевозят тайно, украдкой везут с собой свои мечты. На палубе тихо шелестели голоса, но слов было не разобрать — шепот звучал тише плеска волн. Беженцы, спасаясь от войн и кровавой резни, овладели искусством тишины.

Внезапно мне захотелось с кем-то поговорить. По качающейся палубе я подошел к беженцам и улыбнулся, блеснув зубами в темноте. Меня встретил ответный блеск зубов.

Я сел рядом. Люди снова зашептались.

Говорили они по-тамильски, я не понимал ни слова. Тихие голоса обволакивали коконом, нежные звуки тенями скользили по выкрашенной стальной палубе.

Ко мне подошел кто-то, неразличимый в темноте, присел на корточки: Мехмуд, которого все звали Мехму, мой связной на судне.

— Война молодых, — негромко произнес он, глядя на тамилов. — Независимое тамильское государство на Шри-Ланке — идея старая, но умирают за нее юнцы. Пойдем?

— Да.

Я последовал за ним на ют.

— Они тебе не доверяют. — Мехму прикурил две сигареты, вручил одну мне. — Ничего личного. Тебя не знают, зачем ты здесь — непонятно. Положение у них тяжелое и становится еще тяжелее, поэтому подозревают всех, даже друзей.

— Ты в каждое плавание на этом корабле выходишь?

— Да. Выгружаем законный товар, а потом я возвращаюсь в Мадрас.

— Нет, каждый месяц я к такому не готов. Здесь патрульные катера постоянно шныряют, с серьезными пушками.

Он еле слышно рассмеялся:

— Что ты знаешь о тамилах-мусульманах на Шри-Ланке?

— Почти ничего.

— Погромы. Почитай на досуге.

На этот раз в его смехе сквозила печаль. Мехму выпрямился.

— Твое золото и паспорта помогут, — объяснил он. — Мы вызволяем людей из тюрьмы, вывозим их с Шри-Ланки, чтобы они поведали всему миру о том, что происходит. Для посторонних это всего-навсего еще одна гражданская война. Для нас это война, которую начали другие, но сражаться приходится нам. Для нас дело не в национальной принадлежности, а в вере.

И снова вера... Я занимался контрабандой не из-за идеи и не из благородных побуждений, а из корысти. О своей цели я думал со стыдом, ведь человек рядом со мной рисковал жизнью ради своих убеждений.

Я вез стограммовые золотые слитки, переплавленные из украшений, — Компания Санджая завладела ими обманом и вымогательством. На слитках — и на мне — лежал кровавый отпечаток насилия: ничего благородного, ничего чистого.

И все же во мне оставался хрустальный, хотя и запятнанный, осколок веры. Я не считал задание священной миссией, но темное судно несло нас с Мехмудом к одной и той же темной войне. Для меня это была война одиночки — борьба за свободу от бандитов, которых я когда-то считал братьями.

Вера — это бесстрашное убеждение; свобода — высшая ступень веры. На душной палубе, под обжигающе-яркими звездами, слушая молитвы — на арабском, на хинди, на английском, сингальском и тамильском, — я уверовал в освобождение.

— Дай мне пистолет, Мехму, — попросил я.

Он, задрав свитер, показал пистолет за поясом — «браунинг хай-пауэр», стандартное оружие офицеров индийской армии. Продажа этих пистолетов строго запрещалась, поэтому за них приходилось платить втридорога.

Мне очень хотелось, чтобы тридцатилетний Мехму, ловкий, смышленый и свободно говоривший на шести языках, поехал со мной на Шри-Ланку. Меня прельщала его уверенность, но совершенно не прельщало его оружие.

— Ну у тебя и пушка!

— Да, несколько вызывающе, — признал он, огляделся и протянул мне пистолет и обойму патронов.

— Несколько вызывающе? Выпирает, как зебра в табуне лошадей.

Я осмотрел пистолет и поставил его на предохранитель.

— Если попадешься с оружием, то лучше уж с этим, — объяснил Мехму. — Любой другой пистолет — и тебя запутают, а потом сбросят в море с вертолета. Кстати, примерно в этих краях.

— А в чем разница?

— Этот пистолет дает тебе шанс. Индийские военные держат остров под контролем. Там сейчас много наемников — американцы, израильтяне, южноафриканцы, все под прикрытием индийской контрразведки, Отдела исследований и анализа. Если тебя схватят военные, всегда можно выдать себя за агента спецслужб. Гарантии нет, конечно, но многим удается выкрутиться. Ну, дикий Восток, сам понимаешь.

— Значит, я обзаведусь пушкой, чтобы ее наверняка заметили, а потом прикинусь, что я на их стороне, и, в сущности, начну работать на них, если меня оставят в живых?

— А что, бывает и такое, — пожал плечами он. — Часто.

— Мехму, дай мне ствол поменьше. Я не на антилоп буду охотиться. Главное — шуму побольше наделать и сбежать поскорее. Если поймают, пистолет выброшу и признаваться не стану. Лучше так, чем на них работать.

— Ствол поменьше, говоришь... — задумчиво произнес он. — Знаешь, если остановить противника можно только выстрелом прямо в глаз, то как-то ненадежно.

Я молча уставился на него.

— Ствол поменьше... — повторил он и шмыгнул носом. — Из ствола поменьше только прямо в глаз, дружище, иначе нельзя. Толку будет как от щебня.

— Да что ты говоришь.

— А вот и говорю. Бывает и такое. Часто.

— У тебя есть что поменьше или нет?

— Есть, — протянул он. — Готов меняться?

— Сначала покажи.

Он достал из кармана коробку патронов и автоматический пистолет двадцать второго калибра — оружие, которому самое место в женской сумочке, рядом с тюбиком помады, флаконом духов и кредитной картой. Дамский пистолетик.

— Сгодится.

Мы обменялись пистолетами. Я проверил свой и уложил в карман куртки.

— Обмотай полиэтиленом, — посоветовал Мехму, засовывая браунинг за пояс штанов. — И изолентой закрепи.

— Чтобы не промокло?

— Бывает и такое. Часто.

— Да неужели?

— Ты что, первый раз контрабанду гонишь?

Я нелегально провозил паспорта и золото в девять стран, но прежде всегда самолетами «Чехословацких авиалиний» — они единственные в Бомбее продавали билеты за рупии, а досматривали только на наличие оружия. Все остальное — от золотых слитков до пачек наличных — их не интересовало. Самолеты «Чехословацких авиалиний» возвращали граждан Чехословакии на социалистическую родину, а до транзитных пассажиров никому дела не было.

— Раньше я летал — туда-обратно за трое суток оборачивался. На кораблях мне не с руки.

— Не любишь корабли?

— Я власть не люблю, на море или на суше.

— Власть?

— Власть. Абсолютную власть. Закон моря.

— Капитана, что ли?

— Знаешь, последним по-настоящему свободным кораблем был «Баунти»[1].

Из-за тюков на палубе доносился хриплый шепот. Люди поднимались, шевелились между сгустками тени.

---

[1] *«Баунти»* — английский трехмачтовый корабль, на котором 28 апреля 1789 г. вспыхнул мятеж. Под предводительством Кристиана Флетчера, помощника капитана, команда захватила судно, капитана Уильяма Блая и его сторонников высадили на баркас и отправили в открытое море.

— Что это они?

— Раздают желающим капсулы с цианидом.

— Правда, что ли?

— Бывает и такое. Часто.

— Эх, Мехму, умеешь ты тоску нагонять!

— Тебе взять капсулу, пока не кончились?

— Твое предложение весьма обнадеживает.

— Так взять или нет?

— Спасибо, не надо. Я предпочитаю отбиваться до последнего.

Суматоха на палубе усилилась. Старпом с матросами-филиппинцами вышел на бакборт. Матросы сдернули брезент с бухт каната и веревочных трапов, начали спускать их за борт.

— Иди в каюту, собери вещи, — велел Мехму. — Я тебя у трапа подожду.

По сравнительно пустому правому борту я пробрался в каюту экипажа к своей койке, засунул крошечный пистолетик и коробку патронов в полиэтиленовый мешок, прочно обернул его изолентой и уложил в рюкзак. Потом стянул куртку и свитер, нацепил тяжелый жилет и снова оделся.

В жилет были зашиты двадцать килограммов золотых слитков и двадцать восемь незаполненных паспортов. Я с усилием застегнул молнию на куртке и стал расхаживать по каюте, приноравливаясь к излишнему весу.

На койке лежал раскрытый блокнот — свидетельство безуспешных попыток написать рассказ. Я поставил себе трудную задачу: написать о счастливых, добрых людях в счастливом, добром мире, совершающих счастливые, добрые дела. Рассказ не удавался.

Я сгреб блокнот, ручку и все остальное, запихнул в рюкзак и направился к выходу. У порога я потянулся к выключателю и краем глаза заметил свое отражение в зеркале на двери.

Неприкрытая правда о путешествиях по дальним странам и континентам, разительно отличающимся от твоей родины, состоит в том, что иногда приходится действовать по наитию. Судьба, ненадежный проводник, в любой момент может завести путника в запутанный лабиринт познания и любви, в длинный туннель опасных приключений. Путешественникам хорошо известен этот последний миг перед дорогой, последний долгий взгляд в зеркало: «Ну что, поехали?!»

Я выключил свет и вышел на палубу.

Люди рядами выстроились у трапов. Старпом хриплым шепотом отдал команду, и нелегалы стали сходить за борт.

Я пристроился в конец очереди и зашаркал вперед. Один из матросов раздавал спасательные жилеты, помогал надеть и закрепить их.

Рядом с ним стоял Мехму.

— Мой тоже возьми, — сказал он мне, дождавшись, пока матрос не наденет на меня жилет.

Наши глаза встретились. Мехму знал, что меня и двадцать килограммов золота один спасательный жилет на воде не удержит. Матрос протянул мне второй жилет, вручил небольшую металлическую вещицу и подтолкнул вперед.

— Что это? — спросил я, остановившись чуть поодаль от бортика.

— Кликер, — ответил Мехму.

Я посмотрел на детскую игрушку — при нажатии две жестяные пластины звонко щелкали — и сдавил ее пальцами.

Щелк-щелк.

— Если попадешь в воду, не отделяйся от остальных, — сказал Мехму.

— От остальных?

— Шлюпка вернется, — пояснил он, — а корабль будет дрейфовать в километре отсюда, пока мы не убедимся, что все в порядке.

— В километре отсюда?

— Если вдруг что заметишь, пощелкай, дай знать, где ты. Обычно его в зубах держат, чтобы не потерять, вот так. — Он взял у меня кликер — розовую стрекозу, — зажал его зубами и поглядел на меня.

Мехму с розовой стрекозой в зубах отправлял меня в океан.

— Это из фильма, — объяснил он. — «Самая длинная война», что ли...

— «Самый длинный день»[1].

— А, точно. Ты его видел?

— Ага. А ты?

— Нет, а что?

— Посмотри при случае. Спасибо тебе, Мехму. Приятное было плавание, хоть я и корабли не люблю.

— Я тоже не люблю. Слушай, если встретишь толстушку лет тридцати, ростом примерно метр шестьдесят пять, в голубом хиджабе — ни в коем случае не показывай ей пистолетик.

— Ты его у нее украл?

— Ну, вроде того.

— Она друг или враг?

— А какая разница?

— Большая.

— Тогда и то и другое. Это жена моя.

— Жена?

---

[1] *«Самый длинный день»* — американский художественный фильм о высадке союзных войск в Нормандии 6 июня 1944 г., снятый Эндрю Мартоном в 1962 г. по одноименному роману Корнелиуса Райана.

— Ага.

— Ты ее любишь?

— Безумно.

— И если она увидит у меня этот пистолетик, то...

— Она тебя убьет, — ответил Мехму. — Бывает и такое. Часто. Жена у меня грозная.

— Значит, толстушка лет тридцати в голубом хиджабе. Так?

— Так. Между прочим, ее так зовут. Ну, подпольная кличка.

— Какая?

— Товарищ Голубой Хиджаб, вот какая.

— Голубой хиджаб?

— Ну да.

— Ладно, — протянул я. — Спасибо, что предупредил.

— Не за что, — улыбнулся он. — Я всех предупреждаю. А ее до смерти люблю за то, что она такая грозная.

— Я так и понял.

— И по дороге к берегу не забывай простое правило: если кто-то захочет столкнуть тебя с места в шлюпке, вышвырни обидчика за борт.

— Бывает и такое?

— Часто.

— Эй, ты! — прохрипел старпом, наставив на меня палец.

Я подошел к борту, перелез через ограждение и начал карабкаться по веревочному трапу.

Спуск оказался неожиданно трудным: лестницу мотало над водой, приходилось изо всех сил цепляться за веревки и перекладины. Вдобавок трап шлепнуло о стальную обшивку корпуса, и я до крови ободрал незащищенные пальцы.

Даже с нижних ступенек три шлюпки казались крохотными рыбками-лоцманами под шершавым боком громадной акулы. В отличие от спасательных лодок на палубе шлюпки, точнее, рыбацкие лодки-плоскодонки были оснащены моторами. Мы стояли в открытом океане. Переполненное утлое суденышко угрожающе покачивалось на волнах. Я спустился на последнюю ступеньку и вдохнул запах рыбы, насквозь пропитавший лодку.

«Рыбаки, — с облегчением подумал я. — Они свое дело знают».

Чьи-то руки подтолкнули меня на корму; я переступал через чьи-то ноги, осторожно пробирался через бесчисленные котомки и узелки — рыбаки распределяли груз в лодке.

В плоскодонку уселись двадцать три человека. Старпом дал отмашку, матросы подняли трапы. Наш рулевой оттолкнулся от борта и вывел лодку в открытый океан. Глухо шумел звукоизолированный мотор.

Щелк-щелк.

В темноте подавала сигнал соседняя лодка.

Щелк-щелк.

Все обернулись. Откуда-то раздалось ответное пощелкивание.

Щелк-щелк.

— Знаешь, в чем разница между войной и миром? — прошептал мой сосед с улыбкой в голосе.

— Полагаю, ты мне сейчас объяснишь, — шепнул я.

— В мирное время приносят в жертву многих ради спасения одного. А на войне жертвуешь одним для того, чтобы спасти многих.

— Складно придумано, — улыбнулся я.

— А разве не так?

— Жертвуют не ради чисел. Жертвуют ради любви. Ради родины.

— В этой войне число жертв имеет значение.

— Ты говорил о войне и мире.

— Ну и что?

— Война кровава снаружи. Мир кровав изнутри, как и положено. По-моему, в этом и заключается разница. Война разрушает, а мир созидает.

Мой собеседник рассмеялся одними губами и сказал:

— Я твой провожатый.

— Как это?

— Я в этой лодке приплыл. Доставлю тебя куда следует.

Он был чуть моложе меня, невысокий и худощавый, с лукавой улыбкой, которая наверняка приносила ему и поцелуи, и оплеухи.

— Приятно познакомиться. Далеко до берега?

— Не очень.

Он протянул мне пластмассовый ковшик и начал вычерпывать воду — через низкий бортик перехлестывали волны. Я стал помогать. К нам присоединились остальные. Рулевой негромко рассмеялся.

Щелк-щелк.

Беспокойный океан под нами ворочался во сне. Вода заливала лодку, просаливала нас насквозь.

Щелк-щелк.

Наконец показалась суша. Мы перелезли через борт и, по пояс в воде, побрели к пляжу. Лодки отчалили.

Мы бросились к деревьям на берегу. Я оглянулся: по пляжу, вздымая песок, бежали мужчины и женщины — в солнечный день это выглядело бы игрой, но в ночной тьме внушало безотчетный страх.

Корабль растворился во мраке, пронизанном светом звезд.

Мой проводник помахал мне из-под деревьев. Я нагнал его, и мы двинулись в чащу. Чуть погодя он замер и прислушался.

— Как тебя зовут? — прошептал я после того, как он удостоверился, что за нами никто не увязался.

— Никаких имен, — ответил он. — Чем меньше знаешь, тем лучше. Сладкая правда легко превращается в горькую, когда ее начнут из тебя извлекать. Ну что, идем дальше?

— Пошли.

— У трассы на юг ждет грузовик, только он долго стоять не будет. Лодки отклонились с курса, до места встречи еще идти и идти, а времени у нас нет.

Мы углубились в прибрежные заросли. Изредка между стволами мелькали темные волны, но шум прибоя сюда не долетал. Влажные ароматы джунглей заглушали запах океана.

Мой проводник раз за разом погружался в душную густую поросль, раздвигая листья — огромные, размером со слоновье ухо, — за которыми оказывалась узкая, почти невидимая тропка. Звезды скрылись за тучами, но мой вожатый держал в памяти точную карту джунглей и ни на миг не сбавлял темпа.

Дважды я отставал и, испуганно замерев, старался услышать звук шагов, но ответом мне была тишина. Проводник неожиданно касался моего плеча, и мы отправлялись дальше.

Рюкзак и жилет с контрабандой добавляли мне тридцать пять килограммов, но проблема заключалась не в тяжести груза. Чтобы слитки не елозили на ходу, я жестко закрепил жилет на груди и на поясе, поэтому каждый вдох давался с трудом.

Наконец мы вышли из чащи на трассу.

— Время не ждет, — заметил мой спутник, поглядев на часы. — Что ж, рискнем, пойдем по дороге, так будет быстрее. Если увидишь свет, прячься в чаще и замри. Я их отвлеку. Понял?

— Ага, — выдохнул я.

— Хочешь, жилет понесу?

— Нет, не стоит.

— Хоть рюкзак дай, — настойчиво шепнул он.

Я благодарно скинул рюкзак с плеч, и проводник взвалил его на спину.

— Ну, погнали!

По грунтовой дороге мы бежали трусцой. Стояла такая глубокая тишина, что внезапный птичий щебет или звериный рык вызывал невольную дрожь. Тяжелый жилет сдавливал грудь, мешая дышать.

«По правде говоря, любой контрабандист тайком проносит только себя, — однажды сказал мне знакомый нигериец — поставщик нелегального оружия. — Все остальное — лишь предлог, понимаешь?» Когда мы наконец добрались до места встречи, мой предлог едва меня не прикончил.

— Пришли, — объявил проводник.

— Слава богу! — выдохнул я. — А что, о мотоциклах тут не слыхали?

— Прости, приятель, — улыбнулся он и протянул мне рюкзак. — По-моему, мы добрались вовремя.

— По-твоему? — слабо возмутился я, упираясь руками в колени и с трудом переводя дух.

— Ты вооружен? — спросил он.

— Разумеется.

— Доставай оружие, да побыстрее.

Я вытащил пистолет из пакета. Мой спутник проверил и перезарядил свой десятизарядник, потом удивленно взглянул на дамскую игрушку двадцать второго калибра.

— Если встретишь толстушку в голубом хиджабе...

— Да знаю я, знаю. Ни в коем случае не показывать ей пистолет.

— Ни фига себе, приятель, — ухмыльнулся он. — Рисковый ты человек.

— Голубой Хиджаб надолго запоминается, как я погляжу.

— Она товарищ надежный, — рассмеялся он. — Только пистолет ей лучше не показывать.

Он снова посмотрел на часы и перевел взгляд на дорогу, заглатываемую беззвездной темнотой.

— Если юг там, то и тебе в ту сторону, — сказал он и еще раз взглянул на часы. — В общем, держи на юг. Эта дорога в Тринкомали. По возможности из джунглей не высовывайся. Как доберешься, иди прямиком в гостиницу «Кастелрей», тебе сняли номер на две недели. Там с тобой свяжутся.

— А мы с тобой сейчас расстанемся?

— Да. И больше не увидимся, — сказал он и добавил что-то неразборчивое.

— Что-что? — переспросил я.

— Променяли алмаз на жемчужину, — повторил он.

Я промолчал.

— Нам, тамилам, здесь не место. Мы оставили алмаз, мать-Индию, позарившись на жемчужину. Не важно, что мы делаем, не важно, сколько нас погибнет, — все это зря. Мы променяли алмаз на жемчужину.

— Зачем же вы тогда боретесь?

— Ты, наверное, с тамилами мало знаком... Ш-ш-ш! Слышишь?

Мы напряженно вслушивались в темноту. В зарослях неподалеку шевельнулся какой-то зверек, зашелестела потревоженная листва, и в джунглях снова воцарилась тишина.

— Я борюсь с армией, которая меня выучила, — негромко сказал проводник, глядя на север.

— С армией Индии?

В то время основной военной силой на территории Шри-Ланки был индийский миротворческий контингент.

— С Отделом исследований и анализа, — ответил он. — Они нас всему обучили — и как с оружием обращаться, и тактической координации, и как бомбы закладывать.

Отдел исследований и анализа, часть службы внешней разведки Индии, имел устрашающую репутацию в регионе. Прекрасно обученные агенты спецслужб действовали по принципу «выполнить задание любыми способами», поэтому проводимые ими операции не столько решали проблемы, сколько создавали новые.

Индийские спецслужбы получали сведения из многих источников, включая информаторов в преступных группировках. Агентов Отдела исследований и анализа, как тайных, так и явных, знали в каждой бомбейской банде. Перечить им опасались.

— И вот теперь они борются с нами, — уныло заключил проводник. — Алмаз дробит жемчуг.

Вдали послышался тихий скрежет тормозов, и мы поспешно скрылись в кустах, глядя на дорогу. Шум мотора приближался — надрывно хрипя и кашляя, грузовик въезжал на холм.

Наконец огромный фургон начал спуск вниз.

— Это за нами?

— Да, — усмехнулся мой спутник и потянул меня за собой.

Мы вышли на обочину, где он посигналил синеватым лучом фонарика. Тормоза взвизгнули, грузовик со скрипом остановился, мотор заработал на холостых оборотах.

Позади, в тени фургона, замер джип с выключенными фарами.

Проводник подтолкнул меня к джипу. В кузове грузовика на тюках хлопка сидели человек пятнадцать, а то и больше.

— Поедешь в джипе, — объяснил проводник. — Ты же журналист. Тебе с простыми людьми не положено.

По легенде я был Джимом Дэвисом, канадским репортером агентства Рейтер. Паспорт и журналистское удостоверение выдержат любую проверку — документы я сделал сам.

Мы пожали руки, понимая, что вряд ли снова увидимся и что один из нас не доживет и до конца года.

— Не забудь, поселишься в «Кастелрее», веди себя тихо, через день-два с тобой свяжутся. Удачи тебе. Да хранит тебя Дурга, — прошептал проводник мне на ухо.

— И тебя.

Он вскарабкался в кузов грузовика, уселся на тюк и с улыбкой помахал мне.

На мгновение мне вспомнился трон из тюков во дворе велокиллеров, но вместо наемных убийц на нем восседали призраки войны.

Я сел на переднее сиденье джипа, обменялся рукопожатиями с водителем и двумя улыбчивыми юношами на заднем сиденье.

Грузовик тронулся с места, джип поехал следом. По лицу проводника пробегали дрожащие тени. Он не сводил с меня глаз. Грузовик ехал на юг.

Те, кто, как я, ненавидит преступность, часто задаются вопросом, почему люди, как и я, идут на преступления.

Один из сложных ответов заключается в том, что путь по кривой дорожке всегда легче, до тех пор пока его не уничтожит гнет желания. Ответ попроще звучит так: когда рискуешь жизнью и свободой, часто сталкиваешься с людьми особого склада. В обычной жизни они были бы преуспевающими финансистами, промышленниками или великими полководцами, но в джунглях, преследуемые врагами, они становятся друзьями, потому что в такой ситуации друг — любой, кто готов отдать за тебя жизнь. А те, кто готов отдать жизнь за постороннего, встречаются крайне редко — если не считать полицейских, военных или преступников.

Грузовик свернул на проселочную дорогу. Лицо проводника скрылось в тени. Больше я его никогда не видел.

Мы ехали минут двадцать, а потом водитель остановил машину на обочине.

— Приготовь документы — паспорт, удостоверение. Дальше начинаются пропускные пункты. Иногда машины проверяют, иногда нет. Здесь в последнее время было тихо. И вот, надень. — Он протянул мне темно-синий бронежилет с надписью «ПРЕССА» на груди.

Водитель и юноши на заднем сиденье тоже надели бронежилеты, а на лобовом стекле появилась белая картонка с той же надписью.

Мы проехали мимо хижин и сараев, потом мимо первых домов. На горизонте, в десяти километрах от нас, отблесками лесного пожара загорелись яркие огни большого города.

Нам встретились три контрольно-пропускных пункта — без охранников. У каждого водитель джипа снижал скорость, а потом поддавал газу. В город мы не заезжали, пустились в объезд и через час добрались до прибрежного пригорода Оррс-Хилл, где стояла гостиница «Кастелрей».

— Повезло, — сказал водитель, останавливая джип на подъездной дорожке. — Какая-то болливудская актриса приехала развлекать индийские войска. Похоже, солдаты решили не упускать такого случая.

— Спасибо за помощь.

— Не стоит благодарности, товарищ, — улыбнулся водитель. — Да хранит тебя Господь.

— И тебя.

Джип задом съехал с подъездной дорожки и умчался. Все мои местные проводники — мусульманин, индус и христианин — употребляли слово «товарищ». Обычно мои связные были сомнительными личностями и особого доверия не вызывали. А вот товарищи — это что-то новенькое. Интересно, чем еще удивит меня Санджай.

Я взвалил рюкзак на плечо и поглядел на фасад гостиницы «Кастелрей»: белый колониальный особняк, из тех, что строили для себя белые колонизаторы, награбив золота. Золотые слитки, спрятанные в моем жилете, возвращались домой. Побыстрее бы от них избавиться.

Я остановился у двери и примерил на себя новое имя: прежде чем воспользоваться новой личиной, контрабандист должен к ней привыкнуть. Мне, вечному беглецу, за голову которого назначена награда, пришлось в совершенстве овладеть всевозможными акцентами.

«Меня зовут Джеймс Дэвис. Джеймс Дэвис. Нет, Джим Дэвис. Меня зовут Джим Дэвис. А в детстве звали Джимми. Джим Дэвис, рад знакомству. Зовите меня Джим...»

Подыскав вариант имени понадежнее, я вступил в жизнь, которую мне теперь придется вести, пусть и недолго. Моему недавнему спутнику, проводнику, тому, кто уехал в тени грузовика, эту процедуру упростила война — он оставался безымянным для тех, кому не доверял.

Я взошел по гранитным ступеням, облицованным плиткой, пересек деревянную веранду и постучал в массивную дверь с витражным стеклом. Через минуту створку приоткрыл ночной портье.

— Дэвис, — представился я с непринужденным канадским акцентом. — Джим Дэвис. У меня заказан номер.

Он впустил меня, надежно запер дверь и подошел к стойке, где медленно и тщательно вписал мои паспортные данные в журнал регистрации размером с половину бильярдного стола.

— Кухня закрыта, сэр, — наконец произнес портье и бережно перелистал страницы журнала, будто застилая постель. — Сейчас у нас постояльцев немного, сезон начнется через три месяца. Могу предложить вам холодные закуски и, если желаете, приготовлю вам коктейль — наш фирменный.

Он пересек просторный гостиничный вестибюль и включил лампу у дивана, обитого льном, затем ловко скользнул обратно, открыл дверь в туалетную комнату, зажег там свет и снял полотенце с крючка.

— Не хотите ли умыться с дороги, сэр? — предложил он.

Я изнемогал от голода и жажды. Мне совершенно не хотелось полчаса придумывать, как бы понадежнее спрятать в гостиничном номере жилет с золотыми слитками, — пока жилет на мне, он в безопасности.

Я взял у портье полотенце, умылся и сел на диван перед накрытым для меня столиком.

— С вашего позволения, сэр, я приготовил для вас напиток, — произнес портье, ставя передо мной высокий бокал. — Кокосовое молоко, свежий лайм, немного имбиря, чуть-чуть горького шоколада и еще пара особых ингредиентов. Если вам не понравится, я смешаю что-нибудь по вашему вкусу.

— Меня вполне устраивает ваш выбор, мистер... Простите, не знаю вашего имени.

— Меня зовут Анкит, сэр. Анкит, к вашим услугам.

— Хорошее имя. Означает «совершенство». А меня зовут Джим.

— Вы разбираетесь в индийских именах, сэр?

— Да, Анкит. Вы откуда родом?

— Из Бомбея, — ответил он, ставя на стол блюдо с бутербродами. — Как и вы.

Похоже, это либо мой связник в гостинице, либо враг. Я надеялся, что связник. Бутерброды выглядели очень аппетитно.

— Не присядете, Анкит?

— Простите, не могу нарушить правила приличия, — негромко сказал он. — Вдруг кто-нибудь войдет. Впрочем, благодарю за приглашение. У вас все в порядке?

Вопрос означал: «Нет ли за тобой слежки?» Вполне разумно.

— Все нормально, — успокоил его я, уже без канадского акцента. — Повезло, без проверок проскочили три контрольных пункта. Говорят, в город приехала кинозвезда развлекать военных.

Портье облегченно выдохнул и легонько оперся на спинку кресла. Он был чуть выше меня, худощавый, лет сорока пяти, с копной седых волос, остроглазый, атлетического сложения. Уверенные, точные движения и прекрасное владение телом свидетельствовали о занятиях боксом или каким-то боевым искусством.

— Бутерброды я сделал на выбор, вегетарианские и с мясом, — пояснил он.

— Я сейчас готов скатерть съесть, — улыбнулся я. — Не возражаете, если я начну?

— Вы ешьте, ешьте, — сказал он на хинди. — Пища телесная поможет вам усвоить и пищу духовную, если можно так выразиться.

Я съел все, до последней крошки. И до дна осушил бокал вкуснейшего напитка. Мой связной Анкит, индус из Бомбея, в зоне военных действий между буддистами, мусульманами и индусами был не только радушным хозяином, но и источником ценной информации. Пока я утолял голод и жажду, он подробно объяснил, что обязан сделать журналист в военной зоне, где мне предстояло пробыть несколько дней.

— Не забудьте, ежедневно в полдень вы должны являться на контрольно-пропускной пункт и получать отметку в паспорте, — в заключение произнес он. — Если отметки нет, вас могут арестовать. У вас никогда не возникало чувства, что ваше присутствие нежелательно?

— Пока нет.

— Ну, если в вашем паспорте не найдется отметки, то покажется, что вашего присутствия не желает само мироздание.

— Спасибо за предупреждение, Анкит. Похоже, из-за этой войны все утратили чувство юмора. Что ж, если само мироздание не желает моего присутствия, я погружусь в безысходное уныние и потребую, чтобы вы приготовили мне еще один превосходный коктейль, причем незамедлительно.

— Главное — не забудьте посетить контрольный пункт, — рассмеялся он и направился к барной стойке.

Поход туда ему пришлось повторить неоднократно — не помню точно, сколько раз, после третьего я сбился со счета. Все плыло, как в тумане, будто я наблюдал за палым листом, медленно кружащим в ручье.

Нет, меня не опоили. Анкит был отличным барменом, из тех, кто точно знает, до какой степени опьянения посетителя доводить не стоит. Он говорил негромко, терпеливо и ласково, хотя смысл сказанного от меня ускользал. Вскоре я забыл и о своем задании, и вообще о Компании Санджая.

На веки легонько давили головки огромных, необъятных цветов. Я медленно опрокидывался, невесомо парил в пышном облаке нежных лепестков.

Анкит продолжал говорить.

Я закрыл глаза.

Белые цветы превратились в реку, несущую меня к умиротворению, к деревьям, где мне навстречу радостно бросился пес, счастливо залаял, уперся лапами в грудь...

ГЛАВА

 34

— Дэвис!

Пес толкал меня лапой, царапал край сна, пытаясь удержать меня там, в священном умиротворении.

— Дэвис!

Я открыл глаза. Оказалось, что я уснул, где сидел, но Анкит подсунул мне под голову подушку и укрыл одеялом. Моя рука невольно скользнула в карман куртки, пальцы сжали дамский пистолетик. Я вздохнул и сообразил, что жилет с золотыми слитками по-прежнему на мне.

«Прекрасно».

Надо мной склонился незнакомец.

«А вот это уже хуже».

— Отвали, дружище.

— Да-да, конечно, — ответил он, выпрямился и протянул мне руку. — Меня зовут Хорст.

— Ты будишь всех, с кем тебе не терпится познакомиться, Хорст?

Он рассмеялся. Громко. Слишком громко.

— Послушай, Хорст, сделай одолжение — не смейся до тех пор, пока я не выпью две чашки кофе.

Он снова расхохотался.

— Ты медленно соображаешь? — уточнил я.

Он опять зашелся смехом, а потом протянул мне чашку кофе.

Кофе оказался крепким, горячим и очень вкусным. Невозможно не проникнуться симпатией к человеку, который угощает тебя отменным кофе через несколько часов после твоего стремительного и совершенного опьянения.

Я посмотрел на него.

Глаза небесной, выжженной солнцем голубизны. Несуразно громадная голова — поначалу я решил, что мое зрение пострадало от кокосово-лаймового коктейля, но потом сообразил, что у Хорста и в самом деле несуразно громадная голова.

— Ну и башка у тебя! — Я встал и пожал ему руку. — Регбист, что ли?

— Да что ты! — захохотал он. — Представляешь, как трудно подходящий шлем подобрать?

— Нет, не представляю, — сказал я. — Спасибо за кофе.

Я собрался уходить. Солнце еще не взошло. В предрассветных сумерках хотелось запереться в номере и немного поспать.

— Эй, нам же надо на контрольный пункт, отметку проставить, — окликнул Хорст. — Лучше всего это делать на рассвете. Поверь мне, так безопаснее, *ja*[1].

На мне по-прежнему был бронежилет с надписью «ПРЕССА». Хорст обращался к коллеге-репортеру. Что ж, идти на контрольный пункт лучше вдвоем. Сон подождет.

— Ты на кого работаешь?

---

[1] Да (*нем.*).

— На «Шпигель», — ответил Хорст. — Вообще-то, я фрилансер. А ты?

— Ты давно здесь?

— Относительно. Видишь, уже запомнил, когда лучше всего являться на контрольный пункт.

— Я умыться успею?

— Успеешь, если по-быстрому.

Я бросился в номер, разделся, принял холодный душ и через шесть минут уже снова застегивал на себе жилет со слитками.

По лестнице я спустился бегом, но в вестибюле никого не было. Занималась заря, и в окна лился такой же неяркий свет, как свет электрических ламп в вестибюле: свет без теней.

Тишину нарушил еле слышный шорох — снаружи усердно трудились садовники.

Я пересек широкую веранду, выходящую на открытую рану газона, — эту рану беспрестанно пытались залечить джунгли. Семь человек атаковали заросли — рубили, резали, подстригали, выпалывали и опрыскивали ростки гербицидом. Город вел бесконечную войну с природой.

В ожидании Хорста я наблюдал за садовниками. Джунгли вещали голосом ветра: «Дайте нам четверть века. Уходите отсюда, возвращайтесь через двадцать пять лет, увидите — мы все залечим».

— Эх, мне бы таких работников, — вздохнул Хорст, подходя ко мне. — У моей подруги ферма в Нормандии — прекрасное место, природа и все такое, только за ним уход нужен. Эти ребята быстро бы его в порядок привели.

— Это тамилы, — сказал я, глядя, как они снуют по сверкающей росистой траве. — Они вездесущи, как ирландцы. В Нормандии наверняка есть тамилы.

— Откуда ты знаешь, что они тамилы? — с сомнением в голосе произнес Хорст.

— Здесь только тамилы занимаются грязной работой.

— А, тогда конечно! — захохотал он.

Мне было не смешно. Я не смеялся.

Хорст оборвал смех и наморщил лоб:

— Так что ты там говорил, на кого ты работаешь?

— Я не говорил.

— Весь такой загадочный...

— Все эти перестрелки — сплошная показуха. Настоящую войну ведем мы, журналисты.

— Ты что несешь? — испуганно осведомился Хорст. — Я просто спросил, из какого ты агентства.

— Понимаешь, если мы с тобой подружимся, а я узнаю что-то интересное, а потом окажется, что ты украл мои новости, придется мне тебя отыскать и хорошенько поколотить. А это не дело.

Он прищурился и окинул меня понимающим взглядом:

— А, так ты из Рейтер! Так бы сразу и сказал. Эти мудаки ни с кем новостями не делятся.

Мне захотелось кофе. Анкит тронул меня за плечо, протянул бокал, наполненный каким-то напитком.

— Простите великодушно, сэр, но, по-моему, вам не мешает подкрепиться, — произнес портье. — С вашего позволения. Сегодня у вас тяжелый день.

Я осушил бокал, в котором оказался великолепный херес, и заявил:

— Анкит, похоже, мы с вами только что породнились.

— Прекрасно, сэр, — учтиво ответил он.

— Послушай, а можно выяснить, есть ли у этих ребят разрешение на работу за границей? — обратился Хорст к Анкиту.

Я резко вскинул руку, не давая портье ответить:

— Ну что, Хорст, пойдем, пока медведи в лесу не проснулись.

— Медведи? — переспросил он с резким немецким акцентом. — Нет тут никаких медведей, одни тигры. Тамильские тигры. Совершенно безумные. У каждого в кармане капсула с цианидом, на случай если их поймают.

— Надо же.

— Они не догадываются, что из-за этих самоубийств их ненавидят еще больше.

— Мы пойдем на контрольный пункт или как? — спросил я.

— Пойдем, пойдем. Штаны не поджигай.

— Что-что?

— Штаны не поджигай, — сердито буркнул он и зашагал по газону.

— Не надоело еще командовать? — сказал я, следуя за ним.

Военные действия в Тринкомали прекратились несколько месяцев назад. Немецкие сотрудники «Шпигеля» вернулись в Германию, а Хорст, австрийский фрилансер, остался в городе, надеясь в отсутствие конкурентов раздобыть материал для эксклюзивного репортажа, точнее, предполагая, что «тамильские тигры» развернут здесь очередное наступление и он, проницательный ясноглазый Хорст, первым возвестит о начале нового конфликта.

Этот высокий крепкий парень, умный и хорошо образованный, с подругой на ферме в Нормандии, мечтал о возобновлении военных действий в Шри-Ланке. Недаром Дидье однажды заявил мультимедийному магнату Ранджиту, что журналистика — это лекарство, которое порождает болезнь.

С четверть часа мы шли и беседовали о Хорсте.

— У тебя камера есть? — спросил он.

— По-моему, у охранников на контрольном пункте аллергия на чужие камеры. Они предпочитают собственные, с решетками.

— Верно, — кивнул Хорст. — Но вчера, впервые за несколько месяцев, на дороге появилась отрезанная голова.

— И что?

— Если сегодня появится еще одна, я фотографиями не поделюсь.

— Ладно.

— Я ж не виноват, что ты фотоаппарат не взял.

— Понятно.

— Я просто предупреждаю, чтобы ты потом не обижался.

— Хорст, мне не нужны снимки отрезанных голов. Я даже думать о них не желаю. Если попадется, забирай ее себе.

Через пятьдесят метров мы наткнулись на отрезанную голову.

Сначала я решил, что это злая шутка — тыква или дыня на палке. Подойдя чуть ближе, я понял, что это голова подростка, лет шестнадцати-семнадцати, насаженная на отрезок бамбукового ствола. Бамбук воткнули в грунт на обочине так, чтобы лицо убитого было обращено к лицам живых на дороге.

Глаза зажмурены, рот широко раскрыт.

Хорст возился с фотоаппаратом и повторял:

— Ну, говорил же я... Говорил же...

Я не останавливался.

— Ты куда? — окликнул он.

— Догоняй.

— Ты что, здесь в одиночку опасно! Я поэтому хотел, чтобы мы вдвоем пошли. Тебе же лучше, если подождешь со мной.

Я пошел прочь.

— Второй раз за два дня! — крикнул Хорст мне вслед. — Это неспроста. Я как чувствовал. Хорошо, что я задержался.

Он торопливо щелкал затвором фотоаппарата.

Щелк-щелк. Щелк-щелк.

Убийство — это преступление, но голова на колу — грех, а грех необходимо искупить. Сердцем мне хотелось вернуть голову убитого паренька его родным, помочь отыскать труп, похоронить, как полагается. Однако повиноваться велению сердца я не мог, хотя все во мне взбунтовалось. Я не смел даже выдернуть кол и опустить отрубленную голову на землю. На мне был жилет, набитый золотыми слитками и бланками паспортов; я — контрабандист, приехал сюда с фальшивым паспортом и фальшивым журналистским удостоверением. Я не имел права вмешиваться.

Оставшись в одиночестве, я скорбел о безвестном погибшем парне, но не сбавлял шага, пытаясь вернуть себе привычную суровость, растворить воспоминания об увиденном в джунглях, залитых ярким солнечным светом, ненадолго сменившим ненастье.

Молодая поросль, выпестованная густым подлеском, упрямо тянулась к солнцу — ростки доходили мне до пояса, до плеч.

Дождинки дрожали на листьях, скатывались на узловатые корни, будто умащали ароматным маслом ноги деревьев-святых, что воздевали к небесам руки-ветви и пальцы-листья, умоляя океан даровать земле ливень.

«Деревья всегда дождь вымаливают», — сказала мне однажды Лиза, радостно выбежав под теплые струи муссонного ливня.

Ветер с моря успокоил джунгли, взбудораженные ураганом. Ветви колыхались и гнулись, лиственная пена трепетала в такт шуму прибоя на небесном берегу. Птицы кружили над зарослями, исчезали в зеленом сумраке чащи и сверкающими тенями вылетали к мокрой блестящей дороге.

Природа — как обычно, если ей позволить, — излечила мне душу. Скорбь отступила — скорбь о безвестном парне у дороги и внутри меня. Я больше не бормотал «отрезанная голова».

С севера мне навстречу катил старенький белый седан с фарами, крест-накрест заклеенными черной изолентой. За рулем сидела невысокая тридцатилетняя толстушка в небесно-голубом хиджабе. Она остановила седан рядом со мной, опустила боковое стекло и гневно спросила:

— Ты что задумал?

— Я...

— Молчи.

— Но ты же сама спросила...

— Садись в машину.

— А ты кто?

— Садись в машину.

Я сел в машину.

— Ты прокололся, — презрительно изрекла она, недовольно оглядывая меня с головы до ног.

— *Салям алейкум*, — сказал я.

— Ты прокололся, — повторила она.

— *Салям алейкум.*

— *Ва алейкум салям*, — злобно сощурившись, ответила она и нажала на газ. — Пора сматываться.

Через несколько секунд мы увидели, что Хорст все еще стоит у бамбукового кола с отрезанной головой, лихорадочно подыскивая наилучший ракурс для снимка. Я заставил свою спутницу остановить машину метрах в десяти от журналиста.

— Он удивится, если я неожиданно исчезну, — объяснил я. — Погоди, я с ним поговорю.

Я вышел из машины и подбежал к Хорсту.

— Что случилось? — спросил он. — Кто это с тобой?

— Говорят, конфликт возобновился, — тяжело дыша, сказал я. — Я здесь не останусь. Тебя в гостиницу подбросить?

Он с сомнением оглядел пустынную трассу на север:

— Нет, я лучше тут подожду. Уезжай, если хочешь. Все в порядке.

— Не боишься? По-моему, тут опасно.

— Нет, нормально. Я схожу на контрольный пункт, узнаю, что происходит. Ты езжай. — Он опустил фотоаппарат.

— Удачи! — Я пожал протянутую руку.

— И тебе тоже. Слушай, сделай одолжение, а? Пока никому об этом не рассказывай, ладно? Тебе же все равно уезжать.

— Хорошо, не расскажу. Прощай, Хорст, — сказал я, но он уже щелкал затвором.

Щелк-щелк.

Я вернулся к машине. Голубой Хиджаб наставила на меня пистолет.

— Все в порядке, — сказал я.

Она рванула машину с места, одной рукой вцепившись в руль, а другой, с пистолетом, переключая передачи. Я нервно морщился всякий раз, как она краешком ладони толкала рычаг.

— Вы с ним любовники, что ли? Голубки, ля-ля-ля... — буркнула она. — Что ты ему наговорил?

— Что надо, то и наговорил. Ты меня пристрелить собираешься?

— Не знаю пока, — поразмыслив, объявила она. — Что ты ему наговорил? И на чьей ты стороне?

— Надеюсь, на твоей. А если ты в меня пульнешь, то один из паспортов наверняка продырявишь.

Она резко съехала на обочину, остановила машину, выключила мотор и перехватила пистолет обеими руками. Опушка джунглей тут же превратилась в импровизированную автостоянку.

— Тебе смешно, да? А мне не до смеха. Я два года внедрялась, а меня заставили все бросить, поехать в гостиницу, собрать твои вещи и отвезти тебя в аэропорт!

— Внедрялась? Ты что, шпион?

— Заткнись!

— Ладно. И все-таки ты кто?

— Я подбираю тебя почему-то посреди дороги, в одиночестве, — заявила она, загадочно глядя на меня. — Ты зачем-то заставляешь меня остановить машину и беседуешь с подозрительным незнакомцем. Так что давай, убеди меня, что никакой ошибки нет, или, клянусь Аллахом, я всажу тебе пулю в лоб и сниму золото то с трупа.

— Если ты знаешь священную книгу Коран, мне достаточно назвать суру и аят.

— Ты о чем?

— Сура вторая, аят двести двадцать четвертый.

— Аль-Бакара, корова, — пробормотала она название суры. — Это ты намекаешь, что я толстая?

— Нет, конечно. Ты не толстая, ты... фигуристая.

— Прекрати.

— Ты первая начала.

— Тогда скажи аят, если такой умный.

— Для неверного знакомство с Кораном неплохо начать с двести двадцать четвертого аята второй суры: «Пусть клятва именем Аллаха не препятствует вам творить добро, быть богобоязненным...»[1]

— «...и примирять людей», — завершила она, впервые улыбнувшись.

— Ну что, приступим? — Я начал высвобождаться из жилета.

Она сунула пистолет в карман складчатой юбки, открыла заднюю дверь и подняла сиденье, под которым оказался тайник. Я вручил ей жилет. Она дотошно проверила все кармашки и бланки паспортов, а потом уложила жилет в тайник, плотно прикрыв его маскировочной пленкой, и с резким щелчком опустила сиденье. Мы снова сели в машину.

— В гостинице остановимся, тебе надо выписаться из номера. После этого ты превратишься в призрак.

— В призрак?

— Заткнись. Приехали. Забирай вещи и выписывайся. Я заправлю машину и вернусь через пятнадцать минут. Ждать не буду.

— А ты...

— Марш отсюда!

Я вышел из седана и взбежал по ступеням в вестибюль гостиницы.

— Мистер Дэвис! — окликнул меня Анкит, круглосуточный портье, который с подносом в руках стоял у эркерного окна. — Я увидел, что вас подвезла Голубой Хиджаб, и решил, что вам не помешает подкрепиться.

Я благодарно отхлебнул из высокого бокала:

— Вас не зря назвали «совершенством», Анкит.

— Рад вам угодить, сэр. Ваши вещи уже в вестибюле, у стойки. Вам осталось только расписаться в журнале регистрации.

— С удовольствием, прямо сейчас и распишусь.

— Вам предстоит шестичасовая поездка. Не торопитесь, приведите себя в порядок, я подожду.

Когда я спустился из номера, Анкит вручил мне еще один коктейль. Рядом с моим рюкзаком на стойке лежал пакет с бутербродами, бутылками воды и прохладительных напитков.

Я протянул портье деньги — пятьсот долларов.

---

[1] Перевод М.-Н. Османова.

— Нет, что вы, — запротестовал он. — Это слишком много.

— Анкит, не спорьте. Мы ведь с вами больше не увидимся, давайте не ссориться на прощание.

Он улыбнулся и спрятал деньги.

— Бутерброды на случай, если в дороге проголодаетесь, а если Голубой Хиджаб... рассердится, то вот, возьмите... — Анкит дал мне пачку сигарет и кубик гашиша.

— По-вашему, если решительная женщина с пистолетом рассердится, то мне лучше всего выкурить сигарету с гашишем? — поинтересовался я, взяв подарок.

— Не вам, а ей, — объяснил он.

— Голубой Хиджаб курит гашиш?

— Еще как. — Анкит уложил в рюкзак пакет с едой и бутылки. — Он на нее действует как валерьянка на кошку. Только вы придержите его на крайний случай, она злится, когда гашиш кончается.

На подъездной дорожке заскрежетали тормоза, трижды рявкнул клаксон.

— Представьте себе, что она — Дурга, богиня-воительница верхом на тигре, и ведите себя как полагается.

— А как полагается себя вести?

— С уважением, обожанием и страхом, — лукаво заметил Анкит, склонив голову.

— Спасибо, дружище. Прощайте.

В дверях я обернулся. Анкит с улыбкой помахал мне. Голубой Хиджаб погрозила пальцем. Мотор взревел.

Мы выехали на трассу и помчались на юг, к Коломбо. Голубой Хиджаб подалась вперед и сжала руль так, что костяшки пальцев побелели.

Минут десять я слушал, как скрипят жернова ее зубов, перемалывая жгучие горошины гнева, и, не выдержав, решил завести разговор:

— Я встретил твоего мужа, Мехму.

— Ты решил прервать блаженный покой только ради того, чтобы поговорить о моем проклятом муже?

— Блаженный покой? Мне на допросах было спокойнее.

— Да ну тебя! — беззлобно буркнула она, расслабленно откинулась на спинку сиденья и пояснила: — Что-то я нервная стала. Нехорошо это.

Я хотел пошутить, но вовремя сообразил, что у нее пистолет наготове.

Она отлично вела машину: обгоняла грузовики, снижала скорость, заметив временные ограждения на трассе, и закладывала крутые виражи.

Я люблю быструю езду. Если за рулем водитель, которому можно довериться, поездка превращается в смертельный аттракцион. Лобовое стекло стало мыльным пузырем, летящим сквозь пространство и время. Над машиной дугами гнулись тени деревьев, обещая вернуться, но джунгли кончились, и дома за заборами превратились в бусины на очередном ожерелье цивилизации.

— Я вчера человека подстрелила, — чуть погодя сказала она.

— Друга или врага?

— А что, есть разница?

— Конечно.

— Врага.

В машине воцарилось молчание.

— Насмерть подстрелила?

— Нет.

— Хотя могла?

— Да.

— Милосердие — не позор, — заметил я.

— Да пошел ты...

— А в исламе не запрещены крепкие выражения?

— Мы говорим по-английски, а я — коммунист-мусульманка.

— Ну, тогда ладно.

Она резко свернула на обочину и остановила седан посреди поля цветов, на пропитанной ливнем земле. Оглядевшись, Голубой Хиджаб выключила двигатель.

— У Мехму все в порядке?

— Да.

— Честно?

— Честно. Он мне понравился, даже очень.

Внезапно она всхлипнула. По щекам покатились слезы, частые, как капли дождя, заливавшие лобовое стекло.

Так же неожиданно она успокоилась, утерла глаза, раскрыла пакет с бутербродами, а потом снова зарыдала и не могла остановиться. С ней что-то происходило, все сразу, одновременно. Я не знал, что именно, — я вообще ее не знал.

У основания ее ногтей оставались тонкие полумесяцы лака, на виске темнел синяк размером с мужской перстень-печатку, на костяшках кулаков багровели ссадины, от свежевыстиранной одежды пахло гостиничным мылом. На заднем сиденье лежала сумка с нехитрыми пожитками — только самое необходимое, чтобы быстро собраться и уйти. Всякий раз, когда Голубой Хиджаб замечала, что я смотрю в нее, а не на нее, она еще глубже уходила в себя.

Однако я видел только храбрую правоверную женщину-беглянку, чистюлю, упрямо берегущую яркие следы своей женственности. Для меня оставалось загадкой, почему она это делает, ведь ответ можно получить только тогда, когда между людьми возникает связь.

Я не мог ей помочь, мне нечем было ее успокоить. В сумке лежали бумажные салфетки, и я передавал их одну за другой, пока слезы не высохли и всхлипы не утихли. Ливень наконец-то прекратился.

Мы вышли из седана. Я плеснул ей в подставленные ладони воду из бутылки. Голубой Хиджаб омыла лицо и стояла, вдыхая воздух, пропитанный ароматом белых цветов на лианах.

Мы сели в машину. Я смешал табак с гашишем, свернул косяк. Голубой Хиджаб со мной не поделилась, поэтому я свернул еще один, а потом другой. Сообразив, что мне этого тоже не достанется, скрутил еще пару косяков.

Наши мысли поплыли над бархатом зеленеющих полей к изумрудным пастбищам воспоминаний, туда, где душа превращается в путника. Не знаю, какие воспоминания предстали перед грозной женой Мехму, но передо мной возникла Карла, грациозно кружащая в танце. Карла.

— Я проголодалась, — сказала Голубой Хиджаб. — Кстати...

— Знаю, знаю. Если я хоть слово кому-то скажу, ты меня пристрелишь.

— Вообще-то, я хотела тебя поблагодарить. Но ты прав, пристрелю. Дай бутерброд.

Она включила зажигание и вывела седан на трассу.

— Хочешь, я за руль сяду?

— Нет, сама поведу, — сказала она, прибавляя скорость. — Дай бутерброд.

— Тебе какой?

— С чем попало. Там такие есть?

— Целый пакет.

Остаток пути прошел в молчании. Время от времени Голубой Хиджаб бормотала зикр, молитвенные формулы, восхваляющие Бога, а потом начала мурлыкать строку из популярной песенки, но почти сразу умолкла.

У поворота к аэропорту в Коломбо она остановила машину, выключила двигатель и уставилась на меня, продолжая затянувшееся молчание, странное и удивительно печальное.

— *Аль-мухсинина*, — сказал я.

— Творящие добро? — переспросила она.

— Ты всю дорогу это повторяла.

— У тебя запасной паспорт с собой?

— Да.

— Улетай первым же рейсом и как можно быстрее возвращайся домой, понял?

— Понял, мамочка.

— Я серьезно. Тебе что-нибудь еще надо?

— Ты мне не рассказала, где я прокололся.

— И не расскажу, — невозмутимо ответила она.

— Ты прямо как корреспондент Рейтер, никому ничего не рассказываешь.

Она рассмеялась, и меня это обрадовало.

— Иди уже.

— Погоди, — сказал я. — У меня для тебя есть подарок. Только сначала пообещай мне кое-что.

— Что именно?

— Обещай, что не пристрелишь Мехму. Ну а если пристрелишь, то не из-за меня. Он мне понравился.

— А я за него замуж вышла, — раздраженно напомнила она. — Ладно, не пристрелю. Я в него уже дважды стреляла, он до сих пор успокоиться не может.

Я вытащил из одного кармана куртки дамский пистолетик, из другого — коробку патронов и протянул своей спутнице:

— По-моему, это тебе.

Она взяла пистолетик в ладони.

— Мехму, *мехбуб*[1], — пробормотала она и сунула пистолет в один из бесчисленных карманов, скрытых в складках широкой черной юбки. — Спасибо.

Я вышел из машины, склонился к водительскому окну и произнес:

— Он счастливый человек. *Аллах хафиз.*

— Конечно счастливый. Я ведь обещала, что не пристрелю его. *Аллах хафиз.*

Она уехала, а я пешком отправился в аэропорт.

Через сорок пять минут я зарегистрировался на рейс. Либо повезло, либо Голубой Хиджаб все точно рассчитала — ждать мне оставалось не больше часа.

В зале ожидания я выбрал место, откуда удобно наблюдать за людьми: разглядывать лица, отыскивать в походке и манере держаться признаки усталости, напряжения, сочувствия, уныния или спешки, слушать обрывки разговоров, смех и возгласы, следить, как детский плач трогает сердца окружающих. Здесь, на тихом островке открытого пространства, окруженный толпой, я жаждал отыскать выразительную гармонию общения.

Рядом со мной уселся высокий худощавый мужчина с пышными усами и гладко зачесанными волосами. На нем была желтая рубашка и белые брюки.

---

[1] Милый, любимый *(араб.)*.

— Привет, — громко сказал он и тут же перешел на шепот: — Поздороваемся, как старые друзья, и пойдем в бар. Я твой связной. В баре мы не вызовем подозрений.

Я пожал ему руку, притянул к себе поближе.

— Ты ошибся, Джек, — сказал я, крепко сдавив его пальцы.

— Не волнуйся, — ответил он. — Мне Голубой Хиджаб тебя точно описала.

Я выпустил его руку, и мы встали, притворяясь старыми друзьями.

— Она тебя прекрасно запомнила, описала как по фотографии, — сказал он.

— Почему-то именно это меня и тревожит, — вздохнул я, направляясь к бару.

— Да, с ней всегда так. Хочется, чтобы она запомнила все только в общих чертах.

— А с чего вдруг мы с коммунистами связались?

— Знаешь, когда нужны надежные люди, враг твоего врага — прекрасный выбор.

— И что это означает?

— Прости, больше ничего сказать не могу.

Минуты ожидания прошли за разговорами. Он рассказывал мне какие-то полуправдивые байки, я слушал его, притворяясь, что верю, а потом, когда он собрался начать новую историю, оборвал его на полуслове:

— В чем дело?

— Ты о чем?

— Связной в аэропорту, перед отлетом? Такого не бывает, — пояснил я. — Вдобавок Голубой Хиджаб сказала, что я прокололся. Что происходит?

Он внимательно посмотрел на меня, пришел к выводу, что мое терпение на исходе, и отвел глаза:

— Прости, больше ничего сказать не могу.

— Можешь. И должен. Что за фигня?

— Что за фигня? — повторил он.

— Мне что, грозит опасность? Здесь, в аэропорту? Меня сейчас повяжут? Говори, не то живо зубы пересчитаю.

— Тебе опасность не грозит, — торопливо ответил он. — Опасность — ты сам. Меня послали проследить, чтобы ты глупостей не наделал.

— Каких глупостей?

— Дурацких.

— Каких именно?

— Мне не сказали.

— И ты не спрашивал?

— Вопросов не задают, ты же знаешь.

Мы уставились друг на друга.

— И что бы ты предпринял, если бы я начал дурить?

— Замял бы дело и побыстрее отправил бы тебя прямиком в Бомбей.

— И все?

— И все. Больше я ничего не знаю.

— Ладно. Прости, что я на тебя наехал. Показалось, что меня в ловушку заманивают.

— Тебе опасность не грозит, — повторил он. — Только как вернешься, домой не приходи.

— В смысле?

— Сразу поезжай доложиться, как все прошло.

— Это из-за того, что я как-то там якобы прокололся?

— Сначала встретишься со своими людьми. Санджай об этом особо просил. Настаивал. Но ничего не объяснил.

Объявили мой рейс. Мы снова обменялись рукопожатием, и мой собеседник затерялся в толпе.

В салоне самолета я выпил две порции виски. Мы взлетели. Задание выполнено. Все кончено. Больше никаких дел с Санджаем у меня нет. Я свободен. Глупое сердце в железной клетке на высоте девяти тысяч метров радостно трепетало всю дорогу.

ГЛАВА

 35

В Бомбей я прилетел поздно ночью, но «Леопольд» был еще открыт, и Дидье наверняка сидел там. Мне требовалась информация. Худощавый связной в аэропорту велел прежде всего встретиться с людьми Санджая. Это было странно. Обычно я встречался с Санджаем через сутки после возвращения с задания во избежание слежки — он всегда на этом настаивал. Однако на этот раз задание было необычным. Я ничего не понимал, поэтому хотел, чтобы Дидье рассказал обо всем, что случилось за время моего отсутствия. А еще надо было узнать, где сейчас живет Лиза.

Дидье мне все рассказал, но не в «Леопольде».

В тревожном молчании мы сели в такси. На каждый вопрос Дидье отвечал поднятием ладони. Мы вышли из такси на набережной, с видом на мечеть Хаджи Али.

— Лиза умерла, — сказал Дидье под шум ветра с океана. — От передоза.

— Чего? Ты вообще о чем?

— Ее больше нет. Умерла.

— От передоза? Какого еще передоза?

— Рогипнол, — печально ответил он.

— Не может быть.

«Неужели она умерла, а я ничего не ощутил? — думал я. — Ничего не почувствовал?»

— Увы.

Грудь пронзили осколки потерянного времени, обрывки несказанных слов, призраки несделанных дел, растраченные понапрасну мгновения, упущенные ласки. Она умерла без меня.

— Неправда!

— Правда, Лин. Горькая правда.

Колени у меня задрожали — то ли от напряжения, то ли от слабости. Мир без Лизы. Дидье обнял меня за плечи. Мы прислонились к парапету набережной.

Силы покинули меня. Атомы любви оторвались от ядра, потому что мир вращался слишком быстро и не мог их удержать. Небо спряталось за черным плащом облаков, отражения городских огней на воде стали слезами океана. Во мне что-то умирало, а что-то — некий призрак или дух — высвобождалось.

Я прерывисто вздохнул, стараясь замедлить бешеное биение сердца, и повернулся к другу:

— А ее родители...

— Приезжали. Очень милые люди.

— Ты с ними говорил?

— Да, и они со мной тоже — пока не узнали, что я дружен не только с Лизой, но и с тобой. Прости, Лин, но они считают, что в ее смерти виноват ты.

— Я?

— Ради тебя, ради вас с Лизой я говорил с ними о тебе, но они мне не поверили. Они с тобой незнакомы, поэтому им легче винить неизвестного, чем признать правду. Они вчера уехали, тело увезли. Бедная, милая Лиза...

— Умерла? Тело увезли?

— Да, Лин. Да. Такое горе... Я сам не верю...

Автомобили роились у светофоров, широкий бульвар то пустел, то заполнялся машинами. На набережной сидели парочки и семьи, разглядывали мечеть Хаджи Али, сияющий чертог духа в безбрежном океане.

— Расскажи мне, что произошло.

— Может, не стоит пока, дружище? Давай сначала напьемся.

— Нет, рассказывай.

— Для этого мне нужно напиться.

— Дидье, не тяни.

— Знаешь, я ее тоже любил, — сказал он, отхлебнув из фляжки. — Мне тут трудно было без тебя.

Он спрятал фляжку в карман, раскрыл латунный портсигар, взял косяк, раскурил, затянулся и передал мне.

— Нет, спасибо.

— Может, передумаешь? — изумленно спросил он.

— Нет, не передумаю. Мне... терпимо. Рассказывай, что произошло.

— Через день после твоего отъезда я...

— Через день после моего отъезда? Пять дней назад?

— Лин, я пытался с тобой связаться. Из людей Санджая слова не вытянешь, Абдуллу я не нашел. По-моему, он еще ничего не знает.

«Абдулла, где ты?» — с горечью подумал я и вздохнул:

— Он расстроится. Они с Лизой всегда ладили.

— Да, я помню. Она была ему ракхи-сестрой.

— Правда? Я и не знал. Ни она, ни он мне об этом не говорили.

Священная нить *ракхи*, повязанная девушкой на запястье юноши, скрепляет их родственными отношениями. Получив такой браслет, юноша становится названым братом и должен всегда защищать честь сестры. Этот браслет — символ чистоты и тесной связи между ними.

— Я тоже был ее ракхи-братом, Лин.

— С каких это пор?

Я не знал, что Лиза совершила обряд ракхибандхан и избрала назваными братьями Абдуллу и Дидье.

— В ее смерти виновен я, — тихо произнес Дидье. — Я ее не сберег.

Он сделал глубокую затяжку, сморгнул слезы и, посмотрев на меня, хотел еще что-то добавить, но отвернулся, едва наши взгляды встретились. Мы оба знали, что он прав: я оставил Лизу на его попечение и он обещал ее оберегать.

Уличный метельщик прошуршал по набережной, поглядел на меня и дружелюбно кивнул, размеренно взмахивая метлой в такт неспешным шагам.

— Она меня обманула, — сказал Дидье. — Я ей доверял, а она меня вокруг пальца обвела.

— Продолжай.

— Мы устроили вечер французского кино, я сам выбрал хорошие фильмы, думал, ей понравятся. А она вдруг заявила, что у нее голова болит, ушла спать, попросила меня сходить в аптеку за лекарством. Я вернулся, а она сбежала. Записку оставила, что ушла на вечеринку и вернется к утру. — Он вздохнул, покачал головой. По щекам покатились слезы.

— На какую вечеринку?

— Уже потом я узнал, что в честь каких-то болливудских звезд вечеринку в Бандре устроили. Ты же знаешь, в Джуху и в Бандре каждый день вечеринки до утра. Вот я и решил, что Лиза вернется на рассвете, всю ночь не спал вместе с Близнецом — ну, он же вообще не спит. Думал, она мне позвонит. Всех предупредил, даже твоего сторожа.

— И что с того, Дидье? Ты обещал мне за ней присматривать, а она умерла. Не понимаю, как это произошло.

— Лин, ты вправе меня винить.

«Ох, кто мне дал право кого-то винить?» — подумал я. Лиза и меня частенько обманывала, сбегала. Бывало, я понятия не имел, где она и чем занимается.

— Ладно, это все пустое. Я понимаю. Лиза кого хочешь может... могла обмануть. Ты ни в чем не виноват. Рассказывай, что дальше было.

— Ну, я оставил ей сообщение и пошел в «Махеш», в покер играть. С Джорджем Близнецом. Лиза умирала, а я в карты играл. Мне посыльный принес записку, что Лизу нашли. От горя я чуть с ума не сошел.

— А потом?

— Ну, вскрытие показало...

Вскрытие... Тело Лизы разрезали, извлекли внутренние органы... «Не думай об этом. Не представляй!»

— Вскрытие?

— В общем, ужасно, — вздохнул Дидье. — В протоколе вскрытия говорится, что она умерла от сильной дозы транквилизаторов. В одиночестве.

— От рогипнола?

— Да, — кивнул Дидье и недоуменно наморщил лоб. — Может, она рогипнолом баловалась?

— Нет, никогда. Я вообще ничего не понимаю. Мы с ней транквилизаторы ненавидели, она никогда их не употребляла. И знакомых своих отговаривала.

— Сначала в полиции решили, что это самоубийство. Что она специально приняла большую дозу, чтобы наверняка.

— Самоубийство?! Не может быть. Она любит жизнь...

— Любила, Лин. Она умерла.

Рассудок не желал примиряться со смертью. В ушах все еще звенел шаловливый смех Лизы.

— Уберечь я ее не уберег, — сокрушенно сказал Дидье, — но договорился, чтобы в полицейском протоколе самоубийство не значилось. Причиной смерти указан несчастный случай, передозировка рогипнола. Пришлось Дилипу-Молнии взятку дать.

Здешним полицейским впору банк открывать, я бы с удовольствием акционером стал.

— А кто тело нашел? Сторож?

— Нет. Тело обнаружила Карла.

— Карла?!

— Вроде бы они с Лизой договорились встретиться у тебя дома. Карла пришла, а дверь нараспашку, и Лиза... В общем, Карла позвала сторожа, тот позвонил в «скорую», потом в полицию...

— Карла?!

Тайный шепот волн перехлестывал через парапет, заливал мостовую. Земля под ногами дрожала.

— Да. Ей трудно пришлось, но она все выдержала. Стойкая она. Несгибаемая.

— Ты о чем?

— В полиции ее допрашивали... с пристрастием. Я ей советовал на время уехать из города, но она наотрез отказалась. И родителям Лизы помогла...

— Ты когда с ней последний раз виделся?

— Вчера. На поминальной службе в Афганской мемориальной церкви.

— На поминальной службе? Так тело же родители увезли...

— Да. Карла все устроила.

Удары сыпались один за другим. Я чувствовал, что сдаю раунд, что не продержусь до финального гонга, до спасительного угла.

— Карла все устроила?

— Да. Между прочим, в одиночку. Я вызвался ей помочь, но она все сама организовала.

— А кто еще был на службе?

— Приятели Лизы из картинной галереи, наши из «Леопольда», Кавита, Викрам, Джонни Сигар с женой, Навин Адэр, Дива Девнани, зодиакальные Джорджи, Стюарт Винсон и его подруга-норвежка. Лизины родители уже увезли тело, поэтому все прошло очень тихо.

— А кто последнее слово произнес?

— Никто. Мы посидели, послушали службу и по одному вышли из церкви.

Вчера. Мне следовало вернуться вчера, быть с теми, кто любил Лизу, а я стоял на пустынной дороге и глядел на отрезанную голову. Вчера худощавый связник в аэропорту предупредил меня ни в коем случае не заходить домой.

«Тебе опасность не грозит», — сказал связник.

Я не обратил внимания, не понял, что именно он мне говорит.

Он произнес «тебе...» и на мгновение замялся.

«Тебе... опасность не грозит».

В опасности был не я, а кто-то другой. Знал ли об этом связник? Знал ли он о смерти Лизы, встречаясь со мной в аэропорту?

И Голубой Хиджаб... Я вспомнил ее слезы, ее печаль, ее долгий проникновенный взгляд при прощании на дороге в аэропорт. Знала ли она о смерти Лизы?

Лиза умерла четыре дня назад. Санджай и его люди наверняка об этом знали — они знали все, что происходит на их территории. Санджай испугался, что я, узнав о смерти Лизы, выйду из себя, поэтому отправил в аэропорт связника — проследить, чтобы я не провалил задания.

— Мы с Навином Адэром кое-что разузнали, — сказал Дидье, пристально глядя на меня.

Земля качалась под ногами — или это я раскачивался, будто на палубе «Митратты». Слов Дидье я не воспринимал. В ушах гулко шумел океан: «Лиза. Лиза. Лиза».

— Лин!

— Что?

— Мы с Навином кое-что разузнали.

— Что именно?

— Как Лиза раздобыла рогипнол, наверняка установить не удалось, зато мы отыскали дилера.

— Каким образом?

— Среди вещественных доказательств, собранных полицейскими, была упаковка рогипнола, весьма характерная.

— Вы выкрали вещественные доказательства?

— Нет, что ты! Мы их выкупили.

— Отлично. И кто же этот дилер?

Дидье замялся, озабоченно сощурился и посмотрел на меня:

— Обещай, что без меня ты его не убьешь.

— Кто это?

— Конкэннон.

Набережная снова накренилась и заскользила, уходя из-под ног. Я плотнее вжался в парапет, чтобы не упасть. Голова кружилась — или это кружился мир, навсегда потеряв равновесие? Перед глазами все качалось и плыло.

Я огляделся, стараясь прийти в себя. В ночь новолуния свет городских фонарей затмевал сияние звезд. Автомобили проплывали по бульвару, словно косяки рыб в океане.

— Ее не изнасиловали, — сказал Дидье.

— Ты о чем?

— Присутствие рогипнола в организме обычно вызывает подозрение в изнасиловании, — тихо произнес Дидье. — Но в полицейском протоколе значится, что никаких следов насилия не обнаружено. По-моему, тебе следует это учесть.

Волны с плеском разбивались о волнорез, лизали прибрежные валуны, очищали зубастые челюсти утесов от ракушек и топляка, терпеливо и нежно ласкали гранитные уступы.

Волны смеялись. Волны рыдали. Прекрасный миг жизни обращался в ветер, в океан, в песок. Волны смеялись и стенали. Волны звали меня. Я проваливался в бездну. Надо было собраться, взять себя в руки. Хотелось сесть на мотоцикл.

— Мне нужно домой, — сказал я.

— Да, конечно. Я поеду с тобой.

— Дидье...

— Лин, почему ты всегда отталкиваешь друзей? Это твой главный недостаток.

— Дидье...

— Если друг хочет что-то для тебя сделать, не отвергай его, а прими предложенное с благодарностью. В этом и заключается любовь.

«В этом и заключается любовь».

В безмолвии такси, по дороге домой, я снова и снова слышал эти слова. Наконец они умолкли. Я вошел в квартиру, пригласил сторожа и начал расспрашивать его о Лизе.

Он разрыдался, оплакивая Лизу, скорбя о нас обоих. Для него мы всегда были людьми счастливыми, добрыми и щедрыми, помнившими все праздники и дни рождения.

Успокоившись, сторож рассказал мне, что Лиза прибыла в час ночи с двумя спутниками в черном лимузине. Один из мужчин вернулся в машину минут через пятнадцать и уехал, а второй провел в квартире около часа. Чуть позже пришла Карла — и сразу же позвала сторожа.

— Вы не признали никого из гостей?

— Нет, сэр.

— Как они выглядели?

— Один с виду иностранец, он первым ушел. Разговаривал громко, ходил, опираясь на две трости, и кряхтел от боли, будто у него нога сломана.

— Или два пулевых ранения, — заметил Дидье.

— Значит, Конкэннон. А второй?

— Я его лица не разглядел. Он все время отворачивался, а лицо носовым платком прикрывал и как пришел, и как уходил.

— Он был с машиной?

— Нет, сэр. Он пешком ушел, очень быстро, в сторону Военно-морского клуба.

— А номер лимузина вы записали?

— Да, сэр. — Он сверился с блокнотом, продиктовал номер машины. — Простите, сэр, мне следовало...

— Ваша обязанность — охранять ворота, а не апартаменты. Вы ни в чем не виноваты. Лиза вас очень любила. Вы бы ее наверняка спасли, если бы неладное заподозрили. И я бы спас. Не расстраивайтесь. Успокойтесь.

Я вручил ему деньги, попросил немедленно сообщить о появлении полицейских и по ступенькам поднялся к себе. Открыл входную дверь, пересек гостиную и вошел в спальню. Место наших совместных размолвок и примирений теперь превратилось в склеп — для одной Лизы.

Кровать была пуста. Постельное белье сняли. О Лизе напоминал купленный ею матрас с переплетением морских коньков на обивке. В изголовье лежали две подушки. В изножье стояли плетеные шлепанцы из пеньки, заношенные и обтрепанные. Лизины любимые.

Через минуту я отвел глаза, не желая больше видеть место, где Лизино дыхание замедлилось, прервалось и растаяло.

В спальне было чисто и пусто. Все Лизины вещи исчезли, остались только мои.

На стене по-прежнему висела алая афиша фильма Антониони «Фотоувеличение» — творческий импульс, смерть и страсть. На подоконнике красовалась резная лошадиная голова. Мои ремни болтались на вешалке в углу. На этажерке лежали книги и сломанная сабля.

И это — все следы моего присутствия в квартире. Без Лизиных цветов, картин и ярких саронгов место, бывшее нам домом, стало унылым и одиноким. «Что такое цивилизация? — заявил однажды Идрис. — Цивилизация — женщина, живущая так, как ей хочется».

— В полицейском протоколе есть фотография с места происшествия, — сказал Дидье, стоя в дверях. — Хочешь взглянуть?

— Нет. Нет, спасибо, не стоит.

— Может, снимок тебя утешит. Лиза выглядит умиротворенной, как будто легла и уснула. Навечно.

Между стен металось эхо тишины, звучало в наших сердцах. Внутри все сжималось от мысли о фотографии, о вечном сне Лизы.

— Лин, тебе грозит опасность, — напомнил Дидье. — Тебя разыскивает полиция. Как только им станет известно, что ты вернулся в Бомбей, они сразу же сюда заявятся.

Напоминание вывело меня из оцепенения.

— Помоги, а? — попросил я, оттаскивая тяжелый комод от стены.

За фальшивой перегородкой в задней стенке комода скрывался тайник. Похоже, его не обнаружили. Я нажал защелку.

— У тебя есть надежный человек, которому можно отдать на хранение оружие, много денег, паспорта и полкило самого лучшего кашмирского гашиша?

— Есть. Его услуги обойдутся в десять процентов.

— Десять процентов от суммы денег?

— Да.

— Отлично. Позвони ему, пусть придет.

— Лин, я попрошу, чтобы он выпивку с собой захватил. Я долго без спиртного не могу, ты же знаешь.

— А кто только что из фляжки отхлебнул?!

— Фляжка не в счет, — снисходительно, будто ребенку, ответил он. — А закуску просить?

— Я не голоден.

— Вот и славно. Еда для тех, кто наркотики боится принимать. Вдобавок еда ослабляет действие спиртного. Ученые ставили эксперимент на мышах... или на крысах, не помню...

— Звони уже, Дидье!

Я запихнул в один внутренний карман джинсовой куртки пачку рупий, в другой — пачку долларов, отрезал уголок от брикета гашиша, вернул пакет в тайник и подпоясался перевязью с ножами; потом закрыл потайную панель и снова придвинул комод к стене, на случай если в квартиру придет еще кто-нибудь, кроме приятеля Дидье.

На кухне Дидье обследовал содержимое шкафчиков.

— Даже хереса нет, — расстроенно бормотал он, заметил меня и улыбнулся. — Тито, мой приятель, придет через полчаса. Ты как, дружище?

— Терпимо, — рассеянно ответил я, разглядывая дверцу холодильника, — к ней Лиза клеила скотчем свои фотографии; снимки делал я.

Фотографий не было, остались только полоски прозрачной клейкой ленты, обрамляющие пустоту.

Лиза настояла на клейкой ленте, потому что терпеть не могла магнитики. «Ненавижу магнитики, они предательски ненадежные», — утверждала она.

— Родители собрали все ее вещи, все, что напоминало о ней, и увезли с собой, — объяснил Дидье. — Без слез не обошлось.

Я ушел в туалет, ополоснул лицо холодной водой. Не помогло. Я рухнул на колени перед унитазом и изверг из себя темную, тяжелую кислоту.

Дидье заглянул в туалетную комнату и поступил по-дружески — вышел и оставил меня предаваться отчаянию.

Я снова умылся и посмотрел в зеркало. В рамке торчала половина фотографии — смеющееся лицо Лизы исчезло, на меня глядела только моя ухмыляющаяся рожа. Я вытащил клочок бумаги, разодрал его на мелкие кусочки и выбросил в мусорную корзину.

Усевшись в гостиной, мы с Дидье пили крепкий черный кофе и курили крепкий черный кашмирский продукт — Лизины запасы, ее божественная дурь, сберегаемая для особых случаев, а потому хранимая в моем тайнике.

А потом появился Тито, принес бренди и еду. Мы помянули Лизу. Выпили за возлюбленную.

Тито помог мне снова оттащить тяжелый комод от стены, взглянул на оружие, деньги и паспорта и изрек:

— Отлично. Десять процентов.

— Заметано.

Он начал укладывать в котомку пакеты и пачки — все мое добро в Городе семи островов, моя доля в нашем с Дидье предприятии, все мое движимое имущество, за исключением содержимого карманов и рюкзака.

Тито собрался затянуть горловину котомки, но я его остановил:

— Погоди.

Я вспомнил еще об одном тайнике, который вряд ли обнаружила полиция. В чулане стоял газовый бойлер, над которым Лиза соорудила полку, где сушила галлюциногенные грибы, привезенные подругой из Германии.

Я распахнул дверь в чулан, пошарил на полке, нащупал у самой стены обувную коробку с надписью на боку: «ВОТ ПОЧЕМУ». Я подтащил коробку поближе, запустил руку внутрь, просеивая пальцами содержимое, как болотную ряску.

Мелкие безделушки: тончайший серебристый шарфик — Лиза надела его в день нашего знакомства; заводная игрушка; латунная зажигалка «Зиппо» — Дидье подарил ее на новоселье, а Лиза не разрешала мне ею пользоваться, опасаясь, что я ее потеряю (и наверняка ведь потерял бы); собачий свисток — им она сзывала окрестных собак всякий раз, когда мы выходили гулять на набережную Марин-драйв; самодельное пресс-папье из серебряных колец; какие-то раковины, камешки, фотографии, амулеты и монетки... Мелочи, пустяки, бросовые сувениры, для посторонних не имеющие никакой ценности, но для нас с ней — дороже всего на свете.

«В этом и заключается любовь, Лиза», — подумал я, глядя на коробку. Любовь — это то, что не имеет никакой ценности для посторонних, но дороже всего на свете для нас.

«Мы с тобой любили друг друга, Лиза. Мы любили...»

Я уложил в котомку Тито коробку, сломанную саблю Кадербхая и Лизины пеньковые шлепанцы. Тито крепко затянул тесемки и вскинул котомку на плечо.

— Как ваша фамилия? — спросил я, пристально всматриваясь ему в глаза.

Мы с ним познакомились всего четырнадцать минут назад, но он уже стал хранителем всего моего имущества. Мне важно было запомнить лицо Тито, надежно закрепить его в памяти.

— Дешпанде, — ответил он.

— Позаботьтесь о моей доле и о своей не забывайте, мистер Дешпанде.

— Не волнуйтесь, — рассмеялся он.

Мы обменялись рукопожатиями, Тито кивнул Дидье и сбежал по лестнице.

После его ухода Дидье спросил, разливая по бокалам бренди:

— И как мы его убьем?

— Кого?

— Конкэннона.

— Я не собираюсь убивать Конкэннона. Я хочу его найти и выяснить, кто купил у него рогипнол для Лизы.

— По-моему, лучше сделать и то и другое, — задумчиво протянул Дидье.

— Мне надо поговорить с Навином. Позвони ему, договорись о встрече. Днем я увижусь с Санджаем, доложу ему о выполненном задании, а с Навином готов встретиться в пять в Афганской церкви.

— Хорошо. Ты не знаешь, когда вернется Абдулла?

— Нет.

— Тебе сейчас очень нужен свой человек в Компании Санджая.

— Да, это ясно. — Я обвел взглядом комнату, посмотрел на раскрытую дверь в спальню. — Я здесь переночую.

— Может, не стоит? — возразил Дидье. — Здесь опасно. Тут недалеко есть очаровательное местечко, у хозяина целый набор всевозможных задвигов и маний. Тебе понравится. Я тебя подвезу, если хочешь.

— Нет, я переночую здесь.

— Дружище, ты... — начал он и рассмеялся. — Ну раз тебя не переубедить, то придется и Дидье провести ночь в скорбной обители.

— Послушай...

— Нет, Дидье настаивает! Разумеется, спать Дидье будет на диване. Все-таки не зря я велел Тито две бутылки бренди захватить.

Я устроился на полу, рядом с кроватью, обняв Лизину подушку. Дидье спал как младенец, раскинувшись на диване.

Утром я наскоро перекусил остатками вчерашней еды и запил завтрак бренди с капелькой кофе. Дидье помог мне прибрать на кухне, и мы направились к выходу из квартиры, где еще он недавно был частым гостем, — из квартиры, где навсегда умолк смех любви.

— Мне очень стыдно, — негромко произнес Дидье. — Лин, мне так стыдно.

— Стыд — дело прошлое или очень скоро им станет.

Поразмыслив, он спросил:

— Это Карла сказала?

— А кто же еще?

Мы оба замолчали.

— Когда вы встретитесь... — начал он.

— Дидье... — предостерегающе оборвал его я.

— Будь с ней поласковее, ладно?

— Конечно. Я с Карлой всегда ласков. Я просто хотел узнать, как вышло, что именно она обнаружила тело Лизы. А ты тем временем следи за Конкэнноном и устрой встречу с Навином, договорились?

Дидье понимал, что мне необходимо чем-то заняться, чтобы сбежать из темницы тоски. Мы замерли в дверях, глядя на опустевшие комнаты.

— Мне тоже... терпимо, дружище, — наконец произнес Дидье. — Может... Точнее, с твоего позволения мне хотелось бы помянуть Лизу добрым словом здесь, у двери, которую мы с тобой больше никогда не откроем.

— Отлично придумано. Начинай.

— Лиза, мы все тебя любили, и в глубине души ты об этом знала. Нам нравилась твоя улыбка, твоя непосредственность, свободный полет твоих мыслей, привычка неожиданно пускаться в пляс и жульничать, играя в шарады. Нам нравилось то, что ты любила нас всех. Но больше всего нам нравилась твоя искренность. Лиза, в тебе не было ни грамма фальши. Ты была искренним человеком. Если твоя душа здесь задержалась, прошу тебя, войди в наши сердца и будь с нами даже тогда, когда мы покинем место, где ты нас покинула, чтобы частичка тебя всегда оставалась в нас... Чтобы мы всегда тебя любили.

— Спасибо, Дидье, — помолчав, сказал я. — Прекрасная речь.

— Разумеется. — Он подтолкнул меня к порогу, сам переступил его и захлопнул дверь. — Слышал бы ты, какую речь я подготовил для тебя, милый друг.

— Ты уже написал речь для моих поминок? — спросил я его на лестнице.

— Дидье врасплох не застанешь. Особенно когда дело касается лучшего друга.

— А, тогда конечно. Ты написал надгробные речи для всех своих лучших друзей?

— Нет, Лин, — ответил он во дворе. — Только для тебя. Поминальную речь я написал только для тебя. С Лизой я прощался от чистого сердца. А местные букмекеры уже принимают ставки на тебя, мой уцелевший друг, — как долго ты протянешь, разорвав узы с Санджаем.

Я посмотрел на дом. Мне не верилось, что Лиза умерла, ведь я не видел ее тела. Наш дом был единственным напоминанием о ней — и о нас. Для нас дом почти всегда был счастливым, светлым местом, но теперь он навсегда превратился для меня в разговор с духом.

ГЛАВА

36

В здание газетной империи Ранджита попасть было труднее, чем сбежать из тюрьмы. Я прошел через три поста охраны — на каждом тщательно проверили пропуск с надписью «ГОСТЬ», но металлоискателем не озаботились. Наконец я попал в приемную Ранджита и в четвертый раз произнес:

— Меня зовут Шантарам. Я по личному вопросу.

Секретарь подняла трубку, произнесла привычную мантру, и дверь в кабинет распахнулась.

Ранджит привстал с кожаного кресла, протянул мне руку через стол. Секретарь бесшумно вышла и закрыла за собой дверь.

— Садись, — сказал я.

— Что тебе...

— Твои охранники ни разу не поинтересовались, вооружен ли я.

— Ох...

— Да сядь ты уже!

Он опустился в кресло, погладил стеклянную столешницу.

— Где Карла?

— Карла? Ты из-за Карлы сюда пришел?

— Где Карла?

— А в чем дело?

— Возьми трубку.

— Зачем?

— Позвони Карле.

— А... а почему ты сам ей не позвонишь?

— Телефон я не люблю, да он мне и не нужен — если надо кому-то позвонить, легче тебя заставить, ясно?

— Что?

— Позвони Карле.

— Ты позвал, и я пришла, — прозвучало у меня за спиной.

Карла сидела в кресле, скрытом за кадками с пальмами в углу кабинета. Она выглядела раздраженной, но, похоже, обрадовалась моему появлению. Видимо, я прервал ее ссору с Ранджитом.

— Привет, Карла. Тебя в угол отправили за плохое поведение?

— Мы с Ранджитом договорились держаться подальше друг от друга в закрытом помещении, — заявила она, прикуривая сигарету.

По лицу Карлы скользили тени пальмовых листьев.

— Вы закончили? — Я взглянул в ее непроницаемые зеленые глаза.

Ранджит захохотал. Я обернулся к нему. Он, давясь, торопливо оборвал смех.

— Что смешного? — осведомился я.

— Я... ну... так, просто. Не знаю... — с ужасом пробормотал он.

Что его напугало? Да, я упомянул оружие, но пистолета у меня не было. Зато в кабинете сидела Карла — оружие иного рода. Ранджиту ничего не угрожало, и все же он дрожал от страха.

— Знаешь такое выражение — «будто призрак увидел»?

— Ну да... — недоуменно кивнул он.

— Вот ты сейчас сам похож на призрак.

— На призрак? На чей призрак?

— Да что с тобой стряслось?

— Ты сказал, что вооружен, — дрожащим голосом произнес он.

— Я сказал, что никто не поинтересовался, вооружен ли я. Вот и все. Я не говорил, что вооружен.

— А... да. То есть нет, не говорил.

— Ранджит, ты мне хочешь что-то сказать?

— Нет-нет, — заторопился он. — Ничего.

— Что тебе известно о смерти Лизы?

— Ничего не известно. Бедняжка. Несчастный случай. Такая трагедия...

— До свидания, Ранджит. Меня не жди. — Карла встала и направилась к двери.

Я распахнул перед ней дверь, и мы вышли из кабинета. Ранджит застыл в кресле, упираясь ладонями в стол, словно боясь, что тот улетит.

Едва двери лифта закрылись, Карла достала фляжку, отхлебнула, закрыла крышку и повернулась ко мне:

— Как ты думаешь, я имею отношение к ее смерти?

— С чего бы это?

— А полицейские решили, что имею. Допрашивали меня с пристрастием. Синяки оставляли аккуратно, только там, где не видно.

Меня замутило. Внутри вскипала злость.

— Дилип-Молния?

— Да, привет тебе передавал.

Двери раскрылись. У лифта толпились люди. Карла остановилась в дверях, не позволяя никому войти, и повернулась ко мне.

— Я к этому не имею никакого отношения, — сказала она. — Я зла ей не желала. И в обиду не дала бы.

— Конечно, — кивнул я, но она уже шла по вестибюлю.

Я подбежал к стойке, швырнул пропуск и, расталкивая людей, бросился следом за Карлой. Догнал я ее неподалеку от входа.

Мы поехали на набережную в Бандре. Карла крепко обняла меня сзади, вжала лицо мне в спину — пассажир, готовый к смерти. Можно было поехать куда-нибудь поближе, но мне нужно было подольше прокатиться на мотоцикле. Когда я остановил байк на берегу, то был спокоен, как волны залива. Несмотря на полуденную жару, мы неторопливо гуляли вдоль полумесяца набережной — два иностранца, полюбившие солнечный город.

— У нас было свидание, — произнесла Карла на ходу.

— «У нас было свидание»? — переспросил я.

— Нет.

Поразмыслив, я осведомился:

— У вас с Лизой было свидание?

— Ага.

Немного погодя я сообразил:

— То есть у вас с Лизой было романтическое свидание?

— Вроде бы.

— Вроде бы?

— Вроде бы.

— «Вроде бы романтических» свиданий не бывает.

— Понимаешь, между нами всегда существовало... некое влечение...

— Ах, влечение...

— Во всяком случае, с ее стороны.

— И поэтому ты к ней поехала?

— Она сказала, что ей хочется немного выпить и хорошо повеселиться или хорошо выпить и немного повеселиться.

— Ничего не понимаю.

— Это она все придумала.

— Что?

— Я сказала, что пойду с ней выпить, а дальше посмотрим. А она сказала, что ты не будешь возражать.

— Правда?

— Ага...

Мы молча шли по берегу. Тени бежали за нами, хотели спрятаться от полуденного жара.

— И ты серьезно решилась на это вроде бы романтическое свидание?

— Нет, конечно, — улыбнулась она и, сощурившись, посмотрела под ноги. — Лиза любила флиртовать. Удержу не знала. Я ей подыгрывала, потому что ей это нравилось.

— Карла, прости, что меня не было. Прости, что я ее не остановил. Прости, что тебе пришлось обнаружить тело. Хотел бы я избавить тебя от этих воспоминаний.

— Прелесть прошлого заключается в том, что его нельзя изменить. Ты не мог ничего сделать — ни тогда, ни сейчас.

— Трудно тебе пришлось... ну, когда ты ее нашла...

— Дверь была распахнута, — сказала Карла, глядя под ноги. — Лиза лежала на кровати. Я решила, что она заснула, а потом заметила пакетик с таблетками, бросилась ее трясти, но поздно... Она уже остыла. Я позвала сторожа, попросила вызвать «скорую» и полицию... Увы, она умерла.

Я обнял ее за плечи, и она по-супружески прильнула ко мне.

— А кто с ней был? Кто дал ей эти таблетки? — спросил я.

— Пока не знаю. Вот пытаюсь выяснить, но я в этих кругах давно не вращалась.

— А когда тебя... допрашивали, что говорили?

— Ничего особенного. Их больше всего ты интересовал, прямо пинками допытывались, — сказала она. — Нет, понятно почему: ты исчезаешь из города, а твоя подруга умирает — или все было наоборот?

Я отстранился и заглянул ей в глаза:

— Погоди, ты что, решила, это я Лизу... Я ее никогда не обижал и не обидел бы ни за что...

Карла рассмеялась — впервые с тех пор, как я заметил ее в кабинете Ранджита, за пальмами.

— Хорошо, что ты смеешься.

— Я не смеялась с тех пор, как нашла ее... Хожу какая-то онемевшая, туман в глазах. Разумеется, ты не мог ее обидеть — иначе я бы тебя не любила.

Она обернулась к морю, ветер откинул ей волосы с лица, открывая его солнцу. Бриз под линейку расчертил бухту нотным станом волн и расплывающимися клоками морской пены торопливо записывал музыку.

— Карла, что произошло? Как ты думаешь, что произошло?

— Говорю же тебе, не знаю пока. А тебя где черти носили?

Где меня черти носили?

Щелк-щелк.

Отрезанная голова.

Голубой Хиджаб.

— По делам уезжал. Абдулла с тобой не связывался?

— Нет, но у него есть мой телефон, он всегда звонит, когда приезжает.

— У Абдуллы есть твой телефон?

— Конечно.

— А у меня нет.

— Ты же телефоном не пользуешься, Шантарам.

— Не в этом дело.

— А в чем?

— Видишь ли...

— Я к Ранджиту не вернусь, — быстро, без улыбки сказала она.

— Ладно. Погоди, в каком смысле?

— Я уже сняла номер в «Тадже».

— В «Тадже»?

— К вечеру вещи доставят.

— Ты ушла от Ранджита?

— Лови шанс за мной приударить, Шантарам.

Женщину, которая намного умнее тебя, любить очень трудно — самое страшное, что, когда тебя снова и снова швыряют лицом в грязь, от этого получаешь удовольствие.

— Что-что?

— Помнишь, ты мне как-то говорил о «до» и «после»? — спросила она, не ожидая от меня ответа.

— Я... да.

— Так вот, «после» уже началось, Лин. Сегодня. Ты не в силах вернуться домой. Я не желаю возвращаться домой. Вопрос в другом: ты со мной или без меня?

Глупец, я не понимал, *что* она мне говорит, но сообразил это только позже. Вдобавок я не знал ни о принятых ею решениях, ни о том, почему она мне это говорит.

Секунды пролетали пыльцой на ветру. В них было все. В них не было ничего.

— Лиза умерла, — сказал я. — Лиза умерла совсем недавно...

— Она бы... — Карла осеклась, снова рассмеялась и посмотрела на меня несчастными глазами. — О господи, да я тебя... уговариваю... со мной сбежать?!

— Ну, вообще-то, я...

— Иди к черту!

— Меня-то зачем посылать?

Она быстро ступила на обочину и махнула такси.

— Карла, погоди!

Она села в машину и уехала.

Я вскочил на мотоцикл, не разбирая дороги бросился вслед за такси и до самой гостиницы накручивал круги вокруг машины, стараясь привлечь внимание Карлы, но она не удостоила меня взглядом.

Я остановился. Карла отпустила такси, поднялась по широким ступеням к дверям гостиницы и исчезла в вестибюле. Я оставил ей записку у консьержа, отъехал от величественного здания «Таджа», что гордым галеоном высилось в безбрежном океане машин, и занялся расспросами о Конкэнноне. Я беседовал с людьми в игорных заведениях и в опиумных притонах, в барах и дешевых забегаловках на окраинах, в лотерейных киосках и мелких лавчонках, где приторговывали гашишем. Узнал я немного, но в округе поговаривали, что Конкэннон барыжит героином от Компании Скорпионов, которую ни разу не назвали бандой, — за «скорпионами» прочно закрепился статус настоящей мафиозной организации.

Мне следовало отчитаться перед Санджаем — по предварительной договоренности я должен был явиться к нему в два часа пополудни на следующий день после возвращения из Шри-Ланки. Разумеется, Санджай будет в дурном расположении духа из-за того, что я не появился раньше. Впрочем, после смерти его приятеля Салмана в хорошем настроении Санджай не бывал.

На стоянке у Института имени Кишинчанда Челларама я вручил сторожу сотню рупий и попросил его не подпускать к моему байку опасных типов.

— Студенты вообще типы опасные, — ответил сторож на хинди. — Никогда не знаешь, что учудят.

— Вообще-то, я про более опасных типов.

— Ага, — подмигнул мне сторож.

Я прошел полквартала до особняка Санджая и нажал кнопку дверного звонка. Дверь открыл вооруженный афганский охранник и, узнав меня, провел в дом.

Санджай, в пижаме и темно-синем халате с вышитой монограммой на кармане, принял меня в столовой. За окнами влажно зеленел запущенный сад, окруженный высокими стенами. Еды на столе хватило бы на трех голодных здоровяков, но Санджай сидел в одиночестве, прихлебывал чай, курил сигарету и при виде меня не сделал попытки привстать с единственного стула в комнате.

— Славно дельце провернул, — сказал он, оглядев меня с головы до ног. — Впрочем, на тебя всегда можно положиться. Деньги тебе передадут. Все твои вещи из паспортного цеха собрали, вон они, в красном чемоданчике у двери. Остается только попрощаться. Так что прощай.

— В чем заключался мой прокол? Почему меня отозвали раньше времени?

Он затушил сигарету в пепельнице, отхлебнул чая, осторожно опустил чашку на блюдце и откинулся на спинку стула.

— Знаешь, почему я рад с тобой попрощаться, Лин?

— Потому что считаешь, что я заслуживаю лучшего?

Он засмеялся. За долгие годы нашего знакомства я не слышал у него такого смеха, — наверное, этот смех Санджай приберегал для прощаний. Смех оборвался.

— Потому что ты никогда не умел и уже не научишься работать в команде, — хмуро ответил он. — Ты белая ворона. Погляди, все остальные объединились или их объединили, а ты сам по себе, никому не подотчетен. Ты ничей, а потому здесь тебе делать нечего.

— Ты человека в аэропорту ко мне подослал, потому что Лиза умерла?

— Повторяю, ты не умеешь работать в команде. Ты непредсказуем. Между прочим, она умерла, когда ты был в Мадрасе.

— А ты когда об этом узнал?

— Через пять минут после того, как об этом узнала полиция. Не имело смысла прерывать важное задание.

— Через пять минут?

— Ты же телефоном не пользуешься, так что вряд ли узнал бы о случившемся. Я принял решение тебе об этом не сообщать и обеспечить прикрытие на каждом этапе.

— Ты принял решение?

— Да. Если ты недоволен, то убирайся, я тебя не задерживаю.

— Почему ты не известил меня о смерти Лизы?

— Ты сделал свой выбор, не желая знакомить ее с нами. Мы с ней ни разу не встречались, хотя знаем матерей, сестер и жен всех наших людей.

Я негодующе смотрел на него, с трудом сдерживаясь, чтобы не накинуться с кулаками. Сердце колотилось, как барабаны в джунглях. Похоже, предводители и вожди, не ощущая мимолетного присутствия Смерти, не так уж и редко переживают смертельно опасные мгновения.

— Ты все еще под моей защитой, хоть и ненадолго, — продолжил Санджай. — Моя репутация пошатнется, если наши бывшие сотрудники начнут умирать в первые недели после ухода со службы. Помни, счетчик включен. Не испытывай моего терпения, не то срок сократится. А теперь убирайся, дай позавтракать.

Я направился к дверям, но у самого порога Санджай меня окликнул. Такие, как он, всегда стремятся оставить за собой последнее слово, даже когда оно уже произнесено.

— Мои соболезнования, — сказал он. — Печально, конечно. Родители наверняка расстроены. Смотри не принимай никаких скоропалительных решений. Попадешь в передрягу — Компания тебе на выручку не придет.

Я вышел из особняка и направил мотоцикл к съестным рядам на мысе Нариман-Пойнт, где обычно обедали служащие. Гнев не отпускал. Вдобавок меня терзал голод. Я нашел местечко в толпе, подкрепился пряными горячими бутербродами с яйцом, картошкой и овощами, выпил бутылку молока.

В последнее время я ел мало, недосыпал, а надо было привести себя в форму. На улицах южных районов города вскоре станет известно, что я ушел из Компании. До сих пор со мной не связывались, зная, что я человек Санджая, но теперь, когда выяснится, что я одинокий волк, свора начнет хватать меня за пятки.

Быстрая езда остудила горячую голову, и я решил заехать в спортзал на острове Ворли, в бывшем фабричном районе. Здания текстильных мануфактур превратили в парикмахерские и фитнес-центры. Вышедший на покой гангстер по прозвищу Команч, один из людей Санджая, открыл здесь спортзал.

Команч был надежным другом и смельчаком; мы с ним вместе пару раз принимали участие в стычках с враждующими бандами, где оба получили ножевые ранения. Такое не забывается. В его спортзал допускались не только люди Санджая, но и полицейские, при условии, что никто не задевал честь Компании.

Я разделся до пояса и целый час провел в качалке, а потом полчаса боксировал с тенью, давая отдых натруженным мышцам. Посетители спортзала, парни из бедных семей, поначалу меня сторонились, хотя со свойственным молодости задором давали понять, что я им нестрашен. Наконец они решили, что я из своих, и мы побоксировали вместе.

Я принял душ, оделся и поглядел в старенькое, покрытое пятнами зеркало.

Глаза прояснились, покой окутал меня осенней листвой. Над зеркалом висел плакат: «Когда тебе паршиво, качайся!»

— Тебе латерального тренажера не хватает. — Я протянул Команчу деньги, которых с лихвой хватило бы на новый тренажер.

Команч поглядел на ворох купюр и недоуменно поднял брови:

— Многовато для одной тренировки.

— Я отлично провел время. Только знаешь, тут окна не помешают — воняет, как в жопе у змеи.

— Да пошел ты! — беззлобно усмехнулся он. — Нет, правда, зачем ты мне деньги даешь?

— Членский взнос.

— Ты что, забыл? Людям Санджая — бесплатно.

— Мы с Санджаем расстались. Я теперь вольная птица.

Странно было произносить слова, которые прежде я говорил лишь единственному близкому другу.

— Не может быть!

— Да, Команч, мы с Санджаем расстались.

— Лин, да как же...

— Все в порядке. Санджай нормально к этому отнесся. Даже обрадовался.

— Санджай... обрадовался?

— Я только что от него. Он не возражает.

— Правда, что ли?

— Честное слово.

— Ну, тогда ладно.

— Я теперь новый спортзал ищу, мне же больше нельзя Санджаевым пользоваться. Можно у тебя качаться?

Он растерянно, даже с испугом, поглядел на меня, но старая дружба пересилила. Лицо Команча смягчилось, он протянул мне руку и произнес:

— *Джарур*. Добро пожаловать. Только, по-моему, тебе лучше уехать из Бомбея, дружище.

— Наверное, ты прав, брат, — сказал я, направляясь к выходу. — Да вот Бомбей меня не отпускает.

ГЛАВА

 37

*Карла рада будет видеть Шантарама
в ее номере в 8 часов вечера*

Приглашение было написано четким, летящим почерком — ее каллиграфия мне нравилась больше всего. Хотелось бы сохранить приглашение, но я боялся, что оно попадет в грязные лапы моих врагов.

Я присел на мотоцикл, сжег записку и медленно поехал на встречу с Навином в Афганскую церковь.

Мотоцикл пришлось припарковать за автобусной остановкой — теперь, когда я расстался с Санджаем, оставлять транспорт на виду было нежелательно.

В притворе церкви висели пыльные флаги, стены украшали памятные плиты в честь погибших в двух афганских войнах. Афганская церковь служила мемориалом павшим бойцам, военным храмом, где в скамьях еще виднелись выемки для упора солдатских ружей на время молебна, перед выступлением в поход и после боев с афганцами — чуждыми, непостижимыми врагами.

Я заглянул в печальный сумрак церкви. На задней скамье сидела старушка, читала какой-то роман в мягкой обложке. У алтаря замерли, преклонив колени, мужчина и мальчик — над их головами парило круглое витражное окно.

Навин Адэр неторопливо расхаживал по проходу, почтительно заложив руки за спину, и разглядывал бронзового орла на подставке для Библии. От молодого человека веяло уверенностью в своих силах. Заметив меня, он направился к выходу. Мы прошли в пустынный сад за церковью и уселись на каменной скамье под деревом.

В саду было тихо. В неверном свете сумерек над нашими головами сияло витражное алтарное окно.

— Какое несчастье, приятель, — сказал Навин.

— Да, — кивнул я. — Погоди минуту, а?

Мне нужна была минута покоя.

Надо было минуту подумать.

Я до сих пор не задумывался. А теперь, улучив минуту, задумался.

О Лизе.

Лиза...

— Что, Навин?

— ...в полицейском протоколе, — закончил он.

Я пропустил мимо ушей все, кроме последних слов.

— Навин, прости, я задумался. Повтори еще раз, а?

Он сочувственно улыбнулся, разделяя мое горе:

— Ничего страшного. Слушай, встань, пожалуйста.

— Зачем?

— Ну встань, дружище!

— Да зачем?

— Вставай, кому говорят! — Навин поднялся, потянул меня за собой и предложил: — Давай обнимемся.

— Все в порядке.

— Тогда тем более давай обнимемся.

— Говорю же, у меня все в порядке.

— Не дури! Твоя подруга неделю как погибла. Давай обнимемся, дружище!

— Навин...

— Знаешь, индийцы в таких случаях обнимаются, а ирландцы в драку лезут. Кровь моих предков требует либо того, либо другого. Ничего не поделаешь. — Он раскинул руки.

Ничего не поделаешь.

Он по-братски обнял меня. Так мы обнимались с братом в Австралии. Внутри все сжалось.

— Не держи в себе, — сказал он.

В саду, залитом витражным сиянием, я орошал слезами плечо друга, плечо названого брата.

— Иди к черту, Навин!

— Не держи в себе...

Наконец напряжение отпустило, и я разжал объятия.

— Ну что, полегчало? — спросил Навин.

— Иди к черту. Да, полегчало.

Мы уселись на скамью, и он рассказал мне то немногое, что знал.

— А где Конкэннон торгует?

— Не знаю... — Он с улыбкой взглянул на меня. — Тебе он нужен?

— Мне нужно ему кое-что сказать.

— Кое-что сказать?

— Сначала сказать, потом выслушать, кто с ним к Лизе в ту ночь приходил.

— По-твоему, рогипнол ей дал не Конкэннон?

— Сторож говорит, что ирландец почти сразу уехал. А его спутник целый час там провел. Вот мне и интересно, кто это был.

— Ладно, я попробую выяснить.

— Сторож записал номер черного лимузина. — Я протянул Навину листок с номером. — Сможешь узнать, чья машина?

— Имя владельца узнать легко, но это нам вряд ли поможет — автомобили часто регистрируют на других.

— Дидье снял мне номер в гостинице «Амритсар», оставь там записку. А с часу до двух я завтра буду в «Каяни».

— Ты съехал с квартиры?

— Да. Не хочу туда возвращаться.

— А сейчас что будешь делать?

— В восемь встречаюсь с Карлой. Но сначала надо бы купить рубашку и заселиться в «Амритсар». А у тебя какие планы?

— В полвосьмого я должен заехать за Дивой, а до тех пор свободен. Могу с тобой прогуляться.

— Буду только рад.

Мы выкатили мотоцикл из-за автобусной остановки, я завел двигатель, и Навин уселся за мной.

— Я учусь на байке гонять, — сказал он.

— Ну-ну.

— Присмотрел тут винтажную машину с двигателем в триста пятьдесят кубов. Классно выглядит, очень быстрая.

— Ну-ну.

— Меня гонщики всяким трюкам учат.

— Гонщики?

— Ну, приятели Дивы, из богатых семей, на японских мотоциклах гоняют. Здорово!

— Ну-ну.

— Хочешь, покажу, что я умею? Можно за руль сесть?

— И не надейся!

— Понял, — рассмеялся он. — Ладно, вот увидишь мой байк — обзавидуешься!

Мы проехали по Фэшн-стрит, купили в ларьке рубашку и пару футболок, а потом направились к торговому центру «Метро».

Я припарковал байк за гостиницей, в переулке, где арочные пролеты соединяли со второго по четвертый этаж всего квартала. Гостиница «Амритсар» располагалась в полукруглом здании, которое громадным утесом нависало над широким перекрестком, и вокруг него, как водоросли в океане, колыхались нескончаемые потоки автомобилей.

На первом этаже находились музыкальные магазины, лавки, где торговали спортивным инвентарем и канцелярскими принадлежностями, а также кафе «Каяни», выходившее в переулок за гостиницей.

Начиная со второго этажа здание пересекала сеть коридоров и потайных лестниц, которые вели с обшарпанных балконов в дальние апартаменты в самом конце квартала. Знающий человек мог с легкостью укрыться в хитросплетениях гостиницы от полицейских или от иных преследователей. Поговаривали, что в «Амритсаре» двадцать один выход, однако мне обычно хватает и трех — на новом месте беглец первым делом должен разведать пути отступления. Прежде чем зарегистрироваться в гостинице, мы с Навином разыскали три неприметные двери, выходящие на разные улицы. Отлично!

У стойки портье Дидье играл в кости с гостиничным управляющим. Завидев нас с Навином, Дидье поднялся, сгреб меня в охапку и прошептал:

— Мы играем на скидку в стоимости номера.

— Давай я сначала заплачу за номер, а потом со скидками разберемся.

— Тоже дело, — сказал он, разжимая объятия.

Я зарегистрировался по одному из своих фальшивых паспортов и поднялся взглянуть на номер: просторная гостиная, спальня и туалетная комната за резными дверями. В боковой выгородке располагалась крошечная кухня.

В дальнем конце гостиной высокая застекленная дверь вела на затененный балкон. Я распахнул ставни и посмотрел на перекресток: огромная заводная игрушка города шумела и переливалась яркими огнями, тени деревьев на аллее клуба «Джимхана» сумрачным туннелем тянулись к дороге.

Невысокие перегородки с обеих сторон ограждали балкон от балконов смежных номеров. Судя по всему, соседей у меня не было.

Рядом со мной возник управляющий.

— В соседних номерах жильцы есть? — спросил я.

— Сейчас нет, там забронировано на завтра.

— Завтра не наступит никогда, — сказал я на хинди. — А сегодня мы снимем у вас все три люкса на год вперед. Платим наличными.

— Три люкса?! — хором воскликнули управляющий и Дидье.

— Да, три люкса. С сегодняшнего дня на год вперед. Договорились?

— Погодите, — сказал управляющий. — Моей алчности нужно дух перевести. — Он помолчал, раздумывая, а потом заявил: — По-моему, бронь только что отменили.

С человеком, который ведет беседы со своей алчностью, всегда интересно.

— Как вас зовут, сэр? — осведомился я.

— Джасвант Сингх, — ответил он. — А как мне вас величать, сэр?

— Зовите меня *баба*.

— Да-да, конечно, *баба*. Договорились. Значит, на год и оплата вперед?

Я расплатился с управляющим, мы разобрали хлипкие балконные перегородки и прошлись по всем номерам.

— Лин, зачем тебе сразу три номера? — спросил Дидье. — Вдобавок люксами я их называть не желаю.

— Обрати внимание, с торцов балкона — глухие стены. А раз теперь во всех трех номерах живу один я, ко мне никто украдкой не подберется.

— А, понятно, — ответил он.

— Вообще-то, мне нужны только два номера, так что в третьем может устроиться Навин. Как тебе такое предложение?

— Мне? — переспросил Навин.

— Ты же помещение для своей детективной фирмы еще не снял?

— Нет, я из дому работаю.

— А теперь у тебя будет офис. Если хочешь, конечно.

Навин вопросительно взглянул на Дидье. Тот с улыбкой пожал плечами.

— Ты это только что придумал? — спросил Навин.

— Ага.

— Потому что у тебя лишний номер появился?

— Ага.

— Великолепно! — Навин пожал мне руку. — Рад нашему балконному соседству.

К нам подошел Дидье, накрыл наши сжатые руки ладонью:

— По-моему, это начало прекрасной...

— Ох, она меня убьет! — оборвал его Навин.

— Кто осмелится поднять руку на частного сыщика? — спросил Дидье.

— Дива. Если я к ней опоздаю, она два дня мне жить не даст. Все, я побежал. Ключи я у консьержа возьму, от номера справа, ладно?

— Ладно, — кивнул я; меня это вполне устраивало.

После ухода Навина Дидье спросил:

— Ты с Карлой встречаешься?

— В восемь.

— Послушай, дружище, мне по делам пора, но если я что-то разузнаю, то приду в «Тадж», подожду тебя в вестибюле.

— Спасибо, Дидье.

— Не стоит благодарности.

— Еще как стоит. Хозяин гостиницы — твой приятель, ты дружен с главой местной мафии, так что на твоей территории опасность мне не грозит. Спасибо.

— Лин, я тебя люблю. Не сердись, что я тебе это говорю, — у нас, французов, любвеобильные сердца. Мы раскроем печальную тайну смерти Лизы и покончим с этим делом.

Он ушел, а я остался в своем новом жилище — странных гостиничных номерах, которые по наитию снял на год вперед. Мой новый дом — первый дом без Лизы. Жизнь продолжалась, я пускал корни на новом месте.

Я вышел на балкон, оперся локтями о перила и поглядел на круговерть красно-желто-белых огоньков, что взрывались медленным фейерверком на пересечении пяти дорог.

На балкон прилетела ворона, присела на поручень, посмотрела на меня, нахохлилась и упорхнула. У светофора остановилась стайка подростков — они весело смеялись и перешучивались, направляясь за покупками на Фэшн-стрит.

Вдали прозвучал звон храмового гонга, молитвенный речитатив. Еще откуда-то донесся *азан* — призыв муэдзина к молитве, звонкий и напевный.

«Я дома?» — спросил я себя.

Мне нужен был дом. Любой.

«Найду ли я здесь ее?»

Мне хотелось любви — всеобъемлющей и взаимной.

«Здесь ли она?»

Я глядел на перекресток, ждал ответа, а внизу сказочными драконами кружили белые, красные и желтые огни автомобилей.

ГЛАВА

 38

В «Тадж» я пришел слишком рано. У подъезда из лимузинов выходили кинозвезды, приехавшие на банкет в честь нового фильма. Я припарковал байк под пальмами напротив гостиницы и ждал, пока время медлительной улиткой не доползет до восьми — назначенного Карлой часа.

Сквозь широкие двери гостиничного вестибюля было видно, как у стенда спонсоров знаменитости позировали для снимков на фоне названий фирм, оплативших секунды и минуты рекламного времени. Вспышка, еще одна, повернитесь направо, теперь налево — почетных гостей фотографировали, как арестованных преступников для полицейского досье.

Наконец поток лимузинов схлынул, репортеры разбежались в поисках других новостей, стенд спонсоров разобрали. Просторный вестибюль, где не один десяток лет дождливыми вечерами индийские мыслители обсуждали с единомышленниками и противниками свои великие идеи, опустел и приобрел деловитый вид.

Ничего страшного, что я прибыл слишком рано. Я направился к заднему ходу, где стоял знакомый охранник, взошел по широким ступеням к номеру Карлы, постучал. Она распахнула дверь.

Карла, босоногая, в черном шелковом комбинезоне без рукавов, с застежкой-молнией впереди, собрала волосы в пучок на шее и скрепила тонким серебряным ножичком для разрезания писем. Дамасский клинок в волосах — в этом вся Карла.

— Ты рано, — сказала она на пороге, не приглашая меня войти.

— Я всегда или рано, или поздно.

— Весьма подходящая способность для такого, как ты. Так и будешь на пороге стоять?

— Спасибо, я войду.

— Риш! — позвала она, оборачиваясь. — Мы закончили.

Риш, один из Лизиных партнеров по галерее, подбежал к двери.

— Ох, Лин, такое несчастье, — вздохнул он, обеими руками сжимая мне ладонь. — Лиза... Я вне себя от горя.

Он протиснулся между нами и поспешил к выходу по коридору. По очень длинному коридору.

— Лишь глупец станет горевать так, что выйдет из себя, — заметила Карла. — Входи, Шантарам. День сегодня бесконечный. — Она прошла в гостиную и уселась на банкетку у окна. — Смешай мне коктейль, пожалуйста. Ненавижу смешивать коктейли.

Я закрыл дверь и запер ее на замок.

— Что тебе налить?

— «Счастливую Мэри».

— «Счастливую Мэри»? Это что?

— То же самое, что «кровавая Мэри», только без красных частичек. И лед. Побольше льда.

Приготовив коктейль, я отнес бокалы к окну и сел рядом с Карлой.

— За что пьем? — спросила она.

— За сбежавших в гневе? — предложил я.

Она рассмеялась:

— Давай лучше выпьем за прошлое, Шантарам.

— За павших друзей.

— За павших друзей, — согласно кивнула она, чокнулась со мной, сделала большой глоток и отставила бокал. — Слушай, тебе надо успокоиться.

— Я вполне спокоен.

— Не ври. Я только что сделала тебе четыре намека — глупцы, счастье, кровь и лед, — а ты ни на один не отреагировал. На тебя это не похоже. На нас с тобой это не похоже.

— На нас с тобой?

Она с улыбкой наблюдала, как я осмысливаю услышанное, а потом спросила:

— Почему тебе так хочется узнать, кто дал Лизе рогипнол?

— А тебе не хочется?

Она снова взяла бокал, задумчиво посмотрела на него, сделала еще один большой глоток и перевела взгляд на меня:

— Если я или ты узнаем, кто это сделал, мне наверняка захочется его убить. За такое всегда хочется убить. Ты к этому готов?

— Карла, я должен знать, что случилось с Лизой. Она этого заслуживает.

Она оперлась ладонями о колени, резко выдохнула, встала и подошла к письменному столу, где вытащила из сумочки латунный портсигар, такой же как у Дидье. Потом, не оборачиваясь, закурила косяк.

— А я-то надеялась, что сегодня мне это не понадобится, — пробормотала она между затяжками.

Я глядел на силуэт, окутанный черным шелком, и во мне стонала любовь.

— Либо это, — продолжила Карла, по-прежнему не оборачиваясь, — либо бутылкой по голове.

— Ты о чем?

Она затушила окурок, извлекла из портсигара еще пару косяков, вернула портсигар в сумочку и подошла к банкетке.

— Вот, догоняй, — велела Карла, протягивая мне самокрутку.

— Мне и так хорошо.

— Иди к черту, Шантарам. Кури уже.

— Ладно...

Я затянулся. Всякий раз, как я порывался что-то сказать, она снова подталкивала ко мне косяк. Наконец я улучил минутку и произнес:

— Знаешь, ты меня сегодня дважды к черту послала.

— Так пошли и ты меня, если тебе от этого станет легче.

— Нет, я...

— Давай не стесняйся. Тебе точно станет легче. Скажи: «Иди к черту, Карла». Скажи: «Не доводи меня, Карла». Ну, вперед. Говори. «Иди...» — ну?

Я поглядел на нее и ответил:

— Не могу.

— А ты попробуй.

— Как сказать заре: «Иди к черту»? Как сказать такое галактике?

Она улыбнулась, но во взгляде сквозил гнев. Я не понимал, что она замышляет.

— Послушай, давай начистоту, — сказал я. — Я хочу выяснить, что случилось с Лизой. Мне хочется во всем разобраться — и ради Лизы, и ради нас. Понимаешь? Надо решить...

— От решения до мщения тропинка обрывистая, — ответила она. — С обрыва многие срывались.

— Я срываться не собираюсь.

— Я все о тебе знаю, Лин, — рассмеялась она.

— Все?

— Практически.

— Точно знаешь?

— Проверь, — мурлыкнула она.

Я улыбнулся, но внезапно сообразил, что она не шутит.

— Ты серьезно?

— Кури свою траву.

Я затянулся.

— Любимый цвет: голубой с зеленью, цвет листьев на фоне неба.

— Черт, и правда ведь, — признал я. — А любимое время года?

— Муссон, сезон дождей.

— Любимый...

— Голливудский фильм — «Касабланка», любимый болливудский фильм — «Узник любви», любимая еда — мороженое-джелато, любимая песня на хинди — «Этот мир и эти люди» из фильма «Разочарование», любимый мотоцикл... тот, на котором ты сейчас ездишь, да благословят его боги, любимые духи́...

— Твои, — вздохнул я, в отчаянии вскидывая руки. — Мои любимые духи́ — твои. Сдаюсь. Ты победила.

— Разумеется. Я рождена для тебя, а ты — для меня. Мы с тобой это знаем.

Ветер с моря ворвался в комнату, зашуршал прозрачными шелковыми занавесками. Внезапно я вспомнил, что давным-давно приходил сюда в номер по соседству, к Лизе.

Неужели я сошел с ума? Или просто сглупил, зря не сказал Карле правду? Я не понимал ее отношений с Ранджитом, а жизнь зажала в кулак и не позволяла отпустить на волю ни воспоминания о живой Лизе, ни мысли о ее смерти. Я не желал быть с Карлой, увенчанный горем. Мне хотелось освободиться от прошлого, принадлежать только ей. Но сейчас это невозможно — и еще долго будет невозможно.

— Лиза была... — начал я.

— Заткнись.

Я заткнулся. Карла прикурила еще один косяк и передала мне, потом подошла к бару, схватила пригоршню кубиков льда, наполнила ими бокал.

— Сначала кладешь лед, — сказала она, медленно наливая водку поверх льда, — а потом осторожно, сосредоточенно добавляешь «счастливую Мэри». — Она пригубила водку и вздохнула. — Ах, вот теперь отлично! — И рассеянно добавила, глядя в потолок: — День сегодня бесконечный.

— Карла, что случилось у вас с Ранджитом?

Она обратила на меня взор разгневанной богини. Сердце в груди заледенело. Карла была великолепна.

— Ну что я такого сказал?

Она оскалила зубы и процедила:

— А, наконец-то ты соизволил выглянуть из-под покровов скорби и осведомиться о моих делах? Вот из-за этого, Лин, мне и хочется тебя послать ко всем чертям.

— Погоди, я не расспрашивал тебя о Ранджите и о том, почему ты от него ушла, потому что считал причину очевидной. Ранджит — редкий мудак. Что именно между вами произошло? Он тебе угрожал?

Она холодно рассмеялась, поставила бокал на стол и подошла ко мне:

— Встань, Шантарам.

Я встал. Кончиками пальцев она коснулась пояса моих джинсов, потянула за ремень к себе.

— Иногда я просто не представляю, что с тобой делать, — без улыбки сказала она.

Я хотел ей объяснить, что со мной делать, но не успел — она толкнула меня на банкетку и села рядом.

— Для меня Лиза умерла неделю назад, — сказала она. — А для тебя это случилось вчера. Я понимаю. Мы все это понимаем. А тебя бесит, что мы вроде бы не соображаем, как это для тебя важно.

— Совершенно верно.

— Заткнись. Поцелуй меня.

— Что?

— Поцелуй меня. — Она обняла меня за шею, нежно поцеловала и снова оттолкнула. — Послушай, дело не в Ранджите и не в Лизе. Я понимаю, что душевно ты еще не готов ее отпустить, потому что я тебя знаю и люблю. Вот поэтому...

— Ты меня любишь?

— Я только что это сказала. Я рождена для тебя, а ты — для меня. Я знаю это с тех самых пор, как снова увидела тебя на горе.

— Я...

— Мне известны и все твои слабости. Кое-какие слабости у нас с тобой совпадают, а это очень хорошо для нашей близости. Но я...

— Для нашей близости?

— Шантарам, а о чем мы сейчас говорим, если не о нас?

— Я...

— Так вот, о твоих слабостях. Надо...

— Ты — моя единственная слабость, Карла.

— Я — твоя сила. А сейчас, похоже, я — бо́льшая часть твоей силы. Твоя слабость заключается в том, что ты терзаешь себя виной и стыдом, покрываешь позором. Я думала, ты это перерастешь, но...

— Ну, я...

— Да, определенного успеха ты добился, — оборвала она меня, предостерегающе воздев руку. — В этом нет никаких сомнений. Увы, до окончательного результата еще далеко. Твоя самооценка оставляет желать лучшего...

— Да уж какая есть.

— Очень смешно, ха-ха. Однако самооценка — не самое страшное, пустяки. Это можно поправить. Вот я, к примеру, убить кое-кого готова. Совершенства не бывает. Пойми, Лиза умерла, и никакое самобичевание ее не возродит, иначе я сама бы тебя выпорола. Впрочем, может, и выпорю, если не прекратишь себя терзать.

— Погоди, я за тобой не поспеваю.

— Отпусти Лизу. Забудь о ней. Во всяком случае, со мной. Я сказала, что люблю тебя, — я никогда и никому этого не говорила. Если бы ты не терзался виной, ты бы отреагировал иначе.

Я поцеловал ее изо всех сил, вложив в поцелуй всю свою сущность, все свои желания.

— Вот так-то лучше. — Она легонько меня оттолкнула. — Любовника я могу и подождать, но для этого мне нужен рядом друг. Сейчас слишком много всего происходит. Тебе пора во всем разобраться и кое-что принять на веру. Доверься мне, потому что рассказать я тебе пока ничего не могу.

— Почему?

— Вот поэтому и не могу, — улыбнулась она. — Ты слишком любопытный — и верный. Пока я все не улажу, обо мне будут говорить всякое, по большей части дурное. Поэтому просто доверься мне.

Говорила она совершенно искренне, в ее словах не было ни подвоха, ни лукавства. Это прельщало и пугало одновременно. «Представь, что вот так — каждый день», — завороженно подумал я.

Она схватила меня за рубаху и притянула к себе.

— Погляди мне в глаза и скажи, что ты меня понял, — потребовала она. — Я тебя люблю, но мне сейчас не до трагедий. Скажи мне, что ты все понял.

— Я понял, — ответил я, погружаясь в зеленую глубину ее глаз, в манящую бездонную лагуну.

— Прекрасно. А теперь убирайся.

— Ты что, серьезно? — недоуменно спросил я.

Голова кружилась.

— Серьезнее некуда.

— Но я...

Мы подошли к двери, и Карла вытолкнула меня в коридор — ни поцелуя, ни рукопожатия. Дверь захлопнулась, и я остался в одиночестве в гостиничном коридоре, облицованном мраморными плитами.

Что произошло? Все не так. Не так.

Я бросился к номеру и постучал в дверь. Карла открыла сразу же.

— Послушай, — сбивчиво зачастил я. — Ты... Я... С нашей первой встречи я... Как только я...

— Как только мы с тобой столкнулись на улице, — продолжила она, прислонясь к дверному косяку. — А ты улыбался и едва не попал под автобус. Ты улыбался какому-то мальчишке, а у твоих ног бежал пес. Ты знаешь, что такое Таро?

— Китайская мафия?

Она счастливо рассмеялась, будто прозвенел храмовый гонг.

— Свет вспыхнул в тот самый миг, как я выдернула тебя из-под колес автобуса и посмотрела тебе в глаза. А время...

— Остановилось, — продолжил я. — Секунды стали долгими-долгими, и это продолжалось...

— Несколько дней. — Карла выпрямилась и в упор взглянула на меня. — Лин, я не хочу впутывать тебя в свои дела. Просто будь со мной рядом и доверься мне. Ясно?

— Любимый цвет — кроваво-красный, — начал я, жестом поставив галочку в воображаемом списке.

Она снова оперлась на дверной косяк, понимающе улыбнулась:

— Любимое время года — зима. В Базеле. Любимый фильм — «Ки-Ларго»[1], любимая еда — стейк на гриле, любимая песня — «Интернационал»... Мотоциклы ты еще не полюбила, поэтому любимый автомобиль — «шевроле-камаро», модель шестьдесят седьмого года, матово-черный, с кроваво-красной обивкой салона...

Она меня поцеловала. Я закрыл глаза. Свет вспыхнул, накатил угасающими волнами, исчез, растворился под миром. Любовь — поток, бегущий к океану. Любовь, как Время, ищет смысл. Любовь — как все сущее.

— Прекрати! — Она оттолкнула меня, утерла губы тыльной стороной ладони, уничтожая океан.

Я хотел что-то сказать, но Карла хлестнула меня по щеке и сказала:

— Постарайся выжить. Мне хочется это повторить.

— Поцелуй или пощечину?

— И то и другое. Может быть, в ином порядке.

Она захлопнула дверь у меня перед носом.

Любовь. Любовь — гулкое мраморное эхо в пустынном гостиничном коридоре.

В вестибюле меня ждал Дидье.

— Я надеялся, что ты останешься у Карлы на ночь, — сказал он.

Я поглядел на него.

— Видишь ли, у меня опасные новости, — объяснил он. — Я узнал, где именно Конкэннон барыжит дурью.

Судя по всему, вечер удался. И настроение у меня было подходящее.

— Твоим сведениям можно верить?

---

[1] *«Ки-Ларго»* (1948) — фильм-нуар Джона Хьюстона по мотивам одноименной пьесы Максвелла Андерсона, в главных ролях Хамфри Богарт, Лорен Бэколл, Эдвард Дж. Робинсон.

— Его видели там сегодня, в три часа пополудни.

— Где?

— В особняке, принадлежащем «скорпионам».

— На Марин-Лайнз-роуд?

— Да. А ты откуда знаешь?

— После того как люди Вишну меня избили, я за ними проследил. Они там часто собираются.

— И что ты намерен делать?

— Постучать в дверь.

— Гранатой? — задумчиво спросил Дидье.

— Нет. Позвони Вишну и скажи, что я приду к нему в гости в десять вечера.

— С чего ты взял, что у меня есть номер его телефона?

— Дидье... — укоризненно вздохнул я.

— Ладно-ладно. У Дидье есть все номера телефонов. Но так ли уж необходимо соваться в львиное логово?

— Вишну захочет поговорить. Он вообще человек разговорчивый.

— Слушай, только без обид... А он захочет с тобой разговаривать?

— Я ушел от Санджая и остался жив. Вишну очень захочет со мной побеседовать.

— Ладно, я позвоню, — вздохнул Дидье и вернулся в гостиницу.

Я махнул швейцару-сикху, и тот подошел к мотоциклу.

— Чем могу служить, *баба*? — спросил он, приветственно протягивая руку.

Я, как обычно, вложил ему в ладонь несколько купюр:

— Это для всех, раздай после смены.

— Благодарю вас, *баба*. Сегодня в гостинице несколько вечеринок со знаменитостями, но чаевых от них мы не ждем. Еще будут пожелания?

— Присмотри за мисс Карлой. Если услышишь что-нибудь интересное, дай мне знать. Я остановился в «Амритсаре».

— *Тхик*, — согласно кивнул он и поспешил к дверям.

Вернулся Дидье, задумчивый, будто рыбак, разглядывающий грозовые тучи.

— Все устроено, — сказал он. — Вишну тебя ждет. Времени мало. Надо запастись оружием и патронами. — Он огляделся в поисках такси.

— Дидье, я оружия не возьму. А ты со мной не поедешь.

— Лин! — Он топнул ногой. — Если ты лишишь меня этого приключения, я оплюю твою могилу. Слово Дидье — кремень.

— Мою могилу? А если ты первым умрешь?

— Оплюю и станцую на ней, как Нуриев.

— Ты станцуешь на моей могиле?

— Как Нуриев.

— Ладно, поехали со мной.

— Может, кого-нибудь еще позвать?

— Какой дурак с нами пойдет? — спросил я, заводя мотоцикл.

— Тоже верно, — согласился он, не прекращая искать такси взглядом.

— Садись!

— Куда?

— На байк, Дидье. Если придется уносить ноги, на такси надеяться бесполезно. Садись!

— Лин, ты же знаешь, мне мотоциклы на нервы действуют.

— Садись, Дидье.

— Если бы автомобили заваливались, когда из них выходишь, я бы и в них не ездил. Так что мой невроз подтверждают законы физики.

— Нет у тебя никакого невроза. Ты просто мотоциклов боишься. У тебя мотофобия.

— Правда? — заинтересованно спросил он.

— Абсолютная правда.

— Мотофобия? Ты точно знаешь?

— Точно. И ничего стыдного в этом нет. У многих моих знакомых тоже мотофобия. Между прочим, это лечится.

— Да?

— Садись, Дидье.

ГЛАВА

39

Я припарковал мотоцикл за квартал до особняка. Мы с Дидье остались ждать на тихой стороне улицы. Сквозь деревья луна слагала строфы на асфальте. Дорогу, располосованную штрихами света и тени, перебежал черный кот.

— Вот уж подарок судьбы, — вздохнул Дидье. — Черная кошка.

Мы подошли к воротам. Я оглядел длинную улицу — редкие машины, все спокойно.

— Дидье, может, ты меня здесь подождешь?

— Да как ты смеешь! — возмутился он.

— Ну прости.

Я толкнул створку ворот, пересек двор и уже собрался нажать кнопку звонка, как Дидье меня остановил и, помедлив, позвонил сам.

За витражными стеклами возникла чья-то фигура — к дверям медленно, опираясь на палку, шел громила Хануман.

Он открыл дверь, увидел меня и сощурился:

— Ты опять пришел?

— Расскажи про Пакистан, — попросил я.

Он сдавил мне плечо, как грейпфрут, и втащил меня в коридор. Из дверей в конце коридора высыпала толпа здоровых парней. Хануман толкнул меня в спину.

— *Магачуд! Баинчуд! Ганду! Сала!*[1] — Парни бешено вращали глазами и сгорали от желания накинуться на меня.

Любое оружие несет смерть. Вооруженные здоровяки своих намерений не скрывали, и мне стало страшно: я не ожидал такого приема, но бандиты, по определению, не играют по правилам.

Волосатый толстяк в белой майке медленно наставил на меня обрез двенадцатого калибра. Хануман обыскал меня, удостоверился, что пистолета нет, задрал мне рубаху на спине, открыв перевязь с ножами, и нарочито зевнул. Бандиты расхохотались. Хануман обернулся к Дидье. Мой приятель предостерегающе воздел руку, вынул из кармана самозарядный пистолет и протянул его Хануману.

Чуть дальше по коридору приотворилась дверь.

— Ты мне порог не обил, а напрочь в пыль стер, — сказал Вишну. — Ну заходи уж, не волнуй людей почем зря. — С этими словами он вернулся к себе в кабинет.

Хануман снова толкнул меня в спину, и мы вошли.

В кабинете стоял письменный стол красного дерева, два мягких кресла для посетителей и ряд деревянных стульев под стенами, оклеенными политическими и религиозными плакатами. Книг не было. Наружные камеры наблюдения передавали изображения на монитор компьютера.

У порога Вишну сказал что-то Хануману, тот согласно закивал и вышел.

Вишну остался с нами наедине — смелое, но рискованное решение. Он налил в бокалы бурбона со льдом, протянул нам с Дидье и уселся за стол в офисное кресло. Мы с Дидье заняли кресла для посетителей.

— Мсье Леви? — осведомился Вишну. — Рад наконец-то встретиться с вами. Премного наслышан.

— *Enchanté, monsieur*[2], — ответил Дидье.

---

[1] Ублюдок! Раздолбай! Сволочь! Подонок! (*хинди, неприст.*)

[2] Очень приятно, мсье (*фр.*).

— Моя жена больна, — заявил мне Вишну. — С ней врач и две сиделки. Я хочу быть рядом с ней. Мои люди вызверились на тебя, потому что моя жена здесь, с нами. Я бы и сам тебя с радостью убил. Ты что, с ума сошел? Зачем ты сюда приперся?

— Прости, я не знал, что твоя жена больна. Не буду нарушать ее покой. — Я встал и направился к двери. — Поговорим в другом месте. В другой раз.

— Сядь! — остановил меня Вишну. — В чем дело?

— Я понимаю, ты волнуешься, как бы с твоей женой чего дурного не случилось, — начал я, снова усаживаясь в кресло. — Видишь ли, с моей подругой кое-что случилось. Она умерла. От таблеток, которые ей дал человек, пользующийся твоей протекцией. Я пришел к тебе просить разрешения на разговор с этим человеком — на улице, на нейтральной территории.

— Ну и ждал бы его на улице.

— Я не привык околачиваться в подворотне, лучше в парадную дверь позвонить. Вот поэтому я и решил прийти к тебе, надеясь, что ты позволишь мне с ним поговорить, — он же на тебя работает.

— И что ты хочешь знать?

— То, что ему известно, — имя человека, который дал моей подруге таблетки.

— А что мне за это будет?

— Что пожелаешь. По справедливости.

— Одолжение? — ухмыльнулся он.

— Для меня это не пустяк, — ответил я. — Если позволишь мне поговорить с этим человеком, я сделаю все, что попросишь. По справедливости. Обещаю.

— Не желаете ли сигару? — предложил Вишну.

— Нет, спасибо, — отказался я.

— С удовольствием. — Дидье взял сигару, вдохнул ее аромат. — Ах, Вишнудада, если вы собираетесь нас убить, то в такой обстановке я почти готов принять смерть.

Вишну рассмеялся.

— Когда мне было семнадцать, я что-то похожее учудил, — сказал он с неприятной улыбочкой. — Принес чай в гостиную местного главаря банды, опустил поднос на стол и приставил нож к горлу мерзавца.

— А потом? — с любопытством спросил Дидье.

— А потом предупредил, что, если его люди не прекратят приставать к моей сестре, я вернусь и перережу ему горло.

— Он вас наказал? — спросил Дидье.

— Да. Он взял меня в свою банду. — Вишну пригубил бурбон. — Но хоть ты и напоминаешь мне о днях бесшабашной юности, Лин, я не одобряю твоего поступка. Ты явился ко мне домой. Кого именно ты разыскиваешь?

— Ирландца. Конкэннона.

— Увы, ты опоздал. Его здесь нет.

— Он сегодня днем здесь был, мсье, — негромко заметил Дидье.

— Да, мсье Леви, был. Но он не сидит на месте — дела, понимаете ли. Ирландец ушел отсюда три часа назад. Меня не интересует, куда он отправился.

— В таком случае прошу прощения, что мы нарушили покой твоей жены, — сказал я. — Нам пора.

Он повелительно махнул рукой, не позволяя мне подняться:

— Говорят, ты ушел от Санджая.

— Да.

— С вашего позволения, Вишнудада, — сказал Дидье, пытаясь сменить тему разговора. — Вы не были знакомы с погибшей, но я имел честь с ней дружить. Она была человеком достойным, весьма необычным. Драгоценным, редким цветком. Ее утрата для нас невыносима.

— А для меня невыносимо то, что вы вторглись в мой дом, мсье Леви. Порядок есть порядок. Правила игры следует соблюдать.

— Увы, вы правы, — ответил Дидье. — Однако любовь — одновременно и богач и бедняк, и хозяин и раб. И обе ее ипостаси одинаково плохи.

— Позвольте мне объяснить вам кое-что о бедняках, — сказал Вишну, снова наполняя наши бокалы. Краем глаза он следил за мной.

— Да-да, конечно, — кивнул Дидье, затягиваясь сигарой.

— Если построить им дом, то они сломают пол, чтобы сидеть на земле. Если пол будет прочным, то они принесут землю в дом. Я — хозяин строительной фирмы, мне это знакомо. Так что скажешь, Шантарам?

Сказать ему: «Ты — мегаломаньяк и умрешь насильственной смертью»?

— По-моему, это слова человека, который ненавидит бедняков.

— Между прочим, бедняков никто не любит, — возразил он. — Даже сами бедняки. Дело в том, что некоторые рождены повелевать, но большинство рождены, чтобы подчиняться. Ты сделал шаг в верном направлении.

— Какой шаг?

— Ты ушел от Санджая. Да, конечно, это крошечный шажок. Если присоединишься ко мне и расскажешь все, что тебе известно о Санджае, то станешь повелителем, а не подчиненным. Вдобавок я тебя щедро награжу.

Я встал:

— Еще раз прошу прощения за неожиданное вторжение. Знай мы, что здесь твои близкие, мы бы сюда не пришли. Твои люди нас выпустят? Без шума, чтобы никого не потревожить?

— Мои люди? — рассмеялся Вишну.

— Да, твои люди.

— Мои люди вас не тронут. Обещаю, — сказал он.

Я направился к выходу, но Вишну меня остановил:

— Ирландец — не единственный, который знает, что произошло.

Я обернулся к нему. Дидье подошел и встал рядом.

— С ними был шофер, — сказал Вишну. — Мой шофер. Они приехали в моем черном лимузине.

— В твоем?

— Да. Ирландец попросил машину на вечер, потому что его недавно ранили, но он хотел прогуляться. Я дал ему своего шофера.

— И где теперь шофер?

— Он тебе ничего не скажет.

— Посмотрим, — процедил я.

— Он умер, — заявил Вишну. — Но перед смертью рассказал мне все, что знал.

— Чего ты добиваешься?

— Ты знаешь чего. Я не желаю, чтобы Санджай наводнил бомбейские улицы пакистанским оружием и боевиками.

— Не преувеличивай... — начал я.

— Отрицать это бесполезно, — оборвал он меня и, распаляясь, повысил голос. — Арабские деньги, учебные центры в Пакистане. Исламские воины уже маршируют по миру, вот-вот захватят Афганистан. Это будет первый, но далеко не последний шаг священного воинства. Если ты не понимаешь, что это означает, то ты полный идиот.

— Не кричи, жену разбудишь, — ответил я. — Вишну, я не собираюсь вести с тобой политические дебаты. Мне нужен ирландец.

— Оставь в покое мою жену. И ирландца тоже. Не о них речь. Скажи, что ты обо всем этом думаешь? Вы здесь оба не первый год, ощутили на себе любовь матери-Индии. Какую позицию вы занимаете?

Я посмотрел на Дидье. Он пожал плечами.

— Главный конфликт происходит между суннитами и шиитами, — неохотно ответил я. — Мусульмане убивают куда больше собратьев по вере, чем неверных. Бомбы рвутся в мечетях и на рынках. Мы в этом конфликте не участвуем, и вмешиваться нам не следует. Это междоусобная вражда, которую не остановят бомбежки и введение вооруженных сил других стран.

— А у индийцев есть причина участвовать в этом конфликте, — серьезно заявил Вишну, сжимая кулаки. — Кашмир. Поэтому они на нас и наседают, хотят превратить Кашмир в независимое исламское государство. Ты-то что думаешь насчет Кашмира?

— Кашмирский конфликт неразрешим. В нем победителей не будет. Туда надо послать миротворческие силы ООН для защиты местного населения и начать переговоры.

— А если бы такое происходило на твоей родине? Ты бы тоже так считал?

— Он прав, — заметил Дидье, махнув сигарой.

Я посмотрел на него и перевел взгляд на Вишну:

— У меня больше нет ни родины, ни любимой женщины. А у тебя есть информация о человеке, который убил мою подругу?

Он рассмеялся и мельком поглядел на стенные часы. Внезапно я сообразил, что он тянет время.

Дверь распахнулась, и в кабинет вошел Дилип-Молния в сопровождении шести полицейских. Два копа схватили меня за локти, еще два сгребли в охапку Дидье.

Дилип-Молния подошел ко мне вплотную. Жирное пузо выпирало из рубашки.

— Я тебя искал, Шантарам, — заявил он. — Вопросы поднакопились.

Вишну ухмыльнулся. Дилип-Молния подтолкнул меня к выходу.

— Погодите! — окликнул Вишну и ткнул пальцем в Дидье. — Мсье Леви останется, мы еще не закончили обсуждать кое-какие дела.

— *Джарур,* — кивнул Дилип.

Копы выпустили Дидье, и он вопросительно посмотрел на меня, будто спрашивая, стоит ли сопротивляться. Я помотал головой, и он едва заметно улыбнулся, вселяя смелость в пустыню моего сердца, где уже заметался страх. Мы и прежде попадали в лапы Дилипа-Молнии и знали, что нас ждут пинки и удары дубинки, — он не успокоится, пока не устанет.

ГЛАВА
40

Копы грубо выволокли меня из дома. На лестнице люди Вишну издевательски хохотали мне вслед, а в дверях Данда пнул меня в щиколотку.

Копы в восемь рук втолкнули меня в джип, повалили лицом в пол. Джип рванул к полицейскому участку Колабы, где меня вышвырнули на брусчатку внутреннего двора, вдоволь потоптались по мне, а потом провели мимо зданий, где проходили обычные допросы, к бараку, где велись допросы необычные.

Я оказал сопротивление и даже сумел нанести пару чувствительных ударов. Копам это не понравилось. На меня навалились гурьбой и, хорошенько отмутузив, втолкнули в одну из просторных мрачных камер. В дальнем углу сидели на корточках трое испуганных узников, скованные наручниками. По немытым лицам и драным рубашкам бедолаг я понял, что их арестовали давно.

Браслет моих наручников прикрепили к решетке у входа, низко, так что пришлось скрючиться и встать на колени.

Бах! Удар прилетел из ниоткуда. Привет, Молния. Пинок, удар, тычок дубинки, удар, пинок, пинок, дубинка, удар, пинок, резкая пощечина, еще один удар наотмашь, дубинка.

«Трусливый подонок, ты так же избивал Карлу! — безостановочно думал я. — Ничего, тебе воздастся по заслугам. Карма воздаст тебе по заслугам!»

Наконец прогремел последний раскат грома, и гроза прекратилась. Дилип-Молния, тяжело дыша, со счастливой улыбкой извращенца уставился на троих арестованных. Похоже, на мне он разогревался, а душу наверняка отведет на троих в углу. Арестованные тоже это поняли и умоляюще взвыли.

Я перевел дух и начал определять размер нанесенного мне ущерба. Повезло — переломов нет, внутренние органы не повреждены, руки и ноги на месте. Могло быть и хуже. Не раз бывало.

Пока Дилип-Молния резвился с арестантами, два копа отстегнули наручник от решетки и повели меня в кабинет дежурного сержанта — посовещаться, сколько денег можно с меня слупить. Разумеется, у меня отобрали все, что было. Ножи, одежду и обувь пришлось выкупать. Мои пожитки выбросили на дорогу, а следом вытолкнули меня, в одних трусах.

На пустынной улице я подобрал вещи, оделся и, преисполненный острого чувства несправедливости, поглядел на здание полицейского участка. Избитый до крови, я стоял под флуоресцентным светом фонарей и слушал вопли очередных жертв Дилипа-Молнии. Мигалка на углу заливала меня кровавым сиянием, пульсирующим в такт биению сердца. Я не сводил глаз с бараков.

Рядом со мной остановился черный «амбассадор» с открытыми окнами. Фарид сидел впереди, рядом с водителем по имени Шах. Фейсал, Амир и Эндрю да Силва втиснулись на заднее сиденье.

Да Силва выставил локоть в окно, потом наклонился к бардачку, и я тут же выхватил нож. Бандиты захохотали.

— Вот твои деньги, — сказал да Силва, протягивая мне сверток. — Тридцать тысяч. Отступные и за поездку в Шри-Ланку.

Я взял сверток, но да Силва его придержал.

— Через две недели протекция Санджая истечет, — ухмыльнулся он. — Вот тогда и попробуешь меня убить. Посмотрим, что у тебя получится.

— Энди, я не собираюсь тебя убивать, — сказал я, выхватив сверток у него из рук. — Мне слишком нравится выставлять тебя идиотом перед твоими приятелями.

— А ты юморист! — засмеялся Амир. — Без тебя скучно будет, Лин. *Чало*, поехали.

Черный «амбассадор» сорвался с места, выпустив облако синего дыма в светящееся марево ночи. Я сунул сверток за пазуху. Из барака по-прежнему доносились вопли.

За правым глазом зрела головная боль, по спине и плечам расплывались синяки. Я вошел под арку ворот, поднялся по лестнице на веранду, открыл дверь в участок и сказал сонному констеблю за стойкой:

— Позови его.

— Иди к черту, Шантарам, — буркнул он, откидываясь на спинку стула. — Лучше не попадайся ему на глаза.

Я достал из-за пазухи пару сотенных и швырнул на стойку:

— Позови его.

Констебль схватил купюры и выбежал в коридор.

Дилип-Молния появился мгновенно, решив, что я либо начну возмущаться, либо предложу ему взятку. Впрочем, он не знал, чего ему больше хочется. Тесная рубашка пропиталась липким потом: Дилип-Молния всеми порами источал садизм.

— Как же мне сегодня везет, — заявил он, покачивая плеткой.

— Я хочу, чтобы ты выпустил троих арестантов под залог.

— Что-что?

— Выпусти троих арестантов под залог. За наличные.

— Каких арестантов? — подозрительно сощурился Дилип.

— Которых ты избиваешь.

Он захохотал. С какой стати ему смеяться, если я говорю серьезно? Наверное, он смеется надо мной.

— С удовольствием. Если в цене сойдемся. Только предупреждаю, один из них — насильник-педофил. Я пока не выяснил, кто именно, они не признаются. Так что выбор за тобой.

Вот и верши добрые дела... В ушах у меня звенело, скулы сводило от боли — от яростной боли, которая трясет до тех пор, пока не случится что-то очень страшное или очень хорошее. Колокольный звон в ушах не прекращался. Педофил... Соломоново решение.

— Я плачу за то... — прохрипел я, откашлялся и продолжил: — За то, чтобы ты прекратил избивать этих троих арестованных. Договорились?

— Договорились. За пятьсот долларов, — заявил он, помня, что отобрал у меня все наличные.

Судя по всему, констебль прикарманил сотенные. Я вытащил деньги из-за пазухи и швырнул на стол. Дилип изумленно ахнул, а потом сказал:

— У меня тут еще восемьдесят человек сидят. Хочешь, чтобы я их тоже не бил? Тогда плати.

В тот момент мне, избитому и взбешенному, было все равно. Я помнил только, что тело Лизы привезли сюда, что все копы ее видели, что Дилип-Молния избил Карлу — может быть, в той же самой камере, у той же самой решетки, что и меня. Я просто хотел, чтобы вопли смолкли.

— Сегодня никаких побоев, — сказал я, вываливая купюры на стол.

Дилип сгреб деньги и рассмеялся. Копы в дверях тоже захохотали.

— Удачный выдался денек! — сказал он. — Надо бы тебя почаще лупить.

Я вышел из участка, спустился по белым ступеням крыльца и направился к арке ворот, зная, что купил тишину всего лишь на одну ночь. Назавтра побои возобновятся.

Все деньги в мире не купят тишины и покоя. Жестокость не прекратится, пока добро не восторжествует.

Рядом со мной остановился черный лимузин. Из машины вышли Карла, Дидье и Навин. Я обрадовался. Любовь развеяла боль.

Друзья обняли меня, усадили в машину.

— Как ты? — спросила Карла, прохладной рукой касаясь моей щеки.

— Нормально. А откуда вы знаете, что меня выпустили?

— Мы тут недалеко поджидали, через дорогу. Дидье нам позвонил, и мы сюда подъехали. А как увидели, что тебя из участка вытурили, решили еще подождать, чтобы ты хоть немного оклемался.

— Это Карла так решила, — пояснил Навин. — Мол, дайте ему штаны спокойно надеть. А тут еще и черный «амбассадор» появился...

— А потом, когда он уехал, ты вернулся в участок, — добавил Дидье.

— Мы не поняли, с чего ты наглеешь, — улыбнулся Навин, — сочли за лучшее дождаться, чем дело кончится. Мало ли, вдруг пришлось бы тебя вызволять. Но ты быстро вышел.

— У нас есть новости, — объявил Дидье.

— Какие новости?

— Вишну мне сказал, кто с Конкэнноном пошел к Лизе.

— Кто?

— Ранджит, — холодно произнесла Карла и взяла у Дидье сигарету.

— Твой Ранджит?

— Да. Мой пока еще супруг Ранджит, — кивнула она. — Похоже, я овдовею раньше, чем успею развестись.

Ранджит? Я вспомнил, как его напугало мое появление. Видно, перетрусил, решив, что мне все известно.

— Где он?

— Сбежал, — ответила Карла. — Я обзвонила всех его друзей. Со вчерашнего вечера его никто не видел. Секретарша сказала, что он улетел в Дели. Улететь-то он улетел, но после этого исчез. Так что теперь может быть где угодно.

— Найдется, — убежденно заявил Навин. — Такой преуспевающий делец долго скрываться не сможет.

— И правда, — рассмеялась Карла. — Такой пройдоха рано или поздно объявится.

— Так что успокойся, Лин, — добавил Дидье. — Тайна раскрыта.

— Спасибо, Дидье, — ответил я, возвращая Карле фляжку. — Тайна пока не раскрыта, но стало известно, кто поможет ее раскрыть.

— Именно так, — заключила Карла. — Ранджита мы всегда успеем отыскать, а пока надо заняться другими, более важными делами. Шантарам, похоже, тебе досталось.

— Не желаете ли воспользоваться аптечкой, сэр? — предложил шофер.

— Рэнделл? Неужели это ты?

— Да, мистер Лин. Аптечка в вашем распоряжении. Влажные салфетки тоже найдутся.

— Спасибо, Рэнделл, — сказал я. — А как случилось, что ты теперь водишь лимузин?

— Мисс Карла соблаговолила взять меня в услужение, — объяснил он, протягивая мне аптечку.

— Рэнделл, прекрати паясничать, — улыбнулась Карла. — Давай ограничимся аптечкой — и спиртными напитками.

Я поглядел на Карлу. Она пожала плечами, откупорила фляжку, налила водку на марлевый тампон и передала фляжку мне:

— Пей, Шантарам.

— Я счастлив удовлетворить любой ваш каприз, мисс Карла, — ухмыльнулся я, пытаясь представить, каким образом ей удалось переманить к себе бармена из гостиницы «Махеш».

Она умело промыла мне ссадины на лице, разбитую голову и руки. Проделывала она это не впервые; один из людей Кадербхая, бывший боксерский секундант, в обязанности которого входило поддерживать бойцов Компании в форме, научил Карлу всему, что знал сам.

— Куда путь держим, мисс Карла? — осведомился Рэнделл. — Впрочем, цель путешествия — само путешествие.

— Куда тебя отвезти? — спросила она меня.

Куда меня отвезти... Я хотел попрощаться с Лизой в присутствии друзей, отсечь ветвь скорби. Теперь, когда выяснилось, что таблетки Лизе дал Ранджит, мне стало легче. Теперь я был готов к прощанию.

— Знаешь, мне надо кое-что сделать. Может быть, вы составите мне компанию?

— Да-да, конечно, — одновременно отозвались все, не спрашивая, что именно я собирался сделать.

— Дидье, тебе придется разбудить своего приятеля Тито, — сказал я.

— Тито никогда не спит, — возразил Дидье. — Во всяком случае, спящим его никто не видел.

— Отлично. Тогда поедем к нему.

Дидье объяснил Рэнделлу, как проехать в рыбацкий поселок за рынком. Мы остановили машину у рядов перевернутых тележек и отыскали нужный дом в лабиринте узких улочек. При свете керосиновой лампы Тито читал Даррелла[1]. Увидев нас, он заявил, что ему одиноко, и потребовал с нас десять процентов за два часа своего времени. Мы выкурили с ним косяк, поговорили о литературе, а потом я забрал свои вещи.

— Куда теперь, сэр? — спросил Рэнделл.

— В здание «Эйр Индия», — ответил я. — На небесное погребение.

ГЛАВА

41

Охранник меня помнил и за небольшую сумму пустил нас на крышу высотки, где медленно вращался красный лучник — логотип авиакомпании «Эйр Индия». Ночь выдалась ясная, бес-

---

[1] *Даррелл*, Лоренс (1912–1990) — выдающийся английский писатель, старший брат зоолога Джеральда Даррелла. Автор тетралогии «Александрийский квартет» (1957–1960) и пенталогии «Авиньонский квинтет» (1974–1986).

крайнее звездное небо спорило с океанским простором, на волнах лентами хрупких водорослей покачивались гирлянды пены.

Пока мои спутники восхищались видом, я складывал погребальный костер. Бетонную крышу усеивали кирпичи и обломки кафельной плитки; мы с Навином их собрали и сложили аккуратным коробом — получилась импровизированная печь. Я попросил у охранника газету и смял ее листы в тугие комки. Когда все было готово, из котомки Тито я вытащил Лизину коробку сувениров.

Детская игрушка Лизы — синяя птица заводилась при помощи двух рычажков с кольцами, как у ножниц. При нажатии на рычажки птичка вертела головой и пела песенку. Я протянул игрушку Карле.

В желтом пенале с бронзовыми крышечками на концах хранились мои старые серебряные кольца — он служил Лизе пресспапье. Пенал я отдал Навину. Камешки, желуди, раковины, амулеты и монетки уместились в обитый синим бархатом футляр, и я вручил его Дидье.

В печь отправились фотографии, разорванные на мелкие клочки, и все, что может гореть, включая пеньковые шлепанцы и саму коробку с надписью «ВОТ ПОЧЕМУ». Поверх тонкой змейкой свернулся серебристый шарфик.

Я поджег газетные листы, и костер занялся. Дидье ускорил процесс, плеснув в огонь из фляжки. Карла сделала то же самое. Навин раздул пламя обломком кафеля.

Карла взяла меня за руку и подвела к парапету, откуда открывался вид на океан.

— Ранджит, — негромко сказал я.

— Ранджит, — так же негромко повторила она.

— Ранджит! — прорычал я.

— Ранджит, — оскалилась Карла.

— Ты как?

— Нормально. Мне некогда о нем думать. А ты как?

— Ранджит, — процедил я, стиснув зубы.

— Она ему всегда нравилась, — вздохнула Карла. — Мне было не до того, я помогала ему делать карьеру и не заметила, как они сблизились.

— По-твоему, Ранджит за Лизой ухлестывал?

— Не знаю. Может быть. Я не интересовалась его личной жизнью, а он мне не рассказывал. Наверное, это потому, что Лизу все любили. Он очень завистливый человек, конкуренции не выносит. Но когда доходило до действий, получался пшик.

— Как это?

— Вот отыщем его, я тебе расскажу. Мои разборки с Ранджитом к делу не относятся, да и не важно все это. Как ни странно, больше всего он боялся успеха. Вообще-то, это со многими происходит. Странно, что названия этой фобии еще не придумали.

— Износ честолюбия?

— А что, мне нравится, — рассмеялась она. — Интересно, чем Ранджит с Лизой в тот вечер занимались?

— Рогипнол называют наркотиком изнасилования, но его часто принимают и добровольно — некоторым партнерам это нравится. Значит, либо Ранджит — насильник, не рассчитавший дозу, либо произошел несчастный случай. Вдобавок, по-моему, Лизу он особо не интересовал, ее занимало его интриганство и политические игры.

— Политические игры? — И Карла рассмеялась.

— Что тут смешного?

— Когда-нибудь расскажу. А как там Дилип-Молния сегодня, очень злобствовал?

— Ну, бока обмял, как обычно.

— Плохие полицейские, как плохие священнослужители, требуют исповедаться, а грехов не отпускают.

— Ты сама-то как?

— Нормально. Прохожу тест Роршаха на синяках. У меня есть синяк, похожий на двух спаривающихся дельфинов... Но у меня богатое воображение, ты же знаешь.

Мне захотелось увидеть этот синяк, поцеловать его и убить того, кто этот синяк поставил.

— Лимузин, Рэнделл, люкс в «Тадже», — задумчиво произнес я. — Все это стоит денег. Знаешь, у меня есть сбережения, сто пятьдесят тысяч долларов. Может, снять тебе квартиру в хорошем районе, со всем необходимым? На время, пока Ранджита не отыщем. Так будет спокойнее.

— Слушай, я же тебе говорила, что у Ранджита я тесно сотрудничала с экономистами и финансовыми аналитиками. Так что деньги у меня есть.

— Да, но...

— Я два года провела с лучшими консультантами, оплаченными боссом. И в моем распоряжении были немалые средства.

Я вспомнил наш разговор на мотоцикле. Я посоветовал ей экономить деньги на первый взнос за дом. А она сотрудничала с экономистами и финансовыми аналитиками и ни словом об этом не обмолвилась, только с милой улыбкой поблагодарила за совет.

— Ты на финансовой бирже спекулировала?

— Не совсем...

— Как это?

— Я не спекулировала, а манипулировала. Рынком.

— Манипулировала?

— Совсем чуть-чуть.

— Чуть-чуть — это сколько?

— Понимаешь, по доверенности я создала трейдинговый блок на суммарную теоретическую стоимость акций Ранджита в предприятиях сферы телекоммуникаций и связи, топливно-энергетического сектора, страхования и транспорта, а потом в течение шестнадцати минут совершала операции купли-продажи.

— Трейдинговый блок?

— Ну да, и шестнадцать минут скупала все как безумная, с шестью трейдерами на шести телефонах.

— А потом?

— А потом чуть скорректировала стоимость ценных бумаг тех независимых компаний, привилегированные акции которых я к тому времени приобрела.

— Что?

— В общем, манипулируя ценами, я слегка повлияла на рынок. Подумаешь, мелочи. Свое заработала и убралась восвояси.

— И сколько же ты заработала?

— Три миллиона.

— Рупий?

— Долларов.

— Ты заработала три миллиона долларов? Рыночными спекуляциями?

— Точнее, не заработала, а немного состригла. В сущности, это не сложно. Разумеется, для подобных действий необходимы внушительные средства, но благодаря акциям Ранджита, которыми я управляла по доверенности, в моем распоряжении такие средства были. Так что с деньгами у меня все в порядке, они лежат на четырех счетах. Денег мне не нужно, Лин, — ни твоих, ни Ранджита. Мне нужна твоя помощь.

— Три миллиона! А я тебе советовал...

— Обосноваться в Лондоне, — улыбнулась Карла. — Мне очень понравился наш разговор. И...

— Погоди. Ты сказала, что тебе нужна моя помощь.

— Вернулся мой заклятый враг, — вздохнула она. — Мадам Жу.

— Я ее ненавижу, хотя мы встречались только раз.

— Это еще мягко сказано. Моя ненависть к этой женщине безгранична.

Уже не один десяток лет мадам Жу поставляла желающим сведения, выпытанные у влиятельных людей в ее борделе «Дворец счастья». Когда она завлекла в свои грязные сети Лизу, Карла дотла спалила «Дворец счастья».

— Она всем объявила, что разыскивает меня. На этот раз с ней не только близнецы.

Я однажды столкнулся в неравном бою с близнецами, телохранителями и постоянными спутниками мадам Жу, и уцелел только потому, что Дидье их подстрелил.

— И близнецов ненавижу, хотя мы встречались только раз.

— На этот раз она привезла с собой личных косметологов-плескунов, мастеров по обливанию кислотой.

В те годы кислота была весьма популярным способом расплаты за оскорбление, хотя обычно ее использовали для нанесения увечий в защиту чести. Впрочем, плескуны не гнушались и прочими заказами. Все зависело от размера гонорара.

— Когда она вернулась в Бомбей?

— Два дня назад. Она каким-то образом прослышала о смерти Лизы. Вдобавок, зная, что это я спалила ее поганый дворец, она хочет поглядеть мне в глаза и посмеяться надо мной, прежде чем кислоту плеснуть.

Стада звезд бродили по темным пастбищам небес. Слабый свет зари приплюснул тени, разбудил верхушки волн, и они вспыхнули сияющими белыми пиками.

Я медленно повернул голову и поглядел на профиль Карлы.

Ее душа изливала тревоги океану. Карла уже несколько дней жила в страхе и напряжении. Она обнаружила тело нашей любимой подруги, снесла побои полицейских, навсегда ушла от Ранджита — не важно почему, — а потом узнала, что за ней охотятся прислужники мадам Жу, и, в довершение всего, выяснила, что Ранджит последним видел Лизу живой.

Я не встречал женщин храбрее Карлы. Только сейчас сквозь вину и скорбь утраты пробилось осознание того, что мое место — рядом с ней. Я был ей нужен.

— Карла, я...

— Ну что, пора? — спросил Дидье, глядя на затухающее пламя. — Мы готовы.

Дидье и Навин собрали пепел, остудили его, и каждый из нас взял по горсти.

Печальные останки Лизы мы развеяли по ветру с угла крыши, выходящего к океану.

— Прощай и здравствуй, прекрасная душа, — промолвила Карла вслед улетающим хлопьям пепла. — Возвращайся к новой, счастливой жизни.

Ветер унес с собой и наши воспоминания о Лизе. Я отчаянно, без слез, проклинал злодейку-судьбу.

— Пожалуй, пора уходить, — сказал Навин, разбирая импровизированную печь. — Скоро уборщицы придут.

— Погодите, — сказал я. — Мадам Жу со своими приспешниками вернулась и разыскивает Карлу. Собирается облить ее кислотой.

— Кислотой? — с ужасом повторил Дидье.

— А кто это такая? — спросил Навин.

— Мерзкая тварь, — пояснил Дидье, отхлебывая из фляжки. — Представь себе паука размером с женщину.

— Пока мы от мадам Жу не избавимся, Карле нужна круглосуточная охрана. Надо...

— Спасибо, Дидье и Навин, я с радостью приму вашу помощь, — оборвала меня Карла. — Но ты, Лин, в этом участвовать не будешь.

— Как это?

— Вот так.

— Это еще почему?

— Потому что тебя здесь не будет. Ты уедешь.

— Уеду?

— Да.

— Когда?

— Утром.

— До свиданья, Лин, — вскричал Дидье, обнимая меня. — Я раньше полудня не просыпаюсь, так что твой отъезд пропущу.

— Отъезд куда?

— На гору, — объяснила Карла. — Две недели поживешь у Идриса.

— До свиданья, Лин, — сказал Навин и тоже обнял меня. — Я буду ждать твоего возвращения.

— Погодите...

Все направились к выходу. Когда двери лифта закрылись, Карла вздохнула:

— Всякий раз, как лифт закрывается, мне кажется...

Дидье протянул ей фляжку.

— А я решила, что ты все выпил, — сказала Карла, сделав глоток.

— Это запасная.

— Дидье, давай поженимся! Только сначала я разведусь с Ранджитом или убью его...

— Увы, я связан неразрывными узами со своими пороками, — ответил Дидье. — А пороки — ревнивые любовники, все до одного.

— Вот так всегда, — вздохнула Карла. — Все мои поклонники либо порочны, либо неразрывно связаны с пороком.

— А я? — спросил Навин. — Я ведь теперь тоже твой поклонник.

— А ты — и то и другое, — ответила Карла. — Именно поэтому я возлагаю на тебя большие надежды.

Мы подошли к лимузину. Рэнделл распахнул перед Карлой дверцу. Я решил вернуться за мотоциклом, оставленным у особняка «скорпионов». Карла отошла со мной к парапету набережной, попрощаться.

445

— Держись, — сказала она, положив ладонь мне на грудь. Прикосновение ее пальцев раскрыло мне истину.

«Представь, что вот так — каждый день».

— Что-что, а держаться я умею, — улыбнулся я.

Она рассмеялась, будто зазвенел храмовый гонг.

— Я должен быть рядом, — сказал я. — На случай, если вдруг мадам Жу появится.

— Твой отъезд важнее, Лин. За две недели все успокоится. Вот увидишь, я все решу. Мне кое-что надо сделать в твое отсутствие. Я не хочу тебя в это впутывать. Так что побудь у Идриса подольше, если пожелаешь.

— Куда уж дольше?!

— Говорю же, если пожелаешь.

— А как же мы с тобой?

Она улыбнулась и поцеловала меня:

— Я к тебе приеду.

— Когда?

— Неожиданно, — сказала она и направилась к лимузину.

— А что с мадам Жу?

— Мы будем милосердны до тех пор, пока ее не отыщем.

Лимузин скрылся из виду. Я побрел по набережной. Редкие прохожие торопливо шли мне навстречу, пристально глядя под ноги, — только мелькали локти и короткие носки.

На востоке вставала заря, медленно поднимала с фасадов домов темную вуаль теней. Там и сям слышался нетерпеливый собачий лай. Голубиные стаи демонстрировали свое искусство, взмахом складчатого одеяния танцовщицы пролетая над асфальтом и снова исчезая в небесной высоте.

Я брел — как плакальщик за гробом. Хлопья пепла все еще обжигали пальцы. Частички Лизиной жизни плыли над океаном и над набережной.

Все оставляет след. Каждый удар топора эхом разносится по лесу. Каждое несправедливое деяние перерубает ветвь, каждая утрата — поваленное дерево. Для человечества характерны надежда и смелость. Даже когда жизнь ранит нас, мы продолжаем двигаться вперед. Мы идем — навстречу ветру и океану, навстречу соленой правде смерти — и не желаем останавливаться. Каждым нашим шагом, каждым вздохом, каждым исполненным желанием мы обязаны тем, чью жизнь и любовь, в отличие от наших, больше не осеняет искра и биение священного источника: возлюбленной души, сквозившей в их взгляде.

Часть седьмая

ГЛАВА

 42

— Следует сказать, что Кадербхай ошибался в своих наставлениях, — начал Идрис.

Я провел на горе три почти коматозные ночи и три дня, исполненные трудов.

— Но...

— Да-да, я знаю, ты ищешь важные ответы на важные вопросы. Откуда мы взялись? Кто мы сейчас? Куда направляемся? В чем смысл жизни? Свободны ли мы, или наша жизнь предопределена божественным провидением? В свое время мы доберемся и до них, как бы неотвязны они ни были.

— Идрис, неотвязны или неразрешимы?

— На важные вопросы существуют только ничтожные ответы, а задавая ничтожные вопросы, можно получить важные ответы. Но сначала необходимо расслабиться.

— Отдохнуть и пополнить силы?

— Нет, исправить недостатки и очистить дух от скверны.

— Очистить дух от скверны? — Я скептически поднял бровь.

— Да, очистить дух от скверны, — повторил он. — Долг каждого человека — помочь другим добиться очищения духа, будь то в личном плане или в душевных порывах. Если ты мне в этом поможешь, то я в свою очередь помогу тебе.

— Маловато во мне духовности, — сказал я.

— Нет, духовности в тебе достаточно, иначе мы с тобой не беседовали бы, но ты пока этого не видишь.

— Ладно, будь по-вашему. Только предупреждаю: если меня принимают в ваш клуб, то имеет смысл пересмотреть критерии членства.

Мы сидели в углу белокаменного плато с видом на высокие деревья в долине. Слева от нас располагалась кухня, а за спиной стояли жилые помещения. День клонился к закату. Птицы перепархивали с ветки на ветку, щебетали в густой листве.

— Ты прячешься за шутками, — заметил Идрис.

— Нет, я просто стараюсь не терять форму. Вы же знаете, Карла слабостей не терпит.

— Ты сбегаешь от всех, кроме этой женщины. Ты сбегаешь даже от меня. Ты бы и из Бомбея сбежал, если бы Карлы там не было. Ты бежишь, даже когда стоишь на месте. Чего ты боишься?

Чего я боялся? Много чего. Для начала, меня страшила смерть в тюрьме. Я сказал об этом Идрису, но мой ответ его не удовлетворил.

— Нет, этого ты не боишься, — сказал он, наставив на меня чиллум. — Ты боишься, что с Карлой случится что-то дурное?

— Да, конечно.

— Вот это я и имею в виду. Все остальное тебе знакомо, при необходимости ты сможешь это пережить. Больше всего тебя страшит судьба Карлы и твоих близких.

— Что это значит?

— Это значит, что свой страх ты носишь в себе, Лин, — улыбнулся Идрис. — Страх должен существовать вне нас. Ему следует поддаваться только при необходимости. Мы созданы для мирной, счастливой жизни, потому что иначе, живя в страхе, трудно поддерживать связь с божественным.

— То есть?

— Тебе необходимо очистить дух.

— А если мне нравится быть неочищенным? Может, я считаю неочищенную часть самой ценной? А вдруг меня невозможно очистить? Кстати, по каким правилам проходит эта процедура?

— Возможно, ты прав, — рассмеялся он. — Возможно, неочищенная часть на самом деле самая ценная. Но наверняка узнать это можно лишь в том случае, если покорно подвергнуться очищению.

— Покорно подвергнуться очищению?

— Да.

— Всякий раз, когда я слышу формулировки, достойные религиозного культа, неочищенная часть моего естества возвращает меня в реальность.

— Что ж, попробую объяснить по-другому, — сказал Идрис, откидываясь на спинку стула. — Представь, что у тебя есть знакомый, обладающий рядом хороших качеств, но, к примеру, умеющий только брать, а не давать, понимаешь?

— Да.

— Прекрасно. Тогда представь, что этот человек жесток с посторонними, не гнушается пользоваться чужим успехом, способностями или деньгами, но сам никогда не работает и ничего не отдает взамен. Я понятно объясняю?

— Да, я с такими встречался, — с улыбкой ответил я. — Продолжайте.

— В таком случае твой долг, как человека более чистого духом, поговорить со своим знакомым, указать на недостатки такого поведения, попытаться его изменить. Это сработает, если он покорно выслушает твои советы. Если же его снедает гордыня, а дух его чересчур темен, то у тебя ничего не выйдет. Проще исполнить свой долг с более податливым человеком.

— Я все понял, Идрис. Только, по-моему, речь идет не о покорности. Я называю это компромиссом, встречей на полпути.

— Ты прав, речь и об этом тоже: общность интересов, согласие, свободный диалог, — но все это невозможно, если обе стороны не проявят покорности. Покорность лежит в основе цивилизации, в любом добром деянии. Смирение — врата покорности, а покорность — врата очищения. Теперь понятно?

— Ну... да.

— Уф, слава богу, — вздохнул он, опуская руки на колени. — Ты не представляешь, как часто приходится раз за разом повторять одно и то же, приводить пример за примером — и все для того, чтобы человек хотя бы на миг отринул гордыню и забыл о своих предубеждениях. Затрахали уже.

Я ошеломленно посмотрел на Идриса, впервые услышав из его уст грубое выражение.

— А что такого? — улыбнулся он. — Если не сквернословить, не орать и глупостей не говорить, я вообще с ума сойду.

— А, ясно.

— Не знаю, как тантристам удается всю жизнь ежедневно исполнять сложные обряды и совершать жертвоприношения. Это требует немалых сил и энергии — духовной и физической. Нам, учителям, гораздо легче. И все равно время от времени с ума сходишь оттого, что приходится со всеми быть вежливым и любезным. Ну вот, чиллум погас. Так на чем мы остановились?

— Ошибка наставлений Кадербхая, — напомнил я, разжигая чиллум.

Идрис глубоко затянулся, выпустил струю дыма и пристально посмотрел на меня:

— Что ты знаешь о тенденции к усложнению?

— Кадербхай говорил, что если начиная с Большого взрыва делать снимок Вселенной раз в миллиард лет, то станет заметно ее усложнение. Этот феномен — постоянное движение к усложнению от Большого взрыва до настоящего момента — представляет собой неизменную характеристику Вселенной в целом. А если тенденция к усложнению определяет всю историю Вселенной...

— То она же является и прекрасным определением добра и зла — объективным и универсальным, — закончил Идрис. — Все, что стремится к усложнению, — добро, все, что противится усложнению, — зло.

— И простым критерием нравственности служит вопрос: «Если бы все в мире делали то, что делаю или собираюсь сделать я, привело бы это к усложнению или нет?»

— Отлично, — улыбнулся он, выпуская дым сквозь зубы. — Ты прекрасный ученик. А теперь я задам тебе вопрос. Что такое усложнение?

— Простите, сэр?

— Идрис. Меня зовут Идрис.

— Идрис, можно я задам вопрос?

— Конечно.

— По-вашему, концепция добра и зла на самом деле необходима?

— Разумеется.

— А что можно сказать тем, кто утверждает, будто добро и зло — понятия произвольные, определяемые и насаждаемые культурным укладом?

— Таких людей я прошу уйти. Попросту говоря, я их посылаю.

— И это все?

— А что еще? Если человек не верит в добро и зло, ты возьмешь его нянькой к ребенку или сиделкой к престарелому родственнику?

— При всем уважении, Идрис, это не ответ, а отсылка к культурным предубеждениям. И все-таки добро и зло произвольно или нет?

Он склонился ко мне:

— Существование судьбы бесспорно, а потому наш жизненный путь — путь нравственный. Для того чтобы стать хранителями своей судьбы, необходимо понять, что такое добро и зло и в чем заключается разница между ними. Человечество слишком молодо, овладение своей судьбой — шаг чрезвычайной важности, а мы лишь вчера обрели способность к самосознанию.

— Что-то я не совсем понимаю, — сказал я, отрываясь от своих записей. — Значит, на данной стадии нашего духовного развития необходимо мыслить и оперировать понятиями добра и зла?

— Если бы в мире не было добра и зла, то мы не нуждались бы в законах, — сказал он, снова откинувшись на спинку стула. — А законы представляют собой наши неуклюжие, постоянно совершенствующиеся попытки определить, что есть зло, поскольку мы пока не в состоянии установить, что есть добро.

— Все равно не понимаю, — вздохнул я. — Наверно, я испытываю ваше терпение, но получается, что с тем же успехом вместо «добро» и «зло» можно говорить «хорошо» и «плохо» или «позитивно» и «негативно». Результат будет тот же.

— Ах, вот в чем дело! Ты говоришь о терминологии, а я думал, ты пытаешься уяснить культурную конструкцию добра и зла.

— Нет, я не это имел в виду...

— Что ж, на данном уровне понятия добра и зла необходимы потому, что они связаны с божественным.

— А что, если человек не верит в бога?

— Таких людей я прошу уйти. Не желаю тратить время на атеистов. У них нет интеллектуальной основы.

— Неужели?

— Конечно. Поскольку свет обладает и физическими, и метафизическими свойствами, отрицать метафизику бессмысленно. А отсутствие сомнений означает недостаток интеллекта. Не веришь, спроси любого ученого — или святого. Сомнение — спасательный круг агностиков, поэтому им легче, когда божественное обращает к ним свои речи.

— Бог говорит?

— Да, ежедневно, с каждым. В душе.

— А-а... — в полной растерянности протянул я, совершенно ничего не понимая. — Давайте к этому вернемся позже. Простите, что перебил.

— Прекрати извиняться. Я попросил тебя дать определение усложнению.

— Ну, я часто спрашивал это у Кадербхая, но он всегда уклонялся от ответа.

— А сам ты что думаешь?

Что я думал? Я хотел быть с Карлой, хотел знать, что она в безопасности, а раз уж приходилось проводить время на горе, то хотелось слушать учителя, а не говорить самому. Впрочем, после трех дней бесед с Идрисом я знал, что протестовать бесполезно.

Я отпил воды, осторожно поставил стакан на стол и вышел на арену духа:

— Сначала я считал, что усложнение подразумевает сложные вещи — чем они сложнее, тем больше усложнение. Мозг сложнее дерева, а дерево сложнее камня, а камень сложнее пространства. Но...

— Что?

— Но чем больше я размышлял об усложнении, тем чаще задумывался о двух вещах — о жизни и о воле.

— И как ты до этого додумался?

— Я вообразил высокоразвитую инопланетную цивилизацию, представители которой бороздят просторы космоса, и спросил себя, на поиски чего отправились инопланетяне. Наверняка их интересует чужая жизнь, особенно такие ее виды, которые обладают высокоразвитой волей.

— Неплохо, — кивнул Идрис. — Я с удовольствием с тобой обо всем этом еще поговорю. А сейчас приготовь мне чиллум. Эй, Сильвано!

Постоянный спутник учителя, Сильвано, подошел к нам:

— *Джи?*

— Не пускай ко мне никого. И не забудь поесть. Ты опять не обедал? Почему? Того и гляди голову обреешь. Ты со мной соревнуешься, что ли? В праведники подался?

— *Джи,* — рассмеялся Сильвано, мельком взглянув на меня.

Как только я приехал на гору, добродушный Сильвано взял меня под опеку и всегда был готов прийти на помощь. Свою всепоглощающую и беззаветную любовь к Идрису он скрывал за неодобрительной гримасой, хотя на самом деле был человеком беззлобным и покладистым.

— Итак, усложнение, — продолжил Идрис после ухода Сильвано. — Усложнение — это мера той изощренности, с которой выражен набор положительных характеристик.

— Что-что?

— Объект сложен в той степени, в какой он выражает набор положительных характеристик.

— Набор положительных характеристик?

— Этот набор включает в себя жизнь, сознание, свободу, взаимосвязь, творчество, объективность и прочее.

— А откуда он взялся, этот набор? Кто его придумал?

— Это общие и универсальные характеристики, которые, несомненно, известны и твоим высокоразвитым инопланетянам. Эти характеристики называют положительными, потому что они противоположны смерти, бессознательности, рабству, вражде, разрушению и несправедливости. Понимаешь, о чем я говорю? Позитивные характеристики универсальны.

— Хорошо, Идрис, если принять этот набор положительных характеристик, то как его измерить? И кто его будет измерять? Как решить, что положительнее?

К нам подошел черный кот, лениво выгнул спину.

«Привет, Полночь! Как ты сюда попал?»

Кот вскочил мне на колени, испытывая когтями мое терпение, свернулся клубком и заснул.

— Есть две точки зрения относительно человечества, — сказал Идрис, глядя на трепетание птичьих крыльев в кронах деревьев. — Согласно первой мы возникли случайно, по прихоти бескрайнего космоса, и чудесным образом пережили динозавров, истинных хозяев планеты, вымерших в юрском периоде. Следовательно, мы одни во Вселенной, потому что подобная случайность вряд ли повторится. Мы единственные живем в бескрайнем космосе, среди миллиардов пустынных планет, где в щелочных морях обитают лишь безобидные бактерии, археи да термофильные метаногены.

Над Идрисом кружила стрекоза. Он что-то пробормотал, вытянул руку и указал на деревья вдали. Стрекоза послушно улетела.

— А вторая точка зрения заключается в том, что жизнь существует повсюду, в каждой точке Вселенной, в том числе и в этой галактике, в нашей Солнечной системе, на окраине Млечного Пути, — продолжил он. — Мы — результат локальной эволюции. Нам повезло. По-твоему, какое объяснение правдоподобнее?

По-моему? Я отогнал посторонние мысли, вернулся к настоящему.

— По-моему, второе. Если жизнь смогла зародиться на Земле, то это возможно и на других планетах.

— Совершенно верно. Вполне вероятно, что мы не одиноки во Вселенной. Если Вселенная способна создать нас и существ, похожих на нас, то набор положительных характеристик приобретает особое значение.

— Для нас?

— Для нас и сам по себе.

— Мы сейчас говорим о существенных и условных признаках?

— Ты где учился? — рассмеялся Идрис, с любопытством глядя на меня.

— Сейчас — здесь.

— Прекрасно, — улыбнулся он. — Между существенными и условными признаками разницы нет. Все и существенно и условно одновременно.

— Простите, я не понимаю.

— Хорошо, я объясню покороче, уж больно мне надоели сократовские и фрейдистские привычки отвечать вопросом на вопрос. Кадербхай, да будет ему земля пухом, любил всю эту ерунду, но я предпочитаю сначала высказаться, а потом обсуждать. Ты не возражаешь?

— Нет, конечно. Прошу вас, продолжайте.

— Так вот, я верю, что каждый атом обладает набором характеристик, полученных от вспышки Большого взрыва. Этот набор включает в себя и набор положительных характеристик. Все, что состоит из атомов, обладает набором положительных характеристик.

— Все?

— Почему ты такой сомнительный?

— Сомнительный или сомневающийся?

— А в себе ты тоже сомневаешься? — спросил он, потянувшись за чиллумом.

Сомневался ли я в себе? Разумеется. Я познал падение. Я был одним из падших.

— Да.

— Почему?

— Сейчас — потому что не расплатился за содеянное.

— И это тебя тревожит?

— Очень. Пока что я выплатил только аванс. Так или иначе, рано или поздно, но мне придется расплатиться до˙конца, возможно с процентами.

— Ты и сам не знаешь, что уже за это расплачиваешься, — произнес он, обволакивая меня умиротворением.

— Возможно, — кивнул я. — Но вряд ли этого достаточно.

— Как интересно, — сказал он и жестом попросил меня раскурить чиллум. — Как ты относишься к отцу?

— Я очень люблю и уважаю отчима. Он добрый, умный, прекрасный человек. Очень честный. А я его предал, став тем, кем я стал.

Не знаю, почему я это сказал, но слова стремительно пролились из сосуда моего стыда. Я отгородился стальным щитом от причиненной отчиму боли. Иногда раскаяние за неприглядные поступки каменным истуканом застывает в храме наших сердец.

— Простите, Идрис, я слишком расчувствовался.

— Вот и прекрасно, — негромко сказал он. — Покури-ка со мной.

Он передал мне чиллум. Я затянулся, и на душе стало спокойнее.

— А теперь давай закругляться, а то сейчас набегут романтические юнцы, несчастные влюбленные, и начнут рассказывать о своих душевных терзаниях. Ну почему молодежь не желает понимать, что любовь всегда терзает душу и сердце? Ты готов?

— Да, продолжайте, пожалуйста, — ответил я, хотя особой готовности не ощущал.

— В каждой частице материи содержится набор положительных характеристик своего уровня сложности. Чем сложнее структура материи, тем сложнее проявление набора положительных характеристик. Это ясно?

— Да.

— Отлично. На человеческом уровне сложности происходят два весьма необычных явления. Во-первых, мы обладаем неэволюционным знанием. Во-вторых, мы способны подавлять в себе животную природу и вести себя как уникальный вид — человек. Понятно?

— Учитель! — воскликнул Сильвано, подбежав к нам. — Прошу вас, отпустите Лина на минутку!

Идрис счастливо рассмеялся:

— Конечно, Сильвано. Ступай, Лин. Мы с тобой позже договорим.

Сильвано стремглав пересек плато и выбежал на дорогу, вьющуюся по склону горы.

— Быстрее! — крикнул он, не сбавляя шага.

Крутая тропка, ответвляясь от дороги, поднималась на холм, в прогалину между деревьями. На вершине холма мы остановились и, тяжело дыша, поглядели в долину, где догорал закат.

— Вот, посмотри! — Сильвано указал на горизонт.

Вдали виднелась церковь со шпилем.

— Успели! — выдохнул Сильвано.

Трепетавшие в воздухе алые лучи внезапно осветили навершие шпиля — то ли просто крест, то ли крест в круге, издалека было не понять, — и на миг яркое сияние омыло нежным светом все дома в долине.

Через минуту солнце ушло на покой, и долину накрыли сумерки.

— Изумительное зрелище! — сказал я. — Здесь всегда так?

— Я вчера впервые увидел, — улыбнулся Сильвано, торопясь вернуться к обожаемому учителю. — Решил тебе показать. Неизвестно, сколько это продлится — день, может, два? А потом исчезнет.

ГЛАВА

 43

Когда мы с Сильвано вернулись на плато, рядом с Идрисом уже сидели Стюарт Винсон и Ранвей. Что там Идрис говорил? «Романтические юнцы, несчастные влюбленные, начнут рассказывать о своих душевных терзаниях».

Я не стал им мешать и отправился на кухню мыть посуду. Чуть позже пришли Винсон и Ранвей, которая тут же схватила полотенце и стала вытирать тарелки. Оплывшие свечи заливали кухню теплым желтым светом. Винсон замешкался в дверях, и Ранвей укоризненно обратила к нему холодный взгляд бледно-голубых глаз. Винсон бросился складывать посуду в шкаф.

— Между прочим, твое имя созвучно английскому слову *runway*, — сказал я Ранвей, — оно означает не только взлетную полосу в аэропорту, но и подиум на показе мод.

— Аэропорт мне больше нравится, — серьезно ответила она. — Но за объяснение спасибо. Кстати, я Карлу видела.

— И что?

— Я тебе все расскажу, только лучше с глазу на глаз. Давай выйдем?

— Ладно.

— Стюарт, мне надо поговорить с Лином, — заявила она, вручая юноше полотенце. — Освобожусь через двадцать минут.

Я вытер руки, и мы с Ранвей вышли из кухни к поваленному дереву, излюбленному месту для неторопливых бесед. Винсон остался мыть посуду.

— Я неправду сказала, — начала Ранвей.

— О чем?

— Карла ничего особенного не говорила, просила только передать, что вы с ней скоро увидитесь и что она верует, но каждый день — в разных богов, на всякий случай.

— Отлично, — улыбнулся я. — Так о чем тебе хочется со мной побеседовать?

— О Лизе, — со значением сказала она и напряженно посмотрела мне в глаза, опасаясь, что переступила черту дозволенного.

— Потому что твой друг тоже от передоза умер?

— Да, — ответила она и перевела взгляд на Винсона.

— Не терзайся, — сказал я.

Она обернулась ко мне:

— Мы с Лизой всего лишь один раз встречались, но ее смерть меня потрясла. До глубины души.

— И меня тоже. Ты, главное, держись.

— Как я выгляжу?

Она поправилась, щеки покрылись бледным румянцем, бледно-голубые глаза, словно лед, подсвеченный синим, были чисты и ясны. Пальцы больше не дрожали, а спящими котятами свернулись на коленях. На Ранвей была ярко-голубая футболка, мужской жилет и вытертые до белизны джинсы. Ни украшений, ни обуви. Овальное лицо, прямой нос, пухлые губы.

— Ты теперь просто красавица, — сказал я.

Она поморщилась — очевидно, решила, что я с ней заигрываю.

— Нет, я к тебе не подкатываю, — рассмеялся я. — Я уже связан навечно, в этой жизни и во многих следующих.

— Правда? Ты уже кого-то нашел после...

— И до, и после. Да.

— Ты с кем-то связан, как прежде?

— Да, как прежде — но иначе.

— Лучше?

— Да, лучше. И тебе тоже станет лучше.

Она снова посмотрела на Винсона, который неторопливо вытирал посуду.

— Мои родные в Норвегии — ярые католики. Для них мой друг олицетворял зло, поэтому я уехала за ним в Индию. Ну, чтобы независимость свою доказать.

— А что он в Индии делал?

— Мы в ашрам собирались, но как приехали в Бомбей, так больше никуда и не сдвинулись.

— А он здесь прежде бывал?

— Да, несколько раз. Это потом я поняла, что он сюда за наркотой ездил.

— И все равно ты его оплакиваешь, правда?

— Да, хотя я его не любила по-настоящему. Он мне нравился, и я о нем заботилась, как могла.

— А Винсон?

— По-моему, я в него влюблена. Я до сих пор ни в кого не влюблялась. Только я себя сдерживаю, а он надеется на ответное чувство. Просто я пока не могу...

— Ну...

— А как ты с этим справляешься? — умоляюще пролепетала она дрожащими губами. — Как ты понял, что вас связывают незримые узы?

Как я понял? Сейчас, когда гора отделяла меня от возлюбленной, я и сам задавался этим вопросом.

— Стюарт очень отзывчивый, — сказал я. — Он все понимает и даст тебе время. Вам торопиться некуда. Он уже счастлив.

— А может стать еще счастливее, — вздохнула она. — И я тоже. А ты часто вспоминаешь прошлое?

— Конечно.

— Правда?

— Это естественный процесс. Наш рассудок эмоционален. Главное — не превращать жизнь в воспоминания. Ты часто задумываешься о прошлом?

— Ага. Я его представляю как живого. Будто мы снова вместе.

— Знаешь, Идрис вчера сказал, что душу погибшего можно умиротворить, если принести к реке тарелку еды и оставить на съедение мышам и птицам.

— И что?

— Я точно не знаю, но вроде бы души, насытившись, продолжают свой путь.

— Ох, я сейчас на все готова, лишь бы не чувствовать, что он все время рядом.

Разговор об умиротворении я начал, чтобы утешить Ранвей, но она, внезапно осознав мучивший ее страх, задрожала и обхватила себя за плечи.

— Послушай, Ранвей, здесь неподалеку есть река. Давай соберем еды, оставишь тарелку на берегу. Твой друг любил сладкое?

— Да.

— Прекрасно. К ужину много сластей наготовили. Может, твоему другу понравится, и он оставит тебя в покое.

— Спасибо, я попробую.

— Не бойся, все будет хорошо, — сказал я.

— А ты медитируешь?

— Только когда пишу. А почему ты спрашиваешь?

— Может, тоже медитацией заняться? — задумчиво протянула она и поглядела на меня. — А что ты о нем думаешь?

— О Винсоне?

— Ага, о Стюарте. Дома я бы спросила отца или братьев, а тут, кроме тебя, никого нет. Так что ты о нем думаешь?

Винсон расставил посуду на полках и насухо вытер глубокую раковину из нержавейки.

— Он мне нравится, — сказал я. — По-моему, он от тебя без ума. Если ты к нему равнодушна, то так ему и скажи, не тяни. Для него это очень важно.

— А тебе бывает тоскливо? Мне Стюарт кое-что о тебе рассказывал, ну, о твоей жизни. Ты о самоубийстве никогда не думаешь?

— В заключении об этом нельзя думать... Понимаешь, почти всю жизнь я провел в заключении.

— Нет, я серьезно. Бывают же дни, когда просто хочешь, чтобы все это кончилось — раз и навсегда.

— Разумеется, мысли о самоубийстве мне знакомы. Но я привык бороться до последнего.

— Даже когда так плохо, что жить не хочется? — спросила она, глядя на меня.

— В плохом тоже есть хорошее. Чудеса вершатся в те мгновения, когда кровь бурлит в жилах. Я писатель, я верю в силу любви. Самоубийство — не выход.

— Для тебя?

— И для тебя тоже. Ты никогда не задумывалась о том, что не имеешь права лишить себя жизни? Такого права нет ни у кого.

— Это почему? — Ранвей смотрела на меня широко распахнутыми глазами, не догадываясь, какая жестокость скрыта в наивном вопросе.

— Скажи, у безумца есть право убить постороннего?

— Нет.

— Вот видишь. Когда задумываешься о самоубийстве, то превращаешься в безумца. Но в то же время ты сам — посторонний, и тебе грозит опасность от самого себя. Даже если дела плохи, ты не вправе убить того, кем станешь впоследствии. Сама жизнь предупреждает, что это не выход.

— А как же перебороть тоску? — серьезно спросила Ранвей.

Мне захотелось обнять ее и притянуть к себе.

— Всем бывает тоскливо. Ты молода, а жизнь богата и полна невероятных чудес. Мы не имеем права транжирить отведенные нам часы и минуты, а тем более — отказываться от них. Мы вправе лишь прожить свою жизнь. Так что выбрось всю эту муть из головы. И не вини себя. Все устроится. Винсон — отличный парень. Он умеет ждать. А ты хорошенько все обдумай, разберись в своих чувствах и прими решение. А все остальное — чепуха. Не опускай руки, борись за свое.

— Ты прав, конечно, но иногда на душе так пасмурно...

— Ранвей, ты хорошая, умная девушка. Тебе, как и мне, выпала тяжелая доля. Жизнь нас обоих потрепала, но ты справишься. Вот, к примеру, меня совсем недавно полиция искала... Ты пошла на поправку, прекрасно выглядишь. Обязательно поговори с Идрисом, он плохого не посоветует.

— А ты — преступник, — неожиданно заявила она.

— Ну да.

— А может хорошая женщина полюбить преступника? Скажи, может?

На моей памяти такое случалось, но редко.

— Да, конечно, — ответил я.

Она недоверчиво поглядела на меня.

— Знаешь, поговори с Винсоном о преступлении и наказании, — сказал я, не желая ее переубеждать. — Не мое дело, как люди на жизнь зарабатывают.

— А Стюарт человека убил...

— Послушай, если хочешь поговорить о Винсоне, лучше его сюда пригласить, — ответил я, глядя на людей, собравшихся небольшими группками на белом плато.

— Нет, рано еще, — прошептала она.

Я встал. Ранвей тоже поднялась и нерешительно произнесла:

— А тебе никогда не хочется, чтобы все в жизни было иначе?

— В тебе говорит сожаление.

— Сожаление? — недоуменно переспросила она.

— Ну, знаешь, это как при киднеппинге, когда требуется доказательство жизни...

— Как это?

— Когда ведут переговоры о выкупе, от похитителей обычно требуют доказательство жизни, хотят удостовериться, что похищенного человека не убили. Просят видеозапись или телефонный разговор. Доказательство жизни.

— Ну и что?

— Так вот, сожаление — это доказательство души, Ранвей. Если бы ты ни о чем не сожалела, то была бы не хорошим, а дурным человеком. И Винсон бы не сходил по тебе с ума. Сожаление — хорошее чувство. А когда оно утихает, то становится еще лучше. Оно обязательно утихнет.

Мы вернулись в центр плато, где к нам присоединился Винсон. Его улыбка напоминала пустынный пляж.

— Стюарт, мне надо поговорить с Идрисом, — сказала Ранвей. — Освобожусь через двадцать минут.

— Ладно, — с улыбкой кивнул он, провожая девушку влюбленным, щенячьим взглядом.

— Винсон, зачем ты сюда приехал? — спросил я.

— Меня Ранвей типа убедила. Они с Карлой долго разговаривали... Ох, а Карла — такой человек... Только я мало что понял из того, о чем она говорила.

— Мало — это уже много. Она очень умная.

— А как ты с ней познакомился?

— Она мне жизнь спасла, — ответил я. — Гляди-ка, уже костер разожгли. Давай там подождем.

— Хорошо, — согласился он.

Ученики готовили ужин, украшали алтарь перед вечерней молитвой. Я попросил их собрать тарелку сластей для настырного призрака и отнести ее Сильвано.

У костра пока не сидел никто. Мы с Винсоном устроились на ящиках, глядя сквозь языки пламени на Ранвей, которая беседовала с Идрисом в пятидесяти метрах от нас.

— Знаешь, я и сам хотел сюда приехать, — сказал Винсон. — Да, прими мои соболезнования. Лиза была замечательным человеком.

— Спасибо, — ответил я. — Спасибо и за то, что на поминки пришел.

— Не стоит благодарности. Мы польщены, что нас пригласили.

— Как Ранвей?

— Ну, не знаю... — Он задумчиво почесал щетину на подбородке, нерешительно подбирая слова, потом вздохнул и опустил руку. — Она горюет. Иногда мне кажется, ей нужен психотерапевт, чтобы она разобралась в своих чувствах, справилась с утратой... Хотя, по-моему, я ее лучше поддержу.

— Нет, она сама должна с этим справиться.

— Да, конечно, но попозже, когда она чуть-чуть придет в себя...

— Нет, именно сейчас.

— Но она еще не...

— Она должна уметь о себе заботиться, Винсон, так же как и ты должен в первую очередь заботиться о себе. Дай ей самой во всем разобраться, все перепробовать.

— Как это?

— Поддерживай ее во всех начинаниях, не оставляй, но дай ей время. Она сама должна осознать, созданы вы друг для друга или нет, — сказал я — человек, который сам не мог остаться с любимой женщиной, потому что на нем лежала тень утраты.

Да кто я такой, чтобы советы давать?!

— Не мне тебе советы давать, — вздохнул я. — Все мы делаем ошибки, Винсон, такова человеческая натура. Просто надо поступать по совести, стараться изо всех сил. Рано или поздно найдется тот, кто это оценит, верно?

— Верно, брат! — воскликнул он, хлопнув меня по плечу. — Знаешь, я однажды к дилеру своему ходил, на Нул-базар, и с Конкэнноном случайно столкнулся. Он все на трость опирался, черную такую, вместо набалдашника — серебряный череп. Внушительно типа выглядит. Наверняка в трости клинок спрятан.

— Ага. А он не говорил, где теперь живет?

— Не-а. Ходят слухи, что обосновался на окраине, в Каре. Но про него всегда слухи ходят. Кстати, он тобой интересовался.

— И что сказал?

— Спросил, где австралийский арестант.

— А ты ему что ответил?

— Ну, что, мол, не знаю, как на хитрые вопросы отвечать. Повезло еще, что он был в хорошем настроении. В общем, я оттуда смылся побыстрее. Когда мы с ним только познакомились, он был нормальным человеком, но теперь... Нет, от него лучше держаться подальше.

— Да, на него сейчас многие в обиде.

Идрис и Ранвей встали, и мы направились к ним. Сильвано, взвалив ружье на плечо, шел следом.

— Так ты не останешься ночевать? — спросил Идрис, взяв Ранвей за руку.

— Нет, спасибо, учитель. У Стюарта помощница по хозяйству приболела, не хочется ее одну оставлять.

— Что ж, передай ей мое благословение. И приезжайте ко мне почаще.

Ранвей преклонила колени, коснулась земли у ног учителя. Винсон дружелюбно пожал ему руку.

— Спасибо вам за гостеприимство, — сказал он.

— Всегда пожалуйста, — ответил Идрис.

Сильвано подозвал двух парней и объяснил Винсону:

— Вас проведут ученики, вступившие на путь добродетели. Один будет освещать факелом дорогу впереди, другой — сзади.

— Еда для духа-сладкоежки завернута в красную ткань, — сказал я Ранвей. — У подножья ваши проводники покажут водителю, где остановиться, и посветят тебе на тропинке к реке.

— Спасибо, — задумчиво сказала она. — Спасибо вам за все.

Они попрощались и исчезли в темноте.

Потом мне часто снились Винсон и Ранвей. Мои сны в горном приюте навещал и Дидье, напоминал о важных делах. В сновидениях, скользящих по крышам, темной тенью проносился Абдулла, а Лиза все звала меня, и ее голос эхом отдавался в нашей безмерной печали.

Мир под горой менялся, как обычно, как меняется все и всегда, но воссоединиться с ним мне удавалось лишь во сне. Я не только физически отдалился от созданной мной жизни и от людей, ставших моими друзьями, — нет, на горе и душа моя уединилась, отдалилась от привычного мира, который выцвел и поблек в чистом горном воздухе, возвращаясь только в сновидениях.

Тяжелые, мрачные сны тревожили меня еженощно, до тех пор, пока их не разгоняли солнце и певчие птицы. В ту ночь сон мучил меня вопросом о сожалении.

Я проснулся и сел, прислушиваясь к ночным шорохам в лесу. По двору, опираясь на длинный посох, медленно шел человек в белом одеянии — Идрис. На опушке он остановился, глядя сквозь просвет меж деревьев на далекие огни города. Может быть, Идрис пытался умиротворить своих неупокоенных духов, а может быть, балансировал на тонкой грани между очищением и раскаянием. Чуть погодя он неспешно вернулся к себе в пещеру, и звук его шагов замер на белых камнях плато.

Сожаление — призрак любви. Сожаление — лучшая версия своего «я», которое иногда возвращаешь в прошлое, хотя и сознаешь, что невозможно изменить ни сказанные слова, ни совершенные поступки. Это очень по-человечески. Это свойственно всему людскому роду, потому что нас связывают с прошлым крепкие узы стыда, растворить которые под силу только океану сожаления.

Не столько любовь, сколько именно сожаление убедительно доказывает, что зло порождает зло, а сочувствие порождает сочувствие. И только выполнив свою задачу, сожаление постепенно возвращается в ничто, туда, куда уходит все остальное.

Я улегся в постель, надеясь, что Ранвей оставила на берегу подношение, дабы умиротворить неуемный дух, возрожденный ее сожалением.

ГЛАВА

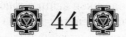 44

В приют на горе приходят, обливаясь по́том, а покидают его, сияя, как галька в прозрачной воде. Учитель неизменно ласков и спокоен, с его лица не сходит умиротворенная улыбка, и ничто не нарушает его благостного сочувствия — до тех пор, пока он не скрывается за ширмой умывальника, где садится играть в карты со мной и Сильвано. Там он отводит душу, на все лады честит людскую глупость и проклинает злонамеренных невежд.

Ученики во дворе прекрасно слышат брань, но тоненькая ширма лучше любого щита оберегает священный ореол, окружающий Идриса на людях.

Горный приют — неплохое местечко, нечто вроде вольного поселения. Здесь нет ни охранников, ни надзирателей, ни стен — только те, что существуют у тебя внутри. И все же ученики прикованы к Идрису надежнее, чем кандалами. Они его обожают и покидают приют в слезах. Впрочем, Идриса невозможно не любить.

— Итак, вкратце объясни, что такое неэволюционное знание, — велел он через две недели после моего приезда.

— Так ведь я уже...

— Повтори еще раз, дерзкий умник. — Идрис склонился ко мне, и я поднес зажигалку к его косяку. — Знание становится знанием только тогда, когда его истинность очевидна собеседнику. Повтори.

— Ну, если вкратце, то в мире, где яблоки падают с деревьев, эволюционного знания достаточно, чтобы увернуться от падающего плода, или поймать его, или поднять падалицу с земли и съесть. Все остальное — как вычислить скорость падения или как запустить космический корабль на Марс — это неэволюционное знание, то есть то, которое не принимает участия в процессе эволюции. Зачем оно нам? И для чего? Я правильно излагаю?

— На троечку. Ты забыл упомянуть, что, экстраполируя до закономерной крайности все дисциплины неэволюционного знания, включая науку, искусство и философию, можно получить знания обо всем на свете.

— И что?

— Само по себе это ничего не значит. К примеру, сейчас на Земле наша наука и философия предоставляют нам возможность полного уничтожения — как самих себя, так и всей остальной жизни на планете. Так что само по себе наше знание ничего не значит. Однако в совокупности с нашей способностью подавить в себе животную природу и проявить свою уникальную человеческую сущность — весьма приятную сущность, следует заметить, — это означает все.

— Не понимаю...

— Все очень просто. Звери обладают животной природой. Наша животная природа сходна с природой шимпанзе, и в стрессовых ситуациях мы ведем себя как шимпанзе.

— Ну и что?

— Дело в том, что в отличие от шимпанзе для нас такое поведение не обязательно. Мы способны управлять своим поведением. Шимпанзе навсегда останется шимпанзе и будет вести себя соответственно, а человек может стать тем, кем ему захочется.

— Как?

— Наша истинная, человеческая сущность проявляется в создании таких вещей и концепций, которых не существует в животном мире. К примеру, демократия. Или законность. Демократический фронт шимпанзе невозможен, точно так же как невозможно судопроизводство среди львов или зебр.

— Да, но...

— Мы, люди, отличаемся тем, что единственные способны управлять своим поведением с помощью мыслей, чувств, верований и искусства. Все это — порождения человека. Понимаешь, мы создаем себя сами.

— Тем не менее люди часто проявляют свою животную природу, — заметил я. — Я и сам частенько ее проявлял.

— Разумеется, наша животная природа нередко и неприглядно дает о себе знать. Как правило, все дурное в человеческом обществе — результат безудержного проявления нашей животной природы. А вот наука и искусство созданы человеческой сущностью.

— В том, чем мне приходится заниматься, хорошего мало.

— Мы способны стать кем угодно, даже ангелами. Если мы хотим угодить друг другу, то способны на поступки, немыслимые в животном мире. Когда наша человеческая сущность освобождается от тщеславия и алчности, то мы не только творим чудеса, мы превращаемся в чудесные создания, как нам и суждено, — сказал Идрис и, как обычно, завершил свои слова вопросом: — Как ты понимаешь разницу между Судьбой и Роком?

«Судьба и Рок — неразлучные близнецы», — изрекла однажды Карла.

— Я не разделяю убеждения, что мы не властны над своей судьбой, что рок играет нами, будто оловянными солдатиками.

— Рок нами не играет, — заявил Идрис, затягиваясь косяком. — Рок реагирует на наши поступки.

— Как?

Идрис рассмеялся.

День выдался таким ясным, а небо отливало такой пронзительной синевой, что нам с Идрисом пришлось надеть солнцезащитные очки, и мы не видели глаз друг друга. Впрочем, мне это даже помогало, потому что иногда, глядя в светло-карие глаза учителя, я тонул в них, как малыш в ручье; приходилось отчаянно барахтаться в поисках спасительного ответа на заданный вопрос.

Ученики, завершив дневные труды, отдыхали в тени под навесом, негромко смеялись и переговаривались. Над плато ширился распираемый светом купол небес.

— Тебе интересно, как действует Рок, потому что ты с ним борешься? — спросил Идрис. — При малейшем намеке на угрозу считаешь, что Рок настроен против тебя, и инстинктивно идешь на конфронтацию, потому что пытаешься получить хоть какое-то преимущество в схватке, верно?

— Да, но мне хочется победить в честном бою, а Рок жульничает.

— Каким образом?

— По-моему, у Рока есть тайный подельник — Время.

— Совершенно верно, — рассмеялся Идрис. — Дело в том, что у Рока много имен: Карма, Время, Любовь... Все это — названия поля тенденций, которое пронизывает всю Вселенную. Точнее, поле тенденций — это и есть Вселенная.

— Поле тенденций?

— Поле тенденций.

— А из чего оно состоит?

— Может быть, из темной энергии... Важно не то, из чего оно состоит, а то, что это поле собой представляет, понимаешь? Точно так же, как ты — не просто сумма атомов, составляющих твое физическое тело.

— Ну, допустим, темноэнергетическое поле тенденций, — вздохнул я. — А что оно делает?

— С самого начала, с так называемой сингулярности, поле тенденций служит двигателем стремления к усложнению. В этом смысле поле тенденций и есть Вселенная. Когда усложнение достигает уровня, на котором становится возможным осознанное пробуждение самосознания, то между полем тенденций и каждым отдельным сознанием устанавливается взаимосвязь.

— Какая взаимосвязь?

— Поле тенденций реагирует на наше инстинктивное стремление к божественному. Невозможно постичь божественное напрямую, точно так же как невозможно напрямую постичь источник существующей Вселенной, поля тенденций и всех остальных неисчислимых вселенных, бесконечно раскрывающихся, как бутон, и увядающих и снова расцветающих в садах вечного творения, порожденных глубинами божественного разума. Все это для нас непостижимо, точно так же как непостижимы для нас все тайны нашей Вселенной, не говоря уже о тайнах бесчисленного множества вселенных или их божественного создателя. Однако же мы способны в любой момент осознать поле тенденций.

— Как?

— Вообще-то, теперь твоя очередь говорить, — улыбнулся Идрис, закуривая новый косяк.

Ни одна беседа с учителем не обходилась без того, чтобы он меня не пожурил, пусть и ласково, — наверное, не давал мне расслабляться. Или пытался вызвать меня на откровенность. Все гуру, даже те, кто утверждает, что гуру не существует, на самом деле — прекрасные психологи, умельцы выпытать правду.

— Простите, Идрис, я вас часто перебиваю, но только тогда, когда мне что-то непонятно. А сейчас я все понял. Продолжайте, прошу вас.

— Что ж, продолжим... — Он поджал ноги, поудобнее устраиваясь на парусиновом складном стуле. — Вселенная, рожденная Большим взрывом, приобрела определенные неотъемлемые характеристики — пространство, время, материю, гравитацию. Все эти характеристики — порождения Большого взрыва. Поле тенденций, которое движет стремлением к усложнению, — это еще одна характеристика, возникшая в результате Большого взрыва. Стоит заметить, что Большой взрыв также породил набор положительных характеристик, содержащийся в каждой частице материи. Тебе все понятно?

— Пространство, время, материя, гравитация, классическая физика, физика элементарных частиц, поле тенденций, положительные характеристики — все это возникло в результате Большого взрыва.

— Молодец, коротко и внятно, — усмехнулся Идрис. — Так вот, поле тенденций оперирует всем и вся, пользуясь простейшей булевоподобной функцией «Если А, то Б». То есть основополагающий алгоритм «если происходит это, то произойдет и то» управляет всем, включая энтропию.

— А разве энтропия не противостоит усложнению?

— Нет, энтропия противостоит порядку. Впрочем, бесконечное возрастание энтропии возможно только в замкнутой системе, а черные дыры в нашей Вселенной ведут неведомо куда, поэтому наша система не замкнута.

— Простите, но отсюда следует, что связь человека с полем тенденций существует независимо от того, как он поступает — хорошо или плохо.

— Человек, культивирующий в себе набор положительных характеристик, входит в резонанс с полем тенденций, а оно в свою очередь постоянно подбадривает такого человека, подпитывает энергией. Люди, пусть даже самые богатые и знаменитые, которые противодействуют полю тенденций, развивая в себе отрицательные характеристики и умножая ненависть, злобу, несправедливость и невежество, тем самым ослабляют связь с полем тенденций и испытывают экзистенциальный страх и ужас.

— То есть вы противопоставляете экзистенциальное спокойствие экзистенциальному страху?

— Человек, связанный с полем тенденций, живет безмятежно и умиротворенно. Отсутствие этой связи обедняет и жизнь, и сам мир, делает их пустыми и бессмысленными.

— Практически все мои знакомые, за исключением самых близких друзей, испытывают какой-то экзистенциальный страх. Может быть, это обязательное условие существования человечества?

— Обязательным условием существования человечества является только человечность, общая для всего людского рода. На заре цивилизации нас была всего лишь горстка — без когтей и без клыков, в окружении хищников. Любовь и взаимопомощь научили нас не бояться никого и ничего — ни на суше, ни на море. Мы прекрасны и пагубны одновременно. В нашей воле выбирать, кем мы станем: хладнокровными убийцами ближних или храбрыми спасителями жителей далеких галактик. Мы сами творим свою судьбу. Нашими орудиями являются...

Ученики оживленно загомонили, и мы с Идрисом обернулись: на плато появились Навин и Дива, окруженные толпой.

— Какая красавица, — негромко заметил Идрис. — Вы знакомы?

— Ее зовут Дивья Девнани, но она предпочитает имя Дива.

— Мукеш Девнани — ее отец?

— Да, преуспевающий бизнесмен.

— Похоже, у нее неприятности. Познакомь нас, пожалуйста.

— Да, конечно.

Я представил их друг другу. Идрис взял Диву за руку и подвел к свободному стулу, а мы с Навином уселись на поваленное дерево, там, где пару недель назад я обсуждал с Ранвей преступления и наказания.

Навин начал разговор с преступления — и наказания:

— Конкэннон долго на одном месте не задерживается, уследить за ним трудно, но я понемногу разбираюсь в том, как организована его наркоторговля. Кстати, Ранджита заказали.

— Ух ты! И во что оценили его жизнь?

Навин подозрительно уставился на меня:

— А зачем тебе знать?

— Из чистого любопытства, — с улыбкой ответил я. — У меня есть знакомые, которые готовы добавить денег к сумме вознаграждения.

— Да желающие уже нашлись, — ухмыльнулся Навин. — Поговаривают, что какой-то девелопер и местный политик сперва долго мерились, кто больше даст, а потом скооперировались и предложили убийцам двойную цену.

— Значит, в ближайшее время Ранджит в Бомбей не вернется. Если можешь, узнай по своим каналам, нет ли его в Гоа, а я свяжусь с приятелями в Дели, проверю, не там ли он скрывается.

— Договорились. Кстати, в Колабе на прошлой неделе дважды сцепились люди Санджая и «скорпионы». Все закончилось стрельбой и разгромом двух магазинов. Похоже, развязанная «скорпионами» война набирает обороты. Об этом даже в газетах пишут: базу «скорпионов» на Марин-Лайнз сожгли, при этом погибла сиделка. Санджая арестовали, но тут же выпустили за отсутствием улик преступления.

Я был в этом доме. Я знал, что за больной женой Вишну ухаживала сиделка — та самая, которая погибла в огне. Теперь Вишну не остановится, пока пламя не опалит лицо Санджая.

— А еще твой приятель Абдулла вернулся, — добавил Навин. — Просил передать, что тебе лучше тут еще недельку провести, он потом с тобой встретится.

— Еще недельку?

— Ага.

— Что ж, спасибо за новости. Не лень из-за этого было на гору тащиться?

— Между прочим, с нами еще кое-кто пришел.

Я вопросительно поглядел на него. Навин кивнул.

— Где она?

— Вон там, в одной из пещер. Попросила, чтобы я тебе не сразу сказал. Ты же знаешь, Карле отказать невозможно.

ГЛАВА

45

Я бегом пересек скользкие белые камни плато, остановился у входа и заглянул в пещеру. Карла сидела на деревянном табурете и рассматривала серебряную статуэтку богини Лакшми. Я обернулся навстречу ветру, так же как Карла в день нашей первой встречи на горе, и попросил:

— Расскажи мне анекдот.

Она медленно повернулась ко мне. Краем глаза я заметил, что она улыбается.

— Так что, расскажешь анекдот или нет?

— Расскажу. Почему копы зовут осведомителей «два пинка»?

— Мы с тобой три недели не виделись, а ты мне анекдоты про копов травишь?

— Не три недели, а шестнадцать дней и восемь часов. Будешь слушать анекдот или нет?

— Ладно, рассказывай, почему копы зовут осведомителей «два пинка».

— Потому что осведомителей сперва надо пнуть, чтобы начали говорить, а потом пнуть второй раз — чтобы заткнулись.

— Иди уже сюда, — сказал я.

Она встала на цыпочки и, обняв меня за шею, крепко поцеловала. Наши тела прильнули друг к другу, будто два сросшихся дерева.

— Ох, как я рад тебя видеть! — вздохнул я. — А зачем Навин мне десять минут нервы трепал?

— Я вспотела, пока сюда карабкалась, хотела отдохнуть и прихорошиться. Для тебя.

— Пойдем со мной.

Я отвел Карлу на холм за деревьями, откуда открывался вид на церковь в долине. Мы уселись на жесткую траву. Жаркие волны ветра накатывали на холм, деревья у обрыва покачивались, отбрасывая рябые тени.

— Ну, рассказывай, — велела Карла.

— Ха, я сам тебя хотел о том же попросить.

— Нет, ты первый.

— Особо рассказывать нечего. Здесь тихо и спокойно, настоящий курорт для любителей заниматься домашним хозяйством. Работа по дому тут — первое дело.

— И как, получается?

— Неплохо. Лучше заниматься домашними делами, чем жить по чужому расписанию.

— Молодец, что остался, Шантарам, хотя тебе и не хотелось. Я тебя за это тоже люблю.

Она не стала объяснять, почему заставила меня уехать из города, а я не спрашивал, радуясь ее приезду.

— Если честно, скучать здесь не приходится, — продолжил я. — Сюда, к Идрису, многие приезжают, хотя бы на пару часов.

— Что за люди? — спросила Карла, откидываясь на локти и подставляя счастливое лицо солнцу.

— На днях какой-то политик приезжал со сворой вооруженных охранников. Совета просил. Идрис ему велел отказаться от охраны и бронированных лимузинов, одеваться скромнее, в народ ходить.

— И что политик?

— А политик сказал, что в таком случае его сразу же убьют. Идрис на это заметил: «Ну, с этим тебе самому придется разбираться».

— Идрис — просто прелесть. Ему бы на эстраде выступать.

— А как-то явились садху-шиваиты[1], человек десять. Проводили все марихуаной, с утра до вечера спорили с Идрисом, а потом трезубцами размахались, грозили всех убить. В общем, пришлось нам с Сильвано с ними разбираться.

— Ружье наставить?

— Нет, что ты! В святых людей стрелять нельзя. Мы им денег дали и попросили убраться восвояси.

— Разумно. Кстати, как Сильвано?

---

[1] *Садху-шиваиты* — монахи-аскеты, последователи традиций почитания Шивы.

— Прекрасно. Хороший парень.

— Я так и думала, что он тебе понравится. Вы с ним очень похожи.

— Мы похожи?

— Ага.

Поразмыслив, я сказал:

— Да, он мне нравится. Надо взять его к нам в команду.

— К нам в команду? У нас команда есть?

— Я тут подумал, что, может быть...

— Потом обсудим, — сказала она. — А с Идрисом у тебя как складывается?

Я хотел поговорить с ней о нас, о том, что мы будем делать, когда вернемся — или не вернемся — в Город семи островов. Я хотел говорить о нас — и целовать ее.

— Давай лучше о нас поговорим, — улыбнулся я.

— Так как у тебя с Идрисом? — повторила она.

— Идрис... необыкновенный человек.

— И как, от общения с ним врата открылись?

Вопрос важный — и по-своему забавный: всю жизнь я старался держать врата прошлого на замке, не желая их открывать.

— Да, врата разума открылись, — ответил я. — Но меня это не изменило.

Она посмотрела на деревушку в долине, где сверкал шпиль церкви.

— О мадам Жу что-то известно?

— Она затаилась, — сказала Карла, глядя на горизонт, где земля тщилась прильнуть к небосводу.

— И следа не отыскать?

— Нет, никаких зацепок. Кого только Дидье и Навин не расспрашивали! Никто о ней ничего не слыхал. Ты же знаешь, она хитрая, умеет в невидимку превращаться.

— Невидимок не бывает. Ничего, отыщем. Навин весточку от Абдуллы передал. Абдулла говорит...

— Чтобы ты здесь еще неделю переждал, знаю. Он мне позвонил, поэтому я Навина с собой и взяла.

— И Диву тоже?

— Нет, с Дивой другое. Я хотела, чтобы она с Идрисом побеседовала. По-моему, их с Идрисом связывают космические узы.

— Кстати, о космических узах... — Я притянул ее к себе и поцеловал.

От ее волос пахло горными тропами, выжженными солнцем. Жаркое дыхание ветра сдувало деревья с обрыва, яркие лучи ласкали нас сквозь листву. Карла...

— Давай сегодня здесь заночуем, Шантарам.

— Прямо сейчас и заночуем.

— Нет, сейчас пойдем к детям в песочницу.

— Ну...

Мы вернулись на плато, к Навину и ученикам. Идрис два часа беседовал с Дивой, а потом пригласил богатую бедняжку-наследницу заночевать в одной из скромных пещер вместе с остальными. Как ни странно, Дива немедленно согласилась — и тут же, по обыкновению, отправила Навина к машине за вещами.

После ужина мы вымыли посуду. Ученики разошлись по пещерам, а мы с друзьями-полуночниками остались сидеть у костра, прихлебывая сладкий крепкий чай, щедро сдобренный ромом.

Я подошел к Идрису с Сильвано, чтобы пожелать им спокойной ночи. Навин, Дива и Карла о чем-то беседовали, смеясь. Языки пламени рисовали загадочные картины.

— Дива — замечательная девушка, правда? — негромко заметил Идрис.

Беседа с Дивой его развеселила, и даже сейчас, глядя на девушку, он тихонько посмеивался.

— А по-моему, она избалованная, хотя умница и красавица, — ответил я.

— Возможно, сейчас ты и прав, — улыбнулся Идрис. — Однако попробуй представить, кем она станет и чего достигнет.

Они с Сильвано поднялись и ушли на ночлег.

Я присоединился к друзьям. Дива потянула Карлу за локоть, и они устроились на складных стульях у восточной опушки леса. Я сел рядом с Навином.

— Тебе идет улыбка, — заметил он.

— Я улыбаюсь? — удивился я.

— Улыбался, пока Карла была рядом, — ответил он, разворошив костер прутиком.

Над углями взметнулся ворох искр.

— О чем задумался, приятель?

— Да так... До утра подождет.

— Чего уж там, рассказывай, в чем дело.

— Я за нее боюсь, — признался он, прислушиваясь к тихому девичьему смеху.

— За Карлу?

— Нет, за Диву.

— А что случилось?

— Ее отец связался с весьма неприятными типами. Деньги замешаны серьезные, а его партнеры — люди опасные.

— Погоди, Мукеш Девнани — один из самых богатых людей в Бомбее.

— Там какая-то мутная история. Он набрал под один из своих проектов разных теневых инвесторов с деньгами сомнительного происхождения, решил переключиться со строительства конференц-залов и торговых комплексов на постройку целых районов. А профинансировать это могут только...

— ...Неприятные типы, которые теперь требуют вернуть им вложенные средства, да еще и с немалыми процентами.

— Совершенно верно. Самое странное, что Ранджит в этом тоже каким-то боком замешан.

— Как это?

— В его газетах печатали статьи, осуждающие замыслы Мукеша по строительству новых районов. В результате городские власти отозвали его лицензии, и проект лопнул. Так что теперь к нему зачастила полиция — то ли для охраны, то ли арестовывать собрались.

— Ох, Навин, ему придется все полученные деньги вернуть, даже если это его обанкротит.

— Я ему то же самое сказал. Только там еще какая-то закавыка — не знаю, в чем именно. Я теперь в его особняке редкий гость, а всю эту историю узнал обиняками. По-моему, Диву хотят похитить. Она — единственный ребенок, наследница, мать умерла шесть лет назад. Врагов у Мукеша достаточно, так что... В общем, боюсь я за нее, дружище.

— Может, все не так уж и плохо?

— Вряд ли. Я себе места не нахожу. Одному мне с этим не разобраться, а Дива мне очень нравится. Отец у нее тот еще мудак, конечно, но...

— Увези ее из города.

— Она не хочет уезжать. Догадывается, что у отца неприятности.

— Давай ее спрячем на время.

— Где? И как? Она же знаменитость. Приходится скрываться не столько от врагов, сколько от прессы. Самое страшное, что Диве нравится внимание. Я телефон у нее отобрал, потому что она сама папарацци звонила, предупреждала их, где ее ждать. Она всех журналистов знает наперечет, пьет с ними, дружит с их семьями.

Я расхохотался, но Навин с укором посмотрел на меня:

— Для нее осмотрительность — это если в небе самолеты ее имя не выписывают. И не смейся, она именно это на свое восемнадцатилетие устроила. Дива в безвестности жить не умеет.

— Спрячь ее в трущобах, — предложил я. — Если она согласится, конечно. Я сам там полтора года скрывался. Место надежное и безопасное.

— А ее там примут?

— Старейшина — мой приятель. Кстати, не дурак повеселиться. Дива ему понравится, вот увидишь. Другое дело, что в трущобах не каждый выдержит...

— Слушай, а ты серьезно? Про трущобы?

— Где же еще, как не в трущобах, прятать от обезумевшей толпы бомбейскую знаменитость? Только вначале мне надо с этим приятелем поговорить.

Навин снова взглянул на Карлу с Дивой, которые безудержно хихикали, передавая друг другу бутылку.

— Навин, если не передумаешь, то я поговорю с Джонни Сигаром, когда вернусь в Бомбей.

— Ладно. Правда, я пока не знаю, как Диве это преподнести, но все равно... Я на все согласен, лишь бы уберечь ее от врагов ее отца.

— Не волнуйся, Навин. Пойдем узнаем, что они там пьют.

Мы долго сидели вчетвером — друзья, объединенные страхом и надеждой.

Когда разговоры и смех смолкли, мы с Карлой пожелали всем спокойной ночи, запаслись одеялами, водой и едой и при свете факела отправились на холм. Я соорудил шалаш из пары одеял, расстелил остальные на земле, достал из котомки съестное — холодные пакоры, ананас, чечевичные лепешки, горсть орехов кешью и два глиняных горшочка заварного крема с фруктами. Карла высыпала из своей сумки две фляжки, портсигар и золотую зажигалку с вделанными в нее часиками. Стрелки часов показывали двадцать три минуты первого.

— Часы остановились, — заметил я и потянулся к зажигалке.

— Не заводи, — поспешно сказала она. — Мне так больше нравится.

— Карла, через неделю я вернусь и...

— Погоди, дай мне сказать.

— Ладно.

— Дидье и Навин решили расширить детективное агентство. По-моему, это отличная мысль. Я собираюсь вложиться в их предприятие.

— Неплохо придумано. А я, между прочим, подумывал о нелегальных валютных операциях. Начну отмывать черный нал, связи у меня есть. Заработка нам с тобой на жизнь хватит.

— У меня есть деньги.

— Но это твои деньги!

— Неизвестно, надолго ли мы задержимся в Бомбее, — сказала она, отхлебнув из фляжки. — Я предпочитаю не ввязываться в опасные предприятия.

— Профессия детектива не входит в первую десятку самых безопасных профессий на свете. Черт, она даже в первую сотню не входит.

— Зато детектив имеет дело с преступлением и наказанием, Шантарам.

Преступление и наказание... Ну не насмешка ли судьбы: в последнее время эта фраза звучала слишком часто и постоянно приходила мне на ум. Сколько раз нужно ее повторить, чтобы я наконец усвоил...

— Нет, в детективном агентстве мне не место, Карла.

— Мы с тобой будем теневыми партнерами.

— Теневыми?

— Чем теневее, тем лучше.

— Теневее?

— Мы с тобой сможем говорить с людьми, которые ничего не скажут Навину или Дидье. Ты же знаешь, с ними так или иначе придется беседовать. Вот мы с тобой этим и займемся.

— Карла, не могу же я в одночасье перейти от совершения преступлений к их раскрытию, — улыбнулся я, хотя больше всего мне хотелось сорвать одежду с нее и с себя — и молчать. — Все мои навыки и умения — бандитские.

— Наше агентство будет специализироваться на розыске пропавших, — сказала Карла, снова отхлебнув из фляжки.

— Да мы с тобой сами пропавшие, — рассмеялся я.

— Мы займемся делами, которые не раскрыла полиция.

— Нераскрытые дела — безнадежное занятие.

— Не всегда. — Карла достала из портсигара косяк, затянулась. — Есть много причин, по которым копы отказываются от расследования. Бывает, что им специально взятки дают, чтобы пропавший не нашелся. А мы будем заниматься сбежавшими мужьями, исчезнувшими невестами, блудными сыновьями... В общем, наше агентство — последняя надежда родных и близких. Оплот утраченной любви.

— Карла, на этом денег не заработаешь, а на твои деньги я жить не намерен.

— Разумеется, поначалу денег не будет — придется вкладывать, а не зарабатывать. Но частные охранные службы и частные детективные агентства в Индии очень скоро станут прибыльным бизнесом, вот увидишь. В этом я уверена. Так что если тебе и впрямь неловко, считай, что деньги я тебе дала взаймы, вернешь, когда дело наладится.

— Кстати, о пропавших... Что слышно о Ранджите?

— Пока ничего. Ходят слухи, что его видели на Мальдивах. А я, между прочим, в его отсутствие управляю всем портфелем акций, стала одним из крупных игроков на бирже. В отличие от Ранджита дела вести я умею. Смешно, конечно, но сейчас все сотрудники его информационной службы заняты поисками босса — разумеется, по моему распоряжению.

— Ты из «Таджа» не переехала?

— Нет. Там на входе охрана приличная, да и у меня на верхнем этаже тоже все в порядке.

— А с Дидье ты виделась?

— Он почти все время у меня проводит, боится, как бы приспешники мадам Жу и его кислотой не облили. Ты же знаешь, он тщеславен до невозможности.

— Между прочим, сам он объясняет заботу о своей внешности не тщеславием, а хорошим вкусом. Кстати, здесь я с ним согласен.

— Так или иначе, а с этой стервой я рассчитаюсь. — Карла сгребла в сторону еду и улеглась на одеяло, заложив руку под голову. — Ну что, Шантарам, о своих планах я тебе рассказала. Ты со мной или нет?

Судьба ведет тебя к предмету твоей страсти, а Время выбирает для этого самый неподходящий момент. Стоит ли мне принять участие в планах Карлы? Работать в детективном агентстве, отыскивать пропавших родных? Нет. С полицией я сотрудничать не мог, и детектива из меня не вышло бы.

Карла поняла это по моему взгляду, по тяжелому дыханию — слишком разные дороги вели нас с горы.

— Все, хватит рассуждений, — сказала она. — Завтра, как и ты, всегда приходит не вовремя.

Лунные лучи сочились сквозь листву, отбрасывали кружевные тени на лицо Карлы, отблески звездного света скользили по нему воспоминаниями о прошлых жизнях, где мы с ней любили и теряли друг друга. Той ночью на моем небосводе не взошла путеводная звезда, неоткуда было ждать помощи в плавании по бурному морю нашей жизни. Впрочем, мне было все равно: Карла безмятежно спала в моих объятьях. Я возвращался домой.

Часть
восьмая

46

В агентстве «Утраченная любовь» партнером я не стал — может быть, из-за врожденного упрямства, как утверждал Навин, а может, по глупости, как заявил Дидье, или из-за привычки к вольной жизни... Нет, Карла этого не говорила. Она вообще со мной не разговаривала, просто передала через Навина, чтобы я держался от нее подальше, пока она не успокоится. Сам я успокоился и перекупил у Дидье его контакты на черном рынке. Дидье, став законопослушным бизнесменом, партнером в детективном агентстве «Утраченная любовь», расположенном в номере по соседству с моим, не желал более иметь ничего общего с преступным миром.

Итак, я вплотную занялся делами Дидье (за вычетом наркоторговли и проституции) — отмывал незаконные деньги, превращал их в законные доходы и брал за услуги небольшой процент. Проворачивал сделки через черных банкиров, почти как на фондовой бирже, только без обмана и взяточничества. На жизнь хватало.

На второй день после моего возвращения с горы Карла откликнулась на мои отчаянные просьбы и согласилась на встречу. На закате я бросился на набережную в Джуху, где месяц назад мы с Карлой вспоминали Лизу, нашу утраченную любовь. Там, не обращая внимания на счастливых прохожих, Карла со слезами призналась мне в том, что волновало ее больше всего.

— Зачем Ранджит в тот вечер встречался с Лизой? Что ей от него было нужно? — всхлипывала она, прильнув к моей груди. — Как вернулась в Бомбей, только об этом и думаю. Я ничего не понимаю...

Неразрешимая загадка терзала Карлу, будто песчаная буря, а для меня тайна пересыпалась ленивой струйкой песчинок в песочных часах с надписью «Ранджит». Теперь я уговаривал Карлу не изнурять себя, на время забыть о страданиях.

— Мы его отыщем, — сказал я. — Тогда и узнаем обо всем, что случилось. А до тех пор лучше об этом не думать, иначе мы окончательно с ума сойдем.

— Что-то не так, — улыбнулась она. — Мне должно быть что-то известно, только я не могу понять, что именно. Однако ты прав: думать об этом больше не стоит.

Заходящее солнце заливало набережную киноварью, милостиво стирая с лиц следы усталости и недовольства; сияющий карминный океан вечернего света уничтожал все недостатки, обнажал внутреннюю красоту людей и предметов. Легкие порывы ветра играли в догонялки на набережной, путались в складках одежды, раздували полы рубах и взметали подолы платьев. На дороге вспыхнули фары автомобилей, и каждая проезжавшая мимо машина заставляла бледные тени пальмовых листьев скользить по лицу Карлы, очерчивая четкие линии ее шеи и губ. Карла...

— Ты из гордости не желаешь к нам присоединиться? — спросила она, сурово глядя на меня.

— Нет, не из гордости.

— Знаешь, гордыня — единственный грех, которого не замечает сам грешник.

— Я не гордец.

— Глупости! Гордец, и еще какой. Впрочем, мне нравятся гордые мужчины. И женщины тоже. Так что пусть тебя это не смущает. Все устроится.

— Как?

— Может, мы протянем всего неделю, а может, и три года. За три месяца агентство раскрутится, вот увидишь. В ближайшие пятьдесят лет охранные службы и детективные бюро станут в Индии большим бизнесом. Я знаю, о чем говорю, — я два года изучала этот вопрос с помощью лучших советников Ранджита.

— Ты это серьезно?

— Я всегда серьезна, когда речь идет о любви.

— О любви? — с глупой улыбкой уточнил я.

— Не увиливай, — резко заявила она. — Я о бизнесе говорю.

— Я весь внимание.

— Деньги не потекут от богачей к беднякам. Наоборот, из карманов бедняков деньги рекой польются в закрома богачей, там и останутся. Это несправедливо, но тем не менее вкладывать деньги в охранный бизнес — беспроигрышные инвестиции. Понимаешь?

— Как ни странно, да. А при чем здесь детективное бюро?

— Мы — агентство, а не бюро. Мы беремся только за расследования пропавших. Ищем утраченную любовь. Мы ни за кем не следим из-за угла, не прячемся в переулках. А поиски пропавших родственников впоследствии дадут прекрасную возможность расшириться, заняться охранными услугами. Так что развиваться мы будем очень быстро.

— Каким образом?

— Для развития компании необходимо знать всех крупных игроков в этом бизнесе, установить с ними дружеские связи. Если удастся кому-нибудь из них помочь, отыскать для них пропавшего родственника, то у них к нам претензий не возникнет. Вдобавок мы узнаем все их тайны.

— Похоже, ты все обдумала.

— Ты так и будешь повторять очевидное?

— Послушай, твоя логика мне понятна, и я вижу...

— Видишь? Ты понимаешь, что это дело чистое? Правое? В твоих занятиях я что-то не усматриваю чистоты.

— Мы говорим о чистоте и о правом деле?

— Знаешь, не важно, потерпим мы поражение или добьемся успеха и разбогатеем. Для меня сейчас главное — поступать по справедливости. Все остальное — вчерашний день.

— Поиски утраченной любви?

— А по-твоему, утрата обретенной любви — лучше? — колко заметила она, решив, что я не воспринимаю ее слова всерьез.

— Это ты обо мне? — с горечью спросил я, задетый незаслуженным упреком. — О нас?

— Ты же сам отказываешься к нам присоединиться, Шантарам.

— Карла, я весь твой, но с полицией я сотрудничать не могу, и тебе это известно.

— Тебя никто и не заставляет.

— Значит, мне не надо будет ни о ком сообщать в полицию? Не придется давать показания в суде?

— С полицией будет сотрудничать Дидье. Он жаждет побеседовать с копами с позиций силы и законности.

— Но ведь дело не только в этом. Меня разыскивают повсюду, не трогают только в Индии, и то исключительно потому, что я знаю, кому здесь взятки давать. Копы меня не донимают: от наркоты или проституции я держусь подальше, не мошенничаю, не избиваю тех, кто этого не заслуживает. А если и попадаю в полицию, то на обращение не жалуюсь и плачу копам регулярно и щедро.

— Чисто рай земной, — вздохнула Карла, вскинув бровь птицей на ветке.

— Ну, меня терпят. Однако если это изменится, то снова придется в бега податься. Так что в серьезный бизнес мне лучше не влезать, да и тебе тоже. Я думал, тебе это понятно.

— Я — теневой партнер, — напомнила она, сверкнув глазами. — Но всегда могу выйти из тени, если ты не желаешь в этом участвовать.

Мы помолчали. Кажется, она ждала, чтобы я сказал что-то не то. Может быть, я это и сказал.

— О Ранджите никаких новостей?

Она отвернулась.

Я поспешно сменил тему:

— Слушай, не хочешь переехать из «Таджа» ко мне?

— К тебе?

— Нет, правда, Карла. Третий номер на моем этаже свободен, с балкона открывается прекрасный вид. Да и безопасно там.

Она задумчиво покосилась на меня и спросила:

— Ты на совместные ночевки намекаешь?

Я никогда не умел играть в ее игры.

— Нет, о ночевках в другой раз поговорим. Я в твоем номере замки сменил.

— В моем номере?

— Ну, если ты согласишься туда переехать.

— И сколько замков ты сменил?

— На входной двери?

— Погоди, а сколько там дверей?

— Я на всех сменил — в ванной, в спальне, на балконе.

— Ах, вот как... — улыбнулась она. — И чем еще удивишь?

— В ванной — аптечка и набор юного хирурга: хирургическая нить и все такое. При необходимости можно любую рану зашить.

— Да ты романтик!

— Я еще кое-чем запасся.

— Чем же это?

— В округе прекрасные магазины, так что я попросил управляющего установить в номере холодильник и загрузил туда водку, содовую, лимоны и самый вонючий сыр на свете.

— Отлично.

— А к донышку ящика в письменном столе изолентой прилеплен нож, его можно вытащить так, что никто не заметит.

— Ну, если никто не заметит...

— Кстати, изголовье кровати сделано из окрашенных металлических трубок...

— У меня кровать из трубок?

— Ага. Я открутил с них набалдашники и спрятал с одной стороны пачку банкнот, а с другой — тонкий нож. На всякий случай.

— Глядишь, и пригодится.

— А еще я купил ситар.

— Ситар? Это еще зачем?

— Просто так. В вестибюле есть ларек, где торгуют музыкальными инструментами. В общем, я не удержался.

— Ну, знаешь...

— Еду и напитки в номера не подают, — торопливо перебил ее я, — но в вестибюле есть ларек с музыкальными инструментами, а управляющий — такой же сумасшедший, как и я. Так что, по-моему, тебе нужно к нам переехать. Согласна?

— Милый, на тебя я всю жизнь согласна.

— Правда?

— Правда.

— Что ж, соседка, поехали обустраиваться.

В «Тадж» мы с Карлой поехали на мотоцикле, вслед за лимузином, который вел Рэнделл, — всю дорогу я боролся с желанием его обогнать. Карла левой рукой держала меня за плечо, правой — за бедро, а щекой прильнула к моим лопаткам. Мне хотелось ехать и ехать, пока мотоцикл не откажет.

Мы поднялись по широким ступеням «Таджа», и я негромко сказал:

— Знаешь, мне хотелось ехать и ехать, пока мотоцикл не откажет. Уехали бы куда подальше...

— Шантарам, у меня здесь слишком много дел, — улыбнулась она. — Вдобавок наш козырь сейчас — утраченная любовь. Первое официальное расследование нашего агентства — Ранджит. Этого гада мы отыщем.

— Официальное расследование?

— В полиции я нас зарегистрировала как сыскное агентство — по ускоренной процедуре. У Ранджита в муниципалитете знакомый есть, он мне и помог. Очень обрадовался, потому что как Ранджит исчез, так источник доходов иссяк, а тут я появилась с дарами из Америки. Нет, он, вообще-то, неплохой человек, только лицо слишком алчное.

Я рассмеялся.

— Ладно, об этом потом поговорим. — Она притянула меня к себе и крепко обняла — будто сомкнулись створки раковины. — Спокойной ночи. Выспись хорошенько.

— Спокойной... Что-что?

— Если ты отказываешься с нами работать и уходишь на вольные хлеба, то тебе силы понадобятся.

— Погоди, разве мы с тобой сегодня больше не увидимся?

— Нет, конечно, — сказала она, решительно направляясь к двери номера. — Она ведь никуда не исчезнет.

— Кто?

— Страсть. Помнишь страсть, Шантарам? Красавица, проказница, никаких моральных устоев, — улыбнулась она и захлопнула дверь перед моим носом.

Я растерялся, и только потом до меня дошло.

«Черт возьми, Карла!»

Разочарованный, я вернулся в «Амритсар», где перед управляющим стояла дилемма. Точнее, перед ним стояла коробка с надписью «ДИЛЕММА, ИНКОРПОРЕЙТЕД», и он сосредоточенно рылся внутри.

— В чем дело, Джасвант?

— В этой коробке должен быть фазер, — рассеянно ответил управляющий, перебирая кусочки упаковочного пенопласта. — А, вот! — Он торжествующе извлек игрушечный пистолет, но ликование быстро сменилось гневным недоумением: — Это не тот! Излучатель фотонов не на месте, и отражателя нет. Тьфу, в наше время никому верить нельзя!

— Джасвант, это же игрушка, — заметил я.

— Не игрушка, а копия, — возразил он. — И притом фальшивка.

— Это копия игрушки, Джасвант.

— Нет, вы не понимаете. У меня есть приятель-парс, который обещал сделать настоящую, если я раздобуду точную копию оригинала. А с этой дрянью он работать не будет. Он же парс! — Управляющий посмотрел на меня печальным взглядом — печаль, как обычно, прожигала насквозь.

— Джасвант, умоляю, не надо делать никаких лазеров, — как можно убедительнее произнес я.

— Не лазеров, а фазеров, — поправил он меня. — Вам бы такой пригодился. В ваши номера целыми днями люди шастают, как на вокзале.

— Только те, у кого ключи есть.

— Ну, сейчас оба ваших приятеля на месте.

Навин сидел в кресле у стола, купленного мной в одной из лавок по соседству, и играл на моей гитаре — гораздо лучше меня, но я играть вообще не умею. Дидье, скинув элегантные итальянские туфли, растянулся на кровати в спальне и лениво помахал мне рукой.

— У тебя неплохо получается, Навин, — сказал я, плюхнувшись в кресло.

— Неплохая гитара, — ответил он, не прекращая наигрывать популярный гоанский напев.

— Неспроста она валялась в лавке музыкальных инструментов.

— Нет, там таким гитарам не место, — пробормотал он, переходя к пинк-флойдовской «Comfortably Numb». — Она девушка с претензиями, цену себе знает, как Дива.

— Кстати, как там Дива?

— Хреново, — вздохнул он, продолжая играть. — Поэтому у меня сеанс гитаротерапии.

— Кстати, я утром с Джонни Сигаром договорился. Из трущоб бихарцы[1] недавно выехали, шесть домов освободилось. Рядом с домом Джонни две лачуги, я предупредил, что мы их займем, — Дива устроится в одной, а ты в другой.

---

[1] *Бихарцы* — группа народностей, населяющих штат Бихар в Индии.

— Самое время, — сказал Навин, отложив гитару. — Между прочим, ты прав. Я сегодня в Форте знакомых расспрашивал: у отца Дивы и впрямь большие неприятности. Дают пятьдесят к одному, что его вот-вот убьют. Диву тоже поминают — мало ли, вдруг ей известно о темных делишках отца или где деньги припрятаны.

— Вот именно, — заявил Дидье, с неожиданным проворством вскочил с кровати и на цыпочках подошел к небольшому холодильнику, купленному для меня в подарок на новоселье и битком набитому пивом.

На прикроватной тумбочке стояла бутылка бренди — для самого Дидье. Он достал из холодильника пиво, швырнул мне и Навину, а сам снова уселся на кровать.

— Я тоже кое-кого расспросил, — сказал он. — Отцу Дивы грозят две банды, обе чрезвычайно опасные и беспощадные, и у обеих — прочные связи с полицией.

— Совершенно верно, — подтвердил Навин.

— Точнее, одна банда — полиция и есть. Там что-то связанное с полицейским пенсионным фондом. В общем, нашему крутому бизнесмену грозят жуткие татаро-монгольские орды врагов. На его месте я бы смылся из Бомбея куда-нибудь на необитаемый остров. В конце концов, с его-то деньгами остров всегда можно купить.

— Он упрям до невозможности, — буркнул Навин. — Говорит, что все как-то устроится, хочет переждать, полагается на вооруженную охрану, без нее и шагу не сделает, но...

— Что?

— У него две команды охранников: одна официальная, из полицейских, а вторая — наемники. Проблема в том, что никто из охранников не желает рисковать жизнью, защищая самого богатого бомбейского мошенника. Сами они ютятся в трущобах и мечтают об однокомнатной квартирке размером с хозяйский туалет. Если полицейскую охрану снимут, то наемники разбегутся. Я пытался его предупредить, но он меня слушать не желает.

— Ну, он Диву под твою защиту отдал, — напомнил Дидье. — Значит, прислушивается все-таки.

— А вчера он меня сыном назвал, — признался Навин, подходя к окну. — Бред какой-то. Мы с ним практически незнакомы. — Он раскрыл ставни, и неоновые огни театральной рекламы окрасили его щеки нежным румянцем. — Говорит, мол, сынок, береги мою дочь, с тобой ей безопаснее, чем со мной.

— Да уж, ответственность на тебя возложена большая, — задумчиво произнес Дидье.

— Дело не только в ответственности, — добавил я. — С Дивой не так-то просто справиться. Надо ее из города увезти.

— И чем быстрее, тем лучше, — кивнул Дидье.

— Так она же не хочет! — вздохнул Навин. — Я ее знаю. Если насильно в аэропорт отвезу, она такой крик поднимет...

— Раз она уезжать отказывается, надо ее спрятать понадежнее, пока не выкрали. В трущобах самую богатую невесту Бомбея никто искать не станет. Во всяком случае, других идей у меня нет. А у тебя?

— Не-а.

— И у меня тоже нет, — сказал Дидье.

— А где сейчас Дива? — спросил я.

— В «Президенте», с подругами. Они там раз в неделю собираются.

— Зачем? — поинтересовался Дидье.

— На встречу Клуба сплетниц, — объяснил Навин.

— Как интересно! — воскликнул Дидье.

— Да уж. Раз в неделю перемывают косточки соперницам.

— Слушай, организуй мне приглашение, пожалуйста, — умоляюще протянул Дидье.

— Они в десять заканчивают, — сказал Навин. — Хочешь, вместе поедем ее забирать?

— С превеликим удовольствием, — заявил Дидье, надевая туфли и аккуратно завязывая шнурки.

— Вы мне оба нужны, — добавил Навин. — Без вас мне не убедить Диву на неделю переехать из люкса в «Махеше» куда-то в трущобы. Боюсь, придется ее связать, иначе она моих объяснений и слушать не станет.

— Может, лучше с этим подождать?

— Нет, ждать некогда, — с улыбкой сказал Навин. — Вечером ее легче увезти так, чтобы об этом не узнали.

— Дидье готов, — отрапортовал Дидье. — Немедленно выезжаем в Клуб сплетниц.

ГЛАВА

47

Дива, окруженная толпой подруг, своих подобий-Дивушек, стояла в вестибюле гостиницы «Президент». Заметив нас, девушки остановились, привычно изобразив снисходительное презрение при виде Дидье (измятый белый пиджак и выцветшие голубые вельветовые брюки), меня (мотоциклетные ботинки, черные джинсы, майка и кожаная безрукавка) и Навина (серые армейские брюки, бежевая рубашка из тонкой замши и тяжелый рюкзак за спиной).

По выражению девичьих лиц ясно было, что наше появление восторга не вызвало.

— Это он? — спросила одна из Дивушек, тыча накладным ногтем в сторону Навина.

— Он самый, — процедила Дива, не собираясь нас представлять.

— Мотоциклетный маньяк, — навесила на меня ярлык ее подруга.

— И растлитель девушек, — определила Дидье другая.

— Пардон, мадмуазель, я растлеваю только парней, — уточнил он.

— Тогда растлитель парней, — поправилась она.

— И скакун без прекрасного принца, — добавила Дива, имея в виду Навина.

Дивушки захихикали.

— А чего это ты с рюкзаком? — спросила Дива. — В Гималаи собрался?

— Мне такие высоты ни к чему, — ответил Навин, не отрывая от нее взгляда.

— Ах, этот котик еще и фыркает, — защебетали девушки. — Может, даже царапается?

— Дива, нам пора, — сказал Навин.

— Залезь на дерево и сиди там, пока не позовут, — отмахнулась Дива.

Дивушки снова захихикали.

Навин разозлился не на шутку: в ярко освещенном гостиничном вестибюле Дива представляла собой великолепную мишень. Того и гляди сюда ворвутся вооруженные бандиты и выкрадут красавицу, а он, сильный, уверенный в себе мужчина, ничем не сможет ей помочь. Его пугало неизвестное прежде ощущение собственного бессилия.

— Разрешите представиться, милые дамы, — прервал затянувшееся молчание Дидье и с изящным поклоном протянул Дивушкам визитные карточки. — Меня зовут Дидье Леви, я по рождению француз, но уже давно живу в вашем прекрасном городе. Я и мой партнер, известный детектив Навин Адэр, представляем сыскное агентство «Утраченная любовь». Если вам надо кого-то отыскать, мы к вашим услугам.

— Ах! — воскликнула одна из Дивушек, с интересом разглядывая визитную карточку.

— Мы беремся за любые расследования, докапываемся до истоков самых неуловимых сплетен.

— Нам пора, — повторил Навин, жестом приглашая Диву к выходу.

Дива расцеловала подруг в щеки и вместе с нами вышла из гостиницы. У дороги мы переглянулись: Дидье застрял в вестибюле. Я бегом бросился за ним и потянул к выходу.

— До следующего вторника! — проворковал он. — Будьте уверены, мои сплетни о знаменитостях доведут вас до оргазма!

Дивушки восторженно завизжали.

— Визитные карточки? — укоризненно спросил я Дидье, подходя к Навину и Диве.

— Надо быть готовым ко всему, — объяснил он.

— Покажи-ка.

— И мне, — потребовал Навин.

— И я хочу взглянуть, — сказала Дива. — Не жмись, французик.

Дидье неохотно роздал нам визитные карточки. В свете фонаря мы разобрали слова:

Сыскное агентство «Утраченная любовь»
Дидье Леви, властелин любви
Навин Адэр, властелин утрат

На обороте красовалось изображение уха и надпись:

Слухами земля полнится
Люкс № 7, гостиница «Амритсар», Бомбей

— Что, слишком скромно? — встревоженно спросил Дидье.

— Властелин утрат, — хмыкнул Навин. — Это что-то из Толкина.

— А ухо здесь зачем? — наивно поинтересовался я, смутно догадываясь, что лучше было смолчать.

— Лин, от тебя возражения не принимаются, — запротестовал Дидье. — Я ж не виноват, что ты недавно какому-то мерзавцу ухо оторвал.

— Во-первых, не оторвал, а всего лишь надорвал, — уточнил я. — А во-вторых, с какой стати обычный гостиничный номер вдруг превратился в люкс?

— Минуточку, — заявила Дива, уперев мне в грудь палец с острым ноготком. — Ты кому-то ухо оторвал?

— Навин, по-моему, тебе самое время высказаться, — взмолился я.

— Дива... — начал он.

— Так, всем молчать, — велела Дива. — Пока в машину не сяду, ничего слушать не желаю. Где мой лимузин?

Мы уставились на нее.

— Лимузина у тебя больше нет, — сказал Навин. — Водителя я отправил домой.

Дива рассмеялась, но мы смотрели на нее без улыбки. Она схватила Навина за рубашку и стала дергать изо всех сил, пока тонкая замша не треснула.

— Да как ты посмел!

— Дива, послушай, так будет лучше...

— Лучше? Ох, что ты наделал, идиот! Я же не могу без машины. Ты хоть понимаешь, что на таких каблуках не ходят? Лимузины специально для этого придумали — коробка для обуви, только на колесах. И что теперь делать?

— Давай продолжим наш разговор не посреди проспекта, а вон там, за углом, в переулке.

— Вы все спятили, что ли?

— Мисс Дива, прошу вас, — вмешался Дидье. — Вы прекрасно понимаете, что без надобности мы, трое взрослых мужчин, вас упрашивать не станем.

Она обожгла нас презрительным взглядом, сорвалась с места, свернула за угол, в переулок, и небрежно прислонилась к стене дома, выставив колено и упираясь тонким каблуком плетеной сандалии в каменную кладку. Что-что, а позировать Дива умела: ее фотографии часто красовались на обложках индийских журналов. Вот и сейчас разрез на боку элегантной желтой юбки открывал стройные ноги, а высокий ворот белой блузки драматично подчеркивал дерзко вздернутый подбородок.

Навин влюбленными глазами смотрел на Диву, томясь невысказанным желанием. Как заявил однажды Дидье, бойцы по натуре влюбляются быстро — и до самозабвения. Было очевидно, что Навин Адэр, индоирландец по крови и боец по натуре, влюблен до самозабвения. Ему пришлось набраться смелости и выложить Диве все начистоту — иначе бы она, упрямая и гордая, ни за что бы не поверила, что ей грозит страшная опасность. Он рассказал ей обо всех тайных сделках отца, о грязных делишках, о связях с бандитами, продажными политиками и полицейскими. Дива напряженно выпрямилась и обняла себя за плечи.

— Ваша жизнь в опасности, мисс Дива, — негромко произнес Дидье. — Мы все обсудили и единодушно пришли к такому выводу.

— Твоему отцу грозят бандиты, но своей охране он не доверяет, — добавил Навин. — Поэтому он поручил мне тебя защищать, умолял, чтобы ты домой пока не возвращалась.

— Ой, мамочка! — выдохнула Дива, будто взывая к призраку матери.

— Я считаю, что вам лучше уехать из города, мисс Дива, — сказал Дидье. — Куда-нибудь подальше. Я с удовольствием возьму на себя организацию отъезда, Лин сделает фиктивные документы, денег у нас достаточно. Переждете в безопасном месте, пока все не образуется.

— Нет, раз мой отец здесь, я никуда не поеду, — надменно заявила она. — Кто будет его навещать, если его арестуют? Из Бомбея я не сбегу, и не надейтесь.

— В таком случае тебе придется пожить в трущобах, — сказал Навин.

— В трущобах?! — возмущенно воскликнула она. — Сначала ты мне рассказываешь, что мой отец — преступник и что другие бандиты хотят убить его или похитить и убить меня... Ну, про то, что меня хотят похитить, я всю жизнь слышу, но это...

— Дива, все в самом деле очень плохо, — признался Навин. — Так плохо, что мне самому страшно. Прошу тебя, не упрямься.

— Я жил в трущобах, — вмешался я. — Там тебе ничего не угрожает, это самое безопасное место в городе. Вдобавок это ненадолго.

— В трущобах? — снова переспросила она, но уже без возмущения, с неожиданной покорностью.

— На кого из ваших близких вы можете полностью положиться? — спросил Дидье. — Ваша жизнь в опасности.

Дива содрогнулась всем телом, словно от удара, — похоже, вопрос Дидье потряс ее больше, чем известие об отцовских прегрешениях или угроза ей самой. Впрочем, девушка тут же взяла себя в руки:

— Родственников у меня хватает, но мы ни с кем особо не близки. Мать, как и я, была единственным ребенком в семье, а брат отца умер два года назад. После смерти матери мы с отцом остались в одиночестве. Из города я не уеду.

— Мисс Дива, прятаться в трущобах — приятного мало, — наставительно заметил Дидье. — Люди там живут прекрасные, но условия весьма убогие. Может быть, вы передумаете?

— Я никуда не поеду.

— Я же тебе говорил, — вздохнул Навин, вскидывая рюкзак на плечо.

Я не стал вмешиваться в их разговор и направился в дальний конец переулка, проверить, что происходит на улице.

Переулок вел к зданию Всемирного торгового центра с белоснежными арками и круглыми окнами-иллюминаторами; дальше начинались трущобы.

Вокруг все было тихо. На тротуарах нищие устраивались на ночлег, между ними с лаем и рычанием шныряли бродячие псы, обрадованные тем, что пришел их час. Мимо проехал пустой автобус; рекламные афиши на стенах развевались, как стяги на боках боевого слона.

В самом конце улицы фонари тускло освещали вход в трущобы. Когда-то я там жил и познал не только все тяготы, но и многочисленные преимущества нищенского существования. Под куполом огромной медузы трущоб щупальцами протянулись хитросплетения множества жизней, полных безмерного сострадания и невыносимых невзгод.

Дидье, Навин и Дива медленно шли ко мне. Навин приобнял девушку за плечи, и она его не оттолкнула: может быть, решила ему довериться, лишившись привычного обожания окружающих, а может, ее успокоило то, что он успел упаковать в рюкзак ее вещи из люкса в «Махеше». В свете уличного фонаря стало заметно, что она очень испугана.

— Все будет хорошо, детка, — сказал я ей. — Поживешь в интересном месте, по соседству с интересными людьми.

— Да, говорят, что обстановка в трущобах улучшилась после того, как ты оттуда съехал, — рассеянно, без обычного запала съязвила она. — А что еще ты можешь посоветовать? У тебя же опыт большой...

— Чем дольше тут живешь, тем больше привыкаешь, — вздохнул я, сворачивая на тропу вдоль канавы, полной нечистот.

— Мой психотерапевт все время то же самое говорил, — пробормотала она, — пока я не пригрозила подать на него в суд за то, что руки начал распускать.

— Ну, здесь к тебе никто приставать не будет, зато состраданием не обделят, — ответил я. — Впрочем, к этому тоже надо привыкнуть.

— Я готова, — храбро заявила Дива. — Мне сегодня сострадание не помешает.

ГЛАВА

 48

Тропка была неровной — утоптанная земля и камни. Справа, за длинным забором из проволочной сетки, сверкали всевозможные товары в ярко освещенных окнах Всемирного торгового центра; слева простирался пустырь, где среди сорняков и кучек дерьма справляли малую и большую нужду женщины и дети.

За худосочным кустиком присела какая-то женщина, в жесткой траве на обочине сидели на корточках ребятишки, улыбались Диве, выкрикивали:

— Привет! Тебя как зовут?

Тропинка сбегала к океану с холма, откуда открывался вид на трущобы, дырявым плащом накрывшие благоуханное побережье залива, усеянное сверкающими особняками богачей.

— Ни фига себе, — выдохнула Дива.

Трущобы жили своей, особой ночной жизнью. В лачугах горели тусклые керосиновые лампы, не было ни электричества, ни водопровода. По узким улочкам между кучами мусора сновали полчища черных крыс. Пахло керосином, каленым горчичным маслом и благовониями, соленым ветром, едким мылом, честным пóтом, лошадьми, козами, кошками, обезьянами и змеями — все эти запахи лавиной обрушились на Диву, пока мы при свете факела пробирались к жилищу Джонни Сигара.

Дива, крепко вцепившись в руку Навина, удивленно таращила глаза, однако каблучки ее уверенно стучали по неровной тропке, а в складках сжатых губ пряталась решимость.

Джонни Сигар, в своем лучшем наряде, терпеливо дожидался нашего появления у входа в дом.

— Добро пожаловать, Ану. — Он поклонился Диве, почтительно сложив ладони. — Меня зовут Джонни Сигар. Я буду звать тебя Ану — ты моя двоюродная сестра, приехала из Лондона в гости.

— Хорошо, — с запинкой ответила Дива.

— А чтобы тебя поменьше расспрашивали, я всех предупредил, что у тебя с головой не в порядке, — добавил Джонни. — Ну, чтобы объяснить твой вспыльчивый нрав.

— У меня вспыльчивый нрав?

— Так ведь Шантарам сказал...

— Ах, Шантарам сказал!

— А еще я всем объяснил, что тебя будут искать, потому что ты кое-что украла, поэтому твое пребывание здесь надо скрывать.

— Понятно, — протянула Дива.

— Еще бы не понятно, — улыбнулся Джонни. — Здесь для воров самое надежное убежище, ну, если не считать парламента.

— Это радует, — с улыбкой заметила Дива.

— Тут вообще часто всякие знаменитости скрываются. Однажды к нам пришел известный игрок в крикет, не буду называть его имени, но мы с ним как-то сыграть решили, так он мне рассказал, что...

— Джонни, заткнись! — воскликнула его жена Сита, появляясь в дверях. Алое с золотом сари вздувалось парусами вокруг стройной фигурки.

— Да ты ведь не знаешь, о чем я, — обиженно заметил Джонни.

— Все равно заткнись, — оборвала его она. — И не приставай к бедной девочке.

Сита с двумя подругами увели Диву в хижину неподалеку. Навин и Дидье направились следом.

Я вопросительно взглянул на Джонни:

— Ты с нами пойдешь?

— Пусть там Сита сама пока...

— Вы что, поссорились? — не подумав, брякнул я.

— Ох, ты не представляешь, как она меня достала! — вздохнул он, откидывая со лба густые темные пряди.

— Знаешь, я сейчас косячков наверчу для Дивы — ей сегодня не одеяла нужны, а травка, чтобы успокоиться. Пойдем в дом, я делом займусь, а ты мне все расскажешь.

Он и рассказал. За полчаса я узнал о Сите гораздо больше, чем постороннему мужчине следует знать о жене друга. Из чувства справедливости я старался взглянуть на вещи ее глазами, но Джонни расстроился еще сильнее.

В ходе долгих объяснений выяснилось, что гнев Ситы и все связанные с этим проблемы Джонни сводились к одному.

— Все дело в противозачаточных средствах, — вздохнул я, сворачивая косячки, с которых Диве следовало начать курс обучения жизни в трущобах.

— Как это? — удивился Джонни.

— Твоя жена хочет ребенка, а ты не хочешь, — объяснил я.

— Так у меня сейчас самое лучшее противозачаточное средство — я уже полгода с ней не сплю.

— Это не противозачаточное, а противоестественное средство. Поэтому она и недовольна.

— Понимаешь, Сита считает, что секс нужен для того, чтобы зачинать детей. А я считаю, что секс — не только для этого, но и для удовольствия. Ну, иногда. А она отказывается от противозачаточных средств. Я с ней как-то раз о презервативах заговорил, так она меня извращенцем обозвала.

— Сурово.

— И что теперь делать? Она же у меня красавица, сам видел, *на*?

Сита, названная именем милостивой красавицы-богини, обычно вела себя добросердечно, как своя небесная тезка, однако изредка могла и полыхнуть божественным гневом. Я сворачивал косяки и пытался отыскать приемлемое решение проблемы.

— Можно поступить по-женски, — сказал я. — Откровенно с ней поговорить.

— Нет, это слишком опасно, — ответил Джонни.

— Значит, надо поступить по-мужски.

— Это как? — спросил он, недоверчиво сощурившись.

— Дождаться, пока она сама не изменит своего мнения.

— Лучше я поступлю по-мужски, — заявил Джонни, хлопнув ладонью по столешнице. — Это безопаснее, чем откровенный разговор.

— А вот в этом я не уверен, — сказал я, собирая свернутые косяки. — Женщины обладают воистину сверхъестественным умением узнавать, о чем думают мужчины. Так что рано или поздно придется тебе делать то, чего ей хочется.

— Еще бы, — буркнул он. — Они всегда так с нами поступают.

— Как?

— Ну, на время превращают нас в женщин. Лин, это жестоко. С женщинами разговаривать страшно, а мужчины страшного боятся. Когда мужчинам страшно, они сразу лезут в драку.

— Кстати, о страшном. Пойдем глянем, как там Дива устроилась.

Диву плотным кольцом обступили девочки-подростки, которым давно было пора спать, и восторженно расспрашивали ее о нарядах и о вещах в рюкзаке Навина.

Джонни и Сита уложили на земляной пол лачуги синее клеенчатое полотнище, а поверх расстелили лоскутные одеяла. В уголке примостился пузатый глиняный горшок для воды, накрытый алюминиевой тарелкой, и перевернутый вверх дном стакан. Воды в горшке должно было хватить на целый день — и для питья, и для готовки, и для мытья посуды. В другом углу стояла керосиновая плитка с двумя конфорками. В железном шкафчике на тонких высоких ножках хранились две железные сковороды, немудреные съестные припасы и пакет молока. Еще один железный шкафчик с тремя полками предназначался для одежды. На нем красовалась керосиновая лампа, заливая тусклым светом лица и углы. С одной из бамбуковых подпорок свисали искусственные цветы. Больше в комнате ничего не было. Сама лачуга представляла собой бамбуковый остов с камышовыми циновками вместо стен и отрезом черной клеенки вместо крыши. Щели между циновками были заткнуты смятыми газетами. Клеенчатый потолок нависал так низко, что мне пришлось пригнуться. В подобной лачуге я провел немало времени и помнил, как в летние дни задыхался в адской духоте, а от жары по телу ручьями струился липкий пот, будто потоки ливня по листьям деревьев.

А сейчас изнеженная, избалованная Дива сидела на лоскутных одеялах в окружении девочек-нищенок. Нет, я ей не соврал: чем дольше живешь в трущобах, тем больше привыкаешь к такой жизни, но лишь после того, как это существование становится невыносимым: постоянная толчея, вечный гомон, недостаток воды, полчища крыс и вдобавок неотступный призрак голода и безнадежности.

Мне не хватило смелости сказать Диве, что привыкнуть к этому можно, только познав всю глубину черного, безысходного отчаяния. В тот миг я не догадывался, что этот день настанет для Дивы ровно через сутки.

— Я тебе гостинцы принес, — заявил я, протягивая горсть косяков и бутылку местного рома.

— Настоящий джентльмен, — улыбнулась Дива. — Присаживайся, Шантарам. Мне тут объясняют, у кого именно надо смиренно просить позволения, чтобы сходить в туалет.

— Как-нибудь в другой раз, — сказал я. — Мне сейчас надо с Дидье и Навином поговорить. Ты пока ложись отдыхать, мы тут неподалеку посидим, тебя одну не оставим. Может, тебе еще что-то нужно?

— Нет, спасибо. Вот если бы отца сюда привести...

— Увы, это невозможно. — Я ободрительно улыбнулся ей. — Как только дела у него наладятся, Навин тебя к нему отвезет.

— Хорошо бы поскорее, — вздохнула Дива. — Знаешь, когда я этих девчонок увидала, подумала, что они могут свою диету моим подругам за большие деньги впарить. А потом сообразила, что они просто голодают. Неужели в наше время такое возможно?

— Так многие живут.

— Ничего, если я здесь недельку пробуду, то мы это исправим, — воскликнула она.

Одна из девчушек повторила слова Дивы на хинди, и все ее подружки обрадованно захлопали в ладоши.

— Вот видишь? Революция начинается с малого, — торжествующе объявила Дива.

В глазах ее вспыхнул прежний задорный огонек, но на лице явственно проступал страх, сковавший ей сердце. Дива, умная и сообразительная, не могла не понимать, что мы с Дидье и Навином не отправили бы ее в трущобы на целую неделю, если бы ей по-настоящему не грозила опасность. Разумеется, ей очень не хватало привычного домашнего уюта, друзей, вкусной еды, развлечений и заботливых слуг. Вдобавок ей казалось, что отец, препоручив Навину опеку над ней, сам от нее отвернулся.

Дива с напряженной, застывшей улыбкой болтала с девочками, но до дрожи, больше, чем за саму себя, волновалась за отца. Она, всю жизнь прожившая в родном городе, словно попала в чужую, незнакомую страну.

Я ушел в соседнюю хижину и устроился на ветхом синем коврике рядом с Дидье и Навином, которые увлеченно играли в покер.

— Сыграешь с нами, Лин? — предложил Дидье.

— Нет, спасибо, у меня сегодня мысли путаются, мне с такими игроками не справиться.

— Что ж, — снисходительно улыбнулся Дидье, — тогда я продолжу урок. Видишь ли, я учу Навина мошенничать по-честному.

— Честное мошенничество — это что-то новенькое.

— Мошенничать по-честному — это другое, — возмущенно поправил меня Дидье.

— А еще он учит меня шулеров на глаз определять, — добавил Навин. — Представляешь, оказывается, существует сто четыре способа мошенничать в карточной игре, по два для каждой игральной карты. Невероятно! Ему бы в университете преподавать.

— Карточное жульничество — обычные фокусы, — скромно заметил Дидье. — А фокусы — простое жульничество.

Я немного посидел, наблюдая за игрой и прихлебывая из фляжки Дидье. Для меня ночь тоже выдалась нелегкой, хотя, конечно, и не такой ужасающей, как для Дивы.

Медуза трущоб снова накрыла меня колышущимся куполом навязчивых воспоминаний и запахов нищеты. Я вернулся в колыбель человечества, в его утробу. Неподалеку надрывно закашлялся мужчина, вскрикнул во сне, потом раздался плач младенца, послышался тихий шепот на маратхи — где-то по соседству супруги волновались о невыплаченном долге. Над хижинами вился ароматный дым благовоний.

Сердце мое пыталось попасть в такт с биением двадцати пяти тысяч других сердец, дрожащих ритмичными размеренными волнами, будто огоньки множества светлячков, — но единения не происходило. Что-то в моей жизни — или в сердце — изменилось. Та часть моего существа, которая несколько лет назад с готовностью влилась в океан трущобного сознания, пропала без следа.

Сбежав из тюрьмы, я долго искал пристанище, скитался по деревням и городам в надежде, что в один прекрасный день обрету надежный приют, но вместо этого встретил Карлу — и нашел свою любовь. В то время я не догадывался, что, ища одно, мы неизменно обретаем и другое.

Я попрощался с Дидье и Навином, заглянул к Диве — она уже уснула среди своих новых подруг — и пошел прочь из трущоб, исполненный непонятной печали.

За мной увязалась бродячая собачонка, крутилась под ногами, забегала вперед и снова возвращалась ко мне, но, как только я уселся на мотоцикл, пристала к стае таких же беспризорных псов и издевательски завыла.

Я решил вернуться в гостиницу «Амритсар» и попробовать что-нибудь написать. На пустынной улице Козуэй мне встретился Аршан, отец Фарзада, условный глава трех семейств, занятых поисками сокровищ.

Сейчас Аршан не искал сокровища, а стоял у обочины, неотрывно глядя на здание полицейского участка Колабы. Я заложил крутой вираж, развернул байк и подъехал к Аршану:

— Привет! Как дела?

— Нормально, — рассеянно ответил он.

— Слушай, поздно уже. Да и район не самый спокойный. Тут на одном пятачке и банк, и полицейский участок, и дорогой универмаг.

Аршан улыбнулся, не отрывая взгляда от полицейского участка, и неопределенно произнес:

— Я тут кое-кого дожидаюсь.

— Да он уже не придет. Хочешь, я тебя домой отвезу? — предложил я.

— Нет, спасибо, все в порядке, Лин. Езжай куда ехал, — сказал он.

Пальцы его непроизвольно дрожали, на лице застыла гримаса боли.

— Нет, Аршан, я же вижу, тебе плохо, — настаивал я. — Лучше я тебя домой отвезу.

Он с усилием перевел взгляд на меня, тряхнул головой, поморгал и согласился. За всю дорогу он не произнес ни слова, лишь рассеянно попрощался со мной у самого порога дома.

Дверь открыл Фарзад и испуганно спросил отца:

— Что случилось? С тобой все в порядке?

— Не волнуйся, — выдохнул Аршан, опираясь на плечо сына.

— Лин, заходи, — с отчаянной храбростью пригласил меня Фарзад, хотя прекрасно понимал, что нарушает запрет Санджая на общение со мной.

— Спасибо, мне сейчас некогда. В другой раз пересечемся, — ответил я, не желая ему неприятностей.

В «Амритсаре» я поспешно разделся и встал под душ. Бедняжке Диве, привыкшей к роскошным пенным ваннам в отцовском особняке, в трущобах придется довольствоваться миской воды — да и мыться она будет не раздеваясь, как и другие девушки. Сердце щемило от жалости, но, одеваясь, я вспомнил, что рядом с ней всегда будет Навин. Интересно, как быстро ирландско-индийский сыщик осознает, что без памяти влюблен в Диву?

Я сделал себе бутерброд без хлеба — два ломтика пармезана, кусочек тунца, долька помидора и колечко лука, — выпил две бутылки пива и внимательно ознакомился с системой операций, составленной Дидье для действий на черном рынке. Многостраничные записи содержали подробные досье основных действующих лиц, предположительные суммы месячных прибылей, отмечалось жалованье работников и размеры выплаченных и полученных взяток. Закончив чтение, я отпихнул бумаги на край кровати и достал свой блокнот.

В рассказе, который я безуспешно пытался написать, речь шла о счастливых, добрых людях в счастливом, добром мире, совершающих счастливые, добрые дела. Мне хотелось написать рассказ о любви, своего рода счастливую сказку. Я перечитал первый абзац:

По отношению к истине влюбленных можно разделить на два типа — те, кто видит истину в любви, и те, кто открывает любовь в истине. Клеон Винтерс ни в чем и ни в ком не искал истины, потому что не верил в нее. И все же, когда он полюбил Шанассу, истина сама нашла его, и вся та ложь, в которой он себя уверял, превратилась в саранчу на полях сомнений. Едва Шанасса поцеловала его, он впал в кому и полгода провел без сознания, погруженный в чистейшее озеро истины...

Я упорно работал над текстом, но вымышленные персонажи неумолимо превращались в образы реальных людей, моих знакомых — в Карлу, в Конкэннона, в Диву. Лица расплывались перед глазами, веки смежились, каждая строчка давалась огромным усилием воли. Я плыл в океане лиц — воображаемых и настоящих. Блокнот выпал из рук на пол, страницы шелестели от дуновения потолочного вентилятора, строки рассказа о счастливых, добрых людях перемешивались с записями Дидье о преступных операциях. Мое повествование слилось с наблюдениями Дидье. Я уснул, а легкий ветерок продолжал описывать преступления словами любви, а любовь — в терминах преступлений.

ГЛАВА

49

Идрис утверждал, что Вселенная постоянно нас подбадривает, подпитывает энергией. Не знаю, со мной этого не происходило даже во сне. Идрис говорил о вещах духовных, но для меня единственным духовным объектом оставалась природа. Связи с полем тенденций я так и не установил и здесь, на краю света, не принадлежал никому, кроме Карлы.

Я изучал всевозможные системы верований, учил молитвы на неведомых языках и молился с верующими при любой возможности, но все это связывало меня не с религиозной доктриной, а с самими людьми, с чистотой их веры. Часто у нас с ними оказывалось много общего — все, в сущности, кроме их бога.

Идрис говорил о божественном на языке науки, а о науке — на языке веры. Странно, но в этом я находил своеобразный смысл, в то время как от лекций Кадербхая о космологии у меня возникали только правильные, складные вопросы. Идрис, как любой хороший учитель, звал за собой в путь, и мне хотелось следовать за ним и постигать науку, однако открывающиеся передо мной духовные тропы всегда вели в лес, где все разговоры смолкали, позволяя птицам найти деревья, океаны, реки и пустыни. Каждый чудесный пробуждающийся день, каждая прожитая и записанная ночь несли в себе крохотную, незаполнимую пустоту извечных вопросов.

Я принял душ, выпил кофе, убрал номер и спустился к мотоциклу, припаркованному в переулке у гостиницы. За завтраком мне предстояло встретиться с Абдуллой. Я ждал и боялся этой встречи, опасаясь, что в его глазах не дрожит больше дружелюбный огонек. По дороге я размышлял о Диве Девнани, богатой наследнице, прячущейся в трущобах, и о ее отце, жизнь которого истекала струйкой в песочных часах. Я решил купить для Дивы керальской марихуаны и бутылку кокосового рома.

Свой байк я оставил рядом с мотоциклом Абдуллы, через дорогу от ресторана «Сораб», и медленно, с опаской, встретился взглядом с приятелем. Глаза Абдуллы оставались такими же честными, как и прежде. Он обнял меня, и мы оба втиснулись на узкую скамью за стол — так, чтобы видеть входную дверь.

— О тебе все только и говорят, — сказал Абдулла, поглощая масала-доса[1] и клецки с манговым соусом. — Да Силва утверждает, что ты до конца месяца не доживешь. Предлагает биться об заклад.

— И что, есть желающие?

— Нет, конечно. Я его бамбуковым прутом отхлестал, он и заткнулся.

— Отлично.

— Самое главное сейчас — слово Санджая. А Санджай тебе смерти не желает.

— Как кот не желает смерти мыши?

— Не как кот, а как тигр, — ответил Абдулла. — Санджай считает котами «скорпионов», мол, они тебя ненавидят больше, чем да Силва.

— Значит, Санджаю выгодно, что я отвлекаю огонь на себя?

— Да. Он уверен, что без него ты все равно долго не протянешь, но от тебя ему сейчас есть польза.

— Как это?

— Пока ты жив, ты — заноза для врагов Санджая.

— Вот спасибо.

— Не за что. По-моему, ты даже после смерти будешь занозой, такой уж ты уникальный.

— Еще раз спасибо на добром слове.

— Не за что.

— А как он относится к тому, что я свое дело хочу начать?

— Он считает, что ты так долго не проживешь.

— Да, это я уже понял. Но если я каким-то чудом уцелею, скажем до послезавтра, как он к этому отнесется?

---

[1] *Масала-доса* — рисово-чечевичные блинчики с начинкой из толченого картофеля с пряностями.

— Он мне пообещал, что разрешит тебе начать свое дело, но будет брать с тебя больший процент.

— Ха, а говорят, крестные отцы мафии — люди бессердечные. Значит, фальшивые документы мне можно будет изготавливать?

— Он считает...

— ...что я так долго не проживу, это я уже слышал. А вдруг проживу?

— Санджай запретил впускать тебя в паспортную мастерскую. Фарзад сам к Санджаю пришел, просил разрешения у тебя учиться, а Санджай ему сказал...

— ...что я так долго не проживу, это я понял. И все же разрешил или нет?

— Нет, не разрешил. Велел Фарзаду с тобой не связываться.

— А если я обзаведусь оборудованием и начну подправлять настоящие паспорта?

— Он считает, что...

— Абдулла, мне плевать, что он там считает, — вздохнул я. — Доживу я до весны или нет — мое личное дело. Ты при случае напомни Санджаю, что ему самому однажды может паспорт понадобиться. Если он не возражает, мне бы хотелось этим заняться. У меня неплохо получается, ты же знаешь. Вдобавок это в духе анархистов. Может, он все-таки согласится?

— *Джарур*, брат.

Хорошо, что Абдулла назвал меня братом, но я так и не понял, смирился ли он с моим уходом от Санджая или встал на мою сторону, разочаровавшись в боссе.

— Ты теперь займешься делами Дидье? — спросил Абдулла.

— Да, но не всеми. С наркотой я связываться не желаю, пусть люди Санджая этим занимаются. Может, Амир захочет на себя это взять. Кстати, Дидье избавляется от своих эскортов в южном Бомбее — долги я им списал, поэтому девушки теперь сами по себе, делают что хотят. Впрочем, Санджаю несложно будет с ними договориться.

— К вечеру все уладим, — глухо пробасил Абдулла. — А тебе что достанется?

— Все операции с валютой. Мне хватит денег примерно месяц поддерживать пятнадцать нелегальных торговых точек на участке от фонтана Флоры до Колабского рынка. Если дело пойдет, то все окупится. Вдобавок я решил заняться наручными часами и техникой. Уличные торговцы и перекупщики обещали мне право первого отказа. Должно получиться.

— Наручными часами? — мрачно переспросил он.

— Коллекционеры за них хорошие деньги дают.

— Наручными часами? — сердито повторил он. — Ты же воин, у Кадербхая служил!

— Абдулла, я не воин, а бандит. И ты тоже.

— Ты ему как сын был! А теперь мне здесь про часы рассказываешь...

— В таком случае давай поедем к Нариман-Пойнт, я тебе *там* буду про часы рассказывать, — отшутился я.

Он поднялся из-за стола, вышел из ресторана и решительно направился к мотоциклу: ни один бандит не платил за еду в ресторанах южного Бомбея, и Абдулла исключения не составлял. Я расплатился, оставил чаевые официанту и присоединился к Абдулле.

— Давай проедемся, — сказал он.

Мы отправились к Бомбейскому университету и оставили байки у колоннады. Оттуда тенистая аллея вела к Азад-майдану, открытому спортивному комплексу на площади, отгороженному кованым забором. Широкие зеленые газоны пересекала сеть тропинок, а университетские корпуса отливали золотом в океане солнечного света.

Мы с Абдуллой пошли по тропке, протоптанной среди пыльных сорняков у самой ограды. Мне вспомнились похожие прогулки вдоль тюремного забора — так я ходил и беседовал с другими заключенными.

— А как вообще дела? — спросил я. — Кое-какие слухи до меня долетали. Расскажи, как пожар у «скорпионов» случился.

Абдулла поморщился — он ждал моих вопросов о разборках в Колабе и о пожаре в доме Вишну, где погибла сиделка. Я знал, почему она там находилась, и понимал, что ни Абдулла, ни люди Санджая не подозревали о ее присутствии, — ведь я и сам обнаружил это только после того, как позвонил в дверь.

Абдулла шумно выдохнул через нос, плотно сомкнув губы:

— Лин, хоть мне и не следует этого делать, но я тебе доверяю как одному из своих.

— Ты же знаешь, меня подробности не интересуют. В общих чертах расскажи, мне хватит. Тебе не придется ради меня клятву нарушать, хотя я рад, что ты на это готов. Мне главное — понять, что именно произошло, кто в кого стрелял и все такое.

— Поджог Фарид организовал, — неохотно произнес Абдулла. — Я его отговаривал, да он меня не послушал. Огонь никого не щадит, сжигает все без разбора. А мне хотелось, чтобы было по справедливости, с разбором — убить тех, кто этого заслужил. Но Санджай решил, что пожар лучше. Фарид и поджег, только «скорпионы» разбежались, а сиделка не успела. Вот и погибла. Ума не приложу, откуда она там взялась!

— А где сейчас Фарид?

— У Санджая, ни на шаг от него не отходит, из города уехать отказывается, хотя по уму ему надо бы отсюда убираться.

— Да, из Бомбея никто уезжать не хочет.

— Что-что?

— Так, ничего. Ляпнул, не подумав. Слушай, Абдулла, ведь «скорпионы» этого так не оставят. Я с Вишну встречался, он человек серьезный, умный и со своей политической программой. У него далеко идущие планы. Он может отомстить вам с самой неожиданной стороны.

— А чего вообще он хочет?

— В определенной степени того же, что и вы. А еще он желает смерти — не только Санджаю, но и всем вам. И на Пакистане зациклен.

— На Пакистане?

— Ну да, — кивнул я. — Знаешь ведь, ближайший сосед Индии, душевные люди, красивый язык, великолепная музыка и все такое. А еще — тайная полиция. В общем, Пакистан.

— Этого еще не хватало, — поморщился Абдулла. — У Санджая в Пакистане друзья, те самые, которые ему для охраны афганцев прислали.

Мы дошли до угла, где на густой бархатистой траве сидела парочка, склонившись над книгами. По газону шныряли вороны, таскали из влажной земли червяков. Абдулла направился прочь, но я его остановил:

— Погоди, это мои знакомые.

Винсон и Ранвей встретили нас улыбками. Я представил Абдуллу и подобрал с травы раскрытую книгу — Джозеф Кэмпбелл[1], «Тысячеликий герой».

— С чего это вы вдруг Кэмпбеллом занялись?

— Я его в университете читала, — объяснила Ранвей, — теперь вот Стюарту вкратце пересказываю.

— Для меня это слишком типа заумно, — признался Винсон, откидывая со лба вьющиеся светлые пряди.

Я проглядел книжные корешки:

— Карлос Кастанеда, Роберт Пирсиг, Эммет Гроган, Элдридж Кливер и Будда. Отличный набор, осталось только Сократа и Говарда Зинна[2] добавить. Я не знал, что ты здесь учишься.

---

[1] *Джозеф Кэмпбелл* (1904–1987) — американский автор ряда значительных работ по сравнительной мифологии.

[2] *Карлос Кастанеда* (1925–1998) — американский антрополог, писатель-эзотерик; *Роберт Мейнард Пирсиг* (р. 1928) — американский писатель и философ, автор книг «Дзен и искусство ухода за мотоциклом» и «Лила: исследование нравственности»; *Эммет Гроган* (1942–1978) — американский актер и политический активист, идейный вдохновитель и организатор радикальной группировки «Диггеры Сан-Франциско»; *Лерой Элдридж Кливер* (1935–1998) — американский писатель и политический активист, творчество которого положило начало афроамериканскому движению «Власть черным», один из руководителей группировки «Черные пантеры»; *Говард Зинн* (1922–2010) — американский историк, драматург и политолог, автор труда «Народная история США».

— Не я, — торопливо вставила Ранвей.

— Строго говоря, здесь учусь я, — потупился Винсон. — Два года назад поступил, но все время прогуливаю. Зато в библиотеку пускают.

— Что ж, приятного чтения, ребята, — сказал я и собрался уходить.

— Между прочим, тарелка сластей помогла, — сказала Ранвей мне вслед.

Я обернулся:

— Правда?

— Ага. Сладкоежка обрадовался и оставил меня в покое. Спасибо тебе.

— Вы о чем это? — недоуменно спросил Винсон.

Добродушное лицо Винсона всегда отражало его мысли и чувства, да и сам он был открытым, как десятилетний мальчуган, и мне это нравилось.

— Я тебе потом расскажу, — пообещала ему Ранвей и помахала мне на прощание.

— Это они наручными часами торгуют? — поинтересовался Абдулла, когда мы направились к выходу со стадиона.

— Тебя это до сих пор беспокоит?

Абдулла хрипло, раскатисто рыкнул — он был одним из тех людей, которые действительно рыкают. Среди моих знакомых таких немало. По-моему, в них есть какие-то медвежьи гены.

— Твое оружие у меня, — заявил он. — Я тебе его пришлю, скажи только куда.

— Есть у меня человек, возьмет на хранение за десять процентов. Спасибо, Абдулла, я тебе дам его координаты. Сколько я тебе должен?

— Это подарок, — обиженно сказал он.

— Ох, прости, брат. Конечно подарок. Кстати, раз уж речь зашла об оружии — я тут с Викрантом на причале Сассуна договорился встретиться. Мастер-оружейник, ножи мне сделал, помнишь? Может, и тебе что нужно?

Мы прошли через университетский комплекс и направились к арке, ведущей на улицу. Не доходя до шумной толпы студентов, Абдулла остановился.

— Знаешь, — начал он, но тут же крепко сжал губы и тяжело задышал через нос. — Санджай запретил с тобой встречаться и разговаривать. Строго предупредил, что связываться с тобой можно только по делам Компании.

— Ясно.

— Ты понимаешь, что это значит?

— Да вроде бы...

— В следующий раз мы с тобой встретимся после смерти Санджая.

— Что?!

— Ничего не бойся, держись уверенно, — сказал он, обнимая меня, а потом отстранился, до боли сжав мне плечи. — За тобой присматривают.

— Я знаю.

— Нет, ты не понял — я сам нанял людей за тобой присматривать, — терпеливо объяснил он.

— Кого нанял?

— Велокиллеров.

— Ты нанял убийц-маньяков за мной присматривать?

— Да.

— Я ценю твою заботу. Кстати, должно быть, дорогое удовольствие — маньяков нанимать.

— Еще какое. Я из халедовской заначки позаимствовал.

— И Халед на это согласился?

— Да. Иначе его в Бомбей не заманить, вот и приходится помаленьку переносить его сокровища с горы в город.

— Ты шутишь, что ли?

Он обиженно уставился на меня:

— Я никогда не шучу.

— Шутишь, шутишь, — улыбнулся я. — Просто сам этого не осознаешь. Ты вообще большой шутник.

— С чего ты взял? — недовольно поморщился он.

— А кто нанял маньяков меня охранять? Ты большой шутник, Абдулла. И Лизу всегда умел развеселить, помнишь?

Лиза...

Абдулла остановившимся взглядом посмотрел вдаль, на газон; на скулах заходили желваки. Студенты играли в крикет, гоняли по полю футбольный мяч, кувыркались на траве, приплясывали ни с того ни с сего или нежились на расстеленных покрывалах под утренним солнцем.

Лиза...

— Я и не знал, что ты был ее *ракхи*-братом, — вздохнул я.

— Грядут большие перемены, — сказал Абдулла, глядя мне в глаза. — Может, в следующий раз увидимся на моих похоронах. Поцелуй меня по-братски и помолись за меня, чтобы Аллах простил мои прегрешения.

Он поцеловал меня в щеку, шепнул слова прощания и ловко смешался с толпой студентов в арке университетских ворот.

Стадион, окруженный длинной решетчатой оградой, казался огромным зеленым сачком, которым солнце ловило юные умы. Я поискал взглядом Винсона и Ранвей, но они исчезли.

Когда я вернулся к своему мотоциклу, Абдулла уже уехал — время шло к полудню, нас могли заметить. Кто знает, когда и как мы с ним снова увидимся.

В мастерской на причале Сассуна я передал Викранту сломанную саблю, завещанную мне Кадербхаем. Как обычно, сперва Викрант предлагал самую дешевую починку, заручался моим согласием, а затем начинал подробно объяснять все недостатки такого подхода и переходил к обсуждению варианта подороже, но, разумеется, не без своих недостатков. Естественно, за этим следовал еще один вариант, а потом еще один, и так далее. Вот уже много лет я пытался заставить оружейных дел мастера сразу приступать к обсуждению единственно верного и приемлемого способа решения проблемы, но безрезультатно.

— Викрант, нельзя ли побыстрее? Я согласен на самую высокую цену, ты же знаешь. Сил моих нет терпеть, раздражает вся эта канитель.

— Без раздражения в жизни не обойтись, — рассудительно заметил Викрант. — Другое дело, что есть правильное раздражение, а есть неправильное.

— Как это?

— Вот взять, к примеру, меня — я обязан вызывать раздражение у заказчика, это часть моей профессии. А ты раздражаешь людей без всякой на то причины.

— Неправда!

— Правда. Вот мы с тобой разговариваем, а ты меня раздражаешь.

— Да ну тебя! Ты мне саблю починишь или нет?

Он еще раз осмотрел клинок, с трудом сдерживая улыбку.

— Починю, — наконец произнес он. — Но по-своему. Тут в рукояти изъян есть, так что придется обойтись третьеразрядной починкой.

— Ну и пусть.

— Нет, ты не понимаешь, — ответил он, покачивая саблю на ладонях. — Если я ее по-своему починю, она никогда больше не сломается. Я починю ее навечно, но это уже будет не та сабля, с которой ходили в битву предки Кадербхая. Она станет другой. У нее будет иная душа.

— Ясно.

— Чего ты хочешь: сохранить историю или сохраниться в истории? — улыбнувшись, спросил Викрант.

— Шутник ты, однако. Я хочу сохранить саблю. Мне ее доверили. Если она еще раз сломается, кто знает, сможет ли следующий владелец ее починить. Так что чини ее по высшему разряду, Викрант, чтобы уж навечно. Переделай, если считаешь нужным, только не показывай, пока не закончишь, а то я от печальных мыслей не отделаюсь.

— Тебе клинок печальные мысли навевает или то, что тебе его доверили?

— И то и другое.

— *Тхик*, Шантарам.

— Значит, договорились. Да, спасибо за добрые слова о Лизе. Дидье мне передал. Я тронут.

— Хорошая она была, — вздохнул он. — Ушла от нас в лучший мир.

— Да, в лучший мир, — согласно кивнул я.

Хоть мы и считаем нашу жизнь худшей из всех возможных, лучших мест я избегал.

Весь день я провел с продавцами валюты, объездил все торговые точки — и у фонтана Флоры, и на мысе Нариман-Пойнт, и в мангровых зарослях залива Бэк-Бей, — по крупицам собрал информацию о бандитских разборках, ознакомился с обменным курсом, выслушал предсказания о его изменениях, сверился с записями Дидье, зафиксировал основных конкурентов, выяснил, в каких ресторанах нас привечали, а в какие не пускали, узнал, как часто следует платить полицейским, кому доверять, а кому нет, в каких лавках занимаются темными делишками и сколько стоит каждый квадратный сантиметр территории черного рынка в Колабе.

Разумеется, преступления приносят доход, иначе бы их не совершали. На преступности зарабатывают быстрее и больше, чем на Уолл-стрит. Но и на Уолл-стрит есть полиция. Вот в полицию я и отправился, прежде чем вернуться в трущобы, к Диве и Навину.

Я вошел в кабинет Дилипа-Молнии.

— Не садись, — буркнул он, кивая на кресло и внимательно оглядывая меня с головы до ног. — Зачем пришел?

Он прекрасно помнил, что недавно избил меня.

— Дилип-джи, — вежливо начал я, — я теперь работаю самостоятельно, и хотелось бы уточнить, кому теперь платить — вам или инспектору Патилу. Смею надеяться, что все-таки вам, потому что с инспектором договариваться сложно. Впрочем, если вы сообщите ему, что я такое сказал, я буду все отрицать.

Копы в дверях рассмеялись. Дилип-Молния зыркнул на них, и смех оборвался.

— Заприте этого типа в кутузку, — приказал Дилип. — И кулаков не жалейте.

Полицейские двинулись ко мне.

— Эй, я пошутил, — хмыкнул Дилип и предостерегающе поднял руку. — Пошутил, кому говорят.

Констебли захохотали. Я тоже рассмеялся — а что, неплохая шутка — и предложил:

— Пять процентов.

— Семь с половиной, — тут же ответил Дилип. — И в следующий раз я позволю тебе присесть в кресло.

Полицейские снова разразились смехом. Я смеялся вместе с ними — еще бы, ведь я ожидал, что Дилип-Молния потребует как минимум десять процентов.

— Договорились, — кивнул я. — Умеете вы торговаться, Дилип-джи, недаром у вас жена — марварка.

Марвари — каста торговцев и ростовщиков из североиндийского штата Раджастхан — славятся своим умением вести дела, а жена Дилипа-Молнии славилась умением тратить деньги быстрее, чем он их выколачивал из заключенных.

При упоминании жены Дилип помрачнел и недовольно скривился. Как известно, на всякого садиста найдется садист похлеще — главное знать, кто именно.

— Пошел вон!

— Спасибо, сержант-джи, — почтительно сказал я и направился к выходу.

Полицейские, которые недавно меня избивали, с улыбками попрощались со мной. Это тоже было по-своему смешно.

ГЛАВА

50

Я оставил байк у входа в трущобы и отправился к Джонни, но его не застал, а потому пошел в соседнюю лачугу, проведать Навина и Диву. Негодующие восклицания Дивы я услышал издалека.

— А знаешь, что женщинам тут и посрать спокойно нельзя?! — возмущалась она.

— Интересные у вас разговоры, — заметил я, подходя к крошечной площадке перед лачугой. — Это вы что, все время, пока меня не было, так сортирную тему и обсуждали?

— Тебе-то откуда знать про здешние сортиры? — набросилась на меня Дива.

— Знаю, я же здесь жил, — ответил я. — И считаю, что устроено это несправедливо.

— Вот и я о том же. Несправедливо это! — горячо согласилась она и ткнула Навина в грудь. — Представляешь, днем женщине срать не позволено!

Навин и Дидье стояли у входа, а Диву окружали три соседские девочки и Сита, жена Джонни.

— Я... — начал Навин.

— Вот если бы тебе запретили срать днем, потому что ты мужчина и тебя могут увидеть, как бы ты на это отреагировал? Взбесился бы, правда?

— Я...

— А нам и не позволяют, потому что мы женщины и должны срать только ночью, в полной темноте! Даже факел или фонарик брать с собой запрещают, чтобы нас никто не увидел.

— Я...

— А в темноте нас всякие мерзавцы поджидают, насилуют. Нарочно здесь по ночам ошиваются. Им все равно, что кругом дерьмо, им так больше нравится. Я такое терпеть не намерена. Я вчера до темноты ждала, но больше не собираюсь. И вообще, я отсюда сбегу.

Навин снова попытался что-то сказать, обреченно закрыл рот и уставился на Дидье. Дидье посмотрел на меня. Я внимательно изучал бамбуковую подпорку.

Внезапно из узкого проулка выбежал Джонни, увидел нас и замер, умоляюще выставив вперед ладони.

— Джонни, в чем дело? — спросила Сита.

— Я... мне... не сейчас...

— Джонни, что случилось? — вмешался я.

Он задрожал, лицо исказилось измученной гримасой. Сита отвела мужа в сторону, потом вернулась и подозвала меня с Навином.

Дидье с девочками остались с Дивой.

— Что происходит? — завопила она во весь голос. — Эй, я здесь больше ни минуты не останусь, понятно?

Джонни сидел на пластмассовом стуле и жадно пил холодную воду из бутылки.

— Всех убили, — выдохнул он.

— Кого? — спросил Навин.

— Отца Ану... то есть Дивы. И всех, кто был в доме. Даже садовников и домашних животных. Ужасно...

— Когда?

— Только что. Лин, как ей об этом сказать? Я не могу.

— Ты точно знаешь?

— Да, конечно. Все только об этом и говорят — и полицейские, и журналисты. Вот-вот в новостях передадут. Может, подождать? Ох, не знаю, что и делать!

— Джонни, включи радио, — попросил я.

Сита настроила приемник на местную станцию новостей.

По радио заговорили о жестоком убийстве Мукеша Девнани и семи его слуг. Домашних животных прирезали. Не пощадили никого. Раз за разом повторялись слова: «убийство», «резня».

Дивья Девнани, единственная наследница, тоже, возможно, не избежала страшной участи, говорил диктор.

— Нет, нельзя, чтобы она узнала из новостей, — вздохнул я.

— Я сам ей скажу, — печально произнес Навин.

— Хорошо, — кивнул я. — Так будет лучше. Только не здесь. Спуститесь на берег, там есть тихое местечко.

Мы с Дивой отправились к океану, но, оказавшись среди черных валунов, она захотела вернуться в трущобы, словно чувствуя, что ей предстоит услышать дурные вести.

Навин обнял ее за плечи и рассказал о случившемся. Дива вырвалась, пошатнулась, сделала несколько неверных шагов по камням, оскальзываясь босыми ногами. Навин бросился за ней, подхватил под руки. Она упрямо рвалась вперед, подальше от страданий и страхов, будто слепая. Ноги сами несли ее прочь. Как-то раз я уже видел такое, во время бунта в тюрьме: один из заключенных от испуга бился головой о толстую каменную стену, будто надеясь пробить ее насквозь и вырваться на свободу. Разум Дивы отчаянно тщился вернуть безвозвратно утраченный мир.

Навин осторожно подвел Диву ко мне, усадил ее на валун. Постепенно она пришла в себя и разразилась безудержными рыданиями.

Я оставил ее с Навином и вернулся в трущобы. Сита куда-то пропала, зато у хижины меня дожидались Карла и зодиакальные Джорджи.

Я с укором посмотрел на Дидье — местонахождение Дивы следовало держать в секрете.

— По-моему, ей сегодня поддержка друзей не помешает, — заявил он. — Мы же все равно здесь заночуем, в этом... общественном месте.

Карла поздоровалась со мной поцелуем.

— Как она?

— Ее будто обухом ударило, — вздохнул я. — Но держится. Она сильная. Хорошо, что вы пришли. Она с Навином на берегу. Пусть пока вдвоем побудут. Она очень расстроена, а Навин ее отца знал...

— Честь джентльмена не позволяет Дидье в такое время держать что-то в секрете от друзей, — заявил Дидье. — Кроме нас, Диву больше некому утешить в ее горе.

— А Дидье слишком боится призраков, поэтому один здесь не останется, — добавила Карла.

— Каких еще призраков?

— Здесь явственно ощущается присутствие сверхъестественных сил, — пояснил Дидье.

— Как бы то ни было, я рад, что вы пришли, — сказал я.

— Давно я сюда не заглядывала... — Карла оглядела убогие лачуги. — Какие развлечения ждут меня в этот раз? Холера? Тиф?

Несколько лет назад, как раз в то время, когда я скрывался в трущобах, началась эпидемия холеры. Карла вызвалась мне помочь, ухаживала за беспомощными больными, разгоняла полчища крыс и мыла полы, покрытые зловонными испражнениями.

— Те страшные дни стали для меня самыми счастливыми, — признался я.

— И для меня тоже, — ответила Карла. — Хотя, конечно, глупо так говорить. А что здесь эти девчушки делают?

— Наводят порядок в лачуге Дивы, чтобы у нее на душе стало спокойнее.

— Сейчас по всему городу неупокоенные души мечутся, — вздохнула Карла.

— Ужасно все это, — сказал Джордж Скорпион, подходя к нам.

— Бедняжка, — добавил Джордж Близнец. — Мы ей люкс в «Махеше» держим. Она всегда может туда вернуться, если захочет.

— Вы только никому не проболтайтесь, где мы Диву прячем, а то Джонни и остальным худо придется. Они и так многим рискуют. Договорились?

— Конечно, дружище, — ответил Близнец.

— Да, конечно, — неуверенно протянул Скорпион. — Если только...

— Если только что?

— А вдруг меня силой заставят?

— Ты о чем?

— Ну, побоев я не выдержу. Так что слово сдержу только в том случае, если мне физической расправой угрожать не станут.

Я вопросительно взглянул на Близнеца. Он пожал плечами:

— У Скорпиона правило такое.

— Между прочим, очень хорошее правило, — добавил Скорпион. — Если бы каждый во всем признавался при малейшей угрозе физической расправы, то необходимость в пытках отпала бы.

— И все бы стали доносчиками, — заметила Карла. — Странные у тебя правила, Скорпион.

В переулке появился человек с велосипедом, увешанным пакетами.

— Ага, а вот и припасы! — вскричал Дидье.

Велосипедист сгрузил на землю поролоновый матрас, чемодан, складной карточный столик, четыре складных парусиновых стула и два баула со спиртным. Я уставился на выпивку.

— Это для Дивы, — торопливо объяснил Дидье, пересчитывая бутылки. — Сегодня ей надо напиться до беспамятства.

— Тут одной выпивкой не обойдешься.

Дива, внезапно выступив из тени, объявила:

— Мне надо выпить чего-нибудь покрепче — и побольше.

Дидье выразительно посмотрел на меня, словно говоря: «Я же тебе сказал!»

— А вы, мои странные новые друзья... — продолжила Дива, запнулась и объяснила: — Старых друзей рядом нет, и вряд ли я с ними еще увижусь. Так вот, мои новые друзья, вы поможете мне напиться до беспамятства? Будете за мной ухаживать, если меня стошнит от выпитого? А потом уложите меня в постель?

Воцарилась долгая пауза.

— Конечно! — воскликнул Дидье. — Подойди, милое дитя. Подойди к Дидье, и мы с тобой вместе поплачем в рюмку пьяными слезами, а потом заплюем Фортуне глаза, и море нам станет по колено.

Дива рыдала, вопила и стенала, заламывала руки, причитала, бегала по хижине, путалась в лоскутных одеялах на полу, а потом позвала к себе девчушек и стала с ними танцевать. Когда вопли, визг и хлопанье в ладоши достигли апогея, Дива пошатнулась и едва не повалилась на пол, но Навин подхватил ее и отнес на гору одеял. Тонкие руки девушки безвольно моталась, будто сломанные крылья. Она свернулась клубочком и уснула.

Дидье, Навин и зодиакальные Джорджи устроились в соседней хижине и стали играть в покер. За ними было больно наблюдать — Скорпион никогда не жульничал, Дидье и Близнец никогда не играли по-честному, а Навин думал только о несчастной красавице, спящей в соседней лачуге.

Я заглянул к Диве. Соседские девочки спали рядом с ней. Восемнадцатилетняя Анжу во сне обняла Диву за плечи, еще одна девчушка положила руку ей на живот, три девочки улеглись сбоку, а в ногах устроился чей-то младший брат. Я укоротил фитиль керосиновой лампы, зажег противомоскитную свечу и палочку сандаловых благовоний, пристроил их на металлический шкафчик и осторожно прикрыл за собой фанерную дверь на веревочных петлях.

По безмятежно спящим узким тропкам я спустился на черные камни у берега черного океана под черным небом и прислушался. Здесь Дива впервые осознала, что вся ее прошлая жизнь утрачена безвозвратно. Когда-то и я стоял у тюремной стены, между вышками охранников, ощущая невероятное спокойствие. Я не испытывал ужаса, потому что знал: если меня пристрелят, то я упаду на свободу. А вот когда я соскользнул с тюремной стены

513

и бросился бежать, спокойствие исчезло. Меня охватил страх — я в полной мере осознал величину утраты. Дрожь в руках не унималась месяцами.

И все же, в отличие от Дивы, я стал изгоем по своей воле. Ее утрата была чересчур жестокой: убили и ее отца, и всех домашних. Такая жестокость может подкосить даже очень сильного духом. Оставалось только надеяться, что у Дивы, прячущейся в нищете реального мира, найдутся друзья, которые помогут ей выстоять, особенно тогда, когда она вернется в роскошь мира нереального.

Я обернулся на шорох за спиной — на краю каменистого обрыва стояла Карла и махала мне. О прибрежные скалы с грохотом разбилась волна, валуны засверкали под струями воды. Еще одна волна обвила камни гирляндами пены. По мокрым черным ступеням я начал карабкаться к свету, к любви. Я встал рядом с Карлой на край обрыва, и мы долго смотрели, как океан омывает берега Дивиной скорби, а потом вернулись в сонное царство трущоб, полное неразборчивых, тревожных бормотаний и шепотков. Отцы семейств устроились на ночлег у хижин, чтобы родным оставалось больше места внутри. Серебряный лунный свет заливал все мягким сиянием.

Дидье, зодиакальные Джорджи, Навин и мы с Карлой сидели в хижине по соседству с лачугой Дивы и тихонько переговаривались, чтобы не потревожить покой девушки, для которой родной Бомбей изменился навсегда: некоторые старые знакомцы станут для нее настоящими друзьями, а многие превратятся в чужих людей, обитателей потустороннего мира знаменитостей и сомнительной славы. Судьба Дивы изменилась, и с этим ничего не поделаешь. Навин, уроженец Бомбея, понимал это лучше нас с Карлой, хотя Город семи островов стал домом даже для нас, вечных изгнанников.

Наше бдение затянулось на всю ночь, а потом алый свет восхода разбудил новую изгнанницу, которая упрямо стремилась к спасительному берегу.

Часть
девятая

ГЛАВА

 51

После шторма, вызванного смертью Лизы и убийствами в особняке Мукеша Девнани, наступили долгие благословенные недели полного штиля. Мне нравилось спокойствие, заполненное делами и заботами, от бурь и штормов я устал.

Дива смирилась с ролью обитательницы трущоб, и трущобы распахнули ей объятия. Впрочем, ничего другого не оставалось — убийц отца Дивы так и не нашли, а в трущобах от нее ни на шаг не отходили девушки, обожавшие ее и готовые защитить от любых врагов, так что она пребывала в полной безопасности.

Все газеты города по-прежнему публиковали статьи о страшном убийстве и о розысках пропавшей наследницы. На время ее отсутствия группу компаний Мукеша Девнани возглавил управляющий, назначенный арбитражным судом.

Двадцать пять тысяч обитателей трущоб прекрасно знали, кто такая Дива, но ни один из них не соблазнился обещанным вознаграждением и не донес пронырливым репортерам. Трущобы ревниво оберегали Диву: здесь, в хитросплетении узких переулков, среди хлипких лачуг, она была Ану, одной из тысяч обездоленных, которой не грозили ни убийцы, ни громкие газетные заголовки.

Тем временем на последнем этаже гостиницы «Махеш» зодиакальные Джорджи устраивали вечеринки; вдобавок там шла постоянная игра в покер. Знаменитости, привыкшие закрывать окна в автомобилях у светофоров, проводили в пентхаусе Джорджей больше времени, чем в кабинетах личных психотерапевтов. Заместитель мэра, однажды сорвавший банк, объявил покер у Джорджей муниципальным развлечением, не подпадающим под законодательство о запрете азартных игр, а когда крупный выигрыш достался начальнику районной налоговой инспекции, игорный салон Джорджей приобрел статус благотворительной организации. Как только восходящая звезда Болливуда, юная красавица, умудрилась выиграть шесть раз кряду, популярность покера у Джорджей достигла небывалых высот; все известные болливудские актеры упорно пытались побить этот рекорд, дабы отстоять мужскую честь — увы, безуспешно.

Дидье с необычайным для него трудолюбием занялся делами сыскного агентства «Утраченная любовь» и однажды напугал меня до полусмерти, явившись в офис к восьми часам утра, хотя раньше презрительно утверждал, что человеку больше чем достаточно одного часа светового дня, особенно если это час перед закатом.

Поначалу странно было наблюдать за превращением Дидье из сибарита-полуночника в энергичного и ответственного труженика. Он не только стал усердным и пунктуальным, но и научился шутить.

— Знаешь, я очень рад, что ты меня с Дидье свел, — сказал мне Навин спустя несколько недель после начала работы агентства. — Мы с ним прекрасно сработались, если так можно выразиться.

— Ну, не знаю...

— Тебе недостает прежнего Дидье.

— Не в этом дело. Прежний Дидье был лучше, а этот насквозь пропитан корпоративным духом.

Дела в агентстве шли прекрасно. Дидье всерьез подошел к развитию сыскного бизнеса и поместил рекламное объявление в крупнейшей городской газете — одной из газет Ранджита — с обещанием вознаграждения за любые сведения об исчезнувшем владельце империи средств массовой информации.

Ничего конкретного Дидье узнать не удалось, но в городе заговорили об агентстве «Утраченная любовь», и к услугам новоявленных сыщиков обратились десятки человек. Дидье завалили фотографиями и полицейскими рапортами о пропавших родных и близких. С помощью связей Дидье и сыскных умений Навина за две недели двух пропавших удалось отыскать, что вызвало приток возбужденных клиентов, согласных платить авансом.

Карла была права: рынком движет потребность, спрос создает предложение. У полиции нет ни ресурсов, ни средств для розыска бесчисленных пропавших, а близкие терзаются неведением и готовы на все, чтобы узнать о судьбе исчезнувших родственников. Итак, работа в агентстве кипела: утраченную любовь находили и возвращали тем, кто не терял надежды на воссоединение с любимыми.

Изредка на вечеринки к Джорджам приходили Винсон и Ранвей. Счастливый Винсон неотступно следовал за Ранвей, а она, похоже, смирилась с кончиной своего бывшего возлюбленного. Девушка с льдисто-голубыми глазами больше не вспоминала о нем вслух, однако, хотя его дух и растворился в безбрежном потоке вечности, по лицу Ранвей изредка пробегала смутная тень сомнения, а в каждом движении сквозила некоторая неразрешенность.

Несмотря на это, Ранвей приободрилась и похорошела. Одеваться она стала, как Карла, в шальвар-камиз — длинную свободную блузу и узкие брючки, — а длинные волосы собирала в хвост. Ей это шло. Улыбка преображала ее лицо; сомнения развеивались, открывая светлую и ясную сущность девушки.

В отсутствие Ранджита заместителем редактора крупнейшей городской газеты стала журналистка Кавита Сингх. Ее назначению, несомненно, помогло и то, что Карла имела доверенность на управление всеми акциями газеты, однако решающим фактором стала необычайная популярность статей Кавиты.

Под чутким руководством Кавиты Сингх газета заметно изменила курс — нет, не приобрела правый или левый уклон, а сместилась в новом, неожиданном направлении. Теперь заметки и статьи восхваляли красоты и величие Бомбея. «Хватит жаловаться на трудности и писать о плохом, — говорилось в передовице. — Поглядите, в каком прекрасном городе мы живем, оцените размах социального эксперимента и воздайте должное любви и состраданию, которые горят в сердцах мумбаитов».

Статья вызвала восторженный отклик у горожан, своевременно напомнив о том, в каком замечательном городе они живут. Гордость за родину, обитающая в сердце каждого жителя города, вспыхнула ярким пламенем. Тиражи газеты подскочили на девять процентов. Кавита стала знаменитостью.

В городе развернулись широкие общественные кампании и всевозможные мероприятия по улучшению социальной среды. Карла, узнав об этом, счастливо рассмеялась, но не объяснила мне, почему именно.

Она переехала в номер по соседству с моим и за неделю лихорадочной деятельности полностью его переоборудовала. Гостиная, спальня и гардеробная ее люкса превратились в бедуинский шатер. Завеса голубого и белоснежного муслина скрыла потолки, вместо светильников и люстр повсюду развесили железнодорожные фонари. Из мебели остались только кровать в спальне и письменный стол в гостиной. Из музыкального магазинчика в гостиничном вестибюле доставили небольшой столик. Карла отпилила ему ножки и установила его посреди гостиной. Линолеумные полы устлали турецкими и персидскими коврами, а балкон задрапировали алыми шелковыми полотнищами, создавшими красноватую тенистую прохладу.

Хотя мы с Карлой спали в разных спальнях, я чувствовал себя в раю. Настали самые счастливые дни в моей жизни, совершенно непохожие на постыдное, презренное существование девять лет назад.

Свобода, счастье, справедливость и любовь складываются в единое целое — внутреннее умиротворение. Я преступил незримую черту, начав силой выколачивать из людей деньги на наркотики, но теперь, когда Карла переехала в гостиницу «Амритсар», лопата выпала из моих рук, я больше не рыл себе могилу вины и отчаяния. Почти каждый день мы завтракали, обедали и ужинали вместе. Работа разлучала нас, но все свободное время мы проводили вдвоем.

Часто мы отправлялись в поездки по Городу семи островов. Иногда Карла сама садилась за руль лимузина, а Рэнделл забирался на заднее сиденье и неторопливо потягивал газировку. Мы ходили в кино, навещали друзей, не избегали и шумных вечеринок, но каждый вечер Карла уходила к себе, в бедуинский шатер, и крепко запирала все замки.

Разумеется, это сводило меня с ума — но по-хорошему. Каждый смотрит на это по-своему, но для меня важна не продолжительность ожидания, а его качество. Те часы, которые мы с Карлой проводили вдвоем, были прекрасны.

Впрочем, иногда, среди всего этого наслаждения, мне хотелось пробить в стене дыру. Сознание того, что Карла за стеной, в каких-то метрах от меня, испытывало мое терпение, натягивая его до предела, как гитарную струну. Добавлял напряжения и черный рынок.

«Преступление — демон, — сказал однажды Дидье. — И адреналин — его излюбленный наркотик». Всякое преступление, даже самое мелкое — например, обмен денег на черном рынке, — вызывает всплеск адреналина. Люди, с которыми приходится вести дела, опасны по-своему, полицейские опасны вдвойне, и каждое преступление не обходится без хищников и жертв.

В те годы в южном Бомбее незаконные операции с валютой считались занятием почти легальным; деньги меняли практически в каждом втором табачном ларьке Колабы. В южном Бомбее было двести десять табачных ларьков, которые торговали по лицензии муниципалитета — и с разрешения санджаевской мафии. В моем ведении находилось четырнадцать ларьков, купленные у Дидье и действовавшие опять же с разрешения Санджая. Обычно это было делом безопасным, но преступники по определению люди непредсказуемые.

Я обходил ларьки три раза в день — с утра, между завтраком и обедом, днем после обеда и поздно вечером, перед сном. Важно было, чтобы хозяин все время оставался на виду. На свои обходы Карлу я не приглашал.

Управление любым нелегальным предприятием подразумевает определенную степень взаимодействия и кооперации участников. Разумеется, кооперацию можно купить, правила игры четко определены, и роли участников расписаны. Деньги предоставлял я, роли распределял Санджай, а его люди устанавливали и поддерживали правила игры.

И все же каждый нелегальный уличный торговец обладает гордостью, поэтому в любой момент может взбунтоваться из страха или от отчаяния. Санджай вершил скорую и жестокую расправу над непокорными бунтовщиками, в результате чего я мог лишиться своего бизнеса, так что приходилось пресекать любые попытки бунта, балансировать на тонкой грани, внушая торговцам страх и одновременно заверяя их в своих дружелюбных намерениях.

Преступность — явление, по сути, феодальное. Как только это поймешь, все становится на свои места. Компания Санджая — за́мок на горе, окруженный рвом с голодными аллигаторами, а сам Санджай — феодал: если ему нравится девушка, он ею овладеет, а если кто-то придется ему не по душе, велит его убить.

Я выкупил у Санджая разрешение на ведение части дела, став, таким образом, бароном-разбойником, а уличные торговцы превратились в моих подданных, крепостных; у них не было иных прав, кроме тех, которыми наделила их Компания Санджая.

Преступность — средневековый город, существующий в параллельном мире. В нем есть все, включая абсолютную монархию и публичные казни. Я — барон на стальном скакуне — имел право властвовать над крепостными.

Для успешного ведения преступных дел необходимо умение создавать видимость безраздельного владычества. Отсутствие уверенности в себе вызывает недоверие у уличных торговцев — чего-чего, а смекалки им не занимать. Авторитет, власть и влияние должны быть наглядны и неоспоримы; у окружающих не должно возникнуть и мысли, что власть можно опротестовать. В Бомбее это достигается воплями и оплеухами. Обычно ссоры возникают по пустякам; хозяин побеждает потому, что кричит громче и действует решительнее, а последнее слово всегда остается за ним. Вдобавок замечать и запоминать следует абсолютно все: один жует бетель, другой ненавидит бетель, третий слушает священные напевы из динамика в виде Кинг-Конга; этот любит мальчиков, тот любит девочек, а третий слишком любит девочек; этот хорохорится в одиночку, а тот трусит и ждет подмоги; этот пьет, думает, курит, кашляет, щурится, болтает и беспрерывно мельтешит, а тот ведет себя дерзко и не сдастся до последнего удара ножа.

— Вы про Абиджита слыхали? — спросил Фрэнсис, мой торговец в ларьке на Регал-сёркл.

— Ага.

Абиджит, юный попрошайка, на украденном скутере пытался уйти от полицейских, но не рассчитал скорость и на полном ходу врезался в каменную опору моста. Мост устоял, Абиджит — нет.

— Вот паршивец, — вздохнул Фрэнсис, протягивая мне деньги. — Пока живой был, раздражал до безумия, а после смерти раздражает еще больше.

— Да уж, он тебя так сильно раздражает, что ты мне денег недодал, — сказал я, пересчитав купюры.

— Да что вы, *баба*! — воскликнул он, нарочито поднимая голос, чтобы услыхали торговцы по соседству.

Я обвел взглядом любопытствующие лица:

— Фрэнсис, прекрати.

— А я что? Я ничего такого не делаю, *баба*, — завопил он. — Вы на меня напраслину возводите...

Я схватил его за шиворот и потянул за угол.

— Так ларек же! — запротестовал Фрэнсис.

— К черту ларек! — Я втолкнул его в темный, узкий переулок. — Что ж, давай разбираться.

— В чем?!

— Ты меня прилюдно обманываешь, перед приятелями хвастаешь. Теперь мы остались одни, поговорим начистоту. Где деньги?

— *Баба*, какие деньги?

Я отвесил ему оплеуху.

— Я не... — завопил Фрэнсис.

Следующая затрещина была посильнее первой.

— За пазухой, за пазухой у меня ваши деньги, — признался он.

За пазухой у Фрэнсиса оказалась куча денег. Я забрал то, что мне причиталось, остальные трогать не стал.

— Фрэнсис, мне плевать, откуда у тебя столько бабла, лишь бы ты меня не обкрадывал. И перед приятелями больше спектаклей не разыгрывай, понял?

Грубая сила — штука уродливая, зато отлично отпугивает любителей легкой наживы. Держать в узде уличных торговцев мерзко и противно, но всякий раз приходится напоминать, что расправа будет спорой и жестокой, ведь хозяин, которого не боятся, быстро теряет власть.

Наконец, собрав достаточное количество валюты, я направился на причал Балларда, к черным банкирам.

Черные банкиры — не преступники, а обычные граждане, занимающиеся преступной деятельностью. Впрочем, действуют они осторожно, и тюремное заключение им не грозит. Они накопили огромные состояния, но о своем богатстве помалкивают, а известность им ни к чему — деньги важнее. Вдобавок они славятся своей аполитичностью и принимают на хранение черный нал любой политической партии, не важно, правящей или нет.

Услугами черных банкиров с причала Балларда пользовались Санджай, «скорпионы», полицейские, высокопоставленные чиновники, военные и, разумеется, политики. Сюда стекались нелегальные доходы строительных, нефтяных и продовольственных компаний и деньги, предназначенные для подкупа влиятельных лиц. В общем, этот банк был самым надежным и обеспеченным финансовым заведением города.

Банкиры в свою очередь заботились о клиентах и с легкостью устраняли любые неприятности — разумеется, за отдельную мзду. Скандалы заминали, компромат изымали и надежно прятали подальше от посторонних глаз. Поговаривали, что в черном банке на причале Балларда компромата хранилось больше, чем золота. Невидимая длань банка служила кормушкой большинству горожан, но гораздо больше все опасались его невидимого кулака. Копилку грязных секретов и тайных сбережений было невозможно уничтожить.

Для мелких дельцов типа меня доступ к одному из отделений огромного банковского спрута давал возможность обменять валюту на рупии по нелегальному курсу, а банк сбывал валюту преступному синдикату в южном Бомбее. Только сами владельцы черного банка, которым было что терять, знали, кто именно покупает нелегальную валюту. Поговаривали, что синдикат организовали кинопродюсеры и знаменитые актеры, а еще ходили слухи, что за ним стояла бомбейская масонская ложа. Как бы то ни было, организаторы синдиката держали под контролем восемьдесят процентов потока нелегальной валюты на юге страны, получали невероятные прибыли, а тюрьма им не грозила.

Мои нелегальные валютные операции приносили, после всех расходов, двадцать тысяч рупий в месяц: целое состояние для обитателей трущоб, но пустяковые деньги для серьезных преступников.

Преступные доходы легко заработать, однако трудно сохранить. К каждой нелегально заработанной рупии тянутся сотни жадных рук, а в полицию обращаться бесполезно — копы сами жаждут легкой наживы. Так что деньги сыпались пачками, но я предпочитал их не тратить, а приберечь на черный день. Для меня самым важным было отыскать безопасное место для их хранения — и желательно не одно, а несколько, на случай возникновения непредвиденных обстоятельств. Какую-то часть я хранил дома, а остальные отдал Тито — приятелю Дидье, — который по-дружески брал с меня два процента за услугу, хотя по-прежнему говорил, что возьмет десять.

— Десять процентов, — привычно буркнул он и тут же осекся. — Прости, я не подумал.

— Слушай, если к тебе придут и скажут, что меня поймали, связали, бросили в подвал и пытают, а потом назовут пароль «Триста спартанцев», отдай им все деньги, ладно?

— Ладно, — кивнул Тито. — За десять процентов.

ГЛАВА

52

В Индии любую женщину, достигшую определенного возраста, автоматически называют «тетушка». Пятидесятилетняя тетушка Луна, хозяйка черного банка на рыбном рынке, отличалась таким умением обольщать, что, по слухам, ни один мужчина не мог провести десяти минут в ее присутствии без того, чтобы не сделать ей предложение. Тетушка Луна, соломенная вдовица, умело пользовалась своими талантами и легко растягивала любую сделку на четверть часа.

Мое общение с обольстительницей редко занимало больше девяти минут — сделал дело и убрался.

— Привет, тетушка Луна, — сказал я, протягивая ее помощнику за рыбным прилавком пачку рупий, обернутую в газету. — Как дела?

Она ловко толкнула пластмассовый табурет, который проехал по скользкому бетону и остановился рядом со мной, — этот трюк она всякий раз проделывала с неизменным успехом. На бетонных плитах пола, за долгие десятилетия насквозь пропитавшихся рыбьим жиром, было трудно устоять, будто миллионы рыб, день за днем выбрасываемые на рынок, жаждали нашего падения. Здесь все время кто-то оскальзывался.

Я уселся на табурет, зная, что сделки в банке тетушки Луны — дело долгое. Табурет стоял у конца стального разделочного прилавка под косым жестяным навесом — множество таких прилавков усеивали рыбный рынок, площадь размером с футбольное поле. Сейчас торговля закончилась, выкрики торговцев смолкли, и в наступившей тишине рыбы беззвучно хватали раскрытыми ртами воздух, тонули в нашей стихии точно так же, как мы тонем в их.

Тетушка Луна шумно сглатывала, часы на стене мерно тикали, купюры тихонько шелестели — помощник неторопливо пересчитывал деньги. В тени под навесом было жарче, чем на солнечной улице. От вони я сначала плотно сжал губы, но густой рыбный запах накатывал волна за волной, как море, и постепенно я к нему привык.

Дальний конец рынка начали поливать из шланга; по желобу в бетонном полу потекла грязная вода вперемешку с кровью и ошметками рыбьей плоти. По другую сторону желоба, у гамака, накрытого серебристым, как рыбья чешуя, лоскутным покрывалом, стояла тетушка Луна в узорчатых шлепанцах.

— Шантарам, говорят, твое сердце отдано какой-то женщине, — сказала она.

— Правду говорят, тетушка Луна. А у тебя как дела?

Она картинно раскинула руки и медленно опустилась на гамак, потом сбросила шлепанцы и заработала ногами. Не знаю, что это было — йога или акробатика. Ноги ее, как пара голодных питонов, жадно искали жертву, двигались вправо и влево, на юг и на север, вздымались над головой, широко распахивались, пока наконец не успокоились на серебристом покрывале под мощными ляжками. Все представление заняло полминуты. Хотелось аплодировать, но это был не цирк, а я — не зритель.

Тетушка жеманно повела плечами.

— Как дела идут, тетушка Луна? — снова спросил я.

Она медленно наклонилась и с кошачьей грацией выгнула спину, открыв взору пышные груди с вытатуированными на них полумесяцами. Остановилась она только тогда, когда полумесяцы сомкнулись в полную луну. Длинные волосы тетушки, складками собравшись вокруг согнутых коленей, завесой ниспадали с гамака почти до самого пола. Она посмотрела на меня глазами полными страшных тайн, завела руки за спину и обхватила себя за шею длинными пальцами, колышущимися, как анемоны на морском дне в зыбком свете перевернутой луны.

Да уж, соблазнять она умела... И все же тетушка Луна нравилась мне больше, чем ее представление. Вдобавок она всегда носила с собой оружие — сам по себе интересный факт, как ни посмотри. Пистолет ей подарил начальник полицейского управления. Мне было любопытно, чем она заслужила такой подарок. Я знал, что стреляла она из него дважды, оба раза кого-то защищая от бандитов из других районов. А еще тетушка Луна гадала по руке и гаданием зарабатывала больше, чем продажей рыбы или нелегальными банковскими операциями. Кроме того, она три года подряд была чемпионом по борьбе среди женщин рыбацкого поселка. На соревнования посторонние не допускались, женщины боролись в центре круга, огражденного мужьями, братьями и отцами, которые стояли спиной к борющимся, так что поединка не видел никто, кроме самих участниц.

Мне хотелось расспросить тетушку Луну о состязаниях и о подарке начальника полицейского управления — и совсем не хотелось вести бессмысленную десятиминутную игру.

— Ну, хорошая женщина всегда найдет способ о себе напомнить. — Она выпрямилась и взглянула на стенные часы. — Вот как останешься наедине с той, кому сердце отдал, так и вспомнишь обо мне.

— Нет, тетушка Луна, этого не будет.

— Точно знаешь? — спросила она, вперив в меня взгляд.

— Абсолютно точно. При всем уважении, моя возлюбленная ни с кем не сравнится. Вот ты красавица и все такое, но моя возлюбленная — богиня. А если дело до драки дойдет, то тебе перед ней не устоять. Она нас обоих на лопатки положит и спасибо сказать заставит за то, что до смерти не убила. Я от нее без ума.

Тетушка Луна задумчиво посмотрела на меня, будто проверяя, потом шлепнула себя по ляжкам и расхохоталась. Я засмеялся вместе с ней.

— Все верно. — Помощник уложил пачку пересчитанных рупий в железный ларчик, запер его на замок и сделал запись в гроссбухе.

— Не ты первый такое говоришь, — вздохнула тетушка Луна. — Хотя такое говорят немногие. А те, кто ко мне приходит, врут все, придумывают всякие причины, чтобы на меня полюбоваться.

— Еще бы, есть чем любоваться!

— Спасибо, Шантарам, — улыбнулась она. — Вот с этого и началась моя карьера гадалки. Один неверный муж любил меня за руку хватать, фазы Луны рассматривал. Ну, оттуда все и пошло. Некоторые от страсти прямо слюной истекают. Твои приятели тоже ко мне приходят. Кстати, Дидье раз в неделю меня навещает.

— С него станется! — хохотнул я. — А зачем ты это делаешь, тетушка Луна?

Внезапно я сообразил, что вопрос может показаться ей обидным.

— Ох, прошу прощения, — торопливо добавил я. — Я писатель, часто задаю дурацкие вопросы. Я не хотел тебя задеть.

Она снова рассмеялась:

— Шантарам, такие вопросы задают только те, кто сам в состоянии это сделать. Вот когда ты сумеешь это сделать, тогда себя и спросишь.

— Моей возлюбленной очень понравится это высказывание.

— В следующий раз ты вместе с ней приходи, — угрожающе произнесла она.

— А если она через десять минут сделает тебе предложение?

— Конечно сделает. И ты тоже сделаешь, только потом, не сейчас.

— Мы это уже обсудили, — недоуменно поморщился я.

— Ты писатель, Шантарам, сочиняешь истории. В один прекрасный день ты напишешь и обо мне. Твой рассказ будет выражением любви. А женщина, которой ты отдал сердце, сделает мне предложение, потому что она счастлива в любви, только и всего.

— Разве не все счастливы в любви?

— Нет, — рассмеялась она. — Это у тебя такая любовь — у тебя и у горстки людей, которые стали моими лучшими друзьями.

— Я не хочу несчастной любви. Я вообще не хочу несчастий.

— Я имею в виду настоящее чувство — оно всегда лучше и больнее всего остального.

— Тетушка Луна, ты меня совсем запутала, — вздохнул я. — Но беседовать с тобой очень приятно. Прости, если я тебе случайно нагрубил или чем-то тебя обидел. А если соберешься стрелять, дай мне минуты две форы, — может, я успею до выхода добежать, пол-то скользкий.

— Ох, иди уже, Шантарам, — усмехнулась она. — С этого дня ты особо важный клиент. Да хранит тебя богиня, и пусть твои клинки всегда будут остры, а враги — напуганы.

По залитому рыбьей кровью бетону я медленно и осторожно скользнул к выходу, в арку золотых солнечных лучей. За воротами рынка соскоблил грязь с подошв и оглянулся: тетушка Луна продолжала заниматься йогой в гамаке, высоко задрав ногу и обхватив ладонью ступню над головой. Тетушка Луна, деловая женщина, разбойница и владычица минут.

«А ведь она права, — подумал я. — Карла наверняка сделает ей предложение».

Моим третьим резервным банком был покер в гостиничном пентхаусе Джорджа Близнеца. Владельцам любого казино требуется банк, потому что они получают процент с каждой игры, независимо от ее результата, а также сами участвуют в игре, ведь размер выигрыша при хорошей партии всегда больше, чем процент, причитающийся за ее организацию. Для гарантированного получения прибыли необходимы хороший дилер, умеющий вовремя сбросить карты и выйти из игры, и подставной игрок, отдающий выигрыш казино. Впрочем, никто не застрахован от появления невероятного счастливчика, который неожиданно срывает банк, — такое бывает, хоть и редко. А однажды это произошло три вечера кряду. И все же пять дней из семи хорошо организованная игра приносит верную прибыль — а Джордж Близнец прекрасно организовывал игру.

Итак, мы с Дидье и Джорджем Близнецом вкладывали деньги в банк, стимулируя ажиотаж, и мой еженедельный выигрыш примерно равнялся процентам, выплачиваемым вкладчикам надежного инвестиционного фонда.

Джордж Близнец больше не жульничал — на этом настояли мы с Дидье, требуя, чтобы игра шла по-честному, — и отказался от шулерских замашек, балансируя на грани между страхом и злобой, но по-прежнему выигрывал огромные суммы и вдобавок обзавелся друзьями, которые восхищались его честностью и умением.

Близнец играл еще и потому, что его закадычный друг Джордж Скорпион, обладатель миллионного состояния, оказался скуповат. Да, Скорпион оплачивал пентхаус в «Махеше», но лишь потому, что только там чувствовал себя в безопасности; переезжать из Бомбея в безопасное для миллионеров место он тоже боялся. К сожалению, все счета он проверял дотошно и скрупулезно, а вдобавок требовал постоянной экономии и торговался за каждый грош. Скорпион отказывался платить за вечеринки, поэтому Близнец предупреждал всех приглашенных, что наркотики лучше приносить с собой. Дешевые и шумные вечеринки привлекали еще больше гостей. Гостиница «Махеш» стала местом, где знаменитости встречались с сомнительными личностями, а ее бары и рестораны были вечно переполнены.

Скорпион выделил приятелю скромный расчетный счет для расходов на еду и выпивку, а еще еженедельно вручал ему двести долларов наличными. Такую сумму Джордж Близнец выигрывал в среднем за час, причем вел игру уверенно, будто в трансе. Проигрывая, он отшучивался, а выигрыш принимал без гордости.

— Может быть, создать группу взаимопомощи, по типу «Анонимных алкоголиков»? Назовем ее «Анонимные шулеры», — однажды предложил он. — Одна загвоздка: в ней никому верить нельзя будет, особенно в карточных играх. Ну, ты понимаешь, о чем я...

— Да ладно тебе, — успокоил его я. — Ты же не циник. Циник всегда сердит сам на себя.

Близнец задумчиво прищурился и с улыбкой произнес:

— Я тебя обожаю, дружище.

— И я тебя, брат. Ты же себя переборол, играешь по-честному, а выигрываешь больше, чем прежде.

— А знаешь, чего мне это стоило? — вздохнул он и передернулся. — Я начал читать. Перечел всего Китса, погрузился в мировую скорбь, потом занялся Керуаком, от которого такой приход, такой приход! Мне башку снесло, я вещал всякую хрень, пока не наткнулся на Фицджеральда с Хемингуэем, только от них запил, пришлось бросить. А дальше офигел от Джуны Барнс с Вирджинией Вулф, обхохотался с Джордж Элиот и одурел от

Даррелла, еле выкарабкался — пришлось трое суток фильмы с Хамфри Богартом смотреть.

— Отличная группа взаимопомощи подобралась, — заметил я.

— Вот и я так решил, — признался он. — Писатели и актеры в любой беде выручат.

— Ну, я рад, что тебе помогло.

— Слушай, Лин, мне нравится не жульничать, — с непривычной откровенностью заявил Близнец. — Никогда не думал, что такое возможно.

— Вот и продолжай в том же духе.

— Вообще-то, странно как-то по-честному играть, понимаешь?

— Понимаю, — рассмеялся я. — Но ты не поддавайся соблазнам. Кстати, ты прекрасно выглядишь. Везение и отсутствие солнечного света пошли тебе на пользу. А как Скорпион поживает?

— Ну...

— Что, все так плохо?

— Он слишком много времени один сидит. Закрылся у себя в президентском люксе, никого видеть не хочет, даже меня не впускает.

— Тебя не впускает?

— Ага. Только официантов, которые ему еду приносят. Если б он с какой девицей там заперся, я б сам в дверях на стражу встал, но он же один... А раньше мы с ним всегда на людях были.

— Может, он отдохнуть решил? Отвлечься...

— Раньше мы с ним все пополам делили, по-братски, даже в пакетике арахиса все орешки ровнехонько пересчитывали, чтоб никому обидно не было. Ну да, спорили, конечно, но за стол всегда вдвоем садились. А сейчас вот уж три дня он из номера носа не высовывает. Я за него очень беспокоюсь.

— А может, он из Бомбея уехать собирается?

— Нет, он вроде ничего такого не говорил. А что?

— По-моему, ему страшно быть богачом. Ему надо переехать, только он сам этого не сделает, пока его не подтолкнешь.

— Куда переехать?

— Туда, где миллионеры живут. Они друг дружки держатся, знают, как себя обезопасить. Там он перестанет нервничать, и тебе легче будет.

— Да ну, мне тут с одним миллионером тяжело, а если там их целый город, то я вообще с ума сойду.

— Тогда увези его в Новую Зеландию, купи ферму у леса...

— В Новую Зеландию?

— А чем плохо? Страна красивая, люди замечательные. Там легко спрятаться.

— Все равно, Лин, я очень волнуюсь. Вчера вон даже проиграл, хотя выигрыш сам в руки шел.

— Ты вчера триста партий сыграл, не меньше.

— Ну и что? А вдруг я разучусь? И вообще... Никак не соображу, чем мне ему помочь. Я же его обожаю.

Мне следовало промолчать. Я и не предполагал, чем обернется мой совет для зодиакальных Джорджей. Если бы мне предложили исполнить три желания, первым из них было бы научиться держать язык за зубами.

— Может, тебе его как-нибудь выманить на прогулку? — сказал я. — Пройдетесь вокруг гостиницы, как прежде гуляли, только теперь с телохранителями. Глядишь, он и оклемается.

— Отлично придумано, — задумчиво протянул Близнец. — Я как-нибудь извернусь...

— Да просто пригласи его погулять.

— Нет, лучше обманом, — вздохнул он. — Его и в пустыне напиться не заставишь, начнет нудить, что ЦРУ воду в оазисе отравило. Ничего, у меня уже план сложился.

— Только мне о своих планах не рассказывай, — оборвал его я, положил на стол пачку денег — мой взнос в банк для игры в покер — и направился к двери. — У меня на планы аллергия.

Теперь я понимаю, что мне следовало обеспокоиться. Увы, как многие жители Бомбея, я думал, что неожиданное богатство Джорджа Скорпиона решило все его проблемы. К сожалению, я был не прав: богатство, как часто случается, поставило под угрозу не только дружбу зодиакальных Джорджей, но и их жизни.

ГЛАВА

 53

Из гостиницы я поехал в ресторан «Старлайт» на пляже Чаупатти — нелегальное заведение на крохотном отрезке побережья неподалеку от волнореза. Три месяца назад местный предприниматель и кинозвезда скооперировались и решили сделать подарок городу, воссоздав на заброшенном общественном пляже типичный гоанский пейзаж — пальмы, соломенные зонтики над столами и мелкий песочек. Кормили там превосходно, обслуживали по высшему классу. Вдобавок заведение, работающее без лицензии, обладало особым шармом: муниципальные чиновники почему-то не стремились закрыть нелегальный ресторан, а с удовольствием бронировали в нем столики, причем записываться приходилось на неделю вперед.

Местный предприниматель, мой хороший знакомый, вложил в ресторан большие деньги без всякой надежды их отбить. Он-то и заказал столик, за которым сейчас ждала меня Карла.

Увидев меня, она привстала, и лицо ее осветил ласковый огонек свечи. Карла поцеловала и обняла меня. Ее фигуру ладно облегал алый чонсам с разрезом до бедра. Волосы, уложенные замысловатыми волнами, закрепляла шпилька, похожая на отравленный дротик. Дополняли образ алые перчатки. Карла прекрасно выглядела, и вечер был прекрасным до тех пор, пока она не упомянула Конкэннона.

— Что-что?

— Конкэннон написал мне письмо, — повторила она, невозмутимо глядя на меня.

— И ты мне об этом только сейчас говоришь?

— Сначала нужно было обсудить вещи поважнее.

— Дай письмо, — мрачно произнес я.

Говорить этого не следовало, но упоминание Конкэннона меня разозлило.

— Не дам.

— Не дашь?

— Нет.

— Почему?

— Я его сожгла. Слушай, давай пойдем куда-нибудь, где табачный дым не будет мешать никому, кроме тебя.

Мы поехали на Малабар-хилл. С вершины холма открывался вид на пляж. Гирлянды огней Марин-драйв обвивали талию океана, матери всего сущего.

Карла выпустила мне в лицо струйку дыма и смягчила взгляд зеленых глаз.

— Что происходит?

— Чего только не происходит, Карла!

Мы сидели на высоком каменном пьедестале; сквозь кроны деревьев виднелось море. Неподалеку перешептывалась еще одна парочка. Мимо медленно проезжали автомобили и мотоциклы, сворачивая на длинное шоссе в обход городского зоопарка, которое круто взбегало на холм, к Кемпс-корнер. Над дорогой витал едкий запах львов и тоскливый страдальческий рык. Полицейские машины курсировали по району каждые полчаса — здесь обитали богачи. Из-за поворота медленно выехал черный лимузин с затемненными стеклами. Я прижался к Карле, чувствуя, как она напряглась, приготовился оттолкнуть ее и выхватить нож. Лимузин покатил вниз по холму львиной тоски.

— Зачем ты сожгла письмо?

— Если иммунная система с инфекцией не справляется, заразу выжигают антибиотиками. Заразное письмо я сожгла в очистительном огне. Письма больше нет.

— Неправда. Оно осталось у тебя в памяти. Ты никогда ничего не забываешь. О чем говорилось в письме?

— Письмо сохранилось в памяти двоих — его и моей. Третий лишний. — Карла коротко вздохнула.

Мне был слишком хорошо знаком этот вздох — верный признак ярости.

— Письмо касается нас всех, — сказал я, умоляюще воздев руки. — Да, конечно, оно адресовано тебе лично, но написал его наш общий враг. Ты же понимаешь...

— Он написал письмо специально, надеясь, что ты его прочтешь. Он издевается — не надо мной, а над тобой.

— Вот поэтому мне и важно знать, что именно он написал.

— Вот поэтому тебе этого знать не следует. Ничего хорошего в письме не содержалось. Тебе сейчас важнее всего понять, зачем он это сделал. Я бы не стала ничего скрывать, но не хочу, чтобы ты прочел письмо. Ты же сам это прекрасно понимаешь.

Я ничего не понимал, и мне это не нравилось. Скорее всего, Конкэннон был замешан в смерти Лизы. Вдобавок он едва не проломил мне череп. Карла меня не предала, а просто не хотела делиться информацией, и это угнетало. Впрочем, Карла никогда не рассказывала мне о своих делах и планах.

Мы уехали домой, поцеловались на прощание. Поцелуй вышел неловким — скрыть свое огорчение я не сумел. У самой двери Карла меня остановила:

— Не дуйся. Признавайся, в чем дело.

Она стояла у входа в бедуинский шатер, а я — у входа в монашескую келью, в тюремную камеру, готовый оттуда сбежать.

— Зря ты не показала мне письмо, — сказал я. — Не хочу, чтобы ты хранила его в тайне.

— В тайне? — Она внимательно оглядела меня, наклонила голову. — Между прочим, у меня завтра тяжелый день.

— И что?

— И послезавтра тоже.

— А...

— И потом не легче.

— Погоди, вроде бы я на тебя сердиться должен.

— Ты на меня никогда сердиться не должен.

— Даже если я прав?

— Особенно тогда, когда ты прав. Но в этом ты не прав. И теперь рассердились мы оба.

— Карла, ты не имеешь права на меня сердиться. Конкэннон связан и с Ранджитом, и с Лизой. Его поступки нельзя хранить в тайне.

— Лучше остановиться, пока мы не наговорили друг другу глупостей, о которых потом пожалеем, — вздохнула она. — Если мне будет не по себе, я тебе записку под дверь подсуну.

Она захлопнула дверь и заперла все замки.

Через минуту ко мне в номер постучал Абдулла, прервал мои разъяренные метания по гостиной и велел спуститься.

Абдулла, Команч и еще трое людей Санджая припарковали мотоциклы рядом с моим байком. Я завел мотоцикл, и мы поехали на юг, к фонтану Флоры, где дорогу нам перегородила цистерна с водой, со слоновьей медлительностью разворачиваясь на перекрестке.

— Тебе не любопытно, куда мы едем? — спросил Абдулла.

— Не-а. Мне ваше общество нравится.

Он улыбнулся. Мы поехали по Колабе к причалу Сассуна и припарковали байки у входа на военно-морскую базу, в тени широких ворот, запертых на ночь. Абдулла отправил мальчишку за чаем, а мотоциклисты заняли наблюдательные позиции.

— Фардина убили, — сказал Абдулла.

— *Инна лилляхи ва инна иляйхи раджиун,* — невозмутимо произнес я, скрывая боль. — Поистине, мы принадлежим Аллаху, и, поистине, к Нему мы вернемся.

— *Субханаху ва та'аля,* — ответил Абдулла. — Да снизойдет милость Аллаха на его грешную душу.

— *Амин,* — добавил я.

Фардин, всегда вежливый и заботливый, так ловко умел разрешать споры, что мы прозвали его Политиком. Он был отважным воином и верным другом, у него — единственного из людей Санджая — не было врагов внутри Компании. Его любили все.

Если «скорпионы» убили Фардина в отместку за поджог особняка Вишну, то жертву выбрали крайне неудачно. Смерть Фардина ожесточила сердца всех людей Санджая.

— Его «скорпионы» убили? — спросил я.

Команч, Шах, Рави и Дылда Тони злобно захохотали.

— Фардина подстерегли где-то между фонтаном Флоры и Чор-базаром, — сказал Шах, утирая сердитые слезы. — Мотоцикл мы нашли в Байкулле, на обочине.

— Его куда-то увезли, связали, пытали, вытатуировали на груди скорпиона и пырнули ножом в сердце, — объяснил Дылда Тони и презрительно сплюнул. — Конечно «скорпионы», тут и гадать нечего.

Дылда Тони — как и второй Тони в Компании Санджая, Малыш Тони, — получил свое прозвище из-за роста.

Татуировка на груди оскорбляла больше всего — Фардин, как многие мусульмане, строго придерживался законов ислама, запрещающих осквернять тело изображениями. Подобное надругательство превращало бандитские разборки в межконфессиональную вражду.

— Ни фига себе... — вздохнул я. — Вам помощь нужна?

Они снова рассмеялись, на этот раз без злости.

— Мы приехали тебе помочь, брат, — сказал Абдулла.

— А мне-то зачем? — удивился я. — Что происходит?

Отсмеявшись, Абдулла объяснил:

— За твою голову награду сулят.

— Предложение действительно сутки, — добавил Команч.

— Как это?

— А вот так — с сегодняшней полуночи до завтрашней, двадцать четыре часа, — пояснил Шах.

— И сколько же обещают?

— Целый лакх, — ответил Рави. — Сто тысяч рупий. Гордись, дружище, теперь ты себе цену знаешь.

В то время сто тысяч рупий равнялись примерно шести тысячам долларов. В Америке на эти деньги можно было купить грузовик, а в южном Бомбее такая сумма соблазнила бы любого наемного убийцу. Впрочем, некоторые мои знакомые с радостью прикончили бы меня и бесплатно, из любви к искусству.

— Спасибо за предупреждение, — сказал я.

— И что ты делать собираешься? — спросил Абдулла.

— Буду держаться подальше от Карлы. Чтоб ее случайной пулей не задело.

— Мудрое решение, — кивнул Абдулла. — Тебе из дому ничего не нужно?

Что нужно человеку, на которого открыли охоту? Я жил на улицах, был готов ко всему. Пара прочных ботинок, удобные джинсы, чистая футболка, счастливая кожаная безрукавка с внутренними карманами, доллары, рупии, два ножа за поясом и верный мотоцикл. Пистолета у меня не было, но я знал, где его раздобыть.

— Нет, все мое — со мной. Ночь переживу. Еще раз спасибо за предупреждение. Через сутки увидимся, *Аллах хафиз*, — ответил я, собираясь завести байк.

— Эй, погоди! — воскликнул Дылда Тони.

— Куда это ты собрался? — спросил Рави.

— Да есть тут одно местечко, — сказал я.

— Какое местечко? — насупился Абдулла.

— Надежное, *Аллах хафиз*, — ответил я.

— Погоди, кому говорят! — повторил Дылда Тони.

— Что еще за местечко? — поинтересовался Рави.

— Такое. Все знают, как туда попасть, но только я знаю, как оттуда выбраться.

— Ты что несешь? — возмутился Команч.

— Заберу свой пистолет, запасусь фруктами и пивом да и залягу там на сутки. Не волнуйтесь, завтра увидимся.

— Нет уж, — помотал головой Рави.

— Санджай нам запретил тебе помогать, — сказал Абдулла. — Но времена настали неспокойные, особенно после того, как убили Фардина, советника Компании. Теперь местные жители помогают нашим людям патрулировать границы территории. Вот видишь, даже Команч к нам присоединился, хотя от Санджая давно ушел.

— Совершенно верно, — добавил Рави.

— Так что тебе никто не запрещает нам помогать, а мы от твоей помощи не станем отказываться, — продолжил Абдулла. — Объедем район, потом отдохнем, и ты с нами сутки побудешь. Заодно и объявишь о том, что поддерживаешь Санджая.

— Ага, если захочешь... — начал Дылда Тони.

— То мы тебя останавливать не станем, — завершил Рави.

— В общем, Лин, поедешь с нами границу патрулировать. — Абдулла дружески хлопнул меня по плечу. — Докажешь, что готов защищать людей Санджая от врагов.

Предложение было весьма заманчивым, но соглашаться не хотелось.

— А если один из вас из-за меня под пулю попадет? — спросил я. — Что мне тогда делать?

— А если ты за нас под пули встанешь? — ответил Абдулла. — Что нам тогда делать?

Все завели мотоциклы, и мы медленно тронулись в путь по улицам и бульварам южного Бомбея: двое впереди, трое позади.

Мужчины умеют забывать о несущественном. Лучше всего это удается мужчинам, движимым чувством долга.

За мою жизнь назначили награду... Я понятия не имел, кто это сделал, и старался об этом не думать. Теперь главным было выжить. Вдобавок власти моей родной страны тоже обещали вознаграждение за мою поимку, так что я с легкостью отогнал тревожные мысли и вместе с Абдуллой отправился патрулировать границы территории Санджая.

Патрульный объезд я совершал не впервые: многие бандитские группировки считали южный Бомбей лакомым кусочком и пытались отвоевать его у Санджая. Мы часто отправлялись в ночной дозор, предупреждая внезапные нападения конкурентов;

восемь мотоциклистов, разбившись на две группы, охраняли территорию по четыре часа, а потом сменялись.

Драконья пасть Города семи островов по величине схожа с Манхэттеном. За четыре часа мы объезжали ее десятки раз по запутанной сети узких проулков, связывающей широкие городские магистрали. Мы часто останавливались и заговаривали с горожанами — в борьбе с врагами помогали любые слухи. Вдобавок мы вели войну на своей территории, что давало нам значительное преимущество. Наблюдательность стала нашим козырем. Местные жители доверяли нам примерно в той же мере, что и полицейским, однако помогало и это. Впрочем, после убийства Фардина полицейские объявили временную амнистию, позволив людям Санджая носить оружие.

Осведомители Дидье сообщали, что «скорпионы» пытались разжечь в южном Бомбее религиозный национализм, именовали себя патриотами, а Санджая называли предателем и грубой силой намеревались захватить территорию, надеясь на поддержку и помощь полиции. Копы обязаны были немедленно реагировать на любые проявления религиозной розни, что предоставило Дилипу-Молнии прекрасную возможность скооперироваться с людьми Санджая: они платили больше, чем приверженцы патриотических взглядов. Дилип организовал регулярные полицейские патрули на джипах, заявляя, что «скорпионы» нарушают общественный порядок.

Временное перемирие всеми воспринималось с трудом. Жестокости полицейских можно было не бояться, но с ней правила игры были привычнее и понятнее. А когда полицейские превращаются в союзников, пусть и на время, игру пора менять.

У светофора рядом с нами остановился полицейский джип с улыбчивыми копами. Они перекинулись с нами парой дружелюбных фраз и уехали. Странно было думать, что еще недавно в этом самом джипе те же копы могли избить любого из нас.

Наконец мы закончили объезд, не обнаружив ничего подозрительного, и остановились в Тардео, неподалеку от мечети Хаджи Али, у перекрестка на Педдер-роуд, — именно отсюда начинались владения Санджая, занимающие весь юг полуострова, от моря до моря. Мечеть стояла на нейтральной территории, куда беспрепятственно приходили все бомбейские бандиты, даже из враждующих кланов.

Мы оставили байки на заправке по соседству, и Абдулла повел нас по узкой тропке на остров, к гробнице Хаджи Али. Все мы не раз совершали ритуальное посещение могилы святого — своеобразное паломничество перед сражением. Некогда Хаджи Али, богатый бухарский торговец, роздал все свое имущество беднякам и отправился в Мекку. Путешествовать в пятнадцатом веке было непросто, но он с котомкой на плече обошел полмира и многому научился. В конце концов он, человек с прекрасным вкусом, обосновался в Бомбее и прославился святостью и смирением. Однажды совершая ежегодный хадж, он умер, а корабль, на котором везли тело Хаджи Али, затонул, но гроб чудесным образом прибило к бомбейским берегам, где святому и возвели гробницу. В прилив узенькая тропка, ведущая на остров, скрывается под водой, будто Хаджи Али ненадолго покидает наш грешный мир, чтобы отдохнуть и набраться сил для защиты прекрасного города.

В ту ночь море отступило от тропы, только налетали резкие порывы холодного ветра. Пятеро бандитов молча шли к островной гробнице, а лунный свет чертил длинные тени на неподвижном зеркале воды. По обеим сторонам тропки обнажились округлые валуны, облепленные мокрыми черными водорослями. У гробницы курились толстые пучки благовоний, наполняя воздух благочестивыми ароматами.

В тот раз я шел по тропке не для ритуального поклонения гробнице святого, хотя мои спутники отправлялись туда вспоминать прошлые прегрешения, молить о прощении и готовиться к жестокой битве. Однако я делать этого не стал.

Я думал о Карле, о нашей ссоре, о нашем прощании.

Я не гадал о том, кто именно объявил награду за мою жизнь, — длинный список врагов от раздумий не уменьшится.

— Ты даже не спросил, кто тебя заказал, — заметил Абдулла, когда мы вернулись на каменистый берег.

— Если выживу, узнаю, — равнодушно сказал я.

— А почему сейчас не хочешь?

— Потому что если узнаю, то попытаюсь с этим типом разобраться. А разбираться легче, когда за мной перестанут охотиться.

— Тебя ирландец заказал.

— Конкэннон?

— Да.

Я рассмеялся.

— Рад видеть тебя в хорошем настроении, — улыбнулся Рави, держась позади с Шахом, Команчем и Дылдой Тони.

— Смеяться особо нечему, но все равно смешно, — объяснил я сквозь смех. — Я Конкэннона хорошо знаю, он любит дурацкие шутки. Типичная бандитская подлянка. Ему хочется посмотреть, как я отреагирую, поэтому и время ограничено. Он меня морочит.

Я зашелся хохотом. Все остальные, кроме Абдуллы, тоже оценили комизм ситуации и захохотали, хватаясь за бока и с сожалением восклицая, что первыми не додумались до такой удачной шутки.

— Нет, мне этот паршивец определенно нравится, — сказал Рави. — Я бы с ним поближе познакомился. Потом мы его убьем, конечно, но познакомиться надо.

— И мне он тоже по душе, — заметил Дылда Тони. — Это ему Абдулла ногу прострелил?

— Ему са́мому.

— Дважды прострелил, — напомнил Абдулла. — Одну и ту же ногу. Вот видите, я всегда говорил, что милосердия заслуживают только люди добродетельные, а не такой шайтан, как этот тип.

Все засмеялись еще громче — хороший признак: хотя сегодня убили одного из наших друзей и мне тоже грозила смерть, страха у нас не было. Наконец под суровым взглядом Абдуллы смех прекратился, и мы направились к мотоциклам.

Традиционная бандитская прогулка к гробнице святого покровителя Города семи островов по сути своей была кощунством, и мы это прекрасно понимали, однако заставляли себя поверить в то, что святой прощает отщепенцев и отпускают им прегрешения. Хаджи Али, спящий вечным сном на острове, знал, что бандиты преклоняются перед его святостью, и терпеливо внимал нашим кощунственным молитвам.

ГЛАВА

 54

Шутка Конкэннона неожиданно принесла мне пользу, выманив наемных убийц из преступных джунглей Колабы. Абдулла и Дидье встречались с каждым, кто изъявлял желание получить обещанную награду, и внятно объясняли, почему делать этого не стоит, даже если предложат втрое большую сумму.

Я неустанно искал Конкэннона по всему городу, на самых дальних окраинах, впрочем безрезультатно. Ирландец превратился в призрак, в обидный смех, затихающий вдали, в отголоски слухов. В конце концов пришлось удовольствоваться мыслью о том, что отсутствие Конкэннона вреда не причинит.

Карла по-прежнему сердилась на меня, к себе не подпускала и встречаться отказывалась. У меня сердиться не получалось, хотя я и считал, что ей не следовало скрывать от меня содержание письма ирландца, особенно после того, как он заказал мое убийство. Мне было обидно, но я слишком скучал по счастливым дням, проведенным с ней.

«Знаешь, как понять, встретил ты свою задушевную спутницу или нет? Если на нее невозможно сердиться, то она — твоя вторая половина», — объяснил мне однажды нигерийский контрабандист. Он был одновременно и прав, и не прав — Карла, моя задушевная спутница, продолжала на меня сердиться. Впрочем, ее ледяное отстранение освобождало меня от необходимости обсуждать с ней шутку Конкэннона. Я знал, что Карле об этом известно; наверняка она оценит комизм ситуации и сама начнет надо мной подшучивать.

О мадам Жу никаких вестей не было — никто ее не видел, никто о ней не слышал. Слово «кислота» обжигало рассудок, но понапрасну тревожить Карлу я не желал, поэтому не выпытывал, с кем она встречается. Мне хотелось лишь удостовериться, что она в безопасности, и я при любом удобном случае присматривал за ней.

Выяснилось, что она все дни проводит либо в редакции газеты с Кавитой Сингх, либо в галерее Лизы. Поговорить с Карлой тоже не удавалось, хотя я всегда знал, где она находится. Это сводило меня с ума.

Я стал раздражителен и вспыльчив, вдрызг разругался с торговцами валютой, так что они не вручали, а обиженно швыряли мне пачки денег и советовали научиться владеть собой. На третий день мне стали советовать различные способы справиться с моим гневом: проститутки, наркотики, бандитские разборки, даже взрывчатка.

— Чтобы выбросить из головы мысли о женщине, обязательно надо что-нибудь подорвать, — сказал один приятель. — Я сам этим часто занимаюсь. Все думают, что теракт, а это я так в себя прихожу.

Мне не хотелось ничего взрывать, но я, обезумев от любви и отчаяния, обратился за советом к специалисту.

— Ты от любви ничего не взрывал? — спросил я своего цирюльника Ахмеда.

— Нет, в последнее время не взрывал, — ответил он.

Ахмедов салон красоты был традиционной индийской цирюльней, отчаянно сопротивлявшейся превращению в современную парикмахерскую. В салоне стояли три красных кожаных кресла с хромовыми поручнями — вызывающе мужские. Никто из моих приятелей не мог устоять перед их обольстительным очарованием. С фотографий, заткнутых за рамы настенных зеркал, смотрели несчастные физиономии Ахмедовых клиентов — за право сфотографировать жертву хозяин предлагал бесплатную стрижку. Снимки служили предупреждением для недогадливых посетителей — на бесплатное обслуживание соглашаться не стоило.

Ахмед, как и все цирюльники, обожал черный юмор, но был демократом до мозга костей, и мы это ценили. В его салоне приветствовались любые мнения и царила неограниченная свобода слова. Только у Ахмеда мусульмане и индусы могли называть друг друга ханжами и лицемерами, не доходя до рукоприкладства. Здесь оголтелые фанатики свободно излагали свои взгляды, но посетителям все прощалось, едва лишь они выходили за порог. Казалось, в салоне у Ахмеда клиентам дают сыворотку правды.

Опасная бритва Ахмеда была острее усов велокиллеров. Те, кто обитает вне законопослушного общества, редко по своей воле подставляют шею под опасную бритву в чужих руках. Ахмеду доверяли безоговорочно: как настоящий мастер своего дела, он не мог зарезать клиента — этого не позволял неписаный кодекс цирюльника. Убивать он предпочитал из пистолета — такой же пистолет Ахмед продал мне пару месяцев назад, и теперь оружие хранилось у Тито. Памятуя о кодексе цирюльника, я бесстрашно откинул голову на спинку кресла и расслабился, уверенный в том, что выбреют меня гладко, без единой царапинки.

Наконец Ахмед обернул мою нежную после бритья кожу до боли горячим полотенцем, а потом, удовлетворившись результатом пытки, театральным жестом тореадора скинул с моих плеч простыню, ловко стряхнул волоски, припудрил выбритые места на шее и предложил свой фирменный одеколон, единственный в заведении, — «Амбрэ д'Ахмед».

Профессиональные заботы Ахмеда развеяли мое возбуждение. Я умиротворенно похлопал по щекам, и тут в салон вбежал Данда с криком:

— Ах ты, мразь!

Данда — и я в облаке «Амбрэ д'Ахмед».

Я оборвал его на полуслове. Меня не интересовало, отчего он набросился на меня с руганью. Мне было все равно, чего он добивается. Я схватил его за грудки, влажной от одеколона ладонью хлопнул по багровому уху и продолжал сыпать затрещинами до тех пор, пока он не вырвался и не убежал. Я распахнул дверь цирюльни и помахал Ахмеду на прощание:

— *Аллах хафиз*, Ахмедбхай.

— Погоди! — Цирюльник подошел ко мне и заботливо поправил воротник безрукавки. — Вот, так лучше.

На крыльце меня дожидался Джордж Близнец.

— Ох, наконец-то я тебя нашел, дружище, — воскликнул он, закашлялся, шумно перевел дух и притянул меня к себе, неуклюже обнимая.

— Как тебе это удалось?

Близнец знал, что вопрос задан неспроста.

— Сутенер на Паста-лейн подсказал. Он за тобой следит, говорит, ты нервный. Бьется об заклад, что ты через пару дней к девочкам наведаешься.

— Со мной все в порядке, — ответил я. — Я успокоился.

— Вот и хорошо, — недоверчиво протянул он.

— В чем дело?

— Скорпион с ума сошел, — затараторил Близнец. — Без тебя мне с ним не справиться.

— Слушай, он не может с ума сойти, он и так сумасшедший.

— Нет, там все гораздо хуже. Даже по его меркам. Просто «Сумеречная зона»[1] какая-то. Он совсем офонарел.

— Давай где-нибудь в другом месте это обсудим.

Мы устроились в кафе «Мадрас», заказали идли-самбар[2] и крепкий сладкий чай. Несмотря на дружбу с миллионером, Джордж Близнец по-прежнему вел себя как уличный мальчишка — сначала еда, потом разговоры. Наконец, запивая чаем пряный вкус кокоса и жгучего перца, Близнец начал свой рассказ. Как обычно в Индии, без святых не обошлось.

Недавно отмечали праздник какого-то местного святого, большого любителя гашиша. Все улицы запрудили отшельники и гуру всевозможного толка — в этот день полицейские не решались задерживать курильщиков наркоты, потому что все они, как один, были преисполнены святости. Под соблазнительным предлогом праздника, словно нарочно созданного для зодиакальных Джорджей, Близнецу удалось выманить Скорпиона из его крепости в гостиничном пентхаусе. Скорпион, оказавшись на свежем воздухе, быстро вспомнил уличные повадки, обрел характерную шаркающую походку и даже разговорился, рассказывая своим четырем телохранителям — предоставленным гостиницей за почасовую оплату — о своих приключениях в подворотнях, переулках и прочих неприглядных местах.

За углом им преградил дорогу садху, местный святой. В одной руке он сжимал узловатый посох, а другую предупредительно выставил вперед, раскрыв окрашенную алым ладонь.

— И что? — спросил я.

— Ну, я вежливо поздоровался, мол, *намасте, джи,* да и предложил ему нашей травки попробовать. У меня была отличная конопля из Манали.

— Он согласился?

— Не успел. Скорпион хотел его обойти, но садху его не пустил.

— Это еще почему?

— Потребовал тысячу долларов.

— Сколько?!

---

[1] *«Сумеречная зона»* — культовый американский телесериал, созданный режиссером Родом Серлингом; первоначально вышел на экраны в 1959 г., представляет собой смесь фантастики, фэнтези и ужасов.

[2] *Идли-самбар* — чечевичные лепешки с пряным томатным соусом.

— Тысячу долларов.

— А Скорпион что?

— Скорпион сказал, что святой спятил.

— А у него с собой была тысяча долларов?

— Садху то же самое спросил. Говорит: «А у тебя есть тысяча долларов в кармане?»

— И что?

— Лин, у него с собой двадцать пять тысяч было. Он мне сам показывал, когда объяснял, зачем ему четыре телохранителя.

— А Скорпион что ответил?

— Ну, он разозлился: «Я чужому человеку тысячу долларов не дам. Вот, возьми сотню, только оставь меня в покое».

— Грубиян, — вздохнул я. — А гуру как на это отреагировал?

— Ну, как все гуру... Посмотрел на него умиротворенно и спрашивает: «А твое богатство сильно уменьшится, если ты мне тысячу долларов дашь?»

— А Скорпион?

— Сказал, что не в этом дело.

— А садху что?

— А садху и говорит: «Жадность — твоя слабость. Осознание этого стоит больше тысячи долларов». Мне эти слова прямо в память врезались, я их до смерти не забуду.

— Вообще-то, он прав.

— Ага... — Близнец с тоской посмотрел на улицу, явственно мечтая о сигарете. — Он с такой улыбкой это изрек... А лицо невозмутимое, с таким только в покер играть. В общем, эта улыбка Скорпиона больше всего взбесила.

— Что случилось-то?

— Ну, он с гуру сцепился, начал толкать, телохранители завопили, а садху упал и лоб об угол дома разбил. Кожу ободрал над бровью, кровища рекой течет... Телохранители к нему на помощь бросились, я носовым платком кровь промокаю, объясняю, что мы сейчас к врачу в гостиницу пойдем... — Близнец снова уставился на улицу — ему хотелось вернуться туда, в привычную, безопасную обстановку, где во всем приходится полагаться только на свою ловкость и смекалку.

— Рассказывай уже до конца, покурить всегда успеешь, — вздохнул я. — А то знаю я тебя, как выйдешь, так и исчезнешь. Не крути коту хвост, говори, что дальше было.

— Не тяни кота за хвост, — поправил меня Близнец.

— Не морочь мне голову!

— В общем, садху его проклял, — признался он и опасливо передернулся.

Его испуг мне не понравился.

— И что?

— И все.

Истинные глубины терпения проявляются только в общении с самыми родными и близкими людьми.

— Что именно произошло? — спросил я, терпеливо улыбаясь.

— Садху Скорпиона проклял. Сказал, что жадность его убьет, а за то, что он святую кровь пролил, деньги его тоже прокляты и отныне принесут ему только огорчение и разочарование.

— А потом что?

— Телохранители сбежали.

— А Скорпион?

— Тоже сбежал. Я потом его в гостинице нашел.

— А садху?

— Я сначала с ним остался, уговаривал его к врачу пойти, в гостиницу, но тут целая толпа святых нас окружила, и садху велел мне убираться, чтобы меня не убили. Ну, я и убрался. Ты же знаешь, рассерженным святым лучше под горячую руку не попадаться.

— И что, Скорпион в проклятие поверил?

— Ну, оно вроде бы сработало. Гостиничная прислуга с этажа разбежалась, все проклятья боятся, никто Скорпиона обслуживать не хочет.

— А в гостинице как дела?

— Скорпион с управляющим поговорил, тот новых людей прислал. Кажется, литовцев. Они люди приятные, только язык у них непонятный. А новые телохранители — русские. Я их тоже не понимаю, хотя они вроде и по-английски говорят. Скорпион у себя в номере заперся... Похоже, на этот раз забаррикадировался серьезно.

Вряд ли садху был богат. Если его разыскать, попросить прощения за дурацкое поведение Джорджа Скорпиона и предложить приличную сумму денег в искупление нанесенной обиды, то святой наверняка снимет проклятие — садху обычно с готовностью откликались на подобные просьбы. Все бы хорошо, только в то время я не догадывался, что этот поступок столкнет Близнеца, моего наивного приятеля, в ту самую пучину, которой он долго и не без оснований избегал.

— Отлично придумано! Лин, ты гений! — воскликнул Близнец, выслушав мое предложение. — Скорпион так перепугался, да и меня самого это проклятие тревожит. По-моему, проклятие святого хуже ручной гранаты или ядерного взрыва. Как разорвется, так всех вокруг осколками засыплет или, там, этой... радиацией.

— Ты с Навином Адэром поговори, — не подумав, предложил я. — У него сыскное агентство «Утраченная любовь», офис в «Амритсаре», рядом с моим номером.

— Ох, спасибо! Я сначала на улицах поспрашиваю, а если сразу святого не найду, к Навину обращусь. Вдвоем мы точно все уладим.

— Вот и славно, — сказал я. — Тебя куда-нибудь подвезти?

Близнец поглядел на мой байк, припаркованный на обочине, и улыбнулся:

— Нет, я с мотоциклами не дружу, лучше на такси в гостиницу вернусь. Спасибо, Лин, что ты меня выслушал.

Я поехал по бульварам, размышляя о зодиакальных Джорджах, — они были счастливы, пока не вмешалась судьба, прислав своего ангела в строгом синем костюме с вестью о причитающихся Скорпиону миллионах.

Мне, как и Скорпиону, совсем не обязательно было оставаться в Бомбее, можно было податься в Африку, к знакомым в Лагосе или в Киншасе, — там всегда требовались специалисты по изготовлению фальшивых паспортов. Мои сингапурские приятели звали меня к себе, им нужен был белый человек для валютных операций в Индокитае. Деньги обещали приличные, да и жизнь в Сингапуре была куда безопаснее — если уважать местные законы, то тебя никто не тронет. Я не раз подумывал о переезде, но ни один вариант меня не устраивал. Я так и не понял, Бомбей меня не отпускает или любимая женщина удерживает.

В «Амритсар» я вернулся, надеясь встретиться с Карлой; мне доложили, что час назад она ушла из картинной галереи. У меня для Карлы был своеобразный подарок — мои приятели-джазмены устраивали импровизированный концерт под открытым небом, на берегу залива Бэк-Бей, а новые впечатления Карла обожала.

— Вы с ней разминулись, — сказал Дидье. — Она на пару минут к нам заглянула, и не одна, а с Таджем.

— Что еще за Тадж?

— Скульптор, высокий такой, симпатичный, черноволосый. Статуя Энкиду в галерее «Джехангир» — его работа. Он очень талантливый.

— Только скульпторов нам не хватало, — буркнул я.

— И правда, — кивнул Дидье. — У нас все больше музыканты и художники. Интересно, почему всех так тянет к людям искусства?

— Из-за секса. Художники своих натурщиц заставляют раздеваться, а музыканты возбуждают и ублажают.

— Завлекают, сволочи, — вздохнул Дидье.

— А то, — согласился я. — Карла не сказала, когда вернется?

— Ну...

— Что?

— Понимаешь...

— Дидье, да говори уже!

— Она обещала вернуться через пару дней. Взяла с собой пистолет. И скульптора.

Я смолчал, но, похоже, скрипнул зубами, потому что Дидье встал из-за письменного стола, заваленного документами, и обнял меня.

— Ничего страшного, Лин. Спиртное нам поможет. Предлагаю напиться как следует. У тебя есть излюбленное местечко?

— Есть. Ты прав, Дидье, вот туда мы с тобой и отправимся.

— Куда?

— На концерт «Аум азан», джаз-ансамбля Рагхава. Они сегодня выступают на берегу залива Бэк-Бей. Я хотел Карлу пригласить, но раз ее нет...

— Лин, я с удовольствием составлю тебе компанию, — обрадовался Дидье. — Только, если не возражаешь, я поеду на такси.

ГЛАВА

 55

Мы с Дидье договорились встретиться на концерте. Я завел мотоцикл и поехал к району Кафф-Парейд. У полицейского участка Колабы посреди дороги стоял Аршан, размахивая кухонным ножом и оглашая округу пронзительными воплями. Я остановился и подошел к нему. Вокруг собиралась толпа, но приближаться к нам боялись. Полицейские то ли не замечали, то ли решили не обращать внимания.

— Как дела, дядюшка? — учтиво поинтересовался я, протягивая ему руку.

— Трус! Подлый трус! — выкрикнул Аршан. — Он сына моего избил! Фарзада в больницу увезли с кровоизлиянием в мозг. Выходи, Дилип-Молния, я тебя изувечу!

— Аршан, не нарывайся. Успокойся, не кричи...

С полицейскими бороться бесполезно: если одного припугнуть, он с собой друзей приведет, а если и от них отобьешься, то столько копов набежит, что живым уйти не удастся. Полиция побеждает в любой схватке, иначе им нельзя. С городскими властями у полиции существует негласный договор: копы, как бандиты, каждый день рискуют жизнью и всегда дают отпор прямому нападению. И копы, и бандиты огрызаются, если их задевают, — это закон. Только копы всегда побеждают.

Я медленно увел Аршана с дороги на обочину, вынул нож из ослабевших пальцев и передал какому-то уличному мальчишке.

За углом стояло такси. Я усадил в него Аршана, попросил таксиста подождать, оставил байк в надежном месте под надзором еще одного мальчишки. В салоне такси Аршан разрыдался. Я сел рядом с водителем и назвал адрес в районе Кафф-Парейд. Аршан сгорбился на заднем сиденье, закрыв лицо руками. Такси тронулось с места. Я оглянулся: у входа в полицейский участок, грозно подбоченившись, стоял Дилип-Молния.

Аршан остановил машину за квартал от дома и потребовал поговорить со мной наедине. Мы устроились под синим навесом в той самой чайной, где я встречался с Конкэнноном после драки со «скорпионами».

Аршан рассеянно прихлебывал чай.

— Что случилось с Фарзадом? — спросил я.

— У него последнее время голова все время болела. Я рассердился, пришел с Дилипом разбираться, но в тот раз ты меня увел. А у Фарзада головные боли усилились. Мы заставили его пройти обследование, ну и обнаружилось массивное кровоизлияние. Подозревают, что от удара по голове.

— Ужас какой! Мои соболезнования...

— Он у врача сознание потерял, его сразу в реанимацию увезли, он там уже трое суток. Ни на что не реагирует.

— Как это?

— Он в коме.

— В какой больнице?

— Бхатия.

— Там отличные врачи. Все будет хорошо, — сказал я.

— Он умрет, — вздохнул Аршан.

— Ничего подобного. Его спасут. А если Дилип тебя убьет, Фарзаду незачем будет жить. Обещай мне больше так не делать.

— Я... Нет, не могу.

— Можешь и должен. На тебя многие надеются.

— Ох, ты не понимаешь... Я его нашел.

— Кого?

— Не кого, а что. Сокровище.

— Что ты нашел?

— Сокровище.

До нас донесся перезвон — в местном храме начиналась молитва, монахи звонили в колокольчики.

— То самое сокровище?

— Да.

— Когда?

Он невидящим взглядом уставился себе под ноги. Пустой стакан выпал из дрожащих пальцев. Я поймал стакан и поставил на стол.

— Две недели назад.

— Прекрасная новость, Аршан. Родные, наверное, обрадовались?

— Я им ничего не сказал.

— Почему? — удивился я.

— Сначала не стал говорить, чтобы не потерять то, что есть... — медленно произнес он. — Нам было так интересно сокровище искать... всем вместе. Мы были счастливы. Я знал, что если его найти, то все изменится. Не может не измениться. Поэтому и держал все в секрете.

— А теперь что случилось?

— Когда Фарзаду стало плохо, я понял, что не говорил о сокровище из жадности, — в душе не хотел ни с кем делиться, будто оно только мне принадлежит. Сначала мне это нравилось.

— На твоем месте любой себя повел бы точно так же. Но ты, Аршан, настоящий мужчина, знаешь, как поступать правильно.

— Понимаешь, когда Фарзада избили, я не стал жаловаться, боялся, что мне помешают сокровище искать. Из-за этого проклятого сокровища я сыном пожертвовал!

— Ну, не ты же его по голове бил. Мне вот тоже от Дилипа досталось... К счастью, мерзавец меня не изувечил, а Фарзаду просто не повезло. Твоей вины в этом нет.

— Я... я только о себе думал.

— А сейчас самое время вспомнить об остальных. Да и сокровище пригодится: наймешь для Фарзада самых лучших врачей, его вылечат.

— Думаешь, пригодится?

— Не знаю. Я вообще ничего не знаю, но, по-моему, попытаться стоит. В любом случае ты обязан сказать родственникам, что нашел сокровище. Чем дольше скрываешь, тем меньше тебе доверяют. Прямо сегодня им и расскажи.

— Да, ты прав, — вздохнул Аршан, расправляя плечи.

— Только мне больше ничего не говори. Не обижайся, просто я о сокровищах знать ничего не желаю. Понимаешь почему?

— Да. Странный ты человек, Лин, но хороший.

Я проводил его до дома. За дверью Анахита, жена Аршана, громогласно выражала свое недовольство:

— Я для храма семь хлебов испекла, за Фарзада помолиться! А ты, как всегда, опаздываешь! — Она приоткрыла дверь, взглянула на мужа, охнула и бросилась его обнимать. — Что, что случилось, любимый мой?

— Я должен вам кое-что рассказать, возлюбленная моя. — Он оперся на плечо жены и скрылся за алыми занавесями. — Позови остальных.

— Да-да, конечно, милый, — ответила она.

— Прости, что опоздал, — рассеянно пробормотал Аршан.

— Ничего страшного, милый.

Моего ухода никто не заметил. Я принялся ловить такси. Из особняка доносились восторженные восклицания и счастливые выкрики.

Я расплатился с мальчишкой, сторожившим мой байк, но он вернул мне деньги и прибавил горсть мелочи. Похоже, юнец был из дрифтеров и на жизнь зарабатывал тем, что приторговывал наркотой с автомобилей и мотоциклов, оставленных под присмотр. Когда я слыл человеком Санджая, подобная наглость была немыслима. Мальчишка знал, что наглеет, но решил проверить, знаю ли об этом я, поэтому и делился со мной выручкой. Я ухватил его за ворот и запихнул деньги в карман:

— Тебе кто позволил с моего мотоцикла торговать, а, Сид?

— Линбаба, времена трудные, на Мохаммед-Али-роуд афганцы засели, «скорпионы» повсюду шныряют, вот и не знаешь, где наркоту сбывать.

— Немедленно проси прощения.

— Ох, прости меня, Линбаба.

— Не передо мной извиняйся, а перед мотоциклом. Я же оставил тебя за ним присматривать. Ну, проси прощения! — прикрикнул я, крепко держа его за рубаху, — вертлявый парень в любой момент мог сбежать.

Он наклонился к мотоциклу, почтительно сложил ладони, прижал их ко лбу.

— Прости меня, уважаемый мотоцикл-*джи*, за дурной поступок. Я больше так не буду, — сказал он и потянулся погладить сверкающую приборную панель.

— Эй, руки не распускай! — одернул его я. — Смотри, чтобы больше этого не повторилось.

— Не повторится, сэр.

— И дружкам своим скажи, чтобы на мой байк не зарились.

— Обязательно скажу, сэр.

К заливу Бэк-Бей я отправился в объезд — не хотелось снова проезжать мимо дома Аршана, думать о сокровище и о Фарзаде. Мне было грустно — в самый раз для джаза. Я припарковал байк рядом с мотоциклом Навина, неподалеку от толпы студентов, рассевшихся на берегу. Люди, возбужденные музыкой, восхищенно перешептывались. Я стоял, сунув руки в карманы, слушал джаз и думал, что Карле понравилось бы представление.

— Музыканты, черт бы их побрал, — пробормотал Навин у меня за спиной.

Он уныло смотрел на Диву, сидевшую у ног Рагхава, красавца-гитариста. Мы с Рагхавом поддерживали приятельские отношения — хороший парень, таланта ему не занимать, но я прекрасно понимал, что Навин имеет в виду.

— Да уж, — вздохнул я.

О присутствии Дивы знали только мы и ее подруги-Дивушки, устроившиеся рядом с Дидье на лужайке. Дива преобразилась до неузнаваемости: ни грамма косметики, на лбу — граненая стекляшка-бинди, медные серьги в ушах, пластмассовые браслеты на запястьях, сари и сандалии — из дешевого ларька, последний писк трущобной моды. Как ни странно, наряд ей шел, как, впрочем, и всем обитателям трущоб. Больше всего меня беспокоили Дивушки.

— А они зачем увязались?

— Я их пытался отогнать, — вздохнул Навин. — Сам попробуй, может, получится. Они поклялись держать все в секрете. Диву жалко, она две недели в трущобах безвылазно сидит, понимаешь? Тяжело ей.

— Да, твоя правда. Ну, студенты Диву вряд ли узнают. Считай, трущобный маскарад удался.

— Знал бы ты, как она теперь ругается! Я на днях ненароком подслушал, как девчонки учили ее парней отваживать. Впечатляет, ничего не скажешь.

— Догадываюсь. Не забывай, я сам в трущобах жил, прекрасно помню, что тирада начинается с *лауда лехсун* и заканчивается *сала лукка*. Нет уж, избавь меня от этого сомнительного удовольствия!

— *Амин.*

— А Дивушки в трущобы не заглядывали?

Он рассмеялся. Я нахмурился — меня заботила безопасность Джонни Сигара и его родных, поэтому было не до смеха.

— Смешно, да? — спросил я.

— Ага, — ухмыльнулся он.

— Это почему еще?

— Да мы с Дидье поспорили, придут Дивушки в трущобы или побоятся.

— Почему, я тебя спрашиваю?

— Дидье пригласил их в трущобы, мол, проведем ночь с привидениями, — смущенно признался Навин. — Только похоже, трущобы Дивушек пугают больше, чем привидения. Вот мы с Дидье и поспорили: если они все-таки придут, то я с Бенисией гонки устрою.

Навин хорошо ездил на мотоцикле, а колабские гонщики научили его всяким трюкам, но на гонки с Бенисией мало кто решался. Эта испанка уже несколько лет жила в Бомбее, покупала раджастханские украшения и перепродавала их в Барселоне. Держалась она особняком, ни с кем не дружила, но, когда садилась на свой винтажный мотоцикл, обогнать ее не удавалось никому.

— Ты с Бенисией знаком? — удивился я.

— Нет пока, — ответил Навин.

— Так ты всерьез собрался с ней гонки устраивать?

— Конечно, — улыбнулся он и подозрительно уставился на меня. — Ты что, сам решил Дивушек в трущобы заманить?

— Туда никого лучше не приглашать, — объяснил я. — Диву приютила семья Джонни Сигара, так что им всем грозит опасность, пока убийц не нашли.

— Да-да, ты прав, — смутился Навин. — Прости, я как-то об этом не подумал... Может, я Дивушек отговорю, пока Дива их не уболтала...

— Ничего страшного. Если они все-таки в трущобы заявятся, а Бенисия согласится на гонку, я сам на тебя тысячу долларов поставлю.

— Ты серьезно?

— Вполне, — ответил я, протягивая ему купюры.

— Заметано! — воскликнул Навин, и мы обменялись рукопожатием. — Слушай, как там Карла?

— Нормально, — неохотно ответил я. — А как у тебя с Дивой идут дела?

— Она меня с ума сведет.

— А она об этом знает?

— Знает ли она, что сводит меня с ума? — забеспокоился он.

— Что ты в нее влюблен, — пояснил я, следя за его реакцией.

Он ничем себя не выдал, только покрепче сжал челюсти и посмотрел на Диву, которая радостно хлопала в ладоши.

Студенты бродили по лужайкам, смеялись, разговаривали, сидели парочками на траве, зачарованно перешептывались, украдкой обнимались, держались за руки, а самые смелые даже целовались — в те годы бомбейская молодежь вела себя вполне невинно по современным меркам. Юные влюбленные, не задумываясь о тяжелом наследии города, наслаждались музыкой, эхом отражавшейся от высоток неподалеку. Эти юноши и девушки носили модную одежду, курили марихуану, пили дешевый ром и слушали джаз у моря, однако учились прилежно и старательно, получали отличные оценки. Детей, в отличие от родителей, нисколько не волновало, какую веру исповедуют их сокурсники и к какой касте принадлежат. В Городе семи островов они были первым признаком грядущих перемен. В будущем, став промышленниками и политиками, они начнут прокладывать свой жизненный путь по иным звездам.

Подруги Дивы с хохотом льнули к Дидье. Музыка их не интересовала. Они слушали Дидье, сдавленно прыскали и корчили удивленные гримасы. Дидье заметил меня, извинился и, поднявшись, пожал мне руку:

— Ты почему задержался?

«Почему? Потому что Аршан нашел сокровище и решил напасть на полицейский участок», — подумал я, а вслух произнес:

— Потом расскажу. Как дела?

Дидье, не обращая на меня внимания, обернулся к Дивушкам и возбужденно жестикулировал.

— Как дела, спрашиваю, — повторил я.

— Мои очаровательные спутницы желают с тобой познакомиться, — объяснил он, картинно взмахнув рукой.

На лицах Дивушек возникло нечто, отдаленно напоминавшее улыбку. Я поморщился. Видимо, девушкам вспомнились какие-то россказни Дидье, и страх постепенно сменился любопытством. Дивушки вскинули ладони и изобразили приветствие, робко шевеля пальцами. Впрочем, может быть, они пытались отвести дурной глаз. Внезапно улыбки снова стали напряженными — я так и не понял почему. Мужчинам всегда сложно понять, что именно означает выражение хорошенького женского личика в тот или иной момент. Дивушки на удивление ловко вскочили и медленно двинулись к нам, ритмично раскачиваясь и в такт музыке шаркая босыми ногами по траве, залитой лунным светом. Я мгновенно оценил превосходно отрепетированный танец — соблазнительные движения женских бедер всегда вызывают у мужчин предсказуемую реакцию.

— Если спросят, кого ты убил, я им все объясню, не волнуйся, — шепнул мне Дидье.

— Я никого не убивал! — возмутился я.

— Правда, что ли? А почему мне всегда кажется, что убивал? — недоверчиво осведомился он.

— Привет! — воскликнула одна Дивушка.

— Привет! — эхом повторила вторая.

— Ах, как я рад вас видеть! — улыбнулся я. — Подождите, моя жена вот-вот из церкви вернется.

— Твоя жена? — переспросила одна.

— Из церкви? — удивилась вторая.

— Ну да, она с детьми туда ушла. У нас четверо малышей, от года до четырех лет. Хороших нянь найти трудно, а дети нам с женой все нервы измотали.

— Фи-и-и! — завизжали обе.

— Мне вас рекомендовали, — с невинным видом продолжил я. — Дидье сказал, что вы свободны по понедельникам, средам и пятницам, за двадцать рупий в час.

Они фыркнули и вприпрыжку отбежали к двум симпатичным парням, игравшим у Рагхава на таблах.

— Что ты наделал! — огорчился Дидье.

— Ты же собирался им объяснить, кого я убил, — напомнил я.

— Я хороший рассказчик, это всем известно, — недовольно забормотал он. — Подумаешь, преувеличил немного, из любви к искусству. Приукрасил. Если бы я про тебя только правду рассказывал, то никто, кроме меня, тобой бы не интересовался. Ну, может быть, еще Навину ты был бы любопытен, но в этом я не уверен.

— Что происходит, Дидье?! — с притворной обидой спросил я. — Что, на этой неделе положено Шантарама пинать почем зря? Прекрати, с меня на сегодня хватит.

Ответить он не успел.

— Пожар! — раздался пронзительный крик.

На берегу, чуть поодаль, плясали языки пламени.

— Рыбацкие хижины горят! — воскликнул Навин.

Я бросился к мотоциклу.

— Оставайся с Дивой! — велел Навин Дидье.

— Со мной они в безопасности, — воскликнул Дидье и сгреб в охапку Диву и Дивушек. — А вы поосторожнее там!

ГЛАВА

56

Мы с Навином обогнули толпу людей, бегущих из трущоб к пожару в бухте, и оставили мотоциклы у бетонного разделителя посреди шоссе. Горящие лодки видны были даже с трассы. Рыбацкие хижины теснились на темном берегу, но неподалеку от бухты находился ярко освещенный перекресток, и холодный свет фонарей оттенял буйство пожара. Прочные, надежные рыбацкие лодки уже превратились в сморщенные, почерневшие развалины. По краям деревянных бортов окровавленными губами тлели угли.

Лодки спасать было поздно, но пожар еще не перекинулся на хижины. Мы с Навином повязали лица носовыми платками и присоединились к цепочке людей, передававших друг другу ведра с водой. Я стоял между двумя женщинами; ведра мелькали с такой быстротой, что за ними трудно было уследить. С берега доносились крики людей, отрезанных полосой огня, — дети и женщины искали спасения на мелководье. Пожарные бросились к ним на помощь, они вбегали в горящие хижины, выводили жителей. Там и сям вспыхивали лужи пролитого масла и керосина, огонь лизал защитные костюмы пожарных. Неподалеку от меня из вихрящихся клубов дыма выскочил охваченный пламенем человек с ребенком на руках. Мне хотелось броситься на помощь, но я не мог разорвать цепь водоносов.

Сколько страданий и катастроф можно перенести за одну жизнь? Ответ прост: достаточно одного раза, но лучше, если этого не случится никогда.

Внезапно подача ведер прекратилась. Кто упал на колени, кто с надеждой смотрел в небо. Я даже не заметил, как начался дождь. Запах гари и обожженной кожи почему-то напомнил мне об отрубленной голове на обочине дороги в Шри-Ланке. Меня преследовали воспоминания о джунглях.

Дождь превратился в ливень; огонь зашипел под хлещущими струями. Пожарные разламывали остовы хижин. Пожар потушили. Все вокруг заплясали от радости. Я бы тоже заплясал, если бы со мной была Карла.

Я пошел вдоль берега, мимо сожженных лодок, к деревьям в дальнем конце пляжа, где в клубящихся тенях мелькали, приближаясь, чьи-то серые силуэты: то ли призраки, то ли демоны. Вокруг все еще витал иссиня-черный дым — тлели остовы деревянных лодок, за десятки лет насквозь пропитавшихся рыбьим жиром. Из черного дыма и дождя нам навстречу шли люди, посеревшие от дыма и пепла, — это они подожгли лодки, а потом спрятались за деревьями. Потоки ливня оставили черные полосы на перепачканных физиономиях, — казалось, серые тигры вышли на охоту в дымных джунглях. Я с удивлением сообразил, что это «скорпионы». Верзила Хануман, прихрамывая, вышел из тени последним.

Когда страх и любовь сливаются с историей, пусть даже с историей крошечного рыбацкого поселка в Колабской бухте, время по-настоящему замедляется. Биение сердца становится ударами молота, и видишь все одновременно. Здесь тебя уже нет, ты в ином мире, среди мертвых, однако замечаешь мельчайшие подробности, каждую черточку, каждый завиток дыма.

«Скорпионы» шли к нам. За нашими спинами плясали люди. На песке сидели дети, старики и собаки. Среди обугленных хижин стояли пожарные, от обгорелых защитных костюмов струился дымок.

До нас «скорпионам» оставалось метров шестьдесят. Они были вооружены ножами и тесаками. Пожар был первым актом пьесы, и «скорпионы» жаждали достойно завершить представление. Я выхватил ножи и побежал навстречу врагам, не соображая, что делаю. В тот миг мне хотелось предупредить остальных, дать им время убежать, укрыться от нападения. Я отчаянно завопил, сделал три или четыре шага, и все мысли меня покинули. Все звуки исчезли. Я ничего не слышал. Бесплотные крылья напрасных желаний пронзили меня копьями света. Сжимая рукояти ножей, я несся по призрачному беззвучному туннелю, не слыша даже собственного дыхания. Время замерло, превратившись в вечность. Я знал, что, как только достигну цели, все ускорится.

Рядом со мной кто-то бежал. Навин нагнал меня, схватил за футболку, потянул на землю. Я с размаху упал на песок и от боли вернулся в действительность. Крики, сирены и вопли оглушали. Навин, споткнувшись, повалился на меня, вытянул руку, тыкал куда-то пальцем. Я поглядел в том направлении и увидел толпу полицейских. Копы бежали и стреляли на ходу. «Скорпионы» падали наземь, просили пощады. Дилип-Молния уже кого-то пинал.

Мы с Навином по-прежнему лежали на песке. Навин плакал и смеялся одновременно, придерживая меня за плечо. После этой ночи он стал моим настоящим, верным другом. Иногда подвиг — всего лишь отважное безрассудное намерение, и часто именно эта искра отваги разжигает в мужчинах костер дружбы, связывает их крепкими братскими узами.

Мы патрулировали бухту до тех пор, пока не приехали Абдулла, Ахмед и Дылда Тони. Я рассказал им о случившемся, и мы вернулись на концерт, к заливу Бэк-Бей.

Музыканты уже уехали, но студенты остались и передали нам весточку от Дидье, любимца курильщиков, — он отправился навестить Джонни Сигара.

Мы помчались в трущобы, в хижину Дивы.

— Идиот, ты лучше ничего не придумал?! — воскликнула девушка.

— Все в порядке, — ответил я.

— Да я не тебя спрашиваю, а другого идиота. Какого черта ты бросился пожар тушить? У тебя мозги совсем расплавились?

Навин счастливо улыбнулся.

— И с чего это ты такой веселый? — не унималась Дива.

— Ты обо мне волнуешься, — объяснил Навин, шутливо грозя ей пальцем.

— Конечно волнуюсь. Ты только сейчас сообразил? А еще сыщик! Болван ты!

— Ого! — удивился Навин.

— Тебе больше нечего сказать?

— Ого!

— Повтори еще раз, горшком по башке получишь! — завопила Дива. — Лучше заткнись и поцелуй меня.

Поцелую помешал внезапный звон посуды и громкие голоса на улице: по трущобам кто-то шел не разбирая дороги.

Навин велел Диве оставаться с Ситой и в случае опасности уходить из трущоб на берег. Джонни Сигар, Дидье, Навин и я заняли оборону на единственной тропке, ведущей к центру трущоб. В общем гомоне выделялся женский голос, выкрикивавший что-то по-английски. К хижине Дивы, в окружении восторженной толпы, подошла Кавита Сингх.

— Вот, специально для тебя, — сказала журналистка, протянув Диве газету. — Только что из типографии. Я решила, что ты должна первой об этом узнать.

Дива прочла статью на первой полосе, увидела фотографии отца, отдала газету мне и обессиленно прильнула к Навину.

Убийц Мукеша Девнани поймали и посадили в тюрьму. Преступники признались в содеянном. В убийстве обвиняли китайско-африканскую преступную группировку, специализирующуюся на транспортировке наркотиков из Бомбея в Лагос. Полицейские с гордостью объявили о полном уничтожении банды. В раскрытии преступления участвовали правоохранительные органы разных стран. Раджеш Джайн, временно возглавивший группу компаний Девнани, умолял пропавшую наследницу объявиться и вступить в свои законные права. Диве больше ничего не грозило — из мира керосиновых ламп она могла вернуться в мир электрического света.

— Лин, выпить хочешь? — предложил Дидье, отрываясь от разговора с Кавитой.

Журналистка недовольно взглянула на меня.

— Кавита, откуда ты знаешь, что Дива здесь? — спросил я.

— Вы с Карлой связаны незримыми духовными узами, — усмехнулась она, взяла у Дидье фляжку и сделала глоток. — Сам догадайся.

— Что ты имеешь в виду?

— Лин, шел бы ты домой, а? — вздохнула она. — У тебя же дом есть.

Я так и не понял, что ее рассердило, пожал плечами и ушел. Едва я уселся на байк, ко мне подъехал Рави, один из людей Санджая.

— Меня Абдулла прислал, — сказал он, сжимая высокий руль мотоцикла. — «Скорпионы» Амира убили. И Фарид погиб.

— Да снизойдет на них покой, — ответил я. — Что случилось?

— «Скорпионы» волоком вытянули Амира из дома, на улице прирезали.

— Черт возьми!

— А Фарид взбесился, ворвался в полицейский участок и...

— Что?

— Копы разбежались, а Фарид пристрелил трех «скорпионов», которых за поджог в кутузку посадили. Вишну чудом удалось спастись: Хануман его своим телом прикрыл, шесть пуль от Фарида принял. Данду-усача тоже прикончили.

— А сам Фарид как?

— Копы вернулись с подкреплением и в перестрелке убили Фарида. Говорят, шестьдесят пулевых ранений...

— *Й'алла*.

— Тебе лучше не высовываться, дружище. Там такая заваруха, прямо ковбои и индейцы. Лучше уж я индийцем побуду.

Он завел мотоцикл и уехал, как вестовой в зоне военных действий, — встревоженный и озлобленный. Такие люди, как Рави, есть в каждой банде. До этого он не ведал страха и всегда был невозмутим, однако сейчас его напугала и смерть сорвиголовы Амира, который первым лез в любую драку, и гибель боксера Фарида, доверенного человека Санджая. Да, «скорпионов» убили, но погибли и люди Санджая. Кровавый водопад смертей не прекращался. Сам Рави жил от ночи к ночи. Шла жестокая, бессмысленная война.

Я вернулся в «Амритсар» — сначала надо было выспаться, а потом узнать, что еще происходит в городе, кто из моих торговцев продолжает работу, а кто сбежал. Байк я оставил в переулке за гостиницей — я часто там парковался и на этот раз тоже не заметил ничего подозрительного. Как выяснилось, напрасно. Я стер с боков мотоцикла дорожную пыль и пепел пожара, разогнулся — и передо мной возникла мадам Жу со своими близнецами-телохранителями. Чуть поодаль, сунув руки в карманы курток, стояли два невысоких худощавых парня с голодными глазами: плескуны.

— Мадам, не сочтите за дерзость, — начал я, — но, если ваши плескуны шевельнутся, я за себя не отвечаю. И неизвестно, кто из нас останется в живых.

Она рассмеялась и включила под черной кружевной вуалью фонарик — гибкую светящуюся трубку на батарейках, ожерельем обвивавшую шею. Вуаль крепилась к высокому узорному гребню из чего-то блестящего и черного — наверное, из панцирей громадных пауков. Черное кружево ниспадало на черное шифоновое одеяние, окутавшее мадам Жу от ворота до самых пят. По-видимому, на ногах у нее были туфли на высоченной платформе, потому что скрытое вуалью лицо находилось на уровне моих глаз. Сквозь кружевную завесу струился призрачный свет, призванный подчеркнуть легендарную красоту мадам Жу, но, по-моему, тщетно. Смех не прекращался.

— Мадам, я очень устал, — вздохнул я.

— Сегодня ночью умер твой приятель Викрам, — заявила она, выключая фонарик.

И тут меня осенило: фонарик служил не для освещения, а для выключения. Внезапная темнота превратила лицо мадам Жу в живую, дышащую тень.

— Викрам?

— Он самый, ковбой. Умер.

Я злобно уставился на черное пятно ее лица, думая о плескунах — и о Карле.

— Мадам, я вам не верю.

— Чистая правда, — сказала она, склонив голову набок и следя за мной невидимыми глазами.

Я внимательно наблюдал за плескунами. Их жертвы были мне хорошо знакомы — смазанные черты, туго натянутая кожа, неподвижные лица, жуткие провалы на месте носа и рта, выжженные глаза. Несчастные просили подаяния на улицах города, общались прикосновениями. Я рассердился еще больше — злоба подавляла страх.

— Откуда вы знаете?

— Дело передали в полицию, там провели расследование и объявили смерть самоубийством, — ответила она.

— Не может быть.

— Может, — прошептала мадам Жу. — Так оно и есть. Он вколол себе недельную дозу героина. Оставил предсмертную записку, могу показать копию.

— Мадам, мы встречались всего дважды, но я уже отчаянно жалею о нашем знакомстве.

— Героин ему дала я, — заявила она.

«Нет, только не это!» — мысленно взмолился я.

— Его смерть обошлась мне очень дешево, — со смехом продолжила мадам Жу. — Если бы все мои враги были наркоманами, мне было бы гораздо проще.

Дыхание давалось мне с трудом. Приходилось следить сразу за четырьмя, нет, за пятью противниками, если считать паучиху размером с крохотную женщину по имени мадам Жу.

В темном переулке не было ни души. Город будто вымер.

— Он меня обманул, — прошипела мадам Жу. — Обжулил с драгоценностями. Меня никто не обманывает, особенно насчет драгоценностей. Шантарам, я тебя предупреждаю — оставь ее в покое.

— Послушайте, почему бы вам с Карлой лично не встретиться? Мне интересно посмотреть, как пройдет ваша беседа.

— Дурак, я не о Карле говорю, а о Кавите. Оставь в покое Кавиту Сингх.

Я медленно вытащил ножи. В ладони близнецов скользнули дубинки, спрятанные в рукавах. Плескуны переступили с ноги на ногу, готовясь облить меня кислотой. Мадам Жу стояла на расстоянии вытянутой руки. Я мог схватить мерзавку и бросить ее в плескунов. А что, отличный план. Еще миг — и...

— Давайте разберемся — раз и навсегда, — предложил я.

— Не сегодня, Шантарам. Впрочем, тебе такое часто говорят. — Мадам Жу медленно попятилась, шелестя шифоновым подолом по асфальту.

Ее черная тень распугала крыс в переулке. Плескуны растворились в темноте. Близнецы, сверкая грозными оскалами, отступали шаг в шаг с мадам Жу.

Странно: сначала она угрожала Карле, а теперь переключилась на Кавиту. Пока я боролся с желанием пойти по следу мадам Жу, она скрылась. Я вернулся к себе в номер, выпил, выкурил последние крохи Лизиной божественной дури, потанцевал под музыку и раскрыл блокнот.

Фарид и Амир погибли. Хануман и Данда погибли. Лодки и хижины на берегу сгорели. Викрам умер. Викрам, который любил пародировать Ли Ван Клифа и ездить на поезде. Викрам умер.

Перемены — кровь времени. Мир менялся, истекал временем, колыхался подо мной, как кит, всплывающий на поверхность из морских глубин. Двигались шахматные фигуры. Ничто не оставалось прежним. Я осознал, что перемен к лучшему ожидать пока не стоит.

Недавно умершие — тоже предки. Цепь жизни и любви внушает уважение, когда радуешься жизни, а не скорбишь о смерти. Это всем известно. Так говорят, когда уходят наши близкие.

Осознание того, что смерть — великая истина в бесконечном повторении историй, не умаляет боли утраты, а ранит заботливой лаской. Слезы помогают. Никакой логики в этом нет. Слезы — это безрассудная чистота, суть нашего естества, зеркало того, чем мы станем. Любовь...

Я оплакивал Викрама. Его не убили, а отпустили на свободу; он был узником души, вечный беглец. Я наполнял высохший колодец скорби слезами и танцем. Я стенал и бредил, покрывая страницы блокнота странными строками о том, какой должна быть правда. Рука металась по бумаге, как зверь в клетке. Слезы застили глаза, черная вязь слов становилась черным кружевом вуали мадам Жу. Я уснул, и зловещие сны окутали меня липкой паутиной. Я ждал, когда ко мне медленно подберется смерть.

Часть
десятая

ГЛАВА

 57

Грех разобщает. А величайший грех — война — разобщает больше всего. Нескончаемая междоусобица преступных группировок на юге города сеяла рознь между друзьями, врагов заставляла нападать без предупреждения, а полицейских — умолять о перемирии, потому что вражда наносила ущерб делам.

По просьбе Вишну к «скорпионам» присоединились двадцать бойцов из северного штата Уттар-Прадеш, патриотов, закаленных в борьбе за независимость. Через неделю «скорпионы» овладели территорией Санджая от фонтана Флоры до Форта.

На вторжение северян и развал империи люди Санджая отреагировали быстро, расправившись со своим предводителем в сотне метров от его особняка.

Хусейн-с-двумя, издавна преданный Кадербхаю, преградил путь машине Санджая и расстрелял в упор и его, и двух афганских телохранителей.

Банду переименовали в Компанию Хусейна, а Тарик, юный император, занял место в совете группировки. Став полноправным членом совета, Тарик призвал своих соратников к беспощадной мести. «Убить всех, — приказал он. — Всех до одного. И все у них отобрать».

Слова эти стали новым девизом Компании; вместо «Истина и храбрость» теперь говорили «Все отберем».

Тяжкие грехи, множась, разрывали ветхую ткань терпимости, зимние ветры уносили обрывки чести и веры, обнажая неприкрытую ненависть.

Наши разговоры с Карлой возобновились, но встречались мы от силы раз в два дня, за завтраком или обедом, — она была слишком занята. Самоубийство Викрама заметно отразилось и на ней, хотя, возможно, ее поведение просто отражало то, чего я не желал признавать.

Она больше не смеялась и не улыбалась, став прежней Карлой — без смеха и улыбки. Приглашения на ночлег не повторялись.

Казалось, меня проверяют на выносливость, как музыканта или бывшего заключенного. Я страдал, облепленный паутиной тестостерона, адреналина и феромонов, вдали от любимой женщины, с которой встречался раз в два дня. Меня не отпускало нервное напряжение, однако в южном Бомбее такое состояние стало привычным. Никто не обращал на это внимания.

Мера человека выражается расстоянием между его сиюминутной плотской сущностью и сущностью духовной. Душой я прикипел к Карле, но расстояние между нами оставляло мою душу в полном одиночестве, охранять пламя свечи на ветру, пока сам я бесцельно бродил по улицам города.

Как выяснилось, в те дни по улицам бродили многие.

«Страх — обнищание истины, а алчность — обнищание веры», — сказал однажды Идрис. Страх и алчность заполонили улицы и трущобы южного Бомбея. Шесть недель в городе шли безудержные грабежи, в переулках рекой лилась кровь. Цены на гашиш, марихуану, амфетамины, барбитураты и прочие наркотики выросли впятеро. Городские чиновники, естественно, тут же увеличили размер взяток, сколачивая на этом приличные состояния; даже автоинспекторы стали брать с водителей не десять, а двадцать рупий. Взяточничество расцвело пышным цветом, и беззастенчивые поборы не прекращались ни белым днем, ни темной ночью. На улицах царил страх, единственный друг бедноты.

Однажды я познакомился с парнем, которого только что приняли в Компанию Хусейна, а час спустя узнал, что его убили. Через несколько дней та же история повторилась еще с одним новичком: первое приветственное рукопожатие через несколько часов обернулось последним предсмертным хрипом. Юных уличных бойцов, жертв междоусобной войны между преступными группировками, можно было только пожалеть.

Хусейн заключил контракт с велокиллерами на убийство «скорпионов». «Скорпионы» отстреливали людей Хусейна, а те в свою очередь подложили бомбу в бар, где собирались враги. «Скорпионы» безнаказанно взяли банк в южном Бомбее. В отместку люди Хусейна так же безнаказанно ограбили фургон инкассаторов на территории «скорпионов». Украденные деньги разошлись на взятки чиновникам и полицейским, а расследование преступлений прекратили за отсутствием свидетелей.

Цены на оружие подскочили втрое. Мужья продавали свадебные украшения жен, чтобы купить пистолет. Вместо привычных ножей и тесаков в ход шли пули. В темных переулках поджидала опасность. Еженедельно совершалось два убийства. По рекомендации Команча я нанял двух парней присматривать за Карлой — мне самому она это делать не позволяла.

Бандитские разборки в южном Бомбее прекратились так же внезапно, как и начались. Хусейн с Вишну устроили встречу и заключили перемирие. О чем они договорились наедине, осталось неизвестным, но во всеуслышание было объявлено, что недавних врагов теперь связывают неразрывные узы дружбы и братской любви.

Итак, две Компании объединились, однако камнем преткновения стало название новой группировки. Люди Кадербхая, Санджая и Хусейна наотрез отказались называться «скорпионами», поэтому было решено именовать новое образование Компанией Вишну. Бойцов у Вишну было больше, и, хотя его владения уступали сфере влияния Хусейна, имя Вишну усмирило недовольных на улицах южного Бомбея и внушило страх остальным бандам, пресекая любые попытки врагов посягнуть на вожделенную территорию.

Вишну и Хусейн совместно возглавляли собрания Компании, старались не противоречить приказам друг друга и назначили в совет равное число своих сторонников. Доходы, полученные от преступной деятельности, поровну распределялись между недавними врагами. Для поддержания неустойчивого равновесия между ограниченным доверием и неограниченной ненавистью, в подтверждение миролюбивых намерений и в залог приятельских отношений, новые союзники обменялись всевозможными дальними родственниками. О заложниках пеклись, как о своих близких, но готовились при первом же нарушении перемирия перерезать им горло. Так шестинедельные разборки окончились в один день, и улицы южного Бомбея снова зажили привычной преступной жизнью.

С наступлением перемирия я расплатился с бойцами из спортзала Команча, которые по моей просьбе присматривали за Карлой. Деньги они взяли, но предупредили, что больше на меня работать не смогут.

— Это почему еще?

— Потому что Карла предложила нам работу в сыскном агентстве «Утраченная любовь». Мы теперь детективы.

— Детективы?

— Да, Линбаба. Здорово, правда? Я теперь детектив, разыскиваю пропавших родственников. Представляешь, *йаар*? Гораздо лучше, чем вышибалой в баре у Мэнни работать.

— А мне бар у Мэнни нравится, — вздохнул я.

— А я дневник завел, — похвастался его приятель. — Напишу сценарий для болливудского фильма про наши расследования. Мисс Карла рулит. Она такая крутая. Ну, бывай, Лин. Спасибо за щедрость.

Я попрощался с парнями и отправился к своим менялам: одних хвалил, других ругал, если было за что. Перемирие продолжалось. «Скорпионы» и люди Хусейна вместе ездили по округе, организовывали нелегальные лотереи, контролировали наркоторговлю, местные бордели и уличных проституток.

Я остановился на Марин-драйв, любуясь на закат. На широком тротуаре устроили репетицию барабанщики — шла последняя неделя очередных празднеств, и городские музыканты торопливо готовились к многочисленным свадебным процессиям и шествиям. К барабанщикам подбегали дети, пускались в пляс, а родители стояли поодаль, хлопали в ладоши и покачивали головами в такт заразительным ритмам. Дети подпрыгивали, как кузнечики, дрыгали ногами и руками. Присутствие зрителей подхлестнуло барабанщиков, и они заиграли с ожесточенным энтузиазмом, провожая заходящее солнце неистовым барабанным боем. Вечерние сумерки заливали волны чернильной темнотой.

«Карла, что мы с тобой делаем? — думал я. — Что ты делаешь, Карла?»

Я развернул мотоцикл и поехал в «Леопольд», надеясь встретить там Кавиту Сингх и рассказать ей о мадам Жу. Я пытался застать журналистку в редакции газеты, но так ничего и не добился, понял только, что она меня почему-то избегает. Сначала я решил положиться на судьбу, но предупреждение мадам Жу не давало мне покоя. Пришлось навести справки. Выяснилось, что Кавита ежедневно, с трех до четырех, сидит с Дидье в «Леопольде».

К великому огорчению официантов «Леопольда», Дидье стал редким гостем в заведении. Свое недовольство они выказывали, обслуживая Дидье с церемонной учтивостью, что страшно его раздражало. Напрасно он осыпал их отборными ругательствами, пытаясь пробить стену преувеличенно вежливого обращения: чинные «благодарю вас» и «прошу вас» острыми шипами вонзались ему в сердце.

Он сидел за своим обычным столиком и беседовал с Кавитой Сингх.

— Лин, у тебя есть излюбленное преступление? — спросил Дидье.

— Ты опять за свое? — вздохнул я и наклонился поцеловать Кавиту в щеку, но она поднесла к губам бокал, и мне пришлось приветственно махнуть рукой.

Я уселся рядом с Дидье, и мы обменялись рукопожатием.

— Да, опять, — сказала Кавита, одним глотком осушив пол-бокала.

— Мое излюбленное преступление — мятеж, я же говорил.

— А у нас теперь второй тур, — загадочно улыбаясь, сообщил Дидье. — Мы с Кавитой придумали новую игру. Назови второе излюбленное преступление, а потом мы проверим, насколько верны наши предположения о тебе.

— Вы делаете предположения о друзьях?

— А что, у тебя обо мне нет никаких предположений? — с улыбкой поинтересовалась Кавита.

— Честно говоря, у меня их нет и не было. И какие же у вас предположения обо мне?

— Ну, это не по правилам, — усмехнулся Дидье. — Сначала назови свое второе излюбленное преступление, а мы посмотрим, справедливы наши предположения или нет.

— Что ж, мое второе излюбленное преступление — сопротивление аресту, — ответил я. — А твое, Кавита?

— Ересь.

— В Индии ересь — не преступление, — возразил я и вопросительно взглянул на Дидье. — Или правила вашей игры это позволяют?

— Да, позволяют. Допускается любой ответ на заданный вопрос.

— А твое, Дидье? Помнится, первым излюбленным преступлением ты называл лжесвидетельство.

— Верно, — радостно подтвердил он. — Значит, ты вступаешь в нашу игру?

— Нет, спасибо, я обойдусь, но мне интересен твой выбор второго.

— Супружеская измена.

— Почему?

— Во-первых, потому, что в нем замешаны любовь и секс, — ответил Дидье. — А во-вторых, это единственное преступление, которое понятно любому взрослому человеку. Вдобавок это одно из немногих преступлений, которых геям совершить не дано, — нам же не позволяют вступать в брак.

— Супружеская измена — грех, а не преступление.

— С чего это ты о грехе заговорил, Лин? — презрительно спросила Кавита. — Неужто в религию ударился?

— Нет, я употребил это слово не в религиозном, а в общечеловеческом смысле.

— Нам ведомы только свои грехи, а не чужие, — заявила Кавита, вызывающе вздернув подбородок.

— Отлично сформулировано! — воскликнул Дидье. — Официант! Повторите заказ!

— Знаешь, я не из тех, кто считает, будто взаимопонимание невозможно. Общепринятые определения позволяют говорить о грехе в нерелигиозном смысле.

— В таком случае объясни, что такое грех, — потребовала Кавита.

— Грех — это то, что ранит любовь.

— Ах, Лин, прекрасно! — восторженно вскричал Дидье. — Кавита, дай ему достойный ответ, не стесняйся.

Кавита поудобнее устроилась на стуле, поправила черную юбку. Черная блузка без рукавов была расстегнута у ворота, черная растрепанная челка спускалась на лоб, выгодно подчеркивая тонкие черты тридцатилетней журналистки. На Кавите не было ни грамма косметики, но ее лицо украсило бы рекламный плакат любого товара.

— А если само твое существование — грех? — спросила она. — Если каждый твой вдох ранит любовь?

— Милосердие любви заключается в том, что она отпускает любые грехи, — сказал я.

— Ты Карлу цитируешь? Очень кстати, — фыркнула Кавита.

Я не понял, что ее рассердило.

— Цитирую, а что?

— Да так, — с горечью пробормотала она.

Я не сразу осознал, что означает ее напряженный, озлобленный тон. В «Леопольд» я пришел для того, чтобы предупредить Кавиту о мадам Жу. Дожидаясь паузы в разговоре, чтобы сообщить Кавите неприятное известие, я не придавал новой игре Дидье никакого значения — а зря, потому что следующая реплика застала меня врасплох.

— Грехи, любовь... — возмущенно повторила Кавита. — Да как ты можешь произносить эти слова, не боясь кары небесной!

— Ты о чем? — удивился я.

— Ты спал с Лизой, а сам все время думал о Карле!

— С чего ты взяла?!

— А у Навина второе излюбленное преступление — сокрытие беглецов, — поспешно вмешался Дидье, стараясь предотвратить размолвку. — И знаешь, что мы по этому поводу думаем?

— Заткнись, — оборвала его Кавита.

— Если тебе есть что сказать, говори, не стесняйся, — предложил я ей.

— Мне на тебя наплевать, — сказала она, опустив бокал на стол.

— И все же что тебя удерживает?

— Лиза собиралась тебя бросить, — заявила она. — Ради меня. Она сначала с Розанной экспериментировала, а потом мы с ней сошлись. Если бы она тебя раньше бросила, то осталась бы жива.

«Ах, вот оно как», — подумал я и встал из-за стола. Нелепости своих обвинений журналистка не замечала: я, по ее мнению, мысленно изменял Лизе, хотя сама Лиза на деле изменяла мне с Кавитой. Впрочем, ревность в зеркало не глядится, а обида правды слышать не желает.

— Знаешь, я вчера вечером столкнулся с мадам Жу, которая почему-то хочет, чтобы я оставил тебя в покое. Похоже, мы успешно разрешили эту проблему, — заключил я и направился к выходу.

— Лин, погоди! — крикнул Дидье мне вслед.

Я завел мотоцикл и снова поехал к менялам, потом в черный банк, потом во все места, где хранились мои заначки. За несколько часов я побеседовал со множеством людей, но мысли о Лизе не покидали меня. Милая, милая Лиза...

Любовь — священный цветок лотоса. Если Лиза и впрямь питала какие-то чувства к Кавите Сингх, я был бы рад за нее.

Неужели мы с Лизой настолько отдалились друг от друга, что она не могла рассказать мне о связи с Кавитой? Лиза умела удивлять и повергать в смятение, но я всегда поддерживал ее, куда бы ни заносила ее беспокойная натура Водолея. Больно было думать, что мы стали чужими друг для друга. Может быть, Кавита права: если бы Лиза ушла от меня, если бы мы с ней не лгали друг другу, то она осталась бы в живых.

Острая боль не отпускала до тех пор, пока мне не сообщили, что со мной ищет встречи Туарег, и я с радостью отправился в гости к одному из самых опасных людей города.

ГЛАВА

58

Туарег, мастер пыточных дел, в то время уже удалившийся на покой, много лет работал на Кадербхая и был полноправным членом совета Компании, но на заседаниях совета никогда не присутствовал. Он умел призвать непокорных к порядку и ловко извлекал из жертв необходимую информацию. Других желающих исполнять такую работу не находилось, а у Туарега был талант.

Карьеру психиатра фрейдистского толка Туарег начал в Северной Африке, а потом переехал в Бомбей и примкнул к Кадербхаю. С помощью психологических приемов он обнаруживал и многократно усиливал любые тайные страхи, заставляя людей повиноваться. Без ложной скромности он заявлял, что своими методами добивается лучших результатов, чем обычные психоаналитики.

Мы с ним не виделись много лет, с тех самых пор, как он удалился на покой и переехал в Кар, пригород Бомбея, где приобрел магазин детских игрушек и организовал в нем нелегальную лотерею.

В обычное время приглашение к Туарегу вызвало бы у меня невольную дрожь, но в тот день я обрадовался и, чтобы взбодриться и развеять печальные мысли, немедленно отправился на далекую северную окраину. Бомбей разрастался с такой скоростью, что даже южная его оконечность, некогда бурлящий центр творческой деятельности, постепенно превращалась в отдаленный район, а сердце города переместилось на север.

На заброшенных северных пустырях появились новые жилые дома и торговые центры, швейные фабрики и магазины модной одежды, причем лавки, торгующие дешевыми подделками, красовались бок о бок с роскошными бутиками, бесстыдно хвастаясь контрафактным товаром. Дома, фабрики и магазины раскупались мгновенно, еще до закладки фундамента, как если бы надежда наконец-то обрела цену; огромное лоскутное одеяло амбициозных устремлений прошивали грубые стежки дорог, забитых медленно ползущими автомобилями, — шрамы на прекрасном облике нашей планеты, обезображенной человеком.

Туарег жил в огромном, недавно построенном особняке — настоящем марокканском дворце. Дверь мне открыл темнокожий бородач в черном, чем-то похожий на рассеянного профессора.

— *Салям алейкум*, Туарег.

— *Ва алейкум салям*, Шантарам, — ответил он и дернул меня за безрукавку. — Обязательно было на мотоцикле приезжать? Всех соседей распугал.

Он повел меня вглубь дома длинными сводчатыми коридорами, соединявшими бесчисленные комнаты, будто соты в улье.

— Не пойми меня превратно, но вначале моя жена должна одобрить твое присутствие, — сказал Туарег.

— Хорошо, — кивнул я.

Мы вышли в просторный зал с высоким потолком, взметнувшимся на два этажа.

В центре комнаты на трехступенчатом помосте стояла женщина в черном одеянии, переливающемся черными драгоценными камнями. Лицо ее закрывала черная вуаль. Женщина придирчиво оглядела меня. Я не видел ее глаз и не знал, что сказать. Я приехал по приглашению Туарега, но понятия не имел, чего ждать от женщины, осыпанной черными звездами. Она задумчиво склонила голову, и я понял, что не заслужил одобрения.

— Час, не больше, — наконец изрекла женщина, повернулась и скрылась в длинной веренице арок.

Мы с Туарегом прошли в меджлис — гостиную, устланную толстыми коврами, с мягкими подушками вдоль стен. Юноши, родственники Туарега, подали угощение: кокосовую воду, спаржу и хумус с горьким лаймом. Усевшись на пол, мы приступили к еде, а потом ополоснули руки в чашах с теплой водой, пахнущей мандаринами. Юноши внесли длинноносые чайники, и началось неторопливое чаепитие.

Когда мы остались наедине, я затянулся ароматным дымом — в кальяне курилась смесь турецкого табака, керальской марихуаны и гималайского гашиша — и произнес:

— Благодарю за гостеприимство, Туарег.

— Я польщен, что ты принял мое приглашение, — сказал он.

Мы оба знали, что никто из людей Компании, пусть даже и бывших, не стал бы приходить к нему в гости. Пока Туарег исполнял свою работу, к нему относились с опаской и уважением, а теперь, когда он удалился на покой, его попросту избегали, хотя я и не понимал почему. Его деятельность приносила Компании огромную пользу, всегда давала результаты. Я подделывал паспорта, и у меня никогда не возникало необходимости в его услугах, однако Компания долгие годы защищала меня, поэтому я никого не осуждал.

Нравилось ли Туарегу его занятие? Наверное, нет. Впрочем, не работа определяет человека, и я это прекрасно понимал.

— Знаешь, за много лет работы в Компании всего лишь четверо, включая тебя, обменялись со мной рукопожатием, — произнес он, попыхивая кальяном.

— Кадербхай, Махмуд Мелбаф и Абдулла Тахери, — кивнул я.

— Совершенно верно, — рассмеялся он. — Как говаривал мой отец, в битву следует идти с викингом в авангарде и парсом в арьергарде. Если викинга убьют, то парс не позволит тебе умереть в одиночку.

— По-моему, при необходимости каждый из нас будет сражаться до последнего.

— Да ты философ, Шантарам!

Наркотики меня одурманили. Чаша кальяна была размером с головку подсолнуха, а путь домой предстоял неблизкий. Следовало взять себя в руки, ведь при любых обстоятельствах Туарег никогда не выходил из образа.

— Любой будет до последней капли крови защищать то, что ему дорого, не важно, кто он и откуда родом, — заявил я.

— Мне нравится наш разговор, и я был бы рад его продолжить, — усмехнулся Туарег. — Увы, после сегодняшнего визита сюда ты вернешься только в том случае, если тебе или мне будет грозить опасность. А сегодня — случай особый. На то есть свои причины. Надеюсь, ты понимаешь, я не терплю никаких вмешательств в мою личную жизнь.

Меня снова накрыла волна дурмана. Время зевнуло и погрузилось в сон. Лицо Туарега расплывалось, становилось то жестоким, то бесконечно добрым. Он не шевелился.

«Все обойдется, — сказал я себе. — Психиатр гораздо страшнее пыточных дел мастера».

— Да, понимаю, — пробормотал я.

— Вот и славно, — сказал он, раскуривая кальян. — Ты ищешь ирландца. Мне известно, где он.

Конкэннон... Я рассмеялся при мысли о том, что местонахождение моего личного мучителя известно мучителю профессиональному.

— Прости, Туарег. — Я с усилием взял себя в руки. — Я рад, что тебе это известно. Мне очень нужны эти сведения. Я смеюсь не над тобой и не над твоими словами, просто ирландец всегда смешит, даже тех, кто хочет с ним расправиться.

— Есть у меня двоюродный брат Гулаб. Он такой же был, пока мы его едва не убили. Потом исправился.

— И как он теперь?

— У него все прекрасно. Он стал настоящим святым.

— Неужели?

— Представь себе. Он чудом выжил после того, как я его подстрелил. Все решили, что на нем — благословение Аллаха, вот и вышло, что он сейчас в одной из мечетей в Дадаре правоверных благословляет. Так вот, мой тебе совет — убей ирландца, пока не поздно.

— Послушай, Туарег, я...

— Я серьезно говорю. — Он подался ко мне. — Ты не представляешь, что это за человек.

— Мне очень хочется узнать о нем побольше, — сказал я, стараясь не поддаваться парам гашиша.

— Он — истина.

— Не понял...

— Он во всем доискивается правды, как и я.

— То есть он заставляет людей во всем признаваться?

— Опасна не истина, а человек, который знает, как ее добыть. Ирландец — один из таких людей. Я видел его досье. Он в своем деле мастак. В молодости и я таким был, — усмехнулся Туарег, попыхивая кальяном. — Ты даже не подозреваешь, как много можно узнать о самом себе, если тебе в этом помогут.

Психологических игр я не люблю и стараюсь не принимать в них участия, поэтому ничего не ответил: рано или поздно Туарег сам объяснит, зачем пригласил меня в гости. Он предложил мне кальян, и я вдохнул ароматный дым.

— Когда я работал на Кадербхая, то обладал огромной властью, хотя никогда не появлялся на собраниях. Кадербхай знал, что я способен найти правду повсюду, как источник в пустыне. Даже он сам мне во всем бы признался, все бы рассказал. Он понимал, что такого человека, как я, нужно либо убить, либо привлечь к сотрудничеству, — сказал Туарег и со значением посмотрел на меня.

— Не надо мне советов про убийства, — торопливо произнес я.

Он снова рассмеялся и вручил мне кальян:

— Затянись!

Угли в чаше вспыхнули ярче солнца. Я глубоко затянулся. Струйка дыма змейкой скользнула по стене.

— Отлично! — воскликнул Туарег. — Нельзя доверять человеку, который не курит гашиш.

— Потому что такой человек слишком хорошо соображает?

— Нет, потому что гашиш заставляет говорить, — рассмеялся он. — Ну что, продолжим?

— Ага.

— Ирландец ненавидит не тебя, а Абдуллу, а к тебе пристает потому, что это задевает Абдуллу.

— Что ты об этом знаешь?

— Именно поэтому ирландец встречался с твоей подругой в ночь ее смерти, да хранит Аллах ее душу... — Туарег заметил мое потрясение и добавил: — Да, мне известно о последних часах жизни твоей подруги.

— Откуда?

— Сначала затянись, — предложил он. — Некоторые известия лучше воспринимаются в состоянии транса.

«Вот мы и подошли к самому важному», — подумал я.

— Туарег, ты бы заранее предупредил, что собираешься ставить надо мной психологические эксперименты.

Смех — карающее орудие психоаналитика. Смеялся Туарег ровно, пронзительно и резко, всегда одинаково, как бы смешно ему ни было.

«О человеке легче всего судить по смеху и походке», — заметил однажды Дидье.

— Ты прав, мне очень хочется провести с тобой еще одну беседу, — признался Туарег. — Да, я ставил эксперимент, прошу меня извинить.

— Не надо больше экспериментов!

— Хорошо, не буду, — снова рассмеялся он. — Понимаешь, я редко принимаю гостей, а из дома почти не выхожу. Без экспериментов скучно. Ну что, продолжим разговор об ирландце?

— Да.

— Они с Абдуллой... совершили убийство.

— Что?!

— Увы, это правда, — кивнул Туарег.

«Нет, не может быть», — подумал я и спросил:

— Откуда ты знаешь?

Он недоуменно поморщился, словно не решаясь продолжать рассказ, а потом неохотно признался:

— Мне многое сообщают.

— Знаешь, лучше не говори, не надо. Абдулла мне сам все расскажет.

— Погоди, не торопись! Эти сведения мне сообщили добровольно, я их не выпытывал. Они тебе пригодятся.

— В отсутствие Абдуллы я о нем говорить не желаю.

— Великолепно! Это была еще одна проверка. Прошу прощения, я не мог удержаться...

— Да что это такое, Туарег?! — возмутился я. — Я пришел к тебе в гости, а ты устраиваешь мне сеанс психоанализа?

— Нет, что ты! Позволь мне объяснить... Так вот, один бизнесмен не желал платить Компании деньги за охрану, обратился в суд, возбудил дело. Санджаю это не понравилось, и он велел Абдулле все уладить. Абдулла и ирландец явились к бизнесмену... В общем, Абдулла тебе сам расскажет, что дальше произошло. Скажу только, что кончилось все печально.

— А при чем тут моя подруга?

Лиза... В пчелином улье Туарега я не мог произнести ее имя.

— Об этом известно только одному человеку.

— А ты этого не знаешь?

— Пока не знаю.

Похоже, мое общество ему нравилось. Не хотелось думать, в каком свете это выставляло меня самого.

— Знаешь, что такое тайна? — спросил Туарег, пряча улыбку в длинной седой бороде.

— То, о чем ты мне не скажешь?

— Тайна — это неизреченная истина, — пояснил он. — Абдулла хранит свою тайну, он сам мне вчера об этом сказал.

— А зачем ты его спросил?

— Хороший вопрос, Шантарам. Почему ты его задал?

— Туарег, прекрати. Зачем ты расспрашивал Абдуллу обо мне? Это как-то связано с моей подругой?

— Конкэннону хорошо известно, что Абдулла считает тебя лучшим другом, поэтому ирландец и боится, что Абдулла рассказал тебе об убийстве. У Конкэннона есть две причины желать твоей смерти. Он неспроста объявил о вознаграждении за твою голову — сначала он хочет твоей смерти, чтобы помучить Абдуллу, а потом разделается и с самим Абдуллой.

— Спасибо, мне все ясно, — вздохнул я. — И как же найти Конкэннона?

Туарег снова рассмеялся, но не стал объяснять почему. Я сидел под аркой в бесконечности арок, укуренный до такой степени, что ноги не держали.

— Все люди делятся на две категории: те, кто использует других, и те, кого используют другие, — изрек Туарег.

По-моему, все люди очень разные и делятся на бесчисленные категории, но я вовремя сообразил, что Туарег говорит не об этом, и вздохнул:

— Значит, эти сведения мне дорого обойдутся.

— Если честно, я хочу попросить тебя об одолжении, — признался он. — По-моему, ты с удовольствием на это согласишься.

— С удовольствием?

— Расскажи мне все, что тебе известно о Ранджите Чудри.

— Зачем?

— Я хочу взять его под свою опеку.

— Под опеку?

— Да, помещу его в одно заведение по соседству.

Иногда судьба вручает тебе горсть песка и обещает превратить его в золото.

— Спасибо, Туарег, но я на это не согласен. — Я попытался встать, но предательские ноги не слушались. — Я как-нибудь сам разыщу и ирландца, и Ранджита.

— Погоди, — сказал он. — Прости, я снова устроил тебе проверку. Но теперь все, больше никаких экспериментов. Хочешь ознакомиться с моими выводами о нашей сегодняшней встрече?

— Я на твои эксперименты согласия не давал.

— Да, разумеется, — рассмеялся он и снова усадил меня на ковер. — Прошу тебя, останься, выпей со мной чая.

Юноши внесли еще один чайник.

— Прости меня, — попросил Туарег. — Даруй мне свое прощение, иначе мне придется целый год самоанализом заниматься.

— Я тебя прощаю.

— Как-то неубедительно. Ты и впрямь меня прощаешь?

— Послушай, ну как еще я могу даровать тебе прощение?!

— А вот это уже лучше, — сказал он. — Спасибо. Что ж, перейдем непосредственно к делу, больше никаких проверок. Так вот, я готов заплатить немалые деньги за возможность лично побеседовать с Ранджитом Чудри.

— Весьма привлекательное предложение, но...

— Ранджит нанес страшное оскорбление двум девушкам из очень уважаемых семейств. Родственники готовы заплатить любые деньги за...

— Нет, спасибо.

— Ясно. Между прочим, эта проверка была непредусмотренной. Спасибо, приятно было с тобой поговорить. Вот адрес ирландца, — сказал он, протягивая мне записку. — Сегодня с ним будут только двое. Лучше всего напасть в полночь.

— Спасибо. Прости, Туарег, но, если я найду Ранджита, разбираться с ним буду сам.

— Я понял. Тебе нужна помощь? Похитить ирландца непросто.

— Я не собираюсь его похищать, просто заставлю его пересмотреть варианты своих действий.

— Ах вот как! В таком случае да пребудет с тобой милость Аллаха. Давай еще покурим? — предложил он.

— Нет, мне пора.

— Прошу тебя, останься, — умоляюще воскликнул Туарег.

Юноши внесли новый кальян, наполненный чистейшей гималайской водой, насыпали в чашу чистейший гималайский продукт и подали блюдо свежих фиников.

Туарег откинулся на шелковые подушки.

— Знаешь, сначала я умы образовывал, а потом — пытал. Должен признать, что никакой разницы в этом нет. Смешно, правда?

— Твоим подопытным не смешно.

Он снова рассмеялся жутковатым, неестественным смехом:

— Вообще-то, среди психиатров не принято упоминать самое очевидное.

— Количество успешно вылеченных пациентов?

— Нет, общеизвестно, что есть те, которым можно помочь, и те, которым помочь нельзя. Самое очевидное — то, что поведением можно управлять, совершенно не понимая его. Если можно заставить любого сделать все, что угодно, невольно задумываешься о том, кто мы на самом деле.

— Никто не может заставить человека сделать все, что угодно, даже ты. Предсказать человеческие поступки невозможно. Это мне нравится больше всего.

— Ты сам через это прошел, — сказал он, приподнимаясь. — Тебе это прекрасно известно.

— Что?

— Пытки, — пояснил он, сверкнув глазами.

— Ты для этого просил меня остаться?

— Ты сам через это прошел, — повторил он. — Расскажи, что ты понял. Прошу тебя.

— Я понял, что люди, которых считают слабыми, на поверку оказываются сильными. И наоборот.

— Верно, — вздохнул он. — Ты позволишь мне тебя... расспросить?

— Нет, — сказал я.

— А хочешь, я тебе кое-что сам расскажу? Это укрепит наши узы.

— Нет, — сказал я.

Ноги по-прежнему не слушались.

— Магазин игрушек я приобрел потому, что мне это нравится. А нелегальную лотерею организовал по просьбе Компании, чтобы доказать свою лояльность. На самом деле я предпочитаю торговать игрушками.

— Ну...

— Меня зовут Мустафа. Прозвище Туарег, которое дал мне Кадербхай, означает «забытый Богом». Так называют синих людей Сахары, потому что они никому не покоряются.

— Я...

— Видишь, я сделал тебе два искренних признания, и мы побратались.

— Хорошо...

— Теперь, после нашей беседы, я точно знаю, как с тобой обращаться, если ты хоть кому-то обмолвишься о моем доме и о нашей встрече, — сказал он и поглядел на часы. — Похоже, время истекло.

ГЛАВА

 59

Разумный человек не станет отправляться в путь укуренным, потому что в таком состоянии происходит странная вещь — время исчезает. Я не помнил, как вернулся из Кара в Колабу. Что ж, если цель путешествия — само путешествие, то я вообще никуда не ездил.

Как бы то ни было, от тревоги и напряжения я освободился — наверное, потому, что узнал адрес Конкэннона. Оставалось только дождаться полуночи.

Мне захотелось увидеться с Карлой — она меня больше не избегала, но и встреч со мной не искала. Я отправился в «Леопольд», зная, что иногда по вечерам она приходит туда с Дидье, и с плохо скрытым разочарованием обнаружил, что мой друг сидит в одиночестве. Он радостно улыбнулся мне. Я тоже обрадовался, сообразив, что перед визитом к Конкэннону с Карлой лучше не встречаться.

Дидье вскочил и крепко пожал мне руку:

— Ах, как я рад тебя видеть! Где ты пропадал? После вашего разговора с Кавитой я очень расстроился. Ты меня обидел...

— Ты знал о Лизе и Кавите?

— Разумеется. — Он гордо выпятил грудь. — Дидье известны все слухи и все сплетни. Без этого Дидье нельзя.

— Погоди, не о тебе речь. Отвечай, знал или нет?

— Ну... Да, знал. Когда Лиза меня провела, я решил, что она ушла с Кавитой. Уже потом выяснилось, что Кавита была на другой вечеринке, здесь неподалеку.

— А почему ты мне ничего не сказал? Почему она мне ничего не сказала?

— Официант! — окликнул Дидье.

— Не уходи от ответа!

— Ты задал не один вопрос, а два.

— Ты снова уходишь от ответа.

— Ничего подобного! — возмущенно сказал он. — На твой вопрос я отвечу после того, как выпью два бокала чего-нибудь покрепче. Официант!

— Чем могу служить, сэр? — учтиво осведомился Свити.

— Свити, достал уже со своей вежливостью! — огрызнулся Дидье. — Два пива, и похолоднее.

— С удовольствием, — ответил Свити и почтительно попятился.

Дидье взъярился:

— Пошел вон, болван! Тащи пиво быстро!

Свити расплылся в слащавой улыбке и отступил.

— По-моему, злость превращает тебя в настоящего англичанина, — заметил я.

— Сволочи! — воскликнул Дидье. — Они нарочно со мной вежливы, знают, что меня это раздражает. Устроили мне забастовку наоборот. Их вежливость невыносима, а ты же знаешь, вежливость определяет нашу сущность.

— Нет, Дидье, нашу сущность определяет любовь.

— Неправда! — Он гневно топнул ногой. — Такая вежливость ранит больше всего. Лин, может, твое присутствие снова превратит их в хамов? Прошу тебя, заставь их! Сделай что-нибудь!

— Ладно, попробую. Только предупреждаю заранее, дело это нелегкое. Придется мне кое-что приукрасить. Ты же приукрасил, когда обо мне Дивушкам рассказывал. Итак, какую из твоих перестрелок лучше всего упомянуть?

— Лин, ты оскорбляешь мои чувства!

— Твои чувства оскорбляет абсолютно все, поэтому мы тебя и любим. А мои чувства оскорбляет то, что ты мне ни словом не обмолвился о Лизе.

— Но это же такая деликатная тема! — запротестовал Дидье. — Как можно прямым текстом объявить, что твоя подруга завела интрижку с лесбиянкой?! Что, мне надо было каламбур какой-нибудь вымучивать? Смотри, мол, как бы Лизу не слизнули?

— Дело не в сексе. О бисексуальности Лизы мне было прекрасно известно, она сама сразу призналась. А вот вы с Лизой и Кавитой знали кое-что, о чем мне тоже следовало бы знать. Я об отношениях говорю, понимаешь?

— Ох... прости, Лин. Только есть такие вещи, которые лучше держать в секрете. Прошу тебя, прости!

— Все, больше никаких секретов. Ты мне как брат, и если дело касается тебя или меня, то ничего скрывать нельзя. Нужно говорить начистоту, без утайки. Откровенно.

— Лин, ты же знаешь, я всегда готов с тобой разоткровенничаться, — не сдержавшись, хихикнул Дидье.

Голубые глаза его сияли, как огни маяка, маня усталого путника. Улыбка скрыла тревогу. Дурные привычки и пристрастия почти не оставили следа на лице Дидье, лишь щеки слегка осунулись, но очертания рта сохранили четкость, а кожа — гладкость. По настоянию Дивы Дидье остриг копну кудрей и стал причесываться на пробор, что делало его похожим на Дирка Богарда. Наверняка у него теперь отбою не будет от кавалеров.

— Ты меня простил? — спросил он.

— Ты же знаешь, я прощаю тебя еще до того, как ты согрешишь.

— Ох, как я рад, что ты пришел! — воскликнул Дидье. — По-моему, намечается что-то серьезное, прямо нюхом чую. Посидишь со мной или тебе пора бежать?

— До полуночи посижу.

— Отлично!

На стол передо мной с грохотом брякнулась кружка холодного пива.

— *Аур куч?*[1] — буркнул Свити.

— Пошел вон, — сказал ему Дидье.

— Да-да, незамедлительно удалюсь, мистер Дидье-сахиб, — проворковал Свити. — Как вам угодно, мистер Дидье-сахиб.

— Ты прав, дело дрянь, — сказал я Дидье. — Придется хорошенько поднапрячься, чтобы тебя снова перестали уважать.

— Знаю, — вздохнул он. — Только не могу сообразить, как именно этого добиться.

К нашему столику подошел коротко стриженый блондин, высокий и мускулистый. На широкоскулом лице еле виднелся приплющенный, будто раскатанный по щекам, нос. При ближайшем рассмотрении оказалось, что нос не приплющен от рождения, а разбит, — либо блондин не умел драться, либо драк было слишком много. В любом случае привлекательности ему это не придавало.

Блондин угрожающе навис надо мной и поинтересовался:

— Как ты можешь сидеть рядом с этим типом?

— Меня сила тяжести удерживает, — добродушно пояснил я. — На досуге почитай, что это такое.

— Мне тошно на тебя смотреть! — заявил блондин Дидье.

— Бывает, — сочувственно ответил тот.

— Я тебе сейчас личико подправлю! — рявкнул блондин, выпятив челюсть.

— Эй, охолони! — вмешался я. — Не зли моего друга, пожалеешь.

— Иди к черту! — огрызнулся здоровяк.

Краем глаза я заметил, что его приятель топчется чуть поодаль.

— А знаешь, что мы в Ленинграде с такими, как ты, делаем?! — рявкнул блондин.

— То же, что и везде. — Дидье, не вынимая рук из карманов пиджака, невозмутимо откинулся на спинку стула. — Пока вас не остановят.

Ленинград... Русские. Я украдкой взглянул на приятеля: стройный, черная рубаха, потертые джинсы, растрепанные русые волосы, прозрачные зеленые глаза, улыбчивый рот. Парень был спокойнее, чем здоровяк у нашего стола, и это спокойствие делало его опасным противником. Посетители напряглись. Мне

---

[1] Еще что-нибудь? (*хинди*)

тоже стало не по себе. Парень взглянул на меня и добродушно улыбнулся.

— Ну-ка попробуй! — завопил блондин и стукнул себя кулаком в грудь.

Посетители поспешно освободили соседние столы. Блондин сдвинул мебель к стене и издевательски крикнул:

— Давай, малыш, не бойся!

Дидье неторопливо поднес к сигарете зажигалку.

— Эй ты, пидорас! — не унимался здоровяк. — Пидорас пархатый! Жидовская морда! Тьфу!

Официанты приготовились разнимать драку, но успокаивать разбушевавшегося русского не торопились — никому не хотелось получить в ухо.

— Ну, чего ты тянешь?! — орал блондин.

— Погоди, вот выкурю сигарету, там разберемся, — сказал Дидье.

«Этого еще не хватало», — подумал я.

Дидье с наслаждением затянулся, выпустил дым, аккуратно стряхнул столбик пепла в стеклянную пепельницу. В наступившей тишине приятель блондина подошел к нашему столику и вежливо осведомился:

— У вас свободно? С вашего разрешения, я присяду, пока ваш друг курит?

Я кивнул, откинулся на стуле, запустил правую руку за спину, поближе к ножам за поясом, и сказал:

— Конечно. В свободной стране все вольны поступать как хочется, Олег. Поэтому я здесь и живу.

— Спасибо, — ответил он, усаживаясь рядом. — Слушай, тебе не кажется, что это слишком заезженный стереотип: раз русский, значит обязательно Олег?

Я запоздало сообразил, что он прав, а правоту всегда приходится признать, даже если собираешься пырнуть собеседника ножом.

— Меня зовут Лин, — представился я. — Только я пока не уверен, что рад знакомству.

— И я тоже, — кивнул он. — Олег.

— Издеваешься? — спросил я, сжав рукоять ножа.

— Нет, что ты! — рассмеялся он. — Меня на самом деле зовут Олег. А твоему еврейскому голубку сейчас задницу надерут.

Дидье задумчиво разглядывал сигарету.

— Я б поставил на еврея, — сказал я.

— Серьезно?

— Я всегда ставлю на еврея.

— А сколько? — с интересом спросил мой новый знакомый.

— Сколько есть.

— А сколько есть?

— Три тысячи.

— Долларов?

— Рублей не держим, — улыбнулся я. — Мой друг уже почти докурил. Ну как, согласен?

— Заметано, — сказал он.

Мы обменялись рукопожатием, и я снова потянулся к ножу. Олег подозвал официанта. Дидье сделал еще одну затяжку. Официант по имени Саид встревоженно и недоуменно перевел взгляд с Олега на меня, а потом посмотрел на здоровяка, который нетерпеливо переминался у столов, сдвинутых к стене.

— Принеси холодного пива, — сказал Олег, — и тарелку картошки фри.

Саид ошарашенно заморгал и уставился на меня.

— Ничего страшного, я тоже не понимаю, что происходит, — сказал я.

— А, тогда я сейчас ваш заказ принесу, — облегченно выдохнул Саид и ушел, размахивая руками и крича на хинди: — Ничего страшного! Никто не понимает, что происходит.

Официанты расслабились и с любопытством следили, как Дидье докуривает сигарету.

— Надеюсь, твой друг победит, — сказал мне Олег. — Хоть это и маловероятно.

Дидье затушил сигарету в пепельнице.

— Ты надеешься, что мой друг победит? — переспросил я.

— *Чертда,* — сказал Олег по-русски.

— Что это значит?

— Черт, да! — повторил он по-английски.

— Ну-ну.

— Черт, да! — снова воскликнул он. — Я бы сам с радостью заплатил три штуки баксов за то, чтобы этого кретина хорошенько отлупили. Глядишь, мозги бы вправили. Только это не в моих правилах.

— Не в твоих правилах?

— Это ты его в первый раз видишь, а я с ним который месяц работаю. Достал он меня, сил нет, но подляну ему подстроить совесть не позволяет. Я на своей шкуре такие подляны испытал.

— Ну-ну.

— А если твой приятель победит, а я тебе проиграю, то никакого кармического долга.

Дидье медленно встал из-за стола.

— Олег, мы с тобой чуть позже продолжим разговор, — пообещал я.

Дидье аккуратно отряхнул пепел с черного бархатного пиджака, поправил ворот и, не вынимая рук из карманов, подошел к блондину.

Здоровяк, раскачиваясь из стороны в сторону, замахал громадными кулаками. На всякий случай я покрепче перехватил рукоять ножа: если Олег решит ввязаться, я его остановлю. Мой новый знакомый невозмутимо закинул руки за голову, поудобнее устроился на стуле и с интересом следил за происходящим.

Дидье, остановившись в полутора шагах от блондина, взвился в изящном балетном прыжке, раскинул руки, согнутыми коленями пнул здоровяка в грудь, а рукоятью пистолета стукнул по голове — и тут же отскочил и снова засунул руки в карманы. Ноги блондина подкосились, он беспомощно задергал руками, но мозг отключился, и здоровяк с размаху шмякнулся носом в пол.

Дидье отправился к стойке бара договариваться с официантами.

— Ты проиграл, Олег, — сказал я.

— Ничего себе, — протянул он. — Представляешь, этот болван в России типа чемпион по рукопашному бою.

— Твоего чемпиона только что балетным прыжком свалили. И отлично сделанным пистолетом. Так что плати.

— Без проблем, — ухмыльнулся он. — Мы, русские, знаем толк в отлично сделанных пистолетах. — Олег вытащил из кармана пухлую пачку денег, отсчитал три тысячи и сунул остальное в карман.

— Загадочный ты человек, — сказал я.

— Не загадочный, а безработный.

Джордж Скорпион нанял русских телохранителей, а теперь русские появились в «Леопольде». Вряд ли это было совпадением.

— Погоди, вы, случайно, не пентхаус в «Махеше» охраняли? — спросил я.

— Точно, — удивился Олег. — Только этот мудак нас сегодня уволил.

— Между прочим, этот мудак — мой приятель.

— Прости, не знал, — сказал он. — Кстати, скупердяй он страшный. Высчитал все до минуты и дал нам двести долларов отступных. За то, что мы его день и ночь охраняли. Смешной он.

— У тебя в кармане побольше двухсот долларов наберется, — заметил я.

— А, это я в покер выиграл. Там в гостинице какой-то тип игру устроил...

— Ну-ну.

— Мне свезло, я банк сорвал.

Надо же, Олег-везунчик сорвал банк в моей игре!

— Мистер Дидье сегодня в отличной форме, — сказал Саид, принеся наш заказ. — Давно мы такого представления не видели. Вынес этого медведя с одного удара.

— А проигравшего куда денете?

— На улицу отволочем, — ответил Саид, смахивая крошки со столешницы.

— Ничего, если я начну? — спросил Олег, обмакнув ломтик картофеля в кетчуп. — Обожаю картошку фри.

— Там твоего приятеля на улицу волокут, — напомнил я.

— Так ты не возражаешь? — уточнил он и с аппетитом набросился на картофель.

— Я сейчас вернусь, — вздохнул я, поднимаясь из-за стола.

Беспомощного русского выволокли на тротуар, в полуметре от заведения, где он автоматически становился проблемой уличных торговцев. Те в свою очередь столкнули бы его в канаву, на территорию водителей такси, которые, не желая с ним связываться, вытащили бы его на проезжую часть, где, если повезет, его подберет «скорая» — или задавит автобус. Мне и самому довелось побывать в положении этого бедолаги. Я окликнул уличного торговца, дал ему денег и попросил загрузить русского в такси и отправить в больницу.

Дидье принимал поздравления и расплачивался с хозяевами за доставленные неудобства. Я вернулся к столу и на всякий случай, как было принято в те годы, огляделся в поисках третьего русского.

— А где третий? — спросил я Олега.

Он промокнул губы салфеткой и посмотрел на меня честными глазами:

— Если б с нами был третий, я бы здесь не отсвечивал. Русских все боятся. Даже русские русских боятся. Я сам русский, знаю, о чем говорю.

— А почему Скорпион вас уволил?

— Слушай, раз он твой друг...

— Он псих. Рассказывай.

— В общем, он совсем с катушек съехал, потому что какой-то блаженный на него вроде как проклятие наложил. По мне, так я б этого святого прибил или заставил бы проклятие снять, но я русский, мы иначе такие вещи воспринимаем.

— И что случилось?

— Твой друг решил обзавестись дегустаторами.

— Дегустаторами?

— Ты что, не знаешь, что такое дегустатор?

— Знаю. Так в чем же дело?

— Он нанял местную детвору еду пробовать, чтобы не отравили ненароком, представляешь?

Я догадывался, что в пентхаусе Скорпиона происходит что-то неладное, да и Джордж Близнец об этом упоминал, однако в полночь я намеревался навестить Конкэннона, поэтому мне было не до проблем Скорпиона. Как потом выяснилось, я напрасно не придал никакого значения рассказу о проклятии, а моему другу действительно нужна была помощь.

— И за что он вас уволил? Или вы сами ушли? — спросил я.

— Я сказал, что не позволю детям еду пробовать, сам вызвался: мол, я же и так вечно голодный. А он разобиделся и нас уволил.

— А кто вам заплатил за то, чтобы здесь драку устроить?

— Не нам, а моему напарнику. Он меня пригласил выпить на прощание, я и согласился. Ну, мы сюда пришли, а он мне и говорит, что его попросили какого-то голубка-французика отметелить.

— А ты что?

— А я решил за ним приглядывать, чтобы он никого не убил. Не хватало мне еще проблем с визой...

— Да ты гуманист, — сказал я.

— Кто бы говорил, — дружелюбно ухмыльнулся он — и снова был прав. А если человек прав, то его правоту следует признать.

— Ох, да пошел ты! — вздохнул я. — Попробовал бы пальцем тронуть моего друга, имел бы дело со мной.

— Как я тебя понимаю! — воскликнул Олег.

— Что? — растерянно переспросил я.

— Как я тебя понимаю! — заорал он, схватил меня в охапку и крепко обнял.

Судьба вечно преподносит сюрпризы, удивляет неожиданным оборотом дел. Мир покачнулся и расплескал озера времени, напоминая о крепких объятьях брата в далекой Австралии.

Я снова уселся за стол. Олег помахал официанту.

— Погоди, — остановил я его. — Ты теперь безработный?

— Ага. А что?

— Да есть одна работенка, на пару часов.

— Когда?

— Прямо сейчас.

— А что делать?

— Сначала ворваться, а потом вырваться. Если повезет. Вместе со мной. С боем.

— Куда ворваться? Если в банк, то без меня.

— Не в банк, а в дом.

— А туда просто зайти нельзя?

— Нет, не получится. Его обитатели меня недолюбливают.

— Почему?

— Какая тебе разница?

— Не в этом дело.

— А в чем?

— В цене. Удвоишь сумму, которую я тебе сегодня проспорил?

— Да. Ну что, договорились?

— А нас не убьют?

— Какая тебе разница?

— Большая. Мы только что познакомились, а я за тебя уже волнуюсь.

— Это вряд ли.

— Я же русский, мы быстро с людьми сходимся.

— Я в том смысле, что вряд ли нас убьют.

— А сколько человек в доме?

— Трое. Но один из них — ирландец, он двоих стоит.

— А другие двое кто по национальности?

— Это тебе зачем?

— Ну как же, от этого цена зависит.

— Я их паспорта не проверял, но, по слухам, он работает с афганцем и с индийцем.

— Значит, их там трое?

— Двое, а третий еще двоих стоит.

— Ирландец, афганец и индиец?

— Ну да.

— Значит, против русского и австралийца... — задумчиво протянул Олег.

— Можно и так сказать.

— Цену придется удвоить.

— Удвоить?

— Черт, да.

— Это еще почему?

— Понимаешь, сейчас русский против афганца обходится вдвойне.

— Двенадцать тысяч? И не мечтай!

К нашему столу неторопливо направился Дидье, картинно раскланиваясь под аплодисменты посетителей.

— Знаешь что? — шепнул мне Олег. — Я все-таки с тобой пойду. Если заработаю, заплатишь.

— Дидье, познакомься, — сказал я. — Это Олег. Он тебе понравится.

— *Enchanté, monsieur!* — воскликнул Дидье.

— Мсье, вы не возражаете против моего присутствия? — учтиво осведомился Олег. — А то мало ли, все-таки я психа к вам в бар привел.

— В «Леопольд» все психов приводят, — ответил Дидье. — А Дидье хорошего человека за пятьдесят метров замечает. И в сердце попадает с того же расстояния.

— По-моему, мы с вами столкуемся, — улыбнулся Олег, опираясь локтями о столешницу.

— Официант! Еще пива! — потребовал Дидье.

— Не спеши, — отмахнулся я. — Нам с Олегом пора.

— Лин, ты куда? — запротестовал Дидье. — С кем мне насладиться вкусом победы? Кто теперь со мной выпьет?

— Не волнуйся, очередной псих вот-вот появится, — сказал я, обнимая его за плечи.

ГЛАВА
 60

Мы с Олегом поехали в Парель, к заброшенным хлопкопрядильным фабрикам. По сведениям, полученным от Туарега, наркобизнес Конкэннона располагался в промышленной зоне, где пустующие помещения сдавали в аренду.

Поговаривали, что по ночам среди корпусов бродят привидения. Здесь жили, работали и умирали два поколения работников, а потом фабрики закрылись. «Призраки — это умершие бедняки», — однажды сказал мне Джонни Сигар.

Я припарковал байк, и мы направились к рядам серых фабричных зданий.

— Как-то здесь пустынно, — заметил Олег.

— Тут по ночам всегда так, — сказал я. — Нам нужен четвертый корпус, ирландец там обосновался. Все, умолкни.

Мы крались вдоль ограды, увешанной рекламными плакатами, которые обещали чрезвычайно выгодные сделки с недвижимостью и предлагали всевозможные способы получения невероятных прибылей на финансовых рынках.

— Ого! — восторженно прошептал Олег. — Какой великолепный материал!

Я замер, ткнул его пальцем в грудь и переспросил:

— Великолепный материал?

— Ага.

— Ты что, журналист?

— *Чертнет*, — шепнул он.

— Чего?

— Это означает «черт, нет» по-русски, — объяснил Олег. — Как «черт, да», только наоборот.

— Нашел место для уроков русского языка! Так ты журналист или нет?

— Я не журналист, я писатель.

— Писатель?

— Ну да.

— Русский писатель? Издеваешься, да?

— Слушай, я писатель, — торопливо зашептал он. — По национальности русский. Получается, что я — русский писатель. Тебя это устраивает? Или отменим вылазку?

Я задумался. Может, лучше пойти в четвертый корпус одному, без русского писателя? Решение давалось с трудом — такова нелегкая писательская доля.

— Русский писатель, — вздохнул я.

— А тебе что, русские писатели не нравятся?

— А кому они нравятся?

— Ты серьезно? А как же Аксенов? Он всем нравится.

— Да пошел ты! — отмахнулся я.

— А Тургенев? Он смешно пишет.

— Ага. Почти как Гоголь.

— Строго говоря, Гоголь — не русский писатель, — хриплым шепотом уточнил Олег. — Он украинец. Великий украинский писатель.

— Заткнись!

— Погоди! — Олег схватил меня за руку. — Ты тоже писатель, что ли? С ума сойти! Надо же, два писателя отправились в поход за впечатлениями...

— Иди к черту!

— Ну а зачем еще в поход ходить?

Да, ситуация. С Олегом я смогу застать троих врасплох, потом поговорю с Конкэнноном, и, если повезет, мы уберемся восвояси. Конкэннону не поздоровится, да и мне, наверное, тоже. А без Олега мне в одиночку придется прирезать людей Конкэннона, что гораздо сложнее. Надо же, Олег — писатель. Русский писатель.

— А еще есть Лев Лунц[1], — прошептал Олег. — Я его обожаю...

— Да заткнись ты!

---

[1] *Лев Лунц* (1901–1924) — русский прозаик, драматург и публицист, один из основателей литературной группы «Серапионовы братья».

Я огляделся. На противоположной стороне широкого проезда виднелось железнодорожное полотно, а с нашей стороны стояли железные фабричные бараки, округлые, как погребальные курганы. Вокруг не было ни души, даже бродячие псы сюда не совались. В опасных местах всегда царит обманчивое спокойствие. Главное — не бояться. Мне было страшно. Я пытался вобрать в себя неверное спокойствие, потому что хотел поговорить с Конкэнноном без кровопролития, но сознавал, что надеяться на это бесполезно.

— Кстати, а почему ты меня с собой взял? — спросил Олег. — Почему не позвал Дидье или еще кого-нибудь из приятелей?

— Тебе это очень нужно знать?

— Конечно. Это же отличный материал!

— Понимаешь, друзья бы со мной пошли, но я бы за них волновался. А в случае чего за тебя я волноваться не буду, ясно?

— Ясно, — улыбнулся он. — Разумное объяснение. Я бы тоже твою жизнь купил, если б припекло.

— Я не жизнь твою купил, Достоевский, а твое время. В драке. Это тебе ясно?

— Ясно, ясно, — обрадованно кивнул он. — Хорошо, что мы с тобой это обсудили.

— А теперь еще кое-что обсудим, — шепнул я. — Если к моей подруге подкатишь, я тебя прирежу.

— У тебя подруга есть? — удивленно спросил Олег.

— А что такого?

— Ну...

— Предупреждаю, если попробуешь к ней со своими русскими писателями сунуться — прирежу.

— Да понял я, понял. У меня вообще память хорошая, — улыбнулся он.

Я никак не мог в нем разобраться — либо он был просто добрым, хорошим парнем, либо знал что-то, мне неведомое.

— Ты о чем? — недоуменно поморщился я.

— У тебя подруга есть? Правда, что ли?

— Повторяю, не лезь к ней со своими русскими заморочками.

— Говорю ж тебе, я запомнил. Не полезу. — Он усмехнулся еще шире.

— И чего ты вечно улыбаешься?

— Так здорово же! Сам подумай, мы с тобой, коллеги-писатели, вместе идем на стоящее дело. Представляешь, что об этом можно написать? Рассказ какой-нибудь. Может, потом вдвоем попробуем? У меня уже столько задумок...

— Да прекрати ты, наконец! Нам бы отсюда живыми выбраться. С ирландцем связываться опасно, так что гляди в оба.

— Да не волнуйся ты так! Двенадцать тысяч долларов — деньги приличные. Зададим жару ирландцу и его приятелям, а потом напьемся, — сказал он и побежал к четвертому корпусу.

Не дожидаясь меня.

Странные они, эти русские.

Я догнал его у самого входа. Мы бесшумно обогнули громадный барак и подкрались к окну.

Конкэннон и два его напарника играли в карты на капоте красного «понтиака», прикрытого серебристым чехлом.

— Ты готов? — шепнул я Олегу.

— К чему? План-то у нас какой?

— Войдем внутрь, я с ирландцем поговорю.

— Может, лучше украдкой пробраться?

— Если б я привык украдкой пробираться, то пистолет бы захватил.

— А ты что, без оружия?!

Я распахнул дверь и вошел в пустой фабричный цех. Олег пристроился следом. Мы пересекли огромное помещение и остановились в нескольких шагах от Конкэннона. И афганец, и индиец держали руки на коленях — непонятно, при оружии они или нет.

Конкэннон зааплодировал и воскликнул:

— Ого, с тобой веселее, чем с подвыпившей монашкой! А мне сказали, что ты умер. Вот и верь после этого слухам.

— Давай разберемся, — сказал я. — Мы с тобой, наедине.

— На драку нарываешься? — ухмыльнулся он.

Его ухмылка мне очень не понравилась.

— Если ты согласен прекратить свои грязные делишки и оставить в покое меня и моих друзей, то, так и быть, сыграю с тобой в покер, — предложил я.

— А если я не согласен? — Глаза его влажно сверкнули колючим светом холодных звезд.

— Если не согласен, то мы с тобой сейчас все и решим.

Он откинулся на спинку пластмассового стула, с улыбкой поглядел на меня и негромко произнес:

— Говинда, возьми его на прицел.

Значит, пистолет был у индийца.

Афганец встал, не выпуская из руки карт.

— Слушаюсь, босс, — отозвался Говинда.

— Говинда, подойди к его приятелю, — велел Конкэннон.

— Есть, босс, — ответил индиец и отошел от «понтиака».

В полумраке фабричного цеха глаза Говинды блестели, как опалы. Индиец подошел к Олегу и ткнул ему в живот дулом пистолета. Олег улыбнулся. Похоже, здесь все улыбались — кроме меня.

— Я пришел к тебе поговорить, а ты пистолетом угрожаешь? — спросил я.

Похоже, Конкэннона задело мое замечание.

— Подстраховаться никогда не мешает, — заявил он, с усилием сдерживая злость.

— Смотри не ошибись, — с нажимом сказал я, краем глаза глядя на афганца с индийцем. — Иначе отсюда мало кто уйдет целым и невредимым. А уж Говинде и афганцу точно не жить. — Я повернулся к афганцу. — *Салям алейкум.*

Он не ответил.

— *Салям алейкум,* — миролюбиво повторил я, напоминая ему о поучениях ислама: на искреннее приветствие следует отвечать доброжелательно.

— *Ва алейкум салям,* — неохотно ответил он.

— Как тебя зовут? — спросил я.

Он послушно раскрыл рот, но Конкэннон тут же оборвал приспешника:

— Молчи, болван! Не понимаешь, что ли, он тебя морочит! Научился всяким местным обычаям, теперь дурит вам головы, аборигенам малоумным. Ничего, я сейчас сам ему голову задурю, покажу вам настоящее мастерство. — Он обошел вокруг «понтиака», встал передо мной и велел Говинде: — Если шевельнется, пристрели его приятеля. С трупом потом разберемся.

— Есть, босс.

Конкэннон, растянув губы в напряженной улыбке, стоял в двух шагах от меня и чуть раскачивался из стороны в сторону.

— Я знаю, что ты хочешь узнать, — заявил он.

— Я хочу тебя остановить, только и всего.

— Ха! Глупости, ты пришел за ответом на очень важный вопрос.

— Ты о чем?

— Вопрос, вопрос, вопрос... — издевательски протянул он.

— Да говори уже!

— Говинда, слушай меня внимательно! — приказал он, не спуская с меня взгляда. — Если этот мудак шевельнется, пристрели его друга.

— Есть, босс.

— Больше всего тебе хочется узнать, — заявил он, подавшись ко мне, — присунул ли я твоей американской подруге, прежде чем оставил ее с Ранджитом.

На скулах заиграли желваки, на висках набухли вены, внутри полыхнула незнакомая, прежде не изведанная ярость. Конкэннон упомянул о Лизе, и я пытался ее защитить.

— Похоже, ирландская голодуха англичанина из тебя не вытравила, — с издевкой заметил я. — Как был англичанином с ирландским акцентом, так им и остался.

Он не выдержал и бросился ко мне, но я увернулся, отступил к «понтиаку» и спросил:

— Что, струсил? Силенок не хватает? Давай-ка мы с тобой разберемся как мужчина с мужчиной. Если победишь в честной драке, так и быть, призна́ю, что ты лучше меня. А если я верх возьму, то ты оставишь меня и моих друзей в покое. Так будет по справедливости, правда, Говинда?

— Да, босс, — автоматически ответил индиец.

— Заткнись, придурок! — рявкнул Конкэннон.

— У твоего подручного совесть проснулась, — сказал я. — Ну что, попробуем без оружия, голыми руками, на кулаках? Так будет по справедливости, правда, Говинда?

— Молчать! — завопил Конкэннон, оглядывая меня с головы до ног. — Всем молчать!

Был ли я прав тогда? Прав ли я сейчас, вспоминая улыбку на лице врага? Мне показалось, что Конкэннон не хотел ввязываться в драку.

— Что ж, на кулаках, так на кулаках, — заявил он, подключая плеер к динамикам «понтиака». — Да еще и под музыку. Под музыку избивать веселее. Я подумываю выпустить альбом моих любимых хитов.

Заиграла ирландская музыка. Конкэннон встал в боксерскую стойку, сжал кулаки:

— Ну, приступим.

Я прыгнул к нему, припав к земле, и дважды ударил в бедро, в то место, куда попала пуля Абдуллы. Ирландец завопил от боли и упал на колено. Я поднялся и, поднырнув под его руку, ткнул кулаком в глаз. Конкэннон с размаху стукнул меня по затылку, но боли я не почувствовал, вцепившись скрюченными пальцами в глазницу противника. Он отшатнулся. Царапины под глазом набухли кровью.

Конкэннон сморгнул кровь и привычно замахнулся с полусогнутого колена. Я вовремя вспомнил предупреждение Навина, ушел от удара, извернувшись, вцепился ирландцу в ключицу и дернул изо всех сил. Кость с хрустом выскочила из сустава. Конкэннон заорал от боли, рука повисла плетью.

Тюремная драка — победа или смерть.

— Ах, значит, так! — воскликнул он и отскочил, потирая поврежденный глаз.

— Значит, так, — хмуро кивнул я.

Он снова бросился на меня, но я вцепился ему в пах, выкручивая яйца. Он повалился на пол, скорчился, пытаясь защитить свое драгоценное хозяйство. Я встал на колени и с размаху нанес удар, потом второй, чтобы мало не показалось. Он пошатнулся, прижав ладони к паху, и захохотал — сидел на полу и смеялся, как ребенок.

— Ты жульничаешь. Вот, у меня свидетель есть, — заявил он, указывая на Олега.

— А кто меня свинчаткой бил? Тоже мне маркиз Лондондерри[1] выискался, правила ему подавай! — напомнил я. — А кто меня заказал? Награду сулил? Это по правилам, да? Я тебя в последний раз предупреждаю, Конкэннон, оставь меня в покое.

— Жульничаешь, сосунок, — буркнул он и с напряженным смешком добавил: — Раз согрешил, так покайся.

— Если не оставишь нас в покое, то мне придется каяться в большем грехе.

— Знаешь, малыш, мне было приятнее думать, что тебя убили, — хохотнул он, прикрыв окровавленный глаз. — Говинда, пристрели его. Пусти ему пулю в голову.

Говинда шевельнулся, но Олег полоснул его ножом по лицу и отобрал пистолет. Индиец заорал от боли и отчаяния — личико-то подпортили, карьера болливудской звезды накрылась. Олег для верности пристукнул его рукоятью пистолета. Говинда мешком повалился на пол.

Афганец не выпускал из рук веера раскрытых карт. Я сжимал нож. Олег наставил на афганца пистолет и улыбнулся:

— Уноси ноги, приятель. Твоя карта бита.

Афганец выронил карты и бросился прочь.

— Ты мне ключицу вывихнул, сволочь, — пробормотал Конкэннон, свесив голову. — Твое счастье, что рука не поднимается, а то я б тебя одним ударом вырубил, ты же знаешь.

— Оставь меня в покое!

— Ах, милая, милая Лиза, — вздохнул он.

Я снова его ударил. Он завалился на спину, безвольно вытянув руки.

---

[1] Издевка основана на объединении титула Джона Шолто Дугласа, маркиза Куинсберри, которому приписывают создание правил английского кулачного боя (1867), с названием ирландского города Лондондерри, где при беспорядках (1969) в уличных драках между лоялистами и националистами пострадали более тысячи человек.

«Что теперь делать? — подумал я. — Убить? Нет, убить я его не смогу. Вот если он меня захочет убить, тогда...»

Конкэннон, с вывихнутой ключицей и оцарапанным глазом, валялся на полу, не пытаясь подняться. Рот у него не закрывался — ирландец говорил не переставая и смеялся над шуточками, понятными ему одному.

Олегу это не понравилось. Он хотел заткнуть Конкэннону рот кляпом, но я не разрешил, заметив, что если ирландец задохнется, то это здорово подпортит Олегу карму.

Тогда Олег ему вмазал — от души. Конкэннон вырубился. Мы поручили его заботам Говинды, которого я предупредил, что если он еще раз появится в южном Бомбее, то царапиной на щеке не отделается.

— А пистолетик твой я заберу, — заявил Олег. — Пригодится еще. Захочешь вернуть — пристрелю.

Мы подбежали к мотоциклу, и я остановился поблагодарить своего нового приятеля.

— Вот тебе шесть тысяч, — сказал я, — а завтра получишь остальное. С премиальными. Я к пяти в «Леопольд» подойду. И вообще я твой должник.

— Хорошо, что он трезвый был. С пьяным ирландцем я б связываться не стал, — вздохнул Олег, оглядываясь.

— Я с ним ни в каком виде связываться не желаю. Спасибо тебе.

— Это тебе спасибо, — улыбнулся он.

— Слушай, что ты все время улыбаешься?

— Это я от счастья. Я вообще человек счастливый, судьба у меня такая. Мне даже в печали хорошо. Ну что, попробуем вдвоем рассказ написать?

— Ты и правда писатель?

— Ну да.

— Фразочки у тебя хлесткие.

— Какие фразочки?

— Ну, когда ты афганцу сказал, что его карта бита. И Говинде про пистолет...

— А, так это цитаты из фильмов, — отмахнулся он. — Ты русских фильмов не видел? Тебе понравится, там много отличного материала.

В Колабе мы с Олегом пожали друг другу руки и расстались у входа в какую-то туристскую гостиницу.

В гордыне кроется тщеславие. Олег, спасший мне жизнь, остался на обочине; я сказал себе, что мне никто не нужен, хотя на самом деле я с ним расстался именно потому, что мне понравился этот улыбчивый парень, и я знал, что Карле он тоже понравится. Стыдно признать, но я оставил его из ревности.

ГЛАВА
61

Мне надо было встретиться с Абдуллой, узнать, что у него за дела с Конкэнноном. Я съездил на Нул-базар, в мечеть Набила и во все остальные места, где обычно появлялся Абдулла. Злость не отпускала. Разбитые в кровь кулаки саднили. О вежливости я забыл.

— Где Абдулла? — спрашивал я снова и снова под рев мотоцикла.

Парни, закаленные в уличных боях, требовали к себе элементарного уважения, и мои наглые вопросы встречали ответной грубостью:

— Иди к черту, Лин! Может, тебе еще и пистолет показать, вдруг Абдулла в стволе спрятался?

— Да пошел ты! Я тебя спрашиваю, где Абдулла.

Друга я отыскал в шатре, среди суфийских певцов, исполнявших манкабат — песнопение в честь святого имама Али, которое занимало несколько часов. Исполнители передавали по кругу чиллум. Заметив меня, Абдулла встал и направился ко мне. На усыпанной гравием парковке мы встали у деревьев ограды.

— *Салям алейкум,* — сказал Абдулла, целуя меня в щеку.

— *Ва алейкум салям.* Что происходит? Ты что, с Конкэнноном на убийство ходил? И стрелял в ирландца, чтобы он никому не разболтал?

— Пойдем... — Абдулла хмуро потянул меня за руку.

Мы отошли к магнолии, что качала ветвями под легким ветерком, и уселись на валуны, служившие барьером для автомобилей. Из шатра раздавались суфийские напевы. На дереве хрипло закаркала ворона. Шатер украшали гирлянды фонариков — если муниципалитет давал разрешение, такие шатры стихийно возникали по вечерам, а с рассветом исчезали. Покой фестиваля духовных песнопений боялись нарушать даже самые отчаянные бандиты — поговаривали, что это навлечет проклятье на семь поколений родных и близких. Случается, что нас оберегают потомки, еще не рожденные на свет.

— Санджай лично, не от имени Компании, велел мне взять заказ со стороны, — начал Абдулла. — По-моему, у него были какие-то политические мотивы. В общем, он приказал мне убить одного бизнесмена.

Он умолк. Я не торопил его — день и без того выдался утомительный.

— Ирландец всем свои услуги предлагал, вот Санджай его и нанял, а меня отправил присматривать, чтобы все прошло как полагается.

Он снова помолчал.

— Только все вышло иначе, — вздохнул я.

— Да, в доме оказались жена и дочь. Они нас видели, могли опознать, но у меня рука не поднималась их убить.

— Ну да.

— Их убил Конкэннон. Я его не остановил, навлек на себя проклятие.

Абдулла, неуязвимый, несгибаемый Абдулла исчезал на глазах, как иногда исчезает любовь, высыпаясь песком из горсти.

— Ох, что ты натворил!

— Он им горло перерезал, — вздохнул Абдулла.

— Господи!

— Все газеты об этом писали, ты наверняка помнишь.

Ограбление, муж задушен, жена и дочь зарезаны... Я хорошо помнил это убийство.

— Я предупредил Конкэннона, что убью его при первой же встрече, — сказал Абдулла. — Я запретил ему иметь дело с Компанией. На мокрые дела Санджай стал нанимать велокиллеров.

— А почему ты мне об этом не рассказал? Ирландец же за мое убийство деньги сулил!

— Мне было стыдно.

— Стыдно?

Стыдно... Я знал, что такое стыд. Абдулла был моим братом, а братство не знает границ.

— Надо было мне сказать, Абдулла. Мы же братья!

— После такого постыдного поступка ты бы от меня отвернулся.

Судьба не только осуждает, но и заставляет стать судьей. Абдулла усадил в судейское кресло меня, преступника, сбежавшего из тюрьмы, вручил мне судейский молоток... Вот бы его самого этим молотком по лбу стукнуть...

— Надо было сказать...

— Знаю, — понурился он.

— Все, больше никаких секретов, — сказал я. — Вы с Дидье обожаете секреты.

— Больше никаких секретов, — повторил он.

— Поклянись!

— Клянусь.

— Отлично. А теперь смотри в оба. Я сегодня с Конкэнноном встречался, не знаю, отвяжется он или захочет отомстить.

— Ты без меня к нему пошел?

— Все обошлось. Мне помогли.

— Ты с ним разобрался?

— В общем, да. Не волнуйся, морду я ему раскровянил.

— Я тобой горжусь, — сказал Абдулла.

— Было бы чем гордиться, — вздохнул я. — Я не собирался в драку ввязываться, но с ним иначе нельзя, он другого не понимает.

— Пойдем в шатер? — предложил Абдулла. — Они до рассвета петь будут.

— Нет, спасибо за приглашение, но мне домой пора. Может быть, Карлу застану. До встречи, брат.

По Марин-драйв я вернулся в Город семи островов и отправился в гостиницу «Амритсар». Дорога и набережная были пустынны, от дремлющих особняков исходил покой.

Под фонарем на разделительной полосе сидел человек с гитарой. Олег. Я подъехал к нему:

— Ты что здесь делаешь?

— На гитаре играю, — радостно ответил он.

— Посреди дороги?

— Здесь прекрасная акустика, — с лучезарной улыбкой заявил Олег. — За спиной море, впереди дома. Ты умеешь играть? Может, дуэт составим?

Я сорвался с места, но у Нариман-пойнт развернулся и снова приехал на бульвар.

— Выпить хочешь? — крикнул я Олегу, перекрывая шум мотора.

— С тобой? — недоверчиво уточнил русский.

Я снова доехал до Нариман-Пойнт и вернулся.

— Да, хочу! — сказал Олег.

— Тогда садись, черт возьми!

— А можно я за руль сяду?

— Размечтался! Я свой байк в чужие руки не отдаю.

— Ладно, — сказал он, усаживаясь у меня за спиной и пристраивая гитару сбоку. — Главное, границы вовремя очертить.

— Держись покрепче.

— С кем драться будем?

— Ни с кем.

— А друг с другом?

— Ну-ка слезай!

— Я к тому, что с тобой я драться буду только на трезвую голову, иначе нечестно получится.

— Да пошел ты!

— Русские всегда честно дерутся.

— Еще раз услышу слово «русский», на дорогу столкну.

— Но я же русский!

— Лучше говори — слово на букву «эр».

— Ладно. Мы, люди на букву «эр», вообще понятливые.

По дороге отличное настроение вернулось — ехать с Олегом было приятно. Едва мы поднялись ко мне в номер, как соседняя дверь распахнулась и на пороге появилась Карла, в вечернем платье без рукавов и в высоких кроссовках. Волосы, собранные в тугой узел, скрепляла заколка из рыбьей кости, украшенная кольцом со сверкающим камнем.

— Ого! — воскликнул Олег, заметив в распахнутой двери обстановку бедуинского шатра.

— Карла, познакомься, это Олег, русский писатель и вообще хороший человек. В стесненных обстоятельствах. Олег, это Карла.

Карла, склонив голову набок, как женщина в доме Туарега, придирчиво оглядела меня с головы до ног. Что-то было не так. Она посмотрела на Олега и улыбнулась:

— В стесненных обстоятельствах?

— Карла... какое прекрасное имя, — сказал Олег, целуя ей руку. — У меня есть возлюбленная, я ласково зову ее Карлуша. Для меня большая честь с вами познакомиться. Между прочим, ваш друг обещал меня прирезать, если я попытаюсь с вами флиртовать.

— Да неужели? — улыбнулась Карла.

— Послушай, мы, вообще-то, собирались напиться у меня в номере, а то ночь выдалась тяжелая. Может, составишь нам компанию?

— Это приказ или приглашение?

— Карла...

— А что, правильный вопрос, — вмешался Олег.

Я укоризненно посмотрел на него и попытался объяснить:

— Я имел в виду...

— Нет, спасибо. — Карла выключила свет в номере, захлопнула дверь, закрыла ее на бесчисленные замки и повернулась к Олегу. — Между прочим, у меня есть для тебя встречное предложение.

— Какое?

— Нам нужны сыщики.

— Сыщики?

— Олег, давай напьемся до беспамятства, — сказал я.

— В соседнем номере — наше детективное агентство, — пояснила Карла. — Нам нужны люди понятливые и сообразительные. Ты ведь понятливый?

— Иногда, — ответил Олег. — А почему вы так решили?

— Иначе он бы тебя мне не представил, — сказала Карла, кивая на меня. — Ну что, согласен?

— Если я соглашусь, ты меня не прирежешь? — озабоченно спросил меня Олег.

— Нет, не прирежет, — пообещала Карла.

Он оценивающе взглянул на нее:

— Здорово! В один и тот же день меня дважды уволили и дважды взяли на работу. Похоже, я в этом городе разбогатею. Когда начинать?

— В десять утра. Не забудь рубашку сменить.

Олег одарил ее очаровательной улыбкой. Карла улыбнулась в ответ. Мне захотелось удавить Олега чистой рубашкой.

— Ладно, тогда до свидания, — сказал я и потянулся к ней, надеясь обнять, поцеловать и вдохнуть родной аромат океана.

Она коснулась моей груди и легонько отстранилась.

— Олег, открывай дверь! — сказал я, швырнув ему ключи.

Он открыл дверь и ахнул:

— Ну и минимализм! Прямо как у Солженицына.

— Карла, что случилось? — спросил я, как только мы остались наедине.

Она глядела на меня, как на смутно знакомый лабиринт, вспоминая, как оттуда выбраться.

— Я на пару недель уезжаю.

— Куда?

— Так и знала, что ты об этом спросишь. Очаровательное качество, но слегка раздражает.

— Не уходи от ответа. Куда ты уезжаешь?

— Тебе совершенно незачем это знать.

— Нет, есть зачем. Я должен знать, где дверь выламывать в случае чего.

Она рассмеялась. Вот так всегда: я говорю серьезно, а люди смеются.

— Поживу у Кавиты, — наконец ответила она.

— Какого черта? — выпалил я, не подумав.

Она вопросительно склонила голову набок:

— Ты ревнуешь, Шантарам?

На самом деле я не ревновал ее к Кавите — тогда меня гораздо больше беспокоил Олег, — но я слишком хорошо помнил резкую отповедь журналистки и не хотел, чтобы Карла уходила к женщине, которая меня ненавидит. Я не стал рассказывать Карле о нашем разговоре с Кавитой, хотя теперь понимаю, что это следовало сделать.

— Мадам Жу подстерегла меня в темном переулке и велела отстать от Кавиты. Может, тебе не стоит к ней переезжать? — спросил я.

— Чего ты от меня добиваешься? — возмутилась Карла.

— Я хочу стать для тебя близким человеком, а ты мне это запрещаешь. Я устал от твоих игр. Не мучай меня! Либо скажи, чтобы я оставил тебя в покое, либо прими мою любовь как есть. Всю, без остатка.

Задетая моими словами, Карла не смогла скрыть потрясения.

— Если помнишь, я просила тебя мне довериться, но предупреждала, что это будет непросто.

— Карла, не уезжай!

— Я поживу у Кавиты, — отвернувшись, сказала она и стала спускаться по лестнице.

Я ворвался в номер и выглянул в окно: на стоянке у кинотеатра Карла садилась в такси.

— Плохи твои дела, брат, — сказал Олег. — И водка у тебя паршивая. А вот ром ничего, пить можно.

— Я сначала себя в порядок приведу, приму душ. Располагайся, чувствуй себя как дома.

— Ладно, — кивнул он, обводя взглядом скромно обставленную комнату с паркетным полом, натертым до зеркального блеска, как крышка гроба.

В ванной я включил воду. Душ фыркал и плевался — воду доставляли в гостиницу цистернами и переливали в баки на чердаке, поэтому ее приходилось экономить. Я то включал, то выключал душ, а потом воспоминания о встрече с Конкэнноном накатили с такой остротой, что меня пробила дрожь. Я встал под целительные струи.

В созданном нами мире и мужчины и женщины сотканы из лжи. Женщина всегда больше навязанного ей идеала, а мужчина всегда больше возложенного на него долга. Мужчины сочувствуют, женщины возглавляют армии. Мужчины воспитывают детей, женщины исследуют вселенную. Нас определяет не что-то одно, мы — странные версии друг друга. Иногда мужчины плачут в ванной.

Я долго смывал с лица чувства. Потом, пока Олег принимал душ, я задумчиво вычистил пистолет и спрятал его в прикроватном тайнике.

— Мыло у тебя паршивое, — заявил Олег. — Я тебе достану мыла на букву «эр», оно до блеска все отчищает.

— Я блестеть не люблю, — ответил я. — Меня вполне устраивает мое мыло.

Мы с ним по очереди отпивали из горлышка, передавая друг другу бутылку.

— Кстати, на тебе моя футболка, — заметил я.

— Ага. Надеюсь, ты не возражаешь, что я ее позаимствовал? А то я в своей целую геологическую эпоху проходил.

— Ничего, у меня еще одна есть.

— Да, я видел. Там еще две пары джинсов. У тебя вообще вещей немного. Слушай, а джинсы ты мне не ссудишь? Кстати, ничего, если я их подверну? Мне так больше нравится.

— Да подворачивай, мне без разницы. Заодно улыбку сверни, а то мне спьяну не по себе становится.

— Понял, улыбку сверну. Мы, люди на букву «эр», легко адаптируемся в любой ситуации. А музыка у тебя есть?

— Я писатель, мне без музыки нельзя.

Я подсоединил плеер к старым болливудским колонкам, которые превращали все звуки в шум океана, в песни китов из безвоздушного пространства.

— И система у тебя паршивая, — сказал Олег.

— Критикан ты, — вздохнул я.

— Да я просто в уме список составляю, хочу тебе что-нибудь получше подарить.

— Что тебе поставить?

— У тебя *Clash* есть?

Я поставил альбом «Combat Rock», и Олег схватил гитару.

— Переключи на последнюю вещь, я аккорды знаю, — попросил он. — Давай вместе сыграем?

В бомбейском гостиничном номере зазвучала акустическая русско-австралийско-индийская версия «Death is a Star»[1]. Мы повторяли ее много раз, пока не стало выходить более или менее прилично, и развеселились, как дети. Моя гитара покрылась пятнами — кровоточили кулаки, разбитые в драке с Конкэнноном.

Мы так упились, что больше играть не могли, но нам было все равно. Внезапно в номере возник курьер в рубашке хаки и протянул мне записку.

— Ты откуда взялся? — спросил я, пьяно щурясь.

— Снаружи, сэр.

— А, тогда ладно. Что тебе надо?

— У меня для вас записка, сэр.

— Я записок не люблю.

— Сэр, у меня служба такая — записки передавать.

— А, тогда ладно. Сколько я тебе должен?

Я расплатился и сел на пол, разглядывая записку. Ей не хотелось, чтобы ее читали. Англичане утверждают, что отсутствие новостей — хорошая новость. Немцы говорят, что отсутствие новостей — не плохая новость. Мне больше нравится немецкий подход. Мне всегда почему-то хочется разорвать записку не чи-

---

[1] «Смерть — это звезда» *(англ.)*.

тая, не важно, от кого она. Иногда я так и делаю. Может быть, в этом мое спасение, а может — проклятие. Однако записку я все-таки прочел, надеясь, что она от Карлы. Записка оказалась от Джорджа Близнеца.

Лин, дружище, мы со Скорпионом отправились в джунгли, на поиски гуру, чтобы он снял проклятие. Навину удалось напасть на след, поэтому завтра мы уезжаем в Карнатаку, на каналы. Надеюсь, все обойдется. Привет, дружище!

Я не понял, что это просьба о помощи. Мне показалось, что от записки веет надеждой. Я швырнул листок на стол, поставил диск с регги, и мы с Олегом пустились в пляс. По-моему, улыбчивый русский танцевал просто так, за компанию, а может быть, и ему хотелось избавиться от негативной энергии. Я вспоминал драку с Конкэнноном и в танце искал отпущения грехов, сожалея о победе над врагом.

Луна, наша одинокая сестра, отфильтровывает боль и жар солнца, возвращает нам его чистый, ясный свет. Мы с Олегом танцевали на балконе, в холодном лунном сиянии, пели, орали и смеялись, смиряясь с нашими деяниями и утратами. Луна милостиво взирала на двух глупцов и заливала нас лучами солнца, отраженными каменным зеркалом в небесах.

Часть
одиннадцатая

ГЛАВА
 62

Олег переехал ко мне. Он спросил, нельзя ли ему спать у меня на тахте, я сказал — можно, а это значило, что надо купить тахту. Он отправился в магазин вместе со мной, и у него ушло много времени на то, чтобы я выбрал подходящую. В конце концов остановились на экземпляре, обшитом зеленой кожей, достаточно длинном, чтобы вытянуться в полный рост. Этим Олег по большей части и занимался после того, как тахту доставили.

Когда он не дежурил в агентстве, разыскивая потерявших друг друга влюбленных вместе с Навином и Дидье, то лежал на тахте, сложив руки на груди и рассуждая вслух о чем-нибудь, выуженном в своих бескрайних психологических степях. Туарегу это страшно понравилось бы.

— Ты вроде говорил на днях, что можешь изменить свой сон? — спросил он с тахты спустя неделю после того, как начал работать в агентстве. — Прямо по ходу дела, пока он снится?

— Ну да.

— То есть, когда ты совсем уснул и видишь сон, ты можешь влиять на его ход?

— Да. А ты не можешь?

— Нет. Как и большинство людей, вероятно.

— Скажем так: ночной кошмар — это сон, которым я не могу управлять, а сон — ночной кошмар, которым я управляю.

— Вау. И как ты это делаешь?

— Слушай, Олег, я работаю над рассказом.

— О, прошу прощения, — сказал он. — Работай, я буду нем как рыба. — Его голые ступни на дальнем конце тахты завели танец, сходясь и расходясь.

Я сочинял новый рассказ. Старый, со счастливым концом, я порвал: конец был плохой. Я набросал несколько отрывков об Абдулле с намерением написать пару рассказов о нем. Абдулла мог послужить источником сюжетов-орлов, и каждое из этих крылатых созданий противоречило бы всем другим. Но я так и не написал о нем ничего.

Однако в тот день я почувствовал, что обязан запечатлеть его образ, написать его портрет словами, и работа продвигалась быстро. Фразы расцветали на страницах тетради, как гортензии.

Через несколько лет после того солнечного дня в гостинице «Амритсар» знакомый автор сказал мне, что описывать живого человека — значит пророчить ему несчастье. Но в то время я не знал об этом и упоенно исписывал страницу за страницей об Абдулле, забыв об угрозах и преступлениях, о врагах, маскирующихся улыбкой, о Кавите и Карле и всем остальном мире. Ничто не беспокоило меня, я отдался сочинительству.

— А о чем рассказ? — спросил Олег.

Я отложил ручку:

— О загадочном убийстве.

— И в чем там дело?

— Некий писатель убивает одного типа за то, что тот своими разговорами мешает ему писать. Хочешь знать, в чем самая большая загадка?

Олег спустил ноги с тахты и сел, упершись локтями в колени.

— Люблю истории с загадками, — сказал он.

— Загадка в том, почему писатель не прикончил его раньше.

— Ирония, доходящая до сарказма, — прокомментировал он. — Тебе надо почитать Лермонтова. Кавказ — это сплошной сарказм.

— Да что ты, — сказал я, снова берясь за ручку.

— Ты действительно можешь изменить свой сон?

Я пристроил ручку на локте и прицелился в Олега. Было жаль, что ручка не может превратиться в кадуцей[1] и усыпить его.

— Нет, правда, как это у тебя получается? Было бы здорово, если бы я мог управлять своими снами. Знаешь, у меня бывают сны, которые очень, очень хочется повторить.

Я отложил ручку, закрыл тетрадь, достал две банки холодного пива и бросил одну ему. Откинувшись на стуле, я приподнял свою банку и провозгласил тост:

— За загадочные истории!

— За загадочные истории!

— Теперь расслабься и расскажи мне, что тебя гложет.

— Я понимаю, что ты переживаешь из-за Карлы, — сказал он, глотнув из банки, — потому что у меня в Москве осталась своя Карлуша.

---

[1] *Кадуцей* — в древнегреческой и древнеримской мифологии жезл Гермеса/Меркурия, способный примирять и умиротворять.

— А ты почему там не остался?

— Я не люблю Москву, — ответил он, выпив еще пива, — я питерский.

— Но ты же любишь москвичку.

— Да, но она ненавидит меня.

— *Ненавидит?*

— Ненавидит.

— Почему ты так думаешь?

— Она заплатила своему отцу, чтобы он убил меня.

— Ей пришлось *платить* ему? Он что, киллер?

— Нет, он мент, коп. Большая шишка.

— А из-за чего так вышло?

— Это длинная история, — вздохнул он, глядя на белые занавески, которые ветерок развевал на залитом солнцем балконе.

— Чтоб тебе было пусто, Олег. Ты погубил мой короткий рассказ, так давай взамен свою длинную историю.

Он невесело рассмеялся. Трудно найти более искреннее выражение человеческих чувств, чем невеселый смех.

— Я спал с ее сестрой, — сказал он, разглядывая банку с пивом.

— Да, не очень красиво, но и не самое плохое, что можно сделать с чьей-нибудь сестрой.

— Все не так просто. Они двойняшки. Разнояйцевые близнецы.

— И что?

В коридоре послышался голос Дидье:

— Ты дома, Лин?

Дверь была открыта, Дидье вошел в комнату.

— Дидье! — обрадовался я. — Присаживайся, бери пиво. Олег тут места себе не находит, а ты как раз тот человек, который может направить его на верный путь.

— Знаешь, Лин, у меня сегодня много дел, и...

— Моя московская подружка ненавидит меня, — произнес Олег безнадежным тоном, — потому что они с сестрой разнояйцевые близнецы, а я спал одновременно с ней и с ее разнояйцевой сестрой.

— Захватывающая история, — сказал Дидье, устраиваясь в кресле. — Олег, извини, если я задам нескромный вопрос: а запах у них был одинаковый?

— Дидье! Ты — и нескромные вопросы?! — бросил я.

— Забавно, что ты спросил об этом, — пробормотал Олег, удивленно глядя на Дидье. — У них действительно был одинаковый запах. Абсолютно тот же самый. Я имею в виду... всюду.

— Это очень редкое явление... — задумчиво произнес Дидье. — Чрезвычайно редко встречается. Ты, случайно, не обратил внимание на длину их безымянных пальцев по сравнению с указательными?

— Лучше расскажи о том, как ее отец пытался тебя убить, — предложил я, подумав, что мне пора возвращаться к своему рассказу.

— Восхитительно! — сказал Дидье. — Пытался тебя убить?

— Ну да. А вышло все так. Я был влюблен в Елену, а с ее сестрой Ириной у нас ничего не было до одного вечера, когда я был пьян в стельку и совсем razbit. — Последнее слово он произнес по-русски.

— Каким ты был? — спросил Дидье.

— Ну раздавленным, никаким. Елена была где-то у соседей, а Ирина в это время забралась голая ко мне в постель.

— Великолепно! — восхитился Дидье.

— Абсолютная темнота, шторы задернуты наглухо, — продолжал Олег. — Запах точно такой же, как у Елены. И на ощупь она была такая же.

— Она поцеловала тебя? — спросил Дидье, крупный специалист по судебному разбирательству половых преступлений.

— Нет. И ничего не говорила.

— Ну конечно. Она не хотела выдать себя. Сообразительная девушка.

— В это время вернулась Елена, включила свет и увидела, чем мы занимаемся.

— Да, тут уж объясняться было бесполезно, — заметил я.

— Она выгнала меня из моей собственной квартиры, — сказал Олег. — Думаю, это незаконно. Я до сих пор плачу отсюда за нее. А ее папаша грозился упрятать меня за решетку и разлучить с женщиной, которую я люблю.

— Вряд ли Елена после этого считала, что ты ее так уж сильно любишь.

— Я имею в виду Ирину. Хоть я был пьян в дым, я сразу почувствовал, что секс с Ириной — это лучшее, что случалось со мною в жизни. Она была прямо как помешанная, но все делала как надо. Я втюрился в нее, и это до сих пор не проходит.

— Прекрасно! — улыбнулся Дидье. — А что было дальше?

— Мне удалось передать Ирине записку, в которой я просил ее бежать со мной. Она была согласна, мы договорились встретиться в полночь на Павелецком вокзале. Но она рассказала о наших планах Елене, и та пришла ко мне, чтобы уговорить меня не брать с собой Ирину. Я отказался. Когда мы встретились с Ириной на вокзале, чтобы вместе бежать, она спросила меня, уверен ли я, что люблю ее, а не ее сестру.

Он помолчал, пытаясь восстановить в памяти ход событий.

— Ну? — подтолкнул его Дидье, нетерпеливо пристукнув ногой по полу. — И что дальше?

— Затем она спросила, *почему* я так уверен, что люблю именно ее. Вам, наверное, знаком такой момент, когда женщина хочет, чтобы вы сказали ей всю правду до конца. И вы, я думаю, прекрасно понимаете, что этого ни в коем случае нельзя делать?

— Да, — подтвердили мы оба.

— Так вот, я сказал ей правду.

— Всю, без утайки? — спросил я.

— Я сказал ей, что люблю *ее* и в этом нет никакого сомнения, поскольку специально для того, чтобы убедиться в этом, я переспал с Еленой еще раз, когда она приходила ко мне за два часа до этого. И я не получил практически никакого удовольствия. Это подтверждало, что мне действительно нужна Ирина и что мне это не просто показалось из-за того, что я был тогда косой.

— Вот черт! — посочувствовал я.

— *Merde*[1], — согласился Дидье.

— Она со всего размаха ударила меня по щеке, — сказал Олег.

— Мне тоже хочется ударить тебя со всего размаха, — отозвался Дидье. — Говорить женщине неприкрашенную правду — это позор.

— Ты сам вырыл себе могилу, Олег, — усмехнулся я. — И что, ни одна из них не простила тебя?

— Их отец нанял профессиональных негодяев, чтобы разделаться со мной. Мне пришлось срочно бежать.

— Да, это серьезно, — сказал я. — Сам виноват, нечего было связываться с коповскими дочерьми. — Я обратился к Дидье, который развалился в кресле, скрестив ноги и подперев рукой подбородок: — Что посоветуешь?

— Дидье нашел решение, — объявил он. — Ты, Олег, должен в течение двух недель носить под рубашкой две футболки, в каких любят ходить работяги. Все это время нельзя мыть голову шампунем, мыло нельзя употреблять, умываться только чистой водой. Никаких одеколонов, дезодорантов и тому подобного. Не обнимайся с людьми, употребляющими пахучие средства. Не стирай рубашку и футболки.

— Зачем это все? — спросил Олег.

---

[1] Дерьмо *(фр.)*.

— А затем, что после этого ты отправишь по одной футболке каждой из двойняшек, приписав всего два слова: «„Леопольд", Бомбей».

— И что потом?

— Потом ты раздашь фотографии Ирины официантам в «Леопольде» и предложишь вознаграждение тому, кто узнает ее и сообщит об этом тебе.

— Думаешь, она приедет? С какой стати?

Он улыбался с таким же мечтательным выражением, какое было на лицах учеников Идриса, слушавших его на горе.

— Запах, — улыбнулся в ответ Дидье. — Если она предназначена тебе, то сила твоего запаха притянет ее к тебе, заставит отправиться в феромонное паломничество. Но это только в том случае, если вы действительно созданы друг для друга.

— Вау, Дидье! — воскликнул Олег, потирая руки. — Надо приступить к этому не откладывая.

Он вскочил, вытащил из шкафа мою футболку и натянул ее поверх моей футболки, которая уже была на нем.

— А почему надо раздавать фотографии Ирины, а не Елены или не обеих сестер? — спросил я Дидье.

— Ну ты что, прослушал самое главное? — нахмурился Дидье. — Все дело в сексе. Ирина — та же Елена, только ее ничто не сдерживает.

— Точно, ты правильно понял, — сказал Олег, разглаживая на себе футболку.

— Разумеется, — отозвался Дидье, принюхиваясь к Олегу, чтобы убедиться, что он не источает никаких посторонних запахов. — Твой секс с Ириной был уникальным, и этим все сказано. — Он встал и расправил рукава. — Ну вот, я сделал все, что мог. Побольше двигайся, Олег, — посоветовал он, стоя в дверях. — Залезай с опасностью для жизни на какую-нибудь верхотуру, прыгай оттуда, дразни полицейских, дерись с задирами, а главное, флиртуй с женщинами, но не ложись с ними в постель, пока не отошлешь футболки. Она должна почувствовать запах тигра, волка и обезьяны, запах мужчины, изголодавшегося по сексу, и запах женщин, желавших тебя. *Bonne chance*[1].

Он выплыл, картинно обмотавшись серо-голубым шарфом.

— Вау! — произнес Олег.

— Ты не забыл, что я просил тебя не употреблять слишком часто слово на букву «р»?

— Ну да, помню... — пробормотал он.

---

[1] Успеха! *(фр.)*

— Я прибавляю к списку слово «вау».

— А что, есть целый список?

— Теперь есть.

— Блин, целый список того, что нельзя говорить, — усмехнулся он. — Так я скоро и по Москве заскучаю, хоть ее не люблю.

Он был прав. Список навязывал ему вещи, которые не стоит вспоминать.

— А впрочем, к чертям, Олег. Говори все, что хочешь.

— Ты это серьезно?

— Да.

— Вау, я опять русский.

— Знаешь что? — сказал я. — Ты ведь хотел погонять на моем байке, да?

— Можно?

— Ни в коем случае. Но внизу недалеко от моего байка стоит старый драндулет. Он принадлежал одному официанту из «Каяни», который совсем не ухаживал за ним. Поэтому я купил у него этот байк и последние две недели приводил его в порядок.

— Kruto, — обронил Олег по-русски, влезая в свои туфли.

— Что ты сказал?

— Я сказал «kruto», чтобы не повторять «вау». Это значит «зашибись».

— Стало быть, kruto?

— Да, kruto.

— Ты умеешь водить мотоцикл?

— Обижаешь, — фыркнул он, завязывая шнурки. — Русские могут водить все, что угодно.

— О'кей. Мне надо проехаться по разным адресам, а ты можешь сопровождать меня, если хочешь. У тебя ведь все равно свободный день.

— Спасибо, — сказал он. — Будет отличный материал для рассказа.

— Это мой материал, Олег. Просто катайся и наблюдай, а потом выкинь все это из головы, ладно?

— А если попадется какая-нибудь исключительная личность, с которой ты будешь разговаривать? Какой-нибудь на редкость хороший человек?

Я задумался. Он был вполне порядочным парнем.

— Ну хорошо, кого-нибудь одного можешь запомнить.

— Отлично!

— Но только не тетушку Луну.

— Ух ты, как звучит.

— Потому-то я и не уступаю ее тебе. Ну, ты готов ехать?

— Я готов ко всему, старик. Это наш семейный девиз.

— Ох, только не заводи волынку о своей русской семье.

— Хорошо, хорошо, но ты при этом много теряешь. Куча отличных персонажей для твоих рассказов, и я подарил бы их тебе бесплатно.

ГЛАВА

 63

Мы сделали два круга на небольшой скорости в южной части города. Переключать передачи приходилось редко, поскольку мы не обращали внимания на красный свет, когда это не грозило штрафом, и срезали углы там, где это никому не пришло бы в голову.

Олег восхитился банком черного рынка и спросил у них, не сдают ли они комнаты. А в тетушку Луну он прямо влюбился. Ей Олег тоже понравился — по крайней мере, настолько, чтобы продемонстрировать ему два лунных цикла.

Ровно через девять минут тридцать секунд я оттащил Олега от тетушки. Мы поспешили прочь по скользкому полу, но чем больше мы спешили, тем медленнее бежали.

Когда мы завершали круг возле отеля «Президент» в Кафф-Парейде, стали зажигаться уличные фонари. Позади нас настойчиво гудел какой-то автомобиль.

Я выкинул правую руку, показывая, что мы не возражаем против того, чтобы нас обогнали, но гудение продолжалось, и я остановился под сенью платанов, чья листва в свете уличных фонарей еще была ярко-зеленой, хотя муссонный период кончился давно.

Рядом в сторону отходил переулок, по которому в случае чего можно было удрать, так как он был слишком узок для автомобиля. Олег остановился рядом со мной. Вслед за ним затормозил роскошный лимузин. Я взялся за ручку ножа.

Тонированное стекло опустилось, и я увидел Диву с двумя ее Дивушками.

— Привет, крошка, — сказал я. — Как поживаешь?

Она выбралась из машины. Шофер выскочил, чтобы помочь ей, но опоздал, и она отмахнулась от него.

— Не беспокойся, Винодбхай, — улыбнулась она. — Все в порядке.

Он поклонился и, бросив быстрый взгляд на девушек в машине, опустил глаза.

Я обратил внимание на то, что она добавила уважительное «бхай» к его имени. Возможно, никто больше не обращался к нему так уважительно, кроме его родных и друзей, которые знали истинную цену этому человеку в униформе.

Это был щедрый жест, необычный для богатых наследниц, и я сразу проникся к ней симпатией.

— Лин, — сказала она, подойдя ко мне и обняв, — я очень рада тебя видеть.

Впервые она не оскорбляла меня, а обнимала.

— Kruto, — ответил я. — Наконец-то кто-то рад меня видеть.

— Я хотела поблагодарить тебя, — сказала она, положив ладонь мне на грудь. — Я еще не успела сделать этого после пожара, возвращения в отцовскую компанию и всего прочего. Я все время думала о том, что надо сказать, как я благодарна тебе, и Навину, и Дидье, и Джонни Сигару, и Сите, и Ану, *настоящей* Ану, и Прити, и Сринивасану-молочнику, и...

— Дива, ты меня просто пугаешь, — отозвался я. — Куда делась тигрица?

Она засмеялась. Вслед за ней засмеялись Дивушки в лимузине с кондиционером.

Дива дважды оборачивалась в сторону Олега.

— Познакомь со своим другом, — сказала она.

— Это Олег, — сказал я. — Он русский писатель и сыщик агентства «Утраченная любовь».

— Дива Девнани, — улыбнулась она, протягивая ему руку. — Рада знакомству.

Олег поцеловал ее руку:

— Олег Заминович. Фамилию, по всей вероятности, придумал наш прадедушка, но, поскольку он создал и всех нас, мы не держим зла на него.

— Меня зовут Чару, — сказала одна из Дивушек.

— А меня Пари, — сказала другая.

Олег отвесил галантный поклон с сиденья мотоцикла.

— Забирайтесь к нам, — предложила Чару.

— В самом деле, — прибавила Пари.

Дверца лимузина сама собой медленно раскрылась, словно подчиняясь их желанию.

— Превосходная идея, — сказал Олег, посмотрев на меня с надеждой.

— Прекрасно! — сказала Дива. — Решено. Я поеду в трущобы на мотоцикле Лина, а Олег поедет с девушками.

— Минутку, — сказал я. — Это не так просто.

— Все в порядке, Лин, — сказала Дива. — Я с трех лет ездила на бензобаке мотоцикла с одним из наших слуг.

— Но ты забыла о мотоцикле, на котором он сидит.

Олег посмотрел на хорошеньких девушек в лимузине и на их короткие платьица, не доходившие даже до края сидений. Затем он посмотрел на меня.

— Мотоцикл нельзя бросать без присмотра, Олег.

— Но Дидье советовал... — пробормотал он мне как мужчина мужчине. — Ну, ты понимаешь. Насчет пропахших футболок. Я бы сегодня же и начал... Как ты думаешь?

Он оглянулся на лимузин. Девушки были, без сомнения, хороши и проявляли недвусмысленный интерес к Олегу.

— Оставь байк на дорожке рядом с этими воротами, — сказал я, — и дай сторожу сотню рупий, чтобы присмотрел за ним, пока я не заберу.

— Отлично! — обрадовался Олег, поставил мотоцикл на упор рядом с воротами и пресек протесты сторожа приличной суммой денег.

Затем он кинул мне ключи, совершил пробежку к лимузину и, нырнув внутрь, захлопнул дверцу.

Дива улыбалась, стоя рядом с моим мотоциклом. Ночная тьма ящерицей заползáла у нас под ногами на пешеходную дорожку. Некоторые прохожие узнавали Диву. Некоторые останавливались.

— Чему ты улыбаешься? — спросил я.

— Я улыбаюсь, потому что ты даже не представляешь, какой ты хороший человек.

Я нахмурился. Все люди вокруг, и друзья и враги, менялись слишком быстро, и у меня было ощущение как у человека, который во время атаки последним осознает, что происходит.

— Чару и Пари свободные и многогранные девушки, — сказала она.

— При чем тут...

— Тебя они тоже считают интересным человеком. Я не стала их разубеждать.

— Что-что?

— Я только говорю, что они считают тебя интересным человеком.

— Все люди интересны.

— Ты ведь любишь Карлу по-настоящему, да? — спросила она, опять улыбнувшись. И ничего тигриного.

— Зачем мы едем в трущобы, Дива?

— Там будет женский праздник. Я приглашена в качестве почетного гостя. Надеюсь, ты не откажешься быть моим сопровождающим. Наверняка тебе не делали лучшего предложения за последние двадцать минут.

Наступила моя очередь улыбнуться. Может быть, она действительно изменилась. Иногда это случается с людьми.

— Ты говоришь, что будешь почетной гостьей?

— Поехали, Сиско[1], — улыбнулась она, оседлав мотоцикл позади меня.

Мы оставили мотоцикл на улице и направились вглубь трущоб по улочкам, украшенным цветами. Между хижинами висели длинные пышные гирлянды. Эли, племянник Джонни Сигара, вел нас, освещая дорогу фонарем на погруженных в темноту участках. Около каждого живописного букета он останавливался и поднимал фонарь повыше, чтобы могли полюбоваться цветами.

На нем была лучшая, праздничная одежда. Да и все, кто нам встречался, были одеты так же.

Эли привел нас на большую площадку, где жители трущоб собирались в дни свадеб и праздников. Около небольшой сцены широким полукругом были расставлены пластмассовые стулья. Площадка постепенно заполнялась народом.

Женщины в разноцветных одеждах превращали это пространство в сад, сверкавший при свете факелов яркими красками. Они вплели в волосы красный жасмин; их разговоры и смех были щебетанием птиц на закате.

Прибыли Чару и Пари с Олегом. Затем в толпе появилась Кавита, а за ней шли Навин и Карла.

Карла.

Она увидела меня и улыбнулась. С тобой что-то случается внутри, когда женщина, которую ты любишь, улыбается тебе. Тебя пронзает целый дождь стрел, придающих тебе храбрость.

Стали требовать, чтобы Дива произнесла речь. Она вышла на открытое место, где все могли видеть ее невысокую фигуру, и обратилась к собравшимся с кратким словом.

— Я хочу сказать вам большое, огромное спасибо, — сказала она на хинди. — Вы спасли мне жизнь, и я знаю: нет ничего, что мы не могли бы сделать вместе. Вы стали для меня близкими людьми. Я поддержу программу переселения жителей трущоб в хорошие, удобные дома по всему городу. Я рассматриваю это как свою обязанность и использую для этого все средства, какие имею.

Женщины и мужчины одобрительно зашумели, дети запрыгали как сумасшедшие, словно земля была слишком горячей,

---

[1] *Сиско* — популярный герой теле- и киносериалов, игрок, авантюрист и грабитель. Его образ позаимствован из рассказа О. Генри «Как истый кабальеро».

чтобы стоять на ней. Оркестр загремел так, что люди перестали слышать друг друга.

На земле раскатали большой рулон синего пластика, вместо тарелок разложили банановые листья. Хотя я недавно ел, отказаться было невозможно; помимо всего прочего, это была плохая примета.

Мы расселись на земле рядом друг с другом. Чару и Пари, в их модных коротеньких юбочках, были вынуждены сесть боком в позах наездниц, но это их не заботило. Они смотрели на все вокруг, широко раскрыв глаза, словно перед ними были львы в африканской саванне.

Они впервые оказались на неблагополучной стороне жизни. Все здесь их отталкивало и пугало, они боялись притронуться к пище из-за микробов. И вместе с тем все пробуждало в них живой интерес, а уж если ты чем-то заинтересуешь индийца, он твой.

Вышло так, что справа от меня села Кавита, а слева Карла.

Подали овощной бириани[1], кокосовое пюре, бенгальские пряности, изысканные кашмирские закуски, овощи, жаренные с тандури, огуречный и томатный йогурт и желтый дал, а также цветную капусту, окру и морковь, поджаренные на китайской сковороде. Еду нам передавала целая цепочка улыбающихся людей.

— Странное время для празднества, — заметил я Карле.

— Если бы ты что-нибудь понимал в этом, — сказала Кавита, наклонившись и пытаясь заглянуть мне в глаза или, может быть, в душу, — то сообразил бы, что у них сейчас как раз пересменок, единственное время, когда люди, работающие в дневную и ночную смену, могут встретиться.

Это было глупое замечание. Я, в отличие от Кавиты, жил в этих трущобах и знал здешние порядки лучше ее.

— Никак не можешь успокоиться, да, Кавита?

— А почему я должна успокаиваться, ковбой?

— Передайте мне лучше чатни[2], — вмешалась Карла, чтобы разрядить обстановку.

Я передал Карле чатни, на миг встретившись с ней взглядом.

— Ты убежал, когда Лиза умирала, и продолжаешь бежать до сих пор, — заявила Кавита.

— Хочешь облегчить душу?

— Это что, угроза? — ответила она вопросом на вопрос, гневно сощурившись.

---

[1] *Овощной бириани* — овощи с рисом, яйцами, орехами и специями; *тандури* — смесь специй для приготовления горячих блюд; *дал* — суп-пюре из бобовых; *окра* (или *балия*) — овощная культура.

[2] *Чатни* — острая фруктово-овощная приправа к мясу.

— Правда не может быть угрозой. Мне и без тебя по горло хватает этих игр с виной и искуплением.

— Ты убил ее, — бросила она.

Этого я уж никак не ожидал.

— Кавита, успокойся, — сказала Карла.

— Меня здесь не было, меня даже в стране не было. Это произошло в *твою* смену, Кавита.

Она передернулась от боли. Я не хотел причинять ей боль, я только хотел, чтобы она перестала мучить меня. Из глаз ее хлынули слезы, словно снежная лавина прорвалась через какую-то преграду.

— Я любила ее, — проговорила Кавита, — а ты лишь пользовался ею в ожидании Карлы.

— Будьте благоразумны, перестаньте пререкаться и сосредоточьтесь на том, что происходит вокруг, — вмешалась Карла. — Мы же в гостях и пришли сюда не для того, чтобы выяснять отношения, а ради Дивы. Ей тоже досталось по полной.

Я сделал вид, что поглощен едой, Кавита сделала вид, что успокоилась. И у нас обоих это получилось неубедительно.

— Это ты должен был умереть на этой постели в одиночестве, — злобно бросила Кавита, не в силах сдержаться.

— Прекрати, Кавита, — сказала Карла.

— Что, молчишь, Лин?

— Прекрати, Кавита, — сказал я.

— Тебе нечего возразить, да?

Я собрался было встать, но она потянула меня за рукав:

— А хочешь знать, что она сказала о *тебе*, когда мы с ней занимались любовью?

Мне не надо было ничего ей говорить, но я не выдержал:

— Послушай, Кавита, ты работаешь в газете, которая торгует лекарством для белых людей в стране смуглолицых. Вы болтаете о защите окружающей среды и одновременно помещаете за деньги рекламу нефтяных и угольных компаний. Осуждаете людей, одетых в меха, но рекламируете бройлерные батареи и набитые гормонами гамбургеры. Ваши экономисты находят оправдание для банкиров, что бы они ни делали, ваши редакционные статьи избегают высказывать мнение редакции, а ваша критика — это ловля блох на слоне нетерпимости. Женщины предстают на ваших страницах безмозглыми куклами, а мужчины мудрецами. Вы фактически скрываете преступления, о которых сообщаете, и ополчаетесь на невинных людей для того, чтобы повысить свой рейтинг. Ты знаешь это все не хуже меня, Кавита, так что не строй из себя безупречного поборника справедливости и оставь меня в покое.

Она посмотрела на меня с решимостью, которая ничем не разрешилась, — очевидно, ей нечего было сказать. Она промолчала.

Я встал, извинился и направился к выходу из трущоб. На улочке с магазинчиками меня догнал Навин.

— Лин, — сказал он, — подожди.

— Как справляешься с утраченной любовью? — спросил я.

По незнанию я коснулся больного места.

— Что это значит? — гневно спросил он.

— Ничего не значит, я не хотел тебя обидеть. Не дуйся, сегодня мне и без того тошно.

Когда я дошел до того места, где стоял мой мотоцикл и детишки все еще играли прямо на улице, я почувствовал, что кто-то тихо подкрался ко мне сзади.

Я резко обернулся, схватив приблизившегося одной рукой за горло, в другой у меня уже был нож. Это была Карла. Я опустил руку.

— Тут-то ты меня и поймал, Шантарам, — сказала она, не шелохнувшись.

— Тут-то я тебя всегда и ловлю. А если ты будешь так подкрадываться к людям, крошка, то это может доставить тебе серьезные неприятности, — сказал я, пристроив руку на ее ягодицах.

— Фраза прямо из какого-нибудь американского гангстерского фильма.

— Ты просто не представляешь, каким американским гангстером я могу стать сегодня.

— И это избавит меня от неприятностей?

— Может быть, и нет. Может быть, надо подвесить колокольчик на твой браслет.

— Может быть, — промурлыкала она.

Я поцеловал ее, мечтая, чтобы она все время была со мной.

— Не так прытко... — произнесла она, отодвинувшись. — Ты уже хочешь захватить Трою, а корабли еще не пристали к берегу.

— Не могла бы ты уточнить свою мысль в горизонтальном положении?

— В твоем нынешнем жилище или в моем?— рассмеялась она.

— В любом, лишь бы в нынешнем.

Она опять засмеялась.

— Мы неправильно себя ведем, — сказал я. — После горы мы ни разу не были вместе. Тебе не кажется, что это слишком долго? Мне кажется.

Можно было подумать, что я откалываю необыкновенно остроумные шутки, — с каждым моим словом Карла смеялась все сильнее и, начав задыхаться от смеха, попросила не смешить ее.

— Карла, из-за тебя я перестаю трезво соображать. Знаешь, бывает чувство, когда тебе кажется, что ты абсолютно во всем прав. У меня такое ощущение возникает, когда я с тобой.

Она перестала смеяться и смерила меня взглядом с ног до головы. Не знаю, что заставляет людей мерить меня взглядом с ног до головы, но со мной это случается.

Она поцеловала меня. Я тоже поцеловал ее. Меня поливал дождь, били волны, и где-то внутри было место, где мы танцевали, — нет, лучше: она целовала меня.

Она дала мне пощечину.

— Черт побери! А это за что?

— Возьми себя в руки. Я думала, ты понимаешь. Я же говорила тебе. Либо ты участвуешь в этой игре вместе со мной, либо я играю одна. Выбор за тобой.

— Очень хорошо. Что за игра?

— Я люблю тебя, Шантарам, — ответила она, ускользая от меня, — но в данный момент мне нужна Кавита. У меня есть план, в который я не могу тебя посвятить. А от тебя мне нужно, чтобы ты был выше всего этого.

Она пошла обратно, в трущобы. Залаяли собаки.

Я не понял из ее слов ничего, кроме того, что касалось меня, но и в этом я был уверен не до конца. Единственное, что я знал, — я снова живу в Карлавилле. Я продолжал ощущать ее пощечину и ее поцелуй.

ГЛАВА

64

Я не видел Олега две недели. Он нашел себе на время новую тахту, а Дивушки — новую игрушку.

На следующий день после его исчезновения я взял такси и поехал за драндулетом, оставленным Олегом на улице. И хотя мое сердце было отдано другому мотоциклу, я поговорил с драндулетом и пообещал заботиться о нем и охранять его, в особенности от русских писателей. Он доставил меня домой без каких-либо капризов, напевая свою песенку всю дорогу. Это был бесстрашный байк, он не собирался сдаваться.

Я продолжал совершать деловые поездки по городу с утра до вечера, помогал кредитами тем, кто был этого достоин, выбивал деньги из злостных должников, обменивался с менялами забавными шутками либо еще более забавными ругательствами. Кому-то из наглых меняй надо было закатить оплеуху, вместе с другим помолиться. Я подкупал полицейских и бойцов Компании, дабы заручиться поддержкой снизу, оставлял пожертвования в церквях и храмах ради поддержки свыше, раздавал милостыню нищим у мечетей, прогонял распоясавшихся сутенеров с подведомственной мне территории. Я принял участие в состязании по метанию ножей и занял третье место: не мешало выяснить, кто превосходит меня в этом. Пока я занимался всем этим, позолоченные дни перетекали в посеребренные ночи.

Однажды, недели через две после того, как Олег отправился в свое обонятельное паломничество, я ехал в «Леопольд», размышляя об овощах с рисом и карри, как вдруг на Козуэй кто-то выскочил передо мной на проезжую часть, размахивая руками, чтобы я остановился.

Это был Стюарт Винсон.

— Лин! — кричал он. — Я тебя повсюду ищу. Останови свою долбаную тарахтелку, мэн.

— Не гони волну, Винсон, — сказал я, успокаивающе поглаживая байк по бензобаку. — И фильтруй базар.

Он непонимающе заморгал:

— Что?

— Не дергайся. Ты создал пробку посреди улицы.

Автомобили притормаживали и объезжали нас. А полицейский участок Колабы находился совсем недалеко.

— Лин, это очень серьезно! Пожалуйста, поезжай в «Леопольд». Я тоже сейчас приду туда.

Он кинулся в сторону «Леопольда», не обращая внимания на машины. Мне пришлось нарушить правила, перестраиваясь, чтобы припарковаться.

Когда я вошел, Винсон приставал к Свити по поводу свободного столика. На столике Дидье стояла табличка «Занято». Я вручил табличку Свити и сел. Винсон сел рядом со мной.

Вид у него был неважный. Пышущее здоровьем лицо любителя серфинга осунулось и потеряло свое обычное оптимистическое выражение, под глазами залегли темные круги.

— Пива, пожалуй, — сказал я Свити.

— Вы думаете, что вы единственные посетители, кого я должен обслужить? — спросил Свити самого себя, направляясь на кухню.

— Будем говорить *до* пива или *после*? — спросил я.

Для меня в этом вопросе был особый смысл. Мне приходилось выслушивать одного и того же человека как *до*, так и *после*, и всегда это было повторение той же истории, рассказанной двумя разными умалишенными.

— Она типа исчезла, — сказал он.

— Итак, *до* пива. Ты говоришь о Ранвей?

— Ну да.

— Как это произошло?

— Один момент она здесь, а в следующий ее уже нет. Я искал повсюду. Я не знаю, что делать. Я думал, может, она связалась с тобой.

— Я не видел ее, — ответил я, — и не знаю, где она. Когда это случилось?

— Три дня назад. Я искал везде, но...

— Три дня? Какого черта ты не пришел ко мне раньше?

— Я пытался найти ее, спрашивал всех. Ты моя последняя надежда.

Последняя надежда. Последний человек, который может помочь. Я к такому не привык. Если кому-то требовалась помощь, я всегда был одним из первых, к кому обращались.

Прибыло пиво. Винсон быстро опростал свой стакан, но толку от этого было мало.

— О боже! Где она может быть? — стенал он.

— Слушай, Винсон, можно попросить Навина подключиться. Искать пропавшую любовь — это как раз по его части.

— Ты можешь ему позвонить?

— Я не пользуюсь телефоном, но могу отвезти тебя к Навину, если хочешь.

— Пожалуйста, сделай что-нибудь, — попросил он. — Я ужасно беспокоюсь.

Мы встали, я — так и не притронувшись к пиву. Я оставил чаевые для Свити, впрочем не слишком щедрые.

— Чтоб тебе, Шантарам, — сказал он, возвращая табличку «Занято» на стол. — Ты не знаешь, кто будет пить это твое пиво?

Я доставил утратившего любовь Винсона в агентство «Утраченная любовь» по соседству с моим номером и оставил на попечение Навина.

Наши отношения с Навином стали в последнее время прохладными. Было ясно, что он обижен на меня, но я не мог понять за что. Я привез к нему Винсона, потому что доверял ему, и надеялся, что он оценит это.

Когда я уходил, он улыбнулся мне вежливой формальной улыбкой и обратил к Винсону озабоченное лицо с заготовленными серьезными вопросами.

Я съел банку консервированной фасоли, запил ее пинтой молока и для лучшего усвоения этих продуктов из неприкосновенного запаса принял полстакана рома.

Оставив дверь открытой, я уселся в свое любимое кресло. Это было капитанское кресло с изогнутой спинкой, обитое выцветшей темно-синей кожей. Оно принадлежало управляющему гостиницей.

Джасвант Сингх унаследовал его от предыдущего управляющего, унаследовавшего его от кого-то, кто явно знал толк в креслах для писателей. Я купил его у Джасванта, а ему поставил взамен новое шикарное офисное кресло.

Джасвант сразу влюбился в него и развесил вокруг разноцветные лампочки. Я же поставил свое старое кресло в угол, откуда было хорошо видно балкон, а также стол управляющего и лестницу, ведущую к нему. В этом кресле я написал некоторые из своих лучших произведений.

Я писал одно из своих лучших произведений, когда в дверь постучал Навин.

— У тебя есть минутка? — спросил он.

Навин был умен, храбр, добр, честен и предан своим друзьям. Такого человека хочется иметь в качестве сына или брата. Но в данный момент я работал.

— Одна?

— Ну, две-три.

— Две-три, конечно, есть. Заходи, садись.

Он сел на тахту и осмотрелся. Смотреть было, в общем, не на что.

— Ты всегда держишь дверь открытой?

— Когда не сплю.

— Здесь... — начал он, подыскивая слова, чтобы описать комнату, где все было подготовлено к срочному бегству. — Здесь похоже на лагерь для новобранцев, если понимаешь, о чем я. Я думал, что комната станет уютнее после того, как ты поживешь в ней, но... она не стала.

— Карла называет ее Люксом беглеца.

— Ей здесь нравится?

— Нет. Что у тебя за проблема, Навин?

— Дива, — вздохнул он, поникнув головой.

— А что с ней?

— Она предложила мне работу, — произнес он расстроенно. — Поэтому я такой дерганый в последнее время.

— Это так ужасно, когда тебе предлагают работу?

— Ты не понимаешь. Она пригласила меня к себе. Один из ее служащих отвел меня аж на самую крышу ее дома, у моря на Ворли. У нее там офис. Мы с ней довольно давно не виделись, она... мы оба были заняты.

Он хотел было добавить что-то, но передумал и замолчал. Подождав, я произнес поощрительно:

— Так-так...

— Она... она постриглась. Выглядит потрясающе. Она была одета в красное. Там ветер на крыше. Когда я увидел ее, то на секунду поверил, что она позвала меня, чтобы сказать...

Он опять опустил голову и уставился на свои руки.

— Но вместо этого она предложила тебе работу.

— Да.

— С хорошей оплатой?

— Да. Даже слишком хорошей.

— Ну, так она заботится о тебе. Ты для нее не чужой человек. Вы кое-что пережили вместе. Она беспокоится из-за того, что в агентстве «Утраченная любовь» тебе приходится слишком много шататься по улицам.

— Ты так думаешь?

— Я думаю, что таким образом она хочет дать тебе понять, что ты ей небезразличен. Что же в этом плохого? Это очень хорошо.

— Может, ты и прав. Помнишь, в тот вечер в трущобах она чуть не поцеловала меня.

— Ну да, помню. Она велела тебе заткнуться и поцеловать ее. Возможно, так и следовало сделать.

— Знаешь... — задумчиво проговорил он, — нужно какое-то время, чтобы привыкнуть к этой новой Диве. Со старой я всегда знал, что она думает и что скажет. А счастливую, улыбающуюся Диву я не понимаю. Я как радар в снежный буран. Похоже, мне надо вторично влюбиться в ту же женщину.

— Я когда-то читал книгу под названием «Женщины для чайников».

— И чему она тебя научила?

— Я не понял, что автор хотел сказать. Хотя он подтвердил одну вещь, знакомую мне по собственному бестолковому опыту: невозможно понять, что у женщины на уме, пока она сама не скажет это. И поэтому ты должен спросить ее. Спроси ее как-нибудь в ближайшее время, насколько серьезно она ко всему этому относится.

— Полагаешь, я должен согласиться на эту работу?

— Нет, конечно. Ты работал на ее отца. А теперь работаешь на себя. Если откажешься, она будет уважать тебя больше, чем если бы ты согласился. Она, вероятно, найдет другой способ удержать тебя при себе.

Он собрался уходить и хотел вымыть свой стакан. Я отобрал у него стакан и поставил на стол.

— Ты хороший человек, Навин, — сказал я. — И она знает это.

Он был уже в дверях, но тут обернулся с боксерско-балетной стремительностью:

— Кстати, не забудь о гонке.

— О какой еще гонке?

— Ты не знаешь? Чару и Пари отправились в трущобы, а я вызвал на соревнование Бенисию. Состоится сегодня.

— И Бенисия согласилась?

— Да.

— Ты что, виделся с ней?

— Вроде того. Ну, до встречи.

— Погоди. Что значит «вроде того»?

Он прислонился к дверному косяку, но встречаться со мной взглядом избегал.

— Я договорился повидаться с ней, чтобы купить кое-какие ювелирные изделия. Это единственный способ увидеть ее. Бенисия девушка труднодоступная. Она усадила меня на ковер в этой древней квартире, где занимается бизнесом. А разговаривала она со мной в никабе[1].

— В полностью закрытом или только в черной маске?

— Только в маске. А глаза у нее — это что-то.

— Она мусульманка?

— Нет. Я спросил ее, и она сказала нет. Ей просто нравится никаб. Да это и не настоящий никаб вовсе. Это скорее черные очки во все лицо, оставляющие незакрытыми только глаза. Ей, наверно, сделали его на заказ. Но глаза, старик, — это что-то, — повторил он.

— Персонаж под маской. Карла будет в восторге.

— Да, старик, глаза у нее...

— Успокойся, Навин. Как проходил разговор с Бенисией?

— Я накупил у нее раджастханских украшений, чтобы показать свои честные намерения, а затем объяснил ей ситуацию. Она согласилась, но выдвинула условие.

— Ну да, как же без условий.

— Я должен прийти к ней на свидание.

— Если ты выиграешь или если проиграешь?

— Если выиграю, проиграю или если будет ничья.

— Ты шутишь?

— Да нет.

— Черт побери, Дива вряд ли будет в восторге оттого, что ты пойдешь на свидание к женщине-загадке, которая водит винтажный мотоцикл в триста пятьдесят кубов быстрее всех в Бомбее.

---

[1] *Никаб* — мусульманский женский головной убор-накидка с прорезью для глаз.

— Всех, кроме меня, — сказал Навин. — Я тренировался, Лин, я быстро езжу.

— Тебе придется ехать очень быстро, когда Дива узнает о свидании.

— Что делать? Мы договорились.

— Дива точно взгреет твою задницу за это, но зато ты пополняешь копилку авантюрных историй, которые собирает Дидье. Он будет вне себя от радости, когда узнает об этом.

— Он уже знает. Все знают... кроме Дивы. Я думал, ты знаешь тоже.

Я не знал. Никто не сказал мне. Я почему-то оказался вне дружеского круга, который сам же помогал сколотить.

— А где гонка проводится?

— От «Эйр Индии» по Марин-драйв, Педдер-роуд и обратно. Три круга.

— Где вы делаете поворот на Педдер-роуд?

— У последнего светофора перед баром «Хаджи Али».

— И когда это состоится?

— В полночь.

— Ух, как это понравится копам!

— Копы помогают нам, обеспечивают безопасность движения. Мы так благодарны им за, скажем так, сотрудничество, что даже согласились на их цену, а цена немаленькая. Нам так или иначе пришлось бы обращаться к ним, потому что нам нужны полицейские рации. В это вложена куча денег.

— В том числе моих, — рассмеялся я.

— Знаешь, — произнес он растерянно, — в тот момент в голове у меня была только эта гонка, и я даже не подумал о том, как отнесется Дива к моему свиданию с Бенисией.

— Какой бы ни был момент, это не оправдание, Навин.

— Если бы это была прежняя Дива, которая так и норовила врезать мне, ничего такого не случилось бы.

— Приведи с собой на свидание новую Диву. Вдруг она понравится Бенисии. А Дива к тому же любит украшения.

— Бенисия имеет в виду не такое свидание.

— Откуда ты знаешь?

— По ее глазам, — сказал он. — Она была... Она так сделала... Если бы ты был там, ты бы понял. У нее на уме было не просто свидание.

— И ты пошел на это.

— Я же сказал, у меня котелок плохо варил.

— Откажись от пари.

— Как я могу? Столько людей поставили деньги на эту гонку. Я должен сделать все, что в моих силах.

— Ну, в таком случае, придя на свидание, скажи Бенисии, что ты любишь другую девушку. Скажи ей это хотя бы тогда, раз ты не сделал этого, когда она предложила тебе не просто свидание сквозь свои очки-никаб.

— Я чувствую себя погано, — сказал он.

— Вот это ни к чему. Выиграй гонку и поступи как надо.

Неожиданно Навин стиснул меня в объятиях, едва не повалив. Ощущение было такое, будто я стою по грудь в воде и борюсь со стремительным течением.

Он выскочил из комнаты, крикнув:

— До встречи на гонке!

Он ринулся вниз по лестнице.

— Подожди! — крикнул я.

Он взбежал наверх.

— Эта девушка, подруга Винсона, Ранвей, она...

— Да, знаю, — ответил он, стоя на одной ноге и приподняв другую, как олень, приготовившийся ускакать. — Я говорил с Винсоном. Он у Дидье в офисе.

— Она и мой друг тоже. Если будешь ее искать, имеет смысл начать со всяких духовных учреждений.

— О'кей. Понял. Что-нибудь еще?

— Нет. Беги.

Он скатился по лестнице.

В этот момент мне почему-то захотелось закрыть дверь, запереть ее на все замки, почистить пистолет, наточить ножи, написать что-нибудь стоящее и напиться до чертиков, чтобы не ходить на гонку. И мне совсем не хотелось вникать в подробности чужих любовных драм.

Я встал, чтобы закрыть дверь, но тут на пороге возник Винсон:

— У тебя есть минутка?

— Старик, у кого ж ее нет? И кто же не знает, что понадобится гораздо больше? Так что оставь у дверей свою пассивную агрессивность, умаляющую твое достоинство, заходи, пристрой свой каркас на тахте Олега, выпей пива и расскажи мне, что тебя беспокоит — или что беспокоит Олега, если ты предпочитаешь угадывать чужие мысли.

— Ты типа не в настроении, — заметил он, садясь.

Я кинул ему банку пива.

— Симпатичная тахта, — сказал он. — А кто такой Олег?

— Давай рассказывай, с чем пришел.

Винсон начал говорить о девушке с Севера, у которой в глазах были льдинки. Он винил себя в том, что слишком опекает ее и сковывает ее свободу, что плохо раскрывает свои чувства к ней и вообще все делает плохо.

— Это *ты* скован, — сказал я.

— Я скован?

— Да. Ты прикован к тому, что ты делаешь. А она свободна, как птичка.

— Что ты хочешь этим сказать?

— Я не хочу обсуждать Ранвей, — ответил я, — в ее отсутствие. Но по моему мнению, она чувствительная натура и что-то в ней противится тому, что ты делаешь. Не забывай, ее друг умер от героина.

— Но я не употребляю героина.

— Зато прекрасно торгуешь наркотой.

— Я не делал этого при ней, — оправдывался он. — Она не имеет представления, чем я занимаюсь.

— Я плохо знаю Ранвей, но все же думаю, ей небезразлично, что ты делаешь. Не знаю, конечно, Винсон, но мне кажется, что тебе, возможно, придется делать выбор между этой девушкой и деньгами.

— Но, понимаешь, Лин, без тех денег, которые зарабатываю на этом, я не смогу жить так же, как прежде. Я привык типа ни в чем себе не отказывать.

— Живи скромнее.

— Но Ранвей...

— Ранвей будет этому только рада — если ты оставишь свою служанку. Ей нравится твоя служанка.

— Ее еще надо найти.

— Ты найдешь ее. Или она сама найдет тебя. Она умная девушка и сильнее, чем кажется. С ней все будет как надо.

— Спасибо, Лин, — сказал он, поднимаясь.

— За что?

— За то, что не держишь меня за дурака из-за того, что я придаю этому такое значение, слишком люблю ее. Копы считают, что я свихнулся.

— Копы считают свихнувшимся всякого, кто по доброй воле переступает порог их участка, и имеют на то основания.

— Как ты думаешь, она вернется ко мне?

— Может вернуться, если ты бросишь заниматься наркотой.

Он медленно спустился по лестнице, обескураженно качая головой.

Вера — безоговорочная любовь, а любовь — безоговорочная вера. Винсон, Навин и я были влюблены, но не жили с женщинами, которых мы любили. А вера — дерево, не дающее тени. Я надеялся, что Винсону повезет и что Ранвей хочет, чтобы он ее нашел. Я надеялся, что Дива придаст Навину уверенности. И я надеялся, что планы Карлы, какими бы они ни были, не разрушат того, чего нам почти удалось достичь.

ГЛАВА

65

Я уже совсем было закрыл дверь, но тут за дверью появился Дидье и распахнул ее.

— У меня проблема, — заявил он, опускаясь на тахту.

— Наверное, мне надо сдавать тахту напрокат за приличную плату. Она трудится больше, чем я.

— Сегодня вечером будет бал, — сказал он.

— Иди ты.

— Костюмированный.

— Я собираюсь запереть дверь, Дидье.

— В лучшей костюмерной я нашел только два костюма. Я оставил оба за собой, но не могу решить, какой больше подходит.

— А что за костюмы?

— Гладиатор и балерина.

— Не вижу проблемы.

— Ты не видишь, *в чем проблема*? В том, что Дидье с успехом справится как с той, так и с другой ролью, и выбрать что-то одно невозможно.

— Понятно.

— Что мне делать, Лин?

Я решил использовать энергию тахты Олега.

— А почему бы тебе не одеться гладиатором до пояса, а ниже пояса балериной? Будешь гладериной.

— Гладерина! — воскликнул он, кидаясь к двери. — Надо срочно примерить.

Он спустился по лестнице, а я наконец закрыл дверь — на время. Но это не принесло мне успокоения. Я не люблю закрытых дверей, нигде и никогда не любил. В ночных кошмарах я постоянно стучусь в закрытые двери.

Я уселся в кресло, но обнаружил, что писать не могу. Стоило мне слишком долго задержать взгляд на дверях, и я оказывался в камере.

Каждый удар, нанесенный прикованному человеку, каждая инъекция транквилизатора тому, кто возмущается, каждое подавление воли электрошоком — это надругательство над той личностью, какой человеку суждено стать. Время — соединительная ткань, мембрана, которую можно повредить. Оно залечивает не все раны, оно *само ранит*. Все раны можно залечить только любовью и прощением.

Ненависть неизбежно оставляет пятно на покрове, под которым ее прячут. Но иногда это не твоя ненависть. Иногда, если ты прикован, ненависть, которую в тебя вколачивают, принадлежит другому человеку, она взращена в другом сердце, и забыть ее труднее, чем заживающие телесные раны.

Даже если мы сумеем когда-нибудь сплести нечто из нитей любви и веры, которые попадаются нам по пути, на коже останется шрам от того, что невозможно забыть, — от вчерашнего дня, возникающего у тебя перед глазами, когда смотришь на закрытую дверь.

Я был какое-то время блудным сыном, отдалялся от друзей, от любви, запирал на ключ воспоминания о страхе, гневе, непокорности, тюремном бунте, горящей часовне, вооруженных охранниках, о людях, предпочитающих умереть, нежели терпеть это еще хоть один день, точно так же как я был готов умереть, стоя на стене, но вырвался на свободу.

Время тоже умрет, как и все мы, когда умрет и будет заново рождена Вселенная. Время живое, как и мы, оно рождается, проживает свой срок и исчезает. Время имеет сердце, но его биение не совпадает с нашим, как бы мы ни жертвовали собой ради этого. Нам Время не нужно, это оно нуждается в нас. Ему тоже нужна компания.

Я отвел взгляд от двери и оказался в полях Карлы, в озерах Карлы, прибрежных зарослях Карлы, облаках Карлы и ее грозах, разрывающих все на части; и, когда я попал туда, я написал стихи о Карле и о Времени, я отвоевывал их, поставив на кон любовь.

Ничего хорошего у меня не получилось. Но я все же оставил закладку на странице, закрывая тетрадь, потому что иногда лучшие стихи складываются из того, что сначала не получается. Я вышел на балкон и выкурил один из косяков Дидье.

Перекресток внизу был практически пуст. Летавшие весь день с остервенелым жужжанием автонасекомые попрятались на ночь по своим норам. Мне пора было совершить последний в этот день круг. До состязания Навина с Бенисией оставалось уже недолго. Но я не хотел никуда двигаться.

Карла, Дидье, Навин, Дива, Винсон, зодиакальные Джорджи, Кавита. Я не понимал, что происходит с ними. Все слишком быстро менялось, все было неопределенно; у меня все чаще возникало чувство, что я нахожусь не с той стороны стены, с какой надо, а саму стену я даже не видел.

Я запутался во всей этой неразберихе. Весь вечер я давал советы другим, но кто бы дал совет мне? Все, что я мог, — это, подчиняясь инстинкту, побудить Карлу сделать выбор раз и навсегда: жить со мной в каком-нибудь другом месте или жить в Бомбее без меня.

Чем бы она ни занималась в Бомбее, я в этом не участвовал, но чувствовал, что надо бы. Если бы она не захотела уехать со мной сейчас, я был готов уехать один и ждать ее где-нибудь. Я знал, что она будет на гонке, и решил тоже пойти туда. Мне надо было поговорить с ней, даже если мы не скажем друг другу ничего, кроме «до свидания».

Когда все твои жизненные планы сводятся к тому, чтобы как можно быстрее убраться из города, когда твое сердце слишком долго ждет истины, а душа слишком долго ждет новой песни, то бывает, что Судьба ударяет по земле священным жезлом и дорогу тебе преграждает пожар.

Мимо меня на головокружительной скорости пронеслось несколько автомобилей. Люди Хусейна и «скорпионы» летели в противоположных направлениях. Ко мне приближался мотоциклист. У его мотоцикла был очень высокий руль, и я еще издали узнал его. Это был Рави.

Я поставил свой байк на боковой упор и помахал Рави, чтобы он остановился.

— Что случилось?

— Пожар в доме Кадербхая, — бросил он, подъехав.

— В его особняке?

— Да.

— Что с Назиром и Тариком?

— Неизвестно. Говорят, что пытаются спасти мечеть, а больше я ничего не слышал. Пробраться туда можно разве что на мотоцикле. На Мохаммед-Али-роуд вроде бы пробка. Отсидись лучше сегодня дома, Лин.

Пожар в доме Кадербхая.

Перед моими глазами возник мальчик, который сидел на царском троне, склонив голову к плечу и поддерживая лоб длинными пальцами. А также мой поседевший афганский друг Назир, чье лицо было освещено внутренним светом утренней молитвы.

У меня словно вырвали что-то из груди; что-то, бывшее прежде моим, растаяло в воздухе, а внутри образовалась пустота. Я чувствовал, как любовь вытекает из меня, как будто несчастье перерезало мне вену. И я испугался за всех нас.

Рави двинулся дальше; я завел мотоцикл и поехал за ним.

В те годы зов смерти звучал во мне иногда очень громко, борясь с волей к жизни. Сердце мое было кораблем в океане, и я, забравшись на мачту страха, открывал объятия буре, порывая с миром.

ГЛАВА

66

Рави ехал быстро, но я не отставал от него. Мохаммед-Али-роуд напоминает драконий хребет, и мы без помех миновали его кончик, но затем натолкнулись на пробку из легковых и грузовых автомобилей и автобусов, стоявших с выключенными двигателями.

Пришлось пробираться по тротуару, запруженному народом. Я был рад, что Рави едет впереди и прокладывает путь сквозь толпу. Он двигался со скоростью пешехода, умудряясь не повредить ничьих ног или рук и объезжать детей. Он все время повторял, как заклинание, только одно слово: «Кадербхай!» — и люди, услышав его, расступались.

Мафия, созданная Кадербхаем, послужила ядром Компании Санджая, и от нее же отпочковалась Компания Вишну, но когда разгорелся кровавый пожар, то лишь имя Кадербхая обладало силой, которая воздействовала на инстинкты и рассекала волны спешивших людей.

Я боялся, что отстану от Рави и буду затерт в толпе, поэтому держался вплотную за ним и несколько раз врезался в крыло его мотоцикла. Он при этом тихонько сигналил, призывая меня к спокойствию, и продолжал выкрикивать имя, которое все помнили:

— Кадербхай!

Мы достигли последнего перекрестка перед мечетью. Со стороны проезжей части возвышалась стена автомобилей и автобусов, но и тротуар впереди был забаррикадирован кучей мотоциклов, велосипедов и ручных тележек. Людской поток стал растекаться между автомобилями. Впереди виднелись пожарные машины, языки пламени и дым. Мы поставили мотоциклы около входа в одно из зданий, связав их вместе моей цепью, и стали перебираться через эту баррикаду, да так, чтобы не удариться головой о торчавшие из стен вывески магазинов.

Преодолев эту гору металла, мы оказались перед полицейским оцеплением. Между крылом «амбассадора» и ручкой одной из тележек была натянута веревка, преграждавшая путь толпе.

Мы поднырнули под веревку и пробрались позади магазинов к мечети. Но нашей целью был особняк Кадербхая.

Пожарные машины поливали стены мечети из брандспойтов, чтобы остановить огонь. Благодаря их усилиям мечеть уцелела, но когда мы выбрались из лабиринта черных змеящихся пожарных шлангов, то увидели, что с домом Кадербхая покончено.

Бригада пожарных боролась с огнем, однако основные силы были брошены на то, чтобы не дать ему распространиться на мечеть и ближайшие здания.

Около особняка уже толпились члены нескольких мафиозных группировок, наблюдавшие за горящим зданием с противоположной стороны узкой улицы. Языки пламени отражались на их лицах гримасой гнева. В основном здесь были люди Хусейна, а также несколько гангстеров из Компании Вишну и других банд — всего человек двадцать. В центре группы находился Абдулла. Отсветы пожара вели дикую пляску в его глазах.

Пожарные оттесняли гангстеров, упрашивая их отойти подальше и не мешать им.

Абдулла кинулся к зданию, оттолкнув трех пожарных и сбив с ног еще одного, пытавшегося остановить его. В следующую секунду он исчез в огне.

Мафиози, казалось, были готовы вступить в драку с пожарными. С их точки зрения, всякий человек, носящий униформу, — противник.

Но пожарные отступили. Им платили за то, чтобы они спасали людей, а не дрались с ними. Вместо них вперед бросились те, кому платили именно за избиение людей, — полицейские.

Драка с копами — дело довольно хитрое. Очень многие копы любят драться, но придерживаются при этом определенных правил: не наносить увечий и не применять оружие, а честно и откровенно измолотить противника.

Однако есть два момента, осложняющие картину. Во-первых, копы злопамятны. Они в этом отношении хуже большинства уголовников, которые обычно склонны забыть и простить. Во-вторых, если копу приходится туго, он может пристрелить тебя, и это сойдет ему с рук.

Полицейские принялись колотить гангстеров чем ни попадя. Те, припрятав или отбросив оружие, вступили с копами врукопашную.

У человека всегда есть момент выбора. Фактически каждую секунду своей жизни он что-то выбирает. Гангстеры выбрали схватку. Поначалу силы были равны. Но затем на помощь своим товарищам бросилась новая группа копов.

Рави и еще один гангстер по кличке Хитрец тоже сорвались с места. Я мог бы, по идее, остаться в стороне и наблюдать за происходящим. Но я не остался. Закинув свои ножи за ближайшую ручную тележку, я побежал принять участие в потасовке, которую и начинать-то не стоило.

Бежал я недолго. Не успел я достичь гущи схватки, как один из копов нанес мне удар. Он был быстр и знал свое дело. Я услышал гонг, но не мог понять, какой раунд. Чисто инстинктивно я прикрылся, сделал «нырок» и начал свинговать, но оказалось, что напрасно. Коп уже валялся у моих ног: костлявый Дылда Тони уложил его. Мы вместе кинулись пополнить ряды гангстеров. Копы кинулись пополнить ряды копов. Началась всеобщая схватка и полная неразбериха. Копы дубасили копов. Гангстеры дубасили гангстеров.

Я схватил одного из копов за рубашку и притянул к себе, решив, что таким образом он не сможет ударить ни меня, ни кого-либо другого. Но мой расчет оказался неверным. Его кулак, обогнув мой локоть, нашел ту часть головы, удар по которой отключил мое сознание; в голове у меня запели *Clash*, откуда-то издалека, где мы были вдвоем с каким-то русским писателем.

Я повалился назад, инстинктивно продолжая цепляться за рубашку копа, и он повалился вместе со мной, потянув за собой других копов, которые потянули за собой других гангстеров. Наша регбистская куча-мала образовалась среди пепла и головешек, сыпавшихся со стены особняка, которая прогорела и начала рушиться.

Не знаю, сколько человек накрыло копа, накрывшего меня. Древо человечества рухнуло. Тлеющие куски сандалового дерева наполняли воздух ладаном, щипавшим глаза. Можно было подумать, что его уже воскурили по умершим.

На камнях мостовой корчились горящие страницы священных текстов. Пахло горелыми волосами и потом, выделявшимся в большом количестве большим количеством тел, нагроможденных на меня.

В здании стали самопроизвольно взрываться пули и разлетаться во все стороны. Теперь я уже был рад, что нахожусь в самом низу.

— Не стреляйте, пули взрываются сами по себе! — крикнул один из полицейских на маратхи.

Копы и гангстеры, расположившиеся поверх меня, старались спрятаться друг за друга и вжаться в землю. В результате все они вжимались в меня. Мне уже не хватало воздуха, я ловил его, разевая рот, как кролик, и делая короткие вдохи. Наконец стрелок-призрак расстрелял весь запас пуль, но зато обрушилась ложная арка у нас над головой, обсыпав нас обломками цитаты из Священного Писания. Участники регбистской схватки стали уползать подальше от здания. Я не мог пошевелить руками и по-прежнему цеплялся за рубашку копа, ничего не видя и дыша пеплом с примесью воздуха. Хорошо хоть примесь была.

Внезапно все прекратилось. Куча копов и гангстеров начала постепенно рассыпаться. Последним был прижатый ко мне коп. Он хотел подняться, но я никак не мог расстаться с его рубашкой. Тогда он пополз на коленях прочь от меня, и мне в конце концов пришлось его отпустить.

Я поднялся, протер глаза и уставился на горящий дом. На тот самый дом, где Кадербхай тратил на меня часы своей жизни, давая мне уроки мудрости.

В глубине особняка рыжие языки пламени рисовали дрожащий силуэт внутреннего арочного двора. Перегородки между помещениями обваливались огромными листами. Все здание полыхало, как звезда, сложенная из горящих балок. Это был конец.

Я не мог этого вынести, не мог смириться с этим. Дом, в котором, казалось, была воплощена вечность, исчезал на глазах.

Я отвернулся и увидел Абдуллу. Он стоял на коленях на свободном месте рядом с мечетью, держа в руках тело наследника Кадербхая, Тарика.

Люди толпились в некотором отдалении от них в горестном благоговении. Голова мальчика лежала на колене Абдуллы, но она уже клонилась к могиле, а сильные молодые руки стали морской травой в океане вечности.

Драка прекратилась. Копы перегородили улицу, оставив свободное пространство из уважения к утрате, однако люди прорывались мимо них, чтобы коснуться одежды мертвого мальчика. Мне с трудом удалось пробиться сквозь толпу скорбящих.

— Что с Назиром? — спросил я Абдуллу. — Ты его видел?

Абдулла плакал.

— Я стащил его тело с тела мальчика. Назира больше нет. Я не мог спасти его тело. Он был мертв и уже горел.

Дни самого Абдуллы тоже были сочтены. Мы оба понимали это. Он поклялся Кадербхаю, что отвечает за мальчика своей жизнью, а мальчик был мертв. Тело его лежало на коленях Абдуллы, как изодранное в клочья знамя полка, потерпевшего поражение. Я знал, что Абдулла до последнего дыхания будет преследовать убийц Тарика и Назира, пока перед их смертью не увидит в их глазах отражение такого же знамени.

— Ты уверен, что он был мертв?

Он молча посмотрел на меня. В его глазах простиралась иранская пустыня.

— Ясно, ясно, — пробормотал я, не в силах добавить что-либо.

Назир был столпом, нерушимой скалой. Он был из тех людей, которые не погибают, когда в живых не остается больше никого.

— Он был мертв, когда ты нашел его?

— Да. Он уже обгорел со спины. Тело Тарика, которого Назир закрыл своим, осталось неповрежденным. Их застрелили, Лин, обоих. А тел охранников я не нашел.

Меня оттеснили люди, неистово скорбевшие по погибшему наследнику трона и желавшие прикоснуться к его телу. Никакие полицейские заслоны не могли сдержать их, они просачивались со всех сторон, из всех переулков. Пробравшись сквозь толпу, я вышел на транспортную магистраль и перелез через кучу велосипедов и тележек в обратном направлении. Около наших мотоциклов стоял Рави.

— Наконец-то ты пришел, старик, — сказал он. — Мне нужен мой байк. Сегодня будет черт знает что.

Я тоже знал, что будет: ярость, резня, огонь. Ярость прорывает плотину, которая сдерживала эмоции. Да и всем было ясно, что убийство в доме Кадербхая и пожар, чуть не погубивший любимую мечеть, выпустят на волю стаи безжалостных хищников. Прекрасный миролюбивый Город семи островов становился опасным для жизни.

Я подумал о Карле. Не угрожает ли ей опасность?

Я снял мотоциклы с цепи, и мы стали пробираться в Колабу. Около Метро-Джанкшн я расстался с Рави. Он поехал, чтобы присоединиться к братьям по оружию, а я решил проверить, нет ли Карлы дома, направился в «Амритсар» и взбежал на наш этаж.

— Тебе нужно принять душ, — заметил Джасвант. — И переодеться.

Действительно, футболка после драки представляла собой нечто невообразимое. Жилетка почернела и была в пятнах, мои руки и грудь — в саже и царапинах.

— Ты ее не видел?

— Она поехала на гонки.

— Спасибо, — сказал я и побежал вниз, прыгая через три ступеньки.

— Катись, *баба*, — ответил он вслед мне.

Мне надо было определить, какое место Карла выбрала, чтобы наблюдать за эпохальным состязанием. Скорее всего, это был самый опасный поворот на трассе, где притаились в засаде Судьба и Смерть.

Я с трудом пробрался туда. Город был на грани объявления комендантского часа. Мне пришлось подмазать полицейских на четырех КПП только для того, чтобы у меня не отобрали ножи.

В Индии межэтнические, религиозные и прочие столкновения могут унести тысячи жизней где угодно, даже в таком мирном городе, как Бомбей. Едва не сгорела мечеть, и обвиняли в этом, естественно, индусов, так что полиция плотно перекрыла городские улицы.

К тому времени, когда я достиг намеченного места на трассе, гонка уже закончилась. Дорожные полицейские слушали по рации сообщение о беспорядках на Нул-базаре. «Со стороны Донгри приближается толпа», — повторял снова и снова чей-то голос на маратхи.

Я проехал до бара прохладительных напитков «Хаджи Али». Подумал, что Навин, возможно, захочет отпраздновать победу или залить горечь поражения в этом баре, поскольку большинство других питейных заведений были закрыты.

Улицы были заполнены народом. Одни бежали к индуистскому храму, другие к мечети. Прошел слух, что горит один из районов Донгри, заселенный преимущественно мусульманами.

Мне приходилось лавировать между ними, то и дело останавливаясь, когда люди в панике выскакивали на проезжую часть прямо перед мотоциклом. Около бара «Хаджи Али» я медленно объехал длинный ряд припаркованных заграничных мотоциклов, в основном японских, и остановился на некотором расстоянии от них. Заглянув в бар, я увидел там Навина с Кавитой Сингх.

Около мотоциклов собралась группа молодых байкеров, человек десять. Среди них выделялась стройная девушка в темных очках-никаб, красном кожаном пиджаке, белых джинсах и красных кроссовках. Бенисия. Она сидела на своем матово-черном винтажном мотоцикле со съемным рулем. На бензобаке было намалевано слово «ИШК», «страстная любовь».

Стоявшие рядом байкеры носили, несмотря на жару, кожаную одежду разных цветов. Я никого из них не знал. Одна из фигур повернула ко мне голову. Это была Карла.

Она улыбнулась, но я не понял, означал ли ее взгляд «Я рада тебя видеть» или, может быть, «Веди себя прилично». Я подошел к ней и взял за руку:

— Мне надо поговорить с тобой, Карла.

Юные байкеры окинули меня взглядом с головы до ног. Я был весь в золе, царапинах и пятнах сажи.

— Что случилось? — спросила она.

— Дома Кадера больше не существует, — сказал я. — Назир и Тарик убиты.

Она, как от физического удара, содрогнулась всем телом и в отчаянии запрокинула голову. Затем покачнулась и ухватилась за меня, чтобы не упасть. Я повел ее к своему мотоциклу. Она села на него спиной к группе байкеров.

— Ну и видок у тебя, — сказала она. — С тобой все в порядке?

— Да, это ерунда. Я...

— Ты был там, у дома?

— Да. Я...

— Чокнутый! — бросила она, сверля меня зелеными глазами. — Тебе мало всяких передряг, и ты решил еще поиграть с огнем? И чего ради я стараюсь уберечь тебя от опасностей, если ты вовсю стараешься нарваться на них?

— Но я...

— Дай косяк, — попросила она.

Мы закурили. Я прислушивался к разговору копов на посту рядом с нами. Они говорили о том, что, возможно, придется осуществить «план Б», то есть перекрыть движение во всем городе, если вспыхнувший на Кроуфордском рынке бунт выплеснется на улицы. Рынок находился совсем недалеко от этого места.

Я был грязен и имел непотребный вид. Я хотел увезти ее домой, принять душ и прийти к ней в ее бедуинский шатер.

Мальчики-байкеры смотрели на нас. Они накачались арбузным соком и были взвинчены перипетиями чужой гонки. Они были совсем молоды и оживленно жестикулировали, стремясь произвести впечатление на девушек и обязательно защитить их от воображаемого нападения.

«Огонь, — думал я. — Он все уничтожил. Все-все. Назир, Назир, брат мой, тебя застрелили и сожгли».

— Ты говоришь, мальчик погиб? — спросила Карла, пытаясь оттащить меня от бездны любыми вопросами.

— Да. Я видел его. Но от огня он не пострадал. Назир закрыл его своим телом. Абдулла вынес Тарика из дома, но Назира пришлось оставить.

— Да упокоится эта юная отзывчивая душа с миром, — произнесла Карла.

— Души обоих.

— Души обоих, — повторила она.

— Их застрелили, Карла, а телохранители исчезли.

— Ты уверен?

Я посмотрел на нее так же, как смотрел на меня на горящей улице Абдулла, держа в руках завещанную ему угасшую жизнь.

— О'кей, — сказала она, — о'кей.

К нам подошел один из байкеров. Я шагнул навстречу ему.

— Все в порядке, Карла? — спросил байкер. — Этот тип к тебе не пристает?

— Нет, приятель, — сказал я враждебно. — Это ты к нам пристаешь.

Он был, возможно, хорошим парнем, но выбрал неудачный момент и неудачный день.

— А ты, блин, кто такой?

— Я тот тип, который говорит тебе, чтобы ты отвалил, пока в состоянии это сделать.

— Иди, Абхай, сядь там, — сказала Карла, не поворачиваясь к нему.

— Твое желание — закон, Карла, — ответил Абхай, поклонившись и скрипнув своим сверкающим пиджаком. — Если что, то я рядом.

Он пошел к своим друзьям, бросая на меня свирепые взгляды.

— Симпатичный парнишка, — сказал я.

— Они все симпатичные, — отозвалась она. — И все будут сегодня на вечеринке.

— На какой вечеринке?

— На той, куда тебя приглашали, но я отменила приглашение.

— Отменила?

— Да.

— А кто меня приглашал?

Она чуть склонила голову набок:

— Тебе непременно надо знать? Хозяйка.

— Так что это за вечеринка все-таки?

— Совершенно особенная. И хочешь верь, хочешь не верь, но мне с большим трудом удалось вычеркнуть тебя из списка приглашенных. Ты должен понимать, что для тебя это к лучшему.

— Ох, я не вижу, чтобы хоть что-нибудь было к лучшему.

К нам приблизился другой байкер, не сводивший с меня глаз. Он был чем-то недоволен. Я с суровым видом выставил вперед ладонь, и он остановился.

— Отдзынь.

Он удалился.

— Полегче, Лин, — сказала Карла. Она была достаточно близко, чтобы поцеловать ее.

— Куда уж легче, сегодня-то.

— Они же друзья. Не закадычные и не такие уж близкие, но полезные.

— Поехали со мной, Карла.

— Не могу... — начала она.

— Можешь.

— Нет, не могу.

— Лин, я *победил*! — завопил подбежавший Навин, накинувшись на меня. — Ну и гонка была! Эта девушка феноменальна, но я все равно перегнал ее. Ты видел?

— Классно, Навин, — ответил я. — Скажи своим мальчикам, чтобы они успокоились.

— А, им-то, — засмеялся он. — Они, конечно, горячие ребята, но они просто любят гонять на мотоциклах.

— Кстати, о мотоциклах, — подхватила Карла, — я сегодня еду с Бенисией.

— С *кем* едешь?

— Навин везет на костюмированный бал Кавиту, а меня посадит к себе Бенисия. Надеюсь, ты ничего не имеешь против?

Я столько имел против, что мне хотелось взять все мотоциклы и забросить их куда подальше.

— Знаете, — сказал Навин, посмотрев внимательно на Карлу и на меня, — я лучше подожду там, когда можно будет ехать.

Он отступил на пару шагов и направился трусцой к своим друзьям.

— Если я могу поговорить с тобой только после того, как чуть не сгорел или меня отдубасят, может быть, нам надо проконсультироваться у психолога? — спросил я, когда мы остались одни.

— Говори за себя, — ответила она и отклонилась подальше. — Помощь психолога нужна только людям, слишком пресыщенным, чтобы говорить правду.

— Странно слышать это от женщины, которая как раз и не хочет сказать мне правду.

— Я не могу сказать тебе всего. Думала, ты понимаешь это.

— Я уже ничего не понимаю. Ты все-таки отправишься туда с этой компанией?

Она оглянулась через плечо и опять повернулась ко мне лицом:

— Это особая вечеринка. Поверь мне, я вычеркнула тебя из списка, хотя сама иду туда, потому что люблю тебя.

— Да не важно, особая или не особая. Как можно идти на какую-то вечеринку после того, что случилось сегодня?

Она на секунду раздвинула губы, обнажив плотно сжатые зубы и широко раскрыв глаза. Знакомая гримаса. Это не было угрозой, так она сдерживала себя, чтобы не сказать мне нечто неприятное. Но мне было наплевать.

— Они же не чужие для нас люди, Карла. Это же Назир. Не знаю, как тебе, а мне сейчас нужно только одно — быть рядом с тобой.

— Да, то, что случилось с мальчиком, тяжело пережить...

— И с Назиром.

— И с Назиром, дорогим Назиром.

Она помолчала. Напоминание о нашем афганском медведе едва не поколебало ее решимость. Изборожденное морщинами лицо Назира и жесткая хмурая улыбка, какой он встречал приходящих в дом Кадербхая, всегда придавали нам обоим уверенности.

Карла глубоко вздохнула, улыбнулась мне и взяла меня за руку:

— Эта вечеринка очень важна, Лин. Она должна открыть несколько потайных дверей и дать мне возможность закрыть одну, которую мне, вероятно, вообще не стоило открывать.

— Какую это?

— Я пока не могу сказать. Пожалуйста, поверь мне. Ну пожалуйста. Просто поверь, что эта вечеринка, возможно, позволит мне освободиться от всего этого и жить долго-долго, не оглядываясь на прошлое.

— Я не понимаю, как она может это сделать.

— Да господи, Лин! Ты просто не хочешь поверить мне.

— Но ты же ничего не объясняешь, Карла. Прости, конечно, но сегодня мне трудно слепо верить всему, что мне говорят.

Она посмотрела на меня с разочарованием — а может быть, увидела разочарование на моем лице.

— О'кей, — сказала она. — Это фетишистская вечеринка.

— И... что?

— В Бомбее ничего подобного еще не было. С многих будут сорваны маски.

— Какие еще маски?

— Все, какие только есть, — ответила она мягко, погладив меня по щеке. — Поэтому я и отменила твое приглашение.

— Что-что?

— Я люблю тебя таким, какой ты есть, вот и все. И я не хочу испортить это, позволив тебе пуститься во все тяжкие в этом Вавилоне.

— А сама идешь туда.

— Я — это не ты, малыш, — сказала она. — А ты — это не я.

— Поехали со мной, Карла.

— Я должна пойти туда, Лин. Мне надо покончить кое с чем. Верь мне.

— Со всем и так покончено. Поехали со мной.

— Я должна, — повторила она и встала, чтобы уйти, но я схватил ее за руку, где мог бы быть браслет.

— Ты разве не слышала? Труба прозвучала. Стены рухнули[1].

— Библейские аллюзии, — усмехнулась она. — Они, конечно, убедительны, куда убедительнее чертовой вечеринки, но мне надо идти.

— Я говорю совершенно серьезно. Сейчас не время устраивать вечеринки. Время собирать силы и строить оборону. Скоро все полетит ко всем чертям. Дома будут гореть. Улицы будут гореть. Надо запастись всем необходимым, переждать бурю и искать другой город.

Она посмотрела на меня с такой любовью, что я почувствовал, как меня захватывает поток взаимного чувства, и не заметил, как он унес меня в открытое море.

— Нужно думать только о том, что нас объединяет, — сказала она, — только о том, что нас объединяет.

Я плыл без руля и без ветрил. Она была слишком близко. Огни возбуждающего мотоциклетного сокового бара зажгли неоновое пламя в ее глазах, сжигавшее меня.

— Что ты хочешь этим сказать?

— Не бросай меня, — прошептала Карла.

— Да я...

— *Не смей* бросать меня.

И она меня поцеловала. Поцеловала так, что, открыв глаза, я увидел: ее уже нет.

Она убежала к байкерам. Взревели моторы. Карла уселась позади Бенисии.

Испанская гонщица надела шлем, полностью закрывавший голову, и опустила забрало, так что вместо глаз виднелась лишь черная пунктирная кривая. Трудно было что-либо возразить против ее желания спрятаться, но мне не нравилось, что Карла сидит за ее спиной. Бенисия склонилась к низкому рулю, Карла прижалась к ней.

Затем она выпрямилась и оглянулась, сразу поймав мой взгляд. Она улыбнулась мне.

«Не бросай меня».

И опять скрылась за спиной Бенисии.

Кавита села позади Навина. Он лихо развернулся перед баром и строем ревущих байков и проехал мимо меня.

— А ты почему не едешь, Лин? — спросил он.

«После пожара? — подумал я. — Погибли люди. Погиб Назир». Но для Навина это был счастливый день. Он был победителем. Нельзя было осуждать его за это.

---

[1] «Народ воскликнул, и затрубили трубами... и обрушилась стена города до своего основания...» (Иис. Нав. 6: 19).

— Желаю хорошо провести время, Навин. На днях увидимся.

— Непременно.

Он включил двигатель.

— Пока, Неприглашенный! — сказала Кавита. — Интересно, что в тебе есть настолько страшное, что ты не можешь принять участие в вечеринке?

Навин ударил по газам и унесся прочь, остальные последовали за ним.

Когда тронулась с места Бенисия, Карла широко раскинула руки в стороны.

«Не бросай меня».

Обожженный, исцарапанный, избитый и посыпанный пеплом, я остался наедине с погибшими в городе, который собирались закрыть.

«Не смей бросать меня».

ГЛАВА

 67

Я вернулся в «Амритсар» и поднялся на свой этаж, волоча ноги.

— Ты был прав, Джасвант, — сказал я, проходя мимо его стола, — мне надо принять душ.

— Я же тебе говорил! А теперь у нас нет горячей воды и весь город взбесился, так что сам виноват, *баба*, доброй ночи, приятных снов.

Я сел за стол, открыл свою тетрадь и записал то, что я видел в этот вечер и что я чувствовал. Мои руки были в саже, и на бумаге остались пятна. Пока правая рука описывала место преступления, левая, которой я придерживал тетрадь, оставила четкий, легко идентифицируемый отпечаток.

Страницы были испещрены черными чернильными языками пламени. Это было пламя, отраженное в глазах полисмена, желто-голубое пламя, отражавшее гору велосипедов, неоновое пламя мотоциклетных выхлопов и стальных багажников, это были царапающие мятежные искры, рассыпаемые каруселью праведной мести.

Когда уже не мог больше писать, я взял бутылку и устроил душ в тюремном стиле, не снимая одежды.

Я выпил немного, постирал грязную одежду, снимая один предмет за другим, как кожуру с фрукта, выпил еще и вымылся сам.

640

Кожа пропахла кислятиной страха и его разнояйцевого близнеца, насилия из страха.

Их застрелили. Убили. Сожгли. Они мертвы.

Чистый, высохший и обнаженный, я задернул шторы, перекрывая дорогу наступающему дню, заперся на все имеющиеся замки, разложил оружие в тех местах, где оно могло мне понадобиться, включил свою низкокачественную стереосистему, поблагодарил Господа за низкокачественную стереосистему и принялся бродить из угла в угол.

В тюрьме со временем научаешься так бродить. Это заглушает звучащий внутри тебя голос, призывающий тебя бежать.

«Не смей бросать меня».

Я шагал. Выпил еще немного. Музыка стала звучать громче — а может быть, это мне только казалось. Я запустил Боба Марли, надеясь, что волна этой музыки доставит меня к более радужному берегу. Мне хотелось увидеть улыбку Карлы, и тут до меня дошло, что у меня нет ни одной ее фотографии.

Я обыскал весь номер, но безуспешно и решил, что, может быть, поможет косяк. Он помог, я нашел у себя много интересных вещей, о существовании которых не подозревал, включая дружелюбного сверчка, который почему-то не пел и был переселен на балкон. Но фотографии Карлы не было.

Первое, что я под легким кайфом написал в тетради после безуспешных поисков, был вопрос:

«Реальна ли Карла?»

Затем я написал много чего еще. Я читал вслух стихи. «Когда, в раздоре с миром и судьбой...» — декламировал я. Я произнес, что хотел бы быть «богат надеждой и людьми любим»[1], и тут кто-то стал барабанить в дверь.

Я исполнил танец войны в честь погибших, барабанить перестали. Я еще немного подергался под барабанную дробь из стереосистемы, после чего снова пришел в рабочее состояние.

Я заполнил несколько страниц заметками о Назире. Люди, которых мы любим, навсегда остаются в сердце, уходя от нас, но их живой образ блекнет в потоке памяти. Я хотел написать Назира живым, пока еще мог это сделать. Я хотел написать его глаза, часто напоминавшие глаза животного-охотника, непостижимого и способного на все, глаза, видевшие при рождении горные пики и очень редко освещавшие пещеру нежностью.

Я написал о его юморе, прятавшемся в ущелье и выглядывавшем оттуда из-за гримас, написал о тени, лежавшей на его лице

---

[1] *Шекспир У.* Сонет 29. Перевод С. Маршака.

при любом освещении, словно пепел кончины был запечатлен на нем с рождения.

Я написал его руки, когтистые лапы комодского дракона, на которых ранний труд на земле оставил печать на всю жизнь — марсианские каналы борозд и морщин на пальцах с крупными костяшками, некоторые из них глубокие, как ножевые раны.

Я написал Тарика. Написал о том, как маленькие капли пота выступали на его губе, когда он пытался притвориться кем-то другим. И о том, какими точными были все его движения, словно его жизнь была нескончаемой чайной церемонией.

Я написал, как он был красив. В нескладном мальчике расцветал красавец; по его лицу было видно, что оно заставит девушек задуматься, и не раз, а глаза будут смело бросать вызов любому мужчине.

Я стремился сохранить его, спасти его и Назира, описать их словами, которые остались бы жить.

Я писал, пока этот поток не иссяк и пока я не достиг состояния, при котором уже нет больше ни слов, ни мыслей, а остаются только чувства, эмоции, одинокое биение сердца, звучащее где-то в глубине холодного океана. И тогда я уснул, и мне приснилась Карла, которая тащила меня из горящего дома, а ее поцелуи выжигали клеймо любви у меня на коже.

Часть двенадцатая

ГЛАВА

 68

Проснувшись, я обнаружил, что клеймо на моей коже выжигали не поцелуи Карлы. Я уснул, уронив голову на статуэтку Шивы, и это его трезубец оставил отпечаток на моей щеке. Я снова залез под душ. Я решил не отпирать дверь еще дня два и продолжать поминки по погибшим. Но когда я высох и посмотрел в зеркало, я увидел на щеке отпечаток трезубца. Было похоже, что он там пробудет еще несколько дней. А если я так легко одурел, что стал уродовать собственное лицо, которое охотно изуродовали бы мои враги, значит пора было завязывать с дурью.

Вместе с этой отрезвляющей мыслью мне пришло в голову, что Карла, возможно, рано покинула фетишистское сборище и теперь застряла где-то в городе из-за беспорядков. Я облачился в боевую форму одежды, проверил карманы и вышел в холл. Дверь из холла на лестницу была забаррикадирована мебелью. Когда полиция объявляла локдаун в те годы, в гостиницах всегда так делали, чтобы баррикада защищала постояльцев от мародеров и нарушителей порядка.

— Движение по южному Бомбею перекрыто. Локдаун, — объявил Джасвант, читавший газету. — Мне повезло, что удалось достать этот номер. Но я могу дать его тебе только после того, как прочитаю.

— А где именно?

— Да нигде не могу, *баба*. Перед тобой еще длинная очередь желающих.

— Я имею в виду, где перекрыли?

— Везде.

Локдаун означал, что при свете дня передвигаться по городу невозможно.

— И надолго?

— А тебе не один хрен?

— Нет. Что тебе подсказывает интуиция, Джасвант? На один день или на четыре?

— С учетом всех вчерашних бунтов и поджогов я бы поставил на три, — ответил он. — Но я повторяю вопрос: тебе-то не один хрен?

— У меня иссякли стимулы к творчеству. Что я буду делать три дня?

— Стимулы? — отозвался Джасвант, отложил газету и, крутанувшись вместе со своим новым шикарным офисным креслом, оказался лицом ко мне.

Он щелкнул одним из переключателей на столе, и стеновая панель рядом со мной отъехала в сторону, явив потайной шкаф. Наполненный бутылками спиртного, пачками сигарет, упаковками с закусками, крупой, молоком, сахаром, банками с медом, консервированным тунцом и фасолью, спичками, свечками, пакетами первой помощи и стеклянными банками, в которых было что-то засолено и замариновано.

Джасвант щелкнул другим выключателем, и в шкафу замигала гирлянда разноцветных лампочек.

— Слушай, — сказал он, разглядев при свете своей иллюминации след от трезубца у меня на щеке, — а ты в курсе, что у тебя на лице знак тришулы?[1]

— Давай не переходить на личности, Джасвант.

— Я всегда за деловой подход, *баба*, — заявил он, указав рукой на свою пещеру с сокровищами и приподнимая брови одну за другой. — У меня есть и музыка.

Он щелкнул еще одним выключателем, и динамики на его столе грянули танцевальную музыку бхангра. Пресс-папье и бумагосшиватель пустились в пляс, прыгая туда и сюда вокруг улыбки Джасванта, отраженной в стеклянной крышке стола.

— Мы, сикхи, научились адаптироваться к обстоятельствам! — заорал Джасвант, стараясь перекричать музыку. — Если ты хочешь пережить Третью мировую войну, держись поближе к сикхам.

Он не выключал динамики, пока мелодия не кончилась. Она была совсем не коротенькая.

— Я могу без конца слушать это, — вздохнул он. — Включить еще раз?

— Нет, спасибо. Я хочу купить у тебя кое-что из спиртного, пока Дидье не перехватил его.

— Дидье тут нет.

— Не хочу рисковать.

---

[1] *Тришула* — трезубец, орудие Шивы.

— Это... одна из самых приятных вещей, какие ты когда-либо говорил мне.

— Люди не говорят тебе приятных вещей, Джасвант, потому что твоя манера поведения с ними неправильная.

— В гробу я видал манеры, — бросил он.

— Обвинение высказало свою точку зрения.

— За манеры мне не платят.

— Упакуй мне то, за что тебе платят, Джасвант.

— Олрайт, олрайт, *баба*, не горячись, — произнес он, укладывая в мешок мои покупки.

— У тебя есть готовые косяки?

— Естественно. У меня есть по пять грамм, по десять, пятнадцать...

— Я возьму их.

— *Каких «их»?*

— Все.

— Ха-ха! Старик, тебя что, не учили, как надо вести дела?

— Дай мне их, Джасвант.

— Ты даже не спросил, сколько они стоят.

— Сколько они стоят, Джасвант?

— Охренную кучу денег, старик.

— Договорились. Заверни их.

— Нет, так не пойдет. Ты должен *торговаться*, иначе не будет *справедливой цены*. Если ты не торгуешься, то *обманываешь меня*, пусть даже я завышаю цену. Вот как это делается.

— Просто скажи мне *справедливую цену*, Джасвант, и я заплачу ее.

— Ты не понимаешь. — Джасвант был терпелив, словно обучал счету обезьяну. — Мы должны вдвоем *установить* справедливую цену. Только так можно узнать, сколько стоит товар. Если мы *все* не будем делать это, наступит полный абзац. А вредители вроде тебя, готовые платить сколько угодно за что угодно, все запутывают.

— Джасвант, я хочу заплатить столько, сколько это стоит.

— Послушай, ты не можешь выйти из этой системы, старик, как бы ни старался. Торговля по поводу цены — основа всякого бизнеса. Неужели никто не учил тебя этому?

— Цена меня не интересует.

— Цена *всех* интересует.

— Меня — нет. Если я не могу заплатить за какую-то вещь, мне она не нужна. Если мне что-то нужно и я могу заплатить за это, мне не важно, сколько денег я должен заплатить. Это ведь и значит быть при деньгах, не так ли?

— Деньги — это река, старик. Некоторые люди выплывают на стремнину, а некоторые барахтаются на мели.

— Я уже устал от старых сикхских изречений.

— Это новое сикхское изречение. Я его только что придумал.

— Заверни, пожалуйста, покупки, Джасвант.

Он вздохнул.

— Ты мне нравишься, — сказал он. — Я ни за что не скажу это при людях, потому что не люблю работать на публику. Это всем известно. Однако я вижу у тебя кое-какие интересные качества. Но я вижу и кое-какие ошибки в твоем духовном развитии, и, поскольку ты мне нравишься, я хотел бы, так сказать, привести в порядок твои чакры[1].

— Это ведь заготовленная фраза, ты уже произносил ее, да? — спросил я, беря два своих мешка с продуктами.

— Ну да, несколько раз.

— И как ее воспринимали?

— Могу сообщить тебе одну вещь, Лин. Я однажды играл роль Отелло в...

— С тобой очень приятно иметь дело, Джасвант.

— Вот-вот! — откликнулся он. — Это я как раз и хотел тебе сказать. Понимаешь, ты мне нравишься, но когда ты ведешь себя *как* ребенок, а сам *совсем не* ребенок, то что за удовольствие быть взрослым?

Он опять врубил бхангру, которую держал наготове.

Я припрятал покупки, съел две банки холодного тунца, поточил ножи, дав пище улечься в животе, и затем занялся выжиманиями и подтягиваниями, пока не наступила ночь и можно было передвигаться по городу.

Полный *бандобаст*[2], или остановка всякого движения по городу, невозможно преодолеть днем. В разгар дня человек на улице превращается в жертву. Копы были напуганы. У них не хватало сил, чтобы остановить людей, объявивших войну друг другу, или защитить банки. При локдауне им было проще: раз ты на улице, тебя надо хватать.

Около полуночи я вышел в холл.

— Я иду на улицу, — сказал я Джасванту.

— Хрен тебе. Забаррикадировано.

— Если я отодвину твою баррикаду, она развалится, — сказал я, направляясь к ней.

— Не смей! — Он вышел из-за стола и стал разбирать мебель. — Это сложное оборонное сооружение. Мой друг-парс умеет делать их лучше. Жаль, его тут нет. Но и эта баррикада не даст зомби пробраться сюда.

---

[1] *Чакры* — согласно индуистским верованиям, центры силы и сознания в теле человека.

[2] *Бандобаст* — система или группа защиты от преступного нападения.

— Каким еще зомби?

— Старик, вот так все и начинается, — сказал он, укоризненно качая головой. — Это же всем известно.

Он чуть-чуть отодвинул от двери свое сложное сооружение из стульев и скамеек и приоткрыл ее, так что образовалась узкая щель.

— Тебе нужен пароль, — сказал он.

— Зачем?

— Чтобы попасть сюда. Чтобы я знал, что это ты.

— «Открой» подойдет?

— Нет, мне думалось что-то более личное.

— Если ты не откроешь дверь, когда я вернусь, я сниму ее с петель.

— Как это?

— Очень просто. Петли снаружи.

— Снаружи-снаружи, — прошипел он. — Мой друг-парс уж придумал бы что-нибудь. Уверен, что его антизомбиевая баррикада безупречна.

— Просто отопри мне, Джасвант, когда я вернусь.

— Только не подцепи у зомби какой-нибудь заразы, — предупредил он, снова нагромождая мебель у дверей.

Ночь — это Истина в пышном облачении. Ночью правила меняются. Если вам непременно нужно попасть куда-то в Бомбее ночью во время локдауна, то самый надежный способ передвижения — на мотоцикле какого-нибудь копа.

Я знал приличного копа, которому нужны были деньги. Коррупция — это налог, которым облагается общество, если оно не платит людям достаточно, чтобы они сами отказались от нее. Патрулям, останавливавшим нас, этот коп говорил, что я волонтер-переводчик, предупреждающий туристов, чтобы они не бродили ночью по улицам.

Нам действительно попадались тут и там озадаченные туристы с рюкзаками, не готовые брать штурмом забаррикадированные отели в опустевшем городе и радовавшиеся встрече с копом, да еще в компании с иностранцем.

Но большинство полицейских постов мы проезжали не останавливаясь, объясняясь с копами на ходу. Так я ездил по городу с пушкой, сидя позади копа, которому платил повременно за то, что он помогал мне найти Карлу. Мне хотелось быть рядом с Карлой или хотя бы знать, что она в безопасности.

Предания пишутся огнем и кровью. На улицах Бомбея хватало и того и другого для написания новых легенд. Доминик, коп из дорожной полиции, который возил меня, сказал, что около мечети Набила происходили кровавые стычки. Несколько человек были убиты, очень многие ранены. Сама мечеть осталась в целости и сохранности, ни одна облицовочная плитка не пострадала. Люди называли это чудом, забывая, что пожарные охраняли святилище и многие из них тоже получили ранения.

— Удивительно впечатляющее время! — бросил мне через плечо Доминик типично индийскую фразу, летя на мотоцикле по пустым улицам со скоростью чуть выше критической.

— Пугающе впечатляющее, — отозвался я.

— Точно! — засмеялся он.

— Давай заедем в «Махеш», — предложил я.

— Будет что рассказать внукам, — рассуждал Доминик, выруливая к отелю и вглядываясь в затененные пустынные переулки, которые мы проезжали. — О том, как призраки свободно разгуливали по Бомбею.

Карлу мы не нашли, но нашли ее автомобиль. За рулем сидел Рэнделл, на заднем сиденье устроился Винсон. Рэнделл при нашем появлении опустил оконное стекло, Винсон пропустил очередную порцию скотча.

— Привет, Рэнделл. А где Карла?

— Не знаю, сэр. Я не видел ее с тех пор, как она уехала на мотоцикле с мисс Бенисией.

— Я нашел ее! — проговорил нетрезвым голосом Винсон на заднем сиденье.

— Где? — повернулся я к нему.

— В ашраме! — радостно объявил он.

— Карла в ашраме? Это невозможно — разве что она собирается купить его.

— Не Карла. *Ранвей*. Навин ее нашел. Она в ашраме, за сотню миль отсюда. Я тоже собираюсь поехать туда, когда здесь все типа утрясется.

— Почему ты здесь? — спросил я Рэнделла.

— Мне было дано указание ждать мисс Карлу в «Амритсаре». Но бандобаст нагрянул так внезапно, что я не успел доехать туда, полиция не пустила. А машину я не могу оставить, вот и торчу здесь.

— А пассажир у тебя откуда?

— Мистер Винсон запрыгнул ко мне в два часа дня, сэр, когда здесь на улице застрелили одного грабителя, который пытался угнать похожую машину.

— Мне повезло, что ты пустил меня, Рэнделл, — сказал Винсон, открывая дверцу бара.

— И с тех пор ты так и сидишь тут?

— Да, сэр, и жду, когда представится возможность встретиться с мисс Карлой в «Амритсаре».

— До «Махеша» всего пятьсот метров, — сказал я. — Может, тебе лучше перебраться туда? Там будет безопаснее.

— Я не оставлю автомобиль, сэр, — разве что угроза нависнет над моей жизнью. Мне здесь вполне удобно. Но вот мистер Винсон, может быть, хотел бы попробовать добежать туда.

— Ни за что, старина, — проговорил Винсон. — Я хочу сохранить свою жизнь и найти свою девушку. А она, представь себе, в *ашраме*. Серьезное дело.

Я посмотрел на Доминика.

«Это будет стоить недешево», — ответил мне его взгляд, и его можно было понять. Просьба была не пустяковая.

— Закамуфлируйтесь под прессу, — посоветовал он, мотая головой. — Тогда вас пропустят.

— У вас найдется ручка и лист бумаги? — спросил я их.

Они стали препираться, как это часто бывает даже в критических обстоятельствах, но в конце концов написали слово «ПРЕССА», и Рэнделл прислонил лист бумаги к лобовому стеклу, подперев его туфлей Карлы.

Доминик провез нас через все кордоны. Рэнделл отдавал патрулям честь, Винсон пил, изображая представителя прессы.

В переулке позади «Амритсара» я заплатил Доминику и поблагодарил его.

— Ты хороший парень, Лин, — улыбнулся он, засовывая деньги в карман. — Если бы я считал тебя плохим парнем, то пристрелил бы. Увидимся через два часа. Не беспокойся. Мы найдем твою девушку. Это ведь Бомбей, *йаар*. В Бомбее любовные истории всегда кончаются хорошо. Отдохни пока, — сказал он и укатил.

Урчание его мотоцикла говорило жителям, прячущимся за дверями и ставнями, что на улице есть храбрые люди, которые следят за порядком.

ГЛАВА

69

Когда Доминик уехал, Рэнделл вышел из машины, чтобы открыть дверцу Винсону. Но не успел он сделать это, как из темноты донесся голос, пригвоздивший нас к месту.

— Я предупреждала тебя, — произнесла мадам Жу, — я предупреждала, чтобы ты держался подальше от Кавиты Сингх.

Из тени выступили ее головорезы — близнецы и плескуны. Я хотел ответить ей, но меня опередил Рэнделл, вставший рядом со мной.

— Разрешите мне, — сказал он тихо.

— Да все под контролем, Рэнделл, — ответил я, внимательно следя за всей гремучей пятеркой. — Мадам Жу регулярно дает представления в этом переулке, и мне всегда достается пригласительный билет.

Она засмеялась, но никто ее не поддержал.

— Позвольте все же мне сказать, — попросил Рэнделл. — Я давно жду такой возможности.

Он говорил очень серьезно, и я не стал возражать.

— Разрешите представиться, мадам, — обратился он к фигуре под маской. — Я Рэнделл Соарес, один из двух людей, которые стоят на страже этой Женщины. Если Женщине будет причинен какой-либо вред, я убью вас и всех ваших питомцев. Это последнее предупреждение, мадам. Или вы оставите нас в покое, или распрощаетесь с жизнью.

Он был не робкого десятка. Я на его месте высказался бы осторожнее, так как знал, что ненасытная мстительность мадам Жу простирается и на всех близких намеченной жертвы. Я надеялся, что у Рэнделла нет в Бомбее семьи, до которой мадам Жу могла бы добраться.

Рэнделл держал руку в кармане куртки. Плескуны тоже держали руки в карманах. Я держался за ручку ножа. Мадам Жу попятилась и растаяла в темноте.

— Рэнделл Соарес, — донеслось змеиное шипение из-под арки. — Рэнделл Соарес.

Вслед за ней в темноте растворились ее питомцы.

— Советую предупредить всех, кто носит фамилию Соарес, — сказал я Рэнделлу. — Она этого так не оставит.

— У меня нет семьи, — ответил он. — Я сирота. Родители отказались от меня при рождении, никто меня не усыновил, пока я был в детском доме, а в шестнадцать лет я его покинул. Так что мадам Жу не может причинить вред моим родным, поскольку их нет.

— И ты действительно убил бы всю эту компанию?

— А разве вы не убили бы, сэр?

— Я постарался бы остановить их, прежде чем пришлось бы убивать. Ты служил в армии?

— Не в армии, в морской пехоте.

— Сколько лет?

— Шесть, сэр.

— Что происходит? — послышался голос Винсона в машине.

— Просто кое-кто тут спятил, сэр, — ответил Рэнделл, открывая Винсону дверцу. — Кое-кто постучался во врата ада.

— Так охренённо здорово выбраться наконец на свежий воздух, — сказал Винсон, потягиваясь. — Просидел в этом автомобиле типа целую вечность. Мне нужно поссать, мэн, и довольно срочно.

Он направился к ближайшей стене.

— Давай вести себя как цивилизованные люди, Винсон, — сказал я. — Тут припаркованы мотоциклы. Потерпи, пока мы не поднимемся ко мне.

Рэнделл поставил автомобиль к стенке с таким расчетом, чтобы можно было быстро выехать в случае необходимости и не мешать проезду других машин.

— Никто здесь ее не тронет, — сказал я, когда Рэнделл запер машину. — Можешь спокойно подняться ко мне и вытянуть ноги.

— Замечательно, сэр.

— Слушай, Рэнделл, завязывай с этими дурацкими «сэрами». Меня зовут не Сэр, а Лин или Шантарам, если предпочитаешь. Или можешь называть меня Боссом.

— Спасибо, мистер Шантарам, — улыбнулся он, и в глазах его блеснули гоанские закаты.

— Где можно поссать? — спросил Винсон, выделывая кренделя на дорожке.

Мы с Рэнделлом втащили его наверх по ступенькам, и я стал стучать в дверь:

— Открывай, Джасвант!

— Пароль? — послышалось из-за двери.

— Открывай свою долбаную дверь, ублюдок! — крикнул я, поддерживая Винсона.

— Лин! — воскликнул Джасвант. — Чего ты хочешь?

— Чего я *хочу*? Ах ты, пенджабская пародия на домовладельца! Я хочу придушить тебя твоим собственным тюрбаном и разделать твоим кирпаном[1].

— Только через мой крещеный зад, — сказал он. — Неужели ты действительно этого хочешь?

Рэнделл, похоже, слушал нашу беседу с большим удовольствием. Винсон в моих объятиях начал пускать слюни. Джасвант явно наслаждался беседой. Я стоял перед своим жильем и не мог в него попасть.

---

[1] *Кирпан* — кинжал или меч, который носят крещеные сикхи. Считается оружием, призванным защищать людей от нападения, останавливать насилие.

— Джасвант, впусти нас, пожалуйста, — произнес я медоточивым тоном, сжав зубы.

— Без проблем, мой иностранный друг, — отозвался он. — С тобой нет никаких зомбированных?

— Открой долбаную дверь, Джасвант.

Баррикада заскрипела и отодвинулась от двери. Мы протиснулись внутрь. Джасвант восстановил свою инсталляцию и быстро обернулся к покачивавшемуся Винсону.

— Он похож на зомбированного, — сказал Джасвант.

— Я хочу писать! — заявил Винсон.

— Из него уже вытекают жизненные соки? — воскликнул Джасвант, попятившись.

— Сейчас они вытекут прямо на пол, если ты не перестанешь болтать.

— Ты не видел там зомбированных? — спросил Джасвант.

— Хватит уже о них, — сказал я и повел Винсона к себе. — Познакомься лучше с Рэнделлом.

— Привет, Рэнделл. Меня зовут Джасвант. Как там на улице?

— Пока что спокойно. Но я полностью согласен с тобой, что надо остерегаться зомби. Когда имеешь дело с неумершими, самое мудрое — быть осмотрительным.

— Вот именно! — подхватил Джасвант, возвращаясь в свое кресло. — Я все время твержу им это. Бедствия. Хаос. Беспорядки вроде нынешних. Тут-то все и начинается.

— Джасвант, — сказал я, пытаясь удержать Винсона в вертикальном положении и одновременно открыть дверь, что оказалось на удивление нелегким делом, — мне надо будет купить у тебя еще продуктов. У меня гости, как видишь.

— Что да, то да! — засмеялся он.

Я открыл наконец дверь. В комнате были Дидье, Олег, Дива и Дивушки — Чару и Пари.

Все они были в маскарадных костюмах. На Диве был купальник с леопардовой расцветкой. Дидье снял гладиаторский панцирь, оставив кожаную маску, пачку и трико. Олег изображал римского сенатора в сандалиях и тоге из моей простыни. Чару и Пари превратились в кошечек с ушками и длинными хвостами. Чару была серой персидской, а Пари абсолютно черной.

— Лин! — воскликнул Дидье, сидевший рядом с Дивой на матрасе, расстеленном на полу. — Мы, как водится, опаздывали на вечеринку, и на одном из полицейских постов нас не пропустили, так что мы вернулись сюда, а тут как раз объявили полный локдаун.

— Привет, Лин, — сказала Дива. — Ничего, что мы вторглись к тебе?

— Это очень здорово. Рад вас видеть. Знакомьтесь, это...

— Рэнделл, мисс Дива, — сам представился Рэнделл. — А ваше прекрасное лицо не нуждается в представлении.

— Вау! — сказали Чару и Пари.

— Привет, а я Винсон, — сказал Винсон. — Я нашел свою девушку. Она в ашраме.

— Вау! — сказали Чару и Пари.

— Это Чару, — сказала Дива, — а это Пари.

— Она в ашраме, — сказал Винсон, тряся руку Пари.

— Она что, как бы не в себе? — спросила Пари.

— Или, может, у нее неизлечимая болезнь? — спросила Чару.

— Ч-что? — спросил Винсон, покачиваясь и пытаясь сосредоточить внимание на девушках. — Вы знаете, мне очень надо пописать.

Я отвел его в туалет.

— У тебя какой-то растрепанный вид, Шантарам, — сказала Дива, вставая и раскрывая мне объятия. — Давай обнимемся, *йаар*.

Она обняла меня и затем снова села на матрас рядом с Дидье. Матрас выглядел знакомо. Я заглянул в спальню. Матраса не было, деревянная кровать была похожа без него на открытый гроб.

— Надеюсь, ты не возражаешь, Лин, — сказал Дидье, продолжая уничтожать мой антизомбиевый запас напитков. — Поскольку мы застряли здесь черт знает на какое время, то ничего не оставалось делать, как взять твой матрас.

— Джасвант! — крикнул я нашему управляющему. — У меня еще гости, так что я забираю все твои запасы.

— Это *не так* делается, *баба*. Ты же теперь *знаешь*.

— Джасвант, или я приду сейчас сам, или пришлю к тебе торговаться Дидье.

— Извинение принято, — сказал он. — Можешь забирать товар.

Он притащил в комнату бутылки с водой, коробки и пакеты. Затем принес газовый баллон и плитку с двумя горелками. Отодвинув в сторону мои тетради, он поставил на стол плитку и зажег огонь зажигалкой в форме пистолета. Включил газ на максимум, затем уменьшил до минимума и снова перевел на максимум, словно высвобождая из баллона огненных духов.

— Вау! — сказали Чару и Пари.

Джасвант поклонился.

— Рестораны и домовые кухни закрыты, — сказал он, — никто ничего не доставит, и остается только готовить самим неизвестно сколько времени.

— Нам также понадобится курево, — сказал я.

— Это можно устроить, но обойдется недешево, учитывая локдаун.

— Я возьму все.

— Опять ты за свое! Так ничему и не научился. Ты угроза существованию честного бизнеса.

— Дидье!

— Извинение принято. Курево будет доставлено чуть позже. Оно в туннеле.

— В *туннеле*?

— Именно так.

— Под гостиницей есть туннель?

— Разумеется, там есть туннель. Поэтому я и приобрел эту гостиницу. Ты забыл про сикхов и Третью мировую войну?

— Можно его посмотреть?

Он прищурился:

— Боюсь... это не входит в число оплачиваемых тобой услуг.

— Чтоб тебе было пусто, Джасвант.

— Разве что...

— Чтоб тебе было пусто, Джасвант.

— Разве что в отель прорвутся зомби и нам придется спасаться там. Если бы у меня был тот фазер, мы не знали бы забот.

— Ох, хватит уже про зомби.

— Ты скучный человек, — отозвался он, возвращаясь к своему столу. — Плитку даю напрокат. Вписал ее в твой счет.

Посмотрев на баррикаду, я подумал, что скоро опять придется разбирать ее и отправляться на поиски Карлы, затем оглянулся на компанию в моей комнате.

Олег рылся в коробках. Он извлек из них кастрюли и сковородки.

— Очень кстати, — заметил он.

— Как жаль, что мы не прихватили с собой никого из слуг, — сказала Пари.

Дива зашлась в смехе, подтянув колени к груди и превратившись в складную шутку, понятную только посвященным.

— Слуги нам ни к чему, — улыбнулся Олег. — Вы никогда не пробовали блюд русской кухни? Вы просто ошалеете, обещаю.

— Вау, — сказали Чару и Пари.

Олег отослал футболки в Москву, по одной каждой из разнояйцевых сестер, и в ожидании ответа от своей феромонной паломницы Ирины вполне мог, по методике Дидье, обзаводиться новыми запахами.

Дивушкам он нравился. Да он всем нравился, в том числе и мне. Но в данный момент я мог думать только о Карле, застрявшей где-то в городе без всякого присмотра.

— Помочь с готовкой? — предложил Винсон, выходя нетвердой походкой из туалета.

— Не стоит, мистер Винсон, — сказал Рэнделл. — Я думаю, кулинарное искусство мистера Олега — это зрелищный вид спорта и бескровный.

— Так вы говорите, что вы... — обратилась к нему Дива, прислонившись к Дидье.

— Его зовут Рэнделл, — сказал Дидье. — Я говорил тебе о нем. Он тайна, раскрывающаяся в ладно скроенных фразах.

— Да, я Рэнделл, мисс Дива, и для меня большая честь повторно познакомиться с вами.

— Садитесь, пожалуйста, с нами, Рэнделл, — сказала она, похлопав по матрасу.

— Могу я со всем почтением попросить, мисс Дива, чтобы мистер Винсон присоединился к нам? Я вроде бы присматриваю сегодня за ним, а ему, наверное, необходимо устроиться где-то в удобной позе.

— Конечно, — сказала Дива и опять похлопала по матрасу. — Прилягте, Винсон.

— Большое спасибо, — сказал Винсон, когда Рэнделл помог ему опуститься на мой матрас и подсунул ему под голову одну из моих подушек. — Знаете, моя девушка в ашраме. Боюсь, я сегодня немного перепил и вчера тоже, потому что, понимаете, она в ашраме и типа водит дружбу там с Господом Богом, и что я могу с этим поделать? Не могу же я драться с Богом из-за девушки. Но если Он такой могущественный, почему Он не может завести себе свою подружку? Все это меня выматывает. Серьезно.

— Да, беби, нелегко тебе, — посочувствовала Дива.

— Это всем нелегко, мисс Дива, простите, что вмешиваюсь, — сказал Рэнделл. — Это называется отчуждением привязанности[1] или, проще, борьбой привязанностей.

Дива потянулась к Рэнделлу через Дидье и положила руку ему на предплечье:

— Рэнделл, если я буду платить вам вдвое больше, чем Карла, вы не пересядете на мой корабль?

— Я работаю на мисс Карлу не ради денег, — улыбнулся он. — Это привилегия, так что, при всем моем уважении, я останусь у нее на борту и, если понадобится, помогу ей управиться со спасательной шлюпкой.

Дива оценивающе разглядывала его улыбку.

— Если нам придется проторчать здесь всю ночь, все мы узнаем друг друга гораздо лучше, — сказала она.

---

[1] *Отчуждение привязанности* — юридический термин, означающий увод жены от мужа или мужа от жены.

— Каждая минута в вашем обществе — это большая честь, мисс Дива.

Я вышел в свою спальню, где надеялся иметь честь пробыть хоть минуту в одиночестве, но Дива тут же выскочила вслед за мной, развернула меня и, вцепившись в отвороты моего жилета, спросила шепотом:

— Между Карлой и Рэнделлом есть что-нибудь?

— Что-что?

— Если есть, то я не буду вторгаться на ее территорию. Карла мне нравится.

— Вторгаться?

— Но если между ними ничего нет, то, знаешь, Лин, это просто потрясающий парень. Он такой горячий, что просто плавишься, *йаар*.

«Наш прекрасный Бомбей горит, — думал я. — Дома исчезают. Люди гибнут».

— Угу, — сказал я, глядя на нее и не понимая, почему ее не заботит локдаун, который может продлиться несколько дней, но мне было радостно снова услышать тигриный рык прежней Дивы.

— Значит, все о'кей?

Она смотрела мне в глаза, озабоченно ожидая ответа.

— Ну да.

— И между Карлой и Рэнделлом абсолютно ничего нет? Он такой сексапильный, что в это просто трудно поверить.

Мир не должен меняться так быстро и так необъяснимо, однако так он всегда и делает. Я не мог этого понять. Карла катается с Бенисией, Навин с Кавитой, Дива заигрывает с Рэнделлом, целая толпа пережидает бурю в моей комнате. У меня в этой буре был только один ориентир: Карла, которая, возможно, где-то застряла и ждет меня.

— Не волнуйся, Дива, все о'кей.

Она выскользнула из спальни, я закрыл за Дивой дверь и прислонился к ней, но запирать не стал. Я не хотел, чтобы они услышали, как я закрываюсь на ключ, и подумали, что мешают мне. По мне, так пускай бы они оставались тут хоть месяц. Просто мне нужно было минуту побыть в одиночестве, и я подпер спиной дверь, ожидая, что вот-вот кто-нибудь попытается открыть ее.

Кавита была права. На алтаре моей души Карла всегда занимала центральное место, даже когда я возжигал свечи преданности с Лизой. Карла была иконой, перед которой я молился с той секунды, когда впервые увидел ее.

Наверное, это грех — отдавать кому-либо свою любовь, если не можешь отдать сердце? Умираем ли мы при этом внутри на время, или же любовь продолжает жить? Наверное, эта голубка поранила крылья, когда, распахнув окно, вырвалась на свободу? Были ли мы счастливы с Лизой, как я думал, или же я только думал, что счастлив? Я жил во лжи с Лизой или лгал, что живу?

В соседней комнате стоял шум и смех: спасательная шлюпка, плывущая по воле волн. На какую-то спокойную минуту незваной истины дверь у меня за спиной стала стенкой исповедальни, и все мои грехи недеяния и деяния всколыхнулись у меня в сердце. Назир и Тарик, обделенные вниманием друзья, убитые и сожженные; Лиза, обделенная вниманием и навсегда утерянная любовь. Я вел себя как эгоист, и меня жгло раскаяние. Я просил у мертвых прощения.

Из-за двери доносились смех и топот, стуча мне в спину. То ли это было отпущение грехов, то ли искупление. Я решил, пускай будет и того и другого поровну, и начал прибирать комнату на случай, если кому-либо из выживших, находившихся в соседней комнате, понадобится место, чтобы поспать.

Я постелил простыни и одеяло на деревянном днище кровати, чтобы тому, кто устанет и ляжет, было удобно. Я навел в комнате порядок, убрал книги в один угол, гитару в другой и протер пол влажной тряпкой.

И благодаря этой неожиданной заботе о неожиданно нагрянувших гостях, благодаря этому мирному, простому и необходимому занятию тонкий ручеек сожаления разлился рекой, и я отпустил Кавиту и Лизу с миром.

Где бы они ни были, куда бы ни направлялись, живые или мертвые, я отпустил их с миром. Я вспомнил, как они смеялись, как я смешил их обеих. Я улыбался, думая об этом, и улыбка растворила зарешеченное окно и выпустила их на свободу.

ГЛАВА

70

Когда живешь в бегах, все время ожидаешь нападения. Моя гостиная была полна мирных друзей, но и смертоносного оружия тоже. Я разложил оружие во всех предметах мебели и во всех углах, начиная с балкона и кончая входной дверью, причем сделал это очень обдуманно, с учетом всех вариантов незваного вторжения. Но я не ожидал, что ко мне вторгнутся друзья.

Я вернулся в гостиную и взял свои записи и тетради, которые Джасвант уже припас на растопку.

— Друзья! — сказал я, прервав их разговоры.

Все посмотрели на меня, улыбаясь.

— Я ждал сегодня непрошеных гостей, а вместо этого у меня полон дом желанных гостей.

Все засмеялись и захлопали в ладоши.

— Нет, подождите. Я всем вам рад, разумеется, и благодаря предусмотрительности Джасванта у нас достаточный запас продуктов, воды и всего, что может понадобиться, чтобы пересидеть тут, пока все не войдет в норму.

Все снова засмеялись и захлопали.

— Нет, подождите. Дело в том, что я ждал *непрошеных* гостей и потому припрятал тут кое-какое оружие.

Все недоуменно заморгали. Они, очевидно, полагали, что это шутка, но не могли понять, в чем соль.

Я достал с полупустой книжной полки топорик.

— Продолжайте веселиться, — сказал я, держа топорик в руках. — Расслабьтесь. Я только соберу спрятанное оружие, чтобы никто случайно не наткнулся на него и не поранился. О’кей?

Они продолжали моргать. На Дидье была маска, и тем не менее было видно, как он моргает.

— Вау, — сказали Чару и Пари.

Я положил бандитское оружие на деревянную кровать и вернулся в гостиную, где собрал в кучу ножи, пистолет, две дубинки и изящный кастет. Последним я достал изготовленный Викрантом набор метательных ножей, спрятанный позади боковой опоры балкона, около которой сидела Дива.

— Либо ты невероятный параноик, либо невероятно мудр, — сказала она.

— Мне некогда быть параноиком! — рассмеялся я. — Все время кто-нибудь пытается до меня добраться.

Пистолет был у меня в жилетном кармане. Я не мог спрятать его где-либо в квартире — бог знает что они бы сделали с ним, если бы вдруг нашли. «Если кого-нибудь убьют из твоего пистолета — это плохая карма, — сказал мне однажды молодой Фарид, ныне убитый Фарид. — Почти такая же плохая, как убить кого-нибудь самому».

Если бы им понадобился пистолет, то у Дидье и у Олега были при себе стволы. И не исключено, что оружие действительно понадобится. При бунтах в Бомбее и в других индийских городах горели целые кварталы, а вокруг них с ножами и дубинками стояли те, кто поджигал их, и ждали, когда начнут выбегать их жертвы.

Я договорился с Домиником сделать еще круг по ночному городу через два часа. Доминику надо было заехать домой, поесть, соснуть немного и опять заступать на дежурство. При локдауне все копы работают круглосуточно.

Я собирался, махнув рукой на еду, поспать два часа, но, поскольку квартира была полна гостей, а матрас валялся на полу, этот план сам собой отменился.

Я вернулся в гостиную и совершил налет на запасы Джасванта, наваленные на столе рядом с плиткой. Отломив банан с грозди, я стал его есть, черпая другой рукой миндаль и закусывая им. Выпил полстакана меда, затем разбил три яйца в большой стакан, залил их молоком, добавил измельченную куркуму и проглотил это все.

Дивушки наблюдали за мной.

— Ф-фу-у, — наморщила нос Чару.

Чару была привлекательной девушкой. Какую-то секунду тщеславная часть моей натуры хотела объяснить, что мне снова придется болтаться по городу и негде будет перекусить, а готовить горячую пищу мне сейчас некогда. Но мной всецело владела любовь, и я не поддался тщеславию, этой мелочной тени гордости.

— Хочешь? — спросил я, протягивая ей стакан.

— Ф-фу-у, — повторила Чару.

— Это похоже на какой-то колдовской фокус, — сказала Пари.

— Если вас интересуют фокусы, мисс Пари, — сказал Дидье, — то обращайтесь ко мне.

— Вау. Я тоже хочу посмотреть фокусы, — сказала Чару.

— Только пусть они будут ошеломляющие, Дидье, — добавила Пари.

Жизнь вернулась в необычное русло. Все говорили что-нибудь значительное, не придавая этому значения. Я зашел в спальню и спрятал все собранное оружие на подоконнике за комодом.

— В каком-нибудь триллере спрятанное оружие сыграло бы ключевую роль, — сказал у меня за спиной Олег, прислонившийся к дверному косяку.

— Но это в том случае, если бы *ты* не знал о нем, — ответил я. — А так ключевая роль достается *тебе*.

— Вот черт! Слушай, ты играл когда-нибудь в «Драконий квест»? В Москве все помешались на этом.

— Я ухожу, Олег, — сказал я.

— Как это, как это? — удивился он. — Я думал, мы все сидим тут безвылазно. Не распылять силы — первое правило выживания при катаклизмах.

— Как ни странно, я оставляю тебя ответственным.

— Ответственным за что?

— За квартиру в мое отсутствие.

— Ладно, — сказал он, подумав. — А какие будут указания?

— Следи, чтобы ничего не случилось с моими тетрадями и чтобы продуктов хватало всем. Если Карла вернется раньше меня, оберегай ее.

— А ты уверен, что доверяешь мне? Я ведь знаю, где оружие.

— Слушай, прекрати.

— Прошу прощения, — улыбнулся он. — Но это большой соблазн. Рэнделл сказал, что в одной лаборатории неподалеку проводят жуткие эксперименты с животными и один из подопытных недавно сбежал. Об этом писали в газетах. Девицы напуганы до смерти. Может, мне повезет сегодня? Ничего, если я воспользуюсь тахтой?

Я посмотрел на него, думая о сгоревших зданиях и сгоревших друзьях.

— Твой взгляд означает «да» или «нет»? — спросил он, улыбаясь.

— Олег, ты собираешься писать о том, что сегодня происходит?

— Ну еще бы. Фиксирую все, как камера. Ты ведь, наверное, тоже? Ситуация абсолютно неординарная, и компания подобралась такая разношерстная...

— Держи ушки на макушке, Олег. Когда в Бомбее что-нибудь поджигают, то поджигают и такие здания. Я не шучу. Я в последнее время даже не пью и не курю. Все очень хреново, но надеюсь, на тебя можно положиться.

— Не беспокойся о спасательной шлюпке, — улыбнулся он. — Все будут на борту, когда ты приплывешь обратно.

— Это похоже на строчку из только что написанной вещи.

— Черт, ты угадал. Спасибо за доверие, Лин. Я действительно благодарен тебе.

— Если Карла вернется раньше меня, пусть ждет меня здесь.

— Слушай, мне не надо говорить одно и то же дважды.

— Я просто хочу подчеркнуть, что в первую очередь надо заботиться о ней. Это понятно?

— Понятно, — ухмыльнулся он. — И становится все понятнее и понятнее.

Я привел себя в боевую готовность и вышел в гостиную. Дидье играл с Дивой в кулак-бумагу-ножницы. Чару и Пари объясняли правила игры Винсону, каждая по-своему, и Винсон ничего не мог понять. Рэнделл вел счет, слегка подыгрывая Диве. Все смеялись. Я вышел в холл.

— Опять ты покушаешься на эту долбаную баррикаду? — жалобно воскликнул Джасвант.

— Открой дверь, Джасвант.

— Там же бандобаст, идиот! Через пару часов рассветет, и ты будешь ослом отпущения.

— Козлом отпущения. Открой, Джасвант.

— Ты не сознаешь, — объяснил он терпеливо, — что всякий раз, когда ты *двигаешь* баррикаду, ты *ослабляешь* ее.

— Джасвант, пожалуйста.

— Если бы мой друг-парс был здесь, он изобрел бы *передвижную* баррикаду для таких непредвиденных случаев.

— Джасвант, разбери баррикаду, и, если ты потребуешь от меня пароль, когда я вернусь, я найду гравера, который напишет его на твоем каре[1].

— Клянусь моей толстой пенджабской задницей, с тебя станет, — сказал он, пристраивая поудобнее свой большой живот. — Извинения приняты.

Он отодвинул баррикаду, но когда я пролезал в щель, то остановил меня.

— Если мисс Карла вернется, — сказал он, — я позабочусь о ней.

— Спасибо, Джасвант, ты друг.

— И припишу к твоему счету плату за охрану тела, — добавил он.

Я скатился по лестнице, придерживаясь за стены, и увидел Доминика, в нетерпении ожидавшего меня под аркой.

— Заставляешь себя ждать, — заметил он, когда мы отъехали. — И без того мне нелегко объяснять твое присутствие, так еще придется оправдываться за опоздание.

— Удалось поспать? — спросил я его.

— Час всего. А тебе?

— Нет, у меня гости. Что нового слышно? Хреново?

— Не то слово, — ответил он. Отражение мотоцикла стремительно проносилось в стеклах витрин. — Пожары в Донгри, Маладе и Андхери. Сотни людей потеряли свои дома и лавки. Вокзал Виктория забит беженцами, обосновавшимися там или покидающими город.

— Стычек не было?

— Активисты индусского и мусульманского молодежного движения подняли своих людей, чтобы поддерживать порядок. Когда в индусском районе начинаются пожары, туда прибывают

---

[1] *Кара* — стальной или железный браслет, который носят сикхи, прошедшие инициацию.

студенты-индусы на грузовиках и выставляют свои кордоны, которые следят, чтобы не было никакого насилия. То же самое делают и мусульмане. Они не хотят, чтобы повторилось то, что было во время недавних бомбейских волнений.

— И как, им удается обеспечить спокойствие?

— Пока что это у них выходит очень хорошо. Надо организовать набор студентов в полицию. Нам очень нужны такие парни.

— А кто устраивает эти поджоги?

— Когда в Бомбее сгорает целая улица, на ее месте возникает торговый комплекс или группа новых жилых зданий, — ответил он, в сердцах сплюнув.

Иногда спекулянты, воспользовавшись напряженными отношениями между соседями на какой-либо торговой улочке, сжигали ее целиком, избавляясь от конкурентов. Они нанимали гангстеров, которые повязывали головы оранжевыми платками, когда сжигали мусульманские улицы, или зелеными, когда громили магазины индусов.

Доминик не мог отнестись к этим фактам равнодушно. Он был тридцатилетним отцом троих детей — девочек десяти и восьми лет и четырехлетнего мальчика. Он честно трудился, надев полицейскую форму и ежедневно рискуя жизнью, хотя уже успел разувериться в системе, обмундировавшей его и снабдившей пистолетом, чтобы он ее защищал.

Он рассказывал о своей работе с горечью. Я много раз выслушивал подобные рассказы в трущобах, на улицах, в магазинах. В них звучала обида на несправедливый режим социального неравенства, обиравший неимущих и убеждавший их, что такова их карма.

Когда был жив дедушка Доминика, семья исповедовала индуизм. Они приняли христианство на волне крещений, спровоцированных блестящими, этически безупречными речами доктора Амбедкара, первого индийского министра юстиции, защитника касты неприкасаемых.

Поначалу после обращения в новую веру семья переживала нелегкие времена, но к тому моменту, когда Доминик завел собственную семью, они уже полностью интегрировались в христианское сообщество, тогда как другие, также стремившиеся скинуть цепи кастовых ограничений, стали буддистами или мусульманами.

Сами они оставались такими же, как прежде, жили рядом с теми же соседями, но в поисках путей к началу начал двигались в разных направлениях. Все религиозные общины болезненно воспринимали сокращение своих рядов и ущемление своих прав, порой яростно противясь этому; переход из одной веры в другую решительно осуждался.

Мы с Домиником колесили по территории между Нейви-Нагаром и Ворли-Джанкшн, избирая самые разные маршруты. Нам встречались грузовики с поющими индусами и мусульманами, на них развевались оранжевые либо зеленые флаги.

Политики и богачи игнорировали локдаун и разъезжали по городу с вооруженным эскортом на такой скорости, словно их преследовали. Изредка попадались прохожие, рискнувшие выйти на улицу. Увидев нас, они обращались в бегство. Но в целом предрассветный город был пуст.

Зомби мы не видели, но собаки и крысы встречались в изобилии. Они были голодны — люди не выбрасывали никаких отходов — и выли или пищали на пустынных улицах.

Доминик правил очень осторожно. Индийцы любят и собак, и крыс. Они любят почти все сущее. Одну из улиц перегородило целое полчище крыс, словно отара овец на сельской дороге.

Доминик остановился. Он начал газовать, мигать фарами дальнего света и сигналить. Крысы не обращали на это внимания.

— Что будем делать? — спросил Доминик.

— Может, выстрелить в воздух? — предложил я. — Вы же разгоняете так людей.

— Не пойдет, — ответил он.

В это время появился тощий бродячий пес. Он весь трясся, его тонкие лапы дрожали при ходьбе. Бездомные собаки бродили по дорогам Индии уже не одну тысячу лет, и пес знал свои права. Он остановился и наполовину прорычал, наполовину пролаял какую-то сложную фразу.

Крысы засуетились, заметались и двинулись серой массой на поиски пропитания в другое место.

Пес тявкнул нам что-то — очевидно, «убирайтесь, откуда прибыли».

Мы поехали дальше.

— Симпатичный пес, — бросил мне Доминик через плечо.

— Да. Но хорошо, что он не привел с собой своих друзей. В Индии ежегодно умирают от бешенства тридцать пять тысяч человек.

— Ты как-то мрачно смотришь на жизнь, — заметил он, сворачивая в сторону Ворли-Наки.

— Я смотрю, как бы выжить.

— Тебе надо открыть сердце Иисусу, — сказал Доминик.

— Иисус и так живет в каждом сердце, братишка.

— Ты так думаешь?

— Конечно. Я люблю этого парня, как и все остальные.

— Вовсе не все, — рассмеялся он. — Многие ненавидят Его.

— За что Его ненавидеть? Блестящий ум, любящее сердце, искупление общих грехов. Иисус был парень что надо. Возможно, они ненавидят *христиан*, но не Иисуса.

— Во всяком случае, надеюсь, что сегодня здесь нет таких, кто ненавидит Его, — сказал Доминик, заглядывая во все переулки, которые мы проезжали.

Мы доехали до Ворли-Наки, где на ярко освещенном перекрестке величиной с футбольное поле пересекались пять магистралей и посредине стоял дозором одинокий коп.

Доминик подрулил к нему и выключил двигатель.

— Дежуришь тут в одиночестве, Махан? — спросил он на маратхи.

— Да, сэр. Но теперь уже не в одиночестве, сэр, потому что подъехала ваша добрая личность. А белый парень — это кто?

— Это переводчик, волонтер.

— Волонтер?

Махан с подозрением оглядел меня, очевидно опасаясь, что я начну чудить, потому что только ненормальный может добровольно разъезжать по улицам в такое время.

— Волонтер, вы говорите? Он что, спятил?

— Махан, я жду от тебя отчета! — рявкнул Доминик.

— Сэр! Здесь все тихо, сэр, с тех пор как я заступил на пост точно в...

Справа донесся тяжелый двойной удар, и мы увидели приближавшийся к нам перегруженный людьми грузовик, который перескочил через «лежачего полицейского».

Огромный грузовик тащил за собой прицеп с высокими деревянными бортами, доходившими до уровня груди людям, битком набившимся в кузов. Когда грузовик проезжал под фонарями, оранжевые флаги сияли на свету, как маленькие солнца.

Грузовик перевалил через очередного «лежачего полицейского», и по толпе в кузове пробежала волна: сначала передние поднялись на ее гребне, затем те, что были прижаты к заднему борту.

«*Рам Рам*»[1], — пели они.

Позади нас послышался автомобильный гудок, и, обернувшись, мы увидели еще один грузовик, подъезжавший слева. В нем размахивали зелеными флагами и кричали: «*Аллаху акбар!*»

Грузовики должны были встретиться примерно в том месте, где мы стояли посреди дороги.

---

[1] *Рам Рам* — имя бога Рамы, употребленное в смысле «Да пребудет милость Рамы с тобой» *(хинди)*.

— Так-так, — спокойно произнес Доминик, поставив мотоцикл на боковой упор. — Помилуй нас, Дева Мария.

— Нарайани! — пробормотал Махан, избравший в качестве защитницы другую богиню.

Я стоял рядом с полицейскими. Мы смотрели то на один, то на другой грузовик, сближавшиеся друг с другом на черепашьей скорости.

Махан, в одиночестве следивший за порядком на перекрестке, был вооружен дубинкой и рацией. Я посмотрел на него, он поймал мой взгляд.

— Все в порядке, — сказал он. — Не напрягайтесь. Бог с нами.

— Все в руках Божьих, — ответил я ему на маратхи.

— Это точно! — сказал он тоже на маратхи. — Вам нравится дешевый самогон?

— Кому ж он может понравиться? — рассмеялся я, и он засмеялся вместе со мной.

Водители грузовиков решили блеснуть своим мастерством и проехать как можно ближе друг к другу. Сидевшие в кабинах рядом с водителями убрали выступавшие в сторону зеркала заднего обзора и подняли флаги вертикально. Стоявшие в кузове давали указания водителям, перегнувшись через борт и стуча по нему.

Оба грузовика очень медленно ползли навстречу друг другу, словно слоны, забравшиеся на черепах, сходясь бортами так близко, что не зацепиться друг за друга можно было, разве что помолившись. Недалеко от нас они остановились, и обе команды, не меньше сотни вопивших человек с каждой стороны, оказались лицом друг к другу. Люди под зелеными знаменами вопили *«Аллаху акбар!»*, под оранжевыми — *«Рам! Рам!»*.

Они с неистовством отстаивали свою веру, проходя обряд очищения по́том. Но постепенно имена богов стали переплетаться и сливаться в общем хоре, где оранжевые прославляли зеленое, а зеленые оранжевое и все вместе прославляли единого Бога.

Я держался настороже и был готов ко всему. Но в людях на грузовиках не было ожесточения. Молодые студенты видели в членах противоположной команды своих братьев и чувствовали такую же преданность вере.

Они возложили на себя миссию. Толпа не давала пожарным возможности остановить огонь ни в индусских, ни в мусульманских кварталах, а молодые люди выступали в защиту своих сограждан и с риском для жизни преграждали путь злу, помогая городским властям выполнить их задачу.

Их миссия, спасение жителей, была священна, и они не поддавались на провокации. Грузовики разъехались в разные стороны; люди продолжали исступленно воспевать своих богов, но без какой-либо враждебности к поклонникам других.

Когда грузовики, приводившиеся в движение пением, исчезли из виду, в дальнем конце площади осталась одинокая фигура. Карла. Один из грузовиков подвез ее.

На ней были черные джинсы, черная трендовая рубашка без рукавов и легкая красная куртка с капюшоном, накинутым на ее темные волосы. С плеча свисала сумка, к которой были прицеплены ее туфли. Она была босиком и махала на прощание грузовику с зелеными флагами.

Я побежал к ней.

— Слава богу! — воскликнула она. — Я уж думала, что этого никогда не произойдет.

— Что не произойдет? — спросил я, обнимая ее.

— Я думала, что никогда тебя не найду, — ответила она, блестя зелеными глазами в свете фонарей. — Я боялась, что ты застрял где-то с какими-нибудь несимпатичными типами, и решила, что надо тебя избавить от них.

— Забавно. А я боялся, что ты застряла где-то с какими-нибудь симпатичными типами, и решил, что надо тебя избавить от них. Поцелуй меня.

Она поцеловала меня и откинула голову назад, разглядывая:

— У тебя была... практика?

— Все, что с нами происходит, — практика.

— Да ну тебя, Шантарам, ты выдвигаешь против меня мои же фразы. Это нечестно.

— Это не все, что я хотел бы выдвинуть против тебя.

— Смотри, как бы я не поймала тебя на слове, — рассмеялась она.

— Нет, правда. Я не знаю твоих планов и дел, но, пожалуйста, Карла, пока все это не войдет в норму, поедем со мной. Ну просто для того, чтобы быть уверенной, что *со мной* все в порядке.

— Уговорил! — опять засмеялась она. — Вези меня.

— Познакомься с Домиником. Он мой друг и очень помог мне.

— А где твой байк?

— Сейчас же локдаун, — объяснил я. — Меня возит Доминик. Это единственная возможность передвигаться по городу и искать тебя.

— И ты действительно ездишь с этим дорожным копом? — спросила она, глядя на пустую освещенную площадь с Маханом и Домиником в центре ее.

— Да, и это единственное такси, которое может доставить нас домой. Если только ты не возражаешь против того, чтобы ехать втроем.

— С условием, что я буду в середине, — ответила она, беря меня за руку.

— А как тебе удалось поймать этот грузовик?

Вместо ответа она остановилась, ухватилась за отвороты моего жилета и притянула меня к себе.

Когда я пришел в себя после поцелуя, она уже направлялась к копам. Они пели, свистели и плясали.

Я поспешил к ним и представил Карлу.

— Очень рад познакомиться, мисс Карла, — сказал Доминик. — Мы долго искали вас в самых разных местах — и приличных, и неприличных.

В Индии быть скромным — значит не прерывать человека, когда он говорит тебе что-то нескромное.

— Как любезно с вашей стороны, Доминик, — прожурчала Карла. — Когда вы не будете заняты спасением города, я с удовольствием выслушаю ваш отчет об этих неприличных местах.

Мы уселись втроем на мотоцикл. Карла прижалась спиной ко мне, взявшись руками за мой жилет. Она положила голову мне на грудь и закрыла глаза. Я был бы вполне счастлив, если бы она при этом не обхватила ногами Доминика, опершись пятками о бензобак.

Все блокпосты мы миновали без всяких помех, точно заколдованные. Объезжая очередную полицейскую баррикаду, со мной на заднем сиденье и украшением в виде ног Карлы впереди, Доминик повторял одно и то же заклинание на маратхи: «Без вопросов».

Никто и не думал их задавать. Ни один коп даже не моргнул глазом. «Копы неплохие ребята, — сказал мне однажды один мудрый зэк. — Они думают так же, как мы, ведут себя так же, как мы, и дерутся так же. Они преступники, которые продались богатым, но все равно остались преступниками».

Доминик высадил нас в переулке за отелем.

— Спасибо, Доминик, — сказала Карла, прижав руку к груди. — С вами приятно было ехать.

Я отдал ему все деньги, какие нашел в карманах. В основном это были американские доллары, разбавленные на всякий случай небольшим количеством других денег. Всего в долларах около двадцати тысяч. Столько проходило через мои руки почти ежедневно, но для человека, зарабатывавшего пятьдесят баксов в месяц, это была колоссальная сумма. На нее можно было купить однокомнатный дом, о котором Доминик мечтал. Полицейский, охранявший город во время локдауна, жил, как и многие его коллеги, в полуразвалившейся лачуге.

— Это слишком много, — нахмурился он, и я понял, что это оскорбляет его.

— Это все, что было у меня в карманах, Доминик, — сказал я, заставив его взять деньги. — Если бы у меня было с собой больше, я отдал бы тебе больше. Ты сделал меня счастливым сегодня, так что я твой должник. Обращайся ко мне, если вдруг понадобится, ладно?

— Спасибо, Лин, — ответил он, запихивая деньги за рубашку. По его глазам было видно, что ему не терпится попасть домой по окончании дежурства и поделиться радостной новостью с женой.

Он уехал, и Карла устремилась к проходу под арками, но я удержал ее за локоть.

— Не спеши, — сказал я, — мадам Жу завела привычку шастать тут в тени.

Карла подняла голову. Новый день начал высвечивать смутные силуэты домов на фоне неба.

— Уже светает. Не думаю, что она появится, — ответила Карла, решительно двинувшись вперед. — Дневной свет вреден для ее кожи.

Поднявшись по лестнице, мы оказались перед забаррикадированной дверью.

— Пароль! — потребовал Джасвант.

— Нелепость! — крикнул я.

— Ты что, телепат? Откуда ты знаешь пароль? — спросил он, однако дверь не открывал.

— Открой, Джасвант, у меня тут зомбированная девушка.

— Зомбированная?

— Сдвигай... свою баррикаду... и открывай дверь!

— Знаешь, *баба*, у тебя нет никакого понятия об игре, — посетовал он, отодвигая свою инсталляцию в сторону и приоткрывая дверь.

Карла проскользнула в образовавшуюся щель.

— Вы совсем не похожи на зомбированную, мисс Карла, — стал рассыпаться в любезностях Джасвант. — Вы излучаете сияние.

— Спасибо, Джасвант, — сказала она. — Вы, кстати, запаслись всем, что может понадобиться во время этого бедствия?

— Вы же знаете сикхов, мэм, — ответил он, мотая своим подобием бороды.

— Джасвант, сделай лаз чуть пошире, — попросил я, застряв в проходе.

Он выполнил мою просьбу, я протиснулся внутрь, и он тут же восстановил сооружение.

— Отчет, пожалуйста, — сказал он, отряхая пыль со своих рук.

— Пошел ты, Джасвант.

— Минуточку! Я хочу знать, что там происходит, — сказал он серьезным тоном. — Доложите обстановку.

— Отстань, — ответил я, пытаясь пройти мимо него в свой номер.

— Подожди! — Он перегородил мне дорогу.

— Ну, в чем дело?

— Где оперативная сводка? Что происходит в городе? Ты единственный, кто выходил отсюда за последние шестнадцать часов. Очень все плохо?

Ему действительно надо было это знать. Некогда, во время антисикхских выступлений, люди ходили по улицам, таская за волосы отрубленные головы сикхов, как хозяйственные сумки. Это была индийская трагедия и общечеловеческая трагедия.

— Ладно, — сдался я. — Плохо то — если, конечно, ты считаешь это плохим, — что я не видел зомби. Ни одного, нигде, не считая пьяных и политиков.

— О! — произнес он расстроенно.

— Но есть и хорошая новость: город наводнен полчищами крыс и стаями голодных собак.

— О'кей, — сказал он, потирая руки. — Надо позвонить моему другу-парсу. Он уже несколько лет пристает ко мне со своим Планом по Борьбе с Крысами. Для него это будет волнующая новость. — Он кинулся к телефону, но, набирая номер друга, кинул мне вдогонку: — Наш договор насчет моих услуг как телохранителя остается в силе. Хотя мисс Карла пришла вместе с тобой, я был готов оказать требуемые услуги. Я припишу это к твоему счету.

Дверь в мою комнату была не заперта. Из-за нее доносились какие-то странные звуки. Я медленно открыл дверь. Первым делом мы увидели Дидье, болтающего с Чару ни о чем на моем матрасе. Олег пропитывался запахами Пари и моей тахты.

Странные звуки, которые мы слышали, издавала моя гитара. Винсон пытался играть на ней, держа ее вверх ногами. Сам он лежал на спине, задрав ноги и упершись ими в стенку. Никто из них не обратил на нас внимания. Мы заглянули в спальню. На моей деревянной кровати лежали Дива и Рэнделл. Они целовались и поглаживали друг друга.

Мне хотелось прогнать Рэнделла с кровати, поскольку я знал, что Навин любит эту девушку, но это должна была сделать она — если бы захотела.

Карла потянула меня за жилетку.

— Не вздумай препятствовать апокалипсису, — прошептала она, уводя меня за руку.

Мы пошли к ее комнате. Сердце мое билось учащенно. Она вставила ключ в замок, затем остановилась и обернулась ко мне.

Я никогда не относился к Карле как к чему-то само собой разумеющемуся. Но ключ был вставлен в замок, открывавший вход в ее бедуинский шатер, и сердце мое, переполненное надеждой, не хотело сомневаться. Я надеялся, что общегородской локдаун и небольшой сатирикон в моем номере заставят-таки ее раскрыть свой шатер.

Улыбнувшись, Карла отперла дверь и пригласила меня в комнату. Она зажгла замаскированные светильники и, разложив благовония, взяла меня за отвороты жилетки и подвела к изножию постели. Послушно пятясь, я изумленно таращился на полотнища из красного и синего шелка у себя над головой.

Она поцеловала меня и, пользуясь позиционным преимуществом, повалила меня спиной на постель, при этом ноги мои высовывались с края.

Пододвинув оттоманку, она села на нее и стала развязывать шнурки на моем ботинке. Развязав шнурки, стащила ботинок с ноги, и он упал на пол с глухим стуком. Затем она поступила так же со вторым ботинком.

Она стащила с меня жилетку и футболку, а затем, расстегнув джинсы, и все остальное.

— Знаешь, в чем твоя проблема? — спросила она, окинув меня взглядом. — Ты слишком твердый.

— Это *ты* виновата, — сказал я. Я лежал, подложив руки под голову, на постели Карлы в ее бедуинском шатре.

— При чем здесь чья-то вина? Просто девушке хочется иногда поддразнить мужчину.

Я не совсем понял ее, но это было не важно. Глядя на шелковое сияние у нее над головой, я чувствовал себя очень счастливым.

— Ты вправду вернулась из-за меня? — спросил я. — Бросила свое фетишистское сборище и отправилась меня искать?

Она стояла, расставив ноги и уперев руки в бедра.

— Ради тебя, малыш, я переплыла бы Колабскую бухту, — ответила она, улыбаясь моему смущению. — Ну, возможно, я попросила бы Рэнделла сопровождать меня, потому что я не такой уж хороший пловец, но поплыла бы я к тебе.

— Индийцы не умеют так быстро плавать, как австралийцы, — сказал я. — В Австралии больше акул.

Она расстегнула свою черную рубашку и отбросила ее.

— Знаешь, — сказала она, сняв джинсы и оставшись нагишом, — наверное, всем будет легче, если отныне я не буду выпускать тебя из поля зрения.

Она наклонила голову к плечу, изучая мою реакцию на ее слова.

— Я считаю, что мы вообще никогда не должны расставаться, — сказал я убежденно. — А ты как думаешь?

— Ты узнаешь, что я думаю, минут через шестнадцать, — ответила она, заползая на меня, чтобы поцеловать.

Я был одновременно королем и попрошайкой на ее пиру. Последовали метания, движения, повороты, касания, смены поз и долгое потение в одиночку.

Я упираюсь руками в стенку, отгоняя тени. Ее ноги на моей груди, подошвы и пальцы ног мягко шепчут, в то время как все остальное громко кричит.

Мир скатывается с постели. Я лежу навзничь на полу. Ее колени на ковре, разноцветный шатер у нее над головой, вентилятор скручивает из дыма благовоний голубей, порхающих над палочками сандалового дерева.

Карла прижимается ко мне, лбом ко лбу, глазами к глазам, вознося меня на луче света, соединяющем нас. Я теряю себя в ее наслаждении, забыв о своем, но вновь нахожу его в ее глазах, возвращаясь к себе; глаза Карлы, не знающие страха и преград, тоже приходят ко мне.

Спутавшись руками, вцепившись в пальцы друг друга, переплетаясь ногами в чувственном согласии, мы лежали, соединив наши дыхания, завернувшись друг в друга, как беглецы, спящие в лесу.

ГЛАВА

71

Мы с Карлой не покидали ее шатер, пока не кончился локдаун. Проснувшись в первое утро, я увидел, что она несет поднос с двумя чашками кофе. Я всегда просыпаюсь раньше всех, даже в тюрьме — точнее, в тюрьме-то тем более, — и было странно, что чье-то сознание уже пробудилось и додумалось до кофе, пока я еще спал.

На ней было что-то вроде халата черного цвета, но абсолютно прозрачное, и под ним не было ничего. Когда она двигалась, то словно плыла, окруженная какой-то тенью, и хотелось поплыть вместе с ней.

Она поставила поднос на большой барабан из уличного оркестра, служивший ей прикроватным столиком, поцеловала меня и села рядом на постель.

— Я должна рассказать тебе, что со мной происходит, — сказала она, положив руку мне на колено.

— В данный момент? — спросил я с надеждой.

— С тех пор, как я познакомилась с Ранджитом.

— Понятно. Не в данный момент.

— Не в данный момент. Знаешь, где мы впервые встретились с ним?

— На собачьих боях?

— Тебе надо знать это, Шантарам.

— Нет, Карла. Все, что мне надо, — это ты сама.

— Я тебе нужна, но это тебе тоже нужно.

— Зачем?

— Зачем я нужна или зачем нужно это знать?

— Зачем ты мне нужна, я и без тебя знаю: ты моя вторая половина. Но зачем мне эти подробности о тебе и Ранджите?

— Вторая половина? — улыбнулась она. — Это мне нравится. А разговор этот нужен потому, что я плохо обращалась с тобой, а я люблю тебя безмерно и испытываю угрызения совести, хотя я всегда старалась делать так, чтобы было лучше. Для тебя, я имею в виду.

— Хорошо, но...

— Я *не хочу* испытывать угрызения совести, особенно по отношению к тебе, так что нужно это как-то уладить. А для этого ты должен знать, что я делала все это время, тогда ты меня поймешь.

— Меня не интересует, что ты делала.

— Но ты заслуживаешь того, чтобы знать это.

— Я не хочу знать это. Меня это действительно не волнует.

Она засмеялась, и рука ее пробежала вверх к моей груди.

— Иногда ты смешнее, чем правда.

— И счастливее, — ответил я, целуя ее и уплывая вместе с ней в черной тени.

Спустя некоторое время она принесла еще две чашки кофе и завела песню по новой:

— Я хотела, чтобы политики занялись расселением людей из трущоб.

— Слушай, это очень хороший кофе, — сказал я. — Итальянский?

— Разумеется. Не отвлекайся.

— Расселение трущоб. Замечательно. Но я не уверен, что так уж хочу знать об этом. Я люблю тебя, Карла, и мне ровным счетом наплевать...

— Надо расселить людей из трущоб, чтобы они жили по-человечески. Ты же сам сказал, что это замечательно.

— Да, конечно, но...

— Мы встретились с Ранджитом в лифте, — сказала она.

— Слушай, Карла...

— Точнее, мы застряли в лифте.

— Это прямо метафора его жизни. Застрявший на полпути подъемник.

— Мы застряли в лифте между седьмым и восьмым этажом на целый час, — продолжала она навязывать мне свои воспоминания.

— На целый час?

— Да, на шестьдесят минут. Кроме нас с Ранджитом, в лифте никого не было.

— Он начал к тебе приставать?

— Конечно. Сначала на словах, потом пустил в ход руки, так что пришлось двинуть ему. Он не отставал, и я двинула сильнее. Тогда он сел на пол и спросил, чего я хочу добиться в жизни.

Я выпил кофе, мысленно двинув Ранджиту как следует.

— Мне впервые в жизни задали такой вопрос, — сказала она.

— Привет. Я задавал тебе этот вопрос, и не раз.

— Ты спрашивал меня, что я хочу *сделать*, а он спросил, чего я хочу *добиться*. Это не то же самое.

— Это то же самое, но в другом лифте, — сказал я.

Она рассмеялась и покачала головой:

— Слушай, иди ты со своими коанами. Что ты уперся как осел?

— Осел упирается, когда его перегружают.

— Я пока только начала тебя грузить. Выслушай то, что ты должен знать, а потом уже я нагружу тебя так, что мало не покажется.

— Обещаешь?

— Слушай меня!

— О'кей. Значит, мы остановились на том, что ты застряла в браке — пардон, в лифте — с Ранджитом и, когда он понял, что не может немедленно добиться *тебя*, он спросил, чего хочешь добиться *ты*. И что ты ответила?

— Я ответила не задумываясь. Я сказала, что хочу добиться достойного расселения жителей трущоб.

— А он что сказал на это?

— Он сказал, что сама судьба свела нас, что он собирается сделать карьеру на политическом поприще и расселение трущоб будет его предвыборной программой, если я стану его женой.

— Прямо в лифте?

— Сказал он это в лифте.

— И ты согласилась.

— Да.

— Проведя с ним всего час в лифте?

— Ну да, — ответила Карла, нахмурившись. Она испытующе посмотрела на меня, просвечивая меня двумя зелеными лучами сквозь серый сумрак, в который я погрузился. — Послушай, ты что, не веришь, что мужчина может сделать мне предложение, проведя со мной час в застрявшем лифте?

— Я не говорил...

— Один тип сделал мне предложение через пять минут после того, как увидел меня.

— Я же не говорил...

— И не пытайся это сделать, все равно ничего не докажешь.

— В твоих способностях я не сомневаюсь. Ну хорошо, он увлекся тобой. А политика ему зачем?

— Он сказал, что хочет отделаться от своих родственников и это наилучший способ. Он уже давно искал кого-нибудь вроде меня.

— Почему он хотел отделаться от родственников?

— В его руках был контроль над всей семейной собственностью, но его братья и сестры постоянно воевали с ним из-за его мошеннических сделок. Они трижды судились с ним, пытаясь лишить его контроля над деньгами, которые он растрачивал. Ему нужна была жена как оружие против них.

— Чтобы провоцировать их?

— Именно. Он хотел лишить их права на наследство, а для этого нужен был предлог. Он прекрасно понимал, что они будут наезжать на его жену-иностранку, особенно если она будет наезжать на них.

— И этот план созрел у вас за один час? Ты решаешь все его проблемы, он решает твои. Незнакомцы в лифте[1].

— Точно. И всякий раз, когда я заставляла кого-нибудь из них оскорбить меня, он лишал его права на наследство. Система пенсионного обеспечения наоборот.

---

[1] Аллюзия на триллер Альфреда Хичкока «Незнакомцы в поезде» (1951), снятый по вышедшему годом раньше одноименному дебютному роману Патриции Хайсмит.

— Ты же всегда располагаешь людей к себе, даже когда не стараешься это сделать, — улыбнулся я. — Как тебе удавалось настроить их против тебя?

— Это довольно злобная компания. Все ненавидят всех. Ранджит раскрыл мне все их грязные секреты. Я включала перед ними честную дурочку, и это их дико бесило.

— Итак, доехав до первого этажа, вы поженились.

Карла вдруг посмотрела на меня с очень серьезным выражением:

— После того что я сделала с тобой по наущению Кадербхая, я думала, что ты никогда больше не заговоришь со мной. И мы действительно за два года не сказали друг другу ни слова.

— Я не хотел навязываться тебе, поскольку ты вышла за Ранджита.

— А я вышла за Ранджита, чтобы не связывать тебя. Два года я помогала ему отделываться от родственников и карабкаться на политический олимп, ибо у него самого, кроме амбиций, не было никаких данных для этого.

— Значит, ты помогала Ранджиту незаконно захватить семейную собственность, а он за это продвигал твою программу расселения трущоб, так?

— Ну да, в общих чертах. Таков был договор, только он его нарушил.

— Знаешь, Карла, то, чем вы занимались с Ранджитом, — это, в общем-то, безумство какое-то.

— А то, что ты жил с Лизой, не было тоже своего рода безумством?

— Ну... не каждый день.

Она засмеялась и отвернулась.

— В последний момент Ранджит бросил программу расселения трущоб из-за того, что конкуренты стали его запугивать.

— Когда это произошло?

Я подумал, что его уход из политики, возможно, как-то связан со смертью Лизы.

— В тот день, когда ты явился весь взвинченный в его офис за мной. У нас как раз перед этим состоялось решительное объяснение по этому поводу. Все, ради чего я старалась, пошло псу под хвост. Он снял свою кандидатуру из предвыборного списка. Он дрожал от страха. Он сдался, а ты знаешь, что я не терплю тех, кто легко сдается. Пока он оформлял свой уход в кусты, я села в кресло в самом углу и сказала ему, что, если мы когда-либо случайно снова окажемся в одном помещении, я сяду как можно дальше от него.

— Мы тогда не знали, что он был так напуган, думая, будто я знаю о том, что он был с Лизой перед ее смертью.

— Я была так рада, когда вдруг ворвался ты.

— Неужели так же рада, как я теперь? — спросил я, целуя ее.

— Сильнее! — промурлыкала она. — Я сидела среди обломков всего, что с таким трудом выстроила, и тут появился ты. Никогда я так не радовалась встрече. «Вот он, мой герой!» — подумала я. Давай я сооружу тебе что-нибудь героическое на завтрак. Не знаю, как ты, а я умираю от голода.

— Может, я сооружу?

Карла принесла блюдо с финиками, сыром, яблоками и вином в высоких красных бокалах с ножками в форме когтистых ястребиных лап.

Она сказала, что исчезновение Ранджита дало ей возможность действовать, поскольку она обладала этим правом по доверенности, которую он не мог аннулировать, не выйдя из своего подполья. Она связалась с Кавитой Сингх и помогла ей стать заместителем главного редактора в обмен на обещание Кавиты сделать расселение трущоб своим главным лозунгом.

Вместе с Кавитой они разработали программу городского благоустройства и старались настроить общественное мнение в поддержку расселения трущоб как дела чести каждого мумбаита. Они развернули эту кампанию на страницах газеты, которой формально еще владел Ранджит.

— Главный редактор доставил нам много хлопот, — сказала Карла. — Как мы ни старались привлечь его на свою сторону, он противился этому всеми силами. Проблема решилась, когда он принял приглашение на фетишистскую вечеринку.

— Каким образом?

— Мы нашли его слабое место. Давай раскурим косяк.

— А почему ты отправилась туда на мотоцикле Бенисии?

— Тебя что именно заедает — что я поехала с ней или что я села на ее шикарный мотоцикл?

— И то и другое. Не желаю больше видеть тебя ни на каком мотоцикле, кроме моего, — разве что ты будешь управлять им сама.

— Тогда научи меня вождению, ворчун. Для начала надо широко раздвинуть ноги, правильно?

— Достаточно широко, чтобы удержаться в седле, — улыбнулся я.

— Давай раскурим косяк, — повторила она, ложась на спину и пристраивая ноги у меня на коленях.

— Прямо сейчас?

— Слушай, в городе локдаун. Выйти из дома мы не можем. Запасов у Джасванта хватит надолго. У меня есть револьвер. Не дергайся и перекури.

— Я и так не дергаюсь. Но если хочешь, давай покурим.

— Некоторые двери, — проговорила она медленно, — открываются только силой желания.

Спустя некоторое время она принесла фрукты на синем стеклянном блюде и скормила их мне по кусочкам. Любовь — это связь между двумя, а счастье — двое, связанные в одно целое. Она целовала мои руки; волосы ее были как расправленные навстречу солнцу крылья. Одного момента, благословленного женской любовью, достаточно, чтобы залечить все раны.

— Слабое место — ключ ко всему, — сказала Карла, подсаживаясь ко мне с бокалом вина.

— Слабое место?

— Чтобы найти слабое место человека, нет ничего лучше фетиша.

— Ты имеешь в виду главного редактора? — спросил я, еще погруженный в свои переживания.

— Ты где витаешь? Разумеется, редактора.

— А как вы узнали его фетиш? Он что, сам признался?

— Мы заранее приготовили фетиши на любой вкус. Перед ним продефилировала толпа полуголых девушек в масках, и одна из них вызвала искомую реакцию. На это не потребовалось много времени.

— И кто же это был?

— Доминатриса, в сари из кожзаменителя. Фетиш из каталога.

— И что было потом?

— А потом мы записали его на видео в отдельном кабинете в совершенно беспомощном состоянии.

— Значит, поймали его на крючок.

— Не только его, но еще судью, политика, финансового воротилу и копа.

— И как только вам с Кавитой удалось все это организовать?

— У нас был там свой человек, который помог нам.

— Какой человек?

— Хозяйка.

— Кто она?

— Дива.

— *Дива?* Наша Дива, которая сейчас там у меня с Рэнделлом?

— Наша Дива, которая уехала вместе с Чару и Пари, пока ты спал. Прибыли автомобили, чтобы развезти их по домам. В дверь барабанили телохранители. Джасвант думал, что это зомби берут штурмом его отель. В конце концов мы отодвинули баррикаду, и...

— Секундочку! А я что, спал и не проснулся?

— Да, наш верный страж, — промурлыкала она. — Дива сказала, что ты очень симпатичен во сне.

— *Что* она сказала?

— Она хотела поговорить со мной, пока Чару и Пари готовились к отъезду. Этим девочкам требуется уйма времени на что бы то ни было. Дива пришла сюда, мы посидели и поговорили.

— На постели, пока я спал?

— Ну да. Она права, во сне ты симпатичнее. Хорошо, что я предпочитаю тебя, когда ты не спишь.

— И сколько она здесь пробыла?

— Мы выкурили косяк.

— Так долго?

— И выпили по бокалу вина.

— А я спал?

— Да. Она зашла, чтобы сообщить мне, что у Кавиты появился новый тайный поклонник и что она в связи с этим немного слетела с катушек.

— Кавита действительно слетела с катушек, — сказал я. — У нее была связь с Лизой, и она никак не может прийти в себя. Она умная и способная, но ведет себя по-идиотски — в том числе и со мной. Наверное, поэтому она и нравится мадам Жу — они друг друга стоят.

— Кавита проделала всю эту работу вместе с нами, Лин, от начала до конца.

— И ты сделала ее заместителем главного редактора, чтобы она руководила одной из крупнейших ежедневных газет.

— Я не позволю тебе говорить о ней плохо, — сказала Карла. — Я никому не позволю говорить плохо о ней или о ком-либо из моих друзей — точно так же, как и о тебе.

— О'кей. Справедливо. Но моя обязанность предупредить тебя, когда я чувствую угрозу.

— Даже обязанность? — засмеялась она.

— Да, а твоя обязанность предупредить меня. — Я улыбнулся. — Значит, Дива уехала вместе с девушками?

— В сопровождении телохранителей. Им пришлось объяснять, почему они провели тут ночь.

— А я все это проспал.

— Это точно. Мы помогли Джасванту восстановить баррикаду, я приняла душ, вернулась к тебе, и ты очень обрадовался. А девушки, между прочим, заходили попрощаться.

Это было очень странно. Я всегда просыпался первым, каким бы уставшим ни был, и стоило кому-нибудь в соседней комнате уронить на пол ручку, я тут же выныривал из самого глубокого сна. Каким образом я проспал разговор на моей постели, было непостижимо.

Я был сбит с толку и чувствовал себя очень необычно. Замедленный пульс, видно все нечетко, и общее ощущение такое, будто идешь по палубе корабля в качку. Но затем я понял, в чем дело: в душе у меня был покой.

«Покой — это идеальное прощение и полная противоположность страху», — сказал однажды Идрис.

— Ау, ты где, Шантарам? — улыбнулась Карла, потрепав меня по подбородку.

— Я там же, где ты.

— О'кей, — рассмеялась она. — Так где же мы были?

— Ты рассказывала, как вы с Кавитой все это провернули, — сказал я, притянув ее к себе.

— С Кавитой и Дивой. Дива самая богатая девушка в Бомбее, и, когда она объявила о своей фетишистской вечеринке, лимузины так и покатили к ней.

— Но Дивы там при этом даже не было.

— Мы устроили так, что блокпост ее не пропустил, и, таким образом, что бы ни случилось на вечеринке, у нее было алиби.

— То есть подстраховали ее.

— То есть подстраховали ее, — согласилась Карла, постукивая пальцами по моей груди.

Это было что-то новенькое — она впервые постучалась таким образом ко мне. Этот жест показывал, что она полностью отдалась любви, отрешившись от всех забот.

— Итак, вы организовали фетишистские игры и установили камеры, да?

— У нас было намечено семь подопытных, включая редактора, но двое из них не явились.

— Подопытных?

— Тех, кто был помехой прогрессу и кого мы хотели направить на путь истинный.

— И теперь эти пятеро...

— Словно переродились. Трущобы будут расселяться, и больше внимания будут уделять положению женщин. Женский стиль работы победил.

Я сел на постели. Она предложила мне полотенце, пахнувшее имбирем, мы вытерли наши лица и руки.

— Карла, если эти типы большие шишки, они опасны по определению. Такая видеозапись — это бомба замедленного действия.

— У нас были посредники, — сказала она, вновь прислоняясь ко мне.

— Они должны быть пуленепробиваемыми.

— Они такие и есть. Это велокиллеры.

— Ну, тогда беспокоиться не о чем. Велокиллеры надежные трезвомыслящие парни.

— Не иронизируй. Я лично ни с кем не встречалась, кроме них. Они сами вели переговоры с той стороной.

— И как это пришло вам в голову?

— Тебя это в самом деле интересует?

— Конечно интересует.

— Хорошо, — сказала она, садясь в позе лотоса лицом ко мне. — Мы с Рэнделлом два раза замечали, что велокиллеры следят за тобой, и я попросила его выяснить, что им надо.

— Он встречался с велокиллерами один?

— Да, конечно.

— Вот кто действительно надежный парень, — улыбнулся я. — Я рад, что он заодно с тобой.

— С нами, — поправила она меня.

— А как ты смотришь на его шашни с Дивой? Я знаю, что Навин сохнет по ней, и мне казалось, что и он ей нравится.

— Это локдаун, Шантарам. То, что происходит во время локдауна, в локдауне и остается. Во всяком случае, нас это не касается.

— Да, ты права. Вернемся к нашим велокиллерам.

— Рэнделл выяснил, что Абдулла нанял их охранять тебя какое-то время. Он даже подружился с двумя-тремя.

— И когда ты увидела, что их можно нанять, то так и сделала.

— Да, и они были рады выполнить эту работу.

— В этом я не сомневаюсь.

— Да, рады. Они заботятся о своем имидже. Им хочется заниматься каким-нибудь более приемлемым для общества делом, нежели убивать людей ради денег.

— Ну да, например, *угрожать* людям ради денег.

— Что-нибудь вроде этого. Это новый для них, более респектабельный имидж, и мне кажется, что они относятся к этому серьезно. Я думаю, они хотят «вернуться с холода»[1].

— Ну-ну.

— Когда я наладила отношения с велокиллерами, у меня сложился план. Без них ничего не получилось бы, потому что ни

---

[1] Аллюзия на роман английского писателя Джона Ле Карре (р. 1931) «Шпион, вернувшийся с холода» (1963), героем которого является разведчик, попытавшийся вырваться из сетей шпионажа.

на кого другого я не могла положиться. А с ними я была уверена в том, что они выдержат, если их прижмут, и не выдадут нас. Когда сложилось так, что они стали следовать за тобой, я переключила их на себя.

— Точнее, на своих подопытных.

— Именно так. Переговоры с переродившимися вел главарь велокиллеров Ишмит.

— Я встречался с ним.

— Он истинный джентльмен.

— Просто соль луны.

— А его друг Панкадж просто умора. Ты, кстати, ему очень нравишься. Я пригласила его на фетишистскую вечеринку.

— Само собой. А почему со мной надо было темнить относительно этих темных делишек?

— Чтобы защитить тебя. Я не хотела впутывать тебя в эти опасные дела.

— Как несмышленыша.

— Как лучшего друга, — сказала она. — Если бы все сорвалось, я хотела быть уверенной в том, что это не затронет тебя. Ты забыл, что ты в розыске?

Это была новая Карла. Она защищала меня, взяла под свое крылышко.

Она встала, зажгла семь новых благовонных палочек, вставила их во рты глиняных драконов, и они стали наполнять многоцветную комнату желтовато-красными испарениями. Я наблюдал за тем, как она ходит, и хотел остановить время, остановить все, кроме *Этого*.

Она снова села рядом со мной и взяла мою руку в свои.

— Ответь честно, если бы я сказала тебе, что хочу организовать кампанию по расселению людей из трущоб, ты стал бы делать это вместе со мной или постарался бы остановить меня?

— Я постарался бы уговорить тебя уехать со мной и обосноваться где-нибудь на новом месте.

— Поэтому я и не стала посвящать тебя в свои планы.

— Ах вот почему?

— Ты стал бы помогать мне, потому что любишь меня, но занимался бы этим против воли, и это сделало бы тебя уязвимым. И меня, возможно, тоже.

Я подумал над ее словами, не до конца понимая их, но у меня напрашивался другой вопрос.

— Зачем ты занялась этим, Карла?

— Ты считаешь, что это не такое уж нужное дело?

Она уходила от ответа.

— Зачем ты это делала?

Тут она в свою очередь задумалась. Затем улыбнулась и ответила мне честно:

— Чтобы увидеть, смогу ли. Я хотела убедиться в том, что справлюсь.

— Я думаю, ты справишься с чем угодно. Но нам надо было заниматься этим вместе.

Она засмеялась:

— Я так люблю тебя. И я рада, что наконец рассказала тебе обо всем.

Это было уже чересчур. Это было осуществление всех желаний. Сомнение, убивающее любовь, привело меня на край утеса, побуждая прыгнуть. Я прыгнул.

— Я так люблю тебя, Карла, что остального для меня просто не существует. И сейчас, и всегда.

Мужчины обычно избегают быть настолько откровенными в любви. Это все равно что дать женщине в руки пистолет, приставить дуло к своей груди и сказать: «Вот так меня можно убить». Но я не боялся этого. Я знал, что все будет в порядке.

— Я тоже люблю тебя, малыш, — сказала она, сияя зелеными глазами. — Всегда любила, даже тогда, когда казалось, что это не так. Меня заклинило на тебе, и ты лучше сразу привыкни к этой мысли, потому что отныне мы не расстанемся никогда. Ясно?

— Ясно, — ответил я, притягивая ее к себе, чтобы она меня поцеловала. — Ты обдумывала это долго и тщательно, да?

— Ты же знаешь меня, — прожурчала она. — Я все делаю долго и тщательно.

Часть
тринадцатая

ГЛАВА

 72

Я пригласил Олега пожить в моем номере. Уплачено за него было на год вперед, и я был рад, что у парня будет свой дом. Он радовался еще больше, обхватил меня, приподнял и поцеловал.

— Вот это по-русски! — сказал он.

Карла повсюду следовала за мной, даже по адресам черного рынка, а я повсюду следовал за ней. Мы ездили на моем мотоцикле, а верный страж Рэнделл таскался за нами в автомобиле.

Мои поездки к менялам были небезопасны, но то, что делала Карла, было чуть ли не еще опаснее. Ее контакты с деятелями искусства и бизнесменами вызывали у меня тревогу, хотя и кое-какие из моих собственных дел были не лучше.

Людям надо было привыкнуть к тому, что нас двое, и воспринимали они это по-разному. Оказалось, что мои клиенты со дна общества относятся к этому спокойнее, чем ее знакомые из высших слоев.

— Выпейте чая с нами, мисс Карла, — говорили все дельцы черного рынка. — Пожалуйста, присядьте и выпейте чая.

— Стоп, — говорили мне дельцы «белого» рынка у проходной. — Без пропуска нельзя.

Карла добыла мне пропуск и настаивала на том, чтобы я повсюду сидел рядом с ней. Мне приходилось присутствовать на встречах с финансовыми магнатами в облицованных панелями приемных и кабинетах, и каждый раз я чувствовал себя так, словно нахожусь внутри гроба.

— Деловой костюм, — сказал однажды Дидье, — это то же самое, что воинская форма, только он, в отличие от формы, не делает чести носящему его.

По-видимому, слово «честь» в этих кабинетах и салонах эксклюзивных клубов было не в чести: когда Карла говорила, что доверяет говорить от ее имени только при заключении честных сделок, по лицам окружающих неизменно пробегала волна недовольства, рыбьи рты приоткрывались, а разноцветные галстуки колыхались во вращающихся креслах, как водоросли в неспокойном море.

Искусство было представлено публикой иного пошиба, вроде высокого красивого скульптора, собиравшего нектар на доступных лужайках миллионеров.

Галерея процветала. Рыночным продажам всегда способствует налет скандальности. Этот душок, исходивший от работ, которые в результате нападок фанатиков были сняты с экспозиции или находились под угрозой снятия, будоражил пресыщенные вкусы богатых покупателей. Люди, не привыкшие стоять где-либо в очереди, терпеливо ждали, когда галерейщики примут их, и платили деньгами черного рынка. Высокого красивого скульптора звали Тадж, он заведовал галереей и делал деньги быстрее, чем успевал взмахнуть молотком аукциониста.

Как-то, через несколько недель после локдауна, мы с Карлой зашли в галерею. Тадж беседовал с группой постоянных покупателей. Розанна сидела на телефонах.

Тадж кивнул Карле и продолжил беседу с клиентами. Мы прошли во внутреннее помещение. Вместо прежних мотоциклетных фар по всей комнате были развешены десятки красных флюоресцентных ламп.

Мы сели на кушетку, обтянутую черным шелком. К стенам были прислонены картины, обтянутые защитной пленкой, служившей общим для них конвертом. Анушка принесла нам чай и печенье.

Анушка, выступавшая в качестве мима, в жизни была скромной, приветливой молодой женщиной; галерея была для нее вторым домом. Она села на ковер рядом с нами.

— Как жизнь, Ануш? — спросила Карла.

— Да все по-старому, — улыбнулась та.

— Три дня назад ты говорила, что новая выставка художников-маратхи вот-вот откроется, а я не вижу никакой подготовки к этому.

— Ну... возникли кое-какие разногласия.

— *Раз-но-гла-сия?* — прорычала Карла по слогам.

В этот момент к нам подошел Тадж и, изящно подогнув свои длинные ноги, сел рядом с Анушкой.

— Прошу прощения, — сказал он. — Надо было закончить разговор с клиентами. Крупная продажа. Как поживаешь, Карла?

— Я слышу о каких-то разногласиях, — сказала она, сверля его гневным взглядом, — и как раз настроена с кем-нибудь не согласиться.

Тадж поспешно перевел взгляд на меня.

— А ты как поживаешь, Лин? — спросил он.

Встречаясь с Таджем, я всегда вспоминаю о том, что он провел однажды два таинственных дня вместе с Карлой где-то за городом. Она так и не рассказала мне об этой поездке, потому что я не хотел спрашивать.

Он был из тех высоких красивых брюнетов, которые заставляют остальных мужчин ревновать. Это, конечно, не их вина. Я знал немало красивых парней, которые были превосходными людьми и хорошими друзьями, и все мы, уроды, любили их, однако продолжали ревновать из-за их внешности.

И хотя это была не его вина, а моя, мне всегда хотелось допросить Таджа с пристрастием.

— Отлично, Тадж. А у тебя как дела?

— О... замечательно, — ответил он неуверенным тоном.

— Просвети меня, Тадж, — завладела его вниманием Карла. — Что за проблемы возникли с выставкой?

— Может, покурим сначала? — отозвался Тадж и сделал знак Анушке, которая тут же поднялась и отправилась за пищей психической. — Я четыре часа без перерыва возился с покупателями, в голове крутятся одни лишь цифры.

— Где это все? — спросила его Карла.

— Там, — ответил он, махнув рукой в сторону дверей. — Анушка сейчас принесет.

— Я спрашиваю про выставку художников-маратхи. Где она?

— В хранилище пока, — ответил Тадж, глядя на дверь и мысленно призывая Анушку поскорее вернуться.

— Почему в хранилище?

Вернулась Анушка, раскуривавшая очень большой косяк, который она сразу передала Таджу. Тот протянул руку к Карле, умоляя ее подождать, затянулся, выдохнул небольшое облако и предложил косяк мне.

— Ты же знаешь, что я не курю, когда вожу Карлу, — сказал я. — Так что нечего мне предлагать.

— Дай мне, Тадж, — сказала Карла, выхватывая у него косяк. — И ответь на мой вопрос.

— Понимаешь, — сказал Тадж, достаточно подкурив, чтобы снова убедительно сочинять, — людям не хочется устраивать выставку художников только одной языковой группы.

— Каким людям?

— Ну, людям в галерее, — ответил Тадж. — Не то что им *не нравится* сама выставка художников-маратхи, просто они считают, что это как-то неправильно.

— Вы же открыли две недели назад выставку бенгальских художников.

— Это совсем другое дело, — пожал плечами Тадж. — Другой контекст.

— Объясни мне, пожалуйста, разницу.

— Ну понимаешь, я, то есть...

— Я люблю этот город и безмерно рада, что живу здесь, — сказала Карла, подавшись вперед. — Мы живем на земле маратхи, в городе маратхи, по милости самих маратхи, которые отвели нам замечательное место для жилья. Выставка устраивается для них, Тадж, а не для тебя.

— Ох, опять эта политика...

— Политика здесь ни при чем. Это хорошие художники, а некоторые просто потрясающие, ты сам так говорил, — настаивала Карла. — Я тщательно отбирала их вместе с Лизой.

— Разумеется, они хороши, но дело не в этом.

— Дело в том, что ты, я, и Розанна, и Анушка, и все прочие члены нашей команды, приехавшие в Бомбей издалека, просто обязаны показать всем таланты города, который нас содержит.

— Карла, ты просишь невозможного, — взмолился Тадж.

— Я настаиваю на этой выставке, Тадж. Это наш с Лизой последний совместный проект.

— Я был бы счастлив сделать тебе такой подарок, — стонал Тадж, — но это неосуществимо.

— Где картины? — спросила Карла.

— Я же сказал — в хранилище.

— Отошли их в галерею «Джехангир», — сказала она.

— Всю выставку? — Тадж был шокирован. — Там есть очень хорошие картины, Карла, и если выставить их на рынок с умом, по одной...

— Отдай их в «Джехангир», — повторила Карла. — У них хватит совести устроить эту выставку, и они заслуживают этого больше, чем ты.

— Но, Карла...

— Пошли, Лин, — сказала Карла, вставая.

Тадж тоже встал, расправив свою длинную фигуру в полный рост.

— Карла, пожалуйста, еще не поздно передумать, — произнес он, схватив ее за руку.

Я оттеснил его.

— Полегче, Тадж, — сказал я ему спокойно.

— Ты поступаешь неосмотрительно, Карла, — сказал он. — У нас скоро будет очень много денег.

— Денег мне хватает, — ответила она. — Я хочу, чтобы меня уважали. Я оставляю галерею тебе, Тадж. Будь сколь угодно аполитичен, а с меня хватит. Страховка выписана на тебя, так что проследи, пожалуйста, чтобы с картинами ничего не случилось по дороге в «Джехангир». Успехов тебе. Чао.

Мы покинули галерею и переключились на мой черный рынок.

По дороге Карла спросила, сидя у меня за спиной и обвив одной рукой мое плечо:

— Ты ведь знаешь, что он гей?

— Про кого я это знаю?

— Про Таджа.

— Нет, не знал.

— Что, действительно не знал?

— Если мне не рассказать, я никогда ничего не знаю.

— И ревновал, да?

Примерно километр я думал над ее словами.

— Ты хочешь сказать, что не могла бы увлечься геем?

Она примерно километр думала над этим.

— Это, конечно, интересная мысль, — сказала она, — но не в данном случае.

— Однако ты уезжала с ним куда-то на два дня.

— На курорт. Пить соки и заряжаться энергией для драки. Таджа я прихватила просто для компании и для того, чтобы обсудить дела.

— А я не годился для компании и для обсуждения?

— Я же говорила, что не хочу привлекать тебя к своим махинациям, — прошептала она мне на ухо. — И к тому же он нравится Дидье.

— Между ними что-то есть?

— Тадж уже сделал несколько эскизов Дидье в обнаженном виде. Смотрится очень неплохо.

— Он будет лепить статую Дидье?

— Ага.

— Дальше можешь не рассказывать. Меня это не интересует.

— Ага. Я пообещала, что мы придем на торжественное снятие покрывала.

— Я уже видел Дидье без покрывала.

— Он лепит его в позе микеланджеловского Давида, только сорокадевятилетнего.

— Точно не пойду.

Я затормозил и остановился у тротуара на широком бульваре, почти совсем свободном от транспорта.

— В чем дело? — спросила Карла.

— С движением что-то не то, — ответил я, осматриваясь.

— Что с ним не то?

— Его нет. Копы почему-то все перекрыли.

Мимо нас на большой скорости пролетел кортеж автомобилей. Фары мигали кровавым светом. За ним проследовала другая кавалькада, потом третья. Полосы света прорезали ночную тьму. Затем все пришло в норму, движение восстановилось.

Я включил передачу и не торопясь двинулся вперед.

— Они спешат в Бандру, — сказал я. — Копы и журналисты. Наверное, что-то серьезное.

— Тебе это интересно?

— Нет. Мне надо закинуть деньги в один банк. Зайдем, познакомишься с незаурядной личностью.

Тетушка Луна превзошла саму себя перед Карлой. В какой-то момент она прогнала меня, так как ее следующий номер предназначался только для женщин. Я заскользил прочь по рыбьежирному полу, борясь с искушением оглянуться и подсмотреть.

— Очень мило, — сказала Карла, присоединившись ко мне на Колабском рынке. — Йога вполне на уровне. Кто-нибудь из художников непременно должен написать эту женщину.

— Может быть, кто-то из твоих молодых протеже?

— Это идея. Я смотрю, Шантарам, наше сотрудничество идет очень неплохо.

— Правильно смотришь.

Молодая проститутка, работавшая около Регал-сёркл, возвращалась через рынок домой, в рыбацкие трущобы. Ее звали Цирцея, и она была та еще штучка.

Ее коронный номер, к которому она прибегала, когда ей не удавалось заработать достаточно, заключался в том, что она приставала к мужчинам до тех пор, пока они не соглашались уединиться с ней или пока не платили ей, чтобы она отстала.

— Эй, Шантарам, — окликнула она меня, — предлагаю затяжную случку по двойной цене.

— Привет, Цирцея, — ответил я, стараясь обойти ее, но она встала поперек моего пути, уперев руки в боки:

— Ты, ублюдок, трахни меня быстро и долго!

— Пока, Цирцея, — сказал я, увертываясь от нее, но она, подхватив свое желтое сари, обежала вокруг меня и опять перегородила дорогу.

— Или трахай, или плати, — потребовала она, схватив меня за руку и стараясь потереться о меня.

Карла оттолкнула ее, упершись обеими руками в ее грудь, и выставила кулаки.

— Убирайся, Цирцея! — прорычала она на хинди.

Цирцея опустила сари и убралась восвояси, избегая встречаться взглядом с Карлой.

— Ах, вот как это делается! — сказал я.

— Клевая девушка, — сказала Карла. — С кем ни встречусь после фетиш-вечеринки, все прямо готовые персонажи.

— Ничего удивительного. Ну, я покончил с делами. Куда дальше, мисс Карла?

— Теперь, любовь моя, поднимемся на самое дно.

ГЛАВА

73

Мы двинулись к югу, в «Тадж-Махал», где у Карлы была назначена встреча с акционерами медийной корпорации Ранджита.

Заходящее солнце отражалось золотом в глазах сикхских охранников, приветствовавших Карлу у входа в отель. На ней были простые пластиковые сандалии и серый комбинезон, который она подрезала, сделав широкое декольте, открывавшее плечи; талию обхватывал пояс из черной пеньки. Волосы были уложены ветром во время поездки на мотоцикле, и прическа была просто загляденье.

Я был одет в черные джинсы, хлопчатобумажный жилет и футболку с портретом Кита Ричардса, полученную от Олега взамен своей. Костюм не был предназначен для переговоров с бизнесменами, но чего ради стараться: они же не стремились подстроиться к моему стилю.

Встреча происходила в кабинете для деловых встреч, куда надо было подняться на крошечном лифте. Когда двери закрылись, я дал Карле фляжку. Она сделала глоток и отдала фляжку мне. Как раз в это время двери открылись, и мы вышли в узкий коридор, ведущий в сокровищницу, которая выставляла свое богатство с демонстративной сдержанностью.

Кожаные кресла и диваны, каждый из которых стоил не меньше семейного автомобиля, были припаркованы возле стеновых панелей красного дерева, импортированных из далеких стран, где красное дерево убивают ради его плоти. Хрусталь, отражая свет, слепил глаза, нога утопала в коврах, как в губке, портреты в солидных рамах, представлявшие не менее солидных заправил бизнеса, украшали стены, официанты в белых перчатках терпеливо ждали, когда понадобится исполнить чье-либо желание.

В комнате находились шесть хорошо одетых и хорошо сохранившихся бизнесменов. Когда мы вошли, они застыли, глядя на Карлу.

— Я глубоко сочувствую вашей потере, мадам Карла, — произнес один из них.

— Примите наши соболезнования, — сказали другие.

Я посмотрел на Карлу. Она изучала их лица. Их выражение ей не нравилось.

— Что-то случилось с Ранджитом, — сказала она.

— Вы еще не знаете?

— О чем? — спокойно спросила она.

— Ранджита больше нет, мадам Карла, — ответил первый бизнесмен. — Его застрелили сегодня вечером в Бандре. Только что. Об этом уже сообщили в новостях.

Стало ясно, что полицейские машины с красными огнями и автомобили прессы, которые мы видели, спешили к месту убийства Ранджита. Карла тоже это поняла. Она посмотрела на меня.

— Ты в норме? — спросил я.

Она кивнула, плотно сжав губы.

— Простите меня, джентльмены, — произнесла она твердым голосом, — но придется просить вас перенести наш разговор на сорок восемь часов, если вас это устроит.

— Безусловно, мадам Карла.

— Как скажете, мадам Карла.

— Перенесите его на то время, какое вам удобно.

— Мы очень сожалеем.

В лифте Карла прислонилась ко мне, спрятав лицо у меня на груди, и заплакала. В этот момент лифт остановился между этажами.

Карла перестала плакать, вытерла глаза и улыбнулась.

— Хэлло, Ранджит, — сказала она. — Выходи, устроим драку с призраком.

Лифт заработал и стал спускаться.

— Гуд-бай, Ранджит, — сказал я.

Около нашего байка я взял ее за руку.

— Куда сейчас? — спросил я.

— Если можно, я хотела бы опознать его, пока он там... если он еще там. Не хочу делать это в морге.

Я включил повышенную передачу и повез ее в Бандру. Рэнделл ехал за нами. Мы остановились у полицейского кордона напротив бара, где серебряная пуля настигла Ранджита.

Тело известного магната все еще находилось в помещении ночного клуба. Нам сказали, что полиция не увозит его, ожидая некоего крупного телерепортера. Мы с Карлой и Рэнделлом стояли в толпе и наблюдали за местными фотографами, подтаскивавшими кабели с лампами дугового света ко входу в клуб.

Мне все это не нравилось. Я не хотел смотреть на то, как труп Ранджита выкатывают из дверей на тележке. И к тому же вокруг было слишком много копов.

Я посмотрел на Карлу. Она окидывала взглядом большие фургоны телевизионщиков, дуговые лампы и цепочку копов.

— Ты уверена, что хочешь сделать это?

— Я должна, — ответила она. — Это мой последний долг перед его семьей. Своего рода искупление вины за то, что я помогала ему в игре, затеянной против них.

Она рванула через кордон. Замигали вспышки фотокамер. Я отставал от нее на полшага, рядом со мной шел Рэнделл.

— Отойдите, — говорил Рэнделл спокойно на маратхи копам и журналистам, прокладывая нам путь. — Пожалуйста, отнеситесь с уважением. Проявите сочувствие.

Карлу пропустили в клуб, но нас с Рэнделлом задержали у дверей. Десять долгих минут мы ждали, пока она не выйдет. Она вышла, держа голову высоко и глядя прямо перед собой, но опиралась на руку офицера полиции.

— Да, это ужасно, мадам, — говорил офицер. — Расследование, конечно, только началось, но похоже, что вашего мужа застрелил молодой человек, который...

— Я не могу сейчас говорить об этом, — сказала Карла.

— Конечно, мадам, — тут же согласился офицер и повернулся, чтобы уйти.

— Простите меня за резкость, — сказала Карла, остановив его. — Я просто хотела, чтобы вы засвидетельствовали: я опознала тело Ранджита. Нужно поставить в известность его семью, и теперь, после моего опознания, вы можете выполнить эту неприятную задачу, не так ли?

— Да, мадам.

— Значит, вы удостоверяете мое опознание и сообщите семье Ранджита?

— Удостоверяю, мадам, и выполню эту задачу, — ответил офицер, отдав ей честь.

— Благодарю вас, сэр, — сказала Карла, пожимая ему руку. — У вас, конечно, будут вопросы ко мне. Я тут же явлюсь к вам, как только вы меня вызовете.

— Да, мадам. Возьмите мою карточку. И разрешите мне выразить вам сочувствие по поводу вашей утраты.

— Благодарю вас еще раз.

Когда мы прошли сквозь цепь копов и направились к моему мотоциклу, несколько репортеров пытались сфотографировать Карлу. Рэнделл помешал им сделать это и остановил их возмущенные крики о свободе прессы, заплатив им.

Мы опять направились к югу. Карла, прижавшись щекой к моей спине, плакала. Когда мы остановились на одном из перекрестков в ожидании зеленого света, Рэнделл выскочил из машины, передал Карле бумажный платок из красной керамической шкатулки и сел на свое место прежде, чем светофор переключился. Это, казалось бы, незначительное проявление внимания, видимо, помогло Карле. Она успокоилась и больше никогда не плакала по Ранджиту.

ГЛАВА

 74

Я отвез ее в «Амритсар», в ее бедуинский шатер. Она позволила мне раздеть ее и уложить в постель — одно из самых больших наслаждений для влюбленного. Она проспала восход солнца, весь белый день и весь фиолетовый вечер и проснулась после того, как взошла луна.

Она потянулась, увидела меня и стала озираться:

— Я надолго отключилась?

— На сутки. Сейчас почти полночь. Завтра ты пропустила.

Она резко села на постели и встряхнула волосами, придав идеальную форму своей прическе.

— Ты говоришь, полночь?

— Ага.

— И ты наблюдал за мной, пока я спала?

— Мне некогда было. Я сочинил очень красноречивое заявление в полицию, подписал его за тебя и отвез копам. Им оно понравилось. Так что тебе не нужно ездить к ним.

— Вот это да.

— Как ты себя чувствуешь?

— Хорошо, — сказала она, вылезая из постели. — Писать хочу.

Она приняла душ и вышла в белом шелковом халате. Я думал, что надо бы дать ей выговориться — о смерти Ранджита и о том, что она чувствовала рядом с мертвым Ранджитом. В это время в дверь постучали.

— Это условный стук Навина, — сказала Карла. — Хочешь, чтобы он вошел?

— Он стучится к тебе условным стуком?

Я открыл дверь и впустил молодого детектива в шатер.

— В чем дело, малыш? — спросил я.

— Прими мои соболезнования по поводу Ранджита, Карла, — сказал он.

— Кто-нибудь должен был его убить, — ответила она, раскуривая небольшой косяк. — Я рада, что мне не пришлось самой. Ничего страшного, Навин. Я переспала это, и теперь все о'кей.

— Это хорошо, — сказал он. — Я рад, что ты в форме.

Он посмотрел на меня, потом на Карлу, потом снова на меня.

— В чем дело? — спросил я.

— Прошу прощения. Просто никак не привыкнуть, что вы теперь все время вместе.

— Угу.

— Знаете, тут в отеле устроили тотализатор насчет того, как долго Олег проживет в твоих комнатах, — сказал Навин радостно. — Он подцепил трех...

— Есть еще новости, Навин? — спросил я, натягивая джинсы.

— О да. Деннис сегодня ночью выходит из транса. Будет присутствовать целая толпа. Я подумал, Карла, что, может быть... тебе захочется подышать свежим воздухом...

Карла, похоже, заинтересовалась пробуждением Денниса от двухлетнего сна, но я не был уверен, готова ли она к этому развлечению, да и я тоже. Я почти не спал ночью, оберегая Карлу, днем ездил к копам и платил им, чтобы они оставили ее в покое. И все время меня мучил вопрос о Ранджите и Лизе, ответить на который мог только Ранджит, ныне мертвый.

— Ты как, хочешь выйти или, может, предпочитаешь остаться дома? — спросил я Карлу.

— И пропустить воскресение? Через пять минут буду готова.

— О'кей, и я с вами, — сказал я, надевая рубашку. — Не каждый день приходится наблюдать, как кто-то восстает из мертвых.

Мы спустились под арку за отелем и нашли Рэнделла на заднем сиденье автомобиля. В сине-белом свете лампочки с потолка салона он читал «Похороните мое сердце в Вундед-Ни»[1].

Карла подарила ему машину, потому что, когда мы ездили на мотоцикле, он неизменно следовал за нами на случай, если понадобится его помощь. Получив подарок, он преобразовал вместительную заднюю часть салона в спальное купе, оснащенное всем необходимым, вплоть до маленького холодильника на батареях и стереосистемы, которая была лучше моей.

Он был бос, одет в черные брюки и белую рубашку с открытым воротом. Солнце и море на протяжении многих поколений

---

[1] *«Похороните мое сердце в Вундед-Ни»* (1970) — книга американского писателя Ди Брауна об американских индейцах.

наполнило его бронзовые гоанские глаза радостным светом. Он вышел из машины и надел сандалии.

Рэнделл был красив, высок, умен и бесстрашен. Он приветствовал Карлу улыбкой, и его белые зубы блеснули, как ракушки на промытом берегу. Неудивительно, что Дива увлеклась им.

— Как вы, мисс Карла? — спросил Рэнделл, на миг взяв ее за руку.

— Хорошо, Рэнделл, — ответила она. — Дашь мне глотнуть из своих запасов? Я видела плохой сон сегодня, и хочется выпить.

— Сию минуту, — сказал он и, скрывшись в машине, вынырнул с маленькой бутылочкой водки.

— За души умерших! — вскинула Карла бутылочку и опустошила ее двумя глотками. — Ну, поехали воскрешать мертвых.

— Вы имеете в виду Спящего бабу, Денниса, мисс Карла?

— Его, его, Рэнделл, — ответила она задумчиво. — Вместо бдения будем наблюдать пробуждение, если ты не против.

— С истинным удовольствием, — улыбнулся он, сочувствуя ей в связи с выпавшими на ее долю перипетиями и радуясь, что она вновь ожила. — Да здравствует психическая реанимация!

— И долой свидетельства о смерти, — добавил Навин.

Я смотрел на Навина, разговаривавшего с Рэнделлом, пока тот готовил машину к выезду, и спрашивал себя, как относится индийско-ирландский детектив к тому, что Рэнделл уже три недели встречается с женщиной, которую Навин любит. Мне нравился Рэнделл и нравился Навин, точно так же как они вроде бы нравились друг другу. Навин дружески потрепал Рэнделла по плечу, Рэнделл дружески потрепал по плечу Навина. Похоже, оба делали это искренне, и я никак не мог взять в толк: кого из них придется бить, если что.

Мы с Карлой взгромоздились на мотоцикл.

— Я оставлю здесь свой байк и поеду с Рэнделлом, — сказал Навин.

Мы скользили меж шелестящих полотнищ стремительно текущего транспорта, направляясь в колабский лабиринт старинных улочек возле причала Сассуна. Ночной запах мертвых и умирающих морских существ преследовал нас не только у причала, но и вплоть до скопища домов с верандами, в одном из которых покоился Деннис.

На улице собралась толпа. Огромные маршрутные автобусы проплывали сквозь море голов и плеч кающихся грешников, раздававшееся в стороны, когда надо было пропустить очередного металлического кита.

Мы протиснулись вперед, чтобы видеть веранду, на которой должен был появиться Деннис, вышедший из своей затяжной добровольной комы.

В руках у людей были свечи и масляные лампы. Некоторые держали связки ароматических благовонных палочек. Некоторые пели.

И вот в дверях дома показался Деннис. Он взглянул на веранду, как будто это была крытая красной черепицей река, затем на толпу молящихся на улице.

— Привет всем и каждому здесь и повсюду, — произнес он. — В смерти покойно. Я там был и могу заверить вас, что там очень покойно, если только кто-нибудь не ломает тебе кайф.

Все радостно зашумели и стали выкрикивать имена всевозможных богов. Деннис осторожно сделал несколько пробных шагов. Собравшиеся завопили и запели. Он спустился по ступенькам на дорогу и упал без чувств посреди толпы.

— Представление началось, — прокомментировала Карла.

— Думаешь, он притворяется? — спросил я, наблюдая за богомольцами, которые орошали слезами Денниса, вновь принявшего горизонтальное положение.

— Он сейчас встанет, — ответила она, прислонившись ко мне. — Это только прелюдия.

Деннис неожиданно сел, и толпа, ожидавшая его благословения, отхлынула.

— Я понял, — сказал он. — Я знаю, что я должен сделать.

— Что? Что? — послышались голоса.

— Мертвые, — ответил он звучным низким голосом, далеко разносившимся в тишине. — Я должен позаботиться о них. Кто-то должен им послужить.

— Мертвым? — переспросил кто-то.

— Мертвым, и только мертвым, — ответил он.

— Но как можно им служить? — поинтересовались из толпы.

— Сначала мне надо выкурить хороший чиллум. Возврат к жизни убивает мой кайф. Будьте добры, не может ли кто-нибудь приготовить мне хороший чиллум?

Десятки людей кинулись выполнять его просьбу, значительно затруднив задачу, но наконец Билли Бхасу, сев на корточки рядом с поверженным жрецом Морфея, предложил ему трубку.

Деннис закурил. Окружающие стали молиться. У кого-то в руках зазвенели храмовые колокольчики. Кто-то защелкал кастаньетами, и еще кто-то стал читать слабым голосом мантры на санскрите.

— Этот парень — ходячее кино, — заметила Карла. Оглянувшись через мое плечо на Рэнделла, стоявшего на полшага позади нас, она спросила: — И как тебе, Рэнделл?

— Впечатляющий спектакль, мисс Карла. Спонтанная канонизация.

— Да, этого у Денниса не отнимешь, — заметил Навин. — Он сам себе вселенная.

Деннис с трудом поднялся на ноги. Несколько крепких молодых парней притащили паланкин, криками и ворчанием прокладывая себе путь через толпу. Это были носилки для доставки трупов к месту ритуального сожжения, но на них установили кресло, обтянутое серебристым кожзаменителем.

Молодые люди поставили паланкин на землю, помогли Деннису забраться в кресло и, вскинув паланкин на плечи, отправились в долгий путь к Воротам в Индию.

Деннис благосклонно улыбался направо и налево, благословляя чиллумом поднятые к нему лица.

— Он неподражаем, — сказала Карла. — Давайте примкнем к процессии.

Мы поехали рядом с колонной, двигавшейся по тенистым улицам к памятнику. Толпа по мере продвижения росла, к ней присоединялись выходившие из своих домов барабанщики, танцоры и трубачи. К концу пути большинство участников шествия даже не имели понятия, чем вызван весь этот ажиотаж.

Заняв позицию, удобную для наблюдения, мы увидели Денниса в центре неистовствующей толпы, в которой многие не знали о Деннисе ничего и тем не менее приветствовали его возвращение к жизни после нескольких лет безмолвной епитимьи.

В сотне метров от памятника, в отеле «Тадж-Махал», совещались представители правящей верхушки. Из отобранных ими кандидатов, покровительствующих бизнесу, беднота избрала новое правительство, и теперь преуспевающие дельцы забрасывали невод в обновленные воды коммерческой коррупции.

В пяти сотнях метров от них Вишну, главарь мафии, переименованной недавно в Компанию 307, по номеру статьи Уголовного кодекса, касающейся покушения на убийство, наводил порядок в своей подпольной организации, изгоняя из нее мусульман. Оставляли в Компании лишь тех из них, кто соглашался рассказать все, что знал о Пакистане и о планах поверженного Санджая.

Абдулла исчез после пожара, никто не знал, где он находится и что замышляет. Прочие мусульмане из первоначального состава мафии обосновались около мусульманских базаров в Донгри и завязали еще более прочные связи с пакистанскими поставщиками оружия.

Беспорядки, как всегда, нанесли глубокие раны городу. Призывы к спокойствию, исходящие от городских руководителей различного уровня, не могли остановить расползающиеся страхи. Помимо конкретных проявлений насилия, людей страшил сам факт, что подобное может происходить в прекрасном и дружелюбном Городе семи островов.

Карла хлопала в ладоши в такт пению. Рэнделл и Навин, также в такт, мотали головами из стороны в сторону. Сотни бедных и больных людей стремились прорваться к носилкам с Деннисом, вознесенным на вершину славы, и коснуться их.

Огромные Ворота в Индию были освещены, но оттуда, где мы стояли, широкая арка выглядела как игольное ушко, через которое больше не мог пролезть верблюд британского владычества.

Море за памятником было черным зеркалом с разбросанными по нему огоньками сотен лодок, качавшихся на рваных волнах. Огоньки были похожи на отпечатки пальцев, оставленные светом на поверхности моря.

Эхо неистовых молитв, читавшихся на возведенной англичанами Троянской башне, уносилось в бесконечность, как и всякий звук.

Все звуки, которые мы издаем, остаются в мире и еще долго странствуют сквозь пространство и время после того, как мы исчезаем с лица земли. Наша Земля посылает во Вселенную все, что мы кричим, говорим, поем. Сегодня ночью Вселенная слышала из этого места, в некотором роде святого, молитвы и крики боли, издаваемые надеждой.

— Поехали? — предложила Карла, усаживаясь на заднее сиденье мотоцикла.

Мы отъехали медленно, чтобы Рэнделл и Навин не отстали от нас в толпе. Люди между тем запели громче, очищая на время своей искренней мольбой противоречивые сигналы, поступавшие из города у моря.

ГЛАВА
 75

Счастье не терпит пустоты. Благодаря тому, что я был так счастлив с Карлой, печаль в глазах Навина вызывала глубокое сочувствие в моем сердце, какого не было бы, если бы в нем тоже была пустота. Кипучая любовь Навина, казалось, приутихла, и было неясно, то ли она вспыхнет вновь, то ли угаснет навсегда.

Когда мы вернулись в «Амритсар», я, улучив момент, утащил Навина за рукав в пустой коридор позади стола Джасванта.

— Что происходит? — спросил я.

— В смысле?

— Рэнделл крутит с женщиной, которую ты любишь, а ты обнимаешься с ним по-братски. Непонятно.

Он ощетинился, как озлобленный молодой зверек, но скорее рефлекторно, нежели с осознанной яростью.

— Знаешь, Лин, бывают вещи слишком личные.

— Брось, индийский ирландец. В чем дело?

Навин остыл, поняв, что это меня действительно беспокоит, и прислонился к стене.

— Я не могу ужиться с тем миром, — сказал он. — Я с трудом выношу его, когда надо задать несколько неприятных вопросов или помочь полицейским арестовать кого-нибудь.

— С каким миром?

— С *ее* миром. — Он выплюнул эти слова, словно говорил о преисподней.

— Не обязательно *жить* в ее мире, чтобы быть ее *бойфрендом*. Рэнделл встречается с ней, а живет вообще в машине.

— Это, по-твоему, должно меня воодушевить?

— Я просто хочу, чтобы ты понял: поехав на это «не просто свидание» с Бенисией, ты все запутал. А теперь должен распутать. Любовь надо завоевывать, старик.

Он повесил голову, словно в третьем раунде шестираундового поединка, который не надеялся выиграть. Это никуда не годилось. Я хотел не вгонять его в депрессию, а внушить ему, что он Навин, а уже потом кто-то еще, а также напомнить ему, что Дива знает это.

— Слушай, малыш...

— Нет, — ответил он. — Я слышу, что ты говоришь, но я не собираюсь воевать с соперником. Ни за что.

— Если ты не выплеснешь это сейчас, так оно выплеснется с кем-то другим, и виноват будешь ты, потому что не разобрался с этим вовремя.

Он улыбнулся и, выпрямившись, посмотрел мне в глаза:

— Ты хороший друг, Лин, но ты не прав. Я свободный мужчина, Дива свободная женщина, и так и должно быть.

— Я сказал то, что думаю, — ответил я. — Ты не такой человек, чтобы просто взять и отступить.

Он пожал плечами:

— Чтобы мирно разойтись с человеком, всегда один должен уступить.

Я посмотрел на него, прищурившись:

— Ты отработал эту реплику на Карле, да?

— Да, — признался он, улыбаясь. — И в данном случае так и есть. Для меня этот вопрос закрыт, Лин, и я был бы очень тебе благодарен, если бы ты больше не поднимал его. Серьезно. Я ничего не имею против Рэнделла. Он хороший парень. Лучше пусть будет он, чем какой-нибудь подонок.

— Так-то оно так, — ответил я. Похоже, меня все это расстраивало больше, чем Навина. — Пойдем посмотрим, что там Карла делает.

Карла и Дидье сидели на полу. На ковре перед ними лежала планшетка для спиритических сеансов.

— Ну вот, теперь я не смогу этим заниматься, — сказал Дидье. — У тебя слишком мощная негативная энергия, Лин, она все вытесняет.

— Одно из лучших его качеств, — возразила Карла. — Садись с нами, Шантарам, давай попробуем вытеснить духов этой гостиницы.

— В этом городе слишком много духов, с которыми я был знаком лично, — улыбнулся я. — Кстати, Дидье, коробка с вином, которое ты заказал, стоит там у Джасванта. Ты бы поторопился, пока он не снял с коробки пошлину, натурой. Он обожает красное вино.

Дидье вскочил на ноги и кинулся к дверям с криком:

— Мое вино! Джасвант!

Навин вышел вместе с ним, чтобы помочь.

Я подошел к Карле, опрокинул ее на ковер, лег рядом и поцеловал ее.

— Видишь, какой я коварный? — спросил я ее.

— Я прекрасно знаю, какой ты коварный, потому что я коварнее, — рассмеялась она.

Это были поцелуи без продолжения и ожидания, поцелуи-дары, насыщающие меня любовью.

В открытую дверь постучали. Это был Джасвант, а Джасвант был не таким человеком, которому можно сказать «Закрой дверь».

— Да, Джасвант? — спросил я и, чуть откинувшись назад, увидел его фигуру, маячившую в дверях.

— Там люди хотят вас видеть, — прошептал он. — Хэлло, мисс Карла.

— Хэлло, Джасвант, — откликнулась она. — Ты вроде похудел? Выглядишь что надо.

— Я стараюсь поддерживать...

— Что за люди, Джасвант? — спросил я.

— Ну, люди. Хотят вас видеть. Устрашающие. Женщина, по крайней мере, устрашающая.

Мадам Жу, подумал я. Мы с Карлой мгновенно поднялись с ковра. Я потянулся за оружием, Карла за губной помадой.

— Зачем тебе помада? — спросил я.

— Если ты думаешь, что я собираюсь встретиться с ней, не накрасив губы, значит ты ничего не понимаешь в жизни.

— Хм... Этого, во всяком случае, я точно не понимаю.

— Я должна поразить ее, прежде чем застрелю. Убить ее, так сказать, дважды.

Мы бок о бок направились в холл к Джасванту.

Кислота, Карла. Кислота.

Я сжимал в руке нож. У Карлы был револьвер, которым она умела пользоваться. Повернув в холл из-за перегородки, мы увидели около стола Джасванта двух человек. Джасвант явно чувствовал себя неуютно.

Я прошел чуть дальше. Лица мужчины мне не было видно, женщина была невысокой и полной. Ей было лет тридцать, она носила голубой хиджаб и сверлила Джасванта угрожающим взглядом.

— Все в порядке, — сказал я Карле, выходя в холл. — Мы старые друзья.

— Это некоторое преувеличение, — отозвалась Голубой Хиджаб. Ее взгляд по-прежнему пригвождал Джасванта к его шикарному креслу.

— Личность установлена, — сказал Джасвант. — Пожалуйста, проходите, мадам.

С ней был Анкит, портье из отеля на Шри-Ланке. Он улыбнулся мне и приложил два пальца к виску.

Я помахал ему в ответ. Голубой Хиджаб никому не махала. Руки ее были сплетены на груди. Вдавив Джасванта взглядом еще глубже в кресло, она направилась ко мне. Анкит следовал за ней по пятам.

— *Салям алейкум*, боец, — приветствовал я ее.

— *Ва алейкум салям*, — ответила она, расплетая руки. В правой у нее был крохотный автоматический пистолет. — Мы не покончили с одним делом.

— *Салям алейкум*, — сказала Карла. — Этот парень, с которым вы разговариваете, размахивая пистолетом, — мой друг.

— *Ва алейкум салям*, — отозвалась Голубой Хиджаб, глядя в глаза Карле. — Пистолет — подарок. Он все еще заряжен.

— Мой тоже, — улыбнулась Карла.

Голубой Хиджаб улыбнулась в ответ.

— Познакомься, Голубой Хиджаб, — сказал я, — это Карла. Карла, это Голубой Хиджаб.

Женщины продолжали молча смотреть друг на друга.

— А это Анкит, — добавил я.

— Несомненная честь познакомиться с вами, мисс Карла, — сказал Анкит.

— Привет, Анкит, — ответила Карла, не спуская глаз с Голубого Хиджаба.

— Анкит умеет готовить такой напиток, что Рэнделлу остается только позеленеть от зависти, как абсент. Это даже не напиток, а портал между измерениями. Ты обязательно должна попробовать.

— Всегда рад открыть этот портал для вас, сэр, — отозвался Анкит.

— Я смотрю, девушки, у вас много общего, — заметил я и хотел продолжить мысль, но обе бросили на меня одинаковый не слишком ласковый взгляд, и я передумал.

— Ты выходишь за них, — сказала Голубой Хиджаб, — и надеешься, что они изменятся, повзрослеют. А они женятся, надеясь, что мы останемся прежними.

— Брачная уловка двадцать два[1], — сказала Карла и, взяв Голубой Хиджаб под руку, повела ее в бедуинский шатер. — Пошли ко мне, подруга, тебе надо отдохнуть. У тебя усталый вид. Много времени провели в пути?

— Сегодня нет, а вчера ехали двадцать один час и позавчера тоже, — ответила Голубой Хиджаб.

Они зашли в шатер, и Карла закрыла дверь. Мы с Джасвантом и Анкитом проводили их взглядом.

— Устрашающая женщина, — сказал Джасвант, вытирая вспотевшую шею. — Я думал, мисс Карла устрашающая — не в обиду тебе, *баба*, — но, клянусь, если бы я вовремя заметил, что эта женщина в голубом хиджабе поднимается по лестнице, я спрятался бы в туннеле.

— Она нормальная женщина, — сказал я, — и даже выше нормы. Она в полном порядке.

— Сэр, я заметил здесь неподалеку винный магазин, — сказал Анкит. — Могу я взять на себя смелость купить там ингредиенты, необходимые для вашего особого коктейля и приготовить для вас парочку порталов, пока мы ждем дам?

— Купить в магазине? — возмутился Джасвант и, щелкнув выключателем, распахнул свой шкаф с запасами для выживания.

---

[1] *«Уловка 22»* (1961) — сатирический антивоенный роман американского писателя Джозефа Хеллера (1923–1999).

ГРЕГОРИ ДЭВИД РОБЕРТС

Джасвант щелкнул вторым выключателем, и зажглись лампочки. Его палец нацелился на третий выключатель.

— Знаешь, Джасвант... — поспешно произнес я и все-таки опоздал.

Стомпо-джайво-шейковые раскаты бхангры грянули из настольных колонок.

Анкит исследовал содержимое секретного хранилища Джасванта. Его седые волосы были подстрижены и прилизаны, как у Кэри Гранта[1]; он отрастил тонкие усики. Вместо формы, которую носил в гостинице, он надел темно-синий тренч с высоким воротником и брюки из сержа такого же цвета.

Он окинул запасы Джасванта взглядом знатока, выбирающего подарок для женщины среди безделушек в витрине.

— Думаю, тут найдется все необходимое, — сказал он.

Тут бхангра взяла его за живое, он оставил многоцветную витрину и начал танцевать. Это получалось у него неплохо, так что Джасвант не выдержал и, покинув свое кресло, присоединился к нему. Они протанцевали всю мелодию до конца.

— Включить еще раз? — спросил Джасвант, отдуваясь, и потянулся к выключателю.

— Да! — сказал Анкит.

— Сначала дело, потом удовольствия, — вмешался я.

— Да, это верно, — согласился Джасвант, подходя к шкафу. — Так что тебе нужно?

— Мне нужно произвести небольшой химический опыт, — ответил Анкит, — и я полагаю, что тут есть все химикаты, которые для него требуются.

— Очень хорошо, — сказал я. — Пора заняться напитками. У нас впереди целая ночь. Нам с Карлой никуда не надо идти, и полно времени, чтобы туда попасть. Приступайте к делу, Анкит.

Анкит наполнил лаймовым соком стакан, добавил напитки из бутылок, раскрошил кокосовый орех и натер горький шоколад мелкой стружкой. Появились стаканы, и мы втроем собрались уже продегустировать первый алхимический замес, но тут Карла позвала меня.

— Начинайте без меня, парни, — сказал я, отставляя свой стакан.

— Бросаешь вечеринку с коктейлями, когда она еще даже не началась? — укоризненно бросил Джасвант.

— Присмотрите за моим стаканом, — сказал я. — А если услышите в комнате пальбу, прибегайте меня спасать.

[1] *Кэри Грант* (1904–1986) — англо-американский актер, знаменитый в 1930–1940-е гг.

706

ГЛАВА

76

Карла и Голубой Хиджаб сидели, скрестив ноги, на полу около балкона, ковры вокруг них представляли собой море переплетенных медитаций. Рядом стоял серебряный поднос с миндалем, ароматизированным розой и мятой, с квадратиками черного шоколада, хлопьями замороженного имбиря и наполовину опустошенными стаканами лаймового сока.

Красные и желтые огни уличного светофора отбрасывали в темноте мягкие блики на женские лица. Медленно вращавшийся под потолком вентилятор закручивал дым благовоний спиралью, легкий бриз напоминал о широком ночном просторе за окном.

— Сядь, Шантарам, — сказала Карла, потянув меня на ковер. — Голубой Хиджаб скоро должна уходить, но перед этим хочет сообщить тебе одну хорошую новость и одну не очень хорошую.

— Как ты? — спросил я нашу гостью. — В порядке?

— Со мной все в порядке, *альхамдулилла*[1]. Хочешь сначала хорошую новость или не очень хорошую?

— Давай сначала нехорошую.

— Мадам Жу еще жива, — сказала Голубой Хиджаб. — И на свободе.

— А хорошая новость?

— С ее плескунами покончено, а близнецы мертвы.

— Минуточку, — сказал я. — Давай уточним. Откуда ты знаешь о мадам Жу и почему ты вообще здесь?

— Я ничего не знала о мадам Жу — она меня не интересовала. Я хотела найти плескунов. Мы охотились на них целый год.

— Они изуродовали кого-то из ваших, — догадался я. — Очень жаль.

— Эта женщина была хорошим бойцом, она была и остается нашим хорошим другом. В Индию она приехала в отпуск, отдохнуть от войны. Кто-то нанял этих плескунов, и они превратили ее лицо в маску. В маску протеста, можно, наверное, сказать.

— Но она жива? — спросила Карла.

— Да.

— Мы можем как-то помочь?

— Вряд ли, Карла, — ответила Голубой Хиджаб. — Разве что вы захотите помочь ей наказать плескунов, чем она сейчас и занимается. Это займет некоторое время.

---

[1] Хвала Аллаху (*араб.*).

— Вы поймали плескунов? Никто не пострадал?

— Мы набросили на них одеяла и стали их избивать, пока они не выкинули бутылки с кислотой из-под одеял, а затем мы схватили их самих.

— И тут им на помощь выскочили близнецы, — вставил я, — которые думали, что вы нападаете на мадам Жу.

— Да. Мы не знали, что они защищают мадам Жу. Это нас не интересовало. Нам нужны были плескуны. Мадам Жу убежала, мы не стали ее останавливать. Мы отделались от близнецов и схватили плескунов.

— Вы отделались от близнецов... навсегда?

— Да.

— Что вы сделали с ними?

— Мы их оставили там. Поэтому мне и нужно срочно уезжать, *иншалла*.

— Все, что у нас есть, в твоем распоряжении, — сказал я. — А почему ты решила, что я должен знать об этом?

— Мы отвезли плескунов в трущобы. Там живут четыре брата и двадцать четыре двоюродных брата и сестры́ той девушки, которую плескуны изуродовали. И сама эта девушка живет там среди людей, которые ее любят. Мы допросили плескунов. Нам нужно было составить список всех их жертв.

— Зачем?

— Чтобы впоследствии посетить их семьи, одну за другой, и сказать им, что эти двое мертвы и никто больше от их рук не пострадает. А затем посетить каждого из тех, кто дал плескунам это задание, и заставить их заплатить за тот ад, в который они ввергли несчастных, *иншалла*.

— Голубой Хиджаб, — сказала Карла, — мы только что познакомились, но я люблю тебя.

Голубой Хиджаб сжала руку Карлы и повернулась ко мне:

— Когда мы заставили плескунов говорить, то услышали в списке жертв и твое имя. Они выслеживали тебя по приказу этой мадам в черном, которая убежала. Я узнала у них, где ты живешь, и пришла предупредить о намерениях этой женщины.

Это било по мозгам, и очень сильно. В том числе и мысль о том, что плескунов теперь мучают те, кому они доставили столько страданий. Обо всем этом не хотелось думать.

— Спасибо за предупреждение, Голубой Хиджаб, — сказал я. — Ты сегодня вечером уезжаешь. Как мы можем тебе помочь?

— Мне самой ничего не надо, — ответила она. — К утру я должна быть уже далеко отсюда, но Анкит остается здесь, и это проблема. Мы не можем ехать вместе, потому что из-за неожиданного изменения планов только одного из нас можно переправить через границу нелегально. Я знаю, он потребует, чтобы первой ехала я, — и я так и должна сделать, но я боюсь оставлять его здесь.

— С ним ничего не случится, если он будет с нами.

— Да нет, — сказала она. — Я боюсь оставлять его из-за его дикого нрава.

Дикий нрав никак не вязался в моем представлении с дружелюбным и предупредительным ночным портье с аккуратными усиками, мастером по приготовлению коктейлей.

— Это у Анкита дикий нрав?

— Он очень способный агент, — сказала Голубой Хиджаб. — Один из лучших и наиболее опасных. Немногие остаются в наших рядах до седых волос. Но ему пора на покой. Он почти три года проработал ночным портье в отеле, где толкутся журналисты, которые любят выпить и поболтать. Но его теперь слишком хорошо знают. Это было его последнее задание. Предполагалось, что я сведу его с нашими людьми в Дели и они помогут ему устроиться там, но убийство двойников изменило наши планы.

— Он в розыске? — спросил я. — Может быть, спрятать его где-нибудь?

Она нахмурилась:

— С какой стати ему быть в розыске?

— Ну, из-за близнецов.

— Их пристрелила я сама с товарищами. Анкит тут абсолютно ни при чем.

— Близнецов не так-то легко было остановить. Ты застрелила их из этой маленькой игрушки?

— Нет, конечно. — Она достала маленький автоматический пистолет из кармана юбки и показала его мне на ладони. — Из этой штуки я стреляю только по мужу. Потому он его и выкрал.

— Но ты держала его в руке, когда мы встретились, — улыбнулся я.

— Это по другой причине, — сказала она, задумчиво глядя на пистолет.

— Можно посмотреть? — спросила Карла.

Голубой Хиджаб дала ей пистолет. Карла оглядела его, нашла место на своей ладони, где линия желания встречается с линией судьбы. Затем она медленно подняла глаза и встретилась взглядом со мной.

— Хорошая вещь, — сказала она. — Хочешь посмотреть мой?

— Конечно, — ответила Голубой Хиджаб. — Но оставь этот пистолет себе. Скоро я встречу моего Мехму, *иншалла*, и я знаю, что пистолет мне больше не понадобится ни на этот раз, ни потом. Мы поговорили, и все уладилось, *альхамдулилла*.

— Ты отдаешь этот пистолет мне? — спросила Карла, беря оружие.

— Да. Я хотела подарить его Шантараму, но теперь я познакомилась с тобой и думаю, что надо дать его тебе. Ты принимаешь мой подарок?

— Да, принимаю.

— Хорошо. Теперь я хочу посмотреть твое оружие.

У Карлы был матово-черный короткоствольный пятизарядный револьвер тридцать восьмого калибра. Она отогнула край ковра рядом с собой, вытащила револьвер, отщелкнула барабан, высыпала патроны себе на колени и снова защелкнула барабан.

— Не обижайся, — сказала она, передавая револьвер Голубому Хиджабу. — Просто спуск очень чувствительный, почти не требует усилия.

Голубой Хиджаб со знанием дела осмотрела оружие и вернула его Карле. Пока та снова заряжала револьвер, она с удовлетворением взвесила свой пистолет на ладони.

Несколько секунд они задумчиво смотрели на меня, держа свое оружие в руках. Вид у них при этом был какой-то странно-отрешенный. Я не имел представления, о чем они думали в этот момент, но видел перед собой саму женственность, готовую дать отпор, и тихо радовался, что эти две железные леди нашли друг друга.

— Голубой Хиджаб, — сказала Карла, помолчав, — позволь мне тоже сделать тебе подарок.

Она вытащила длинную булавку из волос, скрученных узлом на затылке, и волосы рассыпались по плечам, как черные лапы пантеры.

— Носи ее, когда будешь снимать хиджаб, — сказала она, отдавая булавку. — Но будь осторожна, держи ее только за камень. Спуск очень чувствительный.

Булавка была трубкой-распылителем. В медный ободок на тупом конце был вставлен маленький рубин.

Карла резко поднялась, вышла в свою комнату и вернулась с длинной узкой бутылкой из красного стекла. На свинчивающемся колпачке был изображен майяский узор.

— Кураре, — сказала Карла. — Я выиграла трубку и бутылку у одного антрополога, когда мы играли в слова.

— Ты выиграла их в скрэбл? — удивилась Голубой Хиджаб, держа трубку в одной руке и бутылку в другой.

— Ну да, в игру вроде скрэбла, — ответила Карла. — Раз в месяц, в полнолуние, я опускаю булавку в жидкость и держу ее там всю ночь, чтобы она наполнилась ядом. Только не забывай, носить ее надо осторожно. Я как-то поцарапалась и потом долго не могла уснуть.

— Замечательно, — отозвалась Голубой Хиджаб. — Это быстро действует?

— Воткни булавку в шею человеку, и через шесть-семь шагов он упадет. Так что даже на высоких каблуках ты сможешь от него убежать.

— Просто восторг, — сказала Голубой Хиджаб. — И я могу взять ее себе?

— Ты *должна*.

— Спасибо, — застенчиво потупилась Голубой Хиджаб. — Мне очень нравится твой подарок.

— А из-за чего вы с Мехму устраиваете перестрелки на рассвете? — спросила Карла.

— Из-за хиджаба, — ответила Голубой Хиджаб со вздохом, вспоминая утренние баталии.

— Он считает, что это устарело?

— Ну да. Он говорит, что это недостаточно современно. Он строго следит за модой. У него двенадцать пар джинсов, и во всех них он сражается за права бедных. Он хочет, чтобы я сняла хиджаб и выглядела так же современно, как и другие, которые приезжают из Европы с длинными светлыми волосами.

— Ты и так выглядишь шикарно, — сказала Карла. — Это, между прочим, замечательный голубой цвет.

— Но не так шикарно, как другие товарищи, — посетовала Голубой Хиджаб.

— Какие товарищи?

Голубой Хиджаб посмотрела на меня, затем снова на Карлу:

— Шантарам ничего не рассказывал тебе обо мне?

— Да и я ничего не знаю, — отозвался я. — Я даже не знаю, какого цвета ваш флаг, я не спросил об этом.

— Ты не питаешь уважения к флагу? — нахмурилась она.

— Не особенно, — сознался я. — Но часто я питаю уважение к человеку, который держит его.

— Мы коммунисты — Мехму, Анкит и я, — сказала она Карле. — Мы сошлись с организацией Хабаша[1]. Обучались с палестинцами из НФОП в Ливии, но пришлось отказаться от этого. Они слишком... взвинчивали себя.

---

[1] *Хабаш*, Жорж (р. 1925) — лидер Народного фронта освобождения Палестины (НФОП).

— Что может делать тамильская девушка из Шри-Ланки вместе с палестинцами в Ливии? — спросила Карла. — Прости, если я сую свой нос куда не следует.

— Мы учились защищать своих людей.

— А кроме тебя, больше некому было этим заняться? — мягко спросила Карла.

— Кто возьмется за оружие, если мы не подадим пример? — ответила Голубой Хиджаб с горечью, захваченная колесом истории, накручивавшим в людях ярость отмщения.

— Слушай, неужели вы с Мехму всерьез воюете из-за хиджаба? — спросила Карла, меняя тягостную тему.

— Все время, — улыбнулась Голубой Хиджаб, прикрывая свой девичий рот солдатской ладонью. — В первый раз я выстрелила в него, когда он сказал, что в хиджабе я выгляжу на десять фунтов тяжелее.

— Сам напросился! — засмеялась Карла.

— Как по-твоему, это действительно так?

— Ты выглядишь в хиджабе очень стройной, — ответила Карла, — и у тебя очаровательное лицо.

— Правда?

— Подожди минуту. — Карла опять вскочила и устремилась в свой шатер.

— Тебе очень повезло, — сказала Голубой Хиджаб.

— Я знаю, — улыбнулся я, с любопытством ожидая возвращения Карлы. — Мехму тоже повезло.

— Нет, я имею в виду, тебе повезло, потому что ты был у плескунов следующим по списку.

Я посмотрел ей в глаза, где чернело знание многих темных дел.

Карла вернулась и села с нами. Она принесла синюю бархатную косметичку и вручила ее Голубому Хиджабу.

— Помада, тени для глаз, лак для ногтей, гашиш, шоколад и маленький сборник стихов Сефериса[1], — сказала она. — Воспользуешься этим, когда доберешься до пункта назначения и никто не будет тебе мешать.

— Ой, спасибо большое, — сказала Голубой Хиджаб, покраснев.

— Женщины должны держаться вместе, — сказала Карла. — Иначе кто спасет наших мужчин? Расскажи мне о том, как ты стреляла в Мехму во второй раз.

— Дело было так. Одна из девушек, приехавших с делегацией из Восточной Германии, предложила ему потрогать ее длинные

---

[1] *Сеферис*, Йоргос (Георгис) (1900–1971) — греческий поэт, критик, дипломат.

шелковые волосы, и это ему понравилось. И он хотел, чтобы я сняла хиджаб и продемонстрировала свои волосы.

— Может быть, это ее надо было подстрелить?

— Я не могла стрелять в нее только за то, что она предложила это. Мехму красивый мужчина, — возразила Голубой Хиджаб. — А вот он, сделав это, заслужил пулю.

— И куда ты ему выстрелила? — спросила Карла задумчиво; мне вопрос не понравился.

— В бицепс. Мужчины не любят, когда их бойцовские мускулы выходят из строя на полгода. А слишком вредных последствий при этом не остается. Берешь пистолет небольшого калибра, приставляешь к бицепсу с внутренней стороны, дулом наружу, и спускаешь курок. Главное — чтобы с другой стороны была хорошая стена, которая задержит пулю.

— Ты не думала о консультациях по вопросам семьи и брака? — спросила Карла.

— Мы испробовали всё...

— Нет, я имею в виду, не думала ли ты о том, чтобы *стать* консультантом? Мне кажется, ты прирожденный консультант, а у нас тут внизу есть свободное помещение для офиса. И это можно было бы связать с моим бизнесом.

— А что у тебя за бизнес? — спросила Голубой Хиджаб. — Если я не сую нос куда не следует.

— Я партнер в сыскном агентстве, которое называется «Утраченная любовь». Мы разыскиваем любящих друг друга, но расставшихся людей и соединяем их. Иногда они переживают воссоединение не легче, чем разлуку, и некоторым парам требуются консультации. Дело это хорошее, и мы с радостью работали бы с тобой.

— Мне нравится эта идея, — смущенно сказала Голубой Хиджаб. — Я уже давно мечтаю жить в доме, где не надо заклеивать окна газетами. Я... очень устала, и Мехму тоже. Когда будет возможность вернуться сюда, я зайду к тебе, Карла, и мы поговорим об этом, *иншалла*.

Я благоразумно старался держаться в стороне, хотя они делились своими женскими секретами в моем присутствии. Но мужчинам обычно не полагается слушать это, если их не пригласили. Закончив разговор, они осознали, что я все слышал без приглашения, и, судя по их глазам, это им не нравилось. Правда, Карла улыбалась, но Голубой Хиджаб смотрела грозно, держа ядовитую булавку в руке.

— Ты... кхм... ты говорила, что есть какие-то проблемы с Анкитом? — спросил я.

713

— У нас изменились планы, и уехать сейчас должна я, — объяснила она Карле, несколько оттаяв. — Я не могу взять его с собой. Но и бросить просто так не могу. Он хороший товарищ и хороший человек.

— Я найду ему работу на черном рынке, если хочешь, — предложил я. — Он там отлично перекантуется, пока ты не вернешься.

— Я возьму его *к себе*, — сказала Карла. — Он три года был ночным портье. Такой опыт всегда пригодится.

— Или он будет работать на черном рынке *со мной*, — повторил я, болея за свой коллектив.

— Или не будет, — улыбнулась мне Карла, — ни при каких условиях.

— В общем, он не пропадет, — резюмировал я, — не беспокойся.

Голубой Хиджаб вставила булавку с камнем в бутылку и, завинтив пробку, засунула смертоносное оружие в один из потайных карманов своей юбки.

— Мне пора идти, — сказала она, с некоторым трудом поднимаясь на ноги.

Мы с Карлой поспешили помочь ей, но она замахала руками, вялыми, как анемоны:

— Со мной все в порядке, все в порядке, *альхамдулилла*.

Она выпрямилась, оправила юбку и вышла вместе с нами в холл.

Анкита не было видно. Джасванта тоже не было на своем месте. Он поедал что-то в своем тайнике. В руке у него было печенье, в бороде крошки.

— А где Анкит? — спросил я.

— Анкит? — переспросил он испуганно, словно я обвинял его в том, что он съел нашего гостя.

— Ну да, начальник по коктейлям.

— Ах, Анкит. Отличный парень. Немного стеснительный.

Он двинулся нетвердой походкой к своему столу, вытряхивая крошки из бороды и пристально разглядывая рисунок, образованный ими на полу.

— Сколько коктейлей вы выпили, Джасвант?

— По три, — ответил он, показывая четыре пальца.

— Повесь табличку «Закрыто», — сказал я. — У тебя идет важный химический опыт. Так где Анкит?

— Приходил Рэнделл, выпил пару коктейлей и повел его вниз показать свой автомобиль. А что?

— А где Навин? И Дидье?

— Кто-кто?

Я повернулся к Голубому Хиджабу:

— Ты можешь встретиться с Анкитом внизу.

— Нет-нет, — тут же возразила Голубой Хиджаб. — Я не хочу прощаться с ним. Сколько раз я произносила «до свидания», и это оказывалось последним, что я говорила людям. Тут нет другого выхода?

— Тут много выходов. Выбирай любой.

— Я сам провожу даму, — вмешался Джасвант, который, накоктейливишись, перестал бояться Голубого Хиджаба. — Мне надо прогуляться и проветриться.

— Давай мы тоже проводим тебя, — предложила ей Карла.

— Нет, спасибо, лучше я пойду одна. Я чувствую себя увереннее, когда защищать надо только себя, *альхамдулилла*.

— Ну да, пока ты не встретишься со своим мужем, — сказала Карла. — И вы, может, займетесь вместе чем-нибудь мирным, вроде семейного консультирования. У тебя есть деньги?

— Да, мне хватит, *альхамдулилла*. Мы еще увидимся, Карла, *иншалла*.

— *Иншалла*, — ответила Карла, улыбаясь и обнимая ее.

Голубой Хиджаб повернулась ко мне и нахмурилась.

— Тогда, в машине, я плакала по Мехму и по себе, — сказала она. — Но и по тебе я плакала тоже. Мне было больно, что та девушка умерла, пока тебя не было, а я не могла тебе ничего сказать. Ты мне понравился. И сейчас нравишься. И я рада за тебя. *Аллах хафиз*.

— *Аллах хафиз*, — ответил я. — Джасвант, мы на тебя надеемся. Соберись. А то тебе море по колено.

— Без проблем, — улыбнулся он мне. — Охрана тела гарантирована. Я запишу это на твой счет.

Когда мы остались одни, Карла села за стол Джасванта и потянулась к третьему выключателю.

— Ты этого не сделаешь, — сказал я.

— Ты прекрасно знаешь, что сделаю! — засмеялась она, щелкая выключателем.

Бхангра загрохотала, сотрясая стены.

— Джасвант услышит и впишет это мне в счет! — заорал я, стараясь перекричать музыку.

— Вот и хорошо! — крикнула Карла в ответ.

— О’кей, ты сама напросилась, — сказал я, вытаскивая ее из-за стола. — Танцы!

Она не сопротивлялась, пока я ее тащил, но вместо танца прильнула ко мне.

— Сам знаешь, плохие девчонки не танцуют, — сказала она. — Ты же не станешь заставлять меня силой, Шантарам.

— Я тебя не заставляю, — закричал я, делая в танце несколько шагов от нее. — Но *я* танцую, а ты можешь *присоединиться* ко мне, если *хочешь*.

Она улыбнулась и понаблюдала за моим танцем некоторое время, затем начала двигаться и отдалась музыке.

Ее бедра были волнами морского прибоя, руки — извивающимися морскими водорослями. Она приблизилась ко мне и стала танцевать вокруг меня, искушая, затем волна накрыла меня, и я уже не видел ничего, кроме черной кошки и зеленого огня.

Плохие девчонки все же танцуют, равно как и плохие парни. Музыка пронизывала меня, как осуществившаяся мечта, и я думал о том, что надо непременно взять эту запись у Джасванта и, может быть, вместе с его системой. От этих мыслей я очнулся, столкнувшись со стоявшим в дверях почтальоном.

Карла выключила музыку, и во внезапной тишине в ушах зашелестело угасающее эхо музыки.

— Вам письмо, сэр, — сказал почтальон, протягивая мне свой планшет с бланком, чтобы я расписался.

На дворе была ночь, еще даже не светало, но это была Индия.

— Ха, — сказал я. — Вы говорите, мне письмо?

— Вы мистер Шантарам, и письмо адресовано мистеру Шантараму, то есть вам, — ответил он терпеливо.

— О'кей, — сказал я, расписываясь. — Не слишком ли поздний час для работы?

— Или не слишком ли ранний? — сказала Карла, прислонясь к моему плечу. — Почему вы разносите письма, когда никто не работает, почтальон-джи?

— Во искупление моих грехов, мадам, — ответил он, пряча планшет в сумку.

— Искупление грехов, — улыбнулась Карла. — Невинность взрослых людей. Как вас зовут, почтальон-джи?

— Хитеш, мадам.

— Добропорядочный человек, — перевела она имя.

— К сожалению, нет, мадам, — ответил он, отдавая мне письмо.

Я сунул его в карман, не поглядев на конверт.

— А можно спросить, какие грехи вы искупаете? — спросила Карла.

— Я был пьяницей, мадам.

— Но сейчас вы не пьяны.

— Сейчас нет, мадам. Но я пил и пренебрегал своими обязанностями.

— Каким образом?

— Иногда я так напивался, — ответил он спокойно, — что прятал мешки с письмами, потому что был не в состоянии разносить их. Почтовое управление заставило меня пройти программу излечения, и потом мне разрешили вернуться на работу при условии, что я разнесу все недоставленные письма в мое свободное время и извинюсь перед людьми, которых я подвел.

— И одно из недоставленных писем вы принесли нам.

— Да, мадам. Я начал с гостиниц, потому что они открыты в эти часы. Так что простите меня, пожалуйста, мистер Шантарам, за то, что я принес вам письмо с таким опозданием.

— Мы прощаем вас, — сказали мы в унисон.

— Благодарю вас. Доброй вам ночи и доброго утра. — Он уныло стал спускаться по лестнице, направляясь по следующему адресу.

— О Индия! — произнес я, качая головой. — Я люблю тебя.

— Не хочешь прочесть? — спросила Карла. — Письмо, доставленное самой судьбой в лице переродившегося человека.

— На самом деле это ты хочешь прочесть его, да?

— Любопытство — самоистязание.

— Я не хочу его читать.

— Почему?

— Письмо — это слишком назойливая судьба. У меня всегда с письмами связана какая-нибудь гадость.

— Ну разве? — сказала она. — Ты написал *мне* два письма, и это лучшие письма, какие я когда-либо получала.

— *Писать* их я могу, время от времени. Но я не люблю *получать* их. Один из вариантов ада в моем представлении — это мир, где ты получаешь письма каждую минуту, каждый день, непрерывно и вечно. Это кошмар.

Она посмотрела мне в лицо, затем на уголок письма, торчавший из кармана, и снова в лицо.

— Прочти его, Карла, если хочешь, — сказал я, протягивая ей письмо. — Я буду только рад. Если там есть что-нибудь важное, ты скажешь мне об этом. Если нет — порви его.

Она посмотрела на конверт:

— Ты даже не знаешь, кто его послал.

— Меня это не интересует. Мне с письмами не везет. Просто скажи мне, если там есть что-то, что я должен знать.

Она задумчиво похлопала конвертом по щеке.

— Оно и так уже запоздало, так что я прочту его позже, после того как мы найдем Анкита и убедимся, что с ним все в порядке, — сказала она и спрятала письмо под рубашку.

— За Анкита можешь не беспокоиться. Он не даст себя в обиду. Он опасный коммунист, вымуштрованный палестинцами в Ливии. Мне кажется, лучше пойти в твой шатер и проверить, все ли в порядке там.

— Это можно сделать, — улыбнулась она, — но сначала давай все-таки спустимся, а потом уже снова поднимемся.

ГЛАВА
77

Мы спустились по лестнице, думая о том, как снова поднимемся, и, еще не успев завернуть под арку позади здания, услышали смех Рэнделла и Анкита.

Подойдя к переоборудованному лимузину, мы увидели, что они оба валяются на матрасе в заднем купе, между ними сидит Винсон, а Навин и Дидье беседуют на передних сиденьях.

— Замечательная картина, — расплылась в улыбке Карла. — Как жизнь, мальчики?

— Карла! — закричал Дидье. — Иди к нам!

— Привет, Карла! — присоединились к нему другие.

— По какому поводу гулянка? — спросила она, опершись на открытую заднюю дверцу машины.

— Мы оплакиваем свою участь, — ответил Дидье. — Мы все брошенные или трагически разлученные судьбой мужчины, и ты получишь глубокое удовлетворение, если присоединишься к нам в нашем несчастье.

— Брошенные? — фыркнула Карла. — *Et tu, Didier?*[1]

— Тадж бросил меня! — пожаловался он.

— Надо же! Скульптор разрубил своим резцом вашу любовь надвое.

— А меня бросила мисс Дива, — сказал Рэнделл.

— И меня тоже, — добавил Навин. — «Отныне мы только друзья», — сказала она.

— А я так и не нашел свою любовь, — сказал Анкит. — Я, правда, все еще продолжаю поиски, но так давно уже занимаюсь этим в одиночестве, что по праву могу участвовать в общем плаче.

— А меня выгнала из ашрама Ранвей, — сказал Винсон. — Я нашел ее и типа снова потерял. Она сказала, что я должен провести там с ней еще месяц. Целый месяц! Мэн, весь мой бизнес полетит к чертям, если я застряну там на месяц. А она этого не

---

[1] И ты, Дидье? *(фр.)*

понимает. Она прогнала меня. Но я, к счастью, встретил этих парней.

Они пили анестезирующий напиток Анкита. Винсон загружал кальян. Стеклянная чаша была выполнена в форме черепа. В нем плавала маленькая змейка из жемчуга.

Винсон предложил трубку мне, но я уступил ее Карле. Она отмахнулась от нее.

— Я хочу сперва отведать знаменитые коктейли Анкита, — заявила она. — Для этого мне надо найти место у вас в автомобиле.

— Садись здесь, между нами, — предложил Дидье.

— Лин, а ты где сядешь? — спросила Карла.

— Мне надо почистить байк, — ответил я. Лимузин, перегруженный мужскими стенаниями, не представлял для меня такого интереса, как для нее. — Продолжайте пока без меня, а я присоединюсь позже.

Карла поцеловала меня. Навин вылез из автомобиля и пригласил Карлу в салон. Она забралась на переднее сиденье и устроилась с удобством рядом с Дидье задом наперед, прислонив спинку сиденья к приборной доске и скрестив ноги.

Навин улыбнулся мне, залез в машину и закрыл дверцу. Рэнделл включил фонарик-мигалку из запасника Джасванта и передал Карле стакан с коктейлем Анкита.

— За «Утраченную любовь», джентльмены! — провозгласила она тост.

— За «Утраченную любовь»! — подхватили джентльмены.

Для полного комплекта не хватало только Олега, поэтому он тут же и забрел под арку. Его обычная улыбка выглядела несколько натянуто. Увидев компанию в автомобиле, он оживился:

— Круто! Рад видеть тебя, Лин.

— Где ты пропадал, старик?

— У этих баб, у Дивушек. Они выжали меня, как борцовское полотенце, и выкинули. Я совершенно... мм...

— Razbit? — подсказал я.

— Да, разбит. По какому поводу пьянка?

— Это ежегодная встреча утерянных любовников. Она уже давно началась, а тебя все нет и нет. Залезай к ним.

Они закричали, загудели и втащили Олега на заднее сиденье, где он втиснулся рядом с Рэнделлом. Ему вручили стакан с коктейлем.

В ожидании Карлы я пошел к своему байку, припаркованному в самом удобном для быстрого выезда месте. Вытащив тряпки из-под сиденья, я стал любовно протирать мотоцикл.

Карла громко хохотала, Дидье визжал от смеха, а я разговаривал с байком, обещая ему, что никогда его не брошу.

Меня беспокоила мадам Жу. Я недостаточно хорошо ее знал, чтобы судить о том, любила ли она близнецов, — если вообще любила кого-нибудь. Но они находились при ней неотлучно в течение долгих лет. Она была мстительна и давно свихнулась. Интересно было бы знать, признала ли она свое поражение и затаила злобу или не признала, но злобу затаила.

Она, похоже, любила материализоваться из какого-нибудь темного угла под аркой нашего отеля, как раз там, где Карла в это время развлекалась в приятном обществе.

До рассвета оставался час. Я надеялся, что солнце изгонит нечистую силу. Присев на вылизанный байк, я выкурил косяк, посматривая на оба выхода из-под арки и вздрагивая при звуке шагов или мотора.

В раздумьях и беспокойстве прошло какое-то время, и наконец передняя дверца автомобиля распахнулась. Из нее со смехом вывалился пьяный Навин и с подчеркнутой любезностью придержал дверцу для Карлы.

Она выпорхнула из клетки и направилась ко мне томной походкой.

Навин и все прочие в спальном автомобиле громко попрощались с Карлой и пожелали ей доброй ночи. Рэнделл опустил шторки на окнах, готовясь к восходу.

— Ты не против посидеть здесь, пока не рассветет? — спросил я.

— Совсем нет, — ответила она, садясь рядом со мной. — Ты тут на посту, как я понимаю?

— Как подумаю о мадам Жу, меня всего трясет. Она была очень привязана к близнецам.

— Она свое получит, — сказала Карла. — Уже частично получила от Голубого Хиджаба. Карма — это молот, а не перышко.

— Я люблю тебя, — сказал я, наблюдая за тем, как ее лицо прорисовывается в темноте бледной рассветной тенью, и желая поцеловать ее. Но само ощущение этого желания было настолько приятным, что прерывать его поцелуем не хотелось. — Как провела время в автомобиле?

— Потрясающе. Насобирала кучу материала для следующего конкурса афоризмов. Это прямо акупунктурная схема мужских слабостей.

— Скажи какой-нибудь афоризм, — попросил я.

— Ну уж нет, — засмеялась Карла. — Они еще не отшлифованы.

— Всего один.

— Нет.

— Один-единственный, — не отставал я.

— Ну хорошо, — сдалась она. — Вот тебе один. Мужчины — это желания в оболочке секретов, а женщины — секреты в оболочке желаний.

— Здорово.

— Тебе нравится?

— Очень.

— Было забавно смотреть, как мужчины вылезают, так сказать, из своих оболочек. Это все с подачи Дидье, конечно. Без него никто из них не стал бы так откровенничать.

— Ты сказала Анкиту о Голубом Хиджабе?

— Да, — улыбнулась она. — Вставила как бы между делом в оболочке всеобщего уныния, так что он не очень возражал.

— Очень хорошо.

— И я предложила ему работу. Он тоже не стал возражать.

— Молодец. А ты время даром не теряла. В каких еще случаях вы не теряете время даром, мадам Карла?

Уже достаточно рассвело, чтобы оставить парней без присмотра, и давно пора было идти в шатер. Я было тронулся с места, но Карла меня остановила:

— Ты не сделаешь кое-что вместе со мной?

— Как раз этим я и собирался заняться.

— Нет, я хочу спросить, не *пойдешь* ли ты кое-куда вместе со мной?

— Обязательно пойду. Наверх, в твой шатер.

— Я имею в виду, после шатра?

— После — безусловно, — рассмеялся я как раз в тот момент, когда в затемненном лимузине раздался взрыв хохота. — Но при условии, что ты перестанешь уводить у меня моих персонажей.

— Уводить твоих персонажей?

— Анкита, Рэнделла, Навина, — улыбнулся я, зная, что она поймет.

Она засмеялась:

— *Ты* мой главный персонаж, и не забывай об этом.

— Ну если так, то куда я иду с тобой?

— На гору, — сказала она. — К Идрису.

— Отлично. Проведем там уик-энд.

— Я предполагала более длительный срок.

— Насколько более длительный?

— Я думала пробыть там, пока не пойдут дожди, — ответила она мягко. — Или пока они не прекратятся.

— Два месяца?!

Взять такой отпуск, работая на черном рынке, было непросто.

У меня в помощниках трудился молодой парнишка по имени Джагат, который пострадал при чистке, устроенной Вишну. Он был индусом, но ему не нравилось, что мусульман изгоняют из Компании только из-за их религии. Вишну не стал наказывать его как единоверца, но выгнал вместе с мусульманами.

Джагат был способным парнем, не порвал окончательно с Компанией 307 и в качестве ронина[1] вполне мог присматривать за менялами во время моего отсутствия.

Так что я мог, в принципе, уехать на два месяца и, вернувшись, увидеть, что система функционирует по-прежнему.

Но не исключено и то, что я вернусь на руины всего, что имел, и найду юного Джагата убитым или не найду его вовсе.

— С тобой куда угодно, Карла, — сказал я. — Я-то могу устроить себе такие долгие каникулы, а вот можешь ли ты?

Она взяла меня за руку, и мы пошли к лестнице.

— Я переписала ранджитовские акции, которые держала по доверенности, на его нелюбимую сестру, — сообщила она. — Галерейные акции я отдала Таджу и выставочному комитету. Все, что могла унаследовать от Ранджита после утверждения завещания судом, я переписала на его нелюбимого брата. Это он подкупил Ранджитова шофера, чтобы тот подложил в его автомобиль поддельную бомбу. Так что я подложила этому брату тоже нечто вроде бомбы замедленного действия.

— В общем, ты смыла с себя все текущие активы Ранджита.

— Кое-что текущее я оставила себе, чтобы подкрепляться время от времени.

— И ты действительно хочешь провести на горе два месяца?

— Да. Я понимаю, что там не идеальные условия, а у тебя тут дела, но очень хочется вдохнуть свежего воздуха и набраться свежих идей. Мне нужно избавиться от призраков прошлого и начать с новой страницы вместе с тобой. Ты сможешь? Ради меня, ради нас обоих?

Я прирожденный горожанин, любящий природу, но и городские удобства тоже. Несколько месяцев в тесноте, с холодным душем и ночевками на тонком матрасе, постланном на земле, — не больно-то радужная перспектива, но Карла хотела этого, это было ей нужно. А в городе к тому же после бунтов и локдауна сложилась странная, напряженная обстановка, которая еще даже наполовину не нормализовалась. Момент был вполне подходящий, чтобы куда-нибудь смыться.

— Решено, едем, — сказал я, и она радостно улыбнулась. — Посмотрим, что нам даст гора.

---

[1] *Ронин* — исходно, самурай в феодальной Японии, потерявший хозяина и ставший бродягой.

Часть четырнадцатая

ГЛАВА

 78

Мы двигались по лесной дороге, где мягкие листья молодых деревьев гладили нас по лицу и скрывали голубые горизонты при каждом повороте. Мартышки бросались врассыпную, забирались на большие валуны и глядели оттуда осуждающе. Налетали фаланги воронья, ощетинившиеся перьями и пытавшиеся запугать нас, накаркав всяческие беды. Ящерицы сновали по рассыпавшимся в прах стволам поваленных деревьев.

Мы ехали на своем байке, Рэнделл с компанией следовал сзади на лимузине. Донесшийся из далекого заповедника тигриный рык стряхнул стайку разноцветных птиц с дерева. Они вылетели на прогалину, окружив нас облаком, которое распалось при приближении к горной автостоянке.

Мы оставили мотоцикл и машину позади магазина, торговавшего прохладительными напитками и закусками, и уплатили служителю приличную сумму за то, чтобы присматривал за нашим транспортом. Я сказал служителю, что буду наведываться через день и проверять, в каком состоянии мотоцикл, и, если окажется, что он чем-то обижен, я буду недоволен. Об автомобиле я не беспокоился. Он был большой и мог сам постоять за себя.

С нами была целая команда: Рэнделл, Винсон, Анкит и Дидье. Навин и Олег тоже хотели поехать, но кто-нибудь из утраченных любовников должен был нести караул в офисе «Утраченной любви». Когда перед нами вырос первый крутой склон, Дидье спросил, нет ли другого маршрута.

Карла хотела было сказать ему, где находится более легкий подъем, но я остановил ее. Я знал, как скептически и агрессивно Дидье способен повести себя в святом месте, и хотел, чтобы он как следует вымотался по пути к вершине, а не вошел в лагерь Идриса с победным видом.

— Ты что, не в силах подняться здесь? — спросил я его.

— Скажешь тоже! — возмутился он. — Я имею в виду, нет ли какого-нибудь более трудного маршрута. Не существует такой вершины, которую не покорила бы решимость Дидье.

Карла полезла вверх первой, за ней шел я, за мной Дидье, за ним Рэнделл, Винсон и Анкит. Дидье поднимался очень успешно — я тащил его за руку вверх, снизу его подталкивал Рэнделл.

Винсон решил обогнать нас, карабкаясь сбоку от тропинки. Он явно получал от этого удовольствие. Я удивился, увидев в двух шагах позади него Анкита. Вскоре они исчезли из виду, затерявшись наверху среди высокой травы, вьющихся растений и кустарников.

Где-то по пути Карла вдруг рассмеялась, а я вспомнил, как Абдулла сделал ей комплимент, сказав, что она проворна, как обезьяна.

— Абдулла! — крикнул я ей.

— Да, я как раз об этом и подумала! — сказала она, хохоча.

Но затем мы замолчали, думая о высоком, храбром и неукротимом иранце, которого так любили. Он исчез опять, уже не в первый раз. Было неизвестно, когда мы снова увидим его и каким он предстанет перед нами.

Так в молчании мы дошли до вершины, где присоединились к Винсону и Анкиту. Они стояли и рассматривали маленькое плато, на котором расположилась школа Идриса.

На площадке была сооружена временная постройка из бамбуковых шестов, напоминающая пагоду, с нее свисали гирлянды цветов. Между шестами натянули трехцветную оранжево-бело-зеленую парусину, повторяющую цвета индийского флага.

Трехцветный тент над этим сооружением трепыхался на ветру и создавал в центре площадки большой затененный участок, устланный прекрасными коврами. Четыре широкие удобные подушки были уложены полукругом перед низеньким деревянным помостом.

В стороне от пагоды ученики занимались подготовкой к какому-то торжественному событию.

— Здесь всегда так? — спросил Рэнделл.

— Нет, — ответил я. — Наверное, предстоит что-то особенное. Надеюсь, мы не помешаем.

— Надеюсь, у них есть бар, — сказал Дидье.

Наша команда городских грешников с интересом рассматривала открывшуюся сцену.

Мы с Карлой встретились взглядами.

— Ты, наверное, гадаешь, кто доставил сюда эти ковры и бамбуковые шесты? — тихо спросила меня Карла.

726

— Вся эта красота явно приготовлена для больших шишек, — сказал я. — Чтобы притащить сюда все это даже по самой легкой тропе, нужна либо глубокая вера, либо глубокое уважение.

От группы людей, изготавливавших украшения и раскладывавших еду на подносах, отделился итальянец Сильвано.

— *Come va, ragazzo pazzo?* — спросил он, подойдя ко мне. (Как поживаешь, чокнутый?)

— *Ancora respirare,* — ответил я. (Дышу пока.)

Он расцеловал Карлу в обе щеки и встряхнул меня.

— Это замечательно, что вы сегодня с нами, Лин, — сказал он. — Я очень рад видеть вас. Познакомь со своими друзьями.

Я представил всех Сильвано, он приветствовал их улыбкой, освещенной сиянием веры.

— Само небо привело вас сегодня сюда, Лин, — сказал он.

— Ах вот как? А я думал, это идея Карлы.

— Я хочу сказать, что сегодня у нас состоится знаменательный диспут. Известные мудрецы из четырех штатов вызвали Идриса на состязание по философии.

— Философский диспут? — спросила Карла. — Их уже больше года не было, если не ошибаюсь.

— Действительно, — ответил Сильвано. — А сегодня будут обсуждаться все важнейшие вопросы и будут даны все ответы. Это выдающийся диспут, который будут вести выдающиеся святые люди.

— Когда он начнется? — спросила Карла. Ее глаза разгорелись в предвкушении состязания.

— Примерно через час. Мы еще готовимся. Вы успеете отдохнуть после подъема и перекусить.

— Бар работает? — спросил Дидье.

Сильвано посмотрел на него, хлопая глазами.

— Да, сэр, — сказал Анкит, встряхнув заплечный мешок, который он без труда приволок по крутому склону.

— Слава богу, — сказал Дидье. — А где тут ванная комната?

Я оставил Карлу с Дидье и всеми остальными и, взяв горшок с водой, нашел в лесу место, которое вроде бы не возражало против того, чтобы я помылся.

Как только мы расстались с Карлой после долгого пути наверх, у меня в ушах раздался чей-то предсмертный крик. Крик не прекращался, и я осознал, что это кричат плескуны, требуя отмщения.

С того момента, когда Голубой Хиджаб рассказала о поимке плескунов, о пытках, которым их подвергли, и об их смерти, я чувствовал плеск прибоя у своих ног, красного прибоя их горящих душ.

По пути к горе, ощущая за спиной Карлу, я плыл по течению любви, как листок на поверхности пруда в воскресный день. Но когда мы разошлись в стороны, во мне стали пробуждаться пугающие воспоминания. След от цепи хуже, чем укус; тот, кто сдается, всегда кричит громче того, кто сражается.

На вершине, пока все готовились к дебатам мудрецов, я пошел в мудрый лес, чтобы очиститься и побыть одному, наедине с воспоминаниями о мучениях и о смирении.

Я испытывал боль за Голубой Хиджаб и за ее подругу, товарища по борьбе, опаленную ужасным огнем, а также за всех ее родных и соседей, которые были в такой ярости, что поступили с мучителями так же, как мучители поступали с ними.

Но любая казнь убивает справедливость, потому что нельзя убивать ничью жизнь. Когда меня колотили в тюрьме, внутри я ощущал пустыню и уцелел лишь потому, что простил моих мучителей. Я научился этому у других заключенных, которых мучили до меня; они считали своим долгом поделиться опытом, когда меня сковали и избивали.

«Не поддавайся гневу, — говорили эти мудрые люди. — Если будешь ненавидеть их так же, как они ненавидят тебя, твой разум погибнет, а это единственное, до чего они не могут добраться».

— Ты в порядке, малыш? — раздался голос Карлы за деревьями. — Диспут вот-вот начнется, и я хочу занять нам места.

— Я в порядке! — крикнул я в ответ, хотя никакого порядка или даже сносного непорядка в себе не чувствовал. — Я в порядке.

— Остается две минуты! — крикнула она. — Нам нельзя это пропустить. Это организовано для нас, Шантарам.

Я понимал, почему Карла привела нас на гору к легендарному мудрецу. Она хотела излечить меня, спасти. Я разрушался внутри, и она это видела. Возможно, она и сама разрушалась. Подобно Карле и прочим бойцам, которых я знал, я смеялся и шутил по поводу того, что заставляло плакать людей, чьи сердца не были так изуродованы. Я научился переносить потери и смерти. Оглядываясь на прошлое, я вижу сплошное смертоубийство: почти все, кого я любил, мертвы. И единственный способ выдержать постоянную убыль того, что ты любишь, — всякий раз вбирать в себя маленькую частицу очередной холодной могилы.

Когда Карла ушла, я окинул взглядом путаницу листьев, в которой могут разобраться только деревья. Ненависть плетет сеть, обладающую силой притяжения, захватывающую отдельные крупицы внутренней неразберихи и свивающую их в спирали насилия. У меня тоже были причины ненавидеть плескунов, я не обладал иммунитетом против этой сети и мог бы отдаться ненависти, если бы захотел. Но здесь, в лесу на горе, я хотел очиститься не от ненависти, а от стыда за то, что не было мной остановлено, хотя не я создал это.

Иногда я не мог остановить что-то по той или иной причине или мог, но не остановил. Иногда я сам делался частью какого-то зла прежде, чем осознавал это.

И теперь, один в лесу, я простил то, что со мной делали. Каясь в собственных грехах, я простил их за то, что они делали, и надеялся только, что кто-нибудь где-нибудь простит меня. И ветер в буйной листве сказал мне: «Смирись. Один человек — это все люди, а все — это один. Смирись».

ГЛАВА

79

«Вера — это внутренняя честность, — сказал мне однажды священник-вероотступник. — Поэтому старайся внутренне расти, когда есть такая возможность». Верные последователи учителя-мистика Идриса собрались к вечеру на площадке, усыпанной белыми камешками, в надежде, что его беседа с другими мудрецами поможет им внутренне вырасти.

Некоторые слушатели не признавали его учения, это были сторонники прибывших в гости мудрецов, надеявшиеся, что Идрис, вызывающе смиренный мыслитель, будет сброшен со своего диссидентского пьедестала. Истинная вера, как и искренность, смело бросает вызов самой себе, в то время как робкие сердца противятся всякому отклонению от прямой линии.

Дидье, верный своим сибаритским привычкам, нашел сплетенный толстыми узлами веревочный гамак, подвешенный между деревьями, и схватился с этим аллигатором, пытаясь оседлать его, чтобы отсидеться во время диспута в тени.

Но Карла ему не позволила.

— Если пропустишь диспут, — сказала она, вытаскивая его из гамака, — я не смогу потом обсудить его с тобой, так что будь добр, не увиливай.

Она усадила всю нашу группу в одном месте, откуда мы могли видеть лица всех мудрецов, включая Идриса. Слушатели расположились на подушках, разложив их как можно ближе к пагоде, чтобы не упустить ни одного умозаключения и уловить даже интонацию говорящего. Ученики обменивались историями о легендарных мудрецах, вызвавших Идриса на поединок, и в воздухе витало, как призрак их репутации, нетерпеливое ожидание.

Святые мудрецы появились из самой большой пещеры, где они медитировали, готовясь к состязанию умов. Это были признанные гуру, имевшие своих последователей; самому младшему было тридцать пять лет, старшему что-то около семидесяти, он был почти такого же возраста, как Идрис.

Они носили просторные белые дхоти, окутывавшие фигуру, на шее висели цепочки плодов рудракши. Считалось, что эти бусины обладают важным духовным свойством отличать позитивные субстанции от негативных. Если поднести цепочку бусин к чистому веществу, они будут вращаться по часовой стрелке, а около негативного вещества — в обратном направлении, вот почему редко увидишь гуру без нитки отборных плодов.

Они носили также кольца и амулеты, позволявшие при составлении астрологических карт усилить влияние дружественных планет и уменьшить вред, причиненный враждебными сферами, которые находились очень далеко, но проявляли свою силу.

Ученики шепотом сообщили нам, что нельзя произносить имена знаменитых мудрецов, потому что из скромности они предпочитали задавать Идрису вопросы анонимно.

Наблюдая за тем, как они расходятся по своим местам, шагая по лепесткам роз, разбросанных учениками на их пути, и как рассаживаются на больших подушках, я придумал им имена для моего собственного употребления: Ворчун — самый молодой, Скептик — следующий, Честолюбец — третий, а самого старшего, который быстрее всех уселся на подушку и сразу потянулся за лаймовым соком и куском свежей папайи, я назвал Себе-на-уме.

— Сколько это продлится? — шепотом спросил Винсон.

— Слушай, Винсон, — проговорила сквозь плотно сжатые губы Карла, сдерживая досаду, — ты хочешь провести семь лет за изучением философии, теологии и космологии?

— Да нет, не очень, — пробормотал Винсон.

— А хочешь научиться говорить так, чтобы Ранвей подумала, будто ты семь лет изучал все это?

— Типа да.

— Тогда не возникай и слушай. Эти диспуты с Идрисом происходят не чаще раза в год, и я никогда еще не присутствовала на них. Это шанс разом ухватить всю суть его учения, и я не хочу пропустить ничего.

— Антракт будет? — спросил Дидье.

Идрис, встав на колени перед самым старшим мудрецом, получил его благословение, затем проделал то же самое перед тремя остальными и только после этого занял место на возвышении и приветствовал собравшихся.

— Давайте покурим, прежде чем начинать, — предложил он.

Ученики принесли в пагоду большой кальян и курительные трубки для всех мудрецов. Трубка на самом длинном шланге досталась Идрису, он и пробудил кальян к жизни.

— Ну вот, — сказал он, когда накурились все, включая Дидье, который, не желая отставать от святых людей, дымил косяком, — теперь задавайте свои вопросы.

Мудрецы посмотрели на Себе-на-уме, предоставляя ему право открыть военные действия. Пожилой гуру улыбнулся, набрал в грудь воздуха и, зайдя в философский поток по щиколотки, пустил по воде пробный семантический камень.

— Что есть Бог? — спросил он.

— Бог — идеальное воплощение всех позитивных свойств, — ответил Идрис.

— Только позитивных?

— Исключительно.

— Значит, Бог не может грешить и творить зло? — спросил Себе-на-уме.

— Разумеется, не может. Не хочешь ли ты сказать, что Он может совершить самоубийство или солгать простодушному?

Мудрецы стали совещаться — по вполне понятной причине. Во все века в священных книгах писалось, что боги могут убивать простых смертных. Некоторые из них обрекают человеческие души на вечные муки или даже сами мучают их. Представление Идриса о Боге, неспособном творить зло, противоречило многим авторитетным религиозным трактатам.

Совещание закончилось, и Себе-на-уме продолжил наступление:

— Скажи, мудрец, что такое жизнь?

— Жизнь — органическое проявление тенденции к усложнению.

— Но считаешь ли ты, что жизнь создана Божественным промыслом или же она возникла сама по себе?

— Жизнь на нашей планете зародилась в местах скопления щелочи на дне моря благодаря крайне невероятному, но абсолютно естественному взаимодействию неорганических элементов, в результате которого образовались первые бактериальные клетки. Этот процесс является одновременно и самопроизвольным, и Божественным.

— О великий мудрец, но это ведь чисто научное объяснение.

— Наука — язык духовного начала и один из важнейших путей духовных исканий.

— А что такое любовь?

— Любовь — это интимные отношения.

— Но, мудрец, я имел в виду абсолютно чистую любовь, — сказал Себе-на-уме.

— И я тоже, о мудрец, — ответил Идрис. — Когда ученый пытается найти средство, излечивающее болезнь, он строит интимные отношения, проникнутые любовью. Когда человек выгуливает на лугу собаку, которая ему доверяет, он создает интимные отношения. Когда ты открываешь в молитве свое сердце Богу, ты вступаешь в интимные отношения с Ним.

Себе-на-уме усмехнулся и кивнул.

— Я уступаю слово моим младшим коллегам, — сказал он.

Честолюбец вытер пот, выступивший на его бритой голове.

— Откуда мы знаем, что существует внешняя реальность? — начал он.

— В самом деле, — подхватил Скептик. — Если принять «cogito ergo sum»[1], то как мы можем знать, что мир реально существует за пределами нашего разума, а не является всего лишь нашим жизнеподобным сном?

— Приглашаю тех, кто не верит во внешнюю реальность, подойти вместе со мной к краю вон того утеса и прыгнуть вниз, — сказал Идрис. — Я же спущусь по пологой тропе и продолжу нашу дискуссию с теми, кто выживет.

— Убедительный довод, — сказал Себе-на-уме. — Я выживу, потому что останусь здесь.

Я уже слышал в свое время практически все вопросы, которые задавали Идрису, и помнил его ответы. Его космология носила предположительный характер, но его логика была стройной и убедительной. То, что он говорил, запоминалось.

— Я хочу спросить о свободной воле, — вступил в разговор младший мудрец Ворчун. — Какова твоя позиция в этом вопросе, Идрис?

— Помимо четырех физических сил, а также материи, пространства и времени, во Вселенной существуют два великих начала духовной энергии. Первое из них — Божественный источник всех вещей, который с момента зарождения Вселенной непрерывно проявляет себя как поле духовных тенденций, нечто вроде магнитного поля более темной материальной энергии. Второе невидимое энергетическое начало — Воля, возникающая в разных точках Вселенной.

— А каково назначение этого поля духовных тенденций? — спросил Ворчун.

— На данном этапе развития наших знаний мы не можем определить это. Но, как и в случае с энергией, мы знаем, каковы

---

[1] «Мыслю — стало быть, существую» (*лат.*); постулат Декарта.

его свойства и как их использовать, — пусть даже мы не понимаем, что оно собой представляет.

— Но в чем его ценность?

— Ценность его тоже неопределенна, — улыбнулся Идрис. — На человеческом уровне цель жизни заключается в связи между полем духовных тенденций и нашей Волей.

Идрис сделал знак Сильвано, чтобы тот принес новый кальян. Войдя в пагоду, Сильвано оставил свою винтовку снаружи, но, ставя кальян, инстинктивно придерживал отсутствующую винтовку локтем, чтобы она не свалилась с плеча.

— Все это хорошо, — прошептал Винсон Карле, — но я *ничего* не понял.

— Стюарт, ты шутишь?

— Типа *нада*[1], мэн, — прошептал Винсон. — Надеюсь, не все представление будет таким же заумным, как эта часть. А ты много поняла?

Карла посмотрела на него с сочувствием. Одна из ее самых любимых вещей на свете — а может быть, именно то, что она любила больше всего на свете, — было для него книгой за семью печатями.

— Давай я объясню тебе потом на пальцах, — предложила она, кладя руку Винсону на плечо. — Изложу сперва версию для чайников, которую ты сможешь записывать на футболке, пока не освоишься.

— Вау! — шепотом воскликнул Винсон. — Ты серьезно?

Карла улыбнулась ему и посмотрела на меня.

— Просто не верится, как это здорово, правда? — спросила она со счастливой улыбкой.

— Еще бы! — улыбнулся я в ответ.

— Я говорила, что нам всем надо обязательно подняться сюда.

Идрис и прочие мудрецы заправились жгучим вдохновением из кальяна и снова обратились к своим жгучим вопросам.

— Скажи, учитель-джи, — кинул вопрос Скептик, — каким образом связь с полем духовных тенденций, то есть с Божественным, может объяснить смысл жизни?

— Вопрос поставлен неверно, — мягко ответил Идрис коллеге, который тоже стремился найти истину на пути к искуплению. — Жизнь не имеет смысла. Смысл — атрибут Воли. А жизнь имеет *цель*.

Мудрецы снова посовещались, склонившись к Себе-на-уме, который сидел прямо напротив Идриса. Они сбрасывали анге-

---

[1] Nada *(исп., порт.)* — ничто.

лов одного за другим с острия иглы, пытаясь отыскать на этой крошечной площадке наиболее надежную точку опоры.

Идрис вздохнул, глядя на лица сидящих вокруг учеников, которые напоминали в своих белых одеяниях куст магнолии и зачарованно внимали мудрецам. Высокие деревья уже загораживали уходящее солнце, накрывая пагоду тенью.

— А это что значит? — спросил Винсон.

— Вопрос о смысле жизни неправильный, — пояснила Карла. — Правильный — о цели жизни.

— Уф, — сказал Винсон. — По-моему, это *два* вопроса.

Совещание закончилось. Скептик прокашлялся и спросил:

— Ты говоришь о связи с Божественным или с другими живыми существами?

— Любая прочная, честная и свободная связь, с кем бы она ни образовалась — с цветком или со святым, — это связь с Божественным, потому что любая искренняя связь автоматически связывает обе стороны с полем духовных тенденций.

— Но может ли человек знать, что он связан с чем-то? — скептически заметил Скептик.

Идрис нахмурился и опустил глаза, огорченный тем, что он не в силах победить печаль, поднимавшуюся волнами с пустынного берега скептических исканий. Затем поднял голову и ласково улыбнулся Скептику:

— Об этом свидетельствует поле духовных тенденций.

— Каким образом?

— С полем нас связывает искреннее покаяние, принимающее форму доброты, сочувствия. Поле духовных тенденций всегда посылает человеку весть — иногда в виде стрекозы, иногда в виде исполнения заветного желания или доброты со стороны незнакомого человека.

Мудрецы опять посовещались.

Винсон решил использовать перерыв для выяснения того, что он не понял, и привлечь к этому меня. Он обнял меня за плечи, наклонил к Карле и хотел задать ей вопрос, но Карла его опередила:

— Сила всегда остается с тобой, если ты отказываешься от насилия.

— Да?

Мудрецы покашляли, готовясь возобновить дебаты.

— Ты привязываешь смысл к намерению со всеми его неясностями, — проворчал Ворчун. — Но можем ли мы на самом деле свободно вынести решение, или же всеми нашими поступками движет Божественный промысел?

— Ты предполагаешь, что мы *жертвы* Бога? — рассмеялся Идрис. — Зачем же тогда нам дана свободная воля? Чтобы мы мучились? Неужели ты хочешь, чтобы я в это поверил? Воля нам дана, чтобы задавать вопросы Богу, но не для того, чтобы мы рабски ждали Его ответов.

— Меня интересует, во что *ты* веришь, учитель Идрис.

— Во что я *верю*, о мудрец, или что я *знаю*?

— Во что ты веришь всем сердцем, — сказал Ворчун.

— Очень хорошо. Я верю в то, что Источник, породивший нашу Вселенную, появился в этой реальности вместе с нами в виде поля духовных тенденций. Я верю, что Воля, наша человеческая воля, постоянно так или иначе соотносится с полем духовных тенденций, взаимодействуя или не взаимодействуя с ним, подобно световым фотонам, из которых оно состоит.

Наступило очередное совещание мудрецов, и Винсону потребовалось очередное разъяснение.

— Сила — это фактически *ты*, — шепотом резюмировала сказанное Карла, — если у тебя хватает смирения для этого.

— В своих рассуждениях, учитель-джи, ты во многом исходишь из возможности выбора, — сказал Честолюбец. — Но очень часто наш выбор носит несущественный характер.

— Выбор не бывает несущественным, — возразил Идрис. — Потому-то люди, обладающие властью, и пытаются повлиять на наш выбор. Если бы он был несущественным, это их не заботило бы.

— Но ты же понимаешь, учитель-джи, что я имею в виду, — сказал чуть раздраженно Честолюбец. — Мы ежедневно тысячу раз делаем какой-нибудь тривиальный выбор. Как может выбор быть таким уж важным фактором, если очень часто он касается самых незначительных вещей и делается без участия духа?

— Повторяю, — терпеливо улыбнулся Идрис. — Выбор не может быть несущественным. Он всегда имеет большое значение, независимо от того, насколько сознательно делается. Любой наш выбор смещает проявление Воли, которое мы называем человеческой жизнью, в ту или иную реальность, вызывая то или иное восприятие, и наше решение оказывает либо значительное, либо минимальное, но непреходящее воздействие на ход времени.

— И ты называешь это силой? — усмехнулся Честолюбец.

— Это энергия, — поправил его Идрис. — Духовная энергия, достаточно большая, чтобы изменить Время, а Время — это не пустяк. Оно правило всем живым миллиарды лет, пока ему навстречу не выступила Воля.

Себе-на-уме опять созвал совет. Он явно получал удовольствие от диспута, даже если его коллеги терпели поражение, —

а может быть, именно благодаря их поражению. Трудно было сказать, созывал ли он эти тактические летучки для того, чтобы одержать верх над Идрисом или чтобы сбить с толку своих товарищей-мудрецов.

Винсон посмотрел на Карлу.

— Береги свою кармическую задницу, — выдала Карла свое очередное резюме, — ибо все, что ты делаешь, приятель, влияет на ход времени.

Я коротко поцеловал Карлу. Конечно, это было высокое собрание священных мудрецов, но я был уверен, что они простят меня.

— Это чуть ли не лучшее свидание в моей жизни, — сказала она.

Между тем мудрецы, склонившиеся к самому младшему, Ворчуну, и что-то говорившие ему, выпрямились, готовые двинуть в бой свежие силы.

— Это увиливание, — пошел в атаку Ворчун. — Я понял твой тактический прием, учитель-джи. Ты *уклоняешься* от ответов с помощью словесных трюков. Давай обратимся к священным текстам и заповедям. Если душа человека служит выражением человеческой сущности, как ты вроде бы полагаешь, то, значит, не обязательно исполнять свой долг в жизни, как учат священные тексты?

— Действительно, может ли кто-либо из нас избежать колеса кармы и пренебречь обязанностями, наложенными свыше? — добавил Честолюбец, надеясь уличить Идриса в нарушении профессиональной этики.

— Если существует Божественный источник всех вещей, то, рассуждая рационально и логически, мы должны выполнять долг перед этим источником, — ответил Идрис. — Кроме него, мы в долгу только перед человечеством и перед планетой, благодаря которой мы существуем. Все остальное — личное дело человека.

— Но разве у нас от рождения нет долга, предписанного кармой? — упорствовал Честолюбец.

— У *человечества* есть прирожденный кармический долг. Отдельный человек рождается с личной кармической *миссией*, которая играет свою роль в общем кармическом долге.

Мудрецы переглянулись. Возможно, они были пристыжены из-за того, что пытались заманить Идриса в зыбучие пески религиозной догмы, а он избегал этого, сосредоточившись на вере.

— Твой личный Бог говорит с тобой? — спросил Себе-на-уме, теребя свою длинную седую бороду узловатыми пальцами, растрескавшимися с внутренней стороны из-за многолетнего перебирания красно-янтарных медитационных четок со ста восемью бусинами на нитке.

— Какой хороший вопрос! — тихо рассмеялся Идрис. — Ты, как я понимаю, имеешь в виду Бога, который общается лично со мной и заботится обо мне, который изобрел нашу Вселенную и теперь устанавливает связи со всяким возникающим в мире индивидуальным сознанием вроде моего. Я верно тебя понял?

— Совершенно верно, — подтвердил пожилой гуру.

Идрис усмехнулся.

— Что он спросил? — спросил Винсон.

— Любит ли Бог поболтать со смертными, — быстро прошептала Карла, ободряюще улыбнувшись ему.

— А, понятно! — обрадованно отозвался Винсон. — Типа подходит ли Он к телефону?

— Я вижу Бога каждую минуту своей жизни, — сказал Идрис. — И постоянно получаю подтверждение этого. Разумеется, мы общаемся не на человеческом языке, а на духовном языке согласия и связи. Я полагаю, ты знаешь, мудрец, о чем я говорю?

— Да, Идрис, безусловно, — ответил тот, посмеиваясь. — А ты не можешь пояснить это на примере?

— Всякое мирное общение с природой — это естественный разговор с Божественным, и поэтому желательно жить как можно ближе к природе.

— Замечательный пример, — откликнулся Себе-на-уме.

— Открыть свое сердце новому человеку и зажечь огонь любви в его глазах — это тоже разговор с Божественным, — продолжал Идрис, — как и искренняя медитация.

— Ты говорил в начале беседы несколько туманно, Идрис, — сказал Себе-на-уме. — Объясни нам вкратце, в чем смысл и цель жизни.

— Как я уже говорил, это не один вопрос, а два, — ответил Идрис. — И только один из них правомерный.

— Ну да, ты говорил, но я все равно не понимаю, — проворчал Ворчун.

— Спрашивать о смысле чего-либо без участия полностью сознательной Воли не только бессмысленно, но просто невозможно, — терпеливо пояснил Идрис.

— Но, учитель-джи, разве эта человеческая Воля, которой ты придаешь такое значение, может быть *смыслом* самой себя и сама по себе? — спросил Скептик, нахмурившись.

— Повторяю: вопрос «В чем смысл жизни?» неправомерен. Смысл возникает тогда, когда существует разумная Воля, которая выходит за пределы заданных возможностей, свободно и сознательно задает вопросы и обеспечивает свободный выбор.

Наступила пауза, и я был рад, что Винсон промолчал: если бы он отвлек Карлу, сосредоточенно размышлявшую в этот момент, она могла бы пристрелить его после диспута.

— Когда задаешь вопрос, *это и есть* смысл, — прошептал я Винсону на всякий случай.

— Спасибо, — прошептала Карла, прислонившись ко мне.

Идрис между тем продолжал:

— Смысл — это свойство Воли. Правомерный вопрос — в чем *цель* жизни.

— Очень хорошо, — усмехнулся Себе-на-уме, — так в чем же цель жизни?

— Цель жизни в том, чтобы выразить с максимальной сложностью все позитивные факторы, установив с чистыми намерениями связь с другими людьми, нашей планетой и Божественным источником всего сущего.

— Что ты относишь к позитивным факторам, учитель-джи? — спросил Скептик. — В каких священных текстах мы можем прочитать о них?

— Позитивные факторы существуют везде, если только люди относятся друг к другу по-человечески. К этим факторам относятся жизнь, сознание, свобода, любовь, справедливость, эмпатия и многие другие прекрасные вещи. Они остаются неизменными всюду, где есть добрые сердца, в которых они сохраняются.

— Но на какие именно священные тексты ты опираешься в своих исканиях, учитель-джи?

— Самый священный текст для миролюбивого человеческого сердца — обыкновенная человечность, — сказал Идрис. — И мы только начинаем писать его.

— А каким образом, выражая эти позитивные факторы, мы достигаем своей цели? — спросил Честолюбец.

— Люди рождаются со способностью накапливать неэволюционное знание и управлять своими животными инстинктами, — ответил Идрис, взяв стакан с водой. — Всем прочим животным сделать это очень трудно, но нам, благодаря Богу, очень легко.

— Не объяснишь ли ты нам, учитель-джи, что такое неэволюционное знание? — попросил Скептик. — Мне этот термин незнаком.

— Это то, что мы знаем, но что *не обязательно* нужно знать для выживания, дополнительное знание.

— Мы знаем многое, — сказал Честолюбец. — Это не секрет. Мы можем управлять своим поведением. Но разве в этом движение к цели?

— Без знания и без управления поведением мы теряем свое назначение, свою судьбу. Но когда имеется *и то и другое*, тогда наше назначение становится *несомненным*.

— Почему, учитель-джи?

— Мы же не застряли на уровне обезьян. Мы можем изменить самих себя, и мы все время меняемся. Мы раскроем большинство законов мироздания и будем управлять своей эволюцией. Наша судьба управляет ДНК, а не ДНК управляет нашей судьбой, и так было всегда.

— Ты можешь сказать, что такое судьба? — спросил Честолюбец.

— Судьба — это сокровище, которое мы находим, когда осознаем свою смертность.

— Да, да! — воскликнула Карла. — Прошу прощения!

— Я думаю, пора сделать перерыв и подкрепиться перед продолжением диспута, — предложил Идрис.

Все поднялись. Мудрецы в сопровождении учеников направились в пещеру, озабоченно хмурясь.

Сильвано помог Идрису подняться. Идрис огляделся и, посмотрев Карле в глаза, улыбнулся нам.

— Рад видеть вас, Карла, — сказал он, уходя в свою пещеру вместе с Сильвано. — И очень приятно, что вы вдвоем.

— А знаете, — сказал Винсон, когда на площадке осталась только наша компания, — мне кажется, я начинаю осваиваться. Стоит подумать над твоим замечанием о версии для чайников, Карла. Рэнделл, ты ведь конспектируешь все это, да?

— Да, стараюсь все записывать, мистер Винсон.

— Я хотел бы посмотреть потом твои записи, если можно.

— И я, — сказала Карла.

— И я, — сказал я.

— Я рад, что вы договорились, — сказал Дидье. — Но не пора ли нам открыть бар? Для моей души все это, возможно, было полезно, но мой измученный разум требует снисхождения.

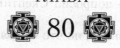

ГЛАВА
80

Когда состязание умов возобновилось, Скептик хотел задать вопрос, но Идрис поднял руку, призывая всех к молчанию. Он хотел сказать то, что ему представлялось главным. Продолжая держать руку поднятой, как трезубец бесконечного терпения, он произнес:

— Из всех существующих на Земле видов мы единственные способны стать больше того, что мы собой представляем, и даже, возможно, больше того, чем мы хотели бы стать; мы единственные обладаем потенциальной возможностью добраться туда, куда только пожелаем. — Он помолчал. — Почему же мы позволяем меньшинству проповедовать потребительское отношение к жизни, толкать большинство на соперничество и вражду? Когда, наконец, мы так же страстно потребуем мира, как мы требуем свободы?

Неожиданно из глаз его потекли слезы, падая ему на колени.

— Простите меня, — сказал Идрис, утирая слезы подушечками ладоней.

— О великий мудрец, — сказал Себе-на-уме, на глазах которого тоже выступили слезы сопереживания, — нас всех привела сюда сила любви. Давайте радоваться в своих духовных исканиях.

Идрис рассмеялся, и лунные камни его слез исчезли.

— Это семантическая ошибка, о великий мудрец, — ответил он, взяв себя в руки. — Любовь не обладает силой, потому что любить можно только без принуждения.

— Ну хорошо, — улыбнулся Себе-на-уме. — Тогда что такое сила?

— Сила влияет на людей и процессы и направляет их. Она выражает степень контроля за ними и потому всегда принадлежит власти. Сила — это страх, управляемый жадностью. В любви нет страха или жадности, она не претендует на влияние или руководство и не питает иллюзий относительно силы.

— А как же сила исцеления? — спросил Ворчун. — Ты отрицаешь ее?

— Есть только *энергия* исцеления, учитель-джи. Всякий целитель знает, что в исцелении нет силы, но сколько угодно энергии. Энергия — это процесс. Сила — попытка взять процесс под свой контроль, влиять на него и направлять.

— И даже в молитве нет силы? — спросил Честолюбец.

— В молитве, как и в любви, есть духовная *энергия*, — ответил Идрис, — и они обе исполнены благодати. Но силы в них нет. Энергия — процесс, а сила — попытка контролировать процесс.

Винсон заерзал, не в силах промолчать.

— Сила и власть — это плохо, энергия — хорошо, — прошептал он Карле. — Абсолютная власть развращает.

— Молодец, Стюарт, — прошептала очень довольная Карла в ответ.

— Может быть, перекурим еще раз? — предложил Идрис мудрецам.

— Молодец, Идрис, — прошептал очень довольный Дидье.

Пока мудрецы вместе с моим другом-французом удовлетворяли потребность в курении, все остальные расслабились.

— Я продолжу? — спросил Идрис, когда кайф мудрецов достиг уровня, достаточного для обсуждения метафизических вопросов.

— Разумеется, — ответили мудрецы.

— Тот факт, что мы есть то, что мы есть, — сказал Идрис, — что мы задаемся всеми этими вопросами, хотя могут потребоваться столетия, чтобы добраться до истины, — этот факт и есть судьба. Судьба, как и жизнь, это зарождающееся явление.

Винсон наклонился к Карле, чтобы задать вопрос, и она торопливо, чтобы не отвлекаться от дебатов, проговорила:

— Энергия плюс направление равняется судьбе.

— Но что такое судьба? — спросил Скептик, чья вспотевшая бритая голова блестела на солнце. — Не можешь ли ты объяснить это еще раз?

— Судьба человека — это *факт*, а не предположение, — сказал Идрис. — Это способность сконцентрировать духовную энергию в виде воли для изменения будущего течения нашей жизни. Мы все в той или иной степени делаем это как в личной жизни, так и в общей жизни нашего вида. Направление нашей жизни уже задано, и наша задача — реализоваться наиболее позитивным образом.

— *Как именно* мы можем реализоваться? — спросил Себена-уме.

— Постаравшись как можно лучше выразить все позитивные свойства. Это реализация человеческой души, проявляющаяся в доброте и храбрости.

— Но зачем? — спросил Честолюбец. — Зачем человеку стремиться к чему-то позитивному, творить добро? Почему не трудиться просто ради собственного благополучия? Ты же придаешь большое значение науке. Разве с научной точки зрения это не будет способствовать эволюции?

— Нет, не будет, — улыбнулся Идрис, которому уже сотни раз приходилось отвечать на этот вопрос. — Некоторые видят вокруг только жестокий мир, торжество безжалостной конкуренции. Но в мире происходит также чудесное сотрудничество — как в колониях муравьев или деревьев, так и между людьми. Приспособляемость — это доведенное до совершенства сотрудничество. Сотрудничество — это и есть эволюция.

— Но ведь выживают только наиболее приспособленные, — упорствовал Честолюбец. — И они же правят. Ты хочешь нарушить естественный порядок вещей?

— Естественный порядок вещей — это сотрудничество, — возразил Идрис. — Простые молекулы образуют более сложные органические, *сотрудничая* друг с другом, а не *конкурируя*. Мы, мудрецы, представляем собой благодаря Провидению очень большие скопления очень удачно сотрудничающих друг с другом органических молекул. Когда они перестают сотрудничать, это для нас беда.

— Поскольку ты все время сводишь разговор к основополагающим принципам, — заметил Себе-на-уме, — позволь спросить тебя, не предполагаешь ли ты существование морали, отличной от той, какую проповедуют священные тексты?

Это был коварный вопрос. Я знал, что Карла очень хотела бы ответить на него, так как мы с ней не раз обсуждали его.

— Священные тексты говорят нам о том, какими мы *можем стать*, — сказал Идрис. — И пока мы не достигли той ступени, на которой реализуются прекрасные откровения священных текстов, для нас, переживающих трагически затянувшуюся культурную эволюцию, наилучшей путеводной звездой, указывающей нам истину всех этих откровений, служит простая человечность.

— Значит, ты отвергаешь священные тексты? — спросил Себе-на-уме.

— Я такого не говорил. Я просто предлагаю относиться к священным текстам так же, как и к святым местам. Мы должны быть чисты, когда посещаем святое место, и точно так же мы должны быть чисты, когда беремся за священные тексты. И чтобы предстать перед Божественным с чистой душой, надо прежде всего быть чистым в своих отношениях с другими людьми и с миром, в котором ты существуешь.

Мудрецы опять стали совещаться, и Идрис, воспользовавшись паузой, заказал новый кальян и стал с удовлетворенным видом раскуривать его для мудрецов.

— Если доброе сердце, то и вера истинна? — предположил Винсон.

— Ты попал в точку, — ответила Карла.

Рэнделл продолжал конспектировать сказанное. Анкит время от времени помогал ему, подсказывая то, что запомнил.

— Как вам все это нравится, парни? — спросил я их.

— Словно прыгаешь с парашютом вверх, а не вниз, — ответил Рэнделл.

— Нам в партии этот ваш учитель пригодился бы, — сказал Анкит мечтательно.

— Составляется какая-то партия? По какому поводу? — оживился Дидье.

— Я имею в виду коммунистическую партию, — сухо прошептал Анкит в ответ. — Но вечером, мистер Дидье, мы организуем какую-нибудь партию у костра, если захотите.

— Отлично! — обрадовался Дидье. — О боже, святые люди опять взялись за свое.

— Должен признаться, о великий мудрец, — скромно произнес Себе-на-уме, — что я заблудился в чаще идей, порожденных твоим богатым воображением.

— Я тоже отстал по пути, учитель Идрис, — присоединился к нему Скептик, — потому что ты говоришь о духовном на языке, который отличается от обычного духовного языка.

— Все является духовным языком, достойный мыслитель, — ответил Идрис. — Просто связь между людьми может устанавливаться в разных диапазонах частот. Наш диспут происходит в одном из возможных диапазонов.

— Но разве могут существовать разные духовные языки?

— Если существует Бог и существует духовный язык для связи с Богом, то он, естественно, всегда один и тот же, только выражается по-разному.

— Даже негативно? — встрепенулся Ворчун.

— Может быть, лучше придерживаться более возвышенного духовного языка, как мы делали до сих пор, а не переходить на более низкий уровень? — вздохнул Идрис.

— Значит, ты не можешь привести примеров более низких духовных языков? — спросил Честолюбец.

— Многое в мире служит примером, — хмуро ответил Идрис.

— Тогда ты должен без труда назвать духовные языки, отличающиеся от нашего, — сказал Честолюбец.

Идрис вздохнул с терпеливым снисхождением к запальчивости более молодого коллеги.

— Ну хорошо, — согласился он. — Давайте обратимся ненадолго к низменным вещам.

Глотнув лаймового сока, он начал печальным тоном:

— Эксплуатация — язык погони за прибылью.

Ученики, для которых эта онтологическая поэзия с ритмичным перечислением была не внове, кивали в такт каждой фразе.

— Угнетение — язык тирании, — сказал Идрис.

Ученики начали бормотать фразы вслед за ним.

— Лицемерие — язык жадности, — продолжал Идрис. — Жестокость — язык силы, а фанатизм — язык страха.

Идрис остановился, чтобы перевести дыхание, и я спросил Рэнделла:

— Ты записываешь?

743

— Да-да.

— Насилие — язык ненависти, — произнес Идрис. — Заносчивость — язык тщеславия.

— Идрис! — воскликнули несколько учеников.

— Стойте! — отозвался Идрис, протянув руки, чтобы остановить их вмешательство. — Дорогие ученики и гости, я поощрял ваши свободные высказывания во время наших предыдущих дискуссий, но сегодня мы собрались, чтобы добиться понимания. Поэтому, пожалуйста, не выкрикивайте ничего в присутствии этих знаменитых мудрецов.

— Как скажете, учитель-джи! — неожиданно воскликнул Анкит решительным тоном и, поднявшись, приложил палец к губам, призывая всех к спокойствию.

Все успокоились.

— Вы не против, о мудрецы, если я перейду к более возвышенному духовному языку? — спросил Идрис.

— Нет, конечно, — отозвался Себе-на-уме.

— А какие будут примеры, учитель-джи? — спросил Скептик.

— Я предлагаю *вам* дать мне примеры, мудрецы, и я буду счастлив увидеть в полете прекрасных птиц, порожденных вашим разумом.

— Еще один трюк! — вмешался Честолюбец. — Ты ведь приготовил все ответы заранее, разве не так?

— Конечно, — довольно усмехнулся Идрис. — И вызубрил их. А вы разве нет?

— Я опять напоминаю тебе, учитель-джи, что сегодня *мы* задаем вопросы, а *ты* отвечаешь, — ушел от ответа Честолюбец.

— Ну ладно. — Идрис выпрямился. — Вы готовы выслушать мои ответы?

— Мы готовы, о мудрец, — ответил Себе-на-уме.

— Эмоция — язык музыки, а чувственность — язык танца.

Он помолчал, ожидая, не последует ли комментариев, затем продолжил:

— Птицы — язык неба, деревья — язык земли.

Он опять помолчал, словно прислушиваясь к чему-то.

— Мне кажется, что я умерла и попала в рай для умников, — прошептала Карла.

— Щедрость — язык любви, смирение — язык чести, преданность — язык веры.

Многие ученики Идриса видели его в трудном положении и раньше. Любя его, они невольно поддерживали его во всем, не столько желая, чтобы он победил, сколько того, чтобы он докопался до истины, а кто именно ее произнесет — не важно.

— Правда — язык доверия, — говорил Идрис, — ирония — язык совпадения.

Ученики, не смея вмешиваться, только раскачивались в такт фразам.

— Юмор — язык свободы, самопожертвование — язык покаяния.

Идрис мог бы так продолжать еще долго, но остановился, не желая тешить своего тщеславия. Чуть покраснев, он посмотрел на учеников, улыбнулся и вернулся к исходной точке:

— Все духовно, и все выражается на своем собственном духовном языке. Связь с Источником нельзя оборвать, хотя можно создать ей помехи.

Ученики закричали и стали аплодировать, затем утихомирились, гордые и одновременно смущенные своей несдержанностью.

— Мне кажется, неплохо было бы устроить еще один перерыв — может быть, на час, если нет возражений.

Ученики тут же встали, чтобы проводить мудрецов в пещеру.

— Не знаю, как тебе, — сказал я Карле, радуясь перерыву, — но мне просто необходимо совершить что-нибудь нечестивое.

— Ты угадываешь мои мысли, — ответила она. — Надо выпить и покурить. Рот — врата моей нервной системы.

— Тебе хотелось сидеть там с ними и участвовать в диспуте, правда?

— Да, было такое самоуверенное желание, — ответила она, мечтательно блеснув глазами.

Идрис был умен и обаятелен, но слишком много раз участвовал в подобных пресс-конференциях. Он знал, где твердая философская почва под ногами, а где зыбучий песок. У меня было собрано много вопросов, задававшихся учителям, и, изучая их, я убедился, что иногда хитроумие позволяло скрыть нелогичность, а под харизмой проглядывало тщеславие. Мне очень нравился Идрис, но в глазах его учеников он был святым, и это меня немного беспокоило, потому что пьедестал всегда выше человека, стоящего на нем.

Мудрецы вернулись и еще три часа допрашивали Идриса, пока у них не кончился запас вопросов. Тогда они стали на колени перед Идрисом и попросили его благословения в ответ на то, которое они дали ему в начале диспута.

— Я очень люблю эти наши игры, Идрис, — сказал Себе-науме, прощаясь последним. — Благодарю Бога за то, что Он позволяет нам так щедро и свободно обмениваться идеями, и надеюсь, что, с Его благословения, у нас появится много новых.

Мудрецы покинули лагерь, шагая по розовым лепесткам, и стали спускаться пологой тропой. Они были задумчивы и, может быть, настроены не так скептически, менее честолюбивы и ворчливы.

Идрис удалился к себе, чтобы вымыться и помолиться. Мы помогли разобрать импровизированную пагоду, собрать ковры и блюда.

Карла вызвалась помочь в качестве повара и приготовила вегетарианское пулао[1], цветную капусту и картофель в соусе из кокосовой мякоти, зеленый горох и фасоль в соусе из кориандра и шпината, поджаренные в фольге морковь и тыкву, а также рис басмати, спрыснутый миндальным молоком.

Я наблюдал за тем, как Карла орудует сковородками и кастрюлями с рисом и овощами на шести газовых горелках одновременно, демонстрируя свое искусство среди извержений шипящего пара. Эта картина гипнотизировала меня, и я не мог оторвать глаз от нее, пока Карла не погнала меня мыть посуду.

Мы трудились на кухне вместе с тремя молодыми женщинами, входившими в группу учеников. Они готовили пищу для двадцати восьми верующих и болтали с Карлой о музыке, кино и модах. Приготовление еды для Идриса и прочих они рассматривали как свой священный долг и вкладывали в это занятие всю свою любовь к учителю.

В свободное от молитв, учебы и кухонных обязанностей время все они любили поесть, и к концу ужина от блюд, приготовленных Карлой, не осталось ни крошки. Сама она ела мало, но пила вино, выслушивая комплименты, и в конце трапезы провозгласила тост.

— За то, чтобы раз в год готовить пищу! — сказала она.

— За то, чтобы раз в год готовить пищу! — закричали ученики, которые готовили ежедневно.

Когда посуда была убрана и составлена поблескивавшими стопками, а большинство учеников покинули лагерь или легли спать, наша группа забредших на гору грешников — Карла, Дидье, Винсон, Рэнделл, Анкит и я — расселась у костра.

Дидье предложил игру в двусмысленности, при которой человек, ненамеренно сказавший что-либо двусмысленное, должен опрокинуть стопку спиртного. Его умысел заключался в том, что человек, сексуально озабоченный больше всех, напьется первым, и тогда мы узнаем, кто же это.

Я-то знал, что это Дидье и есть, но знал я и то, что алкоголь на него почти совсем не действует. Карла тоже знала это и выдвинула другое предложение.

---

[1] *Вегетарианское пулао* — плов из риса басмати с овощами и приправами.

— Вместо этого лучше расскажите друг другу, почему вы сидите здесь, а не где-нибудь еще вместе с любимой женщиной, — сказала она, поднявшись, чтобы уйти.

— Ранвей в ашраме, — тут же откликнулся Винсон, не дожидаясь дальнейших понуканий. — И это я виноват. Я так люблю ее, что, наверное, превратил ее как бы в *святую*, понимаете ли. А заклинания для обратного превращения, боюсь, не существует.

— Я очень хорошо тебя понимаю, — заявил Рэнделл. — Но лучше бы не понимал.

Мы с Карлой пожелали им доброй ночи. Я взял одно из скатанных полотнищ, ковер, смотанную кольцом веревку и свой вещмешок с предметами первой необходимости. Карла захватила два одеяла и свой рюкзачок. Мы направились к небольшому возвышению, освещая дорогу фонариком и пугая самих себя всякой тенью, выскакивавшей на повороте тропинки. Тропинка была узкая, и мы шли, почти прижавшись друг к другу. Фонарик в руках Карлы высвечивал ряд сцепленных друг с другом кругов на экране ночного леса.

— Я думал, ты сейчас выстрелишь в эту тень, — сказал я на одном из поворотов.

— Сам схватился за нож, — оправдывалась она.

С помощью веревки я соорудил для нас приличное убежище. «Имея достаточное количество нормальной веревки, — сказал мне однажды глава профсоюза водителей, — водитель может сделать практически все».

В этой водительской палатке мы целовались и разговаривали, обсуждая все вопросы и ответы, услышанные на диспуте.

— Вы, мужики, ничего в этом не понимаете, — произнесла Карла сонным голосом, когда мы уже переговорили обо всем.

— Неужели?

— Да.

— В чем мы ничего не понимаем?

— В правде.

— В какой правде?

— В большой.

— О чем речь-то?

— Вот в том-то все и дело, — сказала Карла, и ее зеленые глаза загадочно блеснули.

— В чем?

— Вам, мужчинам, вынь да подай правду, — сказала она. — Но правда не такое уж большое дело. Это просто запрет, который снимается после третьего стакана.

— Когда я с тобой, мне не надо трех стаканов, чтобы снять запреты, — улыбнулся я.

Мы еще какое-то время разговаривали, целовались и любили друг друга под небом, по которому полумесяц раскинул туманное сияние.

Я проснулся рывком, почувствовав, что мы не одни. Медленно приподняв голову, я увидел Идриса, стоявшего спиной к нам на краю возвышенности в нескольких метрах от нас и разглядывавшего серебряный серп луны.

Я посмотрел на Карлу. Она спала в моей футболке вместо ночной рубашки.

— Я рад, что ты видишь меня, — сказал Идрис, не поворачивая головы.

— Я всегда рад видеть тебя, Идрис, — прошептал я. — Я встал бы, но я не одет.

Он усмехнулся и, опираясь на посох, задрал голову к звездам.

— Я очень рад, что вы с Карлой здесь, — сказал он. — И хочу, чтобы вы знали: можете оставаться здесь столько, сколько пожелаете.

— Спасибо, — ответил я.

Карла проснулась и увидела Идриса.

— Идрис, — сказала она, приподнявшись, — присядь и устройся поудобнее.

— Мне всюду удобно, Карла, — произнес он оживленно, по-прежнему не поворачиваясь к нам. — Я подозреваю, что и вам обоим тоже.

— Можем мы что-нибудь предложить тебе? — спросила Карла, протирая глаза. — Может быть, воды или сока?

— Мне достаточно уже одного твоего предложения.

— Мы оденемся и присоединимся к тебе, — сказал я. — Я могу приготовить для тебя чашку чая.

— Я сейчас уйду, — ответил он. — Но я хочу сказать кое-что вам обоим. Это обязательно надо сделать, так что прошу прощения за вторжение.

— Это мы вторглись к тебе, — возразила Карла.

Он рассмеялся:

— Мне казалось, что тебе, Карла, хотелось сегодня сидеть рядом со мной, когда я отвечал на вопросы. Я прав?

— Да, Идрис, — засмеялась она. — Запиши меня в помощники в следующий раз.

— Договорились, — сказал он, мысленно уже покидая нас. — Итак, вы готовы выслушать мой наказ?

— Да-а... — проговорила Карла неуверенно.

— Вы оба должны отказаться от любых насильственных действий и стараться жить в согласии с миром.

— Трудно отказаться от всякого насилия в мире, где оно царит, Идрис, — сказала Карла.

— Насилие, тирания, угнетение, несправедливость — это горы, встречающиеся человеку на его жизненном пути. Жизнь — преодоление этих гор. Проще всего и надежнее обойти гору. Но если вы изберете этот путь, на него уйдет вся ваша жизнь, потому что, двинувшись в обход, вы так и будете ходить по кругу, навсегда привязав себя к этой горе. Единственный способ не застрять в этом заколдованном кругу, а также избежать проблем со следующей горой — забраться на гору и перевалить через нее на самой вершине. Но при подъеме на гору вам будут грозить не меньшие опасности, чем те, которые вы оставили позади.

— Что ты имеешь в виду? — спросил я.

— Я беспокоюсь о вас обоих, — ответил Идрис, — и довольно часто. Поднявшись на вершину, вы будете хорошо видеть свой путь, но это связано с большим риском. Вы уже начали подъем из тени горы и теперь должны, как никогда прежде, полагаться друг на друга и помогать друг другу.

— Идрис, а ты взбирался на все горы в своей жизни? — спросила Карла.

— Я был женат когда-то, — ответил он медленно и тихо, — давно уже. Моя жена, да обретет ее душа вечную радость, была моим постоянным спутником в духовных исканиях — какими вы являетесь друг для друга. А теперь я взбираюсь сквозь тень горы в одиночестве.

— Ты никогда не бываешь в одиночестве, Идрис, — сказала Карла. — Все, кто знает тебя, носят тебя в своем сердце.

Он тихо рассмеялся:

— Ты напоминаешь мне ее, Карла. А ты, Лин, напоминаешь меня самого в другой жизни. Я ведь не всегда был таким тихоней, каким вы меня знаете. Не изменяйте любви, которую вы испытываете друг к другу, и никогда не прекращайте поиски мира внутри себя.

Он медленно повернулся и пошел к лагерю.

Возвратились ночные звуки. Где-то вдали на железной дороге прозвенел сигнальный колокол. Карла молча глядела на лесные тени, в которых растаял Идрис.

— Давай кое о чем договоримся, чтобы у нас все было как надо, — сказала она. Глаза ее излучали зеленый лунный свет. — А я хочу, чтобы у нас с тобой все было наконец как надо.

— Мне казалось, у нас и так все как надо.

— Это только начало, — улыбнулась она, потягиваясь и пристраиваясь рядом со мной. — Вот проведем здесь так пару месяцев — и выправим все свои вывихи.

Неожиданно она вскочила и стала рыться в своих вещах. В конце концов она нашла присланное мне письмо, которое сохранила.

— Как раз подходящий момент, чтобы прочитать это письмо из тени горы. — Она отдала мне письмо и снова свернулась калачиком около меня.

Она зевнула во всю пасть и закрыла глаза. Я развернул письмо, занимавшее меньше страницы. Писал его Джордж Близнец. Я прочитал письмо при свете фонарика.

Привет, старик, это Близнец. Хочу сообщить тебе, что мы со Скорпионом пока не нашли гуру, наложившего на него проклятие, но идем по следу. Мы были в Карнатаке, на горе, потом в Бенгалии, и где-то по пути, дружище, мне стало нехорошо, но, хотя я чувствую себя неважно, я не могу бросить Скорпиона, так что мы продолжаем поиски. Я просто хотел, чтобы кто-нибудь, кто хорошо ко мне относится, знал, что я не буду жалеть, если не вернусь, потому что я люблю мою жизнь и моего друга Скорпиона.

Искренне твой,

Близнец

Я отложил письмо и обнял Карлу. Она уснула довольно быстро, а мне для этого потребовалось время.

Я думал о четверке, сидевшей у костра, — об Аните, Винсоне, Дидье и Рэнделле, оторванных от своей любви, но нашедших ее вновь в рассказанных друг другу историях, которые они подбрасывали по очереди в костер, чтобы он не затух.

Я думал об Абдулле. Он никогда не изменял тому, во что верил, но почти всегда был один. В другом из темных закоулков памяти я увидел Викрама, такого же одинокого в смерти, каким он был в последнее время в своей полужизни.

Я думал о Навине, влюбленном в Диву Девнани, но отгороженном от нее колючей стеной, называвшейся высшим обществом.

Я думал об Ахмеде, который рассказал мне как-то, брея меня очень опасной бритвой в своем Салоне красоты, что он всю жизнь любил одну женщину. Их разлучили их семьи, и в последний раз он видел ее, когда ей было девятнадцать лет.

Я думал об одиноком Идрисе, одиноком Кадербхае, одиноком Тарике, одиноком Назире и о Кавите, ставшей одинокой без Лизы, а также обо всех, кто жил и умирал в одиночестве, но всегда любил или верил в любовь.

Чудо не в том, что любовь находит нас, как бы это ни было странно, предопределено и сверхъестественно. Чудо в том, что даже если мы так и не находим любовь, если она напрасно ожидает нас на крыльях мечты и не стучится в нашу дверь, не оставляет нам вестей и не подносит цветов, — даже в этом случае многие из нас не перестают верить в любовь.

Счастливым любовникам нет необходимости верить в нее. А те, что не знали любви, но продолжают верить в нее, — жрецы любви, поддерживающие ее жизнь в садах веры.

Я посмотрел на Карлу, дышавшую мне в грудь. Она дернулась, заблудившись в каком-то из углов своего сна. Я погладил ее, и ее ровное дыхание стало музыкой моего покоя.

И я поблагодарил за этот благословенный покой, охватывавший меня при ней, того, кто подарил мне его, — не знаю, была то судьба, или звезды, или ошибки, или добрые дела. Я наконец уснул, а серебряный кубок полумесяца высыпа́л звезды на наши сны в горной тени.

ГЛАВА

 81

Гора стала особым периодом нашей жизни, с его ритуалами и закатами, трапезами и медитациями, молитвами и покаяниями, кострами и смехом. Наши друзья один за одним покидали лагерь учителя, пока с Идрисом, Сильвано и несколькими учениками не остались только Карла и я.

Она была права, настаивая на том, чтобы провести какое-то время вдали от города. Простота бытия, как ни странно, добавила новое измерение в наши отношения; взаимопонимание постепенно сгладило острые шипы городской жизни. Мы ежедневно и еженощно подолгу беседовали, обращаясь к прошлому в ускользающем настоящем.

— Он спас меня, — сказала Карла однажды, когда через несколько недель после нашего переселения на гору в разговоре всплыли годы, связанные с Кадербхаем.

— Ты встретила его в самолете, когда была в бегах.

— Да. Я была сама не своя. Я убила насильника, изнасиловавшего меня, и, хотя я знала, что сделала бы это снова, если бы пришлось, я была почти невменяема. Я добралась до аэропорта, купила билет и села на самолет, но в воздухе, в пяти милях над землей, я буквально развалилась на части. Кадербхай сидел рядом со мной. Он возвращался в Бомбей, у меня же был билет в одну сторону. Он вызвал меня на разговор, а когда мы приземлились, привез меня сюда, на гору. На следующий день я стала на него работать.

— Ты любила его, — сказал я, потому что любил его тоже.

— Да. Он мне не нравился, и я говорила ему об этом; я не одобряла того, что он делал, но я любила его.

— Как бы ни расценивать его деятельность, он сыграл важную роль в жизни города — и в нашей.

— Он использовал меня, — сказала Карла, — и я позволяла ему делать это. По его просьбе я использовала других людей, в том числе и тебя. И все-таки, когда я думаю о нем, я не чувствую ничего, кроме любви. А ты?

— И я так же.

— В трудные моменты у меня иногда бывает ощущение, как будто он встает рядом.

— И у меня тоже, — сказал я. — И у меня.

Нам с Карлой было хорошо на святой горе, но мы не хотели терять связь и с грешным городом. Раз в неделю приходили газеты, случайные посетители доставляли вести о наших друзьях и врагах, но самую ценную информацию мы получали от молодого ронина Джагата, который вел мои дела во время моего отсутствия.

Мы встречались с ним раз в две недели на автостоянке у подъема к пещерам. Выслушав новости, которые он приносил из города, мы были рады поскорее подняться обратно.

Политики и прочие фанатики делали все возможное, чтобы разобщить людей, говорил Джагат, и препятствовали всякому сотрудничеству, особенно между друзьями. В некоторых местах между соседними домами или кварталами воздвигались баррикады из обломков, и причиной иногда служили всего лишь разные вкусовые предпочтения. Люди забывали, что такое терпимость.

Это не касалось тех, кто жил на улицах и в трущобах или работал на предприятиях. Там разные склонности людей не мешали им прекрасно уживаться друг с другом и нормально работать. Но в штаб-квартирах политических партий народные представители воздвигали преграды между людьми, если их дружба шла во вред политической грызне. И многие поддавались на провокацию, сплачиваясь против таких же простых людей по другую сторону баррикады.

Вишну завершил чистку своей мафии. Новую Компанию 307, состоявшую исключительно из индусов, публично благословили брамины в новом особняке главаря на Кармайкл-роуд недалеко от художественной галереи, которую Карла оставила в распоряжении Таджа, но гораздо более весомое благословение было получено из карманов бомбейской элиты.

Было отпраздновано пышное новоселье, на котором даже местные снобы оттаяли, сказал Джагат; присутствовали и некоторые кинозвезды, ставшие постоянными участниками вакханалий в доме Вишну.

— Он вложил деньги в грандиозный индийский блокбастер, — добавил Джагат. — Фильм снимают не то в Болгарии, не то в Австралии. В общем, где-то за границей. Вишну сфотографировали на крупном сборище киношников, где объявляли о съемках фильма; его портреты напечатали во всех газетах.

— Вместо того, чтобы арестовать его за убийство афганских охранников, Назира и Тарика, — бросил я, — а также за поджог особняка Кадербхая и других городских домов.

— Нет свидетелей, дружище-*баба*. От обвинения отказались. Помощник полицейского комиссара тоже был на этом сборище. Герой нового фильма, крутой коп-служака, списан с этого фраера. Показано, как жестко и неумолимо он борется с преступностью и сколько преступников он убил в поединках. А Вишну оплачивает все это. Я не доезжаю. Это все равно что обчистить свой собственный банк.

— Да уж, — сказал я.

— Забавные ребята, — усмехнулась Карла. — А сколько телохранителей было с Вишну?

— Четыре, кажется, — ответил Джагат. — Столько же, сколько у помощника комиссара.

— Почему тебя интересуют телохранители? — спросил я Карлу.

— Обратный закон справедливости. Чем больше телохранителей, тем меньше порядочности.

— А велокиллеры круто изменили свой имидж, — продолжал Джагат, качая головой. — И выглядят совсем по-другому.

— И как же выглядят новые киллеры? — спросила Карла.

— Да пожалуй, лучше, чем прежде. У них теперь свободные белые брюки и рубашки цвета мятных лепешек.

— У всех до одного?

— Ага. Они теперь ходят в героях.

— Уж так и в героях, — усомнился я.

— Точно говорю. Все прямо влюбились в них. Моя подруга даже купила мне мятную рубашку.

— И разъезжают на джипах?

— На джипах. А хромированные велики привязаны к защитным дугам.

— А людей они убивают по-прежнему?

— Нет, больше не убивают. И банда их называется теперь «Без проблем».

— «Без проблем»? — поразилась Карла.

— Ага.

— Это все равно что назвать себя «О'кей», — заметил я. — Каждый индиец произносит «без проблем» каждые три минуты. Люди говорят «без проблем», даже когда проблем навалом.

— Вот именно! — сказал Джагат. — Отлично придумано. И много проблем, и мало — все равно «без проблем».

— Слушай, Джагат, ты меня разыгрываешь.

— И в мыслях нет, *баба*. Клянусь. И это у них работает. Люди нанимают их при киднеппинге для переговоров с похитителями и для всяких таких дел. На прошлой неделе они освободили миллионера, у которого пальцы остались только на левой руке. Да и их бы не было, если бы «Без проблем» не вмешались. Их просят также уладить всякие строительные тяжбы, на которые годами уходили миллионы рупий. Они решат любую задачу для того, кто им заплатит.

— Замечательно, — прокомментировала Карла.

— Мм-да... — произнес я, не так уж уверенный в этом.

В каждом городе есть свои Бэк-стрит, Мейн-стрит[1] и Уолл-стрит, и они плохо ладят в случае каких-либо затруднений.

Объединиться улицам мешают ложные представления о различиях между ними. Стоит людям встретиться, и глаза находят в других глазах любовь, разум замечает несправедливость, истина освобождает их. Властям на любой улице невыгодны свободный разум и свободные сердца, потому что власть — нечто противоположное свободе. И как человек, далекий от власти, я предпочитаю, чтобы парни с Бэк-стрит избегали Мейн-стрит, чтобы копы сами финансировали свои фильмы, а воротилы с Уолл-стрит держались подальше до тех пор, пока все улицы не сольются в одну.

Но на эти досужие размышления не было времени: чем позже Джагат от нас уедет, тем больше пробок будет на дорогах. Карла, по-видимому, тоже это понимала.

— Ты проверил, как там Дидье? — спросила она.

— *Джарур*, — ответил, сплюнув, юный уличный искатель приключений. — Сидит по-прежнему в «Леопольде», все у него о'кей. Да, еще эти зодиакальные парни, миллионеры, — спохватился он. — Они вернулись.

— И где устроились?

— В «Махеше», и потому мне недоступны. Тамошние сканеры мой штрихкод не считывают.

— Если все же услышишь что-нибудь, дай мне знать.

---

[1] Back Street (*англ.*) — «Задняя» (Захудалая) улица, Main Street — Главная улица.

— Да, конечно. А знаете, почему все так тащились от этих двух иностранцев, когда они кантовались на улице? — спросил он задумчиво.

— Ну, наверное, потому, что они хорошие парни, — предположил я.

— Не только поэтому, — сказал он, черти носком ботинка зигзаги в пыли.

— А почему, интересно? — спросила Карла, которую всегда тянуло ко всему хорошему в людях.

— Потому что их звали *зодиакальными* Джорджами, вот почему. Ну, в Индии это же не хрен собачий. Это все равно что назвать себя кармой или типа того. Куда бы они ни пошли, зодиак был при них. Если ты давал им поесть, ты подкармливал зодиак. Если ты пускал их переночевать, ты приглашал к себе зодиак. Если ты защищал их от хулиганов, ты защищал зодиак от негативной энергии. А предоставлять услуги планетам, которые направляют нас и крутят нами так и сяк, — это ж, согласитесь, не последнее дело. И полно людей, *баба*, которые расстроены из-за того, что они не могут теперь сделать что-нибудь для этих зодиакальных типов, потому что они стали богаты и им это не нужно.

Индия. Время, измеряемое стечением обстоятельств, логика, построенная на противоречиях. Джагат раскачал дерево с сучком, на котором я угнездился было и восстановил, как мне казалось, душевное равновесие. Но в городе почти каждый день что-нибудь сотрясало мою шаткую опору. Мир, где я жил, хотя не был рожден здесь, сбрасывал странные цветы со всех деревьев, на которых я пытался найти убежище.

— Ты нам очень интересно это рассказал, Джагат, — сказала Карла.

— Правда? — отозвался он, нахмурившись, чтобы скрыть смущение.

— Правда. Спасибо тебе за это.

Джагат, чье имя означает «Весь мир», покраснел и отвел глаза, машинально прикоснувшись к ручке ножа на поясе.

— Слушай, старик, — обратил он ко мне свое лицо в шрамах, говоривших многое всякому, кто на него смотрел, — по-моему, это неправильно, если я буду брать себе всю выручку с твоих сделок.

— Ты делаешь всю работу, — возразил я, — так почему бы тебе не брать все деньги? Я, по идее, еще должен тебе за то, что ты не даешь делу заглохнуть. И должен немало, дружище Джагат.

— А, пошел ты, — засмеялся он. — Нравится тебе или нет, но я откладываю двадцать пять процентов для тебя каждую неделю, и не возникай.

— Ладно, *джаван*. — (На хинди это слово означает «боец».) — Согласен.

— Когда ты вернешься с этой жуткой горы с ее тиграми и святыми, то не на пустое место.

— И я буду очень рад этому, когда вернусь в твой жуткий город с копами и бизнесменами.

— Может, проедемся с Джагатом до автострады, а потом вернемся? — предложила Карла.

— Неплохая идея. Ты не против, Джагат, если мы составим тебе компанию, или предпочитаешь спуститься быстро?

— Давайте спустимся неторопливо, дружище-*баба*.

— *Kruto!* — бросила Карла.

— Что-что? Ты брала уроки русского языка у Олега? — спросил я, снимая байк с упора.

— *Sprosite yego,* — рассмеялась она.

— А это что значит?

— Спроси его.

— Обязательно спрошу, — отозвался я, и она засмеялась еще громче.

Мотоцикл — ревнивое металлическое существо. Если он любит вас, то стоит вам только подумать о другом мотоцикле — он чувствует это, обижается и не хочет заводиться. Поскольку я посмотрел на байк Джагата, мой не стал работать даже после того, как я трижды нажал на стартер.

Байк Джагата между тем уже выдавал свое медленное мотоциклетное стаккато. Однопоршневой мотор мотоциклетного двигателя объемом триста пятьдесят кубов — это барабан, который доставит вас куда угодно при условии, что вы позволите ему играть его собственную музыку.

Я нажал на педаль еще раз, но получил в ответ только презрительное покашливание.

Карла наклонилась, держась за ручку руля, и ласково похлопала байк по бензобаку.

— Прогулка до шоссе и обратно пойдет тебе на пользу, малыш, — сказала она. — Давай прокатимся!

Я опять нажал на стартер, и, секунду-другую повыпендривавшись и почихав, байк завелся.

Мы спустились бок о бок с Джагатом, как на санках, по пустынной лесной дороге до свирепо фырчащей автострады и, помахав ему на прощание, повернули обратно.

Мы ехали через вечерний лес, переходя от дневных дерзаний к ночному лукавству. Птицы устраивались в гнездах на ночлег, а насекомые, наоборот, пробуждались ото сна; летучие мыши величиной с орлов тоже просыпались, готовясь к пиршеству.

Весь длинный путь к пещерам мы проделали как можно медленнее. В тени деревьев нас овевал легкий ветерок; небо то пряталось за кронами, то снова открывалось нам. Народившаяся ночь была ясной. Первые звезды просыпались и протирали глаза. Жар от нагретых листьев поднимал в воздух запахи земли. Мы, два беглеца, были счастливы вместе и свободны.

ГЛАВА

 82

Свободные и счастливые, мы доехали до автостоянки на горе и обнаружили там поджидавшего нас Конкэннона. Он сидел в белой рубашке на багажнике красного «понтиака-лорентиан». Мне сразу захотелось перекрасить его рубашку под цвет автомобиля.

— Сиди и держись, малышка, — сказал я, затормозив.

Развернув мотоцикл на сто восемьдесят градусов, я проехал вниз по дороге несколько сотен метров и остановился.

— В чем дело? — спросила Карла.

— Видишь дерево с большим дуплом? — спросил я. — Подожди меня там.

— Почему я должна прятаться? — спросила она таким тоном, словно я предложил ей сдать кровь для мадам Жу.

— Подожди, говорю, и я за тобой вернусь.

— Ты сошел с ума?

— Там на стоянке Конкэннон.

— Это *Конкэннон*?

Ее всегда интересовали неординарные личности.

— Подожди меня здесь, Карла, я скоро вернусь.

— Нет, ты точно сошел с ума. Между прочим, пистолет *у меня*. И стреляю я лучше. И мне казалось, ты говорил, что мы теперь всегда и во всем будем вместе.

Ситуация была непростая. Если твой враг не знает удержу, ты начинаешь проигрывать, когда дело выходит за все допустимые рамки. Но Карле храбрости было не занимать, и в любой схватке она, наверное, была бы единственной женщиной, выстоявшей до конца.

— Ну хорошо, — неохотно уступил я. — Но учти, что с этим парнишкой надо держать ухо востро. Языком он работает не хуже, чем кулаками.

— Ну уж теперь я просто *должна* познакомиться с ним. Наш выход, Шантарам.

Мы вернулись на автостоянку, я пристроил свой байк чуть в стороне. Когда мы с Карлой отошли от него, он еще дышал. Я направился к Конкэннону, постепенно замедляя шаги, но на последнем ускорился и двинул ему по уху.

— Какого хрена? — вскричал он, схватившись за ухо.

Конкэннон скатился с багажника и стал прыгать вокруг меня, угрожая ударами по корпусу. Я тоже пытался достать его, но он прикрывался и уворачивался.

Мы прыгали все дальше от Карлы. Между тем не исключено было, что где-то прячутся его сообщники. Я стал медленно отступать, пока не приблизился к ней.

— Что тебе здесь надо, Конкэннон? — спросил я. — Где твои головорезы?

— Я тут один, приятель, в отличие от тебя. — Он ухмыльнулся Карле и помахал ей. — Привет!

Карла вытащила из сумки пистолет и наставила на него:

— Если у тебя есть пушка, бросай ее.

— Никогда не таскаю с собой пушек, мисс.

— Вот и правильно. А я таскаю. Если двинешься в нашу сторону, я тебя продырявлю.

— Понял, — ухмыльнулся он.

— Не очень-то разумно было появляться здесь, — сказала она. — В лесу водятся тигры. Очень удобно избавиться от трупа.

— Я встал бы на колени перед вами, мисс Карла, если бы не боялся, что ваш бойфренд трахнет меня в это время по башке. Познакомиться с вами — большая честь. Меня зовут Конкэннон.

— Мой друг был очень расстроен, когда я сожгла твое письмо и не сказала ему, что в нем было написано. Я ждала этой возможности и рада, что ты мне ее предоставил. Повтори то же самое ему в лицо, если у тебя хватит пороха.

— Значит, это *письмо* так настроило вас против меня? Нет-нет, я не стану повторять свои неприличные предложения в присутствии этого беглого каторжника. Полагаю, это было бы неразумно.

— Я так и думала, — улыбнулась Карла. — Написать написал, но сказать открыто боишься.

— Вам не понравились мои намеки? — спросил он. — Мне самому они показались тонкими.

— Заткнись, — бросил я.

— Видите, с чем мне приходится иметь дело? — обратился он к Карле.

— Заткнись, — повторила она за мной. — Сейчас ты имеешь дело с нами обоими и выглядишь довольно бледно. Что тебе надо?

— Я приехал сообщить кое-что вашему бойфренду. Вы позволите мне сделать это, сидя на багажнике?

— Было бы лучше, если бы ты был *в* багажнике, а машину спихнули бы с обрыва, — ответил я.

Конкэннон улыбнулся и покачал головой:

— Злоба старит, знаешь ли. Физиономия выглядит сразу на несколько лет старше. Может, вы все-таки разрешите мне залезть опять на этот долбаный багажник и поговорить с вами, как полагается доброму христианину?

— Залезай, — сказала Карла. — Только держи свои христианские руки так, чтобы я их видела.

Конкэннон уселся на багажник, поставив ноги на бампер.

— Неплохо было бы, если бы ты рассказал нам все, и на этом мы развязались бы с тобой, — заметила она.

Конкэннон рассмеялся, смерил Карлу взглядом, затем перевел взгляд на меня. Даже в тени автостоянки его голубые глаза ярко светились.

— Я не имею никакого отношения к тому, что произошло с Лизой, — проговорил он быстро. — Я к ней пальцем не притронулся. Я видел ее всего раз или, может быть, два, но она мне понравилась. Очень была приятная женщина. Но я никогда не сделал бы того, о чем писал. Я написал это просто для того, чтобы позлить вас. Повторяю, я не притронулся к ней и не стал бы. Это не мой стиль.

Я хотел, чтобы он заткнулся, хотел избавиться от проклятия, наложенного на меня кем-то с тех пор, как было упомянуто его имя. Все, связанное с ним, не сулило ничего хорошего.

— Продолжай, — сказала Карла.

— Если бы я знал, какой извращенец Ранджит, я остановил бы его, клянусь. Я сам убил бы его, если бы знал, что он собой представляет.

Он опустил голову, предоставив мне возможность застать его врасплох. Мне хотелось наброситься на него и поддать ему так, чтобы он вылетел через то проклятое окно, которое взломал. Но Карла хотела знать все.

— Говори, говори, — сказала она. — Расскажи нам все, что тебе известно.

— Я узнал это уже после того, как все случилось, — сказал он. — Если бы я знал раньше, никакого «после» не было бы.

— Это мы уже поняли. Продолжай, — сказала Карла.

— Я познакомился с этим маньяком через наркоту. Те, кто летает высоко, не гнушаются спускаться к таким, как я, если им нужно накачаться. Когда он сказал мне, что хочет усыпить Лизу, я решил, что надо пойти с ним.

— Наркотик был нужен Ранджиту, чтобы усыпить Лизу? — спросила Карла слишком, на мой взгляд, мягким тоном.

— Да. Он купил рогипнол. Я думал, это просто для забавы. Он сказал, что они друзья и устраивают небольшой междусобойчик.

— Но зачем тебе понадобилось тащиться туда за ним?

— Чтобы поддразнить вашего дружка, — ответил Конкэннон, указав на меня. — Для того я и отправил вам эту грязненькую записулечку и влез к вам со своими грязненькими мыслишками. Я хотел потрепать нервы этому необузданному долбаному уголовнику.

— Заткнись, — выпалили мы оба.

— Из вас получилась отличная парочка благочестивых правонарушителей. Стоите друг друга.

— И все же зачем ты туда пошел, Конкэннон? — настаивала Карла.

— Я же сказал, — ответил он, улыбаясь и глядя на нее своими голубыми глазами. — Просто я прекрасно понимал: если этот вот Лин узнает, что я был в его доме с его девушкой в его отсутствие, он взовьется, как взбесившийся жеребец.

— И зачем тебе это было нужно?

— Чтобы досадить ему, а значит, и этому иранцу.

— Абдулле?

Я не рассказывал ей, как Абдулла опустился до того, что участвовал вместе с Конкэнноном в его делишках, — я не хотел предавать его, портить его репутацию.

— Мы вместе замочили кое-кого, — небрежно обронил Конкэннон, — а потом он окрысился на меня на почве национальности, и мы стали врагами. Ваш бойфренд просто побочная жертва нашей вражды.

— Ну, с меня хватит, — не выдержал я.

— Ты никогда не обращался к психотерапевту по поводу вспыльчивости? — спросил он.

— Убирайся, Конкэннон. Я уже устал говорить «заткнись».

— Но прежде чем ты уйдешь — если мы позволим, — сказала Карла, — расскажи, что ты знаешь о Ранджите.

Я не понимал, зачем ей это надо. Мне было наплевать на Ранджита, и я не хотел, чтобы поганый язык Конкэннона трепал имя Лизы. Я знал, на что он способен, и знал, что Туарег одобрил его послужной список. Поэтому я хотел, чтобы его тут не было или был бы, но в бессознательном состоянии.

— Не крути, Конкэннон, — сказал я. — Если можешь что-нибудь сообщить, выкладывай.

— Впервые я встретил Ранджита на одной вечеринке в Гоа. Он маскировался, носил парик, но я-то узнал его сразу. Я знал, что он миллионер в бегах, и подумал, что у него наверняка где-то припрятаны бабки, так что я отвлек его от кокаина и героина и убедил его отвести меня в его нору.

— У Ранджита был дом в Гоа? — спросила Карла.

— Думаю, съемный. Отличный особнячок, кстати. Впечатляющий. Ну, мы пришли, я веду разговор к тому, что пора бы уже открыть сейф, как вдруг он сам открывает его и спрашивает, не хочу ли я посмотреть кино.

Карла мягко накрыла мою ладонь своей.

— Что за кино?

— Порно, — засмеялся Конкэннон. — Но это был очень односторонний секс. Все девицы — усыплены. На нем была купальная шапочка и резиновые перчатки, чтобы не осталось никаких следов. Потом он обмывал девиц, снова одевал и оставлял на диване, накрыв одеялом, так что они, проснувшись, даже и не подозревали о том, что он делал.

— И он этим занимался? — спросила Карла.

— Да, занимался. А вы не знали?

Я хотел было сказать «заткнись», но Карла сжала мою руку.

— Он не объяснил почему?

— Он сказал, что его жена фригидна — прошу прощения, но это его слова, а не мои — и не хочет заниматься с ним сексом, так что ему якобы приходится трахать этих спящих девиц и притворяться, будто трахает ее — вас то есть.

Карла опять сжала мою руку.

— И ты хочешь сказать, что именно это произошло с Лизой?

— Думаю... — сказал он, отводя глаза, — думаю, он всыпал ей рогипнол в какое-нибудь питье, но перестарался. Химия у меня была чистая. Думаю, бедняжка умерла еще до того, как он успел с ней поразвлекаться.

— А кто были другие девушки?

— Понятия не имею, — пожал он плечами. — Я узнал только одну из них, ее лицо мелькало в газетах. Но... могу сказать вам одну вещь: все они были похожи на вас, и он надевал им черные парики, прежде чем заняться своим делом.

— Ну, хватит! — опять вскипел я.

— Только не пытайся опять заткнуть мне рот, приятель. Я приехал сюда не ради каких-нибудь безобразий. Я уже устал от всяких безобразий, хотя раньше ни за что не поверил бы, что скажу когда-нибудь такое. Я ушел на покой.

— Это подходящее место, чтобы уйти на вечный покой.

— Ты нехороший человек, — ухмыльнулся Конкэннон. — И мысли в твоей башке все нехорошие.

— И что было, когда Ранджит показал тебе это видео? — спросила Карла.

— Ну, я немножко поколотил его, конечно, и оставил валяться без чувств. Убить его я, к сожалению, не мог: слишком многие видели нас вместе. Я прихватил с собой все деньги из сейфа и тот видеофильм, где он снялся с девицей, что была в газетах.

— А что ты сделал с этим фильмом?

— А! Вот это было очень забавно, — сказал Конкэннон, сложив руки на груди.

— «Забавно»? — отозвался я. — Тебе все это кажется забавным?

— Держи руки так, чтобы я их видела! — приказала Карла, и он, откинувшись назад, уперся ими в багажник. — Что именно было забавно?

— Среди тех, кто покупает у меня кокаин, есть один молодой охламон. Он ничего собой не представляет, но нрав у него крутой. Его собственная семья добилась судебного предписания, по которому он отправится за решетку, если опять распустит руки. Он хочет стать кинозвездой и поэтому продает часть кокаина известным киноактерам и иногда получает за это маленькие роли. Та девица, с которой снялся Ранджит, была актрисой, а этот охламон был ее бойфрендом.

— Ты отдал пленку ему? — спросила Карла.

— Да, когда он пришел за очередной порцией, — ответил Конкэннон, довольно ухмыляясь. — Ранджит время от времени тайком пробирался в город и всегда покупал наркоту у меня. Я сказал этому необузданному парнишке, что Ранджит иногда ошивается, изменив внешность, в своем любимом ночном клубе в Бандре.

— То есть ты навел этого парня на след Ранджита.

— Ну да. И преподнес этому дикарю в подарок целый пакет, где была эта кассета, приглашение в клуб и непрослеживаемый пистолет с непрослеживаемыми пулями. Его натура довела дело до конца.

Карла сжала мою руку.

— И ты приехал сюда, чтобы рассказать, как ты подставил моего бывшего супруга? — спросила она.

— Я приехал, чтобы предупредить вашего бойфренда, — ответил Конкэннон, выпрямляясь.

— Предупреди себя самого, Конкэннон.

— Ну вот, опять! — отозвался он притворно обескураженным тоном. — Из всех озлобленных дикарей этого города ты самый необщительный. Я знаю палачей, с которыми и то веселее. Я пытаюсь вдолбить тебе, что я изменился.

— Не вижу никаких изменений. Ты все еще скрипишь.

— Опять эти злобные нападки. Послушай, — сказал он рассудительным тоном, — я покончил с прежней жизнью. Теперь я бизнесмен и тружусь вполне легально. Тот факт, что я не держу на тебя зла после нашей последней встречи, подтверждает это.

— Ну да, с тебя все как с гуся вода.

— Как раз наоборот, — возразил он. — Это я и пытаюсь тебе втолковать. После той нашей драки я все обдумал. Очень тщательно, заметь. Я ведь был пострадавшей стороной. Плечо у меня толком так и не зажило и работает не так хорошо, как следовало бы. У меня уже не та координация, я никогда не смогу так же хорошо драться, как раньше. Я никогда прежде не допускал, чтобы кто-то взял надо мной верх, и это меня порядком встряхнуло. Начался мой путь в Дамаск[1] на заброшенной бомбейской фабрике, а из седла меня выбил австралийский уголовник. И я изменился. Теперь я бизнесмен.

— А что за бизнес? — спросила Карла, отпуская мою руку.

— Я вложил все свои деньги в одно дело с Деннисом.

— Со Спящим Бабой?

— С ним. Мне как-то вспомнилась поговорка про речку — ну знаете: если достаточно долго просидеть на берегу реки, то мимо проплывут трупы твоих врагов.

Мне очень хотелось, чтобы Конкэннон проплыл мимо меня по Гангу.

— И однажды, в момент еще одного просветления на пути в Дамаск, мне пришло в голову, что река — это не обязательно вода. Она может быть столом из нержавеющей стали в похоронном бюро. Понимаете? И вот мы с Деннисом купили одно такое бюро, и теперь мы его владельцы, предприниматели. И один из моих врагов уже проплыл мимо нас. Я смеялся счастливым пьяным смехом, готовя его для погребения.

— И Деннис согласился этим заниматься? — спросил я.

— Мы с ним очень органично дополняем друг друга. Я знаю, как мертвец *выглядит*, а он знает, что тот *чувствует*. Никогда не видел, чтобы кто-нибудь обращался с трупами так нежно, как он. Он называет их Спящими и разговаривает с ними, как со

---

[1] Аллюзия на перерождение святого Павла по дороге из Иерусалима в Дамаск.

спящими. Очень мило с его стороны, очень трогательно. Но я держу наготове бейсбольную биту на случай, если кто-нибудь из них вдруг ответит.

Конкэннон замолчал, стиснул руки и воздел сцепленные кисти к небу, словно в молитве.

— Я понимаю, трудно поверить, что такой враг человечества, как я, может перестроиться, но это так. Я изменился, и доказательством служит то, что я приехал сюда, рискуя встретить недоброжелательный прием, чтобы сообщить вам две вещи. Первую я уже сообщил. Это было все, что я знаю о Ранджите и этой девице.

— А вторая? — спросила Карла.

— А вторая вот какая: Компания триста семь наняла гунд из других городов для того, чтобы убить сегодня этого иранца, Абдуллу. А поскольку Абдулла прячется здесь на горе, то и вы оба оказываетесь на линии огня.

— Когда они прибудут? — спросил я.

Конкэннон взглянул на свои часы и ухмыльнулся:

— Часа через три. У вас было бы больше времени, если бы ты не был таким несговорчивым и дал мне высказаться, не перебивая.

Все это мне не нравилось. У меня было ощущение, что Конкэннон подставляет нас.

— А почему ты решил нас предупредить? — спросила Карла.

— Подчищаю кое-какие мелочи, мисс, — улыбнулся он. — Я никогда не держал зла на вашего дружка. Я пытался привлечь упрямого осла на свою сторону, и я не стал бы этого делать, если бы не испытывал к нему симпатии. Я обращался с ним скверно, но ненавидел не его, а Абдуллу — за то, что он пошел против меня и угрожал мне.

— Хватит уже об Абдулле, — бросил я.

— Но я перестал ненавидеть его, — продолжал Конкэннон, — он не сделал ничего плохого, пусть даже он иранская... личность. Это я поступал плохо и открыто признаю это. Как бы то ни было, иранцу сегодня, по-видимому, крышка. А я нашел нишу, где чувствую себя на своем месте и буду спокойно ждать, пока другие убивают моих врагов и посылают их мне. Я буду, так сказать, среди своих, если вы понимаете, о чем я.

— Мы понимаем, — сказала Карла, хотя я не понимал.

— Вы верите, что я не держу на вас зла и не желаю вам ничего плохого?

— Нет, — ответил я. — Гуд-бай, Конкэннон.

— А еще говорят, что он писатель, — подмигнул он Карле. — Он, наверное, сочиняет крошечные ничтожные брошюрки.

— Он большой писатель, а я занимаю большое место в его книгах, — ответила Карла. — Спасибо за предупреждение, Конкэннон. Кстати, какое имя тебе дали при рождении?

— Фергюс, — сказал я, опередив его, и он, засмеявшись, спрыгнул с багажника и широко развел руки:

— Я все-таки нравлюсь тебе! Я так и знал. Ты пырнешь меня, если я тебя обниму?

— Да. И не приезжай больше.

Он медленно опустил руки, улыбнулся Карле и залез в свой автомобиль.

— В полицию обращаться бесполезно, — сказал он, высунувшись из открытого окна. — Им заплатили большие деньги за то, чтобы они не появлялись здесь, пока этого иранца не прикончат раз и навсегда.

Он завел машину, заблокировал одно колесо, дал газ и развернулся на месте.

— Вам не нужно динамита? — спросил он. — У меня в багажнике целый ящик, а мне он сейчас без надобности.

— Спасибо, может быть, в следующий раз, — улыбнулась Карла, помахав ему на прощание.

Двойные габаритные огни «понтиака» упорхнули за поворот, как две летучие мыши. Карла живо повернулась ко мне, блеснув зелеными глазами:

— Наверное, Абдулла у Халеда. Надо его предупредить.

— Само собой, а также Сильвано и учеников. Все это может докатиться и до Идриса.

Она собралась уже бежать к дому Халеда, но я остановил ее:

— Давай обсудим кое-что, прежде чем говорить с Халедом.

— Давай. Что именно?

— Мы договорились, что всюду будем вместе, да?

Карла посмотрела на меня, уперев руки в боки.

— В дупло я не полезу, — заявила она, скривив губы в улыбке.

— И не надо. Я хочу сказать другое.

— Непременно сейчас?

— Если сегодня станет горячо, не отходи от меня. Держись рядом или у меня за спиной. В крайнем случае сцепимся локтями. Если придется драться, встанем спина к спине. Ты будешь стрелять, я орудовать ножом. Но только давай все время будем вместе, иначе я свихнусь от тревоги за тебя.

Она засмеялась и стиснула меня в объятиях, так что я, по-видимому, в основном сказал все правильно.

— Ну, побежали, — сказала она, готовая сорваться с места.

— Подожди, — сказал я.

— Опять?

— Что значит «может быть, в следующий раз»?

Я имел в виду ее последние слова, сказанные Конкэннону.

— Что-что?

— Ты сказала «Может быть, в следующий раз», когда Конкэннон предложил нам динамит.

— Это обязательно надо обсуждать здесь и сейчас?

— У Конкэннона не бывает следующего раза. Он одноразовый парень и действует не задумываясь, хоть вся планета лети в тартарары.

— Ты не веришь, что человек может исправиться?

Когда она поддразнивала меня, то была восхитительна, но сейчас мы говорили о Конкэнноне, а на гору рвались бандиты, чтобы убить нашего друга.

— Я не верю Конкэннону, — ответил я. — Ни в качестве громилы, ни в качестве гробовщика-предпринимателя. Не верю его словам. Это может быть ловушка.

— Очень хорошо, — воскликнула она. — Побежали, наконец?

ГЛАВА

 83

На последнем повороте лесной тропинки, ведущей к дому Халеда, мы услышали музыку и пение сотен голосов, сливавшихся в единой гармонии. Дом, словно территория тюрьмы, был освещен прожекторами, развешенными на деревьях. Мы остановились у первой ступеньки лестницы.

— Питомцев у него, похоже, изрядно прибавилось, — заметила Карла, глядя на залитую ярким светом террасу. — Хор впечатляющий.

Хористы пели во весь голос, впав в религиозный экстаз. Лучи прожекторов обесцветили листву, и деревья превратились в скелеты, испуганно протягивавшие руки к небу.

Из широких дверей на террасу вышел Халед, держа руки на поясе. В ярком электрическом свете, слепившем глаза, он был лишь темной тенью. Позади него виднелись еще две тени.

Он поднял руку, пение прекратилось. Воздух наполнился звоном насекомых.

— *Салям алейкум*, — сказал он.

— *Ва алейкум салям*, — ответили мы с Карлой.

Где-то очень громко залаяли очень большие собаки. Услышав такой лай, представляешь себе оскаленную пасть и хочется убежать. Карла взяла меня под руку. Лай был исключительно свирепым, но Халед опять поднял руку, и собаки смолкли.

— Прошу прощения, включил не ту запись, — сказал он, отдавая пульт одной из теней. — Ты зачем пришел, Лин?

— Мы пришли к Абдулле, — сказала Карла.

— Ты зачем пришел, Лин?

— Она уже сказала, — ответил я. — Где он?

— Абдулла очистился от скверны перед смертью и молится, — сказал Халед. — Никому сейчас нельзя его беспокоить, даже мне. Он беседует наедине с Аллахом.

— Сюда едут бандиты — за ним.

— Мы знаем, — сказал Халед. — Учеников здесь сейчас нет. Ашрам на время закрылся. Мы...

Его прервало возобновившееся исступленное пение. Через несколько секунд оно оборвалось на середине фразы.

— Перестань баловаться с пультом, Джабала, — бросил Халед через плечо.

Насекомые и лягушки обрадовались вновь наступившей тишине.

— Мы готовы к сражению, — заявил Халед.

— Где же я читала эту фразу? — произнесла Карла.

Халед величественно поднял руку:

— Это я распространил слух, что Абдулла прячется здесь. Я спровоцировал это нападение из города. Это ловушка, Лин, а вы забрались в нее.

Опять залаяли собаки.

— Джабала! — крикнул Халед, и лай прекратился.

Халед спустился к нам на тропинку. Он заметно похудел, снова занявшись спортом, и потерял половину набранного веса. Он восстановил форму, был уверен в себе и опасен. Похоже было, что он наконец-то полюбил себя.

Он сжал обе мои ладони своими, наклонился между нами и шепотом обратился к Карле:

— Привет, Карла. Я не могу говорить с тобой открыто перед своими людьми. Ты женщина, которую сопровождает мужчина, не являющийся твоим родственником. — Он обнял меня, шепча ей в ухо: — Прими мои соболезнования по поводу потери мужа. Но ты должна уйти отсюда. Здесь будет схватка.

Он отодвинулся от нас, но я задержал его руку:

— Если ты знал об этом, почему не предупредил нас?

— *Теперь* вы предупреждены, Лин, и примите это как благословение. Вы *должны* уйти. Мои люди нервничают. Давайте обойдемся без эксцессов.

— *Аллах хафиз*, Халед, — сказала Карла, повернувшись, чтобы уйти, и потянула меня за собой.

— Скажи Абдулле, что мы здесь, на горе, если ему понадобится помощь, — попросил я.

— Хорошо, скажу. Но я смогу это сделать только тогда, когда начнется схватка, — печально ответил Халед. — Да хранит вас Аллах нынешней ночью.

Когда мы уже отошли на несколько шагов, он помахал нам на прощание. Мы помахали ему в ответ и направились рысцой к началу тропы, ведущей наверх.

Я остановил Карлу. Хотя было темно, в ее глазах мелькало отражение звезд.

— Я должен сказать тебе кое-что.

— *Опять?* — засмеялась она.

— Здесь сегодня будет опасно. Если хочешь, мы можем уехать куда-нибудь подальше.

— Давай сначала предупредим Идриса, — улыбнулась она и стала подниматься.

Я карабкался по склону вслед за ней. Наконец мы, отдуваясь, вышли на площадку, где при ярком свете костра беседовали засидевшиеся допоздна ученики.

Найдя Сильвано, мы вместе с ним направились в большую пещеру к Идрису.

— Убийцы, — произнес Идрис, выслушав нас.

— И очень опытные, — сказал я. — Надо уходить отсюда, Идрис, по крайней мере на эту ночь.

— Да, конечно. Надо увести учеников в безопасное место. Я распоряжусь немедленно.

— Я останусь, чтобы защищать лагерь, — сказал Сильвано.

— Это ни к чему. Ты должен пойти с нами, — возразил Идрис.

— Я вынужден ослушаться, — упрямился тот.

— Ты должен уйти с нами, — повторил Идрис.

— Рассуди трезво, Сильвано, — поддержал я Идриса. — Кто-нибудь может забраться сюда в поисках спасения, а бандиты погонятся за ним, и тогда тут станет очень горячо.

— Я должен остаться, учитель-джи, — сказал Сильвано, — а ты должен уйти.

— Храбрость бывает чрезмерной, Сильвано, — сказал Идрис, — так же как и преданность.

— Все твои рукописи хранятся здесь, учитель-джи, — ответил Сильвано, — больше пятидесяти коробок. И большинство их распаковано для занятий. У нас нет времени собирать их и упаковывать. Я останусь, чтобы охранять твои труды.

Его преданность восхищала меня, но мне казалось, что такой риск не оправдан, что это слишком высокая цена за печатное слово. Но тут высказалась Карла:

— Мы останемся с тобой, Сильвано.

— Карла... — начал было я, но она улыбнулась мне с такой любовью, что оставалось только сдаться. — Сильвано, похоже, ты будешь здесь не один, — закончил я, вздохнув.

— Итак, решено, — сказал Идрис. — Теперь надо как можно быстрее собрать учеников с их пожитками. Мы спустимся обходной тропой в храм Кали, к началу автострады. Дайте нам знать, когда в нашем святилище все будет снова спокойно.

— Идрис, — обратился я к нему, — мне очень жаль, что все это затронуло твою школу. Прости нас.

— Если ты берешь на себя ответственность за решения и действия других, ты оскорбляешь карму, — ответил он. — Это не меньший грех, чем пытаться избежать ответственности за свои решения и действия. Случившееся произошло не из-за тебя, это не твоя кармическая вина. Берегите себя. Да благословит вас Господь.

Он по очереди возложил руку на голову каждого из нас и произнес оберегающие мантры.

Ученики увязали свои вещи в платки и собрались в начале тропы, готовые к спуску. Ручные фонарики и большие фонари мерцали в темноте, как светлячки.

Идрис, с длинным посохом в руке, занял место во главе процессии и, помахав нам на прощание, повел учеников вниз. Один из них, Виджай, решил остаться с нами. Это был высокий и худой юноша, одетый в белый хлопчатобумажный костюм типа пайджамы. Он был бос, в руках держал бамбуковый шест.

На его юном лице с тонкими чертами не отразилось никаких чувств, когда он глядел, как уходит учитель. Затем он повернулся ко мне, и сама Индия вспыхнула в его глазах.

— Ты готов? — спросил он.

Я посмотрел на его бамбуковый шест, вспоминая тех, с кем я дрался в последний год, начиная со «скорпионов» и кончая Конкэнноном, и подумал, что неплохо было бы привязать нож на конце шеста.

— Я готов, — ответил я. — У меня есть лишний нож. Может быть, стоит прикрепить его к шесту?

Он сделал шаг назад, начал крутить шест над головой, подпрыгнул и хлопнул шестом по земле в сантиметре от моего ботинка.

— ...А может быть, и не стоит, — закончил я свою мысль.

— Может быть, нам разделиться и занять каждому свою позицию? — предложил Сильвано.

— Нет! — ответили мы с Карлой одновременно.

— Вторгшийся сюда попадает на чужую территорию, — сказал я. — Нам надо найти укрытие с возможностью отхода и чтобы видна была тропа. Если бандиты поднимутся и выйдут на открытую площадку, мы можем отпугнуть их шумом и стрельбой.

— А если они атакуют нас?

— Мы убьем их быстрее, чем они нас, — ответила Карла. — Ты, Сильвано, стреляешь без промаха, я тоже умею обращаться с оружием. Дело верное.

— Или же мы можем спрятаться где-то и переждать, — сказал я. — Мест, чтобы спрятаться, на горе сколько угодно. Не останутся же они здесь навечно.

— Я считаю, мы должны драться, — сказал ученик с шестом.

— А я считаю, что нам решим это смотря по обстоятельствам, — сказал я.

— Я согласен, что нам надо найти хорошее укрытие, — задумчиво произнес Сильвано. — Лучше всего ближайшая к тропе пещера. Оттуда мы увидим, как они поднимаются.

— Там нет другого выхода, — возразил я. — Я всегда предпочитаю, чтобы была возможность отступить.

— Выход там есть, — сказал он. — Давай покажу.

В дальнем конце пещеры висел занавес. Я видел его раньше, но думал, что он просто прикрывает голую стену.

Сильвано раздвинул занавес и, включив фонарик, провел нас по узкому проходу, проделанному то ли природой, то ли людьми и соединявшему первую пещеру с последней.

Пройдя по нему, мы оказались в пещере Идриса, совсем рядом с волнистой стеной леса и в двух шагах от нашего укрытия.

— Мне здесь нравится, — сказала Карла. — Я с удовольствием купила бы эту пещеру и жила бы в ней, если бы это было возможно.

— Мне тоже нравится, — согласился я, — но давайте вернемся в первую пещеру и устроимся там. У нас не так много времени.

— Не знаю, как вы, — сказал Сильвано, потирая живот, — а я проголодался.

Мы принесли в пещеру холодную еду, воду, одеяла и факелы. Я прикончил все, что дала мне Карла на тарелке, не успев определить, что я ем. Голод был утолен, но тревога возросла.

Рядом со мной была Карла, а сюда направлялись киллеры. Мой внутренний голос кричал, что надо убираться отсюда ко всем чертям. Но Карла была спокойна и полна решимости. Покончив с едой, она принялась чистить свой пистолет и при этом еще напевала что-то. Сейчас, оглядываясь назад, я подозреваю, что у нее всегда хватало храбрости на нас обоих.

— Где коробки с работами Идриса? — спросил я, повернувшись к Сильвано.

— В главной пещере, — ответил он, заканчивая еду.

— Тогда надо постараться не устраивать в ней никаких схваток. Из-за какой-нибудь шальной пули там может начаться пожар.

— Согласен.

Виджай взял тарелку Карлы и отнес ее вместе с другими ко входу в пещеру.

— Я знаю этот лес, — сказал Сильвано, вставая и потягиваясь. — Мы с Виджаем посмотрим, как там обстановка. К тому же мне надо зайти в ванную комнату.

Он быстро вышел, и они с Виджаем двинулись куда-то вправо. Дорожка выходила на площадку слева от нас.

В этом месте протопало столько ног, что лишь дикие травы пробивались кое-где. Луна еще не вышла, но ночь была ясная, и площадка хорошо просматривалась метров на пятьдесят.

Сердце мое билось учащенно. Я пытался силой воли успокоить его и замедлить биение, но при мысли о том, что Карлу могут ранить или схватить, темп опять ускорялся. Посмотрев на меня, она поняла, что я боюсь за нее.

— Ты предлагаешь нашуметь погромче, сделать ноги и затаиться? — спросила она, скривив с восхитительным презрением рот. — Такова твоя тактика?

— Карла...

— Прибереги ее для себя на следующий раз.

— Этот парнишка с бамбуковым шестом сказал, что мы должны драться, — засмеялся я. — Эта тактика, по-твоему, лучше? Мне кажется, здесь нам не за что драться.

— Ты писатель — и считаешь, что за рукописи, полные мудрости, не стоит драться?

— Да, считаю. Мне приходилось удирать от копов через окно, оставив позади все, что у меня было. Моя работа пропала, но я уцелел и продолжаю писать. Никакие письмена не стоят человеческой жизни.

— Как это?

Если Карла произносила «Как это?», значит она бросала вызов.

— Не священные тексты придают жизни смысл. Это они приобретают смысл потому, что жизнь священна.

Ее глаза одобрительно блеснули.

771

— С этим я согласна. Давай готовиться.

Мы навалили у входа в пещеру ящики и мешки и растянулись на них лицом к тропе. Карла взяла меня за руку.

— Я ни за что не хотела бы сейчас оказаться в каком-либо другом месте, — сказала она.

Я не успел ответить ей, потому что раздался первый выстрел.

Чем дальше слышится выстрел, тем меньше страх. Оглушительный разряд у тебя над ухом — это присланный тебе издали сигнал. Первые донесшиеся до нас выстрелы звучали как жидкие аплодисменты. Затем они перешли в бурную овацию.

Сильвано и Виджай примчались в пещеру и присели возле нас.

— Внизу целая армия, — сказал Сильвано, прислушиваясь к оружейным раскатам.

— Две армии, — уточнил я. — Будем надеяться, что там они и останутся.

Пальба наконец стихла. Наступила тишина, сменившаяся целой серией одиночных выстрелов.

Мы ждали в темноте, прислушиваясь, не хрустнет ли в лесу ветка и не раздастся ли шорох. Какое-то время стояла угрожающая тишина, затем мы услышали на крутой тропинке шум, ругань и стоны.

Сильвано и Виджай кинулись к тропинке, прежде чем я успел что-нибудь сказать. Карла рванулась было за ними, но я не дал ей встать.

На площадку выполз на четвереньках какой-то человек. Сильвано темной тенью встал справа от него, наведя винтовку на его голову. Человек с трудом поднялся на ноги. В руке у него был пистолет.

Виджай выбил своим шестом пистолет из его рук, но пистолет при этом выстрелил. Пуля просвистела у нас над головами и ударилась о стену пещеры.

— Твоя интуиция неплохо сработала, Шантарам, — сказала Карла. — На этой пуле было бы написано мое имя, если бы я вскочила.

Человек постоял секунду-другую, качаясь, и рухнул ничком на землю. Когда мы с Карлой подбежали, Виджай уже перевернул его лицом вверх.

Человек был мертв.

— Сильвано, надо проверить, нет ли за ним хвоста, — сказал я.

— Ты его знаешь?

— Да. Его звали да Силва.

— На чьей стороне он был?

— Он всегда был не на той стороне, на какой надо.

Сильвано с Виджаем стали спускаться по тропинке, чтобы проверить, не взбирается ли к нам кто-нибудь еще.

Нельзя было допустить, чтобы труп обнаружили в лагере Идриса. Следовало унести его. Карла таскала трупы дважды в жизни, насколько мне было известно; я сам — уже трижды: один в тюрьме, один в доме подруги, а третьим оказался гангстер, ненавидевший меня, да Силва. С ним нам пришлось повозиться побольше, чем с остальными.

— Копы не должны найти его здесь, — сказал я.

— Ты прав, — отозвалась она. — Такая находка лишает копов способности мыслить трезво.

— Но это будет нелегко. Тут и без трупа слишком круто.

— Да, — согласилась она, осматриваясь.

Мы завернули его в сари одной из учениц и крепко обвязали. С обоих концов мы сделали веревочные петли, чтобы за них тащить труп.

Только мы завершили это дело, как вернулись Сильвано с Виджаем. Глаза Виджая выкатились от ужаса.

— Это привидение? — спросил он, дрожа и указывая на увязанный тюк.

— Надеюсь, — ответил я. — Мы хотим отнести его вниз. Копам не обязательно знать, что он поднимался сюда.

— Спасибо, — откликнулся Сильвано. — Мы поможем вам.

— Мы справимся, — сказала Карла. — Там внизу наши знакомые. Нас они знают, а если увидят вас, то могут открыть стрельбу. Без вас оно будет спокойнее. Лучше охраняйте рукописи.

— Ну, ладно, — улыбнулся Сильвано с некоторым сомнением. — Если ты настаиваешь.

— *Presto*[1], — сказала Карла, берясь за веревку мертвеца. — Этому привидению предстоит еще неблизкий путь.

ГЛАВА

84

Мы подтащили тело да Силвы к обрыву и начали спускаться. Я шел впереди, взяв на себя основную тяжесть, Карла, как могла, поддерживала тюк сверху.

Мне было стыдно, что я не смог избавить ее от этого безрадостного противозаконного занятия. Это было неприятнее, чем

---

[1] Быстро *(ит.)*.

само занятие. Я думал о том, что грубая веревка, должно быть, врезается в ее руки, обувь с каждым шагом натирает ноги, а всякие колючки их царапают.

— Стой! — сказала Карла на полпути.

— Что случилось?

Она сделала несколько глубоких вдохов, встряхнула и покрутила руками, чтобы снять напряжение.

— Да уж, — сказала она, переводя дыхание, и, держа груз одной рукой, другой откинула волосы со лба. — Заявляю официально: это лучшее свидание в жизни. Ну, давай спускать наш труп дальше с этого чертова холма.

Когда мы спустились на тропу, ведущую к дому Халеда, я взвалил тело да Силвы на спину. Дом был по-прежнему освещен, дверь открыта. Казалось, его покинули.

Мы вместе поднялись по ступеням и вошли в прихожую. Я спустил тюк на пол и стал развязывать его.

— Что ты делаешь? — раздался голос Халеда у меня за спиной.

Я повернулся к нему. Он держал в руке пистолет.

— *Салям алейкум*, Халед, — произнесла Карла, тут же вытащив свое оружие.

— *Ва алейкум салям*, — ответил он. — Что ты делаешь?

— Где Абдулла? — спросил я вместо ответа.

— Он мертв.

— О нет, нет! — сказал я. — Нет, пожалуйста.

— Да примет душу его Аллах, — сказала Карла.

— Ты уверен, что он умер? — выдавил я. — Где он?

— Я нашел его под четырьмя другими трупами. Один из них был трупом Вишну. Я так и знал, что этот тщеславный головорез явится лично, чтобы позлорадствовать. А теперь он мертв, и все, что он имел, будет принадлежать моей Компании.

— Где тело Абдуллы?

— Там же, где тела моих людей, в столовой. И я спрашиваю тебя в последний раз: что ты тут делаешь?

— Этот подонок забрался слишком высоко, — ответил я, открывая лицо да Силвы. — Мы решили спустить его обратно. Он твой или их?

— Он помогал нам устроить западню, — сказал Халед. — После того как он сделал свое дело, я хотел пристрелить его, но только ранил, и он убежал.

— А теперь он вернулся, — сказала Карла. — Можно оставить его здесь, Халед? Мы не хотим, чтобы Идрис был замешан в этом.

— Оставьте. Скоро прибудут мои люди с грузовиками. Завтра мы выбросим все тела в канализационный коллектор.

— Я не хочу видеть мертвого Абдуллу, Халед, — сказал я. — Ты клянешься, что он мертв?

— *Wallah!*[1] — ответил он.

— А я хочу видеть его, — сказала мне Карла. — Но тебе идти со мной не обязательно.

Всюду и всегда вместе. Но иногда один должен сделать что-то за двоих.

— Я пойду, — сказал я, уже чувствуя дурноту. — Я пойду с тобой.

Халед провел нас через гостиную в большую столовую. На столе были аккуратно уложены четыре трупа, похожие на спящих бомжей.

Я увидел Абдуллу сразу. Его длинные черные волосы свисали со стола. Мне хотелось отвернуться, хотелось убежать. Было невыносимо видеть это прекрасное лицо и это львиное сердце холодными, этот небесный огонь погасшим. Но Карла подошла к нему и, положив голову ему на грудь, заплакала. Мне пришлось последовать за ней. Я прошел мимо трех других трупов, чувствуя на руках холод, исходящий от их голов, и взял Абдуллу за руку.

Я почувствовал некоторое облегчение, увидев, что лицо его сохраняет прежнюю свирепость. Он был одет во все белое, и кровь на этом белом бросалась в глаза. В Абдуллу стреляли, его кололи ножами, но гордое лицо было не тронуто, хотя все оно ниже ровной линии, оставленной головным убором, — глаза, нос и борода шумерского царя — было в брызгах крови.

Мысль о том, что его время остановилось, отозвалась внутри меня спазмом боли. Мои внутренние струны времени вибрировали, но одна из них навсегда замолкла.

Было больно не чувствовать его дыхания, жизни, любви. Было трудно смотреть на человека, который лежал перед тобой, но уже отсутствовал, уже понес наказание.

Она была права. Мы должны были оплакать его. «Если ты не попрощаешься с человеком, — сказал мне как-то один ирландский поэт, — то никогда уже не сможешь проститься с ним». Мы долго оплакивали Абдуллу, прощаясь с ним.

Наконец я отпустил его руку и вместе с ней отпустил миф об этом человеке. Каждый умерший оставляет в нас пустоту, которую никто другой не может заполнить. Карла вышла вместе со мной на террасу. Она держалась спокойно, но тоже знала, что

---

[1] Клянусь Аллахом! *(араб.)*

в нас обоих образовалась эта пустота, которая будет заставлять нас вспоминать и скорбеть.

Халед ждал нас.

— Не задерживайтесь здесь, — сказал он. — В моей Компании сегодня нервозная обстановка.

— В твоей Компании?

— Да, Лин, в Компании Халеда, — ответил он, нахмурившись. — Сегодня ночью кончилась жизнь Вишну, и все, что он имел, перешло к нам. Сегодня ночью родилась Компания Халеда. Таков был замысел. Замысел Абдуллы, между прочим. Он решил выступить в роли приманки.

— Знаешь что, Халед... — начал я, желая покончить с ним, но запнулся, потому что из темноты вышел еще один человек.

— *Салям алейкум*, Шантарам, — сказал Туарег.

— *Ва алейкум салям*, Туарег, — ответил я, сделав шаг к Карле.

— Туарег решил помочь мне по старой дружбе, — сказал Халед. — Это он разработал план действий и все организовал. И теперь он опять среди своих, в Компании Халеда.

— Все это ты организовал, Туарег?

— Да, я. А тебя я вывел из игры, натравив на ирландца. Потому что ты подал мне руку.

— Прощай, Халед, — сказал я.

— *Аллах хафиз*, — произнесла Карла, взяв меня под руку на ступеньках.

Мы оба держались на ногах не совсем твердо.

— *Худа хафиз,* — ответил Халед. — До встречи.

У подножия холма Карла остановила меня:

— У тебя есть ключи от «просветления»?

— Ключи от байка всегда при мне, — сказал я. — Хочешь прокатиться?

— Да, давай проедемся. У меня столько мути в душе поднялось, что только свободный полет может привести меня в чувство.

Мы доехали до храма, где Идрис с учениками устроились на ночлег, и сказали им, что тревога позади. Идрис послал крепкого молодого парнишку сообщить Сильвано об этом. Затем он благословил нас, и мы простились.

Мы долго ездили без цели в эти последние предрассветные часы. Байк мурлыкал свою песенку на пустых бульварах, где все светофоры показывали зеленый свет в обе стороны: на красный в это ночное время в Бомбее все равно никто не останавливался.

Мы припарковали байк у начала более пологого подъема на гору. Я привязал байк цепью к молодому дереву, чтобы машине было не страшно, и мы долго поднимались извилистой тропой к лагерю Идриса.

Карла прижалась ко мне. Я обнял ее за талию, поддерживая, чтобы ей было легче идти.

— Абдулла, — произносила она тихо время от времени.

Абдулла.

Я вспомнил, как мы произносили это имя, смеясь, на крутом подъеме.

Я вспомнил то время, когда Абдулла был другом, с которым мы вместе смеялись, которого можно было поддразнивать.

Поднимаясь, мы вместе плакали.

В лагере ученики уже наводили привычный порядок.

— Здесь такая суета... — сказала Карла. — Давай пройдем на зеленый холм.

Мы ушли в свою импровизированную палатку на холме. Я усадил Карлу на одеяло, и она откинулась на подушки, проваливаясь в сон.

У нас была принесена большая бутыль с водой. Я намочил полотенце и промыл царапины на ее руках и ногах, которых действительно было немало, как я и боялся.

Она постанывала, когда мокрое полотенце посылало сигналы в ее спящий мозг, но так и не проснулась.

Очистив все ее ссадины, я смазал их маслом куркумы. На горе все смазывали порезы и царапины этим снадобьем.

Когда я закончил процедуру смазки, Карла повернулась на бок и еще глубже погрузилась в очистительный сон.

Абдулла. Абдулла.

Я пошел в лес, взяв с собой канистру с водой, освободил свой организм от всего лишнего, вычистил и вымыл себя и вернулся к нашей палатке. Карла сидела на одеяле, глядя на огороженный кусок неба.

— Как себя чувствуешь? — спросил я.

— Нормально. А ты где был?

— Мылся.

— Промыв перед этим мои царапины.

— Ну да, я же все-таки медбрат.

Я пристроился рядом с ней, и она положила голову мне на грудь.

— Его больше нет, — произнесла она.

— Его больше нет, — откликнулся я.

День развернул свое голубое знамя, жизнь стряхивала с себя сон и доносила до нас звуки утра: возгласы, смех, пронзительные в ярком свете крики птиц и вибрирующее любовное воркование голубей.

Она снова уснула, а я лежал, погрузившись в покой, какой возникает, когда рядом спит любимая, но мысли об Абдулле кровоточили в мозгу, как раны, оставленные пулей.

Он всегда держал себя в руках, он не жалел своей крови ради друга и был порой жесток в ущерб собственной чести. Последнее было свойственно и мне, хотя по-другому.

Я наконец тоже уснул, найдя утешение в словах Идриса, которые все время крутились у меня в голове, как овцы, бесконечно считавшие овец: «Тайна любви в том, какими мы станем». «Тайна любви в том, какими мы станем». Шелест этих слогов перешел в шум первого легкого муссонного дождя, начавшегося, когда мы утром проснулись.

Мы вернулись в лагерь, не залечив до конца раны, нанесенные событиями этой ночи, и тут пошел настоящий дождь, словно целые моря, очищенные при вознесении, заполнили небо и низвергались, стекая с плеч деревьев, сотрясаемых ветром.

Журчали ручейки, прокладывая себе путь между корнями, птицы съежились на ветках, не рискуя отправиться в полет. Растения, которые были прежде едва заметными апострофами, превратились в пространные абзацы; вьющиеся стебли, дремавшие наподобие змей в зимней спячке, ожили и вызывающе корчились, обрастая свежей зеленью. Крещенный небом мир возрождался, и надежда смывала с горы накопившиеся за год грязь и кровь.

Часть пятнадцатая

ГЛАВА

 85

Мы прожили на горе всю первую муссонную неделю. Изредка выглядывало солнце, Сильвано плясал вместе с учениками под солнечно-дождевыми струями, и даже Идрис проделал пару танцевальных па, опираясь на посох. В конце недели мы с Карлой спустились с горы — в последний раз.

Мы не знали, что спустя год природа сотрет крутую тропу на вершину, а открытая площадка вместе с пещерами зарастет буйной зеленью после того, как Идрис с учениками покинут лагерь и переберутся в Варанаси.

Мы не знали, что никогда больше не увидим Идриса. Мы разговаривали о нем по пути к автостраде, не подозревая, что он уже стал для нас тенью философии, продолжая жить в наших воспоминаниях и порожденных им идеях. Мы не догадывались, что Идрис так же безвозвратно ушел от нас в прошлое, как Абдулла.

Мы удирали от черной тучи до самого истока полуострова, Метро-Джанкшн, и едва успели припарковать байк под арками «Амритсара», как разразилась гроза. Она изливала на нас потоки воды с двух сторон, а мы хохотали, прижавшись друг к другу. Когда гроза кончилась, мы вытерли байк насухо. Карла при этом непрерывно разговаривала с ним — автомеханик с психотерапевтическим уклоном.

Поднявшись по лестнице в наш холл, мы обнаружили, что он за время нашего отсутствия преобразился. На месте потайного шкафа Джасванта был холодильник со стеклянной дверью. Шикарное кресло осталось, но деревянный стол был заменен модерновой стойкой из слоистого синтетического материала со стеклом.

Сам Джасвант был при полном параде, в шикарном костюме с галстуком.

— Какого черта, Джасвант? — спросил я.

— *Перемены* надо принимать благосклонно, старик, — сказал он. — Приветствую вас, мисс Карла. Я *исключительно* рад снова видеть вас.

— Прекрасный костюм, Джасвант, — отозвалась она.

— Благодарю вас, мисс Карла. Как по-вашему, он сидит нормально?

— Очень стройнит. Дай-ка руку. Только осторожнее, с меня течет ручьями.

Я со стариковским скептицизмом взирал на новый прилавок.

— В чем дело? — спросил Джасвант.

— Твой стол выглядит как стойка таможенника в аэропорту.

— Ну и что?

— К стойке таможенника подходишь поневоле, а не потому, что тебе этого хочется.

— Ты можешь подойти к старому столу, как только тебе захочется. Олег купил его, и он стоит в твоем номере.

— Олег молодец. Он опередил меня.

— Новая стойка вполне хороша, Джасвант, — сказала Карла. — Если поставить какой-нибудь горшок с цветком на верхнюю полку рядом с большой красивой раковиной, а на вторую полку положить пресс-папье из дутого стекла, станет уютнее. Я могу дать тебе раковину, если хочешь, а также пресс-папье с вмурованным в него одуванчиком.

— Правда? Это было бы здорово.

— Не вижу рома, — заметил я, протирая запотевшее стекло нового холодильника, — и сыра.

— Меню изменилось, — сказал Джасвант, похлопывая по синтетической папке со списком продуктов, лежавшей на синтетическом прилавке.

Я не стал в нее заглядывать.

— Мне нравилось старое меню.

— Старого же не было, — нахмурился Джасвант.

— Вот и я о том же.

— В агентство «Утраченная любовь» теперь приходит много народа, и нужно создать соответствующую обстановку. Ты должен шагать в ногу со временем, Лин.

— Я предпочитаю, чтобы время шагало в ногу со мной.

— Джасвант, у меня есть для тебя радостная новость, — сказала Карла. — Я собираюсь произвести кое-какие изменения в моем номере.

— Изменения? — Коммерческая жилка Джасванта напряглась, он ослабил узел галстука.

В ближайшие же дни Карла разобрала свой бедуинский шатер, и мы покрасили стены в ее комнатах в красный цвет, для разнообразия отделав черной краской двери и дверные косяки.

Джасванту не на что было жаловаться, поскольку он продавал нам краску.

Из научных журналов Карла вырезала изображения птичьего пера и листа и вставила их в золоченые болливудские рамы. В третью раму она поместила страничку из сборника стихотворений, которую морской бриз принес ей как-то на улице.

МОЛЕНИЕ О ДОЖДЕ

Потом,
когда меня не будет с тобой
и ты будешь достаточно одинока,
чтобы считать гвозди, забитые в твое сердце,
как в дверь сокровищницы,
когда ты пристроишь свое молчание
в вазе на один час
вместе с воспоминаниями о наших руках
и моих глазах,
окрашенных искрой смеха,
когда на тебя накатит волной
биение сердца,
пурпурный прилив мечтаний,
плещущих у берегов любви,
и твоя кожа запоет, пронзенная благоуханием,
прислушайся к моей мысли:
как мимозы жаждут сезона дождей,
так я жажду тебя,
как алые цветы кактуса жаждут луны,
так я жажду тебя,
и в моем «потом»,
когда тебя не будет со мной,
моя голова обратится к окну жизни
и будет молить о дожде.

Для крупных фотографий Петры Келли[1] и Иды Люпино[2], двух ее любимых героинь, она выбрала черные барочные рамы. Взяв с балкона несколько горшков с цветами, она разместила их по углам, оставив снаружи несколько цветов, с особой жадностью тянущихся к солнцу.

Я думаю, ей хотелось воссоздать обстановку горного леса, и это ей вполне удалось. Где бы ты ни сидел в ее гостиной, ты видел растения или соприкасался с ними.

Еще она поставила в комнате высокую стилизованную статую тощего троянского воина, вылепленную Таджем. Я хотел загородить ее высоким растением, но Карла не позволила.

---

[1] *Петра Келли* (1947–1992) — немецкий политик, активистка борьбы за мир и один из основателей партии зеленых.
[2] *Ида Люпино* (1918–1995) — американская актриса, сценарист, режиссер.

— А в чем дело? Ты же ушла из галереи из-за него.

— Может, он и не такой уж потрясающий человек, но скульптор хороший, — ответила Карла, пристраивая обреченного воина. Я использовал его как подставку для своей шляпы. Мне пришлось купить шляпу, но покупка оказалась удачной. И постепенно сложилось что-то вроде мирной жизни, достаточно удовлетворительной для человека, достаточно хорошо представляющего, что такое плохая жизнь.

Жилье Олега, то бишь мой бывший номер, окрасилось в зеленый цвет под стать тахте. Оно пользовалось популярностью. Мы с Карлой иногда тоже принимали участие в устраивавшихся там сборищах и неплохо проводили время. В других случаях мы весело проводили время у себя, слушая доносившиеся через стенку бредовые разговоры.

Наш молодой русский друг устал ждать свою Ирину, которую он называл Карлушей. Ее фотографии, розданные официантам «Леопольда», поблекли и помялись, и он больше не справлялся у официантов о ней.

— Почему ты называешь Ирину Карлушей? — спросил я его однажды.

— Мою первую любовь тоже звали Ириной, — ответил он, и его всегдашняя улыбка померкла в полусумраке воспоминания. — Я тогда впервые почувствовал, что капитулирую перед своей любовью к девушке. Нам было по шестнадцать лет, и через год все кончилось, но я до сих пор испытываю угрызения совести, называя ее именем другую. Отец называл свою сестру, мою тетку, Карлушей, и мне всегда это нравилось.

— Значит, когда ты изменял Елене с Ириной, тебя совесть не мучила, а когда ты называл Ирину Ириной, тебе казалось, что ты изменяешь своей детской любви?

— Изменить можно только тому, кого любишь, — нахмурился он из-за моего непонимания. — А Елену я никогда не любил. Я любил Ирину и до сих пор люблю Карлушу.

— А как насчет девушек, которые бывают в твоих зеленых комнатах?

— Я потерял надежду увидеть когда-нибудь Карлушу снова, — ответил он, отвернувшись. — Футболки в качестве приманки не сработали. Наверное, это было бесполезно.

— Может быть, ты полюбишь одну из этих новых девушек?

— Нет, — решительно ответил он, снова воспрянув духом. — Мы, люди на букву «р», любим сильно и глубоко, и поэтому в нашей литературе и музыке столько безумной страсти.

Он с безумной страстью отдался работе с Навином, и они стали весьма прозорливой командой. Однажды они вместе с Дидье вели дело, получившее широкий резонанс. Тогда им удалось не только объединить расставшихся влюбленных, но и разоблачить банду работорговцев, которых арестовали.

Наш опасный беззаботный француз стал после этого уделять еще больше внимания работе в агентстве и в свободное от «Леопольда» время постоянно распутывал вместе с двумя молодыми детективами какой-нибудь «ужасно экстренный» случай.

Винсон продал свой наркобизнес конкуренту и вернулся в ашрам к Ранвей. После нескольких недель покаяния, когда он драил полы в ашраме, Винсон написал Карле, что настоящего контакта со святыми людьми у него не сложилось, но он нашел общий язык с садовниками, выращивавшими марихуану для святых людей. Он был в приподнятом настроении и разрабатывал планы нового, совместного с Ранвей бизнеса.

Компания Халеда не спонсировала никаких фильмов, и, когда в одном из южных районов убили копа, перемирие между полицейской мафией и бандитской мафией было нарушено. Число арестованных росло, Дилип-Молния работал в три смены.

Журналистку, озвучившую правду, избили на пороге ее дома; политика избили у него дома за то, что он отказался озвучить неправду. Стычки между полицией и Компанией Халеда во время судебных заседаний стали обычным делом, иногда перерастая в серьезные бунты. Компания расценивала эти судебные преследования как религиозную дискриминацию, полицейские усматривали преступный умысел во всех действиях Компании.

Трон Халеда шатался, и не было Абдуллы, чтобы укрепить его. Мистик, превратившийся в главаря банды, терял свой авторитет; его немотивированная жестокость компрометировала противозаконную деятельность, и все обитатели Бэк-стрит хотели укротить его.

Мы не могли укротить Халеда, но зато укротили Дилипа-Молнию.

Карла сказала, что у нее приготовлен подарок ко дню моего рождения и она хочет преподнести его мне немедленно.

— Я не праздную…

— Дней рождения. Я знаю. Но ты хочешь знать, что это за подарок, или нет?

— Ну, скажи.

— Копом, которого мы подловили на той фетишистской вечеринке, был Дилип-Молния.

Я вспомнил, как она говорила, что «карма — это молот, а не перышко».

— Очень любопытно.

— Хочешь узнать, что за фетиш у него был?

— Нет.

— Там фигурировала масса упаковочной пленки.

— Прекрати, пожалуйста.

— И были видны только его рот и неподвластные его воле части тела.

— Ну хватит уже.

— Был момент, когда девице пришлось прихлопнуть его гениталии мухобойкой.

— Карла...

— Пластмассовой, конечно, а затем...

Я заткнул уши и стал повторять «ла-ла-ла-ла-ла-ла-ла-ла-лала», пока она не остановилась. Это было, конечно, по-детски и недостойно нас обоих, но подействовало.

— Итак. Учитывая, что это твой день рождения и Дилип-Молния полностью в наших руках, выбор за тобой, — произнесла Карла с нечестивой улыбкой бунтовщика. — Что ты предлагаешь сделать с видеозаписью?

— Наверняка ты уже придумала, что сделать с ней.

— Я думаю, пора ему отойти от дел и на прощание публично покаяться в том, что он скверно обращался с арестованными. Его надо выставить на позор и уволить без пенсии.

— Замечательно.

— Дилип-Молния уже много лет мало-помалу роет себе могилу. Думаю, она вполне готова для него.

— И когда должно произойти захоронение?

— Я попрошу «Без проблем» завтра же доставить ему ультиматум с требованием уволиться в двадцать четыре часа, в противном же случае материал будет предан гласности. Как это, по-твоему?

— Без проблем, — улыбнулся я, радуясь, что мы избавимся от Дилипа-Молнии, и думая, кто придет ему на смену и сколько придется платить ему.

— И еще мне кажется, что он должен уехать из города в какую-нибудь далекую деревню, — мечтательно произнесла Карла. — Лучше всего в его собственную, откуда он прибыл. Уверена, люди, видевшие, что из него растет, найдут, как поступить с ним.

— Если они знают его достаточно хорошо, то проделают это в каком-нибудь уединенном месте.

ГЛАВА

86

Джордж Близнец был помещен в специально оборудованную палату в пентхаусе отеля «Махеш»; за ним наблюдала команда знаменитых врачей и, разумеется, Джордж Скорпион. Помимо врачей, приглашенных отелем по своим международным каналам, Скорпион собрал лучших специалистов со всей Индии.

Могло показаться, что для Близнеца все это слишком поздно: его тело слабело и угасало с каждым днем, однако он приветствовал всех прибывающих знаменитостей улыбкой и шуткой.

Рассказы Скорпиона заставили нас с нетерпением ждать встречи с Близнецом, тем более что мало находилось людей, способных долго выдержать его болтовню.

— Я не могу нормально питаться, — сказал нам Скорпион у дверей палаты Близнеца, — и натер ногу, шагая взад и вперед в тревоге за него. Но я заслужил это, потому что это моя вина.

— Не расстраивайся, Скорпион, — сказала Карла, беря его за руку, — никто тебя не обвиняет.

— Но я действительно виноват. Если бы я не стал искать того святого человека, Близнец не подхватил бы эту лихорадку и все было бы в порядке, как раньше.

— Никто не любит Близнеца так, как ты, — ответила Карла, открывая дверь, — и он это знает.

Близнец лежал на больничной койке новейшей конструкции, от него во все стороны отходило много, слишком много трубок. Над кроватью была сооружена пластиковая палатка. За ним ухаживали две медсестры, следившие за показаниями приборов, которые находились слева от постели.

Близнец улыбнулся, когда мы вошли. Выглядел он плохо. Он исхудал, кожа приобрела оттенок разрезанной хурмы и туго обтягивала череп.

— Привет, Карла! — бодро произнес он слабым голосом. — Привет, Лин, старина. Я так рад, что вы пришли.

— Чертовски приятно видеть тебя снова, старик, — ответил я, помахав ему через пластиковую стенку палатки.

— Может, сыграем партию? — промурлыкала Карла. — Если ты не боишься, что потерял квалификацию из-за лекарств.

— Ох, я бы очень хотел, но пока не могу играть. Мне надо несколько недель пролежать под этой палаткой, которую они боятся убрать. Говорят, моя иммунная система ослабла. Мне кажется, что все эти машины — одна показуха, а жизнь держится во мне благодаря человеческой доброте и резиновым бандажам. Мои органы отказывают один за другим, как пассажиры, сходящие с поезда.

— У тебя болит что-нибудь? — спросила Карла.

По его лицу медленно разлилась улыбка, словно солнце, разгоняющее тени на лугу.

— Я чувствую себя прекрасно, дорогая. Меня держат на капельницах. Вот тут-то ты и понимаешь, что тебе осталось недолго, правда же? Когда все лучшие наркотики становятся вдруг доступными без всяких ограничений. Оборотная сторона становится, так сказать, лицевой.

— Мне все же хотелось бы сыграть партию-другую, пока мы все на лицевой стороне, — улыбнулась Карла.

— Но у меня иммунная система сдает, потому и палатку эту натянули. Будет забавно, если из-за *вас* мне станет хуже.

— Чтобы Джордж Близнец спасовал? — поддела его Карла. — Ничего с тобой не случится, если ты сыграешь с нами. Я буду держать твои карты, не заглядывая в них. Ты ведь мне доверяешь?

Близнец знал, что Карла никогда не мухлюет.

— Только договорись сначала с *ними*, — кивнул Близнец на сестер. — Они держат меня на коротком поводке.

— Давай начнем играть, а если они будут возражать, мы перестанем, — сказала Карла, подмигнув сестрам. — Где карты?

— В верхнем ящике шкафчика, рядом с тобой.

Я открыл ящик. Там была колода карт, дешевые часы, маленький колокольчик-брелок с браслета, военная медаль — возможно, его отца, крестик на цепочке и тощий кошелек прикованного к постели пациента.

Карла пододвинула к кровати три стула, взяла у меня карты, перемешала их и раздала, кладя на свободный стул. Карты Близнеца она поднесла к прозрачному пластику перед его глазами.

Обе медсестры рассмотрели карты не менее внимательно, чем сам Близнец.

— Давай пронумеруем твои карты от одного до пяти, слева направо, если смотреть с твоей стороны, — предложила Карла. — Назови номера тех карт, какие хочешь поменять. Когда тебе надо будет выложить карты, также назови их номера, а я выложу. Так пойдет?

— Пойдет, — ответил Близнец. — Я ничего не меняю.

Одна из сестер пощелкала языком. Близнец повернулся к ним. Обе укоризненно покачали головами.

— Я передумал, — сказал он. — Сбрось первую и четвертую карту и дай мне вместо них две других, пожалуйста.

Сестры закивали. Карла убрала указанные карты и, вытащив из колоды две новых, показала их Близнецу. Карты, очевидно, были хорошие, так как лица у Близнеца и обеих сестер стали непроницаемыми.

— Ставлю пятьдесят, — сказал Близнец. — Надеюсь, ты поддержишь меня. Меня, кроме игры, ничто не интересует.

— Поддерживаю твои пятьдесят и поднимаю на сотню, если в твоих трубках хватит пороха на это, — ответила Карла.

— Я пас, — сказал я, предоставив Карле и Близнецу продолжать дуэль.

— Пороха у меня вполне достаточно, — рассмеялся Близнец, закашлявшись. — Сдавайся, Карла.

— Ты же знаешь, что я играю до победного конца, — отозвалась она.

— А помните наше со Скорпионом новоселье? — спросил Близнец с улыбкой, сверкнувшей, как солнце на закате в долине вчерашнего дня. — Помните тот вечер?

— Вечеринка была отличная, — сказал я.

— Повеселились вовсю, — добавила Карла.

— Да, это была вечеринка что надо. Лучшая из всех, какие мы когда-либо устраивали. Никогда мне не было так хорошо.

— Ты выкарабкаешься, Близнец, — сказала Карла, — ресурсов у тебя хватит, уличный боец. Все еще впереди. Поднимай ставку или сдавайся.

Мы поддерживали Близнеца как могли и часто навещали его. Каждый раз, когда мы играли в карты, он с помощью медсестер немного жульничал — просто для того, чтобы вспомнить старые времена. И каждый раз после визита к нему мы спорили со Скорпионом, убеждая его, что Близнеца надо положить в больницу. Но Скорпион не соглашался с нами. У любви своя логика и свои прибабахи.

В другой больничной палате в другом конце города постепенно поправлялся молодой Фарзад, помогавший мне когда-то подделывать документы. Тромб в сосудах головного мозга рассосался, речь и способность двигаться восстановились. Правое веко время от времени дрожало, напоминая ему о том, что дразнить гусей не следует. Зато таинственное исчезновение Дилипа-Молнии, вызвавшее у него улыбку, напомнило, что никому не удается избежать своей кармы.

Три семейства, нашедшие спрятанное сокровище, поделили его между собой, создав из части средств общий фонд для переустройства их объединенного дома.

Центральное помещение под куполом они оставили в общем владении, остальные части дома обновили или перестроили одну за другой. Когда в конце концов они убрали строительные леса, то все это пространство превратилось в нечто вроде базилики. Карле очень нравились подвесные мостики, устроенные на всех этажах вплоть до четвертого, и еще больше нравилась коммуна парсов, индусов и мусульман, прекрасно уживавшихся друг с другом. Раз в неделю я заходил к Аршану, чтобы привести в соответствие изготовленные мной липовые документы и новые, законные. Карла в это время трудилась вместе с хозяевами на строительных лесах, орудуя кистью или дрелью.

Она была бурным потоком, а никак не лежачим камнем, и каждый день оказывался новым поворотом в долине завтрашнего дня. Еще в детстве судьба лишила ее людей, любящих ее, и она стала жертвой вполне приличного на первый взгляд человека, который изнасиловал ее. Спустя несколько лет, убив насильника и обратившись в бегство, она порвала все связи с собственным прошлым.

Она была беглым преступником, кошкой, гулявшей сама по себе, зеленоглазой ведьмой, которая, подобно мне, была надежно защищена от всего на свете, кроме самой себя.

На деньги, выигранные на бирже, она набрала команду из новых друзей и полузнакомых и сняла в «Амритсаре» помещение под офис. Она создавала вокруг себя новую семью, так как многие члены ее прежнего бомбейского семейства покинули Город семи островов, или умерли, или, как Джордж Близнец, умирали.

Не знаю, насколько сознательным был подбор этой команды и насколько бессознательным, инстинктивным. Но когда она трудилась вместе с тремя семьями искателей сокровища в их новом дворце, она быстро и легко вливалась в их коллектив, и я видел в ней такое же ставшее насущной необходимостью стремление обзавестись семьей, какое было свойственно и мне. Слово «фамилия» происходит от латинского *famulus*, «слуга», производного от слова *familia*, объединявшего всех домочадцев, и хозяев и слуг. По существу, желание иметь семью и ощущение пустоты, возникающее при ее потере, порождены не собственническими инстинктами, а стремлением к той благодати, которая нисходит на нас, когда мы заботимся о тех, кого любим.

ГЛАВА

87

Это было время перемен. Город прихорашивался, словно готовясь к смотру, который никто и не собирался проводить. Рабочие покрывали новой блестящей краской разделительные полосы на улицах, рискуя жизнью при каждом взмахе кисти. Магазины обновляли свой вид вместе с их владельцами. Новые рекламные щиты на всех углах рекламировали старые услуги. С домов соскабливали столь дорогую каждому сердцу плесень, демонстрировавшую отношение природы к человеческим замыслам, и красили их заново.

— Почему тебе не нравится этот обновленный вид? — спросил меня друг-ресторатор, глядя с улицы на свое свежеокрашенное заведение.

— Потому что мне нравился старый. Здание, конечно, выглядит как с иголочки, но мне были по душе результаты работы четырех последних муссонов.

— Но почему?

— Мне нравятся вещи, которые не противятся воздействию природы.

— Отстаешь от времени, старик, — сказал он и, входя в обновленный ресторан, задержал дыхание, ибо, сделав вдох вблизи сохнущих стен, трудно было не лишиться чувств.

Мода — деловая сторона искусства. Даже Салон красоты Ахмеда вынужден был подчиниться всеобщему поветрию. Его старая, написанная от руки вывеска была преобразована в позорный знак корыстолюбия — логотип. Опасные бритвы и сердито ощетинившиеся помазки были заменены набором химикатов для ухода за волосами вкупе с заверениями, что их не испытывали на крольчатах и что клиенты не ослепнут и не отравятся.

Даже одеколона, знаменитого «Амбрэ д'Ахмед», больше не было. Я зашел к Ахмеду очень вовремя и успел спасти старое зеркало, обрамленное фотографиями бесплатных модельных стрижек, похожими на посмертные снимки казненных преступников.

— Только не зеркало! — воскликнул я, останавливая проворных маленьких человечков с большими молотками, собиравшихся сокрушить это произведение искусства.

— *Салям алейкум*, Лин, — приветствовал меня Ахмед. — Заведение переоборудуется. Здесь будет Новый салон красоты Ахмеда.

— *Ва алейкум салям*. Оставьте зеркало!

Я загородил его своим телом, широко расставив руки, чтобы уберечь от молотков.

Карла стояла рядом с Ахмедом, сложив руки на груди. В зеленом саду ее глаз играла насмешливая улыбка.

— Зеркало надо убрать, Лин, — сказал Ахмед. — Оно не гармонирует с новым интерьером.

— Оно гармонирует с *любым* интерьером, — возразил я.

— Но не с *этим*. — Ахмед взял из пачки брошюр верхнюю и вручил мне.

Я взглянул на брошюру и вернул ее Ахмеду.

— Это похоже на суши-бар, — сказал я. — В таком интерьере невозможно спорить о политике, оскорбляя друг друга. Тут даже зеркало не поможет.

— Это новый этикет, Лин. Никаких разговоров о политике, о религии и о сексе.

— Ахмед, ты в своем уме? Цензура в цирюльне?!

Я взглянул на Карлу. Она явно наслаждалась происходящим.

— Послушай, — умолял я, — должно же сохраниться хоть *одно* место, где люди не будут лизать ничьих задниц.

Ахмед посмотрел на меня строго.

Это был не его строгий взгляд, а строгий взгляд красивого мужчины с прической в стиле «помпадур», изображенного в каталоге модных причесок Нового салона красоты.

Я пролистал каталог, понимая, что Ахмед, по всей вероятности, гордится им, так как в рекламных целях он включил в портретную галерею фотографии киноактеров и крупных бизнесменов, никогда не бывавших у него. Я не стал высказывать свое мнение о каталоге, хотя мне казалось, что если уж нельзя было обойтись без знаменитостей, то можно было выбрать других.

— Ахмед, зеркало нельзя разбивать.

— Вы не продадите его мне? — спросила Карла.

— Вы это серьезно?

— Да, Ахмед. Это возможно?

— Только мне потребуется некоторое время, чтобы убрать фотографии, — сказал он задумчиво.

— Я хотела бы взять его *именно* с фотографиями, если вы не возражаете. Без них зеркало многое потеряет.

«Карла, я люблю тебя», — подумал я.

— Очень хорошо, мисс Карла. Вас устроит сумма, скажем, в тысячу рупий, включая перевозку и установку?

— Устроит, — улыбнулась Карла, отдавая ему деньги. — Одна из стен у меня в комнате пустая, и я как раз думала, что бы на нее повесить. Если бы ваши помощники могли осторожно снять зеркало и переправить его сегодня в гостиницу «Амритсар», я была бы очень вам благодарна.

— Договорились, — ответил Ахмед и велел рабочим с молотками оставить зеркало в покое. — Я провожу вас.

На улице Ахмед огляделся, проверяя, не слышит ли нас кто-нибудь, и, наклонившись к нам, прошептал:

— Я буду работать по вызову. Но это, конечно, строго между нами. Я не хочу, чтобы люди думали, будто я не отдаюсь всем сердцем работе в *Новом* салоне красоты.

— Вот *это* очень приятно слышать, — сказал я.

— Значит, если у нас вдруг соберется компания отчаянных спорщиков, крайне несдержанных на язык, — прошептала Карла, — вы будете не против прийти и возродить *старый* Салон красоты?

— Зеркало у вас уже есть, а мне в новом салоне будет очень не хватать яростных перепалок.

— Договорились, — произнесла Карла, пожимая ему руку.

Ахмед посмотрел на меня, нахмурился и поправил мой воротничок, который торчал недостаточно прямо.

— Когда ты, наконец, купишь нормальный пиджак или куртку с рукавами, Лин?

— Когда ты начнешь продавать их в Новом салоне красоты. *Аллах хафиз*.

— *Салям, салям*, — засмеялся он.

Когда мы отъехали от салона, Карла сказала, что зеркало — тоже подарок мне на день рождения. А я уж совсем было забыл об этом черном дне.

— Только, пожалуйста, не говори никому об этом, — попросил я.

— Ладно-ладно, — откликнулась она. — Ты любишь праздновать чужие дни рождения, а свой не признаешь. Я сохраню это в секрете.

— Я люблю тебя, Карла, — как раз собирался сообщить тебе об этом. И спасибо за зеркало. Тут ты попала в яблочко.

— Я всегда попадаю в яблочко.

Мы стали проводить больше времени вместе, ездить, есть и выпивать, потому что я продал свой валютный бизнес Джагату за двадцать пять процентов выручки, которые он и без того уже мне выплачивал. Он справлялся с делом даже лучше, чем я, повысил доходы и завоевал авторитет у менял. Тот факт, что около года назад он отхватил мизинец у вора, укравшего у него деньги, придавал особую остроту его деловым контактам.

Застать тетушку Луну на рыбном рынке стало невозможно, так как ее завербовала Карла.

— Ты хочешь, чтобы я занималась твоими бухгалтерскими книгами? — спросила тетушка Луна.

— Кому еще можно спокойно доверить свои денежные дела, тетушка? — ответила Карла, разглядывая лунные четверти.

— Это, конечно, верно, — сказала тетушка Луна в раздумье. — Но, боюсь, это будет отнимать много времени.

— Не так уж много. Я не веду двойную бухгалтерию, — сказала Карла.

— И я не хочу терять своих постоянных клиентов, — добавила тетушка, наклонившись вперед и начав медленное орбитальное перемещение к полумесяцу.

— Чем вы будете заниматься за закрытыми дверями — ваше дело. Меня интересует только то, что будет происходить при открытых дверях. Кстати, если вас это интересует, у меня есть друг

Рэнделл, а у него есть лимузин, который почти все время припаркован около нашей гостиницы.

— Лимузин... — проговорила тетушка Луна задумчиво.

— С тонированными стеклами и большим матрасом в заднем купе.

— Я подумаю, — сказала тетушка, небрежно приподняв ногу над головой.

Несколько дней спустя она въехала в новый офис, расположенный в гостинице «Амритсар» этажом ниже нас. Карла сняла весь этот этаж.

Тетушкин офис соседствовал с двумя другими, только что отремонтированными и обставленными. На дверях одного из них красовалась медная табличка с надписью «Голубой Хиджаб. Консультации по вопросам брака и семьи». Мусульманская коммунистка (или коммунистическая мусульманка?) воссоединилась с Мехму раньше, чем рассчитывала, и, позвонив Карле, поинтересовалась, остается ли ее предложение о партнерстве в силе.

— Она же еще не въехала, — сказал я, увидев табличку на дверях.

— Въедет, — улыбнулась Карла. — *Иншалла*.

— А для чего тебе весь третий этаж?

— Это сюрприз. Ты даже не представляешь, какие еще сюрпризы я тебе приготовила, Шантарам.

— Обед не входит в их число? Умираю с голоду.

Мы обедали в сквере при закусочной «Колаба Бэк-Бей», когда услышали какой-то крик неподалеку. По улице шел человек, около него остановился автомобиль. Из автомобиля человеку кричали, что он должен отдать деньги. Затем оттуда вылезли двое громил и стали избивать человека.

И тут я увидел, что это Кеш Запоминальщик. Он прикрывал руками голову от ударов.

Мы с Карлой вскочили из-за столика и, подбежав к ним, подняли такой шум, что громилы предпочли сесть в свой автомобиль и укатить.

Карла усадила Кеша за наш столик и велела официанту принести стакан воды.

— Вы нормально чувствуете себя, Кеш? — спросила она.

— Да, все в порядке, мисс Карла, — ответил он, потирая напоминание о долге, оставленное громилами на его макушке. — Я лучше пойду.

Он встал, но мы усадили его обратно.

— Пообедайте с нами, Кеш, — предложила Карла. — Попутно мы могли бы устроить состязание на лучшую память. Вы, конечно, непревзойденный мастер, но у меня с собой есть деньги.

— Я не могу...

— Можешь и должен, — сказал я, подзывая официанта.
Кеш просмотрел меню, закрыл его и сделал заказ.

— Цуккини, маслины и ризотто с пюре из артишоков, — повторил официант, — кочанный салат с толченым перцем, имбирем и фисташковым соусом, а также тирамису.

— Неточно, — сказал Кеш. — Толченый перец, имбирь и фисташковый соус — приправы к салату из рукколы, номер семьдесят семь в меню, а кочанный салат подается с лимоном и чесноком, перцем чили и приправой из авокадо и грецких орехов, это номер семьдесят шестой.

Официант открыл было рот, чтобы возразить, но, перебрав в уме все меню, убедился, что Кеш прав, и ушел, покачивая головой.

— Что за проблема с деньгами, Кеш? — спросил я.

— Я влез в долги, — сказал он, криво усмехнувшись. — Спрос на запоминальщиков упал. Люди пользуются телефоном, если им надо что-нибудь выяснить. Скоро можно будет связаться с кем угодно из любой точки земного шара.

— Знаешь что? — сказал я, когда подали еду. — После обеда сразу бери такси и поезжай в гостиницу «Амритсар», а мы доедем туда на своем байке даже быстрее тебя.

— Что ты задумал? — спросила Карла, прищурившись и глядя на меня сквозь кружево ресниц.

— Это сюрприз, — промурлыкал я. — Ты даже не представляешь, какие сюрпризы я тебе приготовил, Карла.

Дидье, сидевший с деловым видом за своим столом в «Амритсаре», был порядком удивлен, когда мы появились в его офисе вместе с Кешем.

— Я не вижу... каким образом мы можем использовать его услуги, — произнес он.

— Но Кеш — лучший запоминальщик в южных районах, Дидье, — заметил Навин, сидевший с таким же деловым видом за соседним столом. — Что у тебя на уме, Лин?

— Вы говорили, что люди, у которых вы берете показания, всегда замыкаются в себе, увидев магнитофон.

— Да. И что?

— Кеш будет у вас вместо магнитофона. Он запоминает все услышанное. С ним люди будут держаться свободнее, чем с магнитофоном.

— А что? Мне нравится, — засмеялась Карла.

— Да? — произнес Дидье с сомнением.

— Если ты не возьмешь его, Дидье, я найду ему работу сама.

— Беру, — сказал Дидье. — Завтра в десять утра у нас интервью с миллионером и его женой — у них пропала дочь. Ты можешь присутствовать при этом, Кеш. Но тебе надо принять более... *деловой* вид.

— Ладно, парни, до встречи, — сказал я, потянув Кеша за собой в коридор.

Там я дал ему денег. Он сначала не хотел их брать.

— Ты должен сегодня же избавиться от долгов, Кеш, — сказал я. — Нам ни к чему, чтобы эти ребятишки заявлялись сюда. Тебе же завтра прямо с утра надо приступать к работе. Так что поезжай и заплати им. А к девяти утра будь здесь уже чистенький. Первым придешь, последним уйдешь. Все будет о'кей.

Он заплакал. Я отошел, уступив место Карле. Она обняла Кеша, и он быстро успокоился.

— А насчет пожелания Дидье одеться по-деловому...

— Да-да. Я постараюсь...

— На фиг это. Ходи в том, в чем ты ходишь, держись так же, как всегда. Люди будут спокойно разговаривать с тобой, как я разговариваю сейчас, и все пройдет нормально. Если Дидье начнет брюзжать, скажи ему, что это я запретил тебе косить под офисного раба.

— Он прав, Кеш, — поддержала меня Карла. — Лучше всего быть самим собой.

— Итак, пойди и отделайся от этих долгов, старик. Счастливо тебе.

Он стал медленно спускаться по лестнице, словно каждая ступенька была новой ступенью осмысления происходящего. Наконец его голова исчезла за поворотом.

Я задумчиво смотрел ему вслед, затем повернулся и встретился взглядом с улыбающейся Карлой.

— Я люблю тебя, Шантарам, — сказала она и поцеловала меня.

В течение ближайших двух недель Кеш разрешил два сложных дела и стал знаменитостью. Его внимание к деталям и способность держать их все в голове были решающим фактором в сыскной работе, и ни один опрос свидетелей не обходился без него.

Тетушка Луна и ее неустрашимый клерк вели всю отчетность агентства и зачастую помогали клиентам сохранить их деньги. Тетушка знала толк в денежных делах и потратила немало времени на корректировку бизнес-плана, экономя время и средства других людей.

Индивидуальные сеансы, которые она давала клиентам, одержимым луной, вполне их удовлетворяли. «Талант проявляется по мере его употребления», — сказала она как-то и иллюстрировала это положение собственным примером.

Винсон и Ранвей вернулись из ашрама, преисполненные смирения, но мы встречались с ними редко, так как они были заняты претворением в жизнь своего плана открыть кофейню.

Однажды мы все же зашли ненадолго в их полуоборудованное заведение. Карла взяла Ранвей под руку и увела ее поболтать на сугубо женские темы, оставив нас с Винсоном наедине.

— Знаешь, как это бывает, когда тебя подхватывает настоящая волна, которая все катит и катит, а ты типа скользишь на ее гребне? — спросил Винсон.

— Нет, но я вожу мотоцикл, а это похоже на скольжение на гребне цивилизации.

— У тебя бывает такое чувство, что эта волна как бы несет тебя вечно?

— У меня есть бензобак, так что я знаю, когда это «вечно» кончится.

— Нет, я хочу сказать, что это как бы то самое поле тенденций, о котором говорил Идрис.

— Угу.

— И я как бы скольжу между двумя равно... э-э... скользкими волнами. Ранвей и Идрис поистине распахнули мой разум, мэн. Иногда мне кажется, что я переполнен идеями и они вот-вот посыплются из моей головы.

— Я рад, Винсон, что ты счастлив и что вам с Ранвей пришла в голову эта идея насчет кофейни. Это то, что вам надо. Знаешь, мне, наверное, пора идти. Мы...

— Да, эта затея с кофе потрясающая, — сказал он, указывая на большие мешки, стоящие вдоль стены. — Я хочу сказать, что, если бы я типа объяснил тебе разницу между колумбийским кофе и ганским, тебе просто крышу снесло бы.

— Спасибо, что предупредил. Но знаешь, Карла в любую минуту может вернуться, так что, боюсь, мы не успеем разобраться в этом сложном вопросе.

— Ничего, если она вернется, я начну снова, — успокоил он меня.

— А как Ранвей? — спросил я, пытаясь отвести угрозу.

— Нет, ты знаешь эту абсолютно идеальную волну, которая как бы несет тебя и несет?

— Я очень рад, что ты так счастлив. Как ты думаешь, куда пошли Карла и Ранвей?

— Ты только *понюхай* как следует эти свежие зерна, — предложил Винсон, открывая один из мешков. — Они так хороши, что, выпив одну чашку, ты больше никогда уже не захочешь другого кофе.

— Это девиз вашего заведения?

— Нет, мэн, наш девиз — это наше название. Кофейня называется «Любовь и вера», и девиз такой же.

В нем было простодушие, утраченное Ранвей после смерти ее друга от того самого наркотика, которым так бездумно торговал Винсон. И название, выбранное ими для кофейни, отражало его искреннее желание изменить свою жизнь.

— Понюхай мои зерна! — потребовал он.

— Спасибо, мне и так хорошо.

— Нет, ты понюхай! — Он потащил мешок ко мне, словно какое-нибудь мертвое тело.

— Я не стану нюхать твои зерна, Винсон, какими бы колумбийскими они ни были. Оставь в покое труп.

Он прислонил мешок к стене, и в это время вернулись Карла и Ранвей.

— Он не хочет нюхать мои зерна! — пожаловался Винсон.

— Не может быть! — поразилась Карла. — Дома он только этим и занимается.

— Стюарт изобрел новый сорт кофе, — сказала Ранвей с гордостью. — По-моему, это лучший кофе, какой я когда-либо пила.

— Он у меня приготовлен в другом помещении, — сказал мне Винсон. — Я сейчас принесу его и дам тебе понюхать.

— Спасибо, не надо, — остановил я его. — Я и отсюда чувствую запах.

— Я же говорил тебе, мой пасхальный кролик! — воскликнул Винсон, обнимая Ранвей. — Люди почувствуют этот запах еще на улице, и он будет их типа *гипнотизировать*.

— Успеха вам, ребята, — сказал я, потянув Карлу за собой на улицу.

— Открытие состоится в полнолуние, — сказала Ранвей, успевшая лишь наполовину высвободиться из объятий Винсона. — Не забудьте.

На улице Карла спросила меня:

— Ну и как тебе Винсон?

— Весь расточился на кофейные зерна. А как тебе Ранвей?

— Она сказала мне, как они назвали кофейню.

— Да, знаю, «Любовь и вера». И как тебе название?

— Любовь — это, наверное, он, а она — вера.

Мы сели на мотоцикл, но тут дорогу нам загородил остановившийся автомобиль — точнее, катафалк. За рулем был Неспящий Баба Деннис, рядом с ним сидел Конкэннон. Сзади пристроились Билли Бхасу и Джамал Все-в-одном, а между ними в прозрачном пластиковом гробу возлежал манекен из витрины магазина.

Конкэннон высунулся из окна и ухмыльнулся Карле.

— Разыскать и доставить живого или мертвого, — произнес он.

— Двигай дальше, — бросил я.

— Здравствуй, Карла, — сказал Деннис, — очень рад тебя видеть, проснувшись. Мы не встречались, когда я был на той стороне?

— Привет, Деннис, — рассмеялась она, обнимая одной рукой мое плечо. — Когда я впервые увидела тебя, ты был, несомненно, под кайфом. Чем это, черт побери, вы занимаетесь?

— Мы изучаем движения Спящих во время их транспортировки в камерах для сна. К манекену прикреплены чувствительные полоски, имитирующие разнообразные ушибы и кровоподтеки. Они помогают нам определить оптимальную конструкцию камер, которые мы изготавливаем.

— Вы и гробы сами делаете? — спросила Карла.

— А как же, — ответил Деннис, отдавая чиллум Конкэннону. — Это наша обязанность. Существующие в настоящее время камеры для сна вынуждают Спящих сдвигать ноги, а наша конструкция позволяет им принять более свободное положение, расположиться с удобством. Это очень важно.

— Понятно, — улыбнулась Карла.

— Мы обтянем наши камеры мягчайшим шелком и подобьем их перьями, — продолжал Деннис, держась за баранку катафалка. — А сами камеры стеклянные, так что вокруг Спящих будут расти корни, возиться мелкие животные и насекомые, и Спящим будет веселее спать в их компании.

— Ясно, — сказала Карла, опять улыбнувшись.

— Разреши представить тебе Билли Бхасу и Джамала Все-в-одном, — сказал Деннис. — Парни, это мадам Карла.

Билли Бхасу улыбнулся Карле, Джамал покрутил головой, прозвенев свисающими на цепочках божками.

— Все-в-одном, — кивнул я в сторону Джамала, не удержавшись.

— Все-в-одном, — повторил он.

Я взглянул на Карлу. Она поняла меня.

— Все-в-одном, — произнесла она, улыбнувшись Джамалу.

— Все-в-одном, — ответил он согласно ритуалу и тоже улыбнулся.

Я выразительно посмотрел на Конкэннона, давая понять, что пора им трогать, но он вместо этого принялся болтать.

— А знаете, мертвые умеют танцевать, — сказал он.

Игнорируя его, я обратился к Деннису:

— Деннис, а стоит ли тебе управлять машиной?

— Я должен находиться за рулем, — нараспев произнес Деннис, и его громкий голос эхом разнесся по салону. — Конкэннон недостаточно одурел, чтобы управлять катафалком.

— Мертвые умеют танцевать, — повторил Конкэннон, радостно улыбаясь. — Правда-правда.

— Не может быть, — сказала Карла, прислонившись ко мне.

— Может-может, — ухмыльнулся он. — На этой работе я узнал много интересного. Получил образование, можно сказать. Я ведь обычно уходил не оглядываясь, пока они еще дергались.

— Конкэннон, ты убиваешь мой кайф, — произнес Деннис.

— Я всего лишь беседую, Деннис. Если мы владельцы похоронного бюро, это не значит, что мы должны быть необщительными.

— Это верно, — сказал Деннис. — Но я не смогу проводить испытания этого катафалка, если не буду под кайфом.

— Я просто рассказываю, — гнул свое Конкэннон. — Тела крутятся и дергаются еще долго после того, как умирают, и начинают прыгать на столе ни с того ни с сего. Вчера один труп станцевал так, как у меня не получится. Но я, правда, всегда предпочитал драться или целоваться, а не танцевать.

— Раскурите еще один чиллум, — велел Деннис, включая передачу. — Если вас не волнует *мой* кайф, снизойдите к манекену. Он уже изнывает без курева.

Они тронулись с места, и мимо нас медленно проплыл лозунг, написанный на окнах катафалка: «БЛАЖЕНСТВО В ПОКОЕ».

— Любопытная компания! — прокомментировала Карла.

— Брак, заключенный в чистилище, — отозвался я. — Но манекен у них вроде неплохой парнишка.

ГЛАВА

 88

Дива Девнани пригласила нас на встречу в свой офис. Он находился на острове Ворли у берега, где вдоль широкого изогнутого бульвара протянулся длинный ряд улыбающихся морскому простору домов. Здание Дивы напоминало верхнюю палубу корабля. Высокие выпуклые окна вздувались парусами, по периметру здания тянулся балкон с леером.

Когда двери лифта закрылись, я протянул Карле фляжку. Она сделала большой глоток и отдала фляжку мне. Я поймал взгляд лифтера и предложил фляжку ему. Он тоже сделал большой глоток — плеснул рома в рот, не прикасаясь губами к горлышку, — затем вернул мне фляжку, крутя головой.

— Да благословит Бог всякого, — проговорил он.

— Если всякого, то, значит, и вас, — сказала Карла.

Двери открылись, и перед нами предстала мраморно-стеклянная лужайка со столиками, за которыми лениво паслись чрезвычайно привлекательные девушки в очень тесных юбочках.

Пока Карла разговаривала с секретаршей, я стал бродить между стеклянно-стальными столиками, заглядывая девушкам через плечо, и убедился, что они либо слушают музыку через наушники, либо играют в видеоигры, либо листают журналы.

Одна из девушек подняла глаза от журнала и уменьшила громкость звука в наушниках.

— Могу вам как-то помочь? — спросила она с угрозой, свирепо глядя на меня.

— Да нет... я тут... просто по делу, — ответил я, пятясь.

Секретарша отвела нас в нишу с видом на дверь кабинета Дивы и усадила в плюшевые кресла. У стены стоял столик с деловыми газетами и журналами, содовой водой в стеклянном графине и арахисом в бронзовой отливке человеческой ладони.

Я попытался определить скрытый смысл, вложенный в эту скульптуру.

— Может быть, этим хотят сказать «На большее и не рассчитывайте» или «Вот что осталось от сотрудника, попросившего повышение»? — прошептал я Карле.

— «Бери, что дают», — предложила Карла.

— Браво, — улыбнулся я и похлопал глазами вместо ладошей.

Рядом с нами возникла высокая привлекательная девушка.

— Не желаете кофе? — спросила она.

— Может быть, позже, вместе с Дивой, — ответила Карла.

Девушка ушла, я обратился к Карле:

— Довольно странная здесь обстановка.

— Немного недотягивает до странной. Слишком мало мрамора.

— Нет, я имею в виду девушек. Они же ничего не делают.

— Как это «ничего не делают»?

— Ну так. Сидят и делают вид, что работают.

— Может быть, сегодня у них тут затишье.

— Карла, подумай сама. Там семь хорошеньких девушек, и ни одна из них не занимается делом. Согласись, это немножко странно.

— По-моему, немножко странно, что ты успел их сосчитать, — улыбнулась она.

— Да я просто...

Ровно за минуту до назначенного нам времени дверь кабинета открылась. Оттуда высыпала стайка бизнесменов в идентичных костюмах и с идентичным выражением удовлетворенного честолюбия в глазах.

— Пунктуальность — первое правило воров, — произнесла Карла, посмотрев на часы, и поднялась с кресла.

В дверях кабинета показалась Дива.

— Заходите, — сказала она, расцеловав Карлу. — Я ужасно соскучилась по вам обоим. Спасибо, что пришли.

Она бухнулась в огромное кресло, стоявшее в изгибе черного рояля, который она укоротила и превратила в письменный стол.

На крышке рояля стояла фотография ее отца в серебряной раме. Портрет был украшен цветами, которые отражались желтым сиянием в черной полировке. На подносе в форме павлиньего хвоста курились благовония.

Комната была просторная, но перед столом стояли всего два кресла. Все эти бизнесмены с пустыми глазами провели все совещание стоя. «Жесткая девушка», — подумал я. Но трудно было винить ее в этом.

— Уф, это было нечто, — сказала она. — Выпьете чего-нибудь? Бог свидетель, *мне* это необходимо.

Она нажала кнопку на интеркоме, спустя секунду дверь открылась, и чрезвычайно привлекательная девушка вплыла в комнату, вышагивая по скользкому полу на опасных для жизни каблуках. Около стола она остановилась, взмахнув коротенькой юбкой, и вытянулась.

— Мартини, познакомься с мисс Карлой и мистером Шантарамом, — сказала Дива.

Карла приподняла руку и произнесла «хэлло», я встал, прижал руку к груди и склонил голову. В Индии это самое вежливое приветствие при обращении к женщине, так как многие женщины не любят обмениваться рукопожатием. Мартини наклонила голову в ответ, и я сел.

— Мне «манхэттен», — сказала Дива. — Карла, ты что будешь?

— Два глотка водки с двумя кубиками льда, пожалуйста.

— А мне лаймовый сок с содовой, — попросил я.

Мартини развернулась на каблуках пятидесятого калибра и медленно удалилась, как жираф в стеклянном зверинце.

— Вы, наверное, удивляетесь, зачем я позвала вас сюда, — сказала Дива.

Я этому не удивлялся и потому немного удивился вопросу.

— Меня удивляет другое, — ответила Карла. — Но ты, я думаю, сама все расскажешь. Как поживаешь, Дива? Мы сколько уж недель не виделись.

— У меня все хорошо, — улыбнулась она, выпрямившись в кресле, в котором ее небольшая фигурка выглядела как в семейной постели. — Устала, но это в порядке вещей. Сегодня я все продала, почти все. Это было последнее совещание из нескольких, состоявшихся вчера и сегодня.

— На каких условиях ты все продала? — спросила Карла.

— Эти мужики фактически управляют компаниями, которыми я владею, и имеют долю акций в качестве бонуса. Я сказала им, что, если продам весь свой портфель сразу, их акции ничего не будут стоить, и предложила вернуть акции мне в обмен на их компании. Пусть управляют ими со своими советами директоров на собственное усмотрение, пусть извлекают дивиденды своим потом и кровью, не тратя ни одного доллара, а я не буду вмешиваться.

— Очень умный ход, — заметила Карла. — Ты как самый крупный акционер не упустишь своего на ежегодном собрании, а повседневной рутины избегаешь. Это все равно что надраться без последующего похмелья.

— Вот именно, — согласилась Дива.

Прибыли напитки.

— У кого-нибудь есть косяк? — спросила Дива.

— Да, — произнесли одновременно Карла и Мартини и посмотрели друг на друга.

Кажется, возникло напряжение. Но эти женские штучки происходят так стремительно и неуловимо, что мужские глаза и инстинкты не способны за ними уследить, поэтому я просто улыбался во все стороны.

Карла достала тонкий косяк из своего портсигара и вручила Диве. Мартини, у которой были только длинные ноги и не было карманов, сердито взглянула на нее, развернулась и прошествовала из комнаты. Оборки на ее юбке трепетали, как пенный прибой у рифа.

— Спасибо, Карла, — сказала Дива. — Итак, с этой минуты я свободная женщина. Если бы солнце уже зашло, я бы выпила шампанского. Коктейли я могу поглощать весь день, но стоит глотнуть шампанского, и мой ай-кью[1] падает на десять баллов, а с таким слабоумием я могу смириться только ближе к ночи. Итак, за женскую свободу!

---

[1] IQ (intelligence quotient; *англ.*) — коэффициент умственного развития.

— За женскую свободу! — подхватила Карла.

Дива помолчала.

— Трудно с ними было? — спросила Карла.

— Все они хотели иметь полный контроль за делами, — ответила Дива, вращая бокал в руках. — Они привыкли лизать пятки мужчине, и мысль о том, что его место займет женщина, была для них невыносима.

— Они высказывались в этом духе?

— Это было видно по их глазам на каждой встрече. К тому же мужчины, всегда готовые предать других мужчин, тоже докладывали мне, о чем они шептались между собой. То, что власть была сосредоточена в моих руках, для них было равноценно объявлению войны. Эти паразиты, которыми отец наводнил свои компании и которые не желали общаться с нами, когда черный рынок чуть не погубил нас, теперь обнаглели и даже стали угрожать. Ты-то, Карла, должна понимать, как все это было.

— Подобных типов надо избегать или уничтожать, — ответила Карла. — Ты могла бы уничтожить их, Дива, — от отца тебе досталась достаточно сильная власть для этого. Почему ты решила устраниться?

— Папа приобрел много акций энергетических предприятий. И в то время, как строительный бизнес с трудом расплачивается с долгами, в энергетике акции приносят прибыль. Я не стала бы связываться с добычей угля и нефти, но он залез в это дело и приковал меня к колесу, которое крутят тысячи рабочих и служащих. Я не могу просто взять и остановить его.

— Значит, ты как-то будешь участвовать в делах? — спросила Карла.

— Да нет. Я только сказала новым управляющим, что, если их деятельность будет чистой и результативной, они будут ежегодно получать долю своих акций обратно.

— А каковы твои собственные планы? — спросил я.

— Я сохранила за собой одну компанию и застраховала ее от продажи — дом моделей с магазином для новобрачных. Я говорила вам о нем. Я его переименовала и добавила к нему консультацию по вопросам заключения брака. Вот им я буду управлять.

— Ага! — воскликнул я. — Так, наверное, девушки в зале — это будущие модели, ожидающие приема на работу?

— Вроде того, — ответила Дива и обратилась к Карле: — С тех пор как мы говорили об этом, прошло время, но я надеюсь, что ты, Карла, не потеряла интереса к этому проекту. Мне очень хотелось бы, чтобы ты высказала свои соображения по этому поводу. Как ты к этому относишься?

— Мне с самого начала понравилась твоя идея, и я рада, что ты претворяешь ее в жизнь. Пока мы находимся в городе, мы в твоем распоряжении. Давай обговорим это на следующей неделе у нас дома за обедом. Идет?

— Хорошо, — задумчиво произнесла Дива, обратив взгляд на увитый цветочными гирляндами портрет отца.

Мы ждали, не желая выводить ее из задумчивости.

— Знаете, почему я хотела, чтобы все называли меня Дива? — спросила она наконец, не отводя взгляда от фотографии. — Как-то на вечеринке я зашла в туалетную комнату и слышала оттуда, как называют меня друзья за моей спиной: Тривия Дивия. И знаете, они были правы. Я была тривиальна. В тот же вечер я потребовала, чтобы все называли меня Дивой. И это был первый раз, когда я почувствовала себя нетривиальной, если можно так сказать.

— Ну, по крайней мере, понятно. Ты почувствовала, что что-то значишь, — откликнулась Карла.

Молодая наследница посмотрела на Карлу и тихо рассмеялась.

— Все к лучшему, — сказала она, поднявшись с места, зевнула и потянулась.

Мы тоже встали, и Дива проводила нас до дверей.

— Я очень рада, что ты теперь свободна, — сказала Карла, обняв ее. — Счастливого полета тебе.

Мы тоже отправились в неторопливый полет на нашем байке, думая каждый о своем. Я думал о бедной маленькой богатенькой девушке, которая одно время жила в трущобах, а потом раздала свое состояние. Карла думала о другом.

— Они все настоящие профессионалки, — произнесла она у меня за плечом.

— Что?

— Они профессионалки.

— Кто?

— Все эти красивые девушки у нее в офисе, которые так красиво ничего не делали. Они бывшие девочки по вызову. Точнее, доминатрисы, специалистки по фетишам. Дива наняла их для своей фетиш-вечеринки, а потом предложила работать у нее. И все они пришли. Они не модели, они работают в брачном агентстве.

— И наверное, очень успешно. А почему ты не сказала мне этого, когда я говорил о них?

— Останови мотоцикл, — велела она, отодвинувшись от меня.

Я свернул на съезд с дороги недалеко от автобусной остановки.

— Ты что, всерьез спрашиваешь меня, почему я не сказала тебе, что мы едем на выставку бывших девочек по вызову? — спросила она, дыша мне в шею.

— Да нет...

Я вырулил на магистраль и проехал по ней немного, но вскоре опять затормозил. На разделительной полосе сидел Олег и играл на гитаре. Мы остановились около него.

— Что ты тут делаешь, Олежка? — спросила Карла, улыбаясь во все распахнутые зеленые глаза.

— Играю на гитаре, Карла, — ответил он со своей русской ухмылкой.

— Ладно, увидимся, — сказал я и увеличил обороты.

Карла слегка нажала пальчиком на мое плечо, и байк затих.

— Почему здесь? — спросила Карла.

— Идеальная акустика, — ответил он, улыбаясь своей расчетливой улыбкой. — Сзади море, спереди здания...

— А что ты играешь?

— «Да начнется день» группы The Call[1]. Этот парень, Майкл Бин, просто святой рок-н-ролла. Обожаю его. Давай я сыграю тебе с самого начала?

— Потом, — сказал я и снова газанул.

— Почему бы тебе не забраться к нам? — предложила Карла.

— Третьим? — в голос спросили мы.

— Мы едем в Донгри и можем подкинуть тебя до дома.

Олег уселся позади Карлы, она обхватила меня ногами, уперев их в бензобак, а спиной привалилась к Олегу, у которого на спине болталась гитара.

Мы проехали мимо команды дорожных копов, собиравшихся рисовать «зебру» на перекрестке.

— Vicaru naka, — приветствовал я их на маратхи. — Не задавайте вопросов.

ГЛАВА

 89

После того как сгорел дом Кадербхая, Карла ни разу не была на рынке парфюмерии в Донгри или по соседству с ним. Она готовила духи для себя сама, но ей требовались особые компоненты. Когда она почувствовала, что готова вернуться к той странице прошлого, которую перевернула не прочитав, мы влились в плотный поток машин и отправились в ее любимый магазинчик рядом с Мохаммед-Али-роуд.

---

[1] «Let the Day Begin» — так назывался вышедший в 1989 г. альбом калифорнийской поп-рок-группы The Call и главный хит с него.

Магазинчиком владели три двоюродных брата, и всех их звали Али: Большой Али, Грустный Али и Заботливый Али. Большой Али встретил нас и усадил на подушки.

— Я налью вам чая, мадам Карла, — сказал Заботливый Али.

— Вы так давно у нас не были, — сказал Грустный. — Нам вас не хватало.

— Мы подготовили весь набор нужных вам материалов, мадам Карла, — сказал Большой Али.

Мы пили чай и слушали рассказ об уникальных духах с очень тонким ароматом, произведенных в уникальном уголке мира утонченных ценностей. Карла изучала приготовленные для нее эссенции.

Когда мы собрались уходить, хозяин заведения, весь в белом, дородный и пожилой, спросил разрешения понюхать всего один раз духи, приготовленные Карлой. Она приподняла руку, как некую ветвь, с которой наподобие листа свисала ее кисть.

Все три парфюмера со знанием дела втянули воздух и недоумевающе покачали головами.

— Ну ничего, — сказал Большой Али, — как-нибудь я все же разгадаю секрет вашего букета.

— Профессионалы не сдаются! — провозгласила Карла.

Мы направились к моему байку, сопровождаемые тихим побрякиванием скляночек с драгоценными маслами и эссенциями в черной бархатной сумке Карлы. В это время на дорожке впереди показались два человека, хорошо знакомые нам еще со времен Кадербхая.

Салар и Азим были парнями с улицы и находились на нижних ступеньках мафиозной иерархии. Но видные члены мафии умирали, а им удалось выжить на своем мелкотравье и занять более высокие места, освободившиеся в новой Компании Халеда.

Они носили новую униформу Компании, поигрывали новыми золотыми цепочками и браслетами и при этом знали свое место.

С Карлой они были знакомы еще до того, как я появился у них на горизонте, и любили ее. Они рассказали ей забавную страшилку из гангстерской жизни, зная, что ей понравится. Карла в ответ рассказала им забавную страшилку из жизни плохих девчонок. Они расхохотались, запрокинув головы и сверкая золотыми ожерельями в лучах заходящего солнца.

— Ну, счастливо, парни, — сказал я. — *Аллах хафиз.*

— Вы куда идете? — спросил Салар.

— К байку на Мохаммед-Али-роуд.

— Пошли вместе, мы покажем вам, где тут можно срезать.

— Спасибо, нам надо вот сюда — зайдем купить кое-что, — сказал я. — *Аллах хафиз.*

ГРЕГОРИ ДЭВИД РОБЕРТС

— *Худа хафиз,* — ответил Азим и помахал нам.

Я не хотел больше ходить куда бы то ни было вместе с бойцами Компании Халеда или любой другой компании. Я не хотел даже вспоминать о них.

Уже в тысячный раз я подумал о том, что пора нам с Карлой убираться из Бомбея в какое-нибудь тихое место на побережье. В городе невозможно жить, не сталкиваясь с людьми из мафии. Мафия — это и есть город. Избежать встреч с ними можно только там, где уже не осталось ничего, что можно захватить.

Мы дошли до мощенного булыжником переулка, когда шелковую тишину взорвали чьи-то крики и из переулка выбежали несколько испуганных человек.

Я взглянул на Карлу и пожалел, что мы не находимся где-нибудь подальше отсюда. Мы оба понимали, что вряд ли тут обошлось без Салара и Азима. Мы знали парней много лет, но уличные мафиозные стычки меня больше не касались. Я хотел пройти мимо.

Однако Карла не желала проходить мимо и потащила меня в переулок. Из-за угла, шатаясь, вывалился прямо на меня окровавленный человек. Это был Салар. У него было несколько ножевых ран в груди и на животе. Он без сил повис на мне.

Позади него я увидел Азима, лежавшего ничком на булыжниках и орошавшего их последними каплями своей крови.

— Я поймаю такси, — сказала Карла и кинулась прочь.

Салар с трудом поднял руку и стал дергать золотую цепочку на шее, пока она не порвалась.

— Передай моей сестре, — сказал он, прижав цепочку к моей груди.

Я сунул ее в карман и покрепче обхватил его за талию.

— Тебе нельзя ложиться, братишка, — сказал я. — Я бы с удовольствием тебя отпустил, но боюсь, что потом тебя уже не склеишь. Держись, Карла сейчас пригонит машину.

— Мне конец, Лин. Оставь меня. О Аллах, какая боль!

— Ты нормально дышишь, Салар. Не знаю, как уж это получилось, но легкие у тебя не задеты. Ты справишься, держись.

Через две минуты приехало такси, Карла раскрыла дверцы. Мы положили Салара на заднее сиденье, я сел с ним, Карла рядом с водителем.

Не знаю, сколько она заплатила водителю, но он не моргнул глазом, увидев кровь, и доставил нас в больницу за рекордное время, нарушая все правила движения. У входа в приемный покой санитары и медсестры положили Салара на каталку и закатили в здание. Я хотел пойти за ними, но Карла остановила меня.

— Дорогой, тебе нельзя никуда идти в таком виде, — сказала она.

И правда, рубашка и футболка под моим распахнутым жилетом пропитались кровью. Я снял жилет, но без него кровавое пятно выглядело еще страшнее.

— К черту. Нам необходимо быть рядом с Саларом, пока не появится кто-нибудь из Компании. Те, что напали на него, возможно, постараются довести дело до конца, а на помощь копов рассчитывать не приходится.

— Минуточку, — сказала Карла.

Она остановила деловито шагавшего мимо нас адвоката, крепко зажавшего под мышкой бумаги клиента. Его белый судейский воротничок торчал, как презумпция жесткости.

— Хотите десять тысяч рупий за ваш пиджак? — спросила Карла, помахав у него перед носом пачкой банкнот.

Адвокат посмотрел на деньги, затем, прищурившись, на Карлу и стал вытаскивать все, что было в карманах его тысячерупиевого пиджака. Карла надела пиджак на меня, подняв воротник и прикрыв шею лацканами. Затем, послюнявив пальцы, она стерла кровавые пятна с моего лица.

— Теперь давай посмотрим, как там Салар, — сказала она.

Мы заняли позицию в коридоре около операционной. Под ногами однообразно чередовались белые и черные квадраты кафельного пола, в нижней части серо-зеленых стен виднелись следы, оставленные полусонными швабрами усталых уборщиков. Служебные обязанности могут служить людям или подчинять их себе, и в последнем случае коридоры страдают от недостатка внимания и заставляют страдать окружающих.

— Ты как, малышка?

— Нормально, — улыбнулась она. — А ты?

— Я...

К нам с угрожающим видом топали четверо молодых гангстеров из Компании Халеда. У главного из них, Фааз-Шаха, была горячая голова, и при виде меня она почему-то разогрелась еще больше.

— Какого хрена ты тут ошиваешься? — спросил он, остановившись в нескольких шагах от нас.

Я сделал шаг вперед, загородив Карлу и взявшись за рукоятку ножа. В отличие от большинства старых членов мафии, не все молодые огнедышащие члены знали Карлу.

— *Салям алейкум*, — ответил я.

Фааз-Шах помолчал, пристально глядя мне в глаза и пытаясь найти в них то, чего там не было. Мне случалось драться с гангстерами из других банд плечом к плечу с двумя старшими братьями Фааз-Шаха, а также с их новым главарем Халедом. Но рядом с ним самим я не дрался.

— *Ва алейкум салям,* — ответил он, слегка остыв. — Что случилось с Саларом? Почему вы здесь?

— А вы где шатаетесь? — спросил я. — И откуда вы узнали, что он здесь?

— У нас есть свои люди в больнице. У нас всюду есть свои люди.

— Но не в переулке, где Салара с Азимом поджидали с ножами.

— Что с Азимом?

— Когда я видел его в последний раз, он умирал, истекая кровью.

— Где?

Это были крутые ребята, которые всегда выискивают в других признаки враждебности, как бы ты ни прятал их, а в этот момент они были на взводе. Но я за себя не боялся, так как ничего плохого не сделал, и они рано или поздно должны были понять это. Боялся я за них, ибо, если они были бы совсем неуправляемы и могли бы оскорбить Карлу, им пришлось бы плохо.

— Карла, — сказал я, демонстративно улыбаясь ей, — не могла бы ты раздобыть где-нибудь чая для нас?

— С удовольствием, — ответила она и с загадочной улыбкой удалилась мимо парней по коридору.

— Это произошло у первого открытого водостока, если идти от парфюмерного рынка к Мохаммед-Али, — сказал я. — Мы возвращались с рынка и встретили их перед тем, как на них напали.

— Кого встретили?

— Салара и Азима. Мы поговорили, затем мы пошли по главной улице, а они решили сократить путь переулками. Когда мы дошли до водостока, из переулка на меня буквально вывалился Салар. Кто-то подкараулил их в этом переулке.

Я распахнул пиджак, продемонстрировав кровавые пятна, и сразу же запахнул его снова. Они пришли в некоторое замешательство, как всегда бывает с гангстерами, когда они осознают, что оказались обязанными кому-то.

— Мы привезли его сюда на такси, — продолжил я, садясь на скамейку, — и ждем здесь, чтобы узнать, как пройдет операция. Присоединяйтесь к нам, если хотите. Карла принесет чай.

— Мы должны сделать кое-что, — ответил Фааз-Шах.

— Но надо, чтобы кто-нибудь из Компании дежурил здесь. Салар все еще в опасности. Оставь одного человека, Фааз-Шах.

— Мне нужны все мои люди. А ты уже здесь. Ты же вроде еще сохраняешь верность Компании?

— Смотря какой.

Он засмеялся, но затем оборвал себя:

— Мне действительно нужны все. Понимаешь, он родственник.

— Салар?

— Да. Он мой дядя. Его близкие уже выехали сюда. Я был бы благодарен тебе, если бы ты их тут дождался.

— Договорились. И возьми это. — Я вручил ему цепочку Салара. — Он хочет, чтобы ее передали его сестре, если он не выживет.

— Я отдам ей.

Он взял цепочку с осторожностью, словно боялся, что она его укусит, и запихнул в карман. Затем сумрачно посмотрел на меня и против воли выдавил:

— Я твой должник, Лин.

— Да брось.

— Нет, я тебе должен, — повторил он, сжав зубы.

— В таком случае считай лучше, что ты должен мисс Карле. Если услышишь, что ей грозит какая-нибудь опасность, предупреди ее или меня, и мы будем в расчете. Идет?

— Идет, — ответил он. — *Худа хафиз.*

— *Аллах хафиз,* — отозвался я.

Они потопали прочь, глаза их горели жаждой мести. Я был рад, что меня это больше не касается. Я был рад, что доставляю теперь раненых в больницы, вместо того чтобы ранить их самому. Наверное, Конкэннон так же радовался тому, что хоронит врагов, а не убивает их. В этой серо-зеленой тишине запах дезинфицирующих средств, отбеленных простынь и горьких лекарств показался мне вдруг настолько больничным, что мое сердце стало биться учащенно. На несколько секунд привычные боевые эмоции овладели мной, и мысленно я отправился вместе с Фааз-Шахом и его друзьями сражаться в ночной тьме. Я почувствовал страх и ожесточение, словно уже вступил в драку. Но затем понял, что не участвую в ней на этот раз. И никогда больше не буду участвовать.

ГЛАВА
 **90**

Очнувшись от своих воинственных мыслей, я увидел, что по коридору ко мне медленно приближается Карла вместе с каким-то человеком. Это был уборщик, одетый в робу, какую носят те, кто выполняет самую грязную и низкоквалифицированную работу. На лице Карлы блуждала улыбка, в ней светилось нетерпение поделиться каким-то секретом.

Она усадила уборщика рядом со мной.

— Тебе во что бы то ни стало нужно познакомиться с этим человеком и выслушать его историю, — сказала она. — Дев, это Шантарам. Шантарам, это Дев.

— *Намасте,* — произнес я. (Приветствую вас.)

— Расскажите ему, Дев, — попросила его Карла, улыбнувшись мне.

— Это не такой уж интересный рассказ и к тому же грустный. Может быть, как-нибудь в другой раз, — ответил он и хотел встать и уйти, но Карла мягко усадила его обратно:

— Дев, ну пожалуйста, расскажите ему то же, что рассказали мне.

— Но я могу потерять работу, если не вернусь сейчас к своим обязанностям.

— Это не важно, — ответила она, — все равно, закончив свой рассказ, вы поедете с нами.

Дев посмотрел на меня. Я улыбнулся ему.

— Слово женщины — закон, — сказал я.

— Но я не могу уехать во время своей смены.

— Вы сначала расскажите, а потом решим, что делать дальше.

— Ну хорошо, как я уже говорил вам, меня зовут Дев и я садху, — начал он, глядя на свои руки.

Он был обрит наголо, никаких амулетов и браслетов не носил. Под рабочей робой на нем ничего не было. Он был на вид обыкновенным исхудалым работягой с шапочкой на голове и босыми ногами.

Но в его жестком лице была сила, какой не чувствовалось в фигуре, а глаза, когда он поднимал их, все еще были способны разжечь огонь на берегу моря.

Садху, поклоняющиеся Шиве, посыпают себя пеплом из крематория, разговаривают с призраками и вызывают демонов — пускай лишь мысленно. Жесты нашего садху были смиренны, но в лице была неукротимость.

— Когда-то я носил длинные косички-дреды, — вспоминал он. — Для людей, курящих гашиш, они служат антеннами общения. Тогда меня приглашали покурить все. А теперь, когда моя голова обрита, никто не поделится со мной и стаканом воды.

— А почему вы обрили голову, Дев? — спросил я.

— Я опозорил себя, — сказал он. — Я был в расцвете сил. Бог Шива сопровождал меня повсюду. Я не боялся укусов змей. Я спал с ними в лесу. Я просыпался оттого, что леопарды подходили ко мне и лизали мое лицо. Скорпионы прятались у меня в волосах, но не жалили меня. Во время моего покаяния никто не мог посмотреть мне в глаза не мигая.

Он остановился и посмотрел на меня. Его глаза были глазами дикой природы, глазами мертвых.

— Это все жадность, — сказал он. — Она ключ ко всему. Она доводит до греха. Меня обуяла жажда власти. Я проклял одного человека, иностранца, за то, что он непочтительно обошелся со мной на улице. Я предсказал ему, что его богатство погубит его, и, когда я сделал это, вся сила вытекла из меня, как вода из опрокинутого кувшина.

Волосы у меня на руке зашевелились. Я посмотрел на Карлу, сидевшую по другую руку от святого уборщика. Она кивнула мне.

— Там были два иностранца? — спросил я.

— Да. Один из них, англичанин, был очень добр. Другой был очень груб, но я все равно жалею, что проклял его и, возможно, причинил ему вред. Я изменил собственному служению. Я пытался найти этого человека, чтобы снять с него мое проклятие, но не смог, хотя искал повсюду.

— Дев, — сказала Карла, — мы знаем человека, которого вы прокляли, и можем отвезти вас к нему.

Бритый садху согнулся пополам и тяжело задышал, но затем медленно выпрямился.

— Это правда?

— Да, Дев.

— Дев, вам плохо? — спросил я, положив руку на его худое плечо.

— Нет-нет, — ответил он. — *Maa! Maa!*[1]

— Может, вы приляжете ненадолго? — спросил я.

— Нет-нет, все в порядке, все в порядке. Я... я сбился с пути и начал употреблять алкоголь. Я не привык к нему. До этого я никогда не пил спиртного. Я плохо вел себя. Но затем великий святой человек остановил меня на улице и отвел в храм богини Кали.

Неожиданно он резко выпрямился, словно вынырнул из воды, чтобы набрать воздуха.

— Неужели вы действительно знаете человека, которого я проклял? — спросил он дрожащим голосом.

— Знаем, — ответил я.

— И я встречусь с ним? Он позволит мне снять с него проклятие?

— Думаю, позволит, — улыбнулась Карла.

---

[1] *Maa* — на языке телугу, распространенном в Индии, означает «мать», «богиня», «мой» или «наш»; часто употребляется как восклицание.

— Говорят, маа Кали может делать ужасные вещи с человеком, — сказал он, схватив меня за руку. — Но только с лицемерами. Если сердце твое открыто, она поневоле тебя полюбит. Она мать всей вселенной, и мы ее дети. Она не может не любить нас, если мы сохраняем для нее чистоту внутри себя.

Он помолчал, тяжело дыша, положив руку на сердце и постепенно успокаиваясь.

— Вы уверены, что чувствуете себя нормально, Дев? — спросила Карла.

— Да, благодаря маа. Просто это был шок от неожиданности.

— А как вы оказались в больнице, Дев?

— Я обрил голову и нашел самую скромную работу, где я мог помочь напуганным и беспомощным. А теперь мои сомнения устранены, потому что вы нашли меня здесь, чтобы отвести к этому человеку. Пожалуйста, возьмите это.

Он вручил мне ламинированную карточку, одна сторона которой была пустой, а на другой был нарисован какой-то узор. Я положил карточку в карман.

— Что это такое, Дев? — спросила Карла.

— Это янтра. Если вы посмотрите на нее с чистым сердцем, она очистит ваш разум от всего негативного и вы сможете сделать мудрый и полезный выбор.

— Мы ждем здесь известий о состоянии нашего друга, — сказал я. — Можем мы сделать что-нибудь для вас, Дев?

— Мне ничего не нужно, — ответил он, откинувшись на спинку скамейки. — Я действительно ухожу с этой работы?

— Похоже на то, Дев, — ответила Карла.

Прибыли родственники Салара в сопровождении двух бойцов Компании; медики сказали, что Салар, по всей вероятности, будет жить.

Мы отвезли кающегося святого в «Махеш» и поднялись в пентхаус отеля. Скорпион упал на колени перед Девом, Дев упал на колени перед Скорпионом. Мы повернулись и пошли к лифту.

— А знаешь, — сказала Карла, пока мы ждали лифта, — не исключено, что это встряхнет иммунную систему Близнеца и он выздоровеет.

— Возможно, — согласился я, когда лифт, дернувшись, остановился перед нами.

— А я знаю, куда мы сейчас поедем, — сказала Карла, отдавая мне фляжку.

— Все-то ты знаешь, — отозвался я, поплотнее запахивая на себе черный пиджак.

— Мы поедем на Мохаммед-Али-роуд за твоим байком. Тебе ведь гораздо важнее воссоединиться с ним, чем привести себя в порядок.

Она действительно все знала и напоминала мне об этом, пока мы возвращались в «Амритсар». Спасенный байк всю дорогу радостно бормотал свои мотоциклетные мантры.

В номере Карла побрызгала себе в лицо водой и предоставила ванную в мое распоряжение.

Я выложил все из карманов на широкую фарфоровую полку под зеркалом. Купюры были забрызганы кровью. Ключи приобрели красный оттенок, а монеты обесцветились, словно очень долго пролежали в каком-то фонтане, куда их бросили на счастье.

На ту же полку я положил ножи вместе с ножнами, после чего скинул адвокатский пиджак на пол и содрал окровавленную рубашку с окровавленной футболки. Из кармана выпала карточка, которую дал мне Дев. Подобрав ее, я впервые взглянул в зеркало и увидел там незнакомого мне человека в чистом поле.

Я не хотел встречаться с ним взглядом и постарался забыть то, что назойливо лезло мне в голову.

Футболка была подарком Карлы. Ее сшил один из опекаемых ею художников как пародию на работы другого художника, известного тем, что набрасывался на свои холсты с ножом.

Спереди футболка была изрезана и изодрана. Карле она нравилась, очевидно, потому, что ей нравился художник. Мне она нравилась своей незавершенностью и уникальностью.

Я осторожно снял футболку, надеясь, что ее удастся отстирать, но, посмотрев в зеркало, бросил футболку в раковину.

Футболка оставила кровавую отметину у меня на груди. Она представляла собой перевернутый треугольник, окруженный расходящимися лучами. Я посмотрел на карточку, подаренную Девом. На ней был аналогичный рисунок.

Индия.

Я выпустил карточку из рук и уставился на то, во что я позволил себе превратиться. Я смотрел на рисунок у меня на груди и задал себе вопрос, который мы все задаем раньше или позже, прожив в Индии достаточно долго:

«Что тебе нужно от меня, Индия? Что тебе нужно от меня, Индия? Что тебе нужно от меня?»

Мое сердце разрывалось в потоке случайных обстоятельств, когда за одним дурацким происшествием следовало еще более дурацкое. «Если вы посмотрите на нее с чистым сердцем», — сказал садху, отдавая мне карточку. «Мудрый и полезный выбор».

Я сбежал из тюрьмы, где у меня не было никакого выбора, и свел свою жизнь к единственному выбору, встающему передо мной повсюду и со всеми, кроме Карлы: оставаться или уходить.

«Что тебе нужно от меня, Индия?»

Что означал этот кровавый рисунок? Может быть, это было предупреждение, написанное кровью другого человека? Или одно из тех доказательств, о которых говорил Идрис? А может, я просто сходил с ума, задавая этот вопрос в поисках смысла, которого не было и не могло быть?

Я залез под душ и смотрел, как с меня стекает красная вода. Когда она стала чистой, я выключил душ и прислонился к стене, прижав ладони к кафельным плиткам и опустив голову.

«Так было это посланием или нет?» Я слышал свой голос, задававший этот вопрос, хотя на самом деле молчал. «Посланием, написанным кровью у меня на груди?»

Я вздрогнул, когда ножи со звоном скатились с полки на кафельный пол. Шагнув из-под душа, чтобы подобрать их, я поскользнулся на мокром полу и, машинально выставив руку, порезал ножом ладонь.

Я подобрал ножи и опять порезался. Такого со мной ни разу не случалось за все время, что они у меня были. Кровь хлынула в раковину и запачкала карточку, которую я оставил там. Я убрал карточку и положил ее сушиться, сунул руку под холодную воду и прижал края раны полотенцем. Затем очистил ножи и положил их в безопасное место. Какое-то время я тупо смотрел на карточку и на свое отражение в зеркале.

Карла была на балконе, в тонком голубом халатике, накинутом на плечи. Я хотел бы наблюдать эту картину всю оставшуюся жизнь, но надо было ехать. У меня было дело.

— Я опять должен выйти, — сказал я. — Нужно сделать кое-что.

— Опять секреты! Кстати, о секретах, что это за повязка на руке?

— А, ерунда. Ты готова еще раз прокатиться? Солнце скоро взойдет.

— Я соберусь быстрее тебя, — сказала она, скидывая халатик. — Надеюсь, ты не задумал ничего ужасного.

— Нет-нет, не задумал.

— Мы нашли Дева, чтобы помочь Скорпиону и Близнецу, отвезли Салара в больницу и даже побывали на парфюмерном рынке. Мне кажется, мы исчерпали весь наш запас кармических совпадений. Не стоит испытывать ее терпение.

— Да нет, ничего ужасного, обещаю. Это, может быть, немного странное дело, но не ужасное.

Когда мы доехали до святилища Хаджи Али, жемчужные флаги уже возвещали о выходе солнца, небесного царя, пробуждающего к поклонению. Перешеек, ведущий к храму, был заполнен паломниками, молящимися и кающимися. Безрукие и безногие нищие, которых присматривавшие за ними помощники рассадили в круг, воспевали Аллаха. Проходящие мимо кидали им монетки и бумажные деньги.

Дети, впервые посещавшие святилище, были одеты во все лучшее. Мальчики потели в костюмах, копирующих одежду кинозвезд; волосы девочек круто вздымались, образуя на затылке сложные декоративные переплетения.

На середине перешейка я остановился:

— Дальше не пойдем.

— Молиться сегодня не будешь?

— Нет... не сегодня, — ответил я, оглядываясь по сторонам; народу было слишком много.

— Тогда что же ты собираешься делать?

На несколько секунд непрерывный поток людей прервался, мы оказались одни. Я вытащил оба ножа из ножен и бросил их один за другим в воду.

По-моему, я никогда еще не кидал ножи так красиво. Карла зачарованно наблюдала за тем, как они улетают в море.

Некоторое время мы постояли, молча глядя на волны.

— В чем дело, Шантарам?

— Не могу это толком объяснить. Сам не вполне понимаю.

Я показал ей карточку с янтрой:

— Когда я снял рубашку, то обнаружил этот же рисунок у себя на груди, сделанный кровью Салара.

— И ты думаешь, это знак свыше, да?

— Не знаю. Я сам задавал себе этот вопрос, а потом порезался о нож. Мне... мне просто кажется, что с меня хватит всего этого. Но это странно. У меня никогда не было религиозных наклонностей.

— Но наклонность к духовному у тебя есть.

— Ты ошибаешься, Карла, никаких духовных наклонностей у меня нет.

— Есть-есть. Ты просто не знаешь об этом. Это одна из тех вещей, которые нравятся мне в тебе больше всего.

Мы помолчали, слушая плеск волн, взбиваемых ветром, проскальзывавшим сквозь прибрежные деревья.

— Ты же не совсем свихнулся и не думаешь, будто я швырну туда свой пистолет, — сказала она.

— Держи его при себе! — рассмеялся я. — Просто мне кажется, что с меня хватит всякого оружия. Надеюсь, я справлюсь своими руками с тем, что мне уготовлено. И как бы то ни было, у тебя есть пистолет, а мы всегда вместе.

Она хотела покататься, хотя мы оба валились с ног от усталости, и я предоставил ей такую возможность.

Когда мы уже достаточно накатались и она более или менее освоилась с моей обновленной личностью, мы вернулись в «Амритсар» и смыли с себя последние остатки сомнения. Выйдя из ванной, я нашел Карлу в том же халате и на том же месте на балконе, где она была час назад. Она курила косяк.

— Когда ты кидал ножи в воду, ты мог попасть какой-нибудь рыбе по голове, — сказала она.

— Рыбы так же проворны, как и ты, малышка, — ответил я.

— Значит, ты твердо намерен обходиться в дальнейшем без ножей?

— Попробую.

— В таком случае я приветствую это и буду с тобой. Всегда.

— Даже если нам придется покинуть Бомбей?

— В этом случае тем более.

Она задернула шторы, отгораживаясь от наступающего дня, скинула халат и решила опробовать зеркало из старого Салона красоты Ахмеда. И зеркало, и она сама смотрелись очень хорошо. Она включила фанк и подступила ко мне. Ее русалочьи бедра и руки фанково извивались. Я обнял ее. Она обхватила руками мою шею и сказала:

— Давай забудем на время о всяком благоразумии. Думаю, мы это заслужили.

ГЛАВА

 91

Любовь и вера, подобно надежде и справедливости, — созвездия в бесконечности истины. Они всегда притягивают толпы людей. На открытие кафетерия «Любовь и вера» сбежалось столько возбужденных любителей кофе, что Ранвей позвонила нам и посоветовала прийти чуть позже, поскольку при всей нашей любви и вере мест нам могло не хватить.

Дидье был в «Леопольде», где его обслуживали и радостно оскорбляли сразу два официанта. В зале царило натуральное буйство. Посетители хохотали по любому поводу и увлеченно орали без всякого повода. Мы, к сожалению, не могли принять участия в общем веселье, так как нам надо было идти в другое место.

— Ну давайте выпьем хотя бы по одной, — взмолился Дидье. — В «Любви и вере» не подают спиртного. Вы видели подобное безобразие где-нибудь еще?

— Всего по одной, и уходим, — сказала Карла, садясь рядом с ним. — И никаких дальнейших увиливаний.

— Официант! — крикнул Дидье.

— Думаете, вы единственный посетитель, умирающий от жажды в этом заведении? — пробурчал Свити, шлепая тряпкой об стол.

— Подай выпивку, болван! Мне надо уходить.

— А мне надо жить, — ответил Свити, удаляясь нога за ногу.

— Отдаю тебе должное, Дидье, — сказал я. — Тебе удалось восстановить нормальную обстановку. Никогда еще Свити не демонстрировал такого хамства.

— Когда заявляют: «Отдаю тебе должное», — заметил он с самодовольным видом, — обычно хотят отхватить еще больше.

— Лин настроен очень мирно и безоружен, — сказала Карла. — Сегодня утром он выкинул свои ножи в море.

— Море выбросит их обратно, — отозвался Дидье. — Оно не может простить нам, что мы когда-то выбрались из него на сушу. Запомни мои слова, Лин. Море — ревнивая женщина, в которой нет ничего привлекательного.

К нашему столику приблизился человек со свертком. Это был Викрант, который изготавливал мои ножи, и на секунду я почувствовал себя виноватым в том, что превосходные произведения его искусства покоятся на морском дне.

— Привет, Карла, — сказал он. — Лин, я ищу тебя, чтобы отдать саблю. Она готова.

Он развернул коленкоровую упаковку, и перед нами предстала сабля Кадербхая. В нее были вставлены две золотые заклепки — глаза двух драконов, сцепленных хвостами.

Вещь была превосходная, но я опять почувствовал укол совести из-за того, что совсем забыл о ней со всеми этими перипетиями в горах и горящими особняками.

— Повторяю, — сказал Дидье, — море — ревнивая женщина. Дидье никогда не ошибается.

— Можно отнять у мальчика клинок, но он всегда будет носить его в своем сердце, — произнесла Карла.

— Прекрасная работа, Викрант, — сказал я. — Сколько я тебе должен?

— Я работал исключительно по велению души и потому не возьму ничего, — ответил он, отходя. — Не убей кого-нибудь этой саблей. Счастливо, Карла.

— Счастливо, Викрант.

Подали выпивку, и все уже воздели бокалы, но тут я поднял руку.

— Взгляните-ка вон на ту девушку, — сказал я.

— Фу, Лин, ну не хамство ли привлекать внимание к посторонней женщине, когда рядом...

— Нет, ты посмотри на нее, Дидье.

— Ты думаешь, это она? — спросила Карла.

— Да, никакого сомнения.

— Да кто? — недоумевал Дидье.

— Карлуша, — сказала Карла. — Олегова Карлуша.

— И правда!

Высокая девушка с черными волосами и бледно-зелеными глазами была немного похожа на Карлу. На ней были черные джинсы в обтяжку, черная мотоциклетная куртка и ковбойские ботинки.

— Карлуша, — пробормотала Карла. — Стиль есть.

— Свити! — кликнул я официанта; он приковылял ко мне. — У тебя сохранилась фотография, которую тебе дал Олег?

Свити раздраженно порылся в карманах и вытащил помятую фотографию. Мы сравнили ее с лицом девушки, сидевшей за несколько столиков от нас.

— Можешь позвонить Олегу и получить вознаграждение, — сказал я. — Вон та девушка, которую он ждет.

Он долго рассматривал фотографию, взглянул на девушку и кинулся к телефону.

— Ну как, мы тут закончили? — спросил я.

— Неужели ты не хочешь дождаться Олега и посмотреть воссоединение влюбленных? — поддразнила меня Карла.

— Я *уже* устал выступать невольным сообщником судьбы.

— А я никак не могу пропустить это событие, — сказал Дидье. — Пока не увижу это собственными глазами, никуда не двинусь.

— О'кей, — сказал я, собираясь уйти.

В этот момент к нам с уверенным видом приблизился низенький и худой смуглокожий человек.

— Простите, — обратился он ко мне, — это вас зовут Шантарам?

— А кто это им интересуется? — резко бросил Дидье.

— Мое имя Татиф, и мне надо обсудить кое-что с мистером Шантарамом.

— Обсуждайте, — отозвалась Карла, указав широким жестом в мою сторону.

— Мне говорили, что вы за деньги можете сделать все, что угодно, — сказал Татиф.

— Знаете, Татиф, это, вообще-то, оскорбление, — сказала Карла, улыбаясь.

— Да еще какое, — поддержал ее Дидье. — А за какие деньги-то?

Я поднял руку, останавливая начавшийся было аукцион.

— У меня сейчас назначена встреча, Татиф, — сказал я. — Приходите завтра в три часа, тогда и поговорим.

— Спасибо, — ответил он. — Всем доброй ночи.

Он проскользнул между столиками на улицу.

— Ты даже не знаешь, что на уме у этого *Татифа*, — сказал Дидье с укоризной.

— Он мне понравился, — сказал я. — А тебе нет?

— *Мне* тоже понравился, — сказала Карла. — Думаю, мы с ним еще встретимся.

— Вот еще, — буркнул Дидье. — Вы что, не видели, как он обут?

— Видели, — ответил я. — В военные ботинки, сбоку побелевшие от соли, как и нижний край его куртки. По-видимому, он много времени был на море.

— Лин, я имею в виду их стиль. Жуткая безвкусица. Мне приходилось видеть *чучела*, в которых было больше вкуса.

— Ладно, Дидье, счастливо оставаться. Увидимся на открытии.

Мы проехали по забитой ночными гуляками улице и увидели огромную толпу около кофейни «Любовь и вера». Толпа заполнила весь тротуар и выплескивалась на проезжую часть. Мы остановились напротив входа и решили немного посидеть на мотоцикле.

Вывеска над дверью с символами всех религий, написанная на хинди, маратхи и английском, была обрамлена светодиодной гирляндой в виде белых цветов магнолии.

Витрину окружала гирлянда красных лампочек-цветов франжипани. За стеклом витрины были видны посетители, пьющие эспрессо, и Винсон с Ранвей, возившиеся с итальянской кофеваркой. Пар в кофейне стоял коромыслом.

Из пятнадцати табуретов у изогнутой барной стойки три были пусты — Ранвей все-таки оставила их для нас. Я, однако, был еще не готов зайти в этот гостеприимный уголок.

Я думал о девушке из Норвегии, которую увидел сначала в медальоне, а спустя час в очень тяжелой ситуации. А теперь видел ее через окно, улыбающуюся с любовью и верой и вступившую на верный путь в будущее. Винсон обменялся с ней беглым взглядом, бегло улыбнулся и со счастливым видом заговорил с посетителем.

Мне не хотелось идти в кофейню. Им удалось создать вместе что-то чистое, и я боялся все испортить.

— Я на минуту здесь задержусь, — сказал я Карле. — Ты заходи, а я чуть позже.

— Всегда и всюду вместе, — ответила Карла, садясь на сиденье байка и закуривая косяк.

Появился запыхавшийся Дидье, прижимая руку к груди.

— Ну что там произошло? — спросила Карла.

Дидье, тяжело дыша, протянул руку, останавливая ее:

— Мое... мое место в кофейне еще свободно?

— Да, среднее в первом ряду, — ответил я. — Так что там у Олега с Карлушей?

— Олег вбежал, — ответил Дидье, когда его пульс снизился до предписанного медициной уровня, — схватил ее, как мешок картошки, и унес.

— И ты не проследил за ними? — спросила Карла, смеясь.

— Разумеется, проследил, — ответил Дидье. — Я же все-таки детектив агентства «Утраченная любовь».

— И куда они направились? — спросил я.

— В лимузин Рэнделла, — бросил Дидье. — От этого Рэнделла можно свихнуться.

— Причем наиприятнейшим образом, — заметила Карла.

— Вы что, не пойдете внутрь? — спросил Дидье, глядя на смеющуюся толпу в кофейне.

— Мы пока здесь посидим, — сказала Карла. — А ты иди, придай шик этому притону.

— Значит, Дидье должен поднять знамя любви и веры? — Он перекинул шарф через плечо. — Мы живем в век разевания ртов до крайних пределов. Что ж, придется мне орать за всех нас.

Дидье одернул пиджак, пересек тротуар и прошествовал в кофейню. Он сел рядом с красивым молодым бизнесменом, задев и толкнув свою жертву. Бизнесмен не выразил протеста, и между ними завязалась оживленная беседа.

Мы сидели и некоторое время молча наблюдали за суетой в кофейне. Карла прислонилась ко мне.

— Мне нравится разговаривать, сидя на мотоцикле, — сказала она, — даже когда мы сидим бок о бок.

— Мне тоже.

— Хочешь знать, кто является новым тайным партнером Кавиты Сингх? — спросила она осторожно.

— Это должно меня напугать?

— Возможно.

— Очень хорошо. Так кто же?

— Мадам Жу.

— Господи, это еще как получилось?

— Мадам Жу вознамерилась пошантажировать своих бывших клиентов и снова стать влиятельной фигурой в Бомбее. Случилось так, что она сошлась с Кавитой. У мадам Жу есть журнал, в котором зарегистрированы все ее клиенты и все их сексуальные пристрастия. Интересно было бы, кстати, почитать его.

— Но почему она обратилась за помощью к Кавите?

— Я навела ее на эту мысль.

— Каким образом?

— Тебе все надо знать, да?

— Что касается тебя, то абсолютно все.

— Я знала о существовании этого журнала и понимала, что вместе со своим дворцом мадам Жу потеряла прежнюю силу, но не потеряла своих амбиций. Знала я также, кто ее самый преданный покровитель. Это некий бизнесмен. Я купила его бизнес, а он в обмен предположил, что лучше всех способна организовать этот шантаж Кавита Сингх. Тогда-то мадам Жу и заинтересовалась ею.

— И когда близнецов убили, она обратилась за помощью к Кавите.

— Да, как я и рассчитывала. Привычка — движущая сила порока, и она делает людей предсказуемыми.

— А что в этом привлекательного для Кавиты?

— Помимо секса?

— Ой, Карла, пожалуйста...

— Я шучу. Шесть недель назад я сказала Кавите, что это мадам Жу убила ее бойфренда, фактически ее жениха. Он был против того, чтобы мадам Жу подкупала чиновников в его районе. Ну и получил за это сполна. Она убила его.

— А ты откуда знаешь, кто убил?

— Ты действительно хочешь это знать?

— Ну, я...

— От Лизы.

— А она откуда это узнала?

— Она работала в это время на мадам Жу, в ее «Дворце счастья». Это было еще до того, как я вытащила ее оттуда.

— И сожгла дворец.

— И сожгла дворец. Лиза не могла сказать Кавите, что ей это известно, и потому сказала мне.

— А почему она не могла сказать это Кавите?

— Ну, ты же знаешь Лизу. Она не умела вести серьезных разговоров с тем, с кем занималась сексом.

— Я начинаю подозревать, что ты знала ее лучше меня.

— Да нет, — мягко возразила она. — Но насчет тебя у нас с ней было взаимопонимание.

— Да, она говорила мне что-то такое. О том, как вы встречались в «Каяни» и беседовали о нас.

Она тихо рассмеялась:

— Ты действительно хочешь знать об этом?

— Ты уже который раз задаешь мне этот вопрос, — улыбнулся я.

— С того момента, как ты отдалился от меня, я постоянно следила за твоей жизнью. Сначала я была довольна: мне казалось, что ты счастлив с Лизой. Но я слишком хорошо знала Лизу и боялась, что она все испортит.

— Секундочку. Ты следила за мной все эти два года?

— Ну да. Я же люблю тебя.

Просто и ясно, в глазах полное доверие.

— А как это... как это вяжется с вашим с Лизой взаимопониманием?

Она печально улыбнулась:

— До меня дошли слухи, что Лиза опять пустилась во все тяжкие и обманывает тебя, а ты об этом не догадываешься.

— Я не спрашивал ее об этом.

— Да, я знаю. Но все об этом говорили. Все, кроме тебя.

— Это не имеет значения. И тогда не имело значения.

— Но это было неправильно, потому что ты выше этого и заслуживаешь лучшего. Поэтому я однажды проследовала за ней в ее любимый бутик и постучала пальчиком по ее плечу.

— И что ты ей сказала?

— Я велела ей либо откровенно рассказать тебе обо всем, что она вытворяет, чтобы ты решил, хочешь ли остаться с ней, либо прекратить это распутство.

— Не слишком ли сильное слово?

— Слишком сильное? Да ни один человек в этой галерее, включая клиентов, не мог чувствовать себя в безопасности в ее обществе. Меня это меньше волновало бы, если бы не касалось тебя.

— И ты заключила с ней что-то вроде соглашения?

— Не тогда. Я дала ей шанс. Я же любила ее. Ты знаешь, что она была неотразима. Но она не изменилась, так что я встретилась с ней в «Каяни» и сказала, что люблю тебя и не хочу, чтобы она тебе вредила.

— И что она ответила?

— Она согласилась тебя отпустить. Она не любила тебя по-настоящему, но ты ей страшно нравился. Она сказала, что не хочет резкого и болезненного разрыва, а постарается разойтись с тобой постепенно.

— Значит, это ты разлучила нас с Лизой? — спросил я, обескураженный внезапно открывшейся мне правдой. — Так это было?

— Не совсем так, — вздохнула она. — У меня до сих пор стоит перед глазами ее лицо там, на постели, где я ее нашла. Я помню, что я сказала ей во время последней встречи: если она не откроет тебе правды и будет так же обращаться с тобой, как раньше, я найду способ ее остановить.

— И ты действительно сделала бы это, хотя любила ее?

— К кому бы вы ни ходили на обед в последний год, — ответила она тихо, — вы обедали с ее любовниками. Иногда это были оба супруга. И ты был единственным, кто не знал об этом. Прости, что говорю тебе все это.

— Она часто уходила куда-нибудь, и я не спрашивал ее куда. Я и сам часто уезжал и не мог сказать ей, где я был и какую контрабанду переправлял. Она была в беде, а я не понимал этого.

— Она не была в беде. Она сама была бедой. Тогда в «Каяни» она согласилась перестать водить тебя за нос, но тут же стала заигрывать со мной.

— Правда? — засмеялся я.

— Представь себе. Ну это же Лиза. Она была красавицей без царя в голове и нравилась всем без исключения.

— Это точно.

— Я сначала считала тебя наивным. Но ты не наивен, ты доверчив, и это мне очень нравится в тебе. Мне необходимо, чтобы мне доверяли. Доверие — редкостный наркотик для души. Для меня был очень важен тот факт, что ты не отказался от меня окончательно и бесповоротно. Тем более, что мы оставались верны друг другу и доверяли друг другу, не общаясь. Ты понимаешь, что я имею в виду?

— Думаю, да. Как бы то ни было, теперь мы вместе, и навсегда.

— Вместе и навсегда, — повторила она, прислонившись ко мне.

— Значит, ты действительно следила за мной все это время?

— Да. А ты так и не покинул город, хотя говорил, что намереваешься.

— Я не мог, пока ты была здесь.

Люди перед кофейней шутили и смеялись. Я огляделся по сторонам, проверяя, нет ли какой-нибудь угрозы, высматривая прячущихся по темным углам карманников, наркоторговцев и прочих мошенников. Но вокруг все было спокойно.

— Ты никому не говорила о том, что тебе сказала Лиза: что это мадам Жу заказала жениха Кавиты?

— Я держала это в секрете, пока не настало время раскрыть его. Теперь Кавита знает правду и не упускает мадам Жу из виду. А когда журнал мадам Жу будет у нее, Кавита покажет ей, что такое карма.

Мадам Жу и Кавита? Этот союз представлялся мне монетой с двумя аверсами, которая принесет кому-нибудь несчастье, какая бы сторона ни выпала.

— Я хочу уточнить: мадам Жу не знает, что Кавита была невестой того парня, которого она убила четыре года назад — или сколько там?

— Не знает. Дело в том, что на самом деле ее зовут не Кавита Сингх. Когда произошло это убийство, она работала нештатным фотографом в Лондоне. Она вернулась сюда под вымышленным именем и стала работать на Ранджита. Она надеялась, что ей, как журналисту, удастся когда-нибудь выяснить, что случилось с ее парнем. Я ждала момента, когда Кавита станет достаточно сильной, чтобы выступить против мадам Жу и уничтожить ее без риска для самой себя. Я продвигала ее, придавала ей сил. И наконец наступил день, которого она ждала. Я сказала ей правду.

— Значит, мадам Жу, стремясь вернуть себе утраченные позиции, использует Кавиту, чтобы вымогать деньги у людей, числящихся в ее журнале, а Кавита ждет момента, чтобы завладеть книгой и уничтожить мадам Жу?

— Да. Шахматная партия, разыгрываемая двумя опасными женщинами.

— И когда Кавита получит эту книгу?

— Скоро уже.

— И тогда она ею воспользуется?

— О да! — рассмеялась Карла. — Она перевернет все с ног на голову.

— Уж не знаю, кто из них пугает меня больше, мадам Жу или Кавита.

— Я говорила тебе, что ты недооцениваешь Кавиту.

— Я никого не оцениваю и не осуждаю. Я хочу, чтобы в мире не было камней, которыми кидались бы в кого-нибудь.

— Это я знаю, — засмеялась она.

— А что в этом смешного?

— Смешно то, что Дидье сказал однажды о тебе.

— И что он сказал?

— Он сказал: «У Лина доброе сердце, и это непростительно».

— Ну спасибо.

— Хочешь знать, кто открыл третий офис внизу?

— Сегодня прямо ночь открытий. Ты, по-моему, получаешь удовольствие, ошарашивая меня.

— Безусловно, — согласилась она. — Так ты хочешь знать, кто поселился в третьем номере или нет?

— Разумеется, хочу. И еще я хочу посмотреть *туннель*, в котором так до сих пор и не был.

— Ты наверняка не захочешь подписать соглашение о неразглашении.

— Стоит подписать какой-нибудь юридический документ, и судьба берет выходной.

— Это Джонни Сигар, — сказала она.

— В третьем номере?

— Да-да.

— Слушай, прекрати уже красть у меня персонажей. Знакомых, поселившихся в «Амритсаре», уже на полромана хватит, а я его даже не начал писать.

— Джонни открывает агентство недвижимости, — сказала она, игнорируя мои жалобы с восхитительной небрежностью. — Он будет заниматься расселением трущоб.

— Хана району!

— Я финансировала его агентство последними деньгами из Ранджитова наследства.

Я задумался о разраставшейся колонии в «Амритсаре».

— Карлуша приехала, но Олег ведь не собирается съезжать, не знаешь?

— Надеюсь, нет, — улыбнулась она. — И ты наверняка тоже. Он тебе нравится.

— Да, нравится. И нравился бы еще больше, если бы чирикал на пару децибелов потише.

— Навин сегодня не придет? — спросила она.

— Он работает над одним делом для Дивы. Эта девушка продолжает загружать его той или иной работой и держит при себе.

— Думаешь, они сойдутся?

— Не знаю, — ответил я, пытаясь не возлагать особых надежд на то, чего наши друзья, возможно, и сами не хотели. — Знаю только, что Навину никто другой не нужен. Что бы он ни говорил, он без ума от нее. А если сложить индийца с ирландцем, как в случае с Навином, то получится парень, который никогда не изменит своей любви.

Посетители кофейни высыпали на улицу, размахивая футболками, некоторые обменивались ими.

— Что бы это значило?

— Помнишь, я обещала изложить Винсону облегченную версию учения Идриса, которую он сможет записывать на футболках?

— Ну да.

— Винсон и Ранвей взяли у Рэнделла конспект ответов Идриса, написали некоторые цитаты на футболках и роздали их посетителям в память об открытии «Любви и веры».

Молодой человек, стоявший рядом с нами, приподнял футболку, чтобы прочесть цитату. Я тоже прочитал надпись, заглядывая через его плечо.

Сердце,
полное жадности, гордости или ненависти,
не свободно.

Услышав эти слова Идриса на горе, я целиком согласился с ним и теперь радовался, что они остались жить в мире, пусть даже на футболке. И приходилось признать: слишком часто я ловил себя на том, что не вполне свободен от жадности и гордости.

Но я больше не был один. Говоря словами Ранвей, я восстановил связь.

— Что ты об этом думаешь? — спросила Карла, наблюдая за тем, как люди обмениваются цитатами из Идриса.

— Учителя, как и писатели, не умирают, пока люди их цитируют.

— Я люблю тебя, Шантарам, — сказала она, прижавшись ко мне.

Я посмотрел на счастливых смеющихся людей, толпившихся в тесном помещении «Любви и веры». Люди, которых мы успели потерять за годы, проведенные в Городе семи островов, тоже могли бы наполнить это пространство.

Слишком много мертвых оживало, когда я вспоминал их. И почти всех их можно было бы спасти, проявив смирение или щедрость. Викрам, Назир, Тарик, Санджай, Вишну. Все эти и прочие имена звучали во мне, и громче всех звучало имя Абдуллы, моего брата Абдуллы.

Прислонившись ко мне, Карла постукивала носком туфли в такт музыке, доносившейся из кофейни.

Я приподнял ее лицо к свету, пока оно само не стало светом, и поцеловал его, и мы были одним целым.

Истина — свобода души. Мы очень молоды в нашей молодой вселенной и часто не оправдываем ожиданий и теряем честь, пусть даже только в темных углах сознания. Мы деремся, вместо того чтобы танцевать. Мы стараемся обогнать других, обманываем друг друга и наказываем ни в чем не повинную природу.

Но это не выражает нашей сущности, это просто то, что мы делаем в мире, который сами для себя создали, и ничто не мешает нам в любую секунду изменить то, что мы делаем, и мир, который создали.

Во всех действительно важных делах мы едины. В любви и вере, доверии и сочувствии, отношениях с близкими и друзьями, закатах и благоговейном пении, в каждом желании, рожденном человечеством, мы едины. Человеческая раса на данном этапе ее судьбы — это ребенок, бездумно и бессмысленно дующий на одуванчик. Но ощущение чуда, испытываемое ребенком, это наше общее ощущение, и нет предела добру, которое мы можем творить, когда человеческие сердца соединяются. Наша истина, наша история и значение слова «Бог» в том, что мы едины. Мы едины. Мы едины.

ЗАЯВЛЕНИЕ

Некоторые персонажи романа живут, вредя самим себе. Правдоподобие требует от автора, чтобы они пили, курили, употребляли наркотики. Я не одобряю пьянство, курение и употребление наркотиков, точно так же как я не одобряю преступность как образ жизни или насилие как средство разрешения конфликтов. Что я одобряю — так это справедливое, честное, позитивное и творческое отношение к самим себе и к другим. Г. Д. Р.

ОГЛАВЛЕНИЕ

Робертс Г. Д.

Р 58   Тень горы : роман / Грегори Дэвид Робертс ; пер. с англ. Л. Высоцкого, В. Дорогокупли, А. Питчер. — СПб. : Азбука, Азбука-Аттикус, 2016. — 832 с. — (The Big Book).

ISBN 978-5-389-10812-7

Впервые на русском — долгожданное продолжение одного из самых поразительных романов начала XXI века.

«Шантарам» — это была преломленная в художественной форме исповедь человека, который сумел выбраться из бездны и уцелеть, разошедшаяся по миру тиражом четыре миллиона экземпляров (из них полмиллиона — в России) и заслужившая восторженные сравнения с произведениями лучших писателей нового времени, от Мелвилла до Хемингуэя. Маститый Джонатан Кэрролл писал: «Человек, которого „Шантарам“ не тронет до глубины души, либо не имеет сердца, либо мертв... „Шантарам“ — „Тысяча и одна ночь“ нашего века. Это бесценный подарок для всех, кто любит читать». И вот наконец Г. Д. Робертс написал продолжение истории Лина по прозвищу Шантарам, бежавшего из австралийской тюрьмы строгого режима и ставшего в Бомбее фальшивомонетчиком и контрабандистом.

Итак, прошло два года с тех пор, как Лин потерял двух самых близких ему людей: Кадербхая — главаря мафии, погибшего в афганских горах, и Карлу — загадочную, вожделенную красавицу, вышедшую замуж за бомбейского медиамагната. Теперь Лину предстоит выполнить последнее поручение, данное ему Кадербхаем, завоевать доверие живущего на горе мудреца, сберечь голову в неудержимо разгорающемся конфликте новых главарей мафии, но главное — обрести любовь и веру.

УДК 821(94)
ББК 84(8Авс)-44

Литературно-художественное издание

ГРЕГОРИ ДЭВИД РОБЕРТС

ТЕНЬ ГОРЫ

Редактор Александр Гузман
Художественный редактор Илья Кучма
Технический редактор Татьяна Раткевич
Компьютерная верстка Ирины Варламовой
Корректоры Маргарита Ахметова, Ирина Киселева

Главный редактор Александр Жикаренцев

Подписано в печать 04.04.2016. Формат издания 60 × 100 $^1/_{16}$.
Печать офсетная. Тираж 20 000 экз. Усл. печ. л. 57,72. Заказ № 8467/16.

Знак информационной продукции
(Федеральный закон № 436-ФЗ от 29.12.2010 г.): (18+)

ООО «Издательская Группа „Азбука-Аттикус“» —
обладатель товарного знака АЗБУКА®
119334, г. Москва, 5-й Донской проезд, д. 15, стр. 4

Филиал ООО «Издательская Группа „Азбука-Аттикус“»
в Санкт-Петербурге
191123, г. Санкт-Петербург, Воскресенская наб., д. 12, лит. А

ЧП «Издательство „Махаон-Украина“»
04073, г. Киев, Московский пр., д. 6 (2-й этаж)

Отпечатано в соответствии с предоставленными материалами
в ООО «ИПК Парето-Принт».
170546, Тверская область, Промышленная зона Боровлево-1,
комплекс № 3А.
www.pareto-print.ru

ПО ВОПРОСАМ РАСПРОСТРАНЕНИЯ ОБРАЩАЙТЕСЬ:

В Москве: ООО «Издательская Группа „Азбука-Аттикус“»
Тел.: (495) 933-76-01, факс: (495) 933-76-19
E-mail: sales@atticus-group.ru; info@azbooka-m.ru

В Санкт-Петербурге: Филиал ООО «Издательская Группа „Азбука-Аттикус“»
Тел.: (812) 327-04-55, факс: (812) 327-01-60
E-mail: trade@azbooka.spb.ru

В Киеве: ЧП «Издательство „Махаон-Украина“»
Тел./факс: (044) 490-99-01. E-mail: sale@machaon.kiev.ua

Информация о новинках и планах
на сайтах: www.azbooka.ru, www.atticus-group.ru

Информация по вопросам приема рукописей и творческого сотрудничества
размещена по адресу: www.azbooka.ru/new_authors/

YABB1884302R